COMENTARIOS REALES

GARCILASO DE LA VEGA, EL INCA

COMENTARIOS REALES

INTRODUCCIÓN
DE
JOSÉ DE LA RIVA-AGÜERO

TERCERA EDICIÓN

EDITORIAL PORRÚA
AV. REPÚBLICA ARGENTINA, 15
MÉXICO, 1998

Primera edición: Lisboa, 1609
Primera edición en la Colección "Sepan cuantos...", 1984

Copyright © 1998

La introducción, esta edición y sus características son propiedad de
EDITORIAL PORRÚA, S. A. de C. V. — 6
Av. República Argentina, 15, 06020 México, D. F.

ISBN 968–432–956–3 Rústica
ISBN 970–07–0437–8 Tela

IMPRESO EN MÉXICO
PRINTED IN MEXICO

INTRODUCCIÓN

El ciego afán de detracción y la envidia afirmaron, y la ignorancia ha propalado después, que todos los conquistadores del Perú fueron gentes de baja extracción. Sin duda que los más tuvieron humilde origen, porque las aventuras coloniales no se emprenden con magnates; pero el que ha estudiado atentamente aquellos tiempos, sabe que entre los compañeros de Pizarro los hubo de tan noble alcurnia como Ribera el Viejo, Juan Tello de Sotomayor y Juan Tello de Guzmán. Atraídos por las mágicas noticias y las inverosímiles riquezas del botín, fueron viniendo sucesivamente segundones de los linajes más claros; y entre éstos hay que contar al Capitán Garcí Lasso de la Vega, el padre de nuestro autor. [1]

Era extremeño, como casi todos los principales ganadores de América; y nació en Badajoz hacia el año de 1500, hijo de Alonso Henestrosa de Varga, señor de Valdesevilla y ascendiente de los posteriores Marqueses de este nombre (siglo XVII), y nieto de Alonso de Vargas, el señor de Sierrabrava. Se preciaba de descender, por línea legítima y varonil, del hermano de Garcí Pérez de Vargas, el mejor auxiliar del rey San Fernando en la reconquista de Andalucía. Entre sus abuelos figuraban el Conde D. Gómez Suárez de Figueroa, tronco de la casa ducal de Feria; y la hermana del cultísimo Iñigo López de Mendoza, progenitor de la del Infantado. Por esta línea, y como si la historia se esmerara en acumular para su estirpe los más castizos y excelsos timbres de armas y letras, tuvo parentesco próximo con el exquisito y único Jorge Manrique; y con el caballero Garcí Lasso, Comendador de Montizón, muerto por los moros de Granada en 1458, tan celebrado por Hernando del Pulgar y cantado por Gómez Manrique en las hermosas coplas que dicen:

> Así nos volvimos más tristes que cuando
> las troyanas gentes sin Héctor tornaron...
>
> . . . .
> De los fuertes rayos e casos turbados
> los valles e llanos son siempre seguros;
> pero no, señora, las torres e muros
> que son en las cuestas e altos collados.

En esos siglos era costumbre general que el apellido paterno se reservara a los mayorazgos e hijos primeros, y que los restantes adoptaran los otros apellidos de la ascendencia, para mantener vivo el recuerdo

---

[1] Consta haberse llamado Sebastián Garcí Lasso de la Vega Vargas.

de los más gloriosos enlaces. Conformándose con este uso, D. García, que era el hermano tercero, dejó para los dos mayores el apelativo de Vargas; y recibió el de Lasso de la Vega, que le tocaba por el lado de su madre, Doña Blanca de Sotomayor y Suárez de Figueroa.

Él trajo al Perú la prosapia y el nombre del esclarecido solar montañés que auténticamente se muestra en el Almirante de Alfonso el Sabio; que con el Corregidor toledano D. Pedro, acababa de dar el primer jefe a la rebelión de los Comuneros; que en la anterior centuria había producido con el gran Marqués de Santillana, ya citado, hijo de Doña Leonor de la Vega, al más elegante de los postreros poetas trovadorescos; que a la sazón resplandecía y culminaba con el heroico amigo de Carlos V, el inmortal cantor bucólico; y que en nuestro país iba a engendrar un escritor no indigno de tales parientes. ¡Privilegiada raza a la verdad ésta de los Lasso de la Vega en las letras de Castilla! La sangre común de sus tres mencionados representantes artísticos se descubre en esas cualidades de blanda amenidad, de candorosa y apacible lozanía, de refinado y gentilicio buen gusto, de honda y sentidísima dulzura, que son sus prendas familiares, y hacen de ellos, con su deudo Jorge Manrique, un grupo aparte, afín de Fray Luis de León, en la violenta, desgarrada y desigual literatura española.

Mientras D. Alonso de Vargas y Figueroa militaba en Italia, Flandes y Alemania, y acompañaba al Emperador en sus jornadas, los dos hermanos menores, Juan de Vargas y Garcilaso de la Vega, decidieron pasar al nuevo y espacioso campo que América brindaba. Es probable que por el año de 1525 se dirigieran ya a México. A lo menos, no hay duda de que en 1531 se ausentaron definitivamente de España. Estuvieron en Guatemala; y acompañados de sus dos primos hermanos, D. Gómez Tordoya de Vargas y D. Gómez de Luna, arribaron al Perú con D. Pedro de Alvarado, en la bizarra y brillante cuanto desdichada expedición que al cabo se redujo al servicio de Pizarro. Éste encomendó a Garcilaso (quien desde España tenía el título de Capitán, muy poco prodigado entonces), la trabajosa conquista de la comarca de Buenaventura, al norte de Puerto Viejo. De ahí cuando el alzamiento del Inca Manco, acudió al socorro de Lima y el Cuzco; y fue luego con Gonzalo a someter el Collao y las Charcas, en donde le concedieron el extenso repartimiento de Tapacarí. En los intervalos de sus campañas tuvo amores en el Cuzco con una joven princesa incaica, la ñusta Isabel Chimpu Ocllo, nieta del antiguo monarca Túpac Yupanqui, una de las tímidas flores indias que solazaron a los fieros castellanos. De estos amores nació, el 12 de abril de 1539, el mestizo Garcilaso de la Vega, al que impusieron también el nombre de Gómez Suárez de Figueroa, en honor de su afamado tatarabuelo.

Los conquistadores encumbrados no solían casarse con mujeres de raza india, por augusta que fuera la cuna de ellas, a no ser con hijas o hermanas de los últimos soberanos; y la pobre niña Isabel Chimpu Ocllo, vástago de una rama menor y arruinada desde Atahualpa, mera sobrina de Huayna Cápac, huérfana al parecer desde muy temprano

del *auqui* o Infante Huallpa Túpac, desposeída por la invasión española
de toda esperanza de recuperar su patrimonio y jerarquía, no fue sino
manceba del orgulloso Garcilaso, aunque es de suponer que la estimara
y considerara excepcionalmente, pues leemos que hacía los honores de
su casa, atendía a los huéspedes más calificados, y mantenía correspondencia de cumplimientos y cortesías con personajes como el Obispo
Fray Juan Solano y el caudillo realista D. Diego Centeno.[2] En el tumul-
tuoso desarreglo de la Conquista, reciente aún el ejemplo de la desen-
frenada poligamia de los príncipes autóctonos, el simple concubinato
era muy acepto y público, y casi decoroso a los ojos de todos, así
españoles como indios.

El opulento Capitán Garcilaso vivía con esplendidez extraordinaria.
Por carta del Virrey Marqués de Cañete, sabemos que un tiempo comían
de diario a sus manteles de ciento cincuenta a doscientos camaradas,
fuera de algunos caballeros principales, invitados especialmente a su
mesa, y de amigos y deudos pobres a quienes alojaba, vestía y proveía
de las cabalgaduras de sus vastas caballerizas, con la más rumbosa hos-
pitalidad. Era hombre afable, y muy humano y benigno con sus vasallos
indios, hasta rebajarles considerablemente los tributos que le debían.
En este medio de magnificencia y señoril boato se despertó el niño
mestizo a la razón y al sentimiento. Los incas de su parentela, que con
frecuencia iban a visitar a su madre, y la numerosa servidumbre indígena, lo entretenían en la infancia contándole fábulas y consejas.
Hablábanle de las vagas hazañas y las remotas expediciones de sus antepasados, los emperadores incaicos; de la aparición del dios Uiracocha,
del ave sagrada *corequenque*, de los agüeros, conjuros y secretas hierbas
medicinales. Su anciano tío abuelo, el Inca Cusi Huallpa, relataba los
hechos del invicto Huayna Cápac. Dos viejos casi decrépitos, que fueron
capitanes de la guardia de este soberano, D. Juan Pechuta y Chauca
Rimachi, referían a menudo sollozando los misteriosos presagios que
anunciaron la caída del Imperio. Su madre Doña Isabel y su tío carnal
D. Francisco Huallpa Túpac, recordaban a veces las tribulaciones y los
terrores de sus primeros años, cuando las mortandades de Atahualpa.
Por las noches, los criados le mostraban en las estrellas las figuras de la
alpaca celeste, cuyos miembros forman la Vía Láctea, y en las manchas
de la Luna las huellas de los abrazos de la zorra mitológica que se
enamoró de la diosa Quilla. Y le decían cómo la lluvia proviene del
cántaro de una doncella divina, a quien su hermano se lo quiebra con
el fragor del trueno; y cómo todas las tardes el Padre Sol desaparece
en las remotas playas del occidente para zambullirse a manera de un
valiente nadador y enjugar con su fuego las inexhaustas aguas del Gran
Océano, sobre el que flota el ancho país del Tahuantinsuyu. [3] Pusiéronle

---

[2] *Comentarios Reales*, 1ª parte, Libro IX, cap. XXIV; 2ª parte, Libro V, cap. X;
y para lo siguiente; la Oración fúnebre inserta en el Libro VIII, cap. XII de la 2ª
[3] *Comentarios Reales*, 1ª parte, Libro I, cap. XIX; Libro II, caps. XXIII a
XXVII; Libro IX, cap. XIX.

como ayo desde la más tierna niñez al castellano Juan de Alcobaza, hidalgo muy devoto y ejemplar. En las cuadras y corredores del palacio, los comensales de su padre disertaban sobre los pasados lances de la conquista, el tremendo cerco del Cuzco por el Inca Manco, el asesinato del Marqués D. Francisco, sus dichos y costumbres, las batallas de Las Salinas y de Chupas, las tentadoras e inaccesibles tierras de la Canela y el Dorado, ocultas entre los arcabucos de los Antis; y las nuevas inquietadoras del atrabiliario Virrey Núñez Vela y las recientes ordenanzas que, so color de aliviar a los naturales, arrebataban las encomiendas a los más esforzados conquistadores.

El aspecto del Cuzco era entonces singular y pintoresco en sumo grado. Los indios conservaban sus vestidos especiales, sus peculiares divisas y sus tocados diversos, según las regiones y provincias de que procedían. Los de la sangre incaica, aunque empobrecidos, llevaban los listados mantos de suaves telas de vicuña y vizcacha. Todavía celebraban las fiestas mayores de su religión. En el Situa corrían blandiendo las lanzas y apagaban en los arroyos las antorchas de la gran purificación nocturna; y para barbechar el sacro andén de Collcampata, desfilaban entonando los cantares del *haylli* curiosos cortejos engalanados de plumajes y chaperías de plata y oro, imagen ya pálida de las suntuosidades rituales de antaño. [4] El primitivo caserío de la ciudad había sido quemado por los soldados de Manco, quienes no respetaron sino cuatro palacios reales: Collcampata, Quishuarcancha, Amarucancha con su alta torre delantera, y Casana con el estanque sagrado, unida a la Yachahuasi de los Amautas; y además el templo de Coricancha y el convento de las vírgenes o Acllahuasi. Los españoles comenzaban a derruir estos pocos edificios públicos salvados de los estragos del asedio, para labrar casas e iglesias en ellos, o ensanchar las estrechas calles. Pero en toda el área restante quedaban, fácilmente indemnes del incendio y los destrozos del cerco, largos y recios muros de sillería. Los conquistadores los aprovechaban para sus moradas; y decoraban la formidable severidad de aquella desnudez granítica de las ciegas paredes, abriendo anchurosas puertas blasonadas y ventanales de forjados hierros. Junto a los claveteados postigos, en los zaguanes oscuros y los espaciosos patios, aguardaban los caballos, aderezados a la jineta. Montaba algún hidalgo, duro y avellanado, como el Pero Martín de Sicilia que Garcilaso nos pinta; y enhiesto el lanzón, trotaba por los caminos que conducían a las otras remotísimas ciudades del inmenso Virreinato.

Aún no había cumplido seis años el niño Garcilaso, cuando la guerra civil entre el Virrey Núñez Vela y Gonzalo Pizarro vino a amenazar de muerte a todos los suyos, y a grabarle la más viva y pavorosa de sus memorias de infancia. Los principales señores del Cuzco, y entre ellos el conquistador Garcilaso, viendo el giro de insurrección que tomaba la empresa de Gonzalo, huyeron a Lima para ofrecer sus servicios al Virrey. Sabedor de la defección, Gonzalo se revolvió furioso sobre el Cuzco y

---

[4] *Comentarios Reales,* 1ª parte, Libro V, cap. II; Libro VII, cap. VII.

entregó al saqueo las casas de los fugitivos. Encarnizáronse con la de Garcilaso, por haber sido el instigador y organizador de la huida. La soldadesca, tras de despojarla de todos los muebles, "sin dejar estaca en pared, ni cosa que valiese un maravedí", [5] quiso prenderle fuego, y buscaba a la princesa Isabel y a sus dos hijos para matarlos. Fue menester la intervención de jefes y amigos notables para evitar el incendio y la matanza. Ahuyentaron a toda la servidumbre y prohibieron con pena de muerte la entrada en la mansión proscrita. Con el feroz Hernando Bachicao, que mandaba la artillería, no valieron ruegos ni intercesores. Colocando sus piezas junto a la Catedral, cañoneó desde allí la fronteriza fachada de Garcilaso, situada en Cusipata, porque entonces no existían las manzanas que dividen la plaza del Cabildo de la Mayor, y ambas componían una sola y enorme, atravesada por el Huatanay. Los tiros de los falconetes y culebrinas del tiempo hacían poca mella en la maciza cantería incaica; y antes de que lograran derribarla, hubo ocasión de que mediaran valedores y ordenaran suspender el bárbaro ataque. En las lóbregas salas del caserón desierto, quedó abandonada la infeliz concubina con sus dos hijos, Garcilaso y una niña de corta edad. Se atrevieron a acompañarla, con inminente riesgo de la vida, el ayo Juan de Alcobaza con sus dos hijos pequeños y dos fieles criadas indias. Todos los demás desampararon a la familia en desgracia. Doña Isabel y Alcobaza temblaban que a cualquier momento volvieran a matarlos, según se rumoreaba. Así pasaron largas semanas de angustia y soledad. Como no tenían víveres, se mantuvieron con la escasa comida que los parientes *incas* y *pallas* podían enviarles en secreto, burlando la vigilancia de las guardias; hasta que el cacique feudatario de Garcilaso, D. García Pauqui, consiguió con estratagemas en dos noches llevarles cincuenta hanegas de maíz, que les sirvieron de sustento por cerca de ocho meses que duró esta cruel prisión.

Cuando se relajó el aislamiento y fue posible salir de la reclusión absoluta, el ayo sacaba al niño Garcilaso a la inmediata casa del caballero Juan de Escobar, para que comiera mejor en ella; pero antes de anochecer lo recogía, y cerraba reciamente el portón, recelando siempre de algún nuevo asalto. Imaginémonos la impresión que debió de producirle a Garcilaso tan espantosa temporada, que era el primero de sus recuerdos definidos: el espectáculo de su madre, joven y desvalida, vagando sobresaltada y congojosa en las vacías y pétreas estancias del vasto palacio, escuchando a lo lejos los ruidos de la revuelta, la gritería de los soldados vagos en la semidesierta ciudad, sin más auxilio de fuera que el de unos pocos deudos y oprimidos vasallos indígenas, ni más compañía que un escudero viejo, cuatro criaturas y dos siervas. Es de admirar que con esto y con la persecución de Carvajal contra su padre en Lima, acertara Garcilaso en su historia a mostrar imparcialidad y casi piedad a la causa de Gonzalo Pizarro.

El colérico e implacable Alonso de Toro, Teniente del Cuzco por

---

[5] *Comentarios Reales,* 2ª parte Libro IV, cap. X; Libro VIII, cap. XII .

Gonzalo, moraba en una casa vecina; y esta proximidad contribuyó mucho a empeorar la condición de los proscritos. Mas Alonso de Toro, en una reyerta doméstica, fue asesinado por su propio suegro; y entonces consiguió la familia de Garcilaso salir a un repartimiento de indios, distante treinta leguas del Cuzco, en donde se reunieron con su hermano Juan de Vargas y otros españoles amigos. A poco Centeno recuperó el Cuzco para el rey; y regresaron todos, acompañados de Vargas, que iba a tomar servicio en el bando real, como lo hizo hasta morir meses después en el combate de Huarina. Nadie dudaba de la ruina de Gonzalo; pero de pronto llegó la noticia de la increíble derrota de Centeno, y aparecieron en el Cuzco los fatigados y polvorientos dispersos. Con ellos venía el batallador Obispo fray Juan Solano, que sin tiempo para visitar siquiera su' Catedral, se hospedó en la casa de Garcilaso; y a la mañana siguiente, muy temprano, huyendo de los vencedores y en particular del diabólico Carvajal, que acababa de ahorcar a su hermano Jiménez, cabalgó con su escuadrón de cuarenta caballeros frente a la iglesia de la Merced y se alejó a toda prisa por el camino de la ciudad de Los Reyes. [6]

Garcilaso, de grado o por fuerza, se había reconciliado con Gonzalo Pizarro. Lo seguía en sus campañas, vivía en su misma tienda, y más que prisionero parecía adepto. Cuando volvieron de Huarina, el mesticillo, que ya contaba más de ocho años, salió a recibir a su padre tres leguas hasta Quispicanchis, en hombros de los criados indios. El recibimiento que el capitán Juan de la Torre preparó en el Cuzco a Gonzalo, fue de aparato triunfal, aunque éste pretendió en vano excusarlo. Entraron las tropas con banderas desplegadas, bajo arcos de follaje, entre el repique de los templos y la música de muchas trompetas y ministriles. Los indios, formados por orden de sus barrios y naciones, regaban de flores el suelo y entonaban sus antiguos cantares de alabanzas guerreras. Parecían resucitar los solemnes triunfos de los Incas. Gonzalo Pizarro venía después de su pequeño ejército, rodeado de la servidumbre de su casa y de los principales encomenderos. Se bajó a adorar el Santísimo Sacramento y dar gracias a la Virgen en el monasterio de la Merced, donde reposaban los cuerpos de sus antiguos adversarios los Almagros y donde el destino le deparaba su próxima tumba. [7]

Se había disipado por entero el enojo de Gonzalo para con Garcilaso, y revivieron sus afectos de comprovinciano y camarada. Aún no le devolvió la confiscada encomienda; pero lo llamaba a sus consejos y le mimaba mucho al despierto chicuelo, a quien de ordinario invitaba a su casa para que jugara con otros dos mestizos nobles, su hijo Fernando y su sobrino Francisco, el hijo del Marqués y de Doña Inés Huyallas Ñusta, y lo hacía asistir con ellos, no obstante la corta edad de los tres, a los grandes banquetes que daba a sus soldados. Mas a

---

[6] *Comentarios Reales,* 2ª parte, Libro V, cap. XXIII; — El Palentino, 1ª parte, cap. LXXX.

[7] *Comentarios Reales,* 2ª parte, Libro V, cap. XXVII.

pesar de estas fiestas, un ambiente de terror pesaba sobre el Cuzco.
Arreciaban los preparativos de guerra contra Gasca. El corpulento y
encarnado viejo Francisco de Carvajal recorría sin descanso la ciudad
en su mula parda, cubierto con un albornoz morado a la morisca y
un sombrero de tafetán lleno de plumas blancas y negras, disponiendo
con infernal actividad los aprestos bélicos y los suplicios capitales. A
cada instante se escuchaba que había mandado dar garrote a personas
conocidas. Su propia comadre, la señora española Doña María Calderón, [8] venida de Arequipa, amaneció un día ahorcada de una ventana, por haberse atrevido a murmurar de los rebeldes. Cierta vez que
el niño Garcilaso estaba como solía en el cuarto de Gonzalo, vio presen-
tarse en la puerta al atroz anciano y hablar en voz baja con el caudillo,
tal vez pidiéndole alguna muerte, Gonzalo le respondía apaciguándolo
con respetuoso comedimiento: *Mirad padre*... En la desolación de
los campos, los rebaños de llamas perecían, atacados de peste; y las
zorras hambrientas se entraban en los pueblos, y morían a montones
en las calles y plazas del Cuzco. [9] Ocurrió por fin el último acto de
la tragedia: el desbande y las ejecuciones de Jaquijahuana. El Capitán
Garcilaso fue el primero en pasarse al real de Gasca, quien por esto
quiso honrarlo presenciando desde el balcón de su casa las fiestas de
toros alanceados y los costosos juegos de cañas "con libreas de terciopelo
de diversos colores", que solemnizaron en el Cuzco la victoria de la
causa del rey y la pacificación del país. Aquella animada tarde pudo
el futuro cronista contemplar largamente, a su sabor, las feísimas faccio-
nes y el ruin talle del clérigo, muy chico de cuerpo, deforme de busto
y todo piernas, que con su maña y buen seso había deshecho la podero-
sísima rebelión, desbaratado a los mejores veteranos, y restituido a la
obediencia de Carlos V el reino del Perú, que medía 1,300 leguas
de largo. [10]
Transcurrieron unos años algo tranquilos. El mozuelo Garcilaso, después de haber recibido, con otros hijos de conquistadores, lecciones
de cinco efímeros preceptores de Latinidad, principió a seguir formal-
mente el curso del licenciado y canónigo Juan de Cuéllar, natural de
Medina del Campo. En unión de sus condiscípulos, como él mestizos
y progenie de los encomenderos más principales, y con uno que otro
muchacho inca, recorría cantando bulliciosamente las calles y los alre-
dedores del Cuzco; en las excursiones a las afueras, iba a ver los trozos
del cuerpo de Carvajal, que se pudrían colgados en las picotas de las
cuatro grandes calzadas; acudía a admirar los primeros bueyes traídos
de España, que araban ante una atónita muchedumbre de indios; vagaba
por las bóvedas y subterráneos de la gran ciudadela de Sacsayhuaman,

---

[8] Era mujer del Capitán Jerónimo de Villegas; y también mataron los piza-
rristas al hijo de ambos, niño de corta edad, con malos tratos que le dieron en el
Cuzco.
[9] *Comentarios Reales*, 2ª parte, Libro IV, cap. XLII; 1ª parte, Libro VIII,
cap. XVI.
[10] *Comentarios Reales*, 2ª parte, Libro V, cap. II; Libro VI, caps. I y XIII.

ya desplomada entonces; seguía tratando íntimamente a sus próximos deudos incaicos, a los príncipes Paullu y Titu Auqui, ahijados de su padre, y a la madre de ambos, la Palla Añas; viajaba al regalado valle de Yucay, y a la encomienda paterna de Cotanera, junto al Apurimac, donde asistió a las exequias idólatras del curaca Huamampallpa, con grandes cantos plañideros y tremolar de pendones; y por los años de 1550 a 1554 recorrió gran parte del Alto Perú, pues cuenta que estuvo "en los últimos términos de Las Charcas, que son Los Chichas", o sean las actuales comarcas bolivianas de Porco, Tupiza y Cotagaita, y hay palabras suyas que indican casi con certeza que hacia la época referida debió de residir una temporada en Potosí y que conocía la provincia de Cochabamba. [11] Con estos viajes y comunicaciones de su vivaz adolescencia, fue allegando las impresiones auténticas y directas sobre el territorio y las leyendas del antiguo Perú, que animaron en la edad madura sus palpitantes *Comentarios Reales*, y que tan sin razón ni fundamentos atribuyó a un plagio absurdo nuestro erudito González de la Rosa, en horas de inexplicable desvarío.

Entre los señores del Cuzco, relacionados y amigos de su padre, los que parecen haberle dejado más grato recuerdo son: el magnífico Diego de Silva, de la casa de los Condes de Cifuentes, su padrino de confirmación, hijo de Feliciano, el famoso autor de libros de caballerías satirizado en el *Quijote;* su primo Gómez de Tordoya, hijo del conquistador del mismo nombre, muerto en el combate de Chupas; su tío el festivo, ventrudo y glotón D. Pedro Luis de Cabrera, que por la madre, doña Elena de Figueroa, pertenecía también a la casa de los Condes de Feria, y que era hermano del desventurado D. Jerónimo, el segundo gobernador del Tucumán y fundador de la ciudad de Córdoba en el Río de la Plata; el Capitán Gonzalo Silvestre, con quien trabó amistad inalterable desde 1552, compañero de aventuras de Hernando de Soto en la Florida y de Diego Centeno en el Collac y Las Charcas; y entre sus condiscípulos, el malogrado Gonzalo Mejía de Figueroa, por raro caso entre los de aquella generación blanco puro, como hijo de Lorenzo Mejía de Figueroa (el degollado por orden de Gonzalo Pizarro) y de Doña Leonor de Bobadilla, hija natural del Conde de la Gomera; y los vástagos de los célebres conquistadores Pedro del Barco, Pedro de Candia, Mancio Sierra de Leguízamo, Antonio Altamirano y Diego Maldonado el Rico.

Por San Juan y Navidad, los curacas llevaban al Cuzco los tributos para los encomenderos; y el mancebo Garcilaso, por mandato de su madre, cotejaba las cuentas asentadas en los quipos. [12] Esta circunstancia nos descubre todavía a Doña Isabel gozando del pleno ejercicio de su autoridad de ama en el hogar del conquistador; pero poco tiempo después tuvo que ceder el puesto a una afortunada rival española. El

---

[11] *Comentarios Reales,* 1ª parte, Libro I, cap. I; Libro VIII, caps. XXI, XXIV y XXV; Libro III, caps. XIV y XV; Libro VI, cap. V.

[12] *Comentarios Reales,* 1ª parte, Libro VI, cap. IX.

gobierno instaba de continuo a los encomenderos que se casasen, para atender a la estabilidad y moralidad de la colonia, y al incremento de la población blanca; y el Capitán Garcilaso, ya mayor de cincuenta años, se resolvió a contraer proporcionado enlace con una dama castellana, cuñada del valiente caballero leonés Antonio de Quiñones, que era deudo cercano del antiguo gobernador Vaca de Castro y del linaje de Suero de Quiñones, el del *Paso Honroso* en la Puente de Orbigo. [13]

El casamiento del padre hubo de afligir profundamente al hijo ilegítimo. Veía humillada y alejada a su madre, a quien parece haber amado con muy entrañable cariño. Viejo, en la *Dedicatoria* de la Segunda Parte de los *Comentarios Reales,* ha honrado su recuerdo enternecida y solemnemente, declarando que tenía por el colmo de los beneficios. divinos que la Virgen le había otorgado, "la conversión a nuestra Fe de mi madre y señora, más ilustre y excelente por las aguas del Santo Bautismo que por la sangre real de tantos Incas peruanos". En el epitafio de la capilla de Córdoba hizo poner su nombre. De la madrastra, él, tan prolijo en memorias de familia, jamás dice palabra afectuosa; y es probable que aluda a ella y al ingrato matrimonio de su padre la anécdota epigramática de las damas de Guatemala, que se casaron con los conquistadores viejos "porque se habían de morir presto, para heredar sus indios y escoger luego un mozo, como suelen trocar una caldera rota por otra sana y nueva". Y añade con tono de amarga confidencia: "Pocos ha habido en el Perú que se hayan casado con indias para legitimar los hijos naturales y que ellos heredasen, y no el que escogiese la señora para que gozase de lo que él había trabajado, y tuviese a sus hijos por criados y esclavos... Desde los hospitales en que éstos viven, ven gozar a los ajenos de lo que sus padres ganaron y sus madres y parientes ayudaron a ganar". [14]

Nuestro Garcilaso siguió viviendo en el hogar paterno, muy querido y atendido por el viejo guerrero, a quien servía de escribiente y que por este tiempo le hizo donación de una chacra de coca, llamada Havisca, en Paucartambo. Obedeció esta donación a haber nacido del matrimonio dos hijas legítimas, que murieron después en menor edad. Ignoramos que fue de la otra hija natural del conquistador, hermana entera del cronista, a la que no se vuelve a mencionar, pero que parece haber sobrevivido al padre. [15] Quizá fue a acompañar a Doña Isabel.

No cesó el joven mestizo de visitar a su madre y sus parientes incaicos, ni de complacerse en el trato con los *orejones* y demás indios principales. Mirábanlo todos con la cariñosa consideración debida a un vástago de la estirpe imperial y de uno de los primeros entre los nuevos e invencibles *viracochas*. En aquellas juntas, nos refiere, "me dieron

---

[13] Doña Luisa Martel de los Ríos y Lasso de Mendoza, que viuda de Garcilaso de la Vega, casó con D. Jerónimo de Cabrera y Álvarez de Toledo, el fundador de la villa de Valverde en Ica y Gobernador del Tucumán.

[14] *Comentarios Reales,* 2ª parte, Libro II, cap. I.

[15] *Comentarios Reales,* 2ª parte, Libro V, cap. XXII.

larga noticia de sus leyes y gobierno, cotejando el de los Españoles con el de los Incas. Decíanme cómo procedían sus reyes en paz y en guerra, de qué manera trataban a sus vasallos y cómo eran servidos de ellos. Demás de esto me contaban como a propio hijo toda su idolatría, sus ritos, ceremonias y sacrificios, sus fiestas y cómo las celebraban. Decíanme sus abusos y supersticiones, sus agüeros malos y buenos. En suma, digo que me dieron noticia de todo lo que tuvieron en su república, que si entonces lo escribiera, fuera más copiosa esta historia". Un día, siendo él de dieciséis o diecisiete años, y estando sus parientes "en esta su conversación, hablando de sus reyes y antiguallas, el más anciano de ellos", el Inca Cusi Huallpa, satisfizo su filial curiosidad narrándole, con acento tembloroso de emoción, a manera de una revelación sagrada, la suave y radiosa leyenda de Manco Cápac y su mujer, hijos del Sol, civilizadores del mundo peruano y fundadores del Cuzco. Las remembranzas de los príncipes depuestos continuaban en coro, con fervor religioso y oculto, y desgarradora amargura indígena: "De las grandezas y prosperidades pasadas (son sus palabras textuales), venían a las cosas presentes: lloraban sus reyes muertos, enajenado su imperio y acabada su república. Y con la memoria del bien perdido, siempre acababan en lágrimas y llanto, diciendo: *trocósenos el reinar en vasallaje*". [16] Así, en este cuadro de desamparo y solemne melancolía, en la desolación patética y sublime de un crepúsculo misterioso, se depositaban en el alma del historiador las secretas tradiciones de su abatida patria.

Entre tanto que los Incas lamentaban sus desvanecidos esplendores, los españoles se preparaban a despedazarse en una nueva contienda civil. Los soldados ociosos, descontentos y levantiscos, residuo de las últimas guerras, pululaban en todo el Perú, y tramaban sin cesar conjuraciones y alborotos. No mucho después de la partida de Gasca, Francisco Hernández Girón, que reclutaba gente para su conquista de los Chunchos, tuvo una grave desavenencia con el Corregidor del Cuzco y acuarteló a sus secuaces, armados en son de ataque. El Corregidor convocó en la plaza a los señores de vasallos, caballeros y mayores mercaderes; y ambos bandos estuvieron apercibidos y velando dos días y dos noches, a punto de romper, con gran zozobra de toda la ciudad. Hubo largas negociaciones, entrevistas en la Catedral y difíciles conciertos, por mediación del Deán, el Capítulo y los Encomenderos más notables. Se entregaron rehenes de una y otra parte, entre los que figuró el conquistador Garcilaso; y cuando al fin Francisco Hernández se dio preso, bajo seguro de pleitohomenaje, algunos de sus soldados se hicieron fuertes en un redondo y elevado cubo de piedra que dominaba el Coricancha, y se resistieron allí varios días, y para evitar que el escándalo se repitiera, hubo que arrasar aquel torreón incaico. Francisco Hernández fue remitido a Lima, donde la Audiencia lo absolvió, y regresó con esto alentado en sus audacias. Prosiguieron los desasosiegos en el Cuzco. El Mariscal Alonso de Alvarado, nuevo Corregidor,

---

[16] *Comentarios Reales,* 1ª parte, Libro I, caps. XV y XIX.

mató por conspiradores a Francisco de Miranda, Alonso Hernández Melgarejo y Alonso de Barrionuevo, y a un caballero mozo sevillano, llamado D. Diego Henríquez, por publicar afrentosamente las bastardías que deslustraban a ciertos linajes muy acreditados en el Perú. El adolescente Garcilaso presenció las referidas ejecuciones, y respiró esta atmósfera saturada de recelos y ferocidad.

Hubo una tregua con el breve gobierno del Virrey D. Antonio de Mendoza, el cual envió a su hijo D. Francisco por Visitador de todas las provincias de Arriba. Festejáronlo en el Cuzco espléndidamente, con vistosas danzas, cañas y cuadrillas de caballeros. Una comparsa de tales cabalgatas lució en los turbantes morunos, esmeraldas y pedrerías por valor de más de 360,000 ducados. Esta vida, con sus contrastes de fausto y de inquietud, de magnificencia y de crueldad, parecía un reflejo de la de los condotieros italianos. Los ochenta Encomenderos, que exclusivamente se denominaban *vecinos del Cuzco*, constituían una aristocracia cerrada, opulenta y belicosa. Desde ellos y los caballeros, por vía de imitación, se difundió el prurito de los desafíos hasta los mercaderes y tratantes y los ínfimos pulperos, sin que aprovecharan nada las conminaciones de las justicias y las prohibiciones eclesiásticas. Los asesinatos por casos de honra y venganza eran casi cotidianos. La procesión del Corpus competía con las más lujosas de España; y a ella concurrían de las provincias comarcanas innumerables cantidades de indios, con las máscaras, galas y ornamentos del tiempo de los Incas.

Sobrevino en 1553 el sanguinario levantamiento de D. Sebastián de Castilla y Vasco Godínez en Chuquisaca. Los señores del Cuzco se disponían a salir a campaña contra los rebeldes, cuando se supo que ellos mismos se habían despedazado y entregado. Pero entonces, con pretexto de la abolición del servicio personal de los indígenas, estalló la conjuración de Francisco Hernández, de la que fue nuestro Garcilaso excepcional testigo de vista.

Celebrábase el 13 de noviembre de 1553 una boda de rumbo, como que el novio era Alonso de Loaysa, sobrino del Arzobispo de Lima, fray Jerónimo, y del Cardenal de Sevilla D. García, que fue Presidente del Consejo de Indias; y la novia era Doña María de Castilla, hija del hazañoso Nuño Tovar, teniente de Hernando de Soto, y nieta del Conde de la Gomera. Por la tarde se corrieron alcancías, que el mancebo Garcilaso miró desde un grueso muro de cantería incaica, frontero a la casa de los velados; y nos relata que vio asomar a Francisco Hernández en una ventana de la sala "los brazos cruzados sobre el pecho, más suspenso e imaginativo que la misma melancolía". Fue de noche a la gran cena, para recogerse con su padre y su madrastra, después de un auto escénico que como término de la fiesta se preparaba. D. Baltasar de Castilla, tío de la novia, Encomendero muy galán, prominente y acaudalado, hacía de Maestresala, con un riquísimo paño terciado al hombro. No bien había entrado nuestro autor en el ancho aposento en que cenaban los numerosos caballeros invitados, y acercádose al Corregidor D. Gil Ramírez Dávalos, que lo llamaba para agasajarlo, cuando oyeron descompasados aldabonazos en la puerta de la calle, y penetró Francisco Hernández con la espada desnuda y una rodela, vestido de cota de malla y capa, y asistido por doce compañeros bien armados. [17] La concurrencia estupefacta se levantó, y se dio a huir hacia las habitaciones interiores, y la antecámara y la cuadra en que cenaban aparte las damas, saltando por las ventanas y atrancando las puertas. Uno de los convidados que había quedado en la sala del banquete, tiró de los manteles para apagar las velas y escaparse mejor en la oscuridad; pero, a la luz de un candelero que permaneció encendido, los agresores lo cosieron a estocadas. Mataron asimismo al antiguo conquistador Juan Alonso Palomino; y derribando las puertas de la cuadra en que estaban las señoras, obligaron a que se rindiera el Corregidor, que allí se había refugiado. Garcilaso con su padre y un grupo de treinta y seis caballeros se salvaron por los tejados. Advertidos de que el Corregidor estaba determinado a entregarse, recorrieron por los techos buena parte de la ciudad, subiendo y bajando en las esquinas de las calles por medio de una escala de mano. Iba delante el muchacho Garcilaso, haciendo oficio de centinela, y silbaba en cada encrucijada para advertirles si podían descender con seguridad. Así llegaron a refugiarse en las casas de Antonio de Quiñones, y acordaron con éste partir a Lima, para militar bajo la Audiencia. Nuestro Garcilaso fue a traer el mejor caballo de campaña de su padre. En las puertas de los principales conjurados vio tropel de cabalgaduras y bullir de negros esclavos, que eran ya por facinerosos el espanto en las luchas civiles del Perú. El Capitán Garcilaso, con su cuñado y algunos parientes y amigos, logró evadirse del Cuzco dando muchos rodeos. Su hijo, con la curiosidad de los pocos años, salió a la Plaza Mayor a ver los sucesos. Estaba desierta. La rebelión no cundía; y de los ochenta Señores de vasallos, sólo tres se presentaron inmediatamente a servirla, a caballo y con lanza. Los sublevados, viéndose tan pocos en el inmenso espacio de la antigua plaza y que el vecindario noble no tomaba partido por ellos, se sintieron desfallecer en tal vacío, y para aumentar su exiguo número soltaron y armaron a los delincuentes de la cárcel. Pero si la población no los seguía, tampoco osaba resistirles, asombrada de su arrojo, privada de cabeza con la prisión del Corregidor, e incierta de los alcances, recursos y ocultas connivencias del movimiento. Fue algo muy parecido a lo que aconteció en Lima cuando el asesinato de D. Francisco Pizarro. Los conjurados comprendieron el sobrecogimiento de la capital, y se impusieron por el terror. Dieron garrote a dos personajes muy calificados, D. Baltasar de Castilla y el Contador Juan de Cáceres, y tendieron sus cadáveres desnudos en el rollo de la Plaza; exhibieron al verdugo cargado de cordeles y con un siniestro alfanje a la turquesca; convocaron a cabildo abierto y arrancaron a los cabildantes las resoluciones que quisieron; publicaron cartas llenas de bravatas a las otras ciudades del Reino, con-

---

[17] *Comentarios Reales*, 2ª parte, Libro VII, caps. II y III; — El Palentino, 2ª parte, cap. XXIV.

vidándolas a la libertad; y con todo esto, consiguieron afirmarse y levantar un ejército. En las inimitables páginas de Garcilaso, henchidas de aguda observación, desbordantes de fuerza plástica, creemos leer (salvas las diferencias de mérito literario y detalles de indumentaria) el relato de un pronunciamiento republicano del siglo XIX, un capítulo de las *Revoluciones de Arequipa* por el incorrecto pero vivísimo Valdivia.

Cuando Girón avanzó sobre Lima, el Mariscal Alonso de Alvarado, bajando de las Charcas, ocupó el Cuzco con su lucida hueste. Girón la deshizo en Chuquinca; y envió sus tenientes a saquear la metrópoli incaica, en donde desenterraron las muchas y grandes barras de plata ocultas por los ricos Encomenderos, robaron hasta las alhajas y vestidos de las mujeres, y para fundir artillería descolgaron las campanas de los templos, sin cejar por más que el Obispo y su clerecía acudieron en procesión a defenderlas con excomuniones y anatemas. Temiendo el súbito regreso de los sublevados cierta noche, cuando ya estaba cerca el ejército real, los principales vecinos venidos del campamento de la Audiencia, se parapetaron en las casas fuertes de Juan de Pancorbo, inmediatas a Sapi, con reparos y troneras; y emplearon como mensajero y corredor al joven Garcilaso, que contaba quince años. A los pocos días desfilaron por la ciudad las tropas de los Oidores. Conducían la artillería pesada 10,000 indios, que la arrastraban de unas gruesas vigas a manera de palanquines y se remudaban a cada doscientos pasos.

La dispersión de los insurrectos en Pucara tuvo, a pesar de los perdones de la Audiencia, su séquito ordinario de castigos; y por lo pronto enviaron al Cuzco nueve cabezas de rebeldes, que colgaron en las antiguas casas de Alonso de Hinojosa (cerca del actual Montero Tambo y de los derruidos Baños del Inca), a donde todos iban a verlas. Quedó nombrado el conquistador Garcilaso Corregidor del Cuzco; y desempeñó el cargo tres años, hasta fines de junio de 1556. Por aquel tiempo fue la ceremonia de la fundación del gran Hospital de Indios; y poco después las de la jura real de Felipe II, y del recibimiento y bautismo del Inca Sayri Túpac, que, salido de su refugio de Vilcabamba, volvía de Lima reconciliado con el gobierno español y sometido a la Corona de Castilla. El mestizo Garcilaso refiere con orgullo que él fue a pedirle audiencia particular para su madre, que el Inca lo acogió con las más honoríficas fórmulas de la etiqueta imperial y que se dignó adelantarse a visitar a la Palla Doña Isabel.

Con la paz y con el auge de Potosí, aumentó extraordinariamente la pompa de las fiestas eclesiásticas y profanas. Construíanse los grandes monasterios. Todas las semanas, había galanísimas carreras a la jineta. Menudeaban los juegos de toros, cañas y sortijas, con vistosas gualdrapas y libreas recamadas de joyas inestimables. Mas, por debajo del bullicio español, que estremecía la vetusta capital india, como algazara sacrílega en un hipogeo violado, los subyugados Incas, con tenaz tradicionalismo, guardaban sus sentimientos añejos y hasta los rencores de sus remotas discordias intestinas. Así leemos que los hijos de Atahualpa no osaban salir de la casa, para no sufrir los desaires y denuestos de la persistente facción de Huáscar. [18]

Garcilaso, en la flor de su mocedad, participaba como el que más de los señoriles deportes de sus deudos y amigos castellanos. Siempre fue entendidísimo en equitación y caza, y gustó mucho de armas, divisas, motes y arreos caballerescos. De tan alegre existencia vino a sacarlo la muerte de su padre. Las encomiendas pasaron a las hijas legítimas del conquistador, que murieron niñas a mediados de 1564; [19] y entonces el Virrey Conde de Nieva, a pesar de las pretensiones de D. Jerónimo de Cabrera, segundo marido de Doña Luisa Martel de los Ríos (la viuda de Garcilaso), dio esos indios en parte a D. Antonio Vaca de Castro; y la otra parte a D. Melchor Vásquez Dávila, el que fue Gobernador de Quito. Garcilaso, deseoso de mejorar la condición propia y la de sus hermanos mestizos y su madre, que aún vivía, se decidió a ir a España y solicitar en persona las mercedes reales. Mas, antes de dejar la ciudad natal, tuvo ocasión de conocer las momias de cinco de los monarcas sus antepasados. Acababa de descubrirlas el Corregidor Polo de Ondegardo; y cuando Garcilaso fue a despedirse de él, lo hizo entrar en la pieza en que estaban depositadas. Los cuerpos se conservaban intactos, con las manos cruzadas al pecho, la tez tersa y los ojos simulados de una telilla de oro. Los vio envueltos en sus suntuosas vestiduras, ceñidos los regios llautos. Uno solo de ellos mostraba descubierta la cabeza, blanca como la nieve. Garcilaso tocó la rígida mano de Huayna Cápac. En los días siguientes recorrieron la ciudad las sagradas momias, para que los caballeros de mayor calidad las miraran en sus casas. Las llevaban por las calles tapadas con lienzos blancos. Al pasar los bultos, los españoles se quitaban las gorras, como que eran cuerpos de reyes; y los indios se arrodillaban a su manera con grandes extremos de adoración, prorrumpiendo en gemidos y lágrimas. Tal fue la postrera, imponente y fúnebre sensación que imprimió en el historiador su paterno Cuzco.

Con los recuerdos que nos transmitió en diversos pasajes de los *Comentarios* y en la Dedicatoria de la *Florida,* se pueden fijar las etapas principales de su viaje. Descansó en los lozanos viñedos de Marcahuasi; recorrió los arenales y los algarrobales de Ica, y, en unión de algunos amigos y compañeros, examinó en las hoyas de Villacurí los lugares célebres de la última guerra civil: el paraje de la sorpresa de Lope Martín y de la derrota de Pablo de Meneses por Girón; en el valle de Huarcu lo alojó un antiguo criado de su casa, que era poblador de la recién fundada villa de Cañete; se detuvo en Lima, y admiró el trazo regular y simétrico de la capital costeña, que era la grande innovación urbana de aquellos tiempos; le complacieron el caserío y mobiliario, pero le desagradó con justicia el aspecto de nuestros barrosos terrados,

---

[18] *Comentarios Reales,* 1ª parte, Libro IX, cap. XXXIX.
[19] Levillier, *La Audiencia de Charcas,* Correspondencia del Presidente y Oidores, tomo I, p. 145 (Madrid, 1919).

y halló sobrado grande la Plaza de Armas, extraña tacha para quien venía del Cuzco de entonces; padeció su navío una peligrosa calma en la Gorgona; se espantó de la barbarie de los indios de Pasau, que los Incas no tuvieron tiempo de civilizar; en Nombre de Dios se encontró con· la comitiva del nuevo Virrey, Conde de Nieva, y habló con D. Antonio Vaca de Castro, hijo del vencedor de Chupas, que en ella venía; visitó en Cartagena al Gobernador de la plaza; tocó en las islas Fayal y Tercera de las Azores, siendo muy atendido y regalado por sus habitantes y los ministros reales; y desembarcó en Lisboa, habiendo salvado la vida milagrosamente de una tormenta o de alguna aventura.

A principios de 1561 lo hallamos en Sevilla; y luego pasó a Montilla y Extremadura para conocer a su familia. De sus parientes próximos, el que le tomó más cariño fue su tío carnal, el capitán D. Alonso de Vargas. Este caballero se había retirado hacía poco de la milicia, en la que sirvió a Carlos V muy honrosa y aventajadamente por treinta y ocho años, como Sargento Mayor de los tercios españoles en Alemania y después Capitán de Caballos, apellidándose a veces como *alias* usual D. Francisco de Plasencia. Fue muy camarada del Maestre de Campo Alonso de Vives (hermano del insigne filósofo); y tuvo el honor de acompañar, como uno de los dos jefes de la Guardia, al entonces príncipe D. Felipe en el viaje de Génova a Flandes. A la sazón residía sin hijos en Montilla, cabeza de los estados de su primo el marqués de Priego. Él debió de presentarlo al marqués, Grande de España de primera clase y antigüedad, señoı de Aguilar de la Frontera, jefe y pariente mayor de la ilustre casa de Córdoba como marqués consorte de Priego, D. Alonso Fernández de Córdoba y Suárez de Figueroa, acreditado general, veterano de Argel, San Quintín y Flandes, era uno de los primeros próceres del Reino. Familiarizado, como todos los del linaje de la Cepa, con los vástagos naturales y aun bastardos, acogió afablemente a este simpático deudo suyo de la alcurnia de Feria, que venía de las Indias fabulosas y tenía sangre de los soberanos del Perú. Fue desde entonces su constante favorecedor; y, para asegurarle la modesta hijuela que le había cabido, le colocó buena parte de ella en juros o censos irredimibles, sobre los bienes del Marquesado.

Alentado con estas protecciones e influencias, Garcilaso se encaminó, lleno de ilusiones, a la Corte de Madrid, donde ya estaba a fines de 1561. [20] En Madrid, vio y trató a los más famosos indianos y peruleros: a fray Bartolomé de las Casas; a Hernando Pizarro, recién libre de su larguísima prisión; al ex gobernador D. Cristóbal Vaca de Castro; al Obispo de Lugo y consejero de Su Majestad, D. Juan Suárez de Carbajal, cercano pariente del Factor Illén, la víctima del virrey Núñez Vela, y del Licenciado, su ultimador en Añaquito; y en esfera inferior, reconoció y frecuentó al revoltoso clérigo Baltasar de Loaysa, muy nombrado en las guerras civiles del Perú, y a Pero Núñez, el célebre espadachín de Potosí. Alcanzó en sus postrimerías y presenció fallecer

---

[20] *Comentarios Reales*, 2ª parte, Libro IV, cap. XXIII.

a su decidor y epicúreo tío, el sevillano D. Pedro Luis de Cabrera. Penetró hasta la antecámara del rey Felipe II, en la que halló muy temeroso y atribulado al caballero avilés Melchor Verdugo, Encomendero de Cajamarca, porque sus émulos, reviviendo las ocurrencias de sus depredadoras campañas en Panamá y Nicaragua, procuraban despojarlo del hábito de Santiago.

Las probanzas de servicios del conquistador Garcilaso, adicionadas con una demanda de restitución de tierras a favor de la Palla Doña Isabel, se sustanciaban con lentitud española; pero llevaban buen giro y su hijo esperaba con fundamento alguna recompensa considerable, cuando de pronto, en el Consejo de Indias, el licenciado Lope García de Castro, que fue después Gobernador del Perú y Presidente de su Audiencia, sacó a relucir un texto de la crónica de Diego Fernández el Palentino, por el que aparecía el difunto Capitán Garcilaso había hecho con Gonzalo Pizarro en la batalla de Huarina, oficios no de cautivo, sino de caluroso adicto, pues le había cedido su caballo para que se salvara en el más apretado y decisivo trance de la refriega, con lo cual le había dado la victoria. Garcilaso intentó contradecir, alegando que fue acto de amigo y no de partidario, y que su padre lo hizo cuando ya había cesado el combate; pero el Consejero le replicó desabridamente, imponiéndole silencio y desahuciándolo en sus pretensiones. El gobierno de Felipe II, asediado de infinitos pedigüeños y tan escaso de recursos, necesitaba menos graves motivos que los propuestos por D. Lope García de Castro, para despedir solicitantes. [21] De aquí le nació a nuestro autor la ojeriza contra la *Historia* del Palentino, que le había defraudado los ansiados premios, y a cuya detenida refutación, dedicó él más tarde tan gran parte del segundo tomo de sus *Comentarios*.

Desechados así sus memoriales y desengañado de sus esperanzas cortesanas, Garcilaso se alistó en el ejército. Debió de sentar plaza por los años de 1564, y servir como soldado hijodalgo en las guarniciones de Navarra, donde asistía su protector y jefe el marqués consorte de Priego. Otro de los generales que más lo distinguió y favoreció en su carrera militar fue D. Francisco de Córdoba, hijo segundo del glorioso D. Martín, el conde de Alcaudete y heroico defensor de Mazalquivir. Por lo que en varios pasajes dice, su arma, a lo menos en cierto tiempo, hubo de ser la de Arcabuceros. Fue Garcilaso el primer peruano conocido que guerreó en Europa, abriendo así la senda que en los dos siguientes siglos habían de ilustrar nuestros bizarros compatriotas los marqueses de Mortara y Valdecañas, el duque de Montemar y los condes de Brihuega y de la Unión. Es muy probable que pasara a las posesiones de Italia, como parecen indicarlo su perfecto conocimiento del idioma toscano y su predilección por los escritores de aquel país. Quizá viajó en las galeras que mandaba D. Francisco de Mendoza, hijo del segundo virrey fallecido en el Perú, el cual fue Generalísimo de la armada del

---

[21] *Comentarios Reales*, 2ª parte, Libro V, cap. XXIII.

Mediterráneo, a quien volvió a tratar en España y del que hace muy encarecidos elogios. [22]

Mas sea lo que fuere de estas conjeturas, lo positivo es que, cuando estalló la sublevación de los moriscos de las Alpujarras, a fines de 1568, obtenía ya el grado de capitán, antes de cumplir los treinta años. Sucesivamente le expidieron cuatro *condutas,* o sea despachos de tal grado: dos directas del rey Felipe II, y las otras dos por el príncipe D. Juan de Austria. En dicha campaña de Granada sirvió *inmérito de sueldo real,* porque sin duda estuvo al frente de una de las compañías que formaron la mesnada señorial de Priego. D. Juan de Austria le dio pruebas de estimación, y, acabada la guerra, escribió a Felipe II recomendándolo.

Cuando el Inca Garcilaso combatía en estos pintorescos encuentros granadinos, que inspiraron a la masa popular, movieron los históricos pinceles de D. Diego Hurtado de Mendoza y Ginés Pérez de Hita, y revivieron los lances medievales de la Reconquista, de seguro pensaba en las proezas de su glorioso y legendario pariente y homónimo, el *Comendador del Ave María;* pero nos place imaginar que él, que a fuer ya de buen peruano, tanto estimaba y alababa las virtudes de humanidad y clemencia, debió de recordar también a menudo, para no mancharse con las ferocidades de aquella inexpiable represión, su descendencia de una raza semejante de antiguos dominadores, avasallados entre iguales, abruptas y nevadas serranías, y que rememoró la insurrección del Inca Manco, tan parecida a la de Abén Humeya y Abén Abó.

Con la recomendación de D. Juan de Austria, podían abrirse de nuevo para Garcilaso las perspectivas de premios y ascensos. Sus amigos le instaban a que resucitara sus pretensiones ante el rey y el Consejo de Indias. Pero estaba convencido de que para negociar con eficacia era indispensable la asistencia personal en la Corte, que ya no le consentía su escaso caudal, muy quebrantado y reducido por las obligaciones de su andariega vida militar y sus larguezas de americano. Escarmentado de las mercedes gubernativas, deseoso de tranquilidad, se quedó en Andalucía y Extremadura. El año de 1573 es probable que, bajo su nombre de Gómez Suárez de Figueroa, presenciara en Córdoba el matrimonio de dos siervos suyos moriscos. El año de 1574 lo hallamos sin duda en Badajoz, cobrándole todavía parte de su haber a Doña Isabel de Carvajal, viuda de su pariente Alonso de Henestrosa. Luego, todo rastro de él se pierde por tres o cuatro años. Quizá siguió sirviendo bajo las banderas reales en los tercios. Por 1579 aparece en Sevilla, que hubo de ser en el siguiente período su favorita residencia y que llama *encantadora de los que la conocen.* [23]

---

[22] *Comentarios Reales,* 2ª parte, Libro VI, cap. XVII.
[23] *Comentarios Reales,* 1ª parte, Libro VIII, cap. XXIII; 2ª parte, Libro VIII, cap. IV. — Datos que hice tomar en el archivo parroquial de Sagrario de Córdoba, libro 2º de matrimonios, de 1557 a 1586. — El testameneto publicado en la *Revista Histórica* por González de la Rosa.

Profunda transformación se operaba en su ánimo. Después de una juventud dedicada a caballos y arcabuces, lo atraían en la edad madura las delicias del estudio y de las letras. En su primera mocedad fue afecto a los libros de caballerías; pero las amonestaciones que contra ellos trae Pero Mexía en la *Historia Imperial,* lo curaron completamente de tan frívola afición. Entre las lecturas de recreación y pasatiempo, hacía siempre gracia, en mérito de sus bellezas, a los grandes poetas y prosistas italianos, y muy en especial a Boiardo, el Ariosto y Boccaccio, cuyas obras repasaba con frecuencia; pero cada día se inclinaba más a las graves disciplinas históricas y filosóficas. Perfeccionó su latinidad, deficientemente aprendida en el Cuzco, recibiendo ahora lecciones particulares del teólogo Pero Sánchez de Herrera, que era Maestro de Artes en Sevilla. Estudiaba los escritos de Nebrija y del Obispo de Mondoñedo, fray Antonio de Guevara, [24] de los historiadores clásicos de Roma y Toscana, sobre todo Plutarco, Julio César y Guicciardini; y también los del sienés Piccolomini y del francés Bodin, y las antiguas crónicas inéditas de los Reyes de Castilla, que le franqueó un hermano del célebre Ambrosio de Morales. [25] A los camaradas y veteranos militares, principiaron a suceder en su amistad los sacerdotes y religiosos de mayor virtud y ciencia. Consiguió bula del Papa para traer desde el Perú los restos de su padre, y les dio sepultura en la iglesia de San Isidoro de Sevilla. [26] Su devoción se enfervorizó hasta el punto de que, despidiéndose de las ambiciones bélicas y profanas, de los propósitos de gloria guerrera y fortuna material, que tanto había acariciado, abrazó el estado eclesiástico y se hizo clérigo, aunque no consta la época ni si llegó a recibir las órdenes mayores.

Cuando no estaba en Sevilla, en Córdoba o en Granada (donde en 1596 fechó su manuscrito sobre la *Genealogía de Garcí Pérez*), vivía en Montilla al lado de sus tíos D. Alonso de Vargas y el marqués de Priego, atendiendo a la capellanía familiar fundada allí por el primero en la iglesia parroquial de Santiago. Sus principales consultores literarios eran el erudito y políglota padre fray Agustín de Herrera, preceptor de los hijos del marqués; el jesuita Jerónimo de Prado, catedrático de Sagrada Escritura en Córdoba y comentador del profeta Ezequiel; y el agustino fray Fernando de Zárate, que enseñó en la universidad de Osuna, renombrado autor de los *Discursos de la Paciencia Cristiana,* impresos en 1593. A veces acudía a visitarlo algún condiscípulo cuzqueño, como el desterrado mestizo Juan Arias Maldonado, a quien hospedaba y avió para el regreso a América; o le llegaban semillas de nuestras plantas indígenas, como la quinua, que en vano

---

[24] *Comentarios Reales,* 1ª parte, Libro IX, cap. XXXI. — *La Florida,* Libro II, 1ª parte, cap. XX; Libro III, cap. X.

[25] *Comentarios Reales,* 2ª parte, Libro I, caps. II, III y IV. — Carta al Príncipe Maximiliano en los Preliminares de la Traducción de León el Hebreo. — *La Florida,* Libro VI, cap. I.

[26] *Comentarios Reales,* 2ª parte, Libro VIII, cap. XII.

procuró aclimatar en los campos andaluces. [27] Se trasladaba otras veces hasta la villa de Las Posadas, más allá de Almodóvar, a charlar con su anciano amigo del Perú, el Regidor y Capitán Gonzalo Silvestre, y con el sobrino de éste, Alonso Díaz de Balcázar, y recoger de aquél datos orales sobre la expedición de Hernando de Soto a la Florida, que se disponía a redactar. No habiendo logrado inmortalizarse con la espada ni ser poderoso fundador de un mayorazgo, fiaba con razón en su pluma para vivir ante la posteridad, anhelo que ni la religiosidad ni la vejez pudieron ahogar en su alma generosa. En la resignada y fecunda quietud de su campesino retiro, saboreó la dicha que no le proporcionaron sus ambiciones y andanzas soldadescas; y aunque con tenue dejo melancólico, agradecía a la Fortuna sus rigores, se declaraba complacido de haber escapado "del gran mar de olas y tempestades (dice) que suele anegar a los que favorece y levanta en grandezas este mundo", y se reconocía "consolado y satisfecho con la escasez de la poca hacienda, más envidiado de ricos que envidioso de ellos". [28] Esta áurea y tierna serenidad de otoño le dictó sus empresas históricas y literarias.

Cuando aún no se había ordenado y se titulaba solamente *Capitán de Su Majestad*, se deleitaba y embebecía con los sutiles diálogos filosóficos *Sobre el Amor*, refinado libro de metafísica platónica, compuesto por el judío Abarbanel de Nápoles, vulgarmente llamado León Hebreo, que influyó tanto en la mística española, que luego citó y aprovechó en el *Quijote* Cervantes, que encerraba la cifra y quintaesencia de las delicadezas del humanismo y que corría en texto italiano, al parecer original. Garcilaso nos refiere que para empaparse más de "la suavidad y dulzura de su filosofía y lindezas de que trata", dio poco a poco en traducir los diálogos íntegros. Lo hizo con tal amenidad y maestría que el primer trabajo literario de este soldado, nacido en Indias, superó y eclipsó sin disputa, según la autorizada opinión de Menéndez Pelayo, las demás versiones castellanas de tan famosa obra; y con tal exactitud y fidelidad de pensamiento que, dejando en todo su vigor y crudeza el iluminismo teosófico del pensador judío, obligó a la Inquisición a prohibirla años más tarde. Había presentado y dedicado su traducción, por intermedio del Alcaide de Priego, al príncipe D. Maximiliano de Austria, entonces Abad de Alcalá la Real y después Arzobispo de Compostela; y enviándola, sin duda con el marqués D. Alonso, el rey D. Felipe II, que distrajo con ella el tedio de una velada en el Escorial. [29] Debemos reputar por consiguiente al Inca Garcilaso como al único representante peruano de la ontología neoplatónica. El propio Garcilaso nos asegura que León Hebreo estaba traducido en *lenguaje peruano*

---

[27] *Comentarios Reales*, 1ª parte, Libro VIII, cap. IX; 2ª parte, Libro VIII, cap. XVII.
[28] Proemio de *La Florida*.
[29] *Dedicatoria* de la 2ª parte de los *Comentarios*.

o sea en quechua. ¿Acaso no sería él mismo el intérprete en su materno idioma del metafísico platonizante que tanto lo enamoraba y arrobaba?[30]

En un libro mío, he dicho yo erradamente que nuestro Garcilaso fue un hombre de la Edad Media y que en él no influyó el Renacimiento de manera apreciable. Con las noticias que hoy ofrezco se ve manifiesto mi error, y me alegra retractarme de él en esta ocasión pública y solemne. Por cierto que en Garcilaso, militar y clérigo, hijo de conquistador y capitán de D. Juan de Austria contra los moros, tenía que persistir, como en todos los españoles de su tiempo, en calidad de elemento predominante, el espíritu del cruzado medieval, pero combinándose y adunándose con el humanismo renacentista en enorme proporción. Y era íntima y profundamente clásico, era hombre moderno, de su época y su radiante siglo, este mestizo del Perú, que formó su delicado gusto en el Ariosto y los más insignes escritores florentinos, y que se embelesaba en aquella platónica y petrarquesca metafísica, hija legítima de la Academia ateniense, hermana de la de Castiglione y Marsilio Ficino, especie de mágica escala esplendorosa que iba a verter sus luces estelares en las canciones del *Divino* Herrera y en las odas de fray Luis, y que, como una nube de fragante incienso, ascendía a las más etéreas disquisiciones entre el azul y los marmóreos pórticos de Italia. *Filografía* o Filosofía de Amor, es decir de paz, armonía y concierto, tan propia para ser apreciada y admirada por un entendimiento como el suyo, a la vez culto y medio incaico, prendado, como todos los de su sangre, de un ideal de orden, regularidad y sosiego.

Así como la traducción de León Hebreo es algo más que un alarde de señorío y destreza de lenguaje y significa la honda comprensión y aceptación de un sistema de idealismo sincrético, así *La Florida* es también algo más que el relato de una expedición conquistadora colonial. El ingenioso y finísimo crítico Ventura García Calderón, a quien ya tanto deben nuestras letras, la ha calificado con singular acierto de una *Araucana* en prosa. [31] Y eso es: una epopeya real y efectiva que, desnuda del aparato de la versificación y de invenciones fabulosas (porque los reparos del mismo Bancroft versan simplemente sobre pormenores), obtiene, con la insuperable limpidez de su estilo, extraordinaria eficacia poética: la llaneza sublime y el heroico candor de un cantar de gesta o de los libros de Herodoto.

Los largos y copiosos discursos y la pintura de las batallas y de los lances particulares son de sabor homérico. Abundan en esta primera obra original del Inca Garcilaso citas algo pedantescas, máximas y aforismos militares, que descubren las impresiones de sus campañas y términos ya por entonces levemente arcaicos, como *ca, aína, asar, acaece-*

---

[30] *Prólogo* de la 2ª parte de los *Comentarios*.

[31] Ventura García Calderón, *La literatura peruana*, Nueva York y París, 1914, p. 7. — D. Francisco Pí y Margall, incontestable autoridad americanista, reivindica en su *Historia de la América Precolombina*, la veracidad de *La Florida del Inca* y la exactitud de su topografía.

dero y *mesmo,* todo lo cual desechó o empleó mucho menos en sus *Comentarios.* Aunque es digno de notarse, nadie ha reparado hasta hoy en que un capítulo de *La Florida* contiene alusiones severas a sucesos contemporáneos, que parecen ser los tumultos de Aragón por la fuga de Antonio Pérez, los que costaron la vida al Justicia Mayor Lanuza, al conde de Aranda y al duque de Villahermosa y muchos otros. A estas aleves ejecuciones, que tanto empañaron la fama de Felipe II, debe aludir Garcilaso, cuando habla de "príncipes y reyes, que se preciaban del nombre y religión cristiana, los cuales, *después acá, quebrantando las leyes y fueros de sus reinos,* sin respetar su propio ser y grado, *con menosprecio de la fe jurada y prometida,* sólo por vengarse de sus enojos y *por haber las ofensores,* han dado' inocentes por culpados, cosa indigna y abominable, considerada la inocencia de los entregados, y *la calidad de alguno de ellos,* como lo testifican las historias antiguas y *modernas,* las cuales dejaremos, *por no ofender oídos poderosos y lastimar los piadosos".* ³² El tiro es indudable, por más que lo emboce y entrevere con reminiscencias de las proscripciones de los triunviros romanos. ¿A qué otro acontecimiento de la época que no sean las altercaciones de Aragón, podrían referirse las circunstancias en que insiste? ³³ Admira que la censura dejara pasar invectiva tan vehemente, aunque sorda y disfrazada; y, por mucho que éste no sea el único ejemplo coetáneo de negligencia o lenidad en la materia, debemos atender, para explicárnoslo, a que *La Florida* se imprimió en 1605, largos años después de escrita, cuando un nuevo reinado y nuevas y ruidosas privanzas disipaban o atenuaban las memorias del anterior, y que apareció en Lisboa, bajo los auspicios del poderosísimo y semiautonómico duque de Braganza, D. Teodosio. Otra alusión contra la política de Felipe II, por quien se creía olvidado y pospuesto, insinúa en los *Comentarios* (segunda parte, libro III, cap. XIX) ; y apunta esta vez al excesivo rigor que provocó la rebelión de Flandes.

Hacia 1589, muertos ya sus tíos y favorecedores, D. Alonso de Vargas y el marqués viudo de Priego, Garcilaso se mudó de Montilla a Córdoba. Vivió modesta y sosegadamente en una casa de la parroquia de Santa María la Mayor o el Sagrario, lejos del palacio de sus deudos los Suárez de Figueroa, llamado por el vulgo *Las Rejas de D. Gómez.* Tanto con el duque de Feria como con el marqués mozo de Priego, D. Pedro, no hubo de mantener igual cordialidad que con el marqués viejo, pues nunca los nombra ni les dedicó ninguna de sus obras; y hasta hay reflexiones suyas sobre el disfavor y desvío de los grandes señores, que se dirían quejas personales de servidor y familiar resentido. ³⁴ Fue su mayor amigo en Córdoba otro ilustre caballero, el mayorazgo y *Veinticuatro* (o sea regidor perpetuo) D. Francisco del Corral, de la Orden

---

³² *La Florida,* 1ª parte del Libro II, cap. IV.
³³ Quizá también a las de Francia, con las muertes del Duque de Guisa y su hermano el Cardenal de Lorena.
³⁴ *La Florida,* 1ª parte del Libro II, cap. XIV.

militar de Santiago, a quien al cabo nombró su albacea.[35] En 1598 apadrinaba Garcilaso el matrimonio del muy hidalgo D. Luis de Aguilar, Ponce de León, Zayas y Guzmán. Según cumplía a clérigo tan devoto, frecuentaba principalmente la sociedad de sacerdotes, canónigos y regulares, como el cura de la Matriz, licenciado Agustín de Aranda; el Maestrescuela D. Francisco Murillo, que también había comenzado por la vida militar en calidad de Veedor General de los ejércitos de España; el racionero Andrés Fernández de Bonilla (pariente del Inquisidor y Arzobispo de México, que murió en Lima de Visitador Regio); los presbíteros Andrés Abarca de Paniagua y Antón García de Pineda; los jesuitas Maldonado y Francisco de Castro, y los frailes franciscanos. En la gravedad de este mundo eclesiástico, transcurrió su larga y tranquila vejez. Mostró en una ocasión deseo de tentar nuevamente el favor de los príncipes, cuando en la Dedicatoria de *La Florida* pidió al duque de Braganza, que en Portugal obtenía ya casi la estimación y el estado de un soberano, lo admitiera en su casa y servicio. Las palabras de su petición exceden a los acostumbrados y metafóricos encarecimientos de cortesía y homenaje al dedicar un libro. Su demanda no tuvo, al parecer, los efectos que esperaba; y, resignado, se entregó de lleno a sus recuerdos de infancia, tan consoladores y placenteros en la ancianidad que se acercaba.

La antigua capital de la Bética romana y de la España árabe, la destronada corte de los espléndidos califas Omiadas,

Córdoba, casa de guerrera gente,

como sus armas dicen; la muerta ciudad de sol radioso, de severos montes, de austera campiña, de las tapias enjalbegadas, de los patios floridos y de las callejuelas serpenteantes, lo hacía pensar en su querido y semejante Cuzco. De seguro que las ruinas y los restos de murallas en el Alcázar Viejo y la moruna fortaleza de la Calahorra, le traerían a la mente el paterno Sacsayhuaman y la Sunturhuasi o torre del Amarucancha; y que hallaría mezquinas las nieves de la Sierra de Cabra cuando las comparaba con las excelsas y canas cumbres de los Andes, que contempló en su niñez desde el corredorcillo del palacio cuzqueño. Con la doblada y profunda nostalgia que infunden el destierro y la senectud, revivía las imágenes de su patria y sus primeros años. Entonces se engolfaba lenta y dulcemente en las remembranzas, como quien, después de prolongada ausencia, remonta el manso curso del río nativo. Veía con los ojos del espíritu las anchas plazas y los sombríos callejones incaicos; rememoraban uno por uno los solares de los conquistadores, los nombres de sus compañeros de escuela, los barrios y los arrabales indios. De este íntimo añorar nacieron los *Comentarios Reales,* que están por eso embebidos de ternura, y puede afirmarse que inician el género literario de los recuerdos infantiles, que creemos tan moderno.

---

[35] El corresponsal de D. Luis de Góngora. (Véase su *Epistolario.*)

Los compuso con atenta y pausada delectación. Desde 1586 los meditaba y preparaba. En 1595 le comunicaba en la Catedral de Córdoba lo adelantados que los llevaba a D. Martín de Contreras, sobrino del Gobernador de Nicaragua. La misma crónica de *La Florida* fue como una introducción, por haber intervenido en aquella conquista gran número de capitanes y soldados que antes y después se distinguieron en el Perú, y porque en su narración Garcilaso diseminó muchas referencias a la historia y lenguaje peruanos. Posteriormente escribió a sus amigos y deudos indígenas y mestizos, pidiéndoles extensos datos. Con ellos, con los fragmentos del Padre Valera donados por los Jesuitas, y con los analistas españoles ya publicados, formó las bases de su obra, que animó y coronó con su ingenio y su exquisito sentimiento.

Publicada la *Primera Parte* en 1609, fue creciendo y dilatándose el renombre del autor. Los peruanos de tránsito no dejaban de visitarlo, como lo hizo en 1612 el criollo huamanguino fray Jerónimo de Oré, de la orden de San Francisco (Obispo luego de La Imperial de Chile), a quien regaló con varios ejemplares de sus libros. A menudo lo trataba y acompañaba el hidalgo D. Luis de Cañaveral, antiguo oficial de Hacienda en el Perú y en México, y avecindado en Córdoba. Mientras vivió su fiel y predilecto amigo el Capitán Gonzálo Silvestre, lo alojaba Garcilaso cuando venía de Las Posadas a la ciudad. Su condiscípulo y compatriota Feliciano . Rodríguez de Villafuerte, establecido en Salamanca, le obsequiaba con preciosos retablos de reliquias y complicados relojes de su invención. Todos los descendientes de los Incas lo nombraron apoderado común, en unión del Príncipe D. Melchor Carlos y de D. Alonso de Mesa, para que negociara del Rey en Valladolid exención de tributos; mas él se descargó de esta honrosa comisión en sus dos compañeros, por no interrumpir la redacción de los *Comentarios*.[36]

Sus más asiduos corresponsales del Perú fueron su tío carnal el Inca D. Francisco Huallpa Túpac; el caballero Garcí Sánchez de Figueroa, primo hermano de su padre; y el cura Diego de Alcobaza, hijo de su buen ayo.[37] Por las cartas de éstos y otros, por sus amigos jesuitas y por los viajeros que iban a verlo, como cierto canónigo de Quito, se enteraba de las novedades de la lejana patria y las regiones comarcanas, del ensanche que tomaban las poblaciones del Cuzco y Lima, y de los sucesos de guerra del Arauco. Recreaba su apacible y venerada soledad con el embeleso de sus estudios y lecturas, y con la viveza de las reproducciones de su memoria, que fue extraordinaria y privilegiadísima, y que, como él mismo dice, "guardaba mucho mejor lo que vio en la niñez que lo que pasó en mayor edad".[38]

---

[36] *Comentarios Reales*, 2ª parte, Libro VII, caps. XXII y XXX; Libro VIII, cap. XXI; 1ª parte, Libro IX, cap LX. Para lo demás su testamento y el folio 85 del Libro 4º de matrimonios del Sagrario de Córdoba, años 1594 a 1607.

[37] Diego de Alcobaza, cura de Challabamba, Huallate y Capi en el Obispado del Cuzco.

[38] *Comentarios Reales*, 2ª parte, Libro V, cap. XXVIII; 1ª parte, Libro IX, cap. XXVI.

Los achaques de salud que padecía desde 1590 (Vid. *La Florida,* libro IV, cap. XII; libro V, cap. VII de la primera parte; libro VI, cap. XXI), no le estorbaron la prosecución y conclusión de su obra, cuya segunda y última parte estaba acabada en 1613, aunque se imprimió póstuma. Compró para su sepultura al Obispo Mardones y reedificó la Capilla de las Ánimas en la Catedral. Poseía, fuera de otros censos pequeños, los juros sobre el Marquesado de Priego; y tenía como administrador y recaudador de sus rentas, y encargado de su capellanía en Montilla, al presbítero y licenciado Cristóbal Luque Bernaldino. Se mantenía con el decoro suntuario que creía deber a su clase. Siendo un clérigo solo y retirado, por su testamento y codicilos vemos que lo servían seis criados, a algunos de los cuales otorgó señorilmente sus propios apellidos. Según sus inventarios lo prueban, usaba vajilla de plata sobredorada, y adornaban sus aposentos paños con dibujos de boscajes y lampazos, almohadas de seda carmesí, escritorios y bufetes de nogal. Y, por sugestiva supervivencia de los hábitos militares, conservaba arcabuces de rueda, un alfanje morisco, celada y montera con casco, ballesta, corneta y aparatos para hacer pólvora y balas. En el anciano sacerdote alentaba siempre el guerrero capitán de antaño.

Después de prolija dolencia, que le dejó intacta la razón hasta los postreros instantes, falleció tranquilamente el 22 de abril de 1616, habiendo cumplido la edad de setenta y siete años.

En la cristianizada mezquita de Córdoba, prodigioso bosque de columnas de mármol, pórfido y jaspe, que se entrelazan y multiplican en naves innumerables, bajo arcos de herradura tan cimbreados como el follaje de las palmeras, y que avanzan en perspectivas misteriosas hasta el intruso centro plateresco y la recóndita filigrana de la Alquibla; entrando en la penumbra sagrada por la puerta inmediata a la de Santa Catalina, que abre al hermoso patio de los Naranjos, se halla, tercera en este lienzo norte de la iglesia, una capilla pequeña, que suelen visitar los pocos turistas peruanos, y que retiene todavía los nombres de Capilla de las Ánimas o del Inca Garcilaso. La piedra sepulcral yace en el medio. Allí duerme nuestro compatriota su eterno sueño, ante un devoto retablo y un crucifijo de talla, y a la perenne luz de la lámpara encendida de día y de noche en obedecimiento a sus últimas voluntades. A ambos lados del altar, en lápidas de jaspe negro y letras doradas, el epitafio celebra con grandes encomios su nobleza, piedad y literatura; y sobre la verja de la entrada y los orgullosos blasones de Vargas y Suárez de Figueroa, Saavedra y Hurtado de Mendoza, resaltan el *llautu* y el arco iris, las sierpes de azur, el Sol y la Luna, como armas de la casa imperial de los Incas.[39]

* * *

---

[39] A más de mis recuerdos de viaje, he consultado en este punto el capítulo pertinente de sir Clements R. Markham en su último libro, *The Incas of Peru* (Nueva York, 1910).

La índole amable y generosa del cronista Garcilaso quedó patente en todos los hechos de su vida y todos los rasgos de su pluma, sin que pasen de la categoría de despropósitos y vanas cavilosidades las acusaciones del pretenso plagio que contra su evidentísima honradez literaria se formularon hace poco, según tuve la dicha de demostrarlo por dos veces. La influencia y autoridad de sus *Comentarios* en la historia peruana, fue durante doscientos años omnímoda, y por tanto excesiva; pues eclipsó y relegó las primitivas fuentes a que en sana crítica debe atenderse de preferencia. Mas, a mediados del siglo xix, la reacción que era de esperar y aun desear, en vez de contenerse dentro de los límites de la serenidad y justicia indispensables en las investigaciones científicas, vino tan extremosa, desmandada y revuelta que se ha hecho urgente obligación salirle al encuentro y combatir sus inicuas demasías. No he de repetir, ni siquiera resumir aquí, señores, lo que largamente expuse en otra parte, porque no quiero fatigaros más; pero séame lícito recordar que, en vista de nuestras defensas, D. Marcelino Menéndez Pelayo, universal y supremo maestro de cuantos escudriñamos los anales de la literatura castellana, templó mucho el insólito rigor de sus juicios en su definitiva *Historia de la poesía Hispanoamericana,* y aun más terminantemente reconoció y rectificó sus exageraciones en carta particular con que me favoreció pocos meses antes de morir.[40]

La rehabilitación de los *Comentarios Reales* se consolida más cada día. Resulta ahora, en efecto, para escarmiento ejemplar de noveleros y pedantes, que de los estudios de los doctos peruanistas Max Uhle y Philip Means se desprende el acierto y completa razón de Garcilaso contra Cieza en asunto tan esencial como el orden y rumbo de las conquistas incaicas; y que las leyendas de los milagros cristianos de la Cruz, la Virgen y Santiago, cuando la Conquista y el cerco del Cuzco, por las que tanto se ha decantado y fustigado la excepcional credulidad de nuestro autor, hubieron de estar uniformemente difundidas en el Perú de entonces, pues las traen otros muchos cronistas, y en especial el recientemente hallado Huaman Poma de Ayala.[41]

Lo curioso es que la implacable excomunión crítica de Garcilaso provino de muy contrarios motivos, y en mucha parte antitéticos y de

---

[40] M. Menéndez Pelayo. Véase lo que agrega en el texto y notas de las pp. 146 a 148 del tomo II de la *Historia de la poesía hispanoamericana* (Madrid, 1913), a lo que antes dijo en los *Orígenes de la Novela,* tomo I, pp. CCCXCI y CCCXCII (Madrid, 1905) y en la *Antología de poetas hispanoamericanos,* tomo III (1894), pp. CLXII y CLXIII. La breve pero expresiva carta suya a que me refiero, se publicó en el periódico limeño *La Prensa,* a principios de 1912.

[41] Vid. *La esfera de influencia del país de los Incas,* por Max Uhle, en el tomo IV (trimestres I y II de 1909) de la *Revista Histórica;* el estudio de Philip A. Means, sobre las conquistas incaicas, presentado en el Congreso de Americanistas de Washington en 1916; y el resumen de Huaman Poma, presentado por Pietschmann al Congreso de Americanistas de Londres en 1912. *La Crónica y Buen Gobierno* de este Felipe Huaman Poma de Ayala, ha sido publicado en París, por el Instituto de Etnología (1936).

origen sentimental. Mientras los americanistas de profesión rechazaban con fundamento sus efectivos pero tan disculpables vacíos y errores acerca de la religión indígena, y en la antigua metrópoli se apresuraban Jiménez de la Espada y Menéndez Pelayo a descalificarlo, ofuscados en su intemperante españolismo por la ardorosa apología de la civilización y la prosperidad incaicas; en nuestro país y nuestro continente, eruditos muy estimables, pero de sobrada imaginación, y que ansiaban mayor ámbito y vuelo para sus errabundas fantasías, han acostumbrado inmolargo en obsequio —¡increíble parece!— de Montesinos y del Jesuita Anónimo, padres de todas las quimeras y depositarios de todas las patrañas.

Tiempo hace que la autorizadísima voz de Raimondi falló, con peso inapelable, a favor de la exactitud geográfica de los *Comentarios;* [42] y el mismo *Señorío de los Incas* de Cieza ha confirmado en más de un punto la pintura que del carácter e instituciones principales del imperio trazó nuestro Garcilaso.

Todos los historiadores de genio, todos los que han superado las nimiedades y minucias de la yerta erudición y, alzándose sobre el mudo polvo de los hechos, han resucitado con la divina e insubstituible fuerza de la intuición evocadora la fisonomía de las edades muertas, han sido tachados de inexactos y novelescos, porque la mayoría de los lectores no acepta el expresivo y saltante relieve de la vida histórica, que contrasta con sus habituales ideas, y no tolera que contradigan sus prejuicios nacionales o de raza, partido o secta. Así han sido acusados Tácito, Salustio y Tito Livio, Mariana, Saint-Simon, Renan, Michelet y Taine, y, en inferior jerarquía, Mommsen y Ferrero por sus contradictorias reconstrucciones romanas, y Bartolomé de Argensola por su galanísima *Conquista de las Molucas.* Garcilaso no podía eximirse de semejantes ataques, glorioso privilegio de sus hermanos mayores. Tampoco era él un frío y mediocre amontonador de datos; también descubría y realzaba las líneas capitales y dominantes de una cultura y de una época; también, bajo las apariencias materiales, reconocía el íntimo espíritu, y sabía expresarlo; también en su ánimo hablaban los profundos instintos adivinadores del misterio de las razas y las estirpes. ¿Cómo no había de reputársele displicentemente un soñador, un iluso, un caprichoso poeta en prosa?

Cuando leemos a Sarmiento de Gamboa, que ofrece a los ojos de los severos eruditos los méritos inapreciables de no tener estilo ni cariño al tema; cuando leemos al propio fidedigno y puntualísimo Cobo, nos queda una imagen a la vez recargada, truculenta y borrosa del régimen incaico, que se confunde con la de cualquier otro imperio conquistador, bárbaro y primitivo, con las de los mongólicos y caldeos, el antiguo persa y el azteca; y para apreciar las características morales del Tahuantinsuyu, tenemos que acudir a Cieza, pero ante todo y sobre todo a

---

[42] Raimondi, *El Perú*, tomo II (Historia de la Geografía del Perú), pp. 185 y 186.

Garcilaso. En él sentimos plenamente la eterna dulzura de nuestra patria, la mansedumbre de sus vicuñas, la agreste apacibilidad de sus sierras y la molicie de sus costeños oasis. ¡Cuán hondamente peruana es en los *Comentarios* la escena de la *mamacona* que intercede por los rebeldes de Moyobamba! [43] Peruanas genuinas sus *acllas;* y aquellas procesiones de mujeres y niños que, llevando en las manos ramas verdes y alfombrando el camino de hierbas olorosas, aclaman al Inca vencedor y magnánimo, al *Huaccha Cúyac,* el amante de los pobres. De entre las ciclópeas moles de cantería agobiadora, ceñudas e impenetrables como el rostro de Atahualpa, sabe hacer surgir la nota de la ternura indígena. En él, y sólo en él, reconocemos la integridad auténtica, el imborrable sello de ese peculiarísimo estado conjuntamente sencillo y artificioso, refinado e infantil, expansivo y benigno, guerrero y patriarcal, que desempeñó en la América autóctona del Sur el papel de la enorme e idílica China en el Asia y del solemne Egipto faraónico en el amanecer de la civilización mediterránea, al paso que el Anáhuac en el Norte compendiaba los espectáculos de la India suntuosa y múltiple, de la Caldea astrológica y de la Asiria sanguinaria.

Son las suyas esas *verdades generales,* patrimonio de los historiadores con alma de poetas, que se equivocan y yerran en lo accesorio, pero que salvan y traducen lo esencial. Y es la entraña del sentimiento peruano, es el propio ritmo de la vida aborigen, ese aire de pastoral majestuosa que palpita en sus páginas y que acaba en el estallido de una desgarradora tragedia, ese velo de gracia ingenua tendido sobre el espanto de las catástrofes, lo dulce junto a lo terrible, la flor humilde junto al estruendoso precipicio, la sonrisa resignada y melancólica que se diluye en las lágrimas. Tan imperiosa y avasalladoramente predominó en Garcilaso el amor a su tierra y a su sangre materna, que a este hijo de conquistador, engreído de su noble prosapia castellana, a este Capitán de los escuadrones españoles y panegirista de sus proezas, a este fiel y entusiasta vasallo de la Corona Católica, cuando habla de la conquista del Perú se le escapa, a pesar suyo, decir en tono desolado: "cuando se perdió aquel Imperio;... cuando saquearon sus más preciadas riquezas y derribaron por el suelo sus mayores majestades..., y sólo quedaron algunos de sus hechos y dichos encomendados a una tradición flaca y miserable enseñanza de palabra de padres a hijos, la cual también se va perdiendo con la entrada de la nueva gente y trueque de señorío y gobierno ajeno".[44] Y tal contagio de añoranzas emana de su acento que, con muy buen acuerdo, el Consejo de Indias, a fines del siglo XVIII, después de la insurrección de Condorcanqui, prohibió la lectura de los *Comentarios* en el Virreinato peruano y mandó recoger ocultamente los ejemplares, porque, como decía la Real Cédula,

---

[43] *Comentarios Reales,* 1ª parte, Libro IX, cap. VII.
[44] Por ejemplo en el Libro I, cap. I de *La Florida,* y en el Libro III, cap. XVII de la misma obra.

"aprendían en ellos los naturales muchas cosas inconvenientes", que removían y excitaban la conciencia de la nacionalidad.

Indudablemente truncada la obra de Valera, e incorporados y aprovechados sus fragmentos en los *Comentarios,* este libro representa y contiene sólo con el *Ollantay* el reflejo literario de toda una civilización extinguida. Tanto en él como en la colonial refundición del pomposo drama incaico, se guardan los únicos ecos de una sumergida tradición, que no ha podido vivir luego sino subterránea e inconscientemente. Ahogados suspiros del irreparable secreto olvidado, últimos y tenues remolinos sobre las aguas de un insondable naufragio. Los demás indios y mestizos que recogieron leyendas y recuerdos, como el Luis Inca y el Ninahuillca, citados por el Jesuita Anónimo((si acaso existieron), los que suministraron la relación de Betanzos y Juan Santacruz Pachacuti Salcamayhua, el Inca Cusi Yupanqui y el Curaca Huaman Poma de Ayala, no pueden pasar de modestos auxiliares, utilísimos para la investigación histórica, pero rudos, informes y confusos sobre toda ponderación, sin inteligencia, criterio, ni sintaxis.

El único digno rival de Garcilaso en toda América es el mexicano Fernando de Alba Ixtlilxóchitl, el Tito Livio del Anáhuac, que por la perpetua analogía y paralelismo de nuestro país y México, ofrece extraordinarias semejanzas con el cronista cuzqueño: como él, descendiente de los reyes indígenas, de los monarcas de Tezcuco, de los esplendorosos y sabios Netzahualcóyotl y Netzahualpilli, émulos de los mayores Incas; como él, pintoresco y ameno; como él, en demasía impugnado; y, como él, venero inagotable de anécdotas, tradiciones y noticias de una cultura perdida.

Si queremos compararlo con un historiador de la antigüedad clásica, habrá que ascender hasta Herodoto. Así Herodoto como el Inca Garcilaso expresaron ante la Europa culta de sus respectivas épocas, la deslumbrante y exótica poesía de los grandes países ignotos, de sus vagos y fabulosos anales y su opulenta barbarie; y compusieron obras narrativas de extraño encanto, de tono a la vez familiar y religioso, que sin perjuicio de la veracidad indudable ostentan un alto y sosegado valor épico, y en que infinitas digresiones anecdóticas se anudan y entretejen en derredor de la idea central, que es el choque de dos civilizaciones y dos continentes. Hasta se han asemejado en la mala fortuna frente a las suspicacias eruditas, de que no bastó a defenderlos su evidente ingenuidad, y en su reivindicación por estudios posteriores; y el pleito sobre el aprovechamiento de los asendereados papeles del padre Valera, recuerda mucho los cargos del orientalista inglés Sayce contra Herodoto, por imaginarse que éste pretendió disimular y usurpar los trabajos de Hecateo de Mileto. El estilo de nuestro compatriota es, como el del *Padre de la Historia,* el triunfo de la naturalidad y la soltura, de la claridad reposada que suele subir sin esfuerzo a la elocuencia patética, de la gracia noble y sin afeites, la tersura perfecta, la fresca y tranquila abundancia, la floración y el perfume de la más dichosa adolescencia del ingenio. En el cronista incaico, del propio modo que en el griego, se caracteriza la frase por la fluidez transparente e inexhausta sobre la que el relato se desliza, como sobre la líquida pureza de un mar en calma; y en la copiosa dulcedumbre de sus cláusulas flotantes, creemos percibir aquella íntima y regalada música, aquella velada melodía, *jucunditatem ut latentes numeros complexa videatur,* que en el narrador de Halicarnaso admiraba Quintiliano.

Mas, a pesar de ser tantas, tan amables y ostensibles las hermosuras de su elocución, no siempre se han aquilatado debidamente. Sirva de ejemplo de esta lastimosa incomprensión o indiferencia el buen Ticknor, cuyo libro es aún guía y principal consultor de nuestros estudiantes. Le dedica dos páginas desabridas y desdeñosas; lo halla *difuso, poco elegante, lleno de chismografías y cuentos, y de episodios y discusiones inoportunas, aunque* (se humaniza en seguida al agregar) *siempre agradables y entretenidas, y en suma obra notable e interesante, escrita en el espíritu de las antiguas crónicas.* [45] ¿Que entendería por difusión e inelegancia donde reconoce que el interés y el agrado son continuos? Y es que Ticknor, reacio a la sincera y directa emoción estética, al halago personal de la belleza, invirtió largos años de su vida en catalogar las producciones literarias castellanas, con paciencia meritísima y óptima intención, pero con escaso arranque y grosedad extranjera y sajona, y apreció a los autores apoyándose sobre la fe y testimonio ajenos y la opinión común, admirando sumisamente a los de primera línea, consagrados por la fama universal. Por eso cuando se topa con escritores de menos estrepitoso renombre, de gloria entonces controvertida o de méritos olvidados, cuando se ve obligado a emitir juicio de veras propio y original, yerra desastradamente. Verbigracia, a Jorge de Montemayor, el dulcísimo novelista de *La Diana,* le concede apenas que en el estilo *tiene cierta gracia y riqueza;* y a su insigne continuador Gil Polo le otorga, con tacañería que ya frisa en risible ininteligencia, "que su prosa y algunas de sus poesías han sido miradas con aprecio". Al maligno y emponzoñado cuanto agudo y sabrosísimo doctor Cristóbal Suárez de Figueroa, el de los diálogos de *El Pasajero,* lo mira muy por alto; le regatea los más tasados y restringidos elogios al artificioso y rebuscado pero genial y penetrante Gracián, cuyo tratado *El Discreto* desdeña abiertamente; y se pasma en cambio ante el lamido y remilgado Solís, cuyos acicalamientos venera. No es maravilla con esto que no supiera estimar en su verdadero valor la sana juventud y la caudalosa y tersa diafanidad de estilo de nuestro Garcilaso. Basten para cumplida refutación las palabras de su propio admirado Solís, buen juez de primores de forma por su mismo excesivo atildamiento, y que proclama al autor de los *Comentarios Reales:* "tan suave y ameno, según la elegancia de su tiempo, que culparíamos de ambicioso al que intentase mejorarle, alabando mucho al que supiere imitarle para seguirle". [46]

---

[45] Ticknor, *Historia de la Literatura Castellana* (traducción de Gayangos, tomo 3, cap. XXXVIII.

[46] Antonio de Solís, *Historia de la Conquista de México,* Libro I, cap. II.

Últimamente, entre nosotros, han indicado su vivo sentimiento de la naturaleza Ventura García Calderón y José Gálvez. [47] ¡Quién como él, en efecto, ha sugerido con más valientes líneas la sublime visión de nuestros nevados? *Aquella nunca jamás pisada, de hombres ni de animales ni de aves, inaccesible cordillera de nieves.* [48] En la arrogante entonación ponderativa, en el exultante ímpetu que acumula y escala aquí unos sobre otros los vocablos, diríase que esculpe las moles andinas; y sobre los revuelos de los cóndores, sobre los copos y las túnicas de las nubes, suscita y hace emerger la crestería de las cumbres intactas, serie de portentosas almenas que yerguen sus picos plateados como aras ideales, entre el sagrado silencio y el hondo azul turquí de los cielos más altos. Y bajo este imponente fondo, desfilan en sus capítulos breves y graciosas miniaturas campestres: ya es el plátano de Indias, "semejante a la palma en el talle, y en las hojas muy verdes y anchas"; ya la planta del maguey, con cuyo zumo las mujeres se alisaban y ennegrecían el cabello; ya las arboledas de molles, de menudo follaje y lozanía perpetua, que vio talar cuando su infancia en el valle de Cuzco; ya los picaflores o *quentis*, de color azul dorado "como lo más fino del cuello del pavo real"; ya la heredad de Chinchaypuqui, "con monte bravo de alisos por todo el arroyo arriba, que sube por tierra más y más fría, hasta donde hay nieve eterna, y desciende con más y más calor hasta la región más cálida del Perú, que es la del río Apurimac", el cual corre "muy raudo y recogido entre altísimas sierras, que desde sus nevados tienen trece y quince leguas casi a plomo". [49] En la quebrada de Yucay nos dibuja los árboles grandes y espesos, que los indios veneraban porque los Incas se ponían a su sombra a presenciar las fiestas rituales; los *paredones de antiguos edificios* que por esa banda había; y los pajarillos y cernícalos que cruzan leves por el aire. [50]

Es un auténtico paisaje serrano aquél de los cerros elevadísimos, que "se aventajan de los otros como las torres de las casas", y las cuestas grandes en los caminos, "que las hay de cinco y seis leguas, poco menos derechas que una pared", "que ponen grima y espanto sólo mirarlas"; "las sendas que suben en forma de culebras, dando vueltas a una mano y a otra", y en cuyas *apachetas* o eminencias "tienen ahora puestas cruces". Todo el aterimiento del Altiplano y los hielos terribles de las noches en las punas, están concentrados en esa observación que hace al pasar, de que "los indios tienen cuidado de meter debajo de techado sus cántaros y ollas, y cualquiera otra vasija de barro, porque si se descuidan y las dejan al sereno, las hallan otro día reventadas del mucho

---

[47] Ventura García Calderón. Opúsculo cit., p. 8. José Gálvez, *Posibilidad de una genuina literatura nacional.* (Tesis para el Doctorado en Letras), p. 7.

[48] *Comentarios Reales,* 1ª parte, Libro I, cap. VIII.

[49] Véanse principalmente en la 1ª parte, Libro VIII, cap. XXII; Libro IX, cap. XXI.

[50] *Comentarios Reales,* 1ª parte, Libro VIII, cap. XX.

frío". [51] En estos yermos y asperezas, se mueve la mansa turba de los indígenas: "simplicísimos en toda cosa, a semejanza de ovejas sin pastor... Poco o nada inventivos de suyo, pero grandes imitadores, como lo prueba la experiencia". Algunas veces el cuadro se ensancha sobre el Océano, y es una fresca marina de nuestras costas. Pasan las bandadas de pájaros acuáticos, *"tantos y tan cerrados que no dejan penetrar la vista de la otra parte. En su vuelo van cayendo unos en el agua a descansar y otros se levantan de ella.* Las alcatraces, a ciertas horas se ponen muchas juntas, y como halcones de altanería se dejan caer a coger el pescado, se zambullen, que aparece que se han ahogado, y cuando más se certifica la sospecha, las vemos salir con el pez atravesado en la boca, y volando en el aire lo engullen. Es gusto oír los golpazos que dan en el agua y ver otras que a medio caer se vuelven a levantar y subir, por desconfiar del lance. Bajan y suben como los martillos del herrero". [52]

Otras veces son las leyendas de las titánicas *piedras cansadas,* que lloran sangre en los ciclópeos monumentos imperiales, hechos a fuerza de trabajos y servidumbre; y la augusta melancolía de las ruinas, el religioso pavor y la extraña traza de los grandes templos idólatras, como el de Huiracocha en Cacha: con dos pisos, tres misteriosas puertas tapiadas, el dédalo de los doce callejones que tenían que recorrer los devotos y en cuyos extremos, bajo una ventana, un sacerdote vigilaba sentado en el *tocco* o nicho de piedra, en el centro la doble escalinata, el suelo de losas negras, lustrosas como azabache, y entre dos hornacinas vacías el tétrico altar y la estatua con largas vestiduras, y el bulto de un animal simbólico atado a una cadena. Y, con motivo de las incaicas expediciones al Amarumayu, aparecen la selvática magnificencia de la Montaña y sus inmensos ríos, "que tienen seis leguas de ancho, y tardan dos días las canoas" en pasarlos de una a otra banda; los tigres, que en aquellas espesuras eran adorados por los habitantes, quienes los reputaban primeros y legítimos pobladores de los bosques, en donde los hombres son advenedizos muy recientes; y las gigantescas boas, de las que contaban que fueron ferocísimas y las amansó con sus encantos una misteriosa maga. [53]

Mas toda esta materia poética, tan nueva e ingente, la ha tratado con una discreción infalible, con una delicadeza, una lucidez y un buen gusto nativos. Imaginémonos lo que habría sido bajo las desatadas plumas de Oviedo y Castellanos, o el estilo arrebatado de Valbuena. En Garcilaso se halla armonizada y dispuesta obedeciendo a una inspiración de suavidad continua, que arregla los contrastes, previene los descansos, agrupa y distribuye reflexivamente los asuntos, y escoge y ordena las citas. Este arte oculto de composición vivifica sus libros. La escena

---

[51] *Comentarios Reales,* 1ª parte, Libro II, cap. IV; Libro IV, cap. XVI; 2ª parte, Libro IV, cap. XXIX.

[52] *Comentarios Reales,* 1ª parte, Libro VIII, cap. XIX.

[53] *Comentarios Reales,* 1ª parte, Libro V, cap. XXII; Libro VII, cap. XIV.

del suplicio de Túpac Amaru, el disfavor y la muerte de D. Francisco de Toledo y el asesinato de D. Martín García de Loyola, sus verdugos, son el artístico y providencial desenlace de la clásica tragedia que ha venido escribiendo en los dos tomos de sus *Comentarios*. La aparición del dios al príncipe heredero, la repentina invasión de los Chancas, al Cuzco y la victoria de Yahuarpampa, aunque interrumpidas adrede y repartidas en dos lugares, están relatadas con maestría insuperable. Tienen algo del Ariosto en su deliberada suspensión. La entrevista del joven inca guerrero y el monarca fugitivo, parece un bajorrelieve monumental. [54] Y, cuando de estas heroicidades vuelve a las bellezas apacibles, vale por todos los yaravíes de Melgar la indicación de "aquella flauta que desde el otero llama con mucha pasión y ternura". [55] Una instintiva cadencia rige y modula los giros de su candoroso hablar, y comunica a las palabras el preciso ritmo de los sentimientos. Oíd con qué inflexiones nos describe la resignación de su vejez: "Paso una vida quieta y pacífica, como hombre desengañado y despedido de este mundo y de sus mudanzas, sin pretender cosa de él, porque ya no hay para qué, que lo más de la vida es pasado, y para lo que queda proveerá el Señor del Universo, como lo ha hecho hasta aquí". [56] ¿No os parece escuchar una plegaria religiosa en el recogimiento del crepúsculo vespertino?

A lado de la emoción profunda y contenida, luce siempre su fina sonrisa. Menudea y multiplica las anécdotas, los dichos graciosos, los detalles de costumbres, con una vena de amenidad, desenfado y donaire que presagia en todo las *Tradiciones* de Palma, de quien es indudable y principalísimo antecesor. Fue el cabal tradicionista de la primera generación criolla.

Por todo esto os decía, señores, desde las primeras palabras de mi largo discurso, que el Inca Garcilaso es el más perfecto representante y la más palmaria demostración del tipo literario peruano. Un mestizo cuzqueño, nacido al siguiente día de la Conquista, primero y superior ejemplar de la aleación de espíritus que constituye el *peruanismo,* nos descubre ya en sí, adultas y predominantes, las mismas cualidades de finura y templanza, sensibilidad vivaz y tierna pero discreta, elegante parquedad, blanda ironía, y dicción llana, limpia y donosa, que reaparecen en nuestros literatos más neta y significativamente nacionales, en Felipe Pardo y Ricardo Palma, para no mencionar sino a los de mayor crédito. Sin pretenderlo ni saberlo quizá, es como, ellos, un clásico, por la mesura y el delicado equilibrio. Y estas dotes son en el Inca Garcilaso tan naturales y espontáneas, que las emplea en los argumentos que de por sí menos podían sugerirlas: al describir el pavoroso derrocamiento de un grande imperio, la caída lastimera de una gloriosa estirpe, que era la suya, y los heroicos tumultos de la Conquista reso-

---

[54] *Comentarios Reales,* Libros IV y V de la 1ª parte.
[55] *Comentarios Reales,* Libro II, cap. XXVI.
[56] *Comentarios Reales,* 2ª parte, Libro V, cap. XXIII.

nante. Sin restar solemnidad y bríc a estas escenas, las pinta con sobriedad tan expresiva y distinguida y tan ágil y feliz levedad de ejecución que anuncia a cuánto cabría aspirar, dentro del temperamento estético de nuestra gente, si persevera en su propio camino y no se extravía por sendas ajenas. Aquel armónico tipo literario que reconocemos en Garcilaso, es efectivamente peruano, y no sólo limeño, como lo imaginan o quieren darlo a entender algunos, a causa de haberse ido concentrando durante el período republicano la actividad intelectual del país en Lima, tal vez con exceso. Es la adecuada síntesis y el producto necesario de la coexistencia y el concurso de influencias mentales, hereditarias y físicas que determinan la peculiar fisonomía del Perú.

La inteligencia peruana lleva ingénitas muy definidas tendencias al *clasicismo*. Para comprender y apreciar esto debidamente, es menester, ante todo, desechar la vulgarísima y mezquina acepción de clasicismo tal como se tomaba en 1830. La calidad de clásico no estriba esencialmente en estar atiborrado de latín y griego, ni menos en atenerse a caducas preceptivas retóricas y poéticas. El espíritu clásico, como aquí lo consideramos y debe concebírsele, consiste en la ponderación y concierto de las facultades, en la regularidad de las proporciones, en la claridad lógica llevada hasta los sentimientos, en la nitidez de las representaciones e ideas, en el predominio de la razón analítica y discursiva y de la imaginación plástica; y, como consecuencia, en el orden y aseo del lenguaje y en la pureza del gusto. Por regla general, el peruano literato propende a la dirección clásica y se esfuerza por acercarse a aquel dechado, rehuyendo las tenebrosas vaguedades, las difluentes e imprecisas visiones de lo que aún llamaremos *romanticismo*, renovando así un anticuado término. Nuestras aptitudes, por conformación y coincidencia espirituales, mucho más que por derivación de sangre, se avienen sorprendentemente con la tradicional cultura mediterránea que denominamos *latinismo*. Puede esto producir, como en realidad prepara, ciertas graves limitaciones y deficiencias en el carácter y en los hábitos de la mente, que importa evitar y corregir con justo celo; pero para ello mismo debemos darnos perfecta cuenta de nuestras innatas disposiciones, porque en el arte, como en la moral y en todos los aspectos de la vida, es factible y conveniente mejorar y enriquecer, pero insensato violentar y falsear la íntima naturaleza, y porque sería empeño tan estéril como ridículo el afán de torcer la manifiesta vocación de un pueblo. Por infalible resultado se obtendría el más triste fracaso, el más monstruoso aborto.

La idiosincrasia literaria española es compleja y, cuando menos, doble. Es quizá la única no exclusivamente clásica entre las nacionalidades neolatinas; porque junto a la solidez de la herencia romana, se precipita el torrente de la más romántica anarquía, y entre Cervantes y Lope, supremas encarnaciones respectivas de los dos impulsos contrarios, la mayoría opta por Lope. Mas, entre los criollos y mestizos americanos, por extraño que parezca, han prevalecido decididamente las condiciones latinas, o, mejor dicho, las nativas propensiones al clasicismo, a pesar de la escasez o interrupción de la cultura verdadera. [57] Y no es ésta la menor de las razones de la extremada imitación francesa, cuya literatura viene a significar en conjunto la mayor aproximación moderna al ideal clásico. Cuando los hispanoamericanos han intentado evadirse de la disciplina clásica, no han acertado a reproducir los irregulares prodigios del drama y del realismo castizos, ni siquiera los vislumbres y relampagueos de Góngora, y han solido quedarse en pobres remedos y engendros caricaturescos. Y, al revés, casi todas las producciones que son legítimo orgullo de la historia literaria americana, tienen alma y temple clásicos.

En ninguna parte la comprobación de mi tesis es tan completa y definitiva como en la literatura peruana. Tres movimientos anticlásicos han penetrado en ella: el gongorismo, el romanticismo y el modernismo; y la infecundidad e inferioridad general de sus resultados saltan a la vista. En cambio, desde el inca Garcilaso y el padre Diego de Hojeda (español éste de nacimiento, pero enteramente peruano de educación y vida), el río del clasicismo, salvando de los transitorios pantanos de amaneramiento y de las vertiginosas y efímeras caídas de la desmandada inspiración, lleva sus límpidos meandros hasta nuestros más célebres representantes del siglo XIX ya nombrados. Su corriente se delata aún en los que podrían imaginarse muy alejados de ella. González Prada por las bruñidas metáforas, por el estilo *objetivo*, es un parnasiano; y el parnasianismo fue la escuela moderna más afín de la clásica. Me objetaréis de seguro con el grande cuanto enmarañado, tempestuoso y frenético Chocano. Pero Chocano es una excepción; y las excepciones, por altas y geniales que sean, no invalidan el carácter permanente de una literatura. Y este mismo extraordinario Chocano, que es ante todo una fuerza retórica incalculable, ¡cuántas claras muestras de conversión al clasicismo, de refulgencia serena y precisa, nos ha dado en los últimos años! [58]

El tradicional instinto literario que reconocemos en el Perú, no está reñido con la grandeza, ni se reduce al criollismo burlón y travieso y la malicia epigramática. La mejor prueba es la obra del insigne escritor a quien hoy rememoramos. Puede crecer y desarrollarse ese instinto, aspirando a la fina y airosa elegancia, o a la noble y maciza robustez, o a la sobria pureza, según que en el espíritu o la sangre predomine la gracia costeña, hija del salado andaluz y del liviano yunga, o la fuerte severidad del extremeño, del castellano o del inca. Lo que parece vedado a la común contextura de nuestros compatriotas es cosechar fruto en las inciertas regiones de la penumbra, la indecisión y la exorbi-

---

[57] Por lo que a los mexicanos se refiere pueden hallarse observaciones concordantes con las nuestras, en la sugestiva conferencia de mi inteligente amigo Pedro Henríquez Ureña, sobre *D. Juan Ruiz de Alarcón* (Pronunciada el 6 de diciembre de 1913 en la Librería General de México).

[58] Ya lo advirtió Ventura García Calderón en el citado folleto *La literatura peruana*, p. 85.

tancia, que a otras razas proporcionarán bellezas inestimables, pero que no dejan a los nuestros, según lo acredita una experiencia tres veces secular, sino la palabrería más vana y hueca y los más torpes balbuceos. Cuando tras la cultura contemporánea o española de nuestros autores, asomen en la mayoría los innegables atavismos indígenas, éstos traerán sin duda, con la tierna tristeza elegíaca, la simetría y precisión de líneas y la regular ordenación que sus antiguas artes y su antiguo idioma revelan; y habrá que estimar unidas estas concordes cualidades, que tienden a integrar el tipo literario peruano, así como en el suavísimo estilo de Garcilaso el cronista, descubrimos a la vez el parentesco evidente con el homónimo poeta castellano de las *Églogas* y las *Canciones,* las huellas de sus propias lecturas neoplatónicas, y la insinuante dulzura de su materna raza quechua.

JOSÉ DE LA RIVA-AGÜERO

CRONOLOGÍA

1535

Campaña de Carlos V contra los piratas de Túnez. Derrota de Barbarroja. Juan de Valdés: *Diálogo de la lengua*. Aretino: *Los razonamientos*. Rabelais: *Gargantúa*. León Hebreo: *Diálogos de amor*. Fernández de Oviedo: *Historia general y natural de las Indias*.

Antonio de Mendoza estrena el Virreinato de Nueva España, creado el año anterior. Fundación de Lima. Descubrimiento de las minas de plata de Carcas. Se inicia la conquista de Chile. Con barcos robados a Pizarro desembarca Pedro de Alvarado en el Ecuador. Almagro, enviado a combatirlo, le compra su flota. Introducción de la imprenta en México.

1536

Nueva guerra entre Carlos V y Francisco I. Tratos entre turcos y franceses. Comienzan los disturbios religiosos en Inglaterra. Publica Calvino los fundamentos de su doctrina. Paracelso: *La gran cirugía*.

Pedro de Mendoza en el Río de la Plata y en el Paraná. Fundación de Buenos Aires. Llega Cortés al golfo de California. Sublevación de Manco Capac contra los españoles en Perú. Almagro se apodera de Cuzco y hace prisionero a Fernando Pizarro. Inauguración del Colegio de Santa Cruz de Tlatelolco en México.

1537

Solimán II llega a Hungría. Los portugueses en Bengala. Cristián III impone el luteranismo en Dinamarca. Funda Ignacio de Loyola la Compañía de Jesús. Tratado del arte de navegar de Núñez y comienzos de la balística con Tartaglia.

Declara Paulo III la igualdad cristiana de los indios. Misión de los dominicos a Guatemala, inspirada por Las Casas.

1538

Tregua de Niza entre Carlos V y Francisco I. Santa Liga entre el papa, el emperador y Venecia.

Fundación de Bogotá por Jiménez de Quesada. Primera universidad americana en Santo Domingo.

1539

Tregua de Francfort entre Carlos V y la Liga de Esmalcalda. Francisco de Vitoria: *Relaciones de Indis y De jure belli*. Antonio de Guevara: *Menosprecio de corte y alabanzas de aldea*. Marot: *Odas*. Vigarny: Cúpula de la catedral de Burgos.

12 de abril: nace en Cuzco Gómez Suárez de Figueroa, quien será conocido más tarde como el Inca Garcilaso de la Vega. Hijo del capitán español Garcilaso de la Vega y de la princesa incaica, prima de Atahualpa, Isabel Chimpu Ocllo.
Hernando de Soto desembarca en la Florida e intenta colonizarla; recorre el Mississippi.

1540

Aprueba Paulo III la Compañía de Jesús. Biringuccio: *De la pirotecnia.*

Alvar Núñez Cabeza de Vaca parte hacia el Río de la Plata y Paraguay en socorro de Mendoza. Avanza Valdivia en Chile, pese a la resistencia de los indios. Fernando Pizarro hace ahorcar a Almagro en la prisión. Descubre Vázquez de Coronado el Gran Cañón del Colorado. Florece Fray Bernardino. de Sahagún, autor de la *Historia general de las cosas de Nueva España,* que no se publicará hasta 1825.

1541

Derrota española en Argel. Hungría, provincia turca. Reforma religiosa de Knox en Escocia. Muerte de Paracelso. Miguel Ángel: *Juicio final* de la Capilla Sixtina.

Fundación de Santiago de Chile por Valdivia. Fundación de Valladolid, actual Morelia. Muerte accidental de Pedro de Alvarado. Francisco Pizarro perece asesinado por los partidarios de Almagro hijo. El Virrey de la Nueva España reconoce la Cíbola y Quivira (Texas y Nuevo México).

1542

Cuarta guerra entre Carlos V y Francisco I, aliado éste con Solimán. María Estuardo, reina de Escocia. Los españoles en las Islas Filipinas y los portugueses en Japón. Llega San Francisco Javier a la India y a China.

Por iniciativa de Las Casas se promulgan las *Nuevas Leyes* de Indias que sustituyen a las *Leyes de Burgos* de 1512. Vencido en Chupas, Diego de Almagro es ejecutado por orden de Vaca de Castro. Fundación de Guadalajara. Conquista de Yucatán.

1543

La viuda de Boscán publica juntas las poesías de su esposo y las de Garcilaso. Copérnico: *De revolutionibus,* que marca el inicio de la astronomía moderna. Vesalio: *De humani corporis anatomia,* primer tratado de anatomía moderna. Jardín botánico de Pisa.

Orellana, el capitán de Pizarro. desciende del alto Amazonas. Creación del Virreinato de Perú. Entra en Tucumán Diego de Rojas.

1544

Carlos V invade Francia. Dieta de Espira. Münster: *Cosmografía.* Inicia Rondelet la zoología moderna con su *Historia de los peces.*

Comienza en Perú la rebelión pizarrista. Es muerto ante Quito el virrey Blasco Núñez Vela por los partidarios de Pizarro.

1545

Concilio de Trento. Cellini: *Perseo.* El primer tratado de Paré marca el comienzo de la cirugía moderna. Pero Mexía: *Historia imperial y cesárea.*

Asesinato del nuevo Inca, Manco Cápac, por los españoles. Es nombrado Pedro de la Gasca como pacificador del Perú.

1546

Guerra de Esmalcalda. Carlos V y sus aliados contra los protestantes. Fallecen Lutero y Francisco I.

Se crea el arzobispado de México. Batalla de Iñaquito.

1547

Es derrotada en la batalla de Mühlbeg la Liga de Esmalcalda. Enrique II, rey de Francia. Muere Enrique VIII de Inglaterra. Iván IV el Terrigle, zar de Rusia. Se encomiendan a Miguel Ángel las obras de San Pedro.

Fallece en Sevilla Hernán Cortés. Se establece la Inquisición en México. Olmos: *Arte de la lengua mexicana.*

1548

Tratado de Borgoña: se inicia la separación de los Países Bajos del Imperio. Ignacio de Loyola: *Ejercicios espirituales.* Berruguete: Relieves y estatuas del coro de la catedral de Toledo.

Gonzalo Pizarro es derrotado en Xaquisaguana por La Gasca; hecho prisionero es ejecutado junto con Carvajal.

1549

Du Bellay: *Defensa e ilustración de la lengua francesa.* Herberstein: *Comentarios sobre Rusia,* primer conocimiento de aquel país por los occidentales.

Fundación de La Paz por Alonso de Mendoza. Primeros misioneros jesuitas en el Japón.

1550

Ronsard: *Odas.* Vasari: *Vida de los famosos artistas.* Ramusio: *Navegación y viajes.* Sansovino: Casa de moneda de Venecia.

Asambleas de Valladolid: Controversia entre Las Casas y Sepúlveda sobre el trato que debe darse a los indios y los derechos de España. Antonio de Mendoza, virrey del Perú; le sucede Luis de Velasco como virrey de Nueva España. Cieza de León: *Crónica del Perú.*

1551

Guerra entre el papa y Francia. África del Norte en poder de los turcos.

Se funda la universidad de San Marcos en Lima. Cédula de la fundación de la universidad de México. En la catedral de Cuzco se cantan himnos religiosos con motivos musicales indígenas. Betanzos: *Suma y narración de los Incas.*

1552

Tregua entre Francia y el papa. Mauricio de Sajonia se separa de Carlos V y ocupa Augsburgo y el Tirol. Tratado de Chambord: alianza de Enrique II con los protestantes.

El Inca Garcilaso toma clases de latín con Juan de Cuéllar.
Se publican en Sevilla las principales obras del dominico Las Casas en contra de los conquistadores y del régimen de la encomienda aplicado a los indios. López de Gómara: *Historia de las Indias.*

1553

Los franceses se apoderan de Córcega. María Tudor, reina de Inglaterra. Los portugueses en Macao. Ejecución de Servet.

Fundación de Santiago del Estero. Valdivia es muerto por los araucanos de Chile.

1554

Matrimonio de María de Inglaterra con Felipe de España. Guerra de Iván el Terrible por la posesión de Finlandia. Bandello: *Novelas.*

Fundan los jesuitas la escuela de San Pablo en Brasil, en torno a la cual se formó la ciudad que lleva ese nombre. Muere en Puebla Gutierre de Cetina.

1555

Paz religiosa de Augsburgo. Lasso: *Madrigales.* Veronés: *Coronación de María.*

El Inca reparte en el Cuzco las primeras uvas.
Primer concilio mexicano. Se transcribe el *Popol Vuh.* Cabeza de Vaca: *Comentarios.* Zárate: *Historia del descubrimiento de Perú.*

1556

Abdicación de Carlos V. Fernando I, rey de Alemania y Felipe II, rey de España. Agrícola: *De re metallica,* primer tratado de minería. Comienza a pintar Brueghel el Viejo. Palestrina: *Misa del papa Marcelo.*

Las instrucciones reales recomiendan sustituir por las palabras "descubrimiento" y "poblador" los términos usados hasta entonces "conquista" y "conquistador". Llega a Lima, como nuevo virrey, Andrés Hurtado de Mendoza. Florece Fray Alonso de la Vera Cruz.

1557

Guerra de España e Inglaterra contra Francia. Batalla de San Quintín; en acción de gracias por esta primera victoria de Felipe II se construirá el monasterio de San Lorenzo de El Escorial. Los protestantes se adueñan de Escocia.

Don García Hurtado de Mendoza, hijo del virrey del Perú, marcha al frente de una expedición contra los araucanos.

1558

Los ingleses pierden Calais. Fallece Caros V. Isabel I, reina de Inglaterra. Guerra entre Suecia y Rusia por la posesión de Lavonia. Margarita de Navarra: *Heptamerón.*

El Inca adquiere de García Sánchez la otra mitad de Havisca; así se convierte en dueño de la chacra de coca, región que perteneciera a su padre. Sale de su refugio Sayri Túpac y es bautizado en Cuzco.

1559

Paz de Chateau-Cambrésis entre Francia y España. Muere Enrique II. Gobierno de los duques de Guisa. El calvinismo en Francia. Acta de uniformidad en Inglaterra. Vlacich: *Centurias de Magdeburgo.*

Al fallecer su padre, hereda el Inca 4.000 pesos para estudiar en España.
El conde de Nieva, virrey de Perú. Lega Las Casas el manuscrito de su *Historia de las Indias* a los dominicos de Valladolid.

1560

Regencia de Catalina de Médicis en Francia. Nicot introduce el tabaco en Francia. Dalla Porta funda la primera academia científica en Nápoles.

Sale para España el Inca el día 20 de enero. Ya en la Península se encuentra en Montilla con su tío el capitán Alonso de Vargas.
Pedro de Orsúa se interna en la selva al frente de una expedición. Primera piedra de la catedral de Cuzco. Cervantes de Salazar: *Crónica de la Nueva España.*

1561

María Estuardo en Escocia. Iván el Terrible acaba con la Orden Teutónica. Guicciardini: *Historia de Italia.* Santa Teresa: Vida. Tintoretto: *Bodas de Caná.*

Asesinato de Orsúa. Rebelión de Lope de Aguirre tras una larga travesía por el Amazonas; es ejecutado en Barquisimeto. Llega a Lima el conde de Nieva, nuevo virrey.

1562

Paz entre el emperador Fernando I y los turcos. Edicto de San Germán en Francia; comienzan las guerras de religión. Zurita: *Anales de la corona de Aragón.*

Llega a Madrid el Inca Garcilaso; conoce, entre otros, a Las Casas y a Hernando Pizarro.
Se funda la villa de Chancay.

1563

Asesinato del duque Francisco de Guisa. Paz de Amboise. Fin de la guerra de los hugonotes. Termina el Concilio de Trento. Establecimiento definitivo de la iglesia anglicana en Inglaterra. Guerra entre Dinamarca y Suecia. Clouet: *Retrato de Carlos IX.*

Decide el Inca volver a Perú y cambia de parecer. El 22 de noviembre se encuentra en Montilla y figura como Garcilaso de la Vega.
Fundación de Santiago de Miraflores y de Valverde de Ica. Aguirre: *Cristo con la cruz,* en la Ermita de la Candelaria, en La Antigua, Guatemala.

1564

Maximiliano II, emperador. Guerra comercial entre Inglaterra y los Países Bajos. Sepulcro de Solimán el Magnífico en Constantinopla. Primer *Índice de los libros prohibidos,* bajo Pío IV.

Perece violentamente en la ciudad de Lima el virrey conde de Nieva. Lope García de Castro, gobernador presidente de la Audiencia. Landa: *Relación de las cosas de Yucatán.*

1565

Oposición en los Países Bajos al edicto religioso de Felipe II. Los turcos atacan Malta. Aniquilamiento de los boyardos en Rusia.

Casa de Moneda en Lima. Se establecen los Corregidores de indios. Muere el obispo don Vasco de Quiroga, Tatá Vasco, en Nueva España.

1566

Rebelión de los Países Bajos. Los turcos en Hungría. Aparecen las primeras Bolsas de comercio.

Fallece fray Bartolomé de las Casas en Madrid. Conspiración de Cortés en Nueva España. Audiencia de Chile en Concepción.

1567

El Duque de Alba en los Países Bajos. Guerra civil en Escocia. Segunda guerra de religión en Francia. Schmidt: *Derrotero y viaje a España y las Indias.* Nace la Comedia del arte.

Mem de Sá funda la ciudad de Río de Janeiro y Diego de Losada la de Caracas. Se amotinan mestizos en Cuzco y Lima. Descubrimiento de las islas Salomón, en el Pacífico, por Álvaro Mendaña de Neira.

1568

Domina el Duque de Alba la sublevación de los Países Bajos. Renuncia de María Estuardo; Jacobo VI, rey de Escocia. Muere el príncipe don Carlos, hijo de Felipe II. Hurtado de Mendoza: *Guerras de Granada.*

Francisco de Toledo, virrey de Perú. Martín Enríquez de Almanza, virrey de Nueva España. Ejecución de Martín Cortés. Fallece Motolinía. Ataque del pirata Drake a Veracruz. Díaz del Castillo: *Historia verdadera de la conquista de la Nueva España.*

1569

Unión de Polonia y Lituania. Cosme de Médicis, gran duque de Toscana. Mercator: *Planisferio.*

Llega a Lima el virrey Toledo. Drake se apodera de Nombre de Dios, en Panamá.

1570

Fin de la guerra de religión en Francia. Los turcos en Chipre. Alianza de España, el papa y Venecia contra el turco. Se funda la Bolsa de Londres. Palladio: *Los cuatro libros de arquitectura.*

Fallece Alonso de Vargas, tío del Inca; su viuda es la heredera de sus bienes. Al morir ésta, comparte Garcilaso la herencia con su prima Isabel de Vargas. Se instala el Tribunal del Santo Oficio en México y en Lima.

1571

En la batalla de Lepanto se pone fin a la dominación turca en el mar. Bloqueo comercial de los Países Bajos a Inglaterra. Incendio de Moscú por los tártaros.

Fallece la madre del Inca en Cuzco. Ordena el virrey Toledo reducciones de pueblos en Perú. Se incorporan a la corona las minas de Huancavalica. Fundación de Manila por López de Legazpi. Diego Fernández: *Historia del Perú.*

1572

Sublevación de los Países Bajos; Guillermo de Orange, gobernador general. "Noche de San Bartolomé": matanza de hugonotes en París. Estienne: *Tesoro de la lengua griega.* Camoens: *Los Lusiadas.*

Lucha contra los incas de Vilcabamba. Muerte de fray Pedro de Gante. Prosiguen los ataques de Drake a las posesiones españolas en América.

1573

La contrarreforma en Polonia. Fin de la dinastía Ashikaga en el Japón.

Se funda la ciudad de Córdoba, en Argentina. Casa de Moneda en Potosí.

1574

Enrique III, rey de Francia. Abandona el duque de Alba los Países Bajos. Portugal coloniza Angola. Pierden Túnez los españoles. Ercilla: *La Araucana.*

Se entera el Inca de la muerte de su madre. Fundación de Cochabamba y Tarija. Es ejecutado en Santiago del Estero Luis Jerónimo de Cabrera. Iglesia de San Agustín en Lima.

1575

Congregación del Oratorio de San Felipe Neri. Fundación de la universidad de Leyden. Tasso: *Jerusalén libertada.*

Fallece el arzobispo de Lima, Jerónimo de Loaysa. Concluye el virrey Toledo su visita general y regresa a Lima.

1576

Rodolfo II, emperador. Florece Tycho Brahe. Bodino: *La República.*

Fundación de las ciudades de León y San Luis Potosí en Nueva España. Alonso de Molina: *Arte de la lengua mexicana y castellana.*

1577

"Edicto perpetuo" en los Países Bajos. Santa Teresa: *Las moradas.* Aubigné: *Los trágicos.*

Juan de la Cueva viaja de México a España.

1578

Alejandro Farnesio reconquista los Países Bajos del sur para España. Muere don Juan de Austria en Flandes. Derrota de Alcazarquivir y muerte del rey don Sebastián de Portugal. Lyly: *Eufues, anatomía del ingenio.*

Alonso de Molina: *Doctrina christiana,* en lengua mexicana.

1579

División de los Países Bajos. Sublevaciones en Irlanda. Spenser: *Calendario del pastor.*

Continúan los ataques del pirata Drake a las colonias americanas.

1580

Unión de España y Portugal con Felipe II como monarca. Montaigne: *Ensayos.*

Pasa Martín Enríquez de virrey de Nueva España a virrey de Perú. Segunda fundación de Buenos Aires por Garay.

1581

Guillermo de Orange, gobernador de las Provincias Unidas en los Países Bajos. Emprenden los rusos la conquista de Siberia. F. Sánchez: *Que naas se sabe.*

Diego Durán: *Historia de las Indias de Nueva España.* Nace Juan Ruiz de Alarcón.

1582

Paz entre Rusia y Polonia. Reforma gregoriana del calendario. Muere Santa Teresa de Jesús. Academia de "La Crusca" en Florencia.

III Concilio provincial de Lima, convocado por el arzobispo Mogrovejo.

1583

Primera colonia inglesa en Terranova. Expedición de Raleigh a Virginia. Escalígero: *Sobre las enmiendas del tiempo.* Fray Luis de León: *Los nombres de Cristo. La Perfecta Casada.* Victoria: *Segundo libro de misas.*

Fallece en Lima el virrey Martín Enríquez.

1584

Asesinato de Guillermo de Orange; le sucede Mauricio como gobernador. Campaña de Farnesio en las Provincias Unidas. Muere Iván el Terrible. Giordano Bruno en Londres. Juan Rufo: *La Austriada.* El Greco: *Entierro del Conde de Orgaz.*

Antonio Ricardo inicia la imprenta en Lima. *Doctrina christiana* y *Catecismo* en lenguas quechúa y aymará. Anchieta: *Historia brasileña de la Compañía de Jesús.*

1585

Alianza de Felipe II con la Liga de Francia. Inglaterra ayuda a las Provincias Unidas. Los españoles ocupan Amberes y recuperan Flandes y Brabante. Guarini: *El pastor fiel.* Cervantes: *La Galatea.* Muere Ronsard.

Álvaro Enrique de Zúñiga, virrey de Nueva España. Arriba a Perú el nuevo virrey, conde de Villardopardo. Primeras misiones jesuíticas en el Paraguay. Construcción de la catedral de Cuzco.

1586

Baronio: *Anales eclesiásticos.* Traslado y erección de un obelisco egipcio en Roma por Fontana.

Termina el Inca Garcilaso la traducción de los tres Diálogos de amor *de León Hebreo. Por primera vez se tiene conocimiento de las otras obras que proyecta escribir.*
Terremoto en la ciudad de Lima y en el Callao. *Arte y vocabulario en la lengua general del Perú llamado quichua,* atribuido a Juan Martínez.

1587

Ejecución de María Estuardo. Segismundo Vasa, rey de Polonia. La armada inglesa, comandada por Drake, saquea Cádiz.

Es nombrado el Inca procurador por el cabildo de Montilla.
Cavendish se apodera en California del galeón de Manila. Saqueo de Paita. Soares de Sousa: *Tratado descriptivo del Brasil.*

1588

Destrucción de la Armada Invencible Asesinato de los duques de Guisa. Montaigne completa sus *Ensayos.* Marlowe: *Fausto.* Molina: *Acuerdo del libre albedrío.*

Obtiene el Inca su licencia de impresión para la traducción de los Diálogos *de amor. Nace su hijo Diego de Vargas, fruto de sus amores con Beatriz de Vega.* La población de la saqueada Paita se traslada a San Miguel de Piura.

1589

Asesinato de Enrique III y fin de los Valois en Francia. Asciende al trono Enrique IV, borbón y calvinista. Byrd: *Canciones sagradas.* Aparecen las máquinas de tejido de punto.

Garcilaso recopila información para La Florida. *Dedica a Felipe II su traducción de los* Diálogos.
García Hurtado de Mendoza, nuevo virrey de Perú. Llega a América San Francisco Solano.

1590

Enrique IV es obligado por Farnesio a levantar el sitio de París. Spenser: *La reina de las hadas.*

Publica el Inca Garcilaso los Diálogos de amor *de León Hebreo en Madrid, en casa de Pedro Madrigal. Redacta de nuelo* La Florida. *Anota la Historia de Gómara.* Luis de Velasco, virrey de Nueva España. Muere fray Bernardino de Sahagún. Acosta: *Historia natural y moral de las Indias.*

1591

Primera expedición inglesa a la India. Fallecen Fray Luis de León y San Juan de la Cruz.

Se fundan Rioja y Castrovirreina. Juan de Cárdenas: *Problemas y secretos maravillosos de las Indias.*

1592

Segismundo Vasa, rey de Polonia y de Suecia. Termómetro de aire de Galileo.

Se promulga en el Virreinato del Perú la Real Cédula del impuesto de alcabala.

1593

Fallece Marlowe, el dramaturgo inglés.

Proyecta el Inca una nueva edición, corregida, de los Diálogos, *dividiéndola en capítulos.* Se descubren los yacimientos de plata de Yauli.

1594

Se convierte al catolicismo Enrique IV. Fallecen Palestrina y Tintoretto. Peri: *Dafne,* una nueva concepción de la ópera.

Hawkins cruza el estrecho de Magallanes y es perseguido y apresado por Beltrán de Castro.

1595

Guerra entre Enrique IV y Felipe II. Caravaggio: *Entierro* (en el Vaticano).

Incendia Drake Nombre de Dios y fracasa en su ataque a Puerto Rico. Nueva expedición de Mendaña al Océano Pacífico, aventura en la que perecerá luego de descubrir las Islas Marquesas.

1596

Francia, Inglaterra y las Provincias Unidas contra Felipe II. Nace el filósofo Descartes. Shakespeare: *Sueño de una noche de verano.*

Firma el Inca, en Córdoba de España, la "relación de la descendencia de Garci Pérez", desglosada de La Florida, *que está casi terminada.* El virrey de Nueva España, Luis de Velasco, sustituye al de Perú, García Hurtado de Mendoza. Muere Drake en Portobelo. Mendieta: *Historia eclesiástica indiana.* Oña: *El arauco domado.*

1597

Shakespeare: *Romeo y Julieta; El mercader de Venecia.* Suárez: *Disputaciones metafísicas.* Libavius: *Alquimia* (primer texto de química). Muere Fernando de Herrera.

Aunque se ignora si el Inca recibió las órdenes mayores, el 11 de agosto aparece por vez primera como "clérigo" en una escritura. Casa de comedias de Francisco de León en México.

1598

Paz de Vervins entre España y Francia.
Edicto de Nantes. Muere Felipe II y le
sucede su hijo Felipe III. Boris Gudu-
nov, zar de Rusia. Rebelión de Carlos
Vasa contra Segismundo en Suecia.

Se subleva el Arauco. Asume el mando
Pedro de Vizcaya, a la muerte del gobernador García de Loyola.

1599

Nace el pintor Velázquez. Shakespeare:
Julio César. Mateo Alemán: *Guzmán de
Alfarache.* W. Gilbert: *De magnete,* primer tratado de magnetismo y de electri-
cidad.

Los araucanos incendian Valdivia y Chillán. Francisco de Quiñones. enviado por
el virrey de Perú, cruza el Bío-Bío y
recupera la Imperial y Angol.

1600

Fundación de la Compañía inglesa de las
Indias Orientales. Es ejecutado en Roma
Giordano Bruno. Se traslada la corte española a Valladolid, donde permanecerá
seis años. Ricci en Pekín. Malherbe:
Odas a la Reina. Del Monte: *Perspec-
tiva* (nace esta nueva rama de la geo-
metría).

*Escribe de nuevo Garcilaso el capítulo
sobre el nombre Perú.*
*Marcha de México a España Juan Ruiz
de Alarcón.*

1601

Desbaratan los holandeses la flota espa-
ñola en Gibraltar. Muere Ticho Brahe.
Mariana: *Historia de España.* Caccini:
Nuevas músicas.

1602

Guerra turco-persa. Fundación de la Compañía holandesa de las Indias Orientales. Campanella: *La ciudad del sol.*

Se edita en Lima la *Miscelánea austral,*
de Dávalos y Figueroa. Barco Centenera:
La Argentina.

1603

Muerte de Isabel I de Inglaterra; Jacobo
I Estuardo, rey de Inglaterra y de Escocia. Sometimiento de Irlanda. Se funda
en Roma la "Academia de los Linces".
Charron: *De la sabiduría.* Shakespeare:
Hamlet. Primeros intentos franceses de
colonización en Canadá.

*Los incas de sangre real de Cuzco en-
vían poder a Garcilaso, a su sobrino
Alonso Márquez de Figueroa, a Alonso
de Mesa y a Melchor Carlos Inca.*
Juan de Mendoza y Luna, Marqués de
Montesclaros, virrey de Nueva España.
Bertoni: *Arte y gramática de la lengua
aymará.* Torres Rubio: *Gamática y vocabulario en lengua quechua, aymará y
española.*

1604

Sublevaciones protestantes en Hungría.
Fundación de la Compañía Francesa de
las Indias Orientales.

Termina el Inca los Comentarios Reales.
Es depuesto el virrey de Perú Luis de
Velasco, hijo; le sucede el conde de Mon-
terrey. Balbuena: *Grandeza mexicana.*
Juan Martínez: *Vocabulario en la len-
gua quechua y española.*

1605

Cervantes: Primera parte de *Don Quijote*. F. Bacon: *Sobre el progreso del saber*. Jonson: *Volpone*.

Publica en Lisboa Garcilaso La Florida del Inca *o* Historia del adelantado Hernando de Soto. García Ramón, gobernador de Chile, prosigue la lucha contra los araucanos. Lizárraga: *Descripción breve de toda la tierra del Perú*.

1606

Paz de Viena: los Habsburgo reconocen la soberanía de Esteban Bocskay, príncipe de Transilvania. Fundación de la Compañía Inglesa de Virginia.

Fundación de Oruro e Ibarra. Luis de Valdivia: *Arte y gramática de la lengua de Chile*.

1607

Los ingleses en la India. Los jesuitas crean las Misiones del Paraguay.

Luis de Velasco, hijo, nuevamente virrey de Nueva España. Fallece el conde de Monterrey, virrey de Perú, y le sustituye el marqués de Montesclaros.

1608

San Francisco de Sales: *Introducción a la vida devota*. Monteverdi: *Ariana*.

Se establece en Santiago la Audiencia de Chile.

1609

Tregua de doce años entre España y las Provincias Unidas. Libertad religiosa en Bohemia. Expulsión de los moriscos en España. Kepler: *Astronomia nova*. Guido Reni: *Aurora*. Se inicia en Constantinopla la construcción de la mezquita Achmidjé.

Publica el Inca en Lisboa los Comentarios reales. Insurrección de los negros en Nueva España, acaudillados por Yanga. Champlain descubre en Canadá el lago que hoy lleva su nombre, después de haber fundado Quebec. Echave Orio: *Aparición de Jesús y la Virgen a San Francisco* (México). Construcción del puente sobre el Río Rimac (Lima).

1610

Es asesinado Enrique IV y le sucede en el trono de Francia Luis XIII, bajo la regencia de María de Médicis. Descubrimientos telescópicos de Galileo. Invento del microscopio. Rubens: *Erección de la cruz*.

Fallece el gobernador de Chile García Ramón; le sucede Juan de Jaraquemada. González de Eslava: *Coloquios espirituales*. Juárez: *Aparición del Niño Jesús a San Antonio*.

1611

Gustavo Adolfo, rey de Suecia. Guerra entre Suecia y Dinamarca. Florece Hojeda, autor de la epopeya religiosa *La Cristiana*.

Descubre Hudson el mar que lleva su nombre.

1612

Matías, emperador. Paz entre Francia y España. Cervantes: Segunda parte de *Don Quijote*. Boehme: *La autora naciente*.

Compra el Inca en la Mezquita-catedral de Córdoba una capilla para ser enterrado. Termina la segunda parte de los Comentarios. El padre Oré lo visita en Córdoba.
Termina Díaz de Guzmán su obra conocida como *La Argentina manuscrita*.

1613

Paz entre Suecia y Dinamarca. Los Romanov en el trono de Rusia. Cervantes: *Las novelas ejemplares*.

Se instala en Lima el Tribunal del Consulado.

1614

Muerte de El Greco. Santorio: *Estática médica*. Efectúa Snel van Royen las primeras triangulaciones geodésicas. Invención de los logaritmos. Domenichino: *Comunión de San Jerónimo*.

Censo de la ciudad de Lima. Huamán Poma de Ayala: *Nueva crónica y buen gobierno*. Los holandeses fundan Nuevo Amsterdam en la isla de Manhattan.

1615

Montchrétien: *Economía política*. Caus: *Las causas de las fuerzas que mueven distintas máquinas*. Brosse: Palacio del Luxemburgo (París).

El Inca Garcilaso trabajado por grave dolencia.
El príncipe de Esquilache sustituye como virrey del Perú al marqués de Montesclaros.

1616

Dificultades de Galileo con la Iglesia por su teoría heliocéntrica. Mueren Cervantes y Shakespeare.

Otorga el Inca su testamento el 18 de abril y fallece en Córdoba, probablemente el 23 del mismo mes.
Alonso de Huerta: *Arte de la lengua quechua*. Descubre Baffin la bahía que lleva su nombre.

1617

Tratado de Pavía entre España y el emperador Matías. Fernando II, rey de Bohemia. Paz entre Rusia y Suecia; pasan a ésta última las provincias bálticas.

Aparece en Córdoba la Historia general del Perú, *segunda parte de los* Comentarios.
Levantamiento de los tepehuanes en Nueva España.

COMENTARIOS REALES

A LA SERENÍSIMA PRINCESA DOÑA CATALINA DE PORTUGAL, DUQUESA DE BRAGANZA, ETCÉTERA

La común costumbre de los antiguos y modernos escritores, que siempre se esfuerzan a dedicar sus obras, primicias de sus ingenios, a generosos monarcas y poderosos Reyes y Príncipes, para que con el amparo y protección de ellos vivan más favorecidos de los virtuosos y más libres de las calumnias de los maldicientes, me dio ánimo, Serenísima Princesa, a que yo, imitando el ejemplo de ellos, me atreviese a dedicar estos COMENTARIOS a Vuestra Alteza, por ser quien es en sí y por quien es para todos los que de su real protección se amparan. Quien sea Vuestra Alteza en sí por el ser natural sábenlo todos, no sólo en Europa, sino aun en las más remotas partes del Oriente, Poniente, Septentrión y Mediodía, donde los gloriosos Príncipes progenitores de Vuestra Alteza han fijado el estandarte de nuestra salud y el de su gloria tan a costa de su sangre y vidas como es notorio. Cuán alta sea la generosidad de Vuestra Alteza consta a todos, pues es hija y descendiente de los esclarecidos Reyes y Príncipes de Portugal, que, aunque no es esto de lo que Vuestra Alteza hace mucho caso, cuando sobre el oro de tanta alteza cae el esmalte de tan heroicas virtudes se debe estimar mucho. Pues ya si miramos el ser de la gracia con que Dios Nuestro Señor ha enriquecido el alma de Vuestra Alteza, hallaremos ser mejor que el de la naturaleza (aunque Vuestra Alteza más se encubra), de cuya santidad y virtud todo el mundo habla con admiración, y yo dijera algo de lo mucho que hay, sin nota de lisonjero, si Vuestra Alteza no aborreciera tanto sus alabanzas como apetece el silencio de ellas. Quien haya sido y sea Vuestra Alteza para todos los que de ese reino y de los extraños se quieren favorecer de su real amparo, tantas lenguas lo publican que ni hay número en ellas ni en los favorecidos de vuestra real mano, de cuya experiencia figurado lo espero recibir mayor en estos mis libros, tanto más necesitados de amparo y favor cuanto ellos por sí y yo por mí menos merecemos. Confieso que mi atrevimiento es grande y el servicio en todo muy pequeño, si no es en la voluntad; la cual juntamente ofrezco, prontísima para servir, si mereciese servir a Vuestra Alteza, cuya real persona y casa Nuestro Señor guarde y aumente, amén, amén.

EL INCA GARCILASO DE LA VEGA

PROEMIO AL LECTOR

Aunque ha habido españoles curiosos que han escrito las repúblicas del Nuevo Mundo, como la de México y la del Perú y las de otros reinos de aquella gentilidad, no ha sido con la relación entera que de ellos se pudiera dar, que lo he notado particularmente en las cosas que del Perú he visto escritas, de las cuales, como natural de la ciudad del Cuzco, que fue otra Roma en aquel Imperio, tengo más larga y clara noticia que la que hasta ahora los escritores han dado. Verdad es que tocan muchas cosas de las muy grandes que aquella república tuvo, pero escríbenlas tan cortamente que auna las muy notorias para mí (de la manera que las dicen) las entiendo mal. Por lo cual, forzado del amor natural de la patria, me ofrecí al trabajo de escribir estos *Comentarios,* donde clara y distintamente se verán las cosas que en aquella república había antes de los españoles, así en los ritos de su vana religión como en el gobierno que en paz y en guerra sus Reyes tuvieron, y todo lo demás que de aquellos indios se puede decir, desde lo más ínfimo del ejercicio de los vasallos hasta lo más alto de la corona real. Escribimos solamente del Imperio de los Incas, sin entrar en otras monarquías, porque no tengo la noticia de ellas que de ésta. En el discurso de la historia protestamos la verdad de ella, y que no diremos cosa grande que no sea autorizándola con los mismos historiadores españoles que la tocaron en parte o en todo; que mi intención no es contradecirles, sino servirles de comento y glosa y de intérprete en muchos vocablos indios, que, como extranjeros en aquella lengua, interpretaron fuera de la propiedad de ella, según que largamente se verá en el discurso de la historia, la cual ofrezco a la piedad del que la leyere, no con pretensión de otro interés más que de servir a la república cristiana, para que se den gracias a Nuestro Señor Jesucristo y a la Virgen María su madre, por cuyos méritos e intercesión se dignó la Eterna Majestad de sacar del abismo de la idolatría tantas y tan grandes naciones y reducirlas al gremio de su Iglesia Católica Romana, madre y señora nuestra. Espero que recibirá con la misma intención que yo la ofrezco, porque es la correspondencia que mi voluntad merece, aunque la obra no la merezca.

Otros dos libros se quedan escribiendo de los sucesos que entre los españoles, en aquella mi tierra, pasaron hasta el año de 1560 que yo salí de ella. Deseamos verlos ya acabados para hacer de ellos la misma ofrenda que de éstos. Nuestro Señor, etcétera.

ADVERTENCIAS ACERCA DE LA LENGUA GENERAL DE LOS INDIOS DEL PERÚ

Para que se entienda mejor lo que con el favor divino hubiéremos de escribir en esta historia, porque en ella hemos de decir muchos nombres de la lengua general de los indios del Perú, será bien dar algunas advertencias acerca de ella.

La primera sea que tiene tres maneras diversas para pronunciar algunas sílabas, muy diferentes de como las pronuncia la lengua española, en las cuales pronunciaciones consisten las diferentes significaciones de un mismo vocablo: que unas sílabas se pronuncia en los labios, otras en el paladar, otras en lo interior de la garganta, como adelante daremos los ejemplos donde se ofrecieren. Para acentuar las dicciones se advierta que tienen sus acentos casi siempre en la sílaba penúltima y pocas veces en la antepenúltima y nunca jamás en la última esto es; no contradiciendo a los que dicen que las dicciones bárbaras se han de acentuar en la última, que lo dicen por no saber el lenguaje.

También es de advertir que en aquella lengua general del Cuzco (de quien es mi intención hablar, y no de las particulares de cada provincia, que son innumerables) faltan las letras siguientes: *b, d, f, g, j jota; l* sencilla no la hay, sino *ll* duplicada, y al contrario no hay pronunciación de *rr* duplicada en principio de parte ni en medio de la dicción, sino que siempre se ha de pronunciar sencilla. Tampoco hay *x,* de manera que del todo faltan seis letras del a.b.c. español o castellano y podremos decir que faltan ocho con la *l* sencilla y con la *rr* duplicada. Los españoles añaden estas letras en perjuicio y corrupción del lenguaje, y, como los indios no las tienen, comúnmente pronuncian mal las dicciones españolas que las tienen. Para atajar esta corrupción me sea lícito, pues soy indio, que en esta historia yo escriba como indio con las mismas letras que aquellas tales dicciones se deben escribir. Y no se les haga de mal a los que las leyeren ver la novedad presente en contra del mal uso introducido, que antes debe dar gusto leer aquellos nombres en su propiedad y pureza. Y porque me conviene alegar muchas cosas de las que dicen los historiadores españoles para comprobar las que yo fuere diciendo, y porque las he de sacar a la letra con su corrupción, como ellos las escriben, quiero advertir que no parezca que me contradigo escribiendo las letras (que he dicho) que no tiene aquel lenguaje, que no lo hago sino por sacar fielmente lo que el español escribe.

También se debe advertir que no hay número plural en este general

5

lenguaje, aunque hay partículas que significan pluralidad; sírvense del singular en ambos números. Si algún nombre indio pusiere yo en plural, será por la corrupción española o por el buen adjetivar las dicciones, que sonaría mal si escribiésemos las dicciones indias en singular y los adjetivos o relativos castellanos en plural. Otras muchas cosas tiene aquella lengua diferentísimas de la castellana, italiana y latina; las cuales notarán los mestizos y criollos curiosos, pues son de su lenguaje, que yo harto hago en señalarles con el dedo desde España los principios de su lengua para que la sustenten en su pureza, que cierto es lástima que se pierda o corrompa, siendo una lengua tan galana, en la cual han trabajado mucho los Padres de la Santa Compañía de Jesús (como las demás religiones) para saberla bien hablar, y con su buen ejemplo (que es lo que más importa) han aprovechado mucho en la doctrina de los indios.

También se advierta que este nombre *vecino* se entendía en el Perú por los españoles que tenían repartimiento de indios, y en ese sentido lo pondremos siempre que se ofrezca. Asimismo es de advertir que en mis tiempos, que fueron hasta el año de mil y quinientos y sesenta, ni veinte años después, no hubo en mi tierra moneda labrada. En lugar de ella se entendían los españoles en el comprar y vender pesando la plata y el oro por marcos y onzas, y como en España dicen ducados decían en el Perú pesos o castellanos. Cada peso de plata o de oro, reducido a buena ley, valía cuatrocientos y cincuenta maravedís; de manera que reducidos los pesos a ducados de Castilla, cada cinco pesos son seis ducados. Decimos esto porque no cause confusión el contar en esta historia por pesos y ducados. De la cantidad del peso de la plata al peso del oro había mucha diferencia, como en España la hay, mas el valor todo era uno. Al trocar del oro por plata daban su interés de tanto por ciento. También había interés al trocar de la plata ensayada por la plata que llaman corriente, que era la por ensayar.

Este nombre *galpón* no es de la lengua general del Perú; debe ser de las islas de Barlovento; los españoles lo han introducido en su lenguaje con otros muchos que se notarán en la historia. Quiere decir sala grande; los Reyes Incas las tuvieron tan grandes que servían de plaza para hacer sus fiestas en ellas cuando el tiempo era lluvioso y no daba lugar a que se hiciesen en las plazas. Y baste esto de advertencias.

LIBRO PRIMERO

Donde se trata el descubrimiento del Nuevo Mundo, la deducción del nombre Perú, la idolatría y manera de vivir antes de los Reyes Incas, el origen de ellos, la vida del primer Inca y lo que hizo con sus vasallos, y la significación de los nombres reales.

I. SÍ HAY MUCHOS MUNDOS. TRATA DE LAS CINCO ZONAS

Habiendo de tratar del Nuevo Mundo o de la mejor y más principal parte suya, que son los reinos y provincias del Imperio llamado Perú, de cuyas antiguallas y origen de sus Reyes pretendemos escribir, parece que fuera justo, conforme a la común costumbre de los escritores, tratar aquí al principio si el mundo es uno solo o si hay muchos mundos; si es llano o redondo, y si también lo es el cielo redondo o llano; si es habitable toda la tierra o no más de las zonas templadas; si hay paso de una templada a la otra; si hay antípodas o cuáles son de cuáles, y otras cosas semejantes que los antiguos filósofos muy larga y curiosamente trataron y los modernos no dejan de platicar y escribir, siguiendo cada cual opinión que más le agrada.

Mas porque no es aqueste mi principal intento ni las fuerzas de un indio pueden presumir tanto, y también porque la experiencia, después que se descubrió lo que llaman Nuevo Mundo, nos ha desengañado de la mayor parte de estas dudas, pasaremos brevemente por ellas, por ir a otra parte, a cuyos términos finales temo no llegar. Mas confiado en la infinita misericordia, digo que a lo primero se podrá afirmar que no hay más que un mundo, y aunque llamamos Mundo Viejo y Mundo Nuevo, es por haberse descubierto aquél nuevamente para nosotros, y no porque sean dos, sino todo uno. Y a los que todavía imaginaren que hay muchos mundos, no hay para qué responderles, sino que se estén en sus heréticas imaginaciones hasta que en el infierno se desengañen de ellas. Y a los que dudan, si hay alguno que lo dude, si es llano o redondo, se podrá satisfacer con el testimonio de los que han dado vuelta a todo él o a la mayor parte, como los de la nao Victoria y otros que después acá le han rodeado. Y a lo del cielo, si también es llano o redondo, se podrá responder con las palabras del Real Profeta: *Extendens caelum sicut pellem*, en las cuales nos quiso mostrar la forma y hechura de la obra, dando la una por ejemplo de la otra, diciendo: que extendiste el cielo así como la piel, esto es, cubriendo con el cielo este gran cuerpo de los cuatro elementos en redondo, así como cubriste con la piel en redondo, el cuerpo del animal, no solamente lo principal de él, mas también todas sus partes, por pequeñas que sean.

A los que afirman que de las cinco partes del mundo que llaman zonas no son habitables más de las dos templadas, y que la del medio por su excesivo calor y las dos de los cabos por el demasiado frío son inhabitables, y que de la una zona habitable no se puede pasar a la otra habitable por el calor demasiado que hay en medio, puedo afirmar, demás de lo que todos saben, que yo nací en la tórrida zona, que es en el Cuzco, y me crié en ella hasta los veinte años, y he estado en la otra zona templada de la otra parte del Trópico de Capricornio, a la parte del sur, en los últimos términos de los Charcas, que son los Chichas, y, para venir a esta otra templada de la parte del norte, donde escrito esto, pasé por la tórrida zona y la atravesé toda y estuve tres días naturales debajo de la línea equinoccial, donde dicen que pasa perpendicularmente, que es en el cabo de Pasau, por todo lo cual digo que es habitable la tórrida también como las templadas. De las zonas frías quisiera poder decir por vista de ojos como de las otras tres. Remítome a los que saben de ellas más que yo. A los que dicen que por su mucha frialdad son inhabitables, osaré decir, con los que tienen lo contrario, que también son habitables como las demás, porque en buena consideración no es de imaginar, cuanto más de creer, que partes tan grandes del mundo las hiciese Dios inútiles, habiéndolo creado todo para que lo habitasen los hombres, y que se engañan los antiguos en lo que dicen de las zonas frías, también como se engañaron en lo que dijeron de la tórrida, que era inhabitable por su mucho calor. Antes se debe creer que el Señor, como padre sabio y poderoso, y la naturaleza, como madre universal y piadosa, hubiesen remediado los inconvenientes de la frialdad con templanza de calor, como remediaron el demasiado calor de la tórrida zona con tantas nieves, fuentes, ríos y lagos como en el Perú se hallan, que la hacen templada de tanta variedad de temples, unas que

declinan a calor y a más calor, hasta llegar a regiones tan bajas, y por ende tan calientes, que, por su mucho calor, son casi inhabitables, como dijeron los antiguos de ella. Otras regiones, que declinan a frío y más frío, hasta subir a partes tan altas que también llegan a ser inhabitables por la mucha frialdad de la nieve perpetua que sobre sí tienen, en contra de lo que de esta tórrida zona los filósofos dijeron, que no imaginaron jamás que en ella pudiese haber nieve, habiéndola perpetua debajo de la misma línea equinoccial, sin menguar jamás ni mucho ni poco, a lo menos en la cordillera grande, si no es en las faldas o puertos de ella.

Y es de saber que en la tórrida zona, en lo que de ella alcanza el Perú, no consiste el calor ni el frío en distancia de regiones, ni en estar más lejos ni más cerca de la equinoccial, sino en estar más alto o más bajo de una misma región y en muy poca distancia de tierra, como adelante se dirá más largo. Digo, pues, que a esta semejanza se puede creer que también las zonas frías estén templadas y sean habitables, como lo tienen muchos graves autores, aunque no por vista y experiencia; pero basta haberlo dado a entender así el mismo Dios, cuando creó al hombre y le dijo: "creced y multiplicad y henchid la tierra y sojuzgadla". Por donde se ve que es habitable, porque si no lo fuera ni se podía sojuzgar ni llenar de habitaciones. Yo espero en su omnipotencia que a su tiempo descubriera estos secretos (como descubrió el Nuevo Mundo) para mayor confusión y afrenta de los atrevidos, que con sus filosofías naturales y entendimientos humanos quieren tasar la potencia y la sabiduría de Dios, que no pueda hacer sus obras más de como ellos las imaginan, habiendo tanta disparidad del un saber al otro cuanta hay de lo finito a lo infinito. Etcétera.

II. SÍ HAY ANTÍPODAS

A lo que se dice si hay antípodas o no, se podrá decir que, siendo el mundo redondo (como es notorio), cierto es que los hay. Empero, tengo para mí que por no estar este mundo inferior descubierto del todo, no se puede saber de cierto cuáles provincias sean antípodas de cuáles, como algunos lo afirman, lo cual se podrá certificar más aína respecto del cielo que no de la tierra, como los polos el uno del otro y el oriente del poniente, dondequiera que lo es por la equinoccial.

Por donde hayan pasado aquellas gentes tantas y de tan diversas lenguas y costumbres como las que en el Nuevo Mundo se han hallado, tampoco se sabe de cierto, porque si dicen por la mar, en navíos, nacen inconvenientes acerca de los animales que allá se hallan, sobre decir cómo o para qué los embarcaron, siendo algunos de ellos antes dañosos que provechosos. Pues decir que pudieron ir por tierra, también nacen otros inconvenientes mayores, como es decir que si llevaron los animales que allá tenían domésticos, ¿por qué no llevaron de los que acá quedaron, que se han llevado después de acá? Y si fue por no poder llevar tantos ¿cómo no quedaron acá de los que llevaron? Y lo mismo se puede decir de las mieses, legumbres y frutas, tan diferentes de las de acá, que con razón le llamaron Nuevo Mundo, porque lo es en toda cosa, así en los animales mansos y bravos como en las comidas, como en los hombres, que generalmente son lampiños, sin barbas. Y porque en cosas tan inciertas es perdido el trabajo que se gasta en quererlas saber, las dejaré, porque tengo menos suficiencia que otro para inquirirlas. Solamente trataré del origen de los Reyes Incas y de la sucesión de ellos, sus conquistas, leyes y gobierno en paz y en guerra. Y antes que tratemos de ellos será bien digamos cómo se descubrió este Nuevo Mundo, y luego trataremos del Perú en particular.

III. CÓMO SE DESCUBRIÓ EL NUEVO MUNDO

Cerca del año de mil y cuatrocientos y ochenta y cuatro, uno más o menos, un piloto natural de la villa de Huelva, en el Condado de Niebla, llamado Alonso Sánchez de Huelva, tenía un navío pequeño, con el cual contrataba por la mar, y llevaba de España a las Canarias algunas mercaderías que allí se le vendían bien, y de las Canarias cargaba de los frutos de aquellas islas y las llevaba a la isla de la Madera, y de allí se volvía a España cargado de azúcar y conservas. Andando en ésta su triangular contratación, atravesando de las Canarias a la isla de la Madera, le dio un temporal tan recio y tempestuoso que no pudiendo resistirle, se dejó llevar de la tormenta y corrió veinte y ocho o veinte y nueve días sin saber por dónde ni adónde, porque en todo este tiempo no pudo tomar el altura por el Sol ni por el Norte.

Padecieron los del navío grandísimo trabajo en la tormenta, porque ni les dejaba comer ni dormir. Al cabo de este largo tiempo se aplacó el viento y se hallaron cerca de una isla; no se sabe de cierto cuál fue, mas de que se sospecha que fue la que ahora llaman Santo Domingo: y es de mucha consideración que el viento que con tanta violencia y tormenta llevó aquel navío no pudo ser otro sino el solano, que llaman leste, porque la isla de Santo Domingo está al poniente de las Canarias, el cual viento, en aquel viaje, antes aplaca las tormentas que las levanta. Mas el

Señor Todopoderoso, cuando quiere
hacer misericordias, saca las más
misteriosas y necesarias de causas
contrarias, como sacó el agua del
pedernal y la vista del ciego del lodo
que le puso en los ojos, para que
notoriamente se muestren ser obras
de la miseración y bondad divina,
que también usó de ésta su piedad
para enviar su Evangelio y luz verdadera a todo el Nuevo Mundo,
que tanta necesidad tenía de ella,
pues vivían, o, por mejor decir, perecían en las tinieblas de la gentilidad e idolatría tan bárbara y
bestial como en el discurso de la
historia veremos.

El piloto saltó en tierra, tomó el
altura y escribió por menudo todo
lo que vio y lo que le sucedió
por la mar a ida y a vuelta, y, habiendo tomado agua y leña, se volvió a tiento, sin saber el viaje tampoco a la venida como a la ida,
por lo cual gastó más tiempo del
que le convenía. Y por la dilación
del camino les faltó el agua y el
bastimento, de cuya causa, y por
el mucho trabajo que a ida y venida habían padecido, empezaron a
enfermar y morir de tal manera
que de diez y siete hombres que
salieron de España no llegaron a
la Tercera más de cinco, y entre
ellos el piloto Alonso Sánchez de
Huelva. Fueron a parar a casa del
famoso Cristóbal Colón, genovés,
porque supieron que era gran piloto
y cosmógrafo y que hacía cartas
de marear, el cual los recibió con
mucho amor y les hizo todo regalo por saber cosas acaecidas en
tan extraño y largo naufragio como
el que decían haber padecido. Y
como llegaron tan descaecidos del
trabajo pasado, por mucho que
Cristóbal Colón les regaló no pu-
pudieron volver en sí y murieron
todos en su casa, dejándole en herencia los trabajos que les causaron
la muerte, los cuales aceptó el gran
Colón con tanto ánimo y esfuerzo
que, habiendo sufrido otros tan

grandes y aún mayores (pues duraron más tiempo), salió con la
empresa de dar el Nuevo Mundo
y sus riquezas a España, como lo
puso por blasón en sus armas diciendo: "A Castilla y a León,
Nuevo Mundo dio Colón".

Quien quisiere ver las grandes
hazañas de este varón, vea la *Historia general de las Indias* que Francisco López de Gómara escribió,
que ahí las hallará, aunque abre-
viadas, pero lo que más loa y engrandece a este famoso sobre los
famosos es la misma obra de esta
conquista y descubrimiento. Yo quise añadir esto poco que faltó de la
relación de aquel antiguo historiador, que, como escribió lejos de
donde acaecieron estas cosas y la
relación se la daban yentes y vi-
nientes, le dijeron muchas cosas de
las que pasaron, pero imperfectas,
y yo las oí en mi tierra a mi padre y a sus contemporáneos, que
en aquellos tiempos la mayor y más
ordinaria conversación que tenían
era repetir las cosas más hazañosas
y notables que en sus conquistas
habían acaecido, donde contaban la
que hemos dicho y otras que adelante diremos, que, como alcanzaron
a muchos de los primeros descubridores y conquistadores del Nuevo
Mundo, hubieron de ellos la entera
relación de semejantes cosas, y yo,
como digo, las oí a mis mayores,
aunque (como muchacho) con poca
atención, que si entonces la tuviera
pudiera ahora escribir otras muchas
cosas de grande admiración, necesarias en esta historia. Diré las hubiere guardado la memoria, con
dolor de las que ha perdido.

El muy reverendo Padre José
de Acosta toca también esta historia del descubrimiento del Nuevo
Mundo con pena de no poderla dar
entera, que también faltó a Su Paternidad parte de la relación en este
paso, como en otros más modernos, porque se habían acabado ya
los conquistadores antiguos cuan-

do Su Paternidad pasó a aquellas partes, sobre lo cual dice estas palabras, libro primero, capítulo diez y nueve:

Habiendo mostrado que no lleva camino pensar que los primeros moradores de Indias hayan venido a ellas con navegación hecha para ese fin, bien se sigue que si vinieron por mar haya sido acaso y por fuerza de tormentas el haber llegado a Indias, lo cual, por inmenso que sea el Mar Océano, no es cosa increíble. Porque pues así sucedió en el descubrimiento de nuestros tiempos cuando aquel marinero (cuyo nombre aún no sabemos, para que negocio tan grande no se atribuya a otro autor sino a Dios), habiendo por un terrible e importuno temporal reconocido el Nuevo Mundo, dejó por paga del buen hospedaje a Cristóbal Colón la noticia de cosa tan grande. Así pudo ser...

Hasta aquí es del Padre Maestro Acosta, sacado a la letra, donde muestra haber hallado Su Paternidad en el Perú parte de nuestra relación, y aunque no toda, pero lo más esencial de ella.

Este fue el primer principio y origen del descubrimiento del Nuevo Mundo, de la cual grandeza podía loarse la pequeña villa de Huelva, que tal hijo crió, de cuya relación, certificado Cristóbal Colón insistió tanto en su demanda, prometiendo cosas nunca vistas ni oídas, guardando como hombre prudente el secreto de ellas, aunque debajo de confianza dio cuenta de ellas a algunas personas de mucha autoridad cerca de los Reyes Católicos, que le ayudaron a salir con su empresa, que si no fuera por esta noticia que Alonso Sánchez de Huelva le dio, no pudiera de sola su imaginación de cosmografía prometer tanto y tan certificado como prometió ni salir tan presto con la empresa del descubrimiento, pues, según aquel autor, no tardó Colón

más de sesenta y ocho días en el viaje hasta la isla de Guanatianico, con detenerse algunos días en la Gomera a tomar refresco que, si no supiera por la relación de Alonso Sánchez qué rumbos había de tomar en un mar tan grande, era casi milagro haber ido allá en tan breve tiempo.

IV. LA DEDUCCIÓN DEL NOMBRE PERÚ

Pues hemos de tratar del Perú, será bien digamos aquí cómo se dedujo este nombre, no lo teniendo los indios en su lenguaje; para lo cual es de saber que, habiendo descubierto la Mar del Sur Vasco Núñez de Balboa, caballero natural de Jerez de Badajoz, año de mil y quinientos y trece, que fue el primer español que la descubrió y vio, y habiéndole dado los Reyes Católicos título de Adelantado de aquella mar con la conquista y gobierno de los reinos que por ella descubriese, en los pocos años que después de esta merced vivió (hasta que su propio suegro, el gobernador Pedro Arias de Ávila, en lugar de muchas mercedes que había merecido y se le debían por sus hazañas, le cortó la cabeza), tuvo este caballero cuidado de descubrir y saber qué tierra era y cómo se llamaba la que corre de Panamá adelante hacia el sur. Para este efecto hizo tres o cuatro navíos, los cuales, mientras él aderezaba las cosas necesarias para su descubrimiento y conquista, enviaba cada uno de por sí en diversos tiempos del año a descubrir aquella costa. Los navíos, habiendo hecho las diligencias que podían, volvían con la relación de muchas tierras que hay por aquella ribera.

Un navío de éstos subió más que los otros y pasó la línea equinoccial a la parte del sur, y cerca de ella, navegando costa a costa, como se navegaba entonces por aquel viaje, vio un indio que a la boca de un río, de muchos que por toda aquella tierra entran en la mar, estaba pescando. Los españoles del navío, con todo el recato posible, echaron en tierra, lejos de donde el indio estaba, cuatro españoles, grandes corredores y nadadores, para que no se les fuese por tierra ni por agua. Hecha esta diligencia, pasaron con el navío por delante del indio, para que pusiese ojos en él y se descuidase de la celada que le dejaban armada. El indio, viendo en la mar una cosa tan extraña, nunca jamás vista en aquella costa, como era navegar un navío a todas velas, se admiró grandemente y quedó pasmado y abobado, imaginando qué pudiese ser aquello que en la mar veía delante de sí. Y tanto se embebeció y enajenó en este pensamiento, que primero lo tuvieron abrazado los que le iban a prender que él los sintiese llegar, y así lo llevaron al navío con mucha fiesta y regocijo de todos ellos.

Los españoles, habiéndole acariciado porque perdiese el miedo que de verlos con barbas y en diferente traje que el suyo había cobrado, le preguntaron por señas y por palabras qué tierra era aquélla y cómo se llamaba. El indio, por los ademanes y meneos que con manos y rostro le hacían (como a un mudo), entendía que le preguntaban mas no entendía lo que le preguntaban y a lo que entendió qué era el preguntarle, respondió a prisa (antes que le hiciesen algún mal) y nombró su propio nombre, diciendo Berú, y añadió otro y dijo Pelú. Quiso decir: "Si me preguntáis cómo me llamo, yo me digo Berú, y si me preguntáis dónde estaba, digo que estaba en el río". Porque es de saber que el nombre Pelú en el lenguaje de aquella provincia es nombre apelativo y significa río en común, como luego veremos en un autor grave. A otra

semejante pregunta respondió el indio de nuestra historia de la Florida con el nombre de su amo, diciendo Brezos y Bredos (libro sexto, capítulo quince), donde yo había puesto este paso a propósito del otro; de allí lo quité por ponerlo ahora en su lugar.

Los cristianos entendieron conforme a su deseo, imaginando que el indio les había entendido y respondido a propósito, como si él y ellos hubieran hablado en castellano, y desde aquel tiempo, que fue el año de mil y quinientos y quince o diez y seis, llamaron Perú aquel riquísimo y grande Imperio, corrompiendo ambos nombres, como corrompen los españoles casi todos los vocablos que toman del lenguaje de los indios de aquella tierra, porque si tomaron el nombre del indio, Berú, trocaron la b por la p, y si el nombre Pelú, que significa río, trocaron la l por la r, y de la una manera o de la otra dijeron Perú. Otros, que presumen de más repulidos y son los más modernos, corrompen dos letras y en sus historias dicen Pirú. Los historiadores más antiguos, como son Pedro Cieza de León y el contador Agustín de Zárate y Francisco López de Gómara y Diego Fernández, natural de Palencia, y aun el muy reverendo Padre Fray Jerónimo Román, con ser de los modernos, todos le llaman Perú y no Pirú. Y como aquel paraje donde esto sucedió acertase a ser término de la tierra que los Reyes Incas tenían por aquella parte conquistada y sujeta a su Imperio, llamaron después Perú a todo lo que hay desde allí, que es el paraje de Quito hasta los Charcas, que fue lo más principal que ellos señorearon, y son más de setecientas leguas de largo, aunque su Imperio pasaba hasta Chile, que son otras quinientas leguas más adelante y es otro muy rico y fertilísimo reino.

V. AUTORIDADES EN CONFIRMACIÓN DEL NOMBRE PERÚ

Éste es el principio y origen del nombre Perú, tan famoso en el mundo, y con razón famoso, pues a todo él ha llenado de oro y plata, de perlas y piedras preciosas. Y por haber sido así impuesto acaso, los indios naturales del Perú, aunque ha setenta y dos años que se conquistó, no toman este nombre en la boca, como nombre nunca por ellos impuesto, y aunque por la comunicación de los españoles entienden ya lo que quiere decir, ellos no usan de él porque en su lenguaje no tuvieron nombre genérico para nombrar en junto los reinos y provincias que sus Reyes naturales señorearon, como decir España, Italia o Francia, que contienen en sí muchas provincias. Supieron nombrar cada provincia por su propio nombre, como se verá largamente en el discurso de la historia, empero nombre propio que significase todo el reino junto no lo tuvieron. Llamábanle Tahuantinsuyo, que quiere decir: las cuatro partes del mundo.

El nombre Berú, como se ha visto, fue nombre propio de un indio y es nombre de los que usaban entre los indios yuncas de los llanos y costa de la mar, y no en los de la sierra ni del general lenguaje, que, como en España hay nombres y apellidos que ellos mismos dicen de qué provincia son, así los había entre los indios del Perú. Que haya sido nombre impuesto por los españoles y que no lo tenían los indios en su lenguaje común, lo da a entender Pedro Cieza de León en tres partes. En el capítulo tercero, hablando de la isla llamada Gorgona dice: "Aquí estuvo el Marqués Don Francisco Pizarro con trece cristianos españoles, compañeros suyos, que fueron los descubridores de esta tierra que llamamos Perú", etcétera. En el capítulo trece dice: "Por lo cual será necesario que desde el Quito, que es donde verdaderamente comienza lo que llamamos Perú", etcétera. Capítulo diez y ocho dice: "Por las relaciones que los indios del Cuzco nos dan, se colige que había antiguamente gran desorden en todas las provincias de este reino que nosotros llamamos Perú", etcétera. Decirlo tantas veces por este mismo término *llamamos* es dar a entender que los españoles se lo llaman, porque lo dice hablando con ellos, y que los indios no tenían tal dicción en su general lenguaje, de lo cual yo, como indio Inca, doy fe de ello. Lo mismo y mucho más dice el Padre Maestro Acosta en el libro primero de la *Historia Natural de las Indias,* capítulo trece, donde, hablando en el mismo propósito, dice:

Ha sido costumbre muy ordinaria en estos descubrimientos del Nuevo Mundo poner nombres a las tierras y puertos de la ocasión que se les ofreció, y así se entiende haber pasado en nombrar a este reino Pirú. Acá es opinión que de un río en que a los principios dieron los españoles, llamado por los naturales Pirú, intitularon toda esta tierra Perú; y es argumento de esto, que los indios naturales del Pirú ni usan ni saben tal nombre de su tierra...

Bastará la autoridad de tal varón para confundir las novedades que después acá se han inventado sobre este nombre, que adelante tocaremos algunas. Y porque el río que los españoles llaman Perú está en el mismo paraje y muy cerca de la equinoccial, osaría afirmar que el hecho de prender al indio hubiese sido en él, y que también el río como la tierra hubiese participado del nombre propio del indio Berú, o que el nombre Pelú apelativo, que era común de todos los ríos, se le convirtiese en nombre propio particular con el cual le nombraban después acá los españoles, dándoselo en particular a él solo, diciendo el río Perú.

Francisco López de Gómara, en su *Historia General de las Indias*, hablando del descubrimiento de Yucatán, capítulo cincuenta y dos, pone dos deducciones de nombres muy semejantes a la que hemos dicho del Perú, y por serle tanto los saqué aquí como él lo dice, que es lo que sigue:

Partióse, pues, Francisco Hernández de Córdoba, y, con tiempo que no le dejó ir a otro cabo o con voluntad que llevaba a descubrir, fue a dar consigo en tierra no sabida ni hollada de los nuestros, hay unas salinas en una punta que llamó de las Mujeres, por haber allí torres de piedras con grandes capillas cubiertas de madera y paja, en que por gentil orden estaban puestos muchos ídolos que parecían mujeres. Maravilláronse los españoles de ver edificio de piedra, que hasta entonces no se había visto, y que la gente vistiese tan rica y lúcidamente, que tenían camisetas y mantas de algodón blancas y de colores, plumajes, zarcillos, bronchas y joyas de oro y plata, y las mujeres cubiertas pecho y cabeza. No paró allí, sino fuése a otra punta que llamó de Cotoche, donde andaban unos pescadores que de miedo o espanto se retiraron en tierra y que respondían *cotohe, cotohe,* que quiere decir casa, pensando que les preguntaban por el lugar para ir allá. De aquí se le quedó este nombre al cabo de aquella tierra. Un poco más adelante hallaron ciertos hombres que, preguntados cómo se llamaba un gran pueblo cerca, dijeron *tectetán, tectetán,* que vale "no te entiendo". Pensaron los españoles que se llamaba así, corrompiendo el vocablo llamaron siempre Yucatán, y nunca se le caerá tal nombradía.

Hasta aquí es de Francisco López de Gómara, sacado a la letra, de manera que en otras muchas

partes de las Indias ha acaecido lo que en el Perú, que han dado por nombres a las tierras que descubrían los primeros vocablos que oían a los indios cuando les hablaban y preguntaban por los nombres de las tales tierras, no entendiendo la significación de los vocablos, sino imaginando que el indio respondía a propósito de lo que le preguntaban, como si todos hablaran un mismo lenguaje. Y este yerro hubo en otras muchas cosas de aquel Nuevo Mundo, y en particular en nuestro Imperio del Perú, como se podrá notar en muchos pasos de la historia.

VI. LO QUE DICE UN AUTOR ACERCA DEL NOMBRE PERÚ

Sin lo que Pedro Cieza y el Padre José de Acosta y Gómara dicen acerca del nombre Perú, se me ofrece la autoridad de otro insigne varón, religioso de la Santa Compañía de Jesús, llamado el Padre Blas Valera, que escribía la historia de aquel Imperio en elegantísimo latín, y pudiera escribirla en muchas lenguas, porque tuvo don de ellas; mas por la desdicha de aquella mi tierra, que no mereció que su república quedara escrita de tal mano, se perdieron sus papeles en la ruina y saco de Cádiz, que los ingleses hicieron año de mil y quinientos y noventa y seis, y él murió poco después. Yo hube del saco las reliquias que de sus papeles quedaron, para mayor dolor y lástima de los que se perdieron, que se sacan por los que se hallaron: quedaron tan destrozados que falta lo más y mejor. Hízome merced de ellos el Padre Maestro Pedro Maldonado de Saavedra, natural de Sevilla de la misma religión, que en este año de mil y seiscientos lee Escritura en esta ciudad de Córdoba. El Padre Valera, en la denominación del nombre Perú, dice en su galano latín lo que se sigue, que yo como indio traduje en mi tosco romance:

El Reino del Perú, ilustre y famoso y muy grande, donde hay mucha cantidad de oro y plata y otros metales ricos, de cuya abundancia nació el refrán que, para decir que un hombre es rico, dicen: posee el Perú; este nombre fue nuevamente impuesto por los españoles a aquel Imperio de los Incas, nombre puesto acaso y no propio, y por tanto de los indios no conocido, antes, por ser bárbaro, tan aborrecido que ninguno de ellos lo quiere usar; solamente lo usan los españoles. La nueva imposición de él no significa riquezas ni otra cosa grande, y como la imposición del vocablo fue nueva, así también lo fue la significación de las riquezas, porque procedieron de la felicidad de los sucesos. Este nombre Pelú, entre los indios bárbaros que habitan entre Panamá y Huayaquil es nombre apelativo que significa río; también es nombre propio de cierta isla que se llama Pelua o Pelu. Pues como los primeros conquistadores españoles, navegando desde Panamá, llegasen a aquellos lugares primero que a otros, les agradó tanto aquel nombre Perú o Pelua, que, como si significara alguna cosa grande y señalada, lo abrazaron para nombrar con él cualquiera otra cosa que hallasen, como lo hicieron en llamar Perú a todo el Imperio de los Incas. Muchos hubo que no se agradaron del nombre Perú, y por ende le llamaron la Nueva Castilla. Estos dos nombres impusieron a aquel gran reino, y los usan de ordinario los escribanos reales y notarios eclesiásticos, aunque en Europa y en otros reinos anteponen el nombre Perú al otro. También afirman muchos que se dedujo de este nombre *pirúa*, que es vocablo del Cuzco, de los quechuas: significa orón en que encierran los frutos. La sentencia de éstos apruebo de muy buena gana, porque en aquel reino tienen los indios gran número de orones para

guardar sus cosechas. Por esta causa fue a los españoles fácil usar de aquel nombre ajeno y decir Pirú, quitándole la última vocal y pasando el acento a la última sílaba. Este nombre, dos veces apelativo, pusieron los primeros conquistadores por nombre, propio al Imperio que conquistaron; yo usaré de él sin ninguna diferencia, diciendo Perú y Pirú. La introducción de este vocablo nuevo no se debe repudiar, por decir que lo usaron falsamente y sin acuerdo, que los españoles no hallaron otro nombre genérico y propio que imponer a toda aquella región, porque antes del reinado de los Incas cada provincia tenía su propio nombre, como Charca, Colla, Cozco, Rímac, Quitu y otras muchas, sin atención ni respeto a las otras regiones; mas después que los Incas sojuzgaron todo aquel reino a su Imperio, le fueron llamando conforme al orden de las conquistas y al sujetarse y rendirse los vasallos, y al cabo le llamaron Tahuantinsuyu, esto es, las cuatro partes del Reino, o *Incap rúnam* que es vasallos del Inca. Los españoles, advirtiendo la variedad y confusión de estos nombres, le llamaron prudente y discretamente Perú o la Nueva Castilla.

Hasta aquí es del Padre Blas Valera, el cual también, como el Padre Acosta, dice haber sido nombre impuesto por los españoles y que no lo tenían los indios en su lenguaje.

Declarando yo lo que el Padre Blas Valera dice, digo que es más verosímil que la imposición del nombre Perú naciese del nombre propio Berú o del apelativo Pelú, que en el lenguaje de aquella provincia significa río, que no del nombre Pirua, que significa orón, porque, como se ha dicho, lo impusieron los de Vasco Núñez de Balboa, que no entraron la tierra adentro para tener noticia del nombre Pirua, y no los conquistadores del Perú, porque quince años antes que ellos fueran a la conquista llamaban Perú los españoles que

vivían en Panamá a toda aquella
tierra que corre desde la equinoccial al mediodía, lo cual también
lo certifica Francisco López de Gómara en la *Historia de las Indias*,
capítulo ciento y diez, donde dice
estas palabras: "Algunos dicen que
Balboa tuvo relación de cómo aquella tierra del Perú tenía oro y esmeraldas; sea así o no sea, es cierto
que había en Panamá gran fama
del Perú cuando Pizarro y Almagro
armaron para ir allá". Etcétera.
Hasta aquí es de Gómara, de donde
consta claro que la imposición del
nombre Perú fue mucho antes
que la ida de los conquistadores que
ganaron aquel Imperio.

VII. DE OTRAS DEDUCCIONES DE NOMBRES NUEVOS

Porque la deducción del nombre
Perú no quede sola, digamos de
otras semejantes que se hicieron
antes y después de ésta, que, aunque las anticipemos, no estará mal
que estén dichas para cuando lle-
guemos a sus lugares. Y sea la
primera la de Puerto Viejo, porque
fue cerca de donde se hizo la del
Perú. Para lo cual es de saber que
desde Panamá a la Ciudad de los
Reyes se navegaba con grande trabajo, por las muchas corrientes de
la mar y por el viento Sur que
corre siempre en aquella costa, por
lo cual los navíos, en aquel viaje,
eran forzados a salir del puerto
con un bordo de treinta o cuarenta leguas a la mar y volver con
otro a tierra, y de esta manera
iban subiendo la costa arriba, navegando siempre a la bolina. Y
acaecía muchas veces, cuando el navío no era buen velero de la bolina,
caer más atrás de donde había salido, hasta que Francisco Drac,
inglés, entrando por el Estrecho de
Magallanes, año de mil y quinientos
y setenta y nueve, enseñó mejor

manera de navegar, alargándose
con los bordos doscientas y trescientas leguas la mar adentro, lo
cual antes no osaban hacer los pilotos, porque sin saber de qué ni
de quién, sino de sus imaginaciones,
estaban persuadidos y temerosos
que, apartados de tierras cien leguas, había en la mar grandísimas
calmas, y por no caer en ellas no
osaban engolfarse mar adentro, por
el cual miedo se hubiera de perder
nuestro navío cuando yo vine a
España, porque con una brisa de-
cayó hasta la isla llamada Gorgona,
donde temimos perecer sin poder
salir de aquel mal seno. Navegando, pues, un navío, de la manera
que hemos dicho, a los principios
de la conquista del Perú, y habiendo salido de aquel puerto a la
mar con los bordos seis o siete veces, y volviendo siempre al mismo
puerto porque no podía arribar en
su navegación, uno de los que
en él iban, enfadado de que no pasasen adelante, dijo: "Ya este puerto
es viejo para nosotros", y de aquí
se llamó Puerto Viejo. Y la Punta
de Santa Elena que está cerca de
aquel puerto se nombró así porque
la vieron en su día.

Otra imposición de nombre pasó
mucho antes que las que hemos
dicho, semejante a ellas. Y fue que
el año de mil y quinientos, navegando un navío que no se sabe
cúyo era, si de Vicente Yáñez Pin-
zón o de Juan de Solís, dos capitanes venturosos en descubrir
nuevas tierras, yendo el navío en
demanda de nuevas regiones (que
entonces no entendían los españoles
en otra cosa), y deseando hallar
tierra firme, porque la que hasta
allí habían descubierto eran todas
islas que hoy llaman de Barlovento, un marinero que iba en la gavia,
habiendo visto el cerro alto llamado
Capira, que está sobre la ciudad
del Nombre de Dios, dijo (pidiendo albricias a los del navío): "En
nombre de Dios sea, compañeros,

que veo tierra firme", y así se llamó después Nombre de Dios la ciudad que allí se fundó, y Tierra Firme su costa, y no llaman Tierra Firme a otra alguna, aunque lo sea, sino a aquel sitio del Nombre de Dios, y se le ha quedado por nombre propio. Diez años después llamaron Castilla de Oro a aquella provincia, por el mucho oro que en ella hallaron y por un castillo que en ella hizo Diego de Nicuesa, año de mil y quinientos y diez.

La isla que ha por nombre la Trinidad, que está en el Mar Dulce, se llamó así porque la descubrieron día de la Santísima Trinidad. La ciudad de Cartagena llamaron así por su buen puerto, que, por semejarse mucho al de Cartagena de España, dijeron los que primero lo vieron: "Este puerto es tan bueno como el de Cartagena". La isla Serrana, que está en el viaje de Cartagena a La Habana, se llamó así por un español llamado Pedro Serrano, cuyo navío se perdió cerca de ella, y él solo escapó nadando, que era grandísimo nadador, y llegó a aquella isla, que es despoblada, inhabitable, sin agua ni leña, donde vivió siete años con industria y buena maña que tuvo para tener leña y agua y sacar fuego (es un caso historial de grande admiración, quizá lo diremos en otra parte), de cuyo nombre llamaron la Serrana aquella isla y Serranilla a otra que está cerca de ella, por diferenciar la una de la otra.

La ciudad de Santo Domingo, por quien toda la isla se llamó del mismo nombre, se fundó y nombró como lo dice Gómara, capítulo treinta y cinco, por estas palabras que son sacadas a la letra: "El pueblo más ennoblecido es Santo Domingo, que fundó Bartolomé Colón a la ribera del río Ozama. Púsole aquel nombre porque llegó allí un domingo, fiesta de Santo Domingo, y porque su padre se llamaba Domingo. Así que concurrie-

ron tres causas para llamarlo así", etcétera. Hasta aquí es de Gómara. Semejantemente son impuestos todos los más nombres de puertos famosos y ríos grandes y provincias y reinos que en el Nuevo Mundo se han descubierto, poniéndoles el nombre del santo o santa en cuyo día se descubrieron o el nombre del capitán, soldado, piloto o marinero que lo descubrió, como dijimos algo de esto en la historia de la Florida, cuando tratamos de la descripción de ella y de los que a ella han ido; y en el libro sexto, después del capítulo quince, a propósito de lo que allí se cuenta, había puesto estas deducciones de nombres juntamente con la del nombre Perú, temiendo me faltara la vida antes de llegar aquí. Mas pues Dios por su misericordia la ha alargado, me pareció quitarlas de allí y ponerlas en su lugar. Lo que ahora temo es no me las haya hurtado algún historiador, porque aquel libro, por mi ocupación, fue sin mí a pedir su calificación, y sé que anduvo por muchas manos. Y sin esto me han preguntado muchos si sabía la deducción del nombre Perú, y, aunque he querido guardarla, no me ha sido posible negarla a algunos señores míos.

VIII. LA DESCRIPCIÓN DEL PERÚ

Los cuatro términos que el Imperio de los Incas tenía cuando los españoles entraron en él son los siguientes. Al norte llegaba hasta el río Ancasmayu, que corre entre los confines de Quito y Pasto; quiere decir, en la lengua general del Perú, río azul; está debajo de la línea equinoccial, casi perpendicularmente. Al mediodía tenía por término al río llamado Maulli, que corre leste hueste pasado el reino de Chile, antes de llegar a los araucos, el cual está más de cuarenta

grados de la equinoccial al sur.
Entre estos dos ríos ponen poco
menos de mil y trescientas leguas
de largo por tierra. Lo que llaman
Perú tiene setecientas y cincuenta
leguas de largo por tierra desde el
río Ancasmayu hasta los Chichas,
que es la última provincia de los
Charcas, norte sur; y lo que llaman
reino de Chile contiene cerca de
quinientas y cincuenta leguas, también norte sur, contando desde lo
último de la provincia de los Chichas hasta el río Maulli.

Al levante tiene por término
aquella nunca jamás pisada de hombres ni de animales ni de aves,
inaccesible cordillera de nieves que
corre desde Santa Marta hasta el
Estrecho de Magallanes, que los
indios llaman Ritisuyu, que corre
por toda su costa de largo a largo;
empieza el término del Imperio por
la costa desde el cabo de Pasau,
por do pasa la línea equinoccial,
hasta el dicho río Maulli, que también entra en la Mar del Sur. Del
levante al poniente es angosto todo
aquel reino. Por lo más ancho,
que es atravesando desde la provincia de Muyupampa por los Chachapuyas hasta la ciudad de Trujillo, que está a la costa de la mar,
tiene ciento y veinte leguas de ancho, y por lo más angosto, que es
desde el puerto de Arica a la provincia llamada Llaricasa, tiene setenta leguas de ancho. Estos son
los cuatro términos de lo que señorearon los Reyes Incas, cuya historia pretendemos escribir mediante
el favor divino.

Será bien, antes que pasemos
adelante, digamos aquí el suceso
de Pedro Serrano que atrás propusimos, porque no esté lejos de
su lugar y también porque este capítulo no sea tan corto. Pedro
Serrano salió a nado a aquella isla
desierta que antes de él no tenía
nombre, la cual, como él decía,
tenía dos leguas en contorno; casi
lo mismo dice la carta de marear,

porque pinta tres islas muy pequeñas, con muchos bajíos a la redonda, y la misma figura le da a la
que llaman Serranilla, que son cinco
isletas pequeñas con muchos más
bajíos que la Serrana, y en todo
aquel paraje los hay, por lo cual
huyen los navíos de ellos, por caer
en peligro.

A Pedro Serrano le cupo en suerte perderse en ellos y llegar nadando a la isla, donde se halló des-
consoladísimo, porque no halló
en ella agua ni leña ni aun yerba
que poder pacer, ni otra cosa alguna con que entretener la vida mientras pasase algún navío que de allí
lo sacase, para que no pereciese
de hambre y de sed, que le parecían
muerte más cruel que haber muerto
ahogado, porque es más breve. Así
pasó la primera noche llorando su
desventura, tan afligido como se
puede imaginar que estaría un hombre puesto en tal extremo. Luego
que amaneció, volvió a pasear la
isla; halló algún marisco que salía
de la mar, como son cangrejos, ca-
marones y otras sabandijas, de las
cuales cogió las que pudo y se
las comió crudas porque no había
candela donde asarlas o cocerlas.
Así se entretuvo hasta que vio salir
tortugas; viéndolas lejos de la mar,
arremetió con una de ellas y la
volvió de espaldas; lo mismo hizo
de todas las que pudo, que para
volverse a enderezar son torpes, y
sacando un cuchillo que de ordinario solía traer en la cinta, que
fue el medio para escapar de la
muerte, degolló y bebió la sangre
en lugar de agua; lo mismo hizo
de las demás; la carne puso al sol
para comerla hecha tasajos y para
desembarazar las conchas, para coger agua en ellas de la llovediza,
porque toda aquella región, como
es notorio, es muy lluviosa. De esta
manera se sustentó los primeros
días con matar todas las tortugas
que podía, y algunas había tan
grandes y mayores que las mayores

adargas, y otras como rodelas y como broqueles, de manera que había de todos tamaños. Con las muy grandes no se podía valer para volverlas de espaldas porque le vencían de fuerzas, y aunque subía sobre ellas para cansarlas y sujetarlas, no le aprovechaba nada, porque con él a cuestas se iban a la mar, de manera que la experiencia le decía a cuáles tortugas había de someter y a cuáles se había de rendir. En las conchas recogió mucha agua, porque algunas había que cabían a dos arrobas y de allí abajo.

Viéndose Pedro Serrano con bastante recaudo para comer y beber, le pareció que si pudiese sacar fuego para siquiera asar la comida, y para hacer ahumadas cuando viese pasar algún navío, que no le faltaría nada. Con esta imaginación, como hombre que había andado por la mar, que cierto los tales en cualquier trabajo hacen mucha ventaja a los demás, dio en buscar un par de guijarros que le sirviesen de pedernal, porque del cuchillo pensaba hacer eslabón, para lo cual, no hallándolos en la isla porque toda ella estaba cubierta de arena muerta, entraba en la mar nadando y se zambullía y en el suelo, con gran diligencia, buscaba ya en unas partes, ya en otras lo que pretendía, y tanto porfió en su trabajo que halló guijarros y sacó los que pudo, y de ellos escogió los mejores, y quebrando los unos con los otros, para que tuviesen esquinas donde dar con el cuchillo, tentó su artificio y, viendo que sacaba fuego, hizo hilas de un pedazo de la camisa, muy desmenuzadas, que parecían algodón carmenado, que le sirvieron de yesca, y, con su industria y buena maña, habiéndolo porfiado muchas veces, sacó fuego. Cuando se vio con él, se dio por bienandante, y, para sustentarlo, recogió las horruras que la mar echaba en tierra, y por horas las

recogía, donde hallaba mucha yerba que llaman ovas marinas y madera de navíos que por la mar se perdían y conchas y huesos de pescados y otras cosas con que alimentaba el fuego. Y para que los aguaceros no se lo apagasen, hizo una choza de las mayores conchas que tenía de las tortugas que había muerto, y con grandísima vigilancia cebaba el fuego por que no se le fuese de las manos.

Dentro de dos meses, y aun antes, se vio como nació, porque con las muchas aguas, calor y humedad de la región, se le pudrió la poca ropa que tenía. El Sol, con su gran calor, le fatigaba mucho, porque ni tenía ropa con qué defenderse ni había sombra a qué ponerse; cuando se veía muy fatigado se entraba en el agua para cubrirse con ella. Con este trabajo y cuidado vivió tres años, y en este tiempo vio pasar algunos navíos, mas aunque él hacía su ahumada, que en la mar es señal de gente perdida, no echaban de ver en ella, o por el temor de los bajíos no osaban llegar donde él estaba y se pasaban de largo, de lo cual Pedro Serrano quedaba tan desconsolado que tomara por partido el morirse y acabar ya. Con las inclemencias del cielo le creció el vello de todo el cuerpo tan excesivamente que parecía pellejo de animal, y no cualquiera, sino el de un jabalí; el cabello y la barba le pasaba de la cinta.

Al cabo de los tres años, una tarde, sin pensarlo, vio Pedro Serrano un hombre en su isla, que la noche antes se había perdido en los bajíos de ella y se había sustentado en una tabla del navío y, como luego que amaneció viese el humo del fuego de Pedro Serrano, sospechando lo que fue, se había ido a él, ayudado de la tabla y de su buen nadar. Cuando se vieron ambos, no se puede certificar cuál quedó más asombrado de cuál. Se-

rrano imaginó que era el demonio
que venía en figura de hombre para
tentarle en alguna desesperación.
El huésped entendió que Serrano
era el demonio en su propia figura,
según lo vio cubierto de cabellos,
barbas y pelaje. Cada uno huyó
del otro, y Pedro Serrano fue diciendo: "¡Jesús, Jesús, líbrame, Señor, del demonio!" Oyendo esto
se aseguró el otro, y volviendo a
él, le dijo: "No huyáis hermano
de mí, que soy cristiano como vos",
y para que se certificase, porque
todavía huía, dijo a voces el Credo,
lo cual oído por Pedro Serrano,
volvió a él, y se abrazaron con
grandísima ternura y muchas lágrimas y gemidos, viéndose ambos en
una misma desventura, sin esperanza de salir de ella.

Cada uno de ellos brevemente
contó al otro su vida pasada. Pedro
Serrano, sospechando la necesidad
del huésped, le dio de comer y de
beber de lo que tenía, con que
quedó algún tanto consolado, y
hablaron de nuevo en su desventura. Acomodaron su vida como
mejor supieron, repartiendo las horas del día y de la noche en sus
menesteres de buscar mariscos para
comer y ovas de leña y huesos de
pescado y cualquier otra cosa que
la mar echase para sustentar el fuego, y sobre todo la perpetua vigilia
que sobre él habían de tener, velando por horas, porque no se les
apagase. Así vivieron algunos días,
mas no pasaron muchos que no
riñeron, y de manera que apartaron
rancho, que no faltó sino llegar a
las manos (porque se vea cuán
grande es la miseria de nuestras pasiones). La causa de la pendencia
fue decir el uno al otro que no
cuidaba como convenía de lo que
era menester; y este enojo y las
palabras que con él se dijeron
los descompusieron y apartaron.
Mas ellos mismos, cayendo en su
disparate, se pidieron perdón y se
hicieron amigos y volvieron a su

compañía, y en ella vivieron otros
cuatro años. En este tiempo vieron
pasar algunos navíos y hacían sus
ahumadas, mas no les aprovechaba,
de que ellos quedaban tan descon-
solados que no les faltaba sino
morir.

Al cabo de este largo tiempo,
acertó a pasar un navío tan cerca
de ellos que vio la ahumada y les
echó el batel para recogerlos. Pedro Serrano y su compañero, que
se había puesto de su mismo pelaje, viendo el batel cerca, porque
los marineros que iban por ellos
no entendiesen que eran demonios
y huyesen de ellos, dieron en decir
el Credo y llamar el nombre de
Nuestro Redentor a voces, y valió-
les el aviso, que de otra manera
sin duda huyeran los marineros,
porque no tenían figura de hombres humanos. Así los llevaron al
navío, donde admiraron a cuantos
los vieron y oyeron sus trabajos pasados. El compañero murió en la
mar viniendo a España. Pedro Serrano llegó acá y pasó a Alemania,
donde el Emperador estaba entonces: llevó su pelaje como lo traía,
para que fuese prueba de su naufragio y de lo que en él había pasado. Por todos los pueblos que
pasaba a la ida (si quisiera mostrarse) ganara muchos dineros. Algunos señores y caballeros principales, que gustaron de ver su figura,
le dieron ayudas de costa para el
camino, y la Majestad Imperial,
habiéndolo visto y oído, le hizo
merced de cuatro mil pesos de renta, que son cuatro mil y ochocientos ducados en el Perú. Yendo a
gozarlos, murió en Panamá, que no
llegó a verlos.

Todo este cuento, como se ha dicho, contaba un caballero que se
decía Garci Sánchez de Figueroa,
a quien yo se lo oí, que conoció a
Pedro Serrano y certificaba que se
lo había oído a él mismo, y que
después de haber visto al Emperador se había quitado el cabello y la

barba y dejándola poco más corta
que hasta la cinta, y para dormir de
noche se la entrenzaba, porque, no
entrenzándola, se tendía por toda la
cama y le estorbaba el sueño.

IX. LA IDOLATRÍA Y LOS DIOSES QUE ADORABAN ANTES DE LOS INCAS

Para que se entienda mejor la
idolatría, vida y costumbres de los
indios del Perú, será necesario divi-
damos aquellos siglos en dos edades: diremos cómo vivían antes de
los Incas y luego diremos cómo gobernaron aquellos Reyes, para que
no se confunda lo uno con lo otro
ni se atribuyan las costumbres ni
los dioses de los unos a los otros.
Para lo cual es de saber que en
aquella primera edad y antigua gentilidad unos indios había pocos mejores que bestias mansas y otros
mucho peores que fieras bravas. Y
principiando de sus dioses, decimos
que los tuvieron conforme a las demás simplicidades y torpezas que
usaron, así en la muchedumbre de
ellos como en la vileza y bajeza
de las cosas que adoraban, porque
es así que cada provincia, cada nación, cada pueblo, cada barrio, cada
linaje y cada casa tenía dioses diferentes unos de otros, porque les parecía que el dios ajeno, ocupado
con otro, no podía ayudarles, sino el
suyo propio. Y así vinieron a tener
tanta variedad de dioses y tantos
que fueron sin número, y porque no
supieron, como los gentiles romanos, hacer dioses imaginados como
la Esperanza, la Victoria, la Paz y
otros semejantes, porque no levantaron los pensamientos a cosas invisibles, adoraban lo que veían, unos
a diferencia de otros, sin consideración de las cosas que adoraban, si
merecían ser adoradas, ni respeto
de sí propios, para no adorar cosas
inferiores a ellos; sólo atendían a
diferenciarse éstos de aquéllos y
cada uno de todos.

Y así adoraban yerbas, plantas,
flores, árboles de todas suertes, cerros altos, grandes peñas y los resquicios de ellas, cuevas hondas, guijarros y piedrecitas, las que en los
ríos y arroyos hallaban, de diversos
colores, como el jaspe. Adoraban la
piedra esmeralda, particularmente en
una provincia que hoy llaman Puerto Viejo; no adoraban diamantes ni
rubíes porque no los hubo en aquella tierra. En lugar de ellos adoraron diversos animales, a unos por
su fiereza, como al tigre, león y
oso, y, por esta causa, teniéndolos
por dioses, si acaso lo topaban, no
huían de ellos, sino que se echaban
en el suelo a adorarles y se dejaban
matar y comer sin huir ni hacer
defensa alguna. También adoraban
a otros animales por su astucia,
como a la zorra y a las monas.
Adoraban al perro por su lealtad
y nobleza, y al gato cerval por
su ligereza. Al ave que ellos llaman cúntur por su grandeza, y a
las águilas las adoraban ciertas
naciones porque se precian descender de ellas y también del cúntur. Otras naciones adoraban los
halcones, por su ligereza y buena
industria de haber por sus manos
lo que han de comer; adoraban al
búho por la hermosura de sus ojos
y cabeza, y al murciélago por la
sutileza de su vista, que les causaba mucha admiración que viese
de noche. Y otras muchas aves adoraban como se les antojaba. A las
culebras grandes por su monstruosidad y fiereza, que las hay en los
Antis de a veinticinco y de treinta
pies y más y menos de largo y
gruesas muchas más que el muslo.
También tenían por dioses a otras
culebras menores, donde no las había tan grandes como en los Antis;
a las lagartijas, sapos y escuerzos
adoraban.

En fin, no había animal tan vil
ni sucio que no lo tuviesen por dios,
sólo por diferenciarse unos de otros
en sus dioses, sin acatar en ellos

deidad alguna ni provecho que de
ellos pudiesen esperar. Estos fueron
simplícísimos en toda cosa, a semejanza de ovejas sin pastor. Mas no
hay que admirarnos que gente tan
sin letras ni enseñanza alguna cayesen en tan grandes simplezas, pues
es notorio que los griegos y los romanos, que tanto presumían de sus
ciencias, tuvieron, cuando más flo-
recían en su Imperio, treinta mil
dioses.

X. DE OTRA GRAN VARIEDAD DE DIOSES QUE TUVIERON

Otros muchos indios hubo de diversas naciones, en aquella primera
edad, que escogieron sus dioses con
alguna más consideración que los
pasados, porque adoraban algunas
cosas de las cuales recibían algún
provecho, como los que adoraban
las fuentes caudalosas y ríos grandes, por decir que les daban agua
para regar sus sementeras.

Otros adoraban la tierra y le llamaban Madre, porque les daba sus
frutos; otros al aire por el respirar,
porque decían que mediante él vivían los hombres; otros al fuego
porque los calentaba y porque guisaban de comer con él; otros adoraban a un carnero por el mucho
ganado que en sus tierras se criaba;
otros a la cordillera grande de la
Sierra Nevada, por su altura y admirable grandeza y por los muchos
ríos que salen de ella para los riegos; otros al maíz o *zara*, como
ellos le llaman, porque era el pan
común de ellos; otros a otras mieses y legumbres, según que más
abundantemente se daban en sus
provincias.

Los de la costa de la mar, demás de otra infinidad de dioses
que tuvieron, o quizá los mismos que
hemos dicho, adoraban en común

a la mar y le llamaban Mamacocha, que quiere decir Madre Mar,
dando a entender que con ellos hacía oficio de madre en sustentarles
con su pescado. Adoraban también
generalmente a la ballena por su
grandeza y monstruosidad. Sin esta
común adoración que hacían en
toda la costa, adoraban en diversas
provincias y regiones al pescado
que en más abundancia mataban
en aquella tal región, porque decían que el primer pescado que
estaba en el mundo alto (que así
llamaban al cielo), del cual procedía todo el demás pescado de aquella especie de que se sustentaban,
tenía cuidado de enviarles a sus
tiempos abundancia de sus hijos
para sustento de aquella tal nación;
y por esta razón en unas provincias
adoraban la sardina, porque mataban más cantidad de ella que de
otro pescado, en otras la lisa, en
otras al tollo, en otras por su hermosura al dorado, en otras al can-
grejo y al demás marisco, por la
falta de otro mejor pescado, porque no lo había en aquella mar o
porque no lo sabían pescar y matar. En suma, adoraban y tenían
por dios cualquiera otro pescado
que les era de más provecho que
los otros.

De manera que tenían por dioses no solamente los cuatro elementos, cada uno de por sí, mas
también todos los compuestos y formados de ellos, por viles e inmun-
dos que fuesen. Otras naciones
hubo, como son los chirihuanas y
los del cabo de Passau (que de
septentrión a mediodía son estas
dos provincias los términos del
Perú), que no tuvieron ni tienen
inclinación de adorar cosa alguna
baja ni alta, ni por el interés ni
por miedo, sino que en todo vivían
y viven hoy como bestias y peores,
porque no llegó a ellos la doctrina
y enseñanza de los Reyes Incas.

XI. MANERAS DE SACRIFICIOS QUE HACÍAN

Conforme a la vileza y bajeza de sus dioses eran también la crueldad y barbaridad de los sacrificios de aquella antigua idolatría, pues sin las demás cosas comunes, como animales y mieses, sacrificaban hombres y mujeres de todas edades, de los que cautivaban en las guerras que unos a otros se hacían. Y en algunas naciones fue tan inhumana esta crueldad, que excedió a la de las fieras, porque llegó a no contentarse con sacrificar los enemigos cautivos, sino sus propios hijos en tales o cuales necesidades. La manera de este sacrificio de hombres y mujeres, muchachos y niños, era que vivos les abrían por los pechos y sacaban el corazón con los pulmones, y con la sangre de ellos, antes que se enfriase, rociaban el ídolo que tal sacrificio mandaba hacer, y luego, en los mismos pulmones y corazón, miraban sus agüeros para ver si el sacrificio había sido acepto o no, y que lo hubiese sido o no, quemaban, en ofrenda para el ídolo, el corazón y los pulmones hasta consumirlos, y comían al indio sacrificado con grandísimo gusto y sabor y no menos fiesta y regocijo, aunque fuese su propio hijo.

El Padre Blas Valera, según que en muchas partes de sus papeles rotos parece, llevaba la misma intención que nosotros en muchas cosas de las que escribía, que era dividir los tiempos, las edades y las provincias para que se entendieran mejor las costumbres que cada nación tenía, y así, en uno de sus cuadernos destrozados dice lo que sigue, y habla de presente, porque entre aquellas gentes se usa hoy aquella inhumanidad:

Los que viven en los Antis comen carne humana, son más fieros que tigres, no tienen dios ni ley, ni saben qué cosa es virtud; tampoco tienen ídolos ni semejanza de ellos; adoran al demonio cuando se les representa en figura de algún animal o de alguna serpiente y les habla. Si cautivan alguno en la guerra o de cualquiera otra suerte, sabiendo que es hombre plebeyo y bajo lo hacen cuartos y se los dan a sus amigos y criados para que se los coman o los vendan en la carnicería. Pero si es hombre noble, se juntan los más principales con sus mujeres e hijos, y como ministros del diablo le desnudan, y vivo le atan a un palo, y, con cuchillos y navajas de pedernal le cortan a pedazos, no desmembrándole, sino quitándole la carne de las partes donde hay más cantidad de ella, de las pantorrillas, muslos y asentaderas y molledos de los brazos, y con la sangre se rocían los varones y las mujeres e hijos, y entre todos comen la carne muy aprisa sin dejarla bien cocer ni asar ni aun mascar; trágansela a bocados, de manera que el pobre paciente se ve vivo comido de otros y enterrado en sus vientres. Las mujeres (más crueles que los varones) untan los pezones de sus pechos con la sangre del desdichado para que sus hijuelos la mamen y beban en la leche. Todo esto hacen en lugar de sacrificio con gran regocijo y alegría, hasta que el hombre acaba de morir. Entonces acaban de comer sus carnes con todo lo de dentro, ya no por vía de fiesta ni deleite, como hasta allí, sino por cosa de grandísima deidad, porque de allí adelante las tienen en suma veneración, y así las comen por cosa sagrada. Si al tiempo que atormentaban al triste mostró alguna señal de sentimiento con el rostro o con el cuerpo o dio algún gemido o suspiro, hacen pedazos sus huesos después de haberle comido las carnes, asadura y tripas, y con mucho menosprecio los echan en el campo o en el río. Pero si en los tormentos se mostró fuerte, constante y feroz, habiéndole comido las carnes, con todo lo interior, secan los huesos con sus nervios al sol y los ponen en lo alto de los cerros y los tienen y adoran por dioses y les ofrecen sacrificios. Estos son los ídolos de aquellas fieras, porque no llegó el Imperio de los Incas a ellos ni hasta ahora ha llegado el de los españoles, y así están hoy día. Esta generación de hombres tan terribles y crueles salió de la región mexicana y pobló la de Panamá y la del Darién y todas aquellas grandes montañas que van hasta el Nuevo Reino de Granada, y por la otra parte hasta Santa Marta.

Todo esto es del Padre Blas Valera, el cual, contando diabluras y con mayor encarecimiento, nos ayuda a decir lo que entonces había en aquella primera edad y al presente hay.

Otros indios hubo no tan crueles en sus sacrificios, que aunque en ellos mezclaban sangre humana no era con muerte de alguno, sino sacada por sangría de brazos o piernas, según la solemnidad del sacrificio, y para los más solemnes la sacaban del nacimiento de las narices a la junta de las cejas, y esta sangría fue ordinaria entre los indios del Perú, aun después de los Incas, así para sus sacrificios (particularmente uno, como adelante diremos) como para sus enfermedades cuando eran con mucho dolor de cabeza. Otros sacrificios tuvieron los indios todos en común, que los que arriba hemos dicho se usaban en unas provincias y naciones y en otras no, mas los que usaron en general fueron de animales, como carneros, ovejas, corderos, conejos, perdices y otras aves, sebo y la yerba que tanto estiman llamada *coca*, el maíz y otras semillas y legumbres y madera olorosa y cosas semejantes, según las tenían de cosecha y según que cada nación entendía que sería sacrificio más agradable a sus dioses conforme a la naturaleza de ellos, principalmente si sus dioses eran aves o animales, carniceros o no, que a cada uno de ellos ofrecían lo que les veían comer más ordinario y

lo que parecía les era más sabroso al gusto. Y esto baste para lo que en materia de sacrificios se puede decir de aquella antigua gentilidad.

XII. LA VIVIENDA Y GOBIERNO DE LOS ANTIGUOS Y LAS COSAS QUE COMÍAN

En la manera de sus habitaciones y pueblos tenían aquellos gentiles la misma barbaridad que en sus dioses y sacrificios. Los más políticos tenían sus pueblos poblados sin plaza ni orden de calles ni de casas, sino como un recogedero de bestias. Otros, por causa de las guerras que unos a otros se hacían, poblaban en riscos y peñas altas, a manera de fortaleza, donde fuesen menos ofendidos de sus enemigos. Otros en chozas derramadas por los campos, valles y quebradas, cada uno como acertaba a tener la comodidad de su comida y morada. Otros vivían en cuevas debajo de tierra, en resquicios de peñas, en huecos de árboles, cada uno como acertaba a hallar hecha la casa, porque ellos no fueron para hacerla. Y de éstos hay todavía algunos, como son los del cabo de Passau y los chirihuanas y otras naciones que no conquistaron los Reyes Incas, los cuales se están hoy en aquella rusticidad antigua, y estos tales son los peores de reducir, así al servicio de los españoles como a la religión cristiana, que como jamás tuvieron doctrina son irracionales y apenas tienen lengua para entenderse unos con otros dentro en su misma nación, y así viven como animales de diferentes especies, sin juntarse ni comunicarse ni tratarse sino a sus solas.

En aquellos pueblos y habitaciones gobernaba el que se atrevía y tenía ánimo para mandar a los demás, y luego que señoreaba trataba los vasallos con tiranía y cruel-

dad, sirviéndose de ellos como de
esclavos, usando de sus mujeres e
hijas a toda su voluntad, haciéndose
guerra unos a otros. En unas provincias desollaban los cautivos, y
con los pellejos cubrían sus cajas
de tambor para amedrentar sus enemigos, porque decían que, en oyendo los pellejos de sus parientes,
luego huían. Vivían en latrocinios,
robos, muertes, incendios de pueblos, y de esta manera se fueron
haciendo muchos señores y reyecillos, entre los cuales hubo algunos
buenos que trataban bien a los suyos y los mantenían en paz y justicia. A estos tales, por su bondad
y nobleza, los indios con simplicidad los adoraron por dioses, viendo
que eran diferentes y contrarios de
la otra multitud de tiranos. En
otras partes vivían sin señores que
los mandasen ni gobernasen, ni
ellos supieron hacer república de
suyo para dar orden y concierto
en su vivir: vivían como ovejas en
toda simplicidad, sin hacerse mal
ni bien, y esto era más por su ignorancia y falta de malicia que por
sobra de virtud.

En la manera de vestirse y cubrir sus carnes fueron en muchas
provincias los indios tan simples y
torpes que causa risa el traje de
ellos. En otras fueron en su comer
y manjares tan fieros y bárbaros
que pone admiración tanta fiereza,
y en otras muchas regiones muy
largas tuvieron lo uno y lo otro
juntamente. En las tierras calientes, por ser más fértiles, sembraban
poco o nada, manteníanse de yerbas y raíces y fruta silvestre y otras
legumbres que la tierra daba de
suyo o con poco beneficio de los
naturales, que, como todos ellos no
pretendían más que el sustento de
la vida natural, se contentaban con
poco. En muchas provincias fueron
amicísimos de carne humana y tan
golosos que antes que acabase de
morir el indio que mataban le bebían la sangre por la herida que

le habían dado, y lo mismo hacían
cuando lo iban descuartizando, que
chupaban la sangre y se lamían las
manos porque no se perdiese gota
de ella. Tuvieron carnicerías públicas de carne humana; de las tripas hacían morcillas y longanizas,
hinchándolas de carne por no per-
derlas. Pedro de Cieza, capítulo
veinte y seis, dice lo mismo y lo
vio por sus ojos. Creció tanto esta
pasión que llegó a no perdonar los
hijos propios habido en mujeres extranjeras, de las que cautivaban y
prendían en las guerras, las cuales
tomaban por mancebas, y los hijos
que en ellas habían los criaban con
mucho regalo hasta los doce o trece
años, y luego se los comían, y a
las madres tras ellos cuando ya no
eran para parir. Hacían más, que
a muchos indios de los que cautivaban les reservaban la vida y les
daban mujeres de su nación, quiero
decir de la nación de los vencedores, y los hijos que habían los criaban como a los suyos y, viéndolos
ya mozuelos, se los comían, de manera que hacían seminario de muchachos para comérselos, y no los
perdonaban ni por el parentesco ni
por la crianza, que aun en diversos
y contrarios animales suelen causar
amor, como podríamos decir de
algunos que hemos visto y de otros
que hemos oído. Pues en aquellos
bárbaros no bastaba lo uno ni lo
otro, sino que mataban los hijos
que habían engendrado y los parientes que habían criado a trueque
de comérselos, y lo mismo hacían de
los padres, cuando ya no estaban
para engendrar, que tampoco les
valía el parentesco de afinidad.
Hubo nación tan extraña en esta
golosina de comer carne humana,
que enterraban sus difuntos en sus
estómagos, que luego que expiraba
el difunto se juntaba la parentela
y se lo comían cocido o asado, según le habían quedado las carnes,
muchas o pocas: si pocas, cocido,
si muchas, asado. Y después jun-

taban los huesos por sus coyunturas y les hacían las obsequías con gran llanto; enterrábanlos en resquicios de peñas y en huecos de árboles. No tuvieron dioses ni supieron qué cosa era adorar, y hoy se están en lo mismo. Esto de comer carne humana más lo usaron los indios de tierras calientes que los de tierras frías.

En las tierras estériles y frías, donde no daba la tierra de suyo frutas, raíces y yerbas, sembraban el maíz y otras legumbres, forzados de la necesidad, y esto hacían sin tiempo ni sazón. Aprovechábanse de la caza y de la pesca con la misma rusticidad que en las demás cosas tenían.

XIII. CÓMO SE VESTÍAN EN AQUELLA ANTIGÜEDAD

El vestir, por su indecencia, era más para callar y encubrir que para lo decir y mostrar pintado, mas porque la historia me fuerza a que la saque entera y con verdad, suplicaré a los oídos honestos que se cierren por no oírme en esta parte y me castiguen con ese disfavor, que yo lo doy por bien empleado. Vestíanse los indios en aquella primera edad como animales, porque no traían más ropa que la piel que la naturaleza les dio. Muchos de ellos, por curiosidad o gala, traían ceñido al cuerpo un hilo grueso, y les parecía que bastaba para vestidura. Y no pasemos adelante, que no es lícito. El año de mil y quinientos y sesenta, viniendo a España, topé en una calle, de las de Cartagena, cinco indios sin ropa alguna, y no iban todos juntos, sino uno en pos de otro como grullas, con haber tantos años que trataban con españoles.

Las mujeres andaban al mismo traje, en cueros; las casadas traían un hilo ceñido al cuerpo, del cual

traían colgando, como delantal, un trapillo de algodón de una vara en cuadro, y donde no sabían o no querían tejer ni hilar, lo traían de corteza de árboles o de sus hojas, el cual servía de cobertura por la honestidad. Las doncellas traían también por la pretina ceñido un hilo sobre sus carnes, y en lugar de delantal y en señal de que eran doncellas traían otra cosa diferente. Y porque es razón guardar el respeto que se debe a los oyentes, será bien que callemos lo que aquí había de decir; baste que éste era el traje y vestidos en las tierras calientes, de manera que en la honestidad semejaban a las bestias irracionales, de donde por sola esta bestialidad que en el ornato de sus personas usaban se puede colegir cuán brutales serían en todo lo demás los indios de aquella gentilidad antes del Imperio de los Incas.

En las tierras frías andaban más honestamente cubiertos, no por guardar honestidad, sino por la necesidad que el frío les causaba; cubríanse con pieles de animales y maneras de cobijas que hacían del cáñamo silvestre y de una paja blanda, larga y suave, que se cría en los campos. Con estas invenciones cubrían sus carnes como mejor podían. En otras naciones hubo alguna más policía, que traían mantas mal hechas, mal hiladas, y peor tejidas, de lana o del cáñamo silvestre que llaman *cháhuar*, traíanlas prendidas al cuello y ceñidas al cuerpo, con las cuales andaban cubiertas bastantemente. Estos trajes se usaban en aquella primera edad, y los que dijimos que usaban en las tierras calientes, que era andar en cueros, digo que los españoles los hallaron en muy anchas provincias que los Reyes Incas aún no habían conquistado, y hoy se usan en muchas tierras ya conquistadas por los españoles, donde los indios son tan brutos que no quieren vestirse, sino los que tratan muy familiarmente con los españoles dentro en sus casas, y se visten más por importunidad de ellos que por gusto y honestidad propia, y tanto lo rehúsan las mujeres como los hombres, a las cuales, motejándolas de malas hilanderas y de muy deshonestas, les preguntan los españoles si por no vestirse no querían hilar o si por no hilar no querían vestirse.

XIV. DIFERENTES CASAMIENTOS Y DIVERSAS LENGUAS. USABAN DE VENENO Y DE HECHIZOS

En las demás costumbres, como el casar y el juntarse, no fueron mejores los indios de aquella gentilidad que en su vestir y comer, porque muchas naciones se juntaban al coito como bestias, sin conocer mujer propia, sino como acertaban a toparse, y otras se casaban como se les antojaba, sin exceptuar hermanas, hijas ni madres. En otras guardaban las madres y no más; en otras provincias era lícito y aun loable ser las mozas cuan deshonestas y perdidas quisiesen, y las más disolutas tenían cierto su casamiento, que el haberlo sido se tenía entre ellos por mayor calidad; a los menos las mozas de aquella suerte eran tenidas por hacendosas, y de las honestas decían que por flojas no las había querido nadie. En otras provincias usaban lo contrario, que las madres guardaban las hijas con gran recato, y cuando concertaban de las casar las sacaban en público, y en presencia de los parientes que se habían hallado al otorgo, con sus propias manos las desfloraban mostrando a todos el testimonio de su buena guarda.

En otras provincias corrompían la virgen que se había de casar los parientes más cercanos del novio y sus mayores amigos, y con esta condición concertaban el casamiento y así la recibía después el marido. Pedro Cieza, capítulo veinte y cuatro, dice lo mismo. Hubo sodomitas en algunas provincias, aunque no muy a descubierto ni toda la nación en común, sino algunos particulares y en secreto. En algunas partes los tuvieron en sus templos porque les persuadía el demonio que sus dioses recibían mucho contento con ellos, y haríalo el traidor por quitar el velo de la vergüenza que aquellos gentiles tenían del delito y porque lo usaran todos en público y en común. También hubo hombres y mujeres que daban ponzoña, así para matar con ella de presto o de espacio como para sacar de juicio y atontar (a) los que querían y para los afear en sus rostros y cuerpos, que los dejaban remendados de blanco y negro y albarazados y tullidos de sus miembros.

Cada provincia, cada nación, y en muchas partes cada pueblo, tenía su lengua por sí, diferente de sus vecinos. Los que se entendían en un lenguaje se tenían por parientes, y así eran amigos y confederados. Los que no se entendían, por la variedad de las lenguas, se tenían por enemigos y contrarios, y se hacían cruel guerra, hasta comerse unos a otros como si fueran brutos de diversas especies. Hubo también hechiceros y hechiceras, y este oficio más ordinario lo usaban las indias que los indios: muchos lo ejercitaban solamente para tratar con el demonio en particular, para ganar reputación con la gente, dando y tomando respuestas de las cosas por venir, haciéndose grandes sacerdotes y sacerdotisas.

Otras mujeres lo usaron para enhechizar más a hombres que a mujeres, o por envidia o por otra malquerencia, y hacían con los hechizos los mismos efectos que con el veneno. Y esto baste para lo que por ahora se puede decir de los

indios de aquella edad primera y
gentilidad antigua, remitiéndome, en
lo que no se ha dicho tan cumplidamente como ello fue, a lo que
cada uno quisiere imaginar y añadir
a las cosas dichas, que, por mucho
que alargue su imaginación, no
llegará a imaginar cuán grandes
fueron las torpezas de aquella gentilidad, en fin, como de gente que
no tuvo otra guía ni maestro sino
al demonio. Y así unos fueron en
su vida, costumbres, dioses y sacrificios, barbarísimos fuera de todo
encarecimiento. Otros hubo simplicísimos en toda cosa, como animales mansos y aún más simples.
Otros participaron del un extremo
y del otro, como los veremos adelante en el discurso de nuestra historia, donde en particular diremos
lo que en cada provincia y en cada
nación había de las bestialidades
arriba dichas.

XV. EL ORIGEN DE LOS INCAS REYES DEL PERÚ

Viviendo o muriendo aquellas
gentes de la manera que hemos visto, permitió Dios Nuestro Señor
que de ellos mismos saliese un lucero del alba que en aquellas os-
curísimas tinieblas les diese alguna
noticia de la ley natural y de la
urbanidad y respetos que los hombres debían tenerse unos a otros,
y que los descendientes de aquél,
procediendo de bien en mejor cultivasen aquellas fieras y las con-
virtiesen en hombres, haciéndoles
capaces de razón y de cualquiera
buena doctrina, para que cuando
ese mismo Dios, sol de justicia, tuviese por bien de enviar la luz de
sus divinos rayos a aquellos idólatras, los hallase, no tan salvajes,
sino más dóciles para recibir la fe
católica y la enseñanza y doctrina
de nuestra Santa Madre Iglesia Romana, como después acá lo han

recibido, según se verá lo uno y
lo otro en el discurso de esta historia; que por experiencia muy clara
se ha notado cuánto más prontos
y ágiles estaban para recibir el
Evangelio los indios que los Reyes
Incas sujetaron, gobernaron y enseñaron, que no las demás naciones
comarcanas donde aún no había llegado la enseñanza de los Incas, muchas de las cuales se están hoy tan
bárbaras y brutas como antes se
estaban, con haber setenta y un
años que los españoles entraron en
el Perú. Y pues estamos a la puerta de este gran laberinto, será bien
pasemos adelante a dar noticia de
lo que en él había.

Después de haber dado muchas
trazas y tomado muchos caminos
para entrar a dar cuenta del origen
y principio de los Incas Reyes naturales que fueron del Perú, me
pareció que la mejor traza y el
camino más fácil y llano era contar lo que en mis niñeces oí muchas
veces a mi madre y a sus hermanos
y tíos y a otros sus mayores acerca
de este origen y principio, porque
todo lo que por otras vías se dice
de él viene a reducirse en lo mismo
que nosotros diremos, y será mejor que se sepa por las propias
palabras que los Incas lo cuentan
que no por las de otros autores
extraños. Es así que, residiendo mi
madre en el Cuzco, su patria, venían a visitarla casi cada semana
los pocos parientes y parientas que
de las crueldades y tiranías de Atahualpa (como en su vida contaremos) escaparon, en las cuales visitas
siempre sus más ordinarias pláticas eran tratar del origen de sus
Reyes, de la majestad de ellos, de
la grandeza de su Imperio, de sus
conquistas y hazañas, del gobierno
que en paz y en guerra tenían, de
las leyes que tan en provecho y
favor de sus vasallos ordenaban. En
suma, no dejaban cosa de las prós-
peras que entre ellos hubiese acaecido que no la trajesen a cuenta.

De las grandezas y prosperidades pasadas venían a las cosas presentes, lloraban sus Reyes muertos, enajenado su Imperio y acabada su república, etcétera. Estas y otras semejantes pláticas tenían los Incas y Pallas en sus visitas, y con la memoria del bien perdido siempre acababan su conversación en lágrimas y llanto, diciendo: "Trocósenos el reinar en vasallaje". Etcétera. En estas pláticas yo, como muchacho, entraba y salía muchas veces donde ellos estaban, y me holgaba de las oír, como huelgan los tales de oír fábulas. Pasando pues días, meses y años, siendo ya yo de diez y seis o diez y siete años, acaeció que, estando mis parientes un día en esta su conversación hablando de sus Reyes y antiguallas, al más anciano de ellos, que era el que daba cuenta de ellas le dije:

—Inca, tío, pues no hay escritura entre vosotros, que es lo que guarda la memoria de las cosas pasadas, ¿qué noticias tenéis del origen y principio de nuestros Reyes? Porque allá los españoles y las otras naciones, sus comarcanas, como tienen historias divinas y humanas, saben por ellas cuándo empezaron a reinar sus Reyes y los ajenos y al trocarse unos imperios en otros, hasta saber cuántos mil años ha que Dios creó el cielo y la Tierra, que todo esto y mucho más saben por sus libros. Empero vosotros, que carecéis de ellos, ¿qué memoria tenéis de vuestras antiguallas?, ¿quién fue el primero de nuestros Incas?, ¿cómo se llamó?, ¿qué origen tuvo su linaje?, ¿de qué manera empezó a reinar?, ¿con qué gente y armas conquistó este grande Imperio?, ¿qué origen tuvieron nuestras hazañas?

El Inca, como holgándose de haber oído las preguntas, por el gusto que recibía de dar cuenta de ellas, se volvió a mí (que ya otras muchas veces le había oído, mas ninguna con la atención de entonces) y me dijo:

—Sobrino, yo te las diré de muy buena gana; a ti te conviene oírlas y guardarlas en el corazón (es frase de ellos por decir en la memoria). Sabrás que en los siglos antiguos toda esta región de tierra que ves eran unos grandes montes y breñales, y las gentes en aquellos tiempos vivían como fieras y animales brutos, sin religión ni policía, sin pueblo ni casa, sin cultivar ni sembrar la tierra, sin vestir ni cubrir sus carnes, porque no sabían labrar algodón ni lana para hacer de vestir; vivían de dos en dos y de tres en tres, como acertaban a juntarse en las cuevas y resquicios de peñas y cavernas de la tierra. Comían, como bestias, yerbas del campo y raíces de árboles y la fruta inculta que ellos daban de suyo y carne humana. Cubrían sus carnes con hojas y cortezas de árboles y pieles de animales; otros andaban en cueros. En suma, vivían como venados y salvajinas, y aun en las mujeres se habían como los brutos, porque no supieron tenerlas propias y conocidas.

Adviértase, porque no enfade el repetir tantas veces estas palabras: "Nuestro Padre el Sol", que era lenguaje de los Incas y manera de veneración y acatamiento decirlas siempre que nombraban al Sol, porque se preciaban descender de él, y al que no era Inca no le era lícito tomarlas en la boca, que fuera blasfemia y lo apedrearan. Dijo el Inca:

—Nuestro Padre el Sol, viendo los hombres tales como te he dicho, se apiadó y hubo lástima de ellos y envió del cielo a la Tierra un hijo y una hija de los suyos para que los doctrinasen en el conocimiento de Nuestro Padre el Sol, para que lo adorasen y tuviesen por su Dios y para que les diesen preceptos y leyes en que viviesen como hombres en razón y urbanidad, para que habitasen en casas y pueblos poblados, supiesen labrar las tierras, cultivar las plantas y mieses, criar los ganados y gozar de ellos y de los frutos de la tierra como hombres racionales y no como bestias. Con esta orden y mandato puso Nuestro Padre el Sol estos dos hijos suyos en la laguna Titicaca, que está ochenta leguas de aquí, y les dijo que fuesen por do quisiesen y, doquiera que parasen a comer o a dormir, procurasen hincar en el suelo una barrilla de oro de media vara en largo y dos dedos en grueso que les dio para señal y muestra, que, donde aquella barra se les hundiese con solo un golpe que con ella diesen en tierra, allí quería el Sol Nuestro Padre que parasen e hiciesen su asiento y corte. A lo último les dijo:

Cuando hayáis reducido esas gentes a nuestro servicio, los mantendréis en razón y justicia, con piedad, clemencia y mansedumbre, haciendo en todo oficio de padre piadoso para con sus hijos tiernos y amados, a imitación y semejanza mía, que a todo el mundo hago bien, que les doy mi luz y claridad para que vean y hagan sus haciendas y les caliento cuando han frío y crío sus pastos y sementeras, hago fructificar sus árboles y multiplico sus ganados, lluevo y sereno a sus tiempos y tengo cuidado de dar una vuelta cada día al mundo por ver las necesidades que en la Tierra se ofrecen, para las proveer y socorrer como sustentador y bienhechor de las gentes. Quiero que vosotros imitéis este ejemplo como hijos míos, enviados a la Tierra sólo para la doctrina y beneficio de esos hombres, que viven como bestias. Y desde luego os constituyo y nombro por Reyes y señores de todas las gentes que así doctrináredes con vuestras buenas razones, obras y gobierno.

Habiendo declarado su voluntad Nuestro Padre el Sol a sus dos hijos, los despidió de sí. Ellos salieron de Titicaca y caminaron al septentrión, y por todo el camino, doquiera que paraban, tentaban hincar la barra de oro y nunca se les hundió. Así entraron en una venta o dormitorio pequeño, que está siete u ocho leguas al mediodía de esta ciudad, que hoy llaman Pacárec Tampu, que quiere decir venta o dormida que amanece. Púsole este nombre el Inca porque salió de aquella dormida al tiempo que amanecía. Es uno de los pueblos que este príncipe mandó poblar después, y sus moradores se jactan hoy grandemente del nombre, porque lo impuso nuestro Inca. De allí llegaron él y su mujer, nuestra Reina, a este valle del Cuzco, que entonces todo él estaba hecho montaña brava.

XVI. LA FUNDACIÓN DEL CUZCO, CIUDAD IMPERIAL

La primera parada que en este valle hicieron —dijo el Inca— fue en el cerro llamado Huanacauri, al mediodía de esta ciudad. Allí procuró hincar en tierra la barra de oro, la cual con mucha facilidad se les hundió al primer golpe que dieron con ella, que no la vieron más. Entonces dijo nuestro Inca a su hermana y mujer: "En este valle manda Nuestro Padre el Sol que paremos y hagamos nuestro asiento y morada para cumplir su voluntad. Por tanto, Reina y hermana, conviene que cada uno por su parte vamos a convocar y atraer ésta gente, para los doctrinar y hacer el bien que Nuestro Padre el Sol nos manda."

Del cerro Huanacauri salieron nuestros primeros Reyes, cada uno por su parte, a convocar las gentes, y por ser aquel lugar el primero de que tenemos noticia que hubiesen hollado con sus pies por haber salido de allí a bien hacer a los hombres, teníamos hecho en él, como es notorio, un templo para

adorar a Nuestro Padre el Sol, en
memoria de esta merced y beneficio
que hizo al mundo. El príncipe fue
al septentrión y la princesa al mediodía. A todos los hombres y
mujeres que hallaban por aquellos
breñales les hablaban y decían cómo
su padre el Sol los había enviado
del cielo para que fuesen maestros
y bienhechores de los moradores
de toda aquella tierra, sacándoles de la vida ferina que tenían y
mostrándoles a vivir como hombres,
y que en cumplimiento de lo que
el Sol, su padre, les había mandado, iban a los convocar y sacar
de aquellos montes y malezas y reducirlos a morar en pueblos poblados y a darles para comer manjares
de hombres y no de bestias. Estas
cosas y otras semejantes dijeron
nuestros Reyes a los primeros salvajes que por estas tierras y montes
hallaron, los cuales, viendo aquellas dos personas vestidas y adornadas con los ornamentos que de
Nuestro Padre el Sol les había dado
(hábito muy diferente del que ellos
traían) y las orejas horadadas y tan
abiertas como sus descendientes las
traemos, y que en sus palabras y
rostro mostraban ser hijos del Sol
y que venían a los hombres para
darles pueblos en que viviesen y
mantenimientos que comiesen, ma-
ravillados por una parte de lo que
veían y por otra aficionados de las
promesas que les hacían, les dieron
entero crédito a todo lo que les
dijeron y los adoraron y reveren-
ciaron como a hijos del Sol y obedecieron como a Reyes. Y convo-
cándose los mismos salvajes, unos
a otros y refiriendo las maravillas
que habían visto y oído, se juntaron
en gran número hombres y mujeres salieron con nuestros Reyes para
los seguir donde ellos quisiesen
llevarlos.

Nuestros príncipes, viendo la mucha gente que se les allegaba, dieron orden que unos se ocupasen
en proveer de su comida campestre
para todos, porque la hambre no
los volviese a derramar por los
montes; mandó que otros trabajasen en hacer chozas y casas, dando
el Inca la traza cómo las habían
de hacer. De esta manera se principió a poblar esta nuestra imperial
ciudad, dividida en dos medios que
llamaron Hanan Cozco, que, como
sabes, quiere decir Cuzco el alto y
Hurin Cozco, que es Cuzco el bajo.
Los que atrajo el Rey quiso que
poblasen a Hanan Cozco, y por
esto le llaman el alto, y los que
convocó la Reina que poblasen a
Hurin Cozco, y por eso le llamaron el bajo. Esta división de ciudad no fue para que los de la
una mitad se aventajasen de la otra
mitad en exenciones y preeminen-
cias, sino que todos fuesen iguales
como hermanos, hijos de un padre
y de una madre. Sólo quiso el Inca
que hubiese esta división de pueblo
y diferencia de nombres alto y bajo
para que quedase perpetua memoria de que a los unos había convocado el Rey y a los otros la Reina.
Y mandó que entre ellos hubiese
sola una diferencia y reconocimiento de superioridad: que los del
Cuzco alto fuesen respetados y tenidos como primogénitos, hermanos
mayores, y los del bajo fuesen con
hijos segundos; en suma, fuesen
como el brazo derecho y el izquierdo en cualquiera preeminencia de
lugar y oficio, por haber sido los
del alto atraídos por el varón v
los del bajo por la hembra. A
semejanza de esto hubo después
esta misma división en todos los
pueblos grandes o chicos de nuestro Imperio, que los dividieron por
barrios o por linajes, diciendo Hanan aillu y Hurin aillu, que es el
linaje alto y el bajo; Hanan suyu
y Hurin suyu, que es el distrito
alto y bajo.

Juntamente, poblando la ciudad,
enseñaba nuestro Inca a los indios
varones los oficios pertenecientes a
varón, como romper y cultivar la
tierra y sembrar las mieses, semillas y legumbres que les mostró que
eran de comer y provechosas, para
lo cual les enseñó a hacer arados
y los demás instrumentos necesa-

rios y les dio orden y manera como sacasen acequias de los arroyos que corren por este valle del Cuzco, hasta enseñarles a hacer el calzado que traemos. Por otra parte la Reina industriaba a las indias en los oficios mujeriles, a hilar y tejer algodón y lana y hacer de vestir para sí y para sus maridos e hijos: decíales cómo habían de hacer los demás oficios del servicio de casa. En suma, ninguna cosa de las que pertenecen a la vida humana dejaron nuestros príncipes de enseñar a sus primeros vasallos, haciéndose el Inca Rey maestro de los varones y la Coya Reina maestra de las mujeres.

XVII. LO QUE REDUJO EL PRIMER INCA MANCO CÁPAC

Los mismos indios nuevamente así reducidos, viéndose ya otras y reconociendo los beneficios que habían recibido, con gran contento y regocijo entraban por las sierras, montes y breñales a buscar los indios y les daban nuevas de aquellos hijos del Sol y les decían que para bien de todos ellos se habían aparecido en su tierra, y les contaban los muchos beneficios que les habían hecho. Y para ser creídos les mostraban los nuevos vestidos y las nuevas comidas que comían y vestían, y que vivían en casas y pueblos. Las cuales cosas oídas por los hombres silvestres, acudían en gran número a ver las maravillas que de nuestros primeros padres, Reyes y señores, se decían y publicaban. Y habiéndose certificado de ellas por vista de ojos, se quedaban a los servir y obedecer. Y de esta manera, llamándose unos a otros y pasando la palabra de éstos a aquéllos, se juntó en pocos años mucha gente, tanta que, pasados los primeros seis o siete años, el Inca tenía gente de guerra armada e industriada para se defender de quien quisiese ofenderle, y aun para traer por fuerza los que no quisiesen venir de grado. Enseñóles a hacer armas ofensivas, como arcos y flechas, lanzas y porras y otras que se usan ahora.

Y para abreviar las hazañas de nuestro primer Inca, te digo que hacia el levante redujo hasta el río llamado Paucartampu y al poniente conquistó ocho leguas hasta el gran río llamado Apurímac y al mediodía atrajo nueve leguas hasta Quequesana. En este distrito mandó poblar nuestro Inca más de cien pueblos, los mayores de a cien casas y otros de a menos, según la capacidad de los sitios. Estos fueron los primeros principios que esta nuestra ciudad tuvo para haberse fundado y poblado como la ves. Estos mismos fueron los que tuvo este nuestro grande, rico y famoso Imperio que tu padre y sus compañeros nos quitaron. Estos fueron nuestros primeros Incas y Reyes, que vinieron en los primeros siglos del mundo, de los cuales descienden los demás Reyes que hemos tenido, y de estos mismos descendemos todos nosotros. Cuántos años ha que el Sol Nuestro Padre envió estos sus primeros hijos, no te lo sabré decir precisamente, que son tantos que no los ha podido guardar la memoria; tenemos que son más de cuatrocientos. Nuestro Inca se llamó Manco Cápac y nuestra Coya Mama Ocllo Huaco. Fueron, como te he dicho, hermanos, hijos del Sol y de la Luna, nuestros padres. Creo que te he dado larga cuenta de lo que me la pediste y respondido a tus preguntas, y por no hacerte llorar no he recitado esta historia con lágrimas de sangre, derramadas por los ojos como las derramó en el corazón, del dolor que siento de ver nuestros Incas acabados y nuestro Imperio perdido.

Esta larga relación del origen de sus Reyes me dio aquel Inca, tío de mi madre, a quien yo se la pedí, la cual yo he procurado traducir fielmente de mi lengua materna, que es la del Inca, en la ajena, que es la castellana, aunque no la he escrito con la majestad de palabras que el Inca habló ni con toda la significación de las de aquel lenguaje tienen, que, por ser tan significativo, pudiera haberse entendido mucho más de lo que se ha hecho. Antes la he acortado, quitando algunas cosas que pudieran hacerla odiosa. Empero, bastará haber sacado el verdadero sentido de ellas, que es lo que conviene a nuestra historia. Otras cosas semejantes, aunque pocas, me dijo este Inca en las visitas y pláticas que en casa de mi madre se hacían, las cuales pondré adelante en sus lugares, citando el autor, y pésame de no haberle preguntado otras muchas para tener ahora la noticia de ellas, sacadas de tan buen archivo, para escribirlas aquí.

XVIII. DE FÁBULAS HISTORIALES DEL ORIGEN DE LOS INCAS

Otra fábula cuenta la gente común del Perú del origen de sus Reyes Incas, y son los indios que caen al mediodía del Cuzco, que llaman Collasuyu, y los del poniente, que llaman Cutinsuyu. Dicen que pasado el diluvio, del cual no saben dar más razón de decir que lo hubo, ni se entiende si fue el general del tiempo de Noé o alguno otro particular, por lo cual dejaremos de decir lo que cuentan de él y de otras cosas semejantes que de la manera que las dicen más parecen sueños o fábulas mal ordenadas que sucesos historiales; dicen, pues, que cesadas las aguas se apareció un hombre en Tiahuanacu, que está al mediodía del Cuzco, que fue tan poderoso que repartió el mundo en cuatro partes y las dio a cuatro hombres que llamó Reyes: el primero se llamó Manco Cápac y el segundo Colla y el tercero Tócay y el cuarto Pinahua. Dicen que a Manco Cápac dio la parte septen-

trional y al Colla la parte meridional (de cuyo nombre se llamó después Colla aquella gran provincia); al tercero, llamado Tócay, dio la parte del levante, y al cuarto, que llaman Pinahua, la del poniente; y que les mandó fuese cada uno a su distrito y conquistase y gobernase la gente que hallase. Y no advierten a decir si el diluvio los había ahogado o si los indios habían resucitado para ser conquistados y doctrinados, y así es todo cuanto dicen de aquellos tiempos.

Dicen que de este repartimiento del mundo nació después el que hicieron los Incas de su reino, llamado Tahuantinsuyo. Dicen que el Manco Cápac fue hacia el norte y llegó al valle del Cuzco y fundó aquella ciudad y sujetó los circunvecinos y los doctrinó. Y con estos principios dicen de Manco Cápac casi lo mismo que hemos dicho de él, y que los Reyes Incas descienden de él, y de los otros tres Reyes no saben decir qué fueron de ellos. Y de esta manera son todas las historias de aquella antigüedad, y no hay que espantarnos de que gente que no tuvo letras con qué conservar la memoria de sus antiguallas trate de aquellos principios tan confusamente, pues los de la gentilidad del mundo viejo, con tener letras y ser tan curiosos en ellas, inventaron fábulas tan dignas de risa y más que estotras, pues una de ellas es la de Pirra y Deucalión y otras que pudiéramos traer a cuenta. Y también se pueden cotejar las de la una gentilidad con las de la otra, que en muchos pedazos se remedan. Y asimismo tienen algo semejante a la historia de Noé, como algunos españoles han querido decir, según veremos luego. Lo que yo siento de este origen de los Incas diré al fin.

Otra manera del origen de los Incas cuentan semejante a la pasada, y éstos son los indios que viven al levante y al norte de la Ciudad del

Cuzco. Dicen que al principio del mundo salieron por unas ventanas de unas peñas que están cerca de la ciudad, en un puesto que llaman Paucartampu, cuatro hombres y cuatro mujeres, todos hermanos, y que salieron por la ventana de enmedio, que ellas son tres, la cual llamaron ventana real. Por esta fábula aforraron aquella ventana por todas partes con grandes planchas de oro y muchas piedras preciosas. Las ventanas de los lados guarnecieron solamente con oro mas no con pedrería. Al primer hermano llaman Manco Cápac y a su mujer Mama Ocllo. Dicen que éste fundó la ciudad y que la llamó Cuzco, que en la lengua particular de los Incas quiere decir *ombligo*, y que sujetó aquellas naciones y les enseñó a ser hombres, y que de éste descienden todos los Incas. Al segundo hermano llaman Ayar Cachi y al tercero Ayar Uchu y al cuarto Ayar Sauca. La dicción *Ayar* no tiene significado en la lengua general del Perú; en la particular de los Incas la debía de tener. Las otras dicciones son de la lengua general: *cachi* quiere decir sal, la que comemos, y *uchu* es el condimento que echan en sus guisados, que los españoles llaman pimiento; no tuvieron los indios del Perú otras especias. La otra dicción, *sauca*, quiere decir regocijo, contento y alegría. Apretando a los indios sobre qué se hicieron aquellos tres hermanos y hermanas de sus primeros Reyes, dicen mil disparates, y no hallando mejor salida, alegorizan la fábula, diciendo que por la sal, que es uno de los hombres, entienden la enseñanza que el Inca les hizo de la vida natural; por el pimiento, el gusto que de ella recibieron; y por el nombre regocijo entienden el contento y alegría con que después vivieron. Y aun esto lo dicen por tantos rodeos, tan sin orden y concierto, que más se saca por conjeturas de lo que querrán

decir que por el discurso y orden de sus palabras. Sólo se afirman en que Manco Cápac fue el primer Rey y que de él descienden los demás Reyes.

De manera que por todas tres vías hacen principio y origen de los Incas a Manco Cápac, y de los otros tres hermanos no hacen mención, antes por la vía alegórica los deshacen y se quedan con sólo Manco Cápac, y parece ser así porque nunca después Rey alguno ni hombre de su linaje se llamó de aquellos nombres, ni ha habido nación que se preciase descender de ellos. Algunos españoles curiosos quieren decir, oyendo estos cuentos, que aquellos indios tuvieron noticia de la historia de Noé, de sus tres hijos, mujer y nueras, que fueron cuatro hombres y cuatro mujeres que Dios reservó del diluvio, que son los que dicen en la fábula, y que por la ventana del Arca de Noé dijeron los indios la de Paucartampu, y que el hombre poderoso que la primera fábula dice que se apareció en Tiahuanacu, que dicen repartió el mundo en aquellos cuatro hombres, quieren los curiosos que sea Dios, que mandó a Noé y a sus tres hijos que poblasen el mundo. Otros pasos de la una fábula y de la otra quieren semejar a los de la Santa Historia, que les parece que se semejan. Yo no me entremeto en cosas tan hondas; digo llanamente las fábulas historiales que en mis niñeces oí a los míos; tómelas cada uno como quisiere y déles el alegoría que más le cuadrare.

A semejanza de las fábulas que hemos dicho de los Incas, inventan las demás naciones del Perú otra infinidad de ellas, del origen y principio de sus primeros padres, diferenciándose unas de otras, como las veremos en el discurso de la historia. Que no se tiene por honrado el indio que no desciende de fuente, río o lago, aunque sea de la

mar o de animales fieros, como el
oso, león o tigre, o de águila o del
ave que llaman *cúntur*, o de otras
aves de rapiña, o de sierras, montes, riscos o cavernas, cada uno
como se le antoja, para su mayor
loa y blasón. Y para fábulas baste
lo que se ha dicho.

Ya que hemos puesto la primera
piedra de nuestro edificio, aunque
fabuloso en el origen de los Incas
Reyes del Perú, será razón pasemos
adelante en la conquista y reducción de los indios, extendiendo algo
más la relación sumaria que me dio
aquel Inca con la relación de otros
muchos Incas e indios naturales de
los pueblos que este primer Inca
Manco Cápac mandó poblar y redujo a su Imperio, con los cuales
me crié y comuniqué hasta los
veinte años. En este tiempo tuve
noticia de todo lo que vamos escribiendo, porque en mis niñeces me
contaban sus historias como se cuentan las fábulas a los niños. Después,
en edad más crecida, me dieron
larga noticia de sus leyes y gobierno, cotejando el nuevo gobierno de
los españoles con el de los Incas,
dividiendo en particular los delitos
y las penas y el rigor de ellas. Decíanme cómo procedían sus Reyes
en paz y en guerra, de qué manera
trataban a sus vasallos y cómo eran
servidos de ellos. Demás de esto
me contaban, como a propio hijo,
toda su idolatría, sus ritos, ceremonias y sacrificios, sus fiestas principales y no principales, y cómo las
celebraban. Decíanme sus abusos
y supersticiones, sus agüeros malos y
buenos, así los que miraban en sus
sacrificios como fuera de ellos. En
suma, digo que me dieron noticia
de todo lo que tuvieran en su república, que, si entonces lo escri-

biera, fuera más copiosa esta historia.

Demás de habérmelo dicho los
indios, alcancé y vi por mis ojos
mucha parte de aquella idolatría,
sus fiestas y supersticiones, que aún
en mis tiempos, hasta los doce o
trece años de mi edad, no se habían
acabado del todo. Yo nací ocho
años después que los españoles ganaron mi tierra y, como lo he dicho, me crié en ella hasta los veinte
años, y así vi muchas cosas de las
que hacían los indios en aquella
su gentilidad, las cuales contaré diciendo que las vi. Sin la relación
que mis parientes me dieron de las
cosas dichas y sin lo que yo vi, he
habido otras muchas relaciones de
las conquistas y hechos de aquellos
Reyes. Porque luego que propuse
escribir esta historia, escribí a los
condiscípulos de escuela y gramática, encargándoles que cada uno
me ayudase con la relación que pudiese haber de las particulares conquistas que los Incas hicieron de
las provincias de sus madres, porque cada provincia tiene sus cuentas y nudos con sus historias anales
y la tradición de ellas, y por esto
retiene mejor lo que en ella pasó
que lo que pasó en la ajena. Los
condiscípulos, tomando de veras lo
que les pedí, cada cual de ellos dio
cuenta de mi intención a su madre
y parientes, los cuales, sabiendo que
un indio, hijo de su tierra, quería
escribir los sucesos de ella, sacaron
de sus archivos las relaciones que
tenían de sus historias y me las enviaron, y así tuve la noticia de los
hechos y conquistas de cada Inca,
que es la misma que los historiadores españoles tuvieron, sino que ésta
será más larga, como lo advertiremos en muchas partes de ella.

Y porque todos los hechos de este
primer Inca son principios y fundamento de la historia que hemos de
escribir, nos valdrá mucho decirlos
aquí, a lo menos los más importantes, porque no los repitamos ade-

lante en las vidas y hechos de cada uno de los Incas, sus descendientes, porque todos ellos generalmente, así los Reyes como los no Reyes, se preciaron de imitar en todo y por todo la condición, obras y costumbres de este primer príncipe Manco Cápac. Y dichas sus cosas habremos dicho las de todos ellos. Iremos con atención de decir las hazañas más historiales, dejando otras muchas por impertinentes y prolijas, y aunque algunas cosas de las dichas y otras que se dirán parezcan fabulosas, me pareció no dejar de escribirlas por no quitarles fundamentos sobre que los indios se fundan para las cosas mayores y mejores que de su Imperio cuentan. Porque, en fin, de estos principios fabulosos procedieron las grandezas que en realidad de verdad posee hoy España, por lo cual se me permitirá decir lo que conviene para la mejor noticia que se pueda dar de los principios, medios y fines de aquella monarquía, que yo protesto decir llanamente la relación que mamé en la leche y la que después acá he habido, pedida a los propios míos, y prometo que la afición de ellos no sea parte para dejar de decir la verdad del hecho, sin quitar de lo malo ni añadir a lo bueno que tuvieron; que bien sé que la gentilidad es una mar de errores, y no escribiré novedades que no se hayan oído, sino las mismas cosas que los historiadores españoles han escrito de aquella tierra y de los Reyes de ella y alegaré las mismas palabras de ellos donde conviniere, para que se vea que no finjo ficciones en favor de mis parientes, sino que digo lo mismo que los españoles dijeron. Sólo serviré de comento para declarar y ampliar muchas cosas que ellos asomaron a decir y las dejaron imperfectas por haberles faltado relación entera. Otras muchas se añadirán que faltan de sus historias y pasaron en hecho de verdad, y algunas se qui-

tarán que sobran, por falsa relación que tuvieron, por no saberla pedir el español con distinción de tiempos y edades y división de provincias y naciones, o por no entender al indio que se la daba o por no entenderse el uno al otro, por la dificultad del lenguaje. Que el español que piensa que sabe más de él, ignora de diez partes las nueve por las muchas cosas que un mismo vocablo significa y por las diferentes pronunciaciones que una misma dicción tiene para muy diferentes significaciones, como se verá adelante en algunos vocablos, que será forzoso traerlos a cuenta.

Demás de esto, en todo lo que de esta república, antes destruida que conocida, dijere, será contando llanamente lo que en su antigüedad tuvo de su idolatría, ritos, sacrificios y ceremonias, y en su gobierno, leyes y costumbres, en paz y en guerra, sin comparar cosa alguna de éstas a otras semejantes que en las historias divinas y humanas se hallan, ni al gobierno de nuestros tiempos, porque toda comparación es odiosa. El que las leyere podrá cotejarlas a su gusto, que muchas hallará semejantes a las antiguas, así de la Santa Escritura como de las profanas y fábulas de la gentilidad antigua. Muchas leyes y costumbres verá que parecen a las de nuestro siglo, otras muchas oirá en todo contrarias. De mi parte he hecho lo que he podido, no habiendo podido lo que he deseado. Al discreto lector suplico reciba a mi ánimo, que es de darle gusto y contento, aunque las fuerzas ni la habilidad de un indio nacido entre los indios y criado entre armas y caballos no puedan llegar allá.

XX. LOS PUEBLOS QUE MANDÓ POBLAR EL PRIMER INCA

Volviendo al Inca Manco Cápac, decimos que después de haber fundado la ciudad del Cuzco, en las dos parcialidades que atrás quedan dichas, mandó fundar otros muchos pueblos. Y es así que al oriente de la ciudad, de la gente que por aquella banda atrajo, en el espacio que hay hasta el río llamado Paucartampu, mandó poblar, a una y a otra bandas del camino real de Antisuyu, trece pueblos, y no los nombramos por excusar prolijidad: casi todos o todos son de la nación llamada Poques. Al poniente de la ciudad, en espacio de ocho leguas de largo y nueve o diez de ancho, mandó poblar treinta pueblos que se derraman a una mano y otra del camino real de Cuntisuyu. Fueron estos pueblos de tres naciones de diferentes apellidos, conviene a saber: Masca, Chillqui, Papri. Al norte de la ciudad se poblaron veinte pueblos, de cuatro apellidos, que son: Mayu, Zancu, Chinchapucyu, Rimactampu. Los más de estos pueblos están en el hermoso valle de Sacsahuana, donde fue la batalla y prisión de Gonzalo Pizarro. El pueblo más alejado de éstos está a siete leguas de la ciudad, y los demás se derraman a una mano y a otra del camino real de Chinchasuyu. Al mediodía de la ciudad se poblaron treinta y ocho o cuarenta pueblos, los diez y ocho de la nación Ayarmaca, los cuales se derramaban a una mano y a otra del camino real de Collasuyu por espacio de tres leguas de largo, empezando del paraje de las Salinas, que están una legua pequeña de la ciudad, donde fue la batalla lamentable de Don Diego de Almagro el Viejo y Hernando Pizarro. Los demás pueblos son de gentes de cinco o seis apellidos, que son: Quespicancha, Muina, Urcos, Quéhuar, Huáruc, Cauiña. Esta nación Cauiña se preciaba, en su vana creencia, que sus primeros padres habían salido de una laguna, adonde decían que volvían las ánimas de los que morían, y que de allí volvían a salir y entra-

ban en los cuerpos de los que nacían. Tuvieron un ídolo de espantable figura a quien hacían sacrificios muy bárbaros. El Inca Manco Cápac les quitó los sacrificios y el ídolo, y les mandó adorar al Sol, como a los demás sus vasallos.

Estos pueblos, que fueron más de ciento, en aquellos principios fueron pequeños, que los mayores no pasaban de cien casas y los menores eran de a veinte y cinco y treinta. Después, por los favores y privilegios que el mismo Manco Cápac les dio, como luego diremos, crecieron en gran número, que muchos de ellos llegaron a tener mil vecinos y los menores a trescientos y a cuatrocientos. Después, mucho más adelante, por los mismos privilegios y favores que el primer Inca y sus descendientes les habían hecho, los destruyó el gran tirano Atahualpa, a unos más y a otros menos, y a muchos de ellos asoló del todo. Ahora, en nuestros tiempos, de poco más de veinte años a esta parte, aquellos pueblos que el Inca Manco Cápac mandó poblar, y casi todos los demás que en el Perú había, no están en sus sitios antiguos, sino en otros muy diferentes, porque un Visorrey, como se dirá en su lugar, los hizo reducir a pueblos grandes, juntando cinco y seis en uno y siete y ocho en otro, y más y menos, como acertaban a ser los poblezuelos que se reducían, de lo cual resultaron muchos inconvenientes, que por ser odiosos se dejan de decir.

XXI. LA ENSEÑANZA QUE EL INCA HACÍA DE SUS VASALLOS

El Inca Manco Cápac, yendo poblando sus pueblos juntamente con enseñar a cultivar la tierra a sus vasallos y labrar las casas y sacar acequias y hacer las demás cosas necesarias para la vida humana, les iba instruyendo en la urbanidad, compañía y hermandad que unos a otros se habían de hacer, conforme a lo que la razón y ley natural les enseñaba, persuadiéndoles con mucha eficacia que, para que entre ellos hubiese perpetua paz y concordia y no naciesen enojos y pasiones, hiciesen con todos lo que quisieran que todos hicieran con ellos, porque no se permitía querer una ley para sí y otra para los otros. Particularmente les mandó que se respetasen unos a otros en las mujeres e hijas, porque esto de las mujeres andaba entre ellos más bárbaro que otro vicio alguno. Puso pena de muerte a los adúlteros y a los homicidas y ladrones. Mandóles que no tuviesen más de una mujer y que se casasen dentro en su parentela porque no se confundiesen los linajes, y que se casasen de veinte años arriba, porque pudiesen gobernar sus casas y trabajar en sus haciendas. Mandó recoger el ganado manso que andaba por el campo sin dueño, de cuya lana los vistió a todos mediante la industria y enseñanza que la Reina Mama Ocllo Huaco había dado a las indias en hilar y tejer. Enseñóles a hacer el calzado que hoy traen, llamado *usuta*. Para cada pueblo o nación de las que redujo eligió un *curaca*, que es lo mismo que *cacique* en la lengua de Cuba y Santo Domingo, que quiere decir señor de vasallos. Eligiólos por sus méritos, los que habían trabajado más en la reducción de los indios, mostrándose más afables, mansos y piadosos, más amigos del bien común, a los cuales constituyó por señores de los demás, para que los doctrinasen como padres a hijos. A los indios mandó que los obedeciesen como hijos a padres.

Mandó que los frutos que en cada pueblo se cogían se guardasen en junto para dar a cada uno los que hubiese menester, hasta que hubiese disposición de dar tierras a cada indio en particular. Juntamente con estos preceptos y ordenanzas, les enseñaba el culto divino de su idolatría. Señaló sitio para hacer templo al Sol, donde le sacrificasen, persuadiéndoles que lo tuviesen por principal Dios, a quien adorasen y rindiesen las gracias de los beneficios naturales que les hacía con su luz y calor, pues veían que les producía sus campos y multiplicaba sus ganados, con las demás mercedes que cada día recibían. Y que particularmente debían adoración y servicio al Sol y a la Luna, por haberles enviado dos hijos suyos, que, sacándolos de la vida ferina que hasta entonces habían tenido, los hubiesen reducido a la humana que al presente tenían. Mandó que hiciesen casa de mujeres para el Sol, cuando hubiese bastante número de mujeres de la sangre real para poblar la casa. Todo lo cual les mandó que guardasen y cumpliesen como gente agradecida a los beneficios que habían recibido, pues no los podían negar. Y que de parte de su padre el Sol les prometía otros muchos bienes si así lo hiciesen y que tuviesen por muy cierto que no decía él aquellas cosas de suyo, sino que el Sol se las revelaba y mandaba que de su parte les dijese a los indios, el cual, como padre, le guiaba y adiestraba en todos sus hechos y dichos. Los indios, con la simplicidad que entonces y siempre tuvieron hasta nuestros tiempos, creyeron todo lo que el Inca les dijo, principalmente el decirles que era hijo del Sol, porque también entre ellos hay naciones que se jactan descender de semejantes fábulas, como adelante diremos, aunque no supieron escoger tan bien como el Inca porque se precian de animales y cosas bajas y terrestres. Cotejando los indios entonces y después sus descendencias con la del Inca, y viendo que los beneficios que había hecho lo testificaban, creyeron firmísimamente que era hijo del Sol, y le prometieron guardar y cumplir lo que les mandaba, y en suma le adoraron por hijo del Sol, confesando que ningún hombre humano pudiera haber hecho con ellos lo que él, y que así creían que era hombre divino, venido del cielo.

XXII. LAS INSIGNIAS FAVORABLES QUE EL INCA DIO A LOS SUYOS

En las cosas dichas y otras semejantes se ocupó muchos años el Inca Manco Cápac, en el beneficio de sus vasallos, y habiendo experimentado la fidelidad de ellos, el amor y respeto con que le servían, la adoración que le hacían, quiso, por obligarles más, ennoblecerlos con nombres e insignias de las que el Inca traía en su cabeza, y esto fue después de haberles persuadido que era hijo del Sol, para que las tuviesen en más. Para lo cual es de saber que el Inca Manco Cápac, y después sus descendientes, a imitación suya, andaban trasquilados y no traían más de un dedo de cabello. Trasquilábanse con navajas de pedernal, rozando el cabello hacia abajo, y lo dejaban del alto que se ha dicho. Usaban de las navajas de pedernal porque no hallaron la invención de las tijeras. Trasquilábanse con mucho trabajo, como cada uno puede imaginar, por lo cual, viendo después la facilidad y suavidad del cortar de las tijeras, dijo un Inca a un condiscípulo nuestro de leer y escribir: "Si los españoles, vuestros padres, no hubieran hecho más de traernos tijeras, espejos y peines, les hubiéramos dado cuanto oro y plata teníamos en nuestra tierra". Demás de andar trasquilados, traían las orejas horadadas, por donde comúnmente las horadan las mujeres para los zarcillos, empero hacían crecer el horado con artificio (como más

largo en su lugar diremos) en extraña grandeza, increíble a quien no la hubiere visto, porque parece imposible que tan poca carne como la que hay debajo de la oreja venga a crecer tanto que sea capaz de recibir una orejera del tamaño y forma de una rodaja de cántaro, que semejantes a rodajas eran las orejeras que ponían en aquellos lazos que de sus orejas hacían, los cuales lazos, si acertaban romperlos, quedaban de una gran cuarta de vara de medir en largo, y de grueso como la mitad de un dedo. Y porque los indios las traían de la manera que hemos dicho, les llamaron Orejones los españoles.

Traían los Incas en la cabeza, por tocado, una trenza que llaman *llautu*. Hacíanla de muchos colores y del ancho de un dedo, y poco menos gruesa. Esta trenza rodeaban a la cabeza y daban cuatro o cinco vueltas y quedaba como una guirnalda. Estas tres divisas, que son el *llautu* y el trasquilarse y traer las orejas horadadas, eran las principales que el Inca Manco Cápac traía, sin otras que adelante diremos, que eran insignias de la persona real, y no las podía traer otro. El primer privilegio que el Inca dio a sus vasallos fue mandarles que a imitación suya trajesen todos en común la trenza en la cabeza, empero que no fuese de todos colores, como la que el Inca traía, sino de un color solo y que fuese negro.

Habiendo pasado algún tiempo en medio, les hizo gracia de la otra divisa, que ellos tuvieron por más favorable, y fue mandarles que anduviesen trasquilados, empero, con diferencia de unos vasallos a otros y de todos ellos al Inca, porque no hubiese confusión en la división que mandaba hacer de cada provincia y de cada nación, ni se semejasen tanto al Inca que no hubiese mucha disparidad de él a ellos, y así mandó que unos trajesen una coleta de la manera de un bonete de orejas, esto es, abierta por la frente hasta las sienes, y que por los lados llegase el cabello hasta lo último de las orejas. A otros mandó que trajesen la coleta a media oreja y a otros más corta, empero que nadie llegase a traer el cabello tan corto como el Inca. Y es de advertir que todos estos indios, principalmente los Incas, tenían cuidado de no dejar crecer el cabello, sino que lo traían siempre en un largo, por no parecer unos días de una divisa y otros días de otra. Tan nivelado como esto andaban todos ellos en lo que tocaba a las divisas y diferencias de las cabezas, porque cada nación se preciaba de la suya, y más de éstas que fueron dadas por la mano del Inca.

XXIII. OTRAS INSIGNIAS MÁS FAVORABLES, CON EL NOMBRE INCA

Pasados algunos meses y años, les hizo otra merced, más favorable que las pasadas, y fue mandarles que se horadasen las orejas. Mas también fue con limitación del tamaño del horado de la oreja, que no llegase a la mitad de como los traía el Inca, sino de medio atrás, y que trajesen cosas diferentes por orejeras, según la diferencia de los apellidos y provincias. A unos dio que trajesen por divisa un palillo del grueso del dedo merguerite, como fue a la nación llamada Mayu y Zancu. A otros mandó que trajesen una vedejita de lana blanca, que por una parte y otra de la oreja asomase tanto como la cabeza del dedo pulgar; y éstos fueron la nación llamada Poques. A las naciones Muina, Huáruc, Chilliqui mandó que trajesen orejeras hechas del junco común que los indios llaman tutura. A la nación Rimactampu y a sus circunvecinas mandó

que las trajesen de un palo que en las islas de Barlovento llaman maguey y en la lengua general del Perú se llama chuchau, que, quitada la corteza, el meollo es fofo, blando y muy liviano. A los tres apellidos, Urcos, Yucay, Tampu, que todos son el río abajo de Yucay, mandó por particular favor y merced que trajesen las orejas más abiertas que todas las otras naciones, mas que no llegasen a la mitad del tamaño que el Inca las traía, para lo cual les dio medida del tamaño del horado, como lo había hecho a todos los demás apellidos, para que no excediesen en el grandor de los horados. Las orejeras mandó que fuesen del junco tutura, porque asemejaban más a las del Inca. Llamaban orejeras y no zarcillos, porque no pendían de las orejas, sino que andaban encajadas en el horado de ellas, como rodaja en la boca del cántaro.

Las diferencias que el Inca mandó que hubiese en las insignias, demás de que eran señales para que no se confundiesen las naciones y apellidos, dicen los mismos vasallos que tenían otra significación, y era que las que más semejaban a las del Rey, ésas eran de mayor favor y de más aceptación. Empero, que no las dio por su libre voluntad, aficionándose más a unos vasallos que a otros, sino conformándose con la razón y justicia. Que a los que había visto más dóciles a su doctrina y que habían trabajado más en la reducción de los demás indios, a ésos había semejado más a su persona en las insignias y hécholes mayores favores, dándoles siempre a entender que todo cuanto hacía con ellos era por orden y revelación de su padre el Sol. Y los indios lo creían así, y por eso mostraban tanto contento de cualquiera cosa que el Inca les mandase y de cualquiera manera que los tratase, porque demás de tenerlo por revelación del Sol, veían por experiencia el beneficio que se les seguía de obedecerle.

A lo último, viéndose ya el Inca viejo, mandó que los más principales de sus vasallos se juntasen en la ciudad del Cuzco, y en una plática solemne les dijo que él entendía volverse presto al cielo a descansar con su padre el Sol, que le llamaba (fueron palabras que todos los Reyes sus descendientes las usaron cuando sentían morirse), y que habiéndoles de dejar, quería dejarles el colmo de sus favores y mercedes, que era el apellido de su nombre real, para que ellos y sus descendientes viviesen honrados y estimados de todo el mundo. Y así, para que viesen el amor que como a hijos les tenía, mandó que ellos y sus descendientes para siempre se llamasen Incas, sin alguna distinción ni diferencia de unos a otros, como habían sido los demás favores y mercedes pasadas, sino que llanamente y generalmente gozasen todos de la alteza de este nombre, que, por ser los primeros vasallos que tuvo y porque ellos se habían reducido de su voluntad, los amaba como a hijos y gustaba de darles sus insignias y nombre real y llamarles hijos, porque esperaba de ellos y de sus descendientes que como tales hijos servirían a su Rey presente y a los que de él sucediesen en las conquistas y reducción de los demás indios para aumento de su Imperio, todo lo cual les mandaba guardasen en el corazón y en la memoria, para corresponder con el servicio como leales vasallos, y que no quería que sus mujeres e hijas se llamasen Pallas, como las de la sangre real, porque no siendo las mujeres como los hombres capaces de las armas para servir en la guerra, tampoco lo eran de aquel nombre y apellido real.

De estos Incas, hechos por privilegio, son los que hay ahora en el Perú que se llaman Incas, y sus mujeres se llaman Pallas y Coyas, por gozar del barato que a ellos y a las otras naciones en esto y en otras muchas cosas semejantes les han hecho los españoles. Que de los Incas de la sangre real hay pocos, y por su pobreza y necesidad no conocidos sino cuál y cuál, porque la tiranía y crueldad de de Atahualpa los destruyó. Y los pocos que de ella escaparon, a lo menos los más principales y notorios, acabaron en otras calamidades como adelante diremos en sus lugares. De las insignias que el Inca Manco Cápac traía en la cabeza reservó sola una para sí y para los Reyes sus descendientes, la cual era una borla colorada, a manera de rapacejo, que se tendía por la frente de una sien a otra. El príncipe heredero la traía amarilla y menor que la del padre. Las ceremonias con que se la daban cuando le juraban por príncipe sucesor, y de otras insignias que después trajeron los Reyes Incas, diremos adelante en su lugar, cuando tratemos del armar caballeros a los Incas.

El favor de las insignias que su Rey les dio estimaron los indios en mucho porque eran de la persona real. Y aunque fueron con las diferencias que dijimos, las aceptaron con grande aplauso, porque el Inca les hizo creer que las había dado, como se ha dicho, por mandato del Sol, justificados según los méritos precedidos de cada nación. Y por tanto se preciaron de ellas en sumo grado. Mas cuando vieron la grandeza de la última merced, que fue la del renombre Inca, y que no sólo había sido para ellos, sino también para sus descendientes, quedaron tan admirados del ánimo real de su Príncipe, de su liberalidad y magnificencia, que no sabían cómo la encarecer. Entre sí unos con otros decían que el Inca, no contento de haberlos sacado de fieras y trocádolos en hombres, ni satisfecho de los muchos beneficios que les había hecho en enseñarles las cosas necesarias para la vida humana y las leyes naturales para la vida moral y el conocimiento de su Dios el Sol, que bastaba para que fueran esclavos perpetuos, se había humanado a darles sus insignias reales, y últimamente, en lugar de imponerles pechos y tributos, les había comunicado la majestad de su nombre, tal y tan alto que entre ellos era tenido por sagrado y divino, que nadie osaba tomarlo en la boca sino con grandísima veneración, solamente para nombrar al Rey; y que ahora, por darles ser y calidad, lo hubiese hecho tan común que pudiesen todos ellos llamárselo a boca llena, hechos hijos adoptivos, contentándose ellos con ser vasallos ordinarios del hijo del Sol.

XXIV. NOMBRE Y RENOMBRES QUE LOS INDIOS PUSIERON A SU REY

Considerando bien los indios la grandeza de las mercedes y el amor con que el Inca se las había hecho, echaban grandes bendiciones y loores a su Príncipe y le buscaban títulos y renombres que igualasen con la alteza de su ánimo y significasen en junto sus heroicas virtudes. Y así, entre otros que le inventaron, fueron dos. El uno fue *Cápac*, que quiere decir rico, no de hacienda, que, como los indios dicen, no trajo este Príncipe bienes de fortuna, sino riqueza de ánimo, de mansedumbre, piedad, clemencia, liberalidad, justicia y magnanimidad y deseo y obras para hacer bien a los pobres, y por haberlas tenido este Inca tan grandes como sus vasallos lo cuentan, dicen que dignamente le llamaron Cápac; también quiere decir rico y poderoso en armas. El otro nombre fue llamarle *Huacchacúyac*, que quiere

decir amador y bienhechor de pobres, para que, como el primero significaba las grandezas de su ánimo, el segundo significase los beneficios que a los suyos había hecho, y desde entonces se llamó este príncipe Manco Cápac, habiéndose llamado hasta allí Manco Inca. Manco es su nombre propio: no sabemos qué signifique en la lengua general del Perú, aunque en la particular que los Incas tenían para hablar unos con otros (la cual me escriben del Perú se ha perdido ya totalmente) debía de tener alguna significación, porque por la mayor parte de todos los nombres de los Reyes la tenían, como adelante veremos cuando declaremos otros nombres. El nombre *Inca*, en el Príncipe, quiere decir señor o Rey o Emperador, y en los demás quiere decir señor, y para interpretarle en toda su significación, quiere decir hombre de sangre real, que a los curacas, por grandes señores que fuesen, no les llaman Incas; *Palla* quiere decir mujer de sangre real, y para distinguir al Rey de los demás Incas, le llaman *Zapa Inca*, que quiere decir Solo Señor, de la manera que los suyos llaman al Turco gran señor. Adelante declararemos todos los nombres regios masculinos y femeninos, para los curiosos que gustaban saberlos. También llamaban los indios a este su primer Rey y a sus descendientes *Intip churin*, que quiere decir hijo del Sol, pero este nombre más se lo daban por naturaleza, como falsamente lo creían, que por imposición.

XXV. TESTAMENTO Y MUERTE DEL INCA MANCO CÁPAC

Manco Cápac reinó muchos años, mas no saben decir de cierto cuántos; dicen que más de treinta, y otros que más de cuarenta, ocupa-

do siempre en las cosas que hemos
dicho, y cuando se vio cercano a
la muerte llamó a sus hijos, que
eran muchos, así de su mujer, la
Reina Mama Ocllo Huaco, como
de las concubinas que había tomado diciendo que era bien que
hubiese muchos hijos del Sol. Llamó
asimismo los más principales de sus
vasallos, y por vía de testamento
les hizo una larga plática, enco-
mendando al príncipe heredero y
a los demás sus hijos el amor y beneficio de los vasallos, y a los vasallos la fidelidad y servicio de su
Rey y la guarda de las leyes que
les dejaba, afirmando que todas las
había ordenado su padre el Sol.
Con esto despidió los vasallos, y a
los hijos hizo en secreto otra plática, que fue la última, en que les
mandó siempre tuviesen en la memoria que eran hijos del Sol, para
le respetar y adorar como a Dios
y como a padre. Díjoles que a
imitación suya hiciesen guardar sus
leyes y mandamientos y que ellos
fuesen los primeros en guardarles,
para dar ejemplo a los vasallos, y
que fuesen mansos y piadosos, que
redujesen los indios por amor, atra-
yéndolos con beneficios y no por
fuerza, que los forzados nunca les
serían buenos vasallos, que los mantuviesen en justicia sin consentir
agravio entre ellos. Y, en suma, les
dijo que en sus virtudes mostrasen
que eran hijos del Sol, confirmando con las obras lo que certificaban
con las palabras para que los indios
les creyesen; donde no, les harían
burla de ellos si les viesen decir
uno y hacer otro. Mandóles que
todo lo que les dejaba encomendado
lo encomendasen ellos a sus hijos
y descendientes de generación en
generación para que cumpliesen y
guardasen lo que su padre el Sol
mandaba, afirmando que todas eran
palabras suyas, y que así las dejaba por vía de testamento y última
voluntad. Díjoles que le llamaba
el Sol y que se iba a descansar

con él; que se quedasen en paz,
que desde el cielo tendría cuidado
de ellos y les favorecería y socorre-
ría en todas sus necesidades. Diciendo estas cosas y otras semejantes, murió el Inca Manco Cápac.
Dejó por príncipe heredero a Sinchi
Roca, su hijo primogénito y de la
Coya Mama Ocllo Huaco, su mujer
y hermana. Demás del príncipe
dejaron estos Reyes otros hijos e
hijas, los cuales casaron entre sí
unos con otros, por guardar limpia
la sangre que fabulosamente decían
descender del Sol, porque es verdad que tenía en suma veneración la
que descendía limpia de estos Reyes,
sin mezcla de otra sangre, porque
la tuvieron por divina y toda la
demás por humana, aunque fuese
de grandes señores de vasallos, que
llaman *curacas*.

El Inca Sinchi Roca casó con
Mama Ocllo o Mama Cora (como
otros quieren), su hermana mayor,
por imitar el ejemplo del padre y
el de los abuelos Sol y Luna, porque en su gentilidad tenían que la
Luna era hermana y mujer del Sol.
Hicieron este casamiento por conservar la sangre limpia y porque
al hijo heredero le perteneciese el
reino tanto por su madre como por
su padre, y por otras razones que
adelante diremos más largo. Los
demás hermanos legítimos y no legítimos también casaron unos con
otros, por conservar y aumentar la
sucesión de los Incas. Dijeron que
el casar de estos hermanos unos
con otros lo había ordenado el Sol
y que el Inca Manco Cápac lo había mandado porque no tenían sus
hijos con quién casar, para que la
sangre se conservase limpia, pero
que después no pudiese nadie casar
con la hermana, sino sólo el Inca
heredero, lo cual guardaron ellos,
como lo veremos en el proceso de
la historia.

Al Inca Manco Cápac lloraron
sus vasallos con mucho sentimiento.
Duró el llanto y las exequias mu-

chos meses; embalsamaron su cuerpo para tenerlo consigo y no perderlo de vista; adoráronle por Dios, hijo del Sol; ofreciéronle muchos sacrificios de carneros, corderos y ovejas y conejos caseros, de aves, de mieses y legumbres, confesándole por señor de todas aquellas cosas que les había dejado.

Lo que yo, conforme a lo que vi de la condición y naturaleza de aquellas gentes, puedo conjeturar del origen de este príncipe Manco Inca, que sus vasallos, por sus grandezas, llamaron Manco Cápac, es que debió ser algún indio de buen entendimiento, prudencia y consejo, y que alcanzó bien la mucha simplicidad de aquellas naciones y vio la necesidad que tenían de doctrina y enseñanza para la vida natural, y con astucia y sagacidad, para ser estimado, fingió aquella fábula, diciendo que él y su mujer eran hijos del Sol, que venían del cielo y que su padre los enviaba para que doctrinasen e hiciesen bien a aquellas gentes. Y para hacerse creer debió de ponerse en la figura y hábito que trajo, particularmente las orejas tan grandes como los Incas las traían, que cierto eran increíbles a quien no las hubiera visto como yo, y al que las viera ahora (si las usan) se le hará extraño imaginar cómo pudieron agrandarlas tanto. Y como con los beneficios y honras que a sus vasallos hizo confirmase la fábula de su genealogía, creyeron firmemente los indios que era hijo del Sol venido del cielo, y lo adoraron por tal, como hicieron los gentiles antiguos, con ser menos brutos, a otros que les hicieron semejantes beneficios. Porque es así que aquella gente a ninguna cosa atiende tanto como a mirar si lo que hacen los maestros conforma con lo que dicen, y, hallando conformidad en la vida y en la doctrina, no han menester argumentos para convencerlos a lo que quisieren hacer de ellos. He dicho esto

porque ni los Incas de la sangre real ni la gente común no dan otro origen a sus Reyes sino el que se ha visto en sus fábulas historiales, las cuales se semejan unas a otras, y todas concuerdan en hacer a Manco Cápac primer Inca.

XXVI. LOS NOMBRES REALES Y LA SIGNIFICACIÓN DE ELLOS

Será bien digamos brevemente la significación de los nombres reales apelativos, así de los varones como de las mujeres, y a quién y cómo se los daban y cómo usaban de ellos, para que se vea la curiosidad que los Incas tuvieron en poner sus nombres y renombres, que en su tanto no deja de ser cosa notable. Y principiando del nombre *Inca*, es de saber que en la persona real significa Rey o Emperador, y en los de su linaje quiere decir hombre de la sangre real, que el nombre Inca pertenecía a todos ellos con la diferencia dicha, pero habían de ser descendientes por la línea masculina y no por la femenina. Llamaban a sus Reyes *Zapa Inca* que es Solo Rey o Solo Emperador o Solo Señor, porque *zapa* quiere decir solo, y este nombre no lo daban a otro alguno de la parentela, ni aun al príncipe heredero hasta que había heredado, porque siendo el Rey solo, no podían dar su apellido a otro, que fuera ya hacer muchos Reyes. Asimismo les llamaban *Huacchacúyac*, que es amador y bienhechor de pobres, y este renombre tampoco lo daban a otro alguno, sino al Rey, por el particular cuidado que todos ellos, desde el primero hasta el último, tuvieron de hacer bien a sus vasallos. Ya atrás queda dicho la significación del renombre *Cápac*, que es rico de magnanimidades y de realezas para con los suyos: dábanselo al Rey solo, y no a otro, porque era el principal bienhechor de ellos. También le llamaban *Intip churin*, que es hijo del Sol, y este apellido se lo daban a todos los varones de la sangre real, porque, según su fábula, descendían del Sol, y no se lo daban a las hembras. A los hijos del Rey y a todos los de su parentela por línea de varón llamaban *Auqui*, que es infante, como en España a los hijos segundos de los Reyes. Retenían este apellido hasta que se casaban, y en casándose les llamaban Inca. Estos eran los nombres y renombres que daban al Rey y a los varones de su sangre real, sin otros que adelante se verán, que, siendo nombres propios, se hicieron apellidos en los descendientes.

Viniendo a los nombres y apellidos de las mujeres de la sangre real, es así que a la Reina, mujer legítima del Rey, llaman *Coya*: quiere decir Reina o Emperatriz. También le daban este apellido *Mamánchic*, que quiere decir Nuestra Madre, porque, a imitación de su marido, hacía oficio de madre con todos sus parientes y vasallos. A sus hijas llamaban Coya por participación de la madre, y no por apellido natural, porque este nombre Coya pertenecía solamente a la Reina. A las concubinas del Rey que eran de su parentela, y a todas las demás mujeres de la sangre real, llamaban *Palla*: quiere decir mujer de la sangre real. A las demás concubinas del Rey que eran de las extranjeras y no de su sangre llamaban *Mamacona*, que bastaría decir matrona, mas en toda su significación quiere decir mujer que tiene obligación de hacer oficio de madre. A las infantas hijas del Rey y a todas las demás hijas de la parentela y sangre real llamaban *Ñusta*: quiere decir doncella de la sangre real, pero era con esta diferencia, que a las legítimas en la sangre real decían llanamente Ñusta, dando a entender que eran las legítimas en sangre; a las no legítimas en sangre llamaban con el nombre de la provincia de donde era natural su madre, como decir Colla Ñusta, Huanca Ñusta, Yunca Ñusta, Quitu Ñusta, y así de las demás provincias, y este nombre Ñusta lo retenían hasta que se casaban, y, casadas, se llamaban Palla.

Estos nombres y renombres daban a la descendencia de la sangre real por línea de varón, y, en faltando esta línea, aunque la madre fuese parienta del Rey, que muchas veces daban los Reyes parientas suyas de las bastardas por mujeres a grandes señores, mas sus hijos e hijas no tomaban de los apellidos de la sangre real ni se llamaban Incas ni Pallas, sino del apellido de sus padres, porque de la descendencia femenina no hacían caso los Incas, por no bajar su sangre real de la alteza en que se tenía, que aun la descendencia masculina perdía mucho de su ser real por mezclarse con sangre de mujer extranjera y no del mismo linaje, cuanto más la femenina. Cotejando ahora los unos nombres con los otros, veremos que el nombre Coya, que es Reina, corresponde al nombre Zapa Inca, que es Solo Señor. Y el nombre Mamánchic, que es madre nuestra, responde al nombre Huacchacúyac, que es amador y bienhechor de pobres, y el nombre Ñusta, que es Infanta, responde al nombre Auqui, y el nombre Palla, que es mujer de la sangre real, responde al nombre Inca. Estos eran los nombres reales, los cuales yo alcancé y vi llamarse por ellos a los Incas y a las Pallas, porque mi mayor conversación en mis niñeces fue con ellos. No podían los curacas, por grandes señores que fuesen, ni sus mujeres ni hijos, tomar estos nombres, porque solamente pertenecían a los de la sangre real, descendientes de varón en varón. Aunque Don Alonso de Ercilla y Zúñiga, en la declaración que hace de los vocablos indianos que en sus galanos versos escribe, declarando el nombre Palla dice que significa señora de muchos vasallos y hacienda, dícelo porque cuando este caballero pasó allá, ya estos nombres Inca y Palla en muchas personas andaban impuestos impropiamente. Porque los apellidos ilustres y heroicos son apetecidos de todas las gentes, por bárbaras y bajas que sean, y así, no habiendo quien lo estorbe, luego usurpan los mejores apellidos, como ha acaecido en mi tierra.

L I B R O   S E G U N D O

En el cual se da cuenta de la idolatría de los Incas y que rastrearon a nuestro Dios verdadero, que tuvieron la inmortalidad del ánima y la resurrección universal. Dice sus sacrificios y ceremonias, y que para su gobierno registraban los vasallos por decurias; el oficio de los decuriones, la vida y conquista de Sinchi Roca, Rey segundo, y las de Lloque Yupanqui, Rey tercero, y las ciencias que los Incas alcanzaron.

I. LA IDOLATRÍA DE LA SEGUNDA EDAD Y SU ORIGEN

La que llamamos segunda edad y la idolatría que en ella se usó tuvo principio de Manco Cápac Inca. Fue el primero que levantó la monarquía de los Incas Reyes del Perú, que reinaron por espacio de más de cuatrocientos años, aunque el Padre Blas Valera dice que fueron más de quinientos y cerca de seiscientos. De Manco Cápac hemos dicho ya quién fue y de dónde vino, cómo dio principio a su Imperio y la reducción que hizo de aquellos indios, sus primeros vasallos; cómo les enseñó a sembrar y criar y hacer sus casas y pueblos y las demás cosas necesarias para el sustento de la vida natural, y cómo su hermana y mujer, la Reina Mama Ocllo Huaco, enseñó a las indias a hilar y tejer y criar sus hijos y a servir sus maridos con amor y regalo y todo lo demás que una buena mujer debe hacer en su casa. Asimismo dijimos que les enseñaron la ley natural y les dieron leyes y preceptos para la vida moral en provecho común de todos ellos, para que no se ofendiesen en sus honras y haciendas, y que juntamente les

enseñaron su idolatría y mandaron que tuviesen y adorasen por principal dios al Sol, persuadiéndoles a ello con su hermosura y resplandor. Decíales que no en balde el Pachacámac (que es el sustentador del mundo) le había aventajado tanto sobre todas las estrellas del cielo, dándoselas por criadas, sino para que lo adorasen y tuviesen por su dios. Representábales los muchos beneficios que cada día les hacía y el que últimamente les había hecho en haberles enviado sus hijos, para que, sacándolos de ser brutos los hiciesen hombres, como lo habían visto por experiencia, y adelante verían mucho más andando el tiempo. Por otra parte los desengañaba de la bajeza y vileza de sus muchos dioses, diciéndoles qué esperanza podían tener de cosas tan viles para ser socorridos en sus necesidades o qué mercedes habían recibido de aquellos animales como los recibían cada día de su padre el Sol. Mirasen, pues la vista los desengañaba, que las yerbas y plantas y árboles y las demás cosas que adoraban las criaba el Sol para servicio de los hombres y sustento de las bestias. Advirtiesen la diferencia que había del resplandor y hermosura del Sol a la suciedad y fealdad del sapo, lagartija y escuerzo y las demás sabandijas que tenían por dioses. Sin esto mandaba que las cazasen y se las trajesen delante, decíales que aquellas sabandijas más eran para haberles asco y horror que para estimarlas y hacer caso de ellas. Con estas razones y otras tan rústicas persuadió el Inca Manco Cápac a sus primeros vasallos a que adorasen al Sol y lo tuviesen por su Dios.

Los indios, convencidos por las razones del Inca, y mucho más con los beneficios que les había hecho, y desengañados con su propia vista, recibieron al Sol por su Dios, solo, sin compañía de padre ni hermano. A sus Reyes tuvieron por hijos del Sol, porque creyeron simplicísimamente que aquel hombre y aquella mujer, que tanto habían hecho por ellos, eran hijos suyos venidos del cielo. Y así entonces los adoraron por divinos, y después a todos sus descendientes, con mucha mayor veneración interior y exterior que los gentiles antiguos, griegos y romanos, adoraron a Júpiter, Venus y Marte, etcétera. Digo que hoy los adoran como entonces, que para nombrar alguno de sus Reyes Incas hacen primero grandes ostentaciones de adoración, y si les reprenden que por qué lo hacen, pues saben que fueron hombres como ellos y no dioses, dicen que ya están desengañados de su idolatría, pero que los adoran por los muchos y grandes beneficios que de ellos recibieron, que se hubieron con sus vasallos como Incas hijos del Sol, y no menos, que les muestren ahora otros hombres semejantes, que también los adorarán por divinos.

Esta fue la principal idolatría de los Incas y la que enseñaron a sus vasallos, y aunque tuvieron muchos sacrificios, como adelante diremos, y muchas supersticiones, como creer en sueños, mirar en agüeros y otras cosas de tanta burlería co-

mo otras muchas que ellos vedaron, en fin no tuvieron más dioses que al Sol, al cual adoraron por sus excelencias y beneficios naturales, como gente más considerada y más política que sus antecesores, los de la primera edad, y le hicieron templos de increíble riqueza, y aunque tuvieron a la Luna por hermana y mujer del Sol y madre de los Incas, no la adoraron por diosa ni le ofrecieron sacrificios ni le edificaron templos: tuviéronla en gran veneración por madre universal, mas no pasaron adelante en su idolatría. Al relámpago, trueno y rayo tuvieron por criados del Sol, como adelante veremos en el aposento que les tenían hecho en la casa del Sol en el Cuzco, mas no los tuvieron por dioses, como quiere alguno de los españoles historiadores, antes abominaron y abominan la casa o cualquier otro lugar del campo donde acierta a caer algún rayo: la puerta de la casa cerraban a piedra y lodo para que jamás entrase nadie en ella, y el lugar del campo señalaban con mojones para que ninguno lo hollase; tenían aquellos lugares por malhadados, desdichados y malditos; decían que el Sol los había señalado por tales con su criado el rayo.

Todo lo cual vi yo en Cuzco, que en la casa real que fue del Inca Huaina Cápac, en la parte que de ella cupo a Antonio Altamirano cuando repartieron aquella ciudad entre los conquistadores, en un cuarto de ella había caído un rayo en tiempo de Huaina Cápac. Los indios le cerraron las puertas a piedra y lodo, tomáronlo por mal agüero para su Rey, dijeron que se había de perder parte de su Imperio o acaecerle otra desgracia semejante, pues su padre el Sol señalaba su casa por lugar desdichado. Yo alcancé el cuarto cerrado; después lo reedificaron los españoles, y dentro en tres años cayó otro rayo y dio en el mismo cuarto y lo quemó todo. Los indios, entre otras cosas, decían que ya el Sol había señalado aquel lugar por maldito, que para qué volvían los españoles a edificarlo, sino dejarlo desamparado como se estaba sin hacer caso de él. Pues si como dice aquel historiador los tuvieron por dioses, claro está que adoraran aquellos sitios por sagrados y en ellos hicieran sus más famosos templos, diciendo que sus dioses, el rayo, trueno y relámpago, querían habitar en aquellos lugares, pues los señalaban y consagraban ellos propios. A todos tres juntos llaman *Illapa*, y por la semejanza tan propia dieron este nombre al arcabuz. Los demás nombres que atribuyen al trueno y al Sol en Trinidad son nuevamente compuestos por los españoles, y en este particular y en otros semejantes no tuvieron cierta relación para lo que dicen, porque no hubo tales nombres en el general lenguaje de los indios del Perú, y aun en la nueva compostura (como nombres no tan bien compuestos) ni tienen significación alguna de lo que quieren o querrían que significasen.

II. RASTREARON LOS INCAS AL VERDADERO DIOS NUESTRO SEÑOR

Demás de adorar al Sol por Dios visible, a quien ofrecieron sacrificios e hicieron grandes fiestas (como en otro lugar diremos), los Reyes Incas y sus amautas, que eran los filósofos, rastrearon con lumbre natural al verdadero sumo Dios y Señor Nuestro, que creó el cielo y la Tierra como adelante veremos en los argumentos y sentencias que algunos de ellos dijeron de la Divina Majestad, al cual llamaron Pachacámac: es nombre compuesto de *Pacha*, que es mundo universo, y de *Cámac*, participio de presente del verbo *cama*, que es animar, el

cual verbo se deduce del nombre *cama*, que es ánima. Pachacámac quiere decir el que da ánima al mundo universo, y en toda su propia y entera significación quiere decir el que hace con el universo lo que el ánima con el cuerpo. Pedro Cieza, capítulo setenta y dos, dice así: "El nombre de este demonio quería decir hacedor del mundo, porque Cama quiere decir hacedor y Pacha, mundo", etcétera. Por ser español no sabía la lengua tan bien como yo, que soy indio Inca. Teniendo este nombre en tan gran veneración que no le osaban tomar en la boca, y, cuando les era forzoso tomarlo, era haciendo afectos y muestras de mucho acatamiento, encogiendo los hombros, inclinando la cabeza y todo el cuerpo, alzando los ojos al cielo y bajándolos al suelo, levantando las manos abiertas en derecho de los hombros, dando besos al aire, que entre los Incas y sus vasallos eran ostentaciones de suma adoración y reverencia, con las cuales demostraciones nombraban al Pachacámac y adoraban al Sol y reverenciaban al Rey, y no más. Pero esto también era por sus grados más y menos: a los de la sangre real acataban con parte de estas ceremonias, y a los otros superiores, como eran los caciques, con otras muy diferentes e inferiores.

Tuvieron al Pachacámac en mayor veneración interior que al Sol, que, como he dicho, no osaban tomar su nombre en la boca, y al Sol le nombran a cada paso. Preguntado quién era el Pachacámac, decían que era el que daba vida al universo y le sustentaba, pero que no le conocían porque no le habían visto, y que por esto no le hacían templos ni le ofrecían sacrificios, mas que lo adoraban en su corazón (esto es mentalmente) y le tenían por Dios no conocido. Agustín de Zárate, libro segundo, capítulo quinto, escribiendo lo que el Padre Fray Vicente de Valverde dijo al Rey Atahualpa, que Cristo Nuestro Señor había creado el mundo, dice que respondió el Inca que él no sabía nada de aquello, ni que nadie crease nada sino el Sol, a quien ellos tenían por Dios y a la Tierra por madre y a sus huacas; y que Pachacámac lo había creado todo lo que allí había, etcétera. De donde consta claro que aquellos indios le tenían por hacedor de todas las cosas.

Esta es verdad que voy diciendo, que los indios rastrearon con este nombre y se lo dieron al verdadero Dios nuestro, la testificó el demonio, mal que le pesó, aunque en su favor como padre de mentiras, diciendo verdad disfrazada con mentira o mentira disfrazada con verdad. Que luego que vio predicar nuestro Santo Evangelio y vio que se bautizaban los indios, dijo a algunos familiares suyos, en el valle que hoy llaman Pachacámac (por el famoso templo que allí edificaron a este Dios no conocido), que el Dios que los españoles predicaban y él era todo uno, como lo escribe Pedro Cieza de León de la *Demarcación del Perú*, capítulo setenta y dos. Y el reverendo Padre Fray Jerónimo Román, en la *República de las Indias Occidentales*, libro primero, capítulo quinto, dice lo mismo, hablando ambos de este mismo Pachacámac, aunque por no saber la propia significación del vocablo se lo atribuyeron al demonio. El cual, en decir que el Dios de los cristianos y el Pachacámac era todo uno, dijo verdad, porque la intención de aquellos indios fue dar este nombre al sumo Dios, que da vida y ser al universo, como lo significa el mismo nombre. Y en decir que él era el Pachacámac mintió, porque la intención de los indios nunca fue dar este nombre al demonio, que no le llamaron sino Zúpay, que quiere decir diablo, y para nombrarle escupían primero

en señal de maldición y abominación, y al Pachacámac nombraban con la adoración y demostraciones que hemos dicho. Empero, como este enemigo tenía tanto poder entre aquellos infieles, hacíase Dios, entrándose en todo aquello que los indios veneraban y acataban por cosa sagrada. Hablaba en sus oráculos y templos y en los rincones de sus casas y en otras partes, diciéndoles que era el Pachacámac y que era todas las demás cosas a que los indios atribuían deidad, y por este engaño adoraban aquellas cosas en que el demonio les hablaba, pensando que era la deidad que ellos imaginaban, que si entendieran que era el demonio las quemaran entonces como ahora lo hacen por la misericordia del Señor, que quiso comunicarlas.

Los indios no saben de suyo o no osan dar la relación de estas cosas con la propia significación y declaración de los vocablos, viendo que los cristianos españoles las abominan todas por cosas del demonio, y los españoles tampoco advierten en pedir la noticia de ellas con llaneza, antes las confirman por cosas diabólicas como las imaginan. Y también lo causa el no saber de fundamento la lengua general de los Incas para ver y entender la deducción y composición y propia significación de las semejantes dicciones. Y por esto en sus historias dan otro nombre a Dios, que es Tici Viracocha, que yo no sé qué signifique ni ellos tampoco. Este es el nombre Pachacámac que los historiadores españoles tanto abominan por no entender la significación del vocablo. Y por otra parte tienen razón porque el demonio hablaba en aquel riquísimo templo haciéndose Dios debajo de este nombre, tomándolo para sí. Pero si a mí, que soy indio cristiano católico, por la infinita misericordia, me preguntasen ahora "¿cómo se llama Dios en tu lengua?", diría

"Pachacámac", porque en aquel general lenguaje del Perú no hay otro nombre para nombrar a Dios sino éste, y todos los demás que los historiadores dicen son generalmente impropios, porque o no son de general lenguaje o son corruptos con el lenguaje de algunas provincias particulares o nuevamente compuestos por los españoles, y aunque algunos de los nuevamente compuestos pueden pasar conforme a la significación española, como el Pachayacháchic, que quieren que diga hacedor del cielo, significando enseñador del mundo —que para decir hacedor había de decir Pacharúrac, porque *rura* quiere decir hacer—, aquel general lenguaje los admite mal porque no son suyos naturales, sino advenedizos, y también porque en realidad de verdad en parte bajan a Dios de la alteza y majestad donde le sube y encumbra este nombre Pachacámac, que es el suyo propio, y para que se entienda lo que vamos diciendo es de saber que el verbo *yacha* significa aprender, y añadiéndole esta sílaba *chi* significa enseñar; y el verbo *rura* significa hacer y con la *chi* quiere decir hacer que hagan o mandar que hagan, y lo mismo es de todos los demás verbos que quieran imaginar. Y así como aquellos indios no tuvieron atención a cosas especulativas, sino a cosas materiales, así estos sus verbos no significan enseñar cosas espirituales ni hacer obras grandiosas y divinas, como hacer el mundo, etcétera, sino que significan hacer y enseñar artes y oficios bajos y mecánicos, obras que pertenecen a los hombres y no a la divinidad. De toda la cual materialidad está muy ajena la significación del nombre Pachacámac, que, como se ha dicho, quiere decir el que hace con el mundo universo lo que el alma con el cuerpo, que es darle ser, vida, aumento y sustento, etcétera. Por lo cual consta claro la impropiedad de los nombres nuevamente compuestos para dárselos a Dios (si han de hablar en la propia significación de aquel lenguaje) por la bajeza de sus significaciones; pero puédese esperar que con el uso se vayan cultivando y recibiéndose mejor. Y adviertan los componedores a no trocar la significación del nombre o verbo en la composición, que importa mucho para que los indios los admitan bien y no hagan burla de ellos, principalmente en la enseñanza de la doctrina cristiana, para lo cual se deben componer, pero con mucha atención.

III. TENÍAN LOS INCAS UNA CRUZ EN LUGAR SAGRADO

Tuvieron los Reyes Incas en el Cuzco una cruz de mármol fino, de color blanco y encarnado, que llaman jaspe cristalino: no saben decir desde qué tiempo la tenían. Yo la dejé el año de mil y quinientos y sesenta en la sacristía de la iglesia Catedral de aquella ciudad, que la tenían colgada de un clavo, asida con un cordel que entraba por un agujero que tenían hecho en lo alto de la cabeza. Acuérdome que el cordel era un orillo de terciopelo negro; quizá en poder de los indios tenía alguna asa de plata o de oro, y quien la sacó de donde estaba la trocó por la de seda. La cruz era cuadrada, tan ancha como larga; tendría de largo tres cuartas de vara, antes menos que más, y tres dedos de ancho y casi otro tanto de grueso; era enteriza, toda de una pieza, muy bien labrada, con sus esquinas muy bien sacadas, toda pareja, labrada de cuadrado, la piedra muy bruñida y lustrosa. Teníanla en una de sus casas reales, en un apartado de los que llaman *huaca*, que es lugar sagrado. No adoraban en ella, más de que la que tenían en veneración; debía ser por su hermosa figura o por algún otro respeto que no saben decir. Así la tuvieron hasta que el marqués Don Francisco Pizarro entró en el valle de Túmpiz, y por lo que allí le sucedió a Pedro de Candía la adoraron y tuvieron en mayor veneración, como en su lugar diremos.

Los españoles, cuando ganaron aquella imperial ciudad e hicieron templo a nuestro sumo Dios, la pusieron en el lugar que he dicho, no con más ornato del que se ha referido, que fuera muy justo la pusieran en el altar mayor muy adornada de oro y piedras preciosas, pues hallaron tanto de todo, y aficionaran a los indios a nuestra santa religión, con sus propias cosas, comparándolas con las nuestras, como fue esta cruz y otras que tuvieron en sus leyes y ordenanzas muy allegadas a la ley natural, que se pudieran cotejar con los mandamientos de nuestra santa ley y con las obras de misericordia, que las hubo en aquella gentilidad muy semejantes, como adelante veremos. Y porque es a propósito de la cruz, decimos que, como es notorio, por acá se usa jurar a Dios y a la cruz para afirmar lo que dicen, así en juicio como fuera de él, y muchos lo hacen sin necesidad de jurar, sino de mal hábito hecho. Decimos para confusión de los que así lo hacen que los Incas y todas las naciones de su Imperio no supieron jamás qué cosa era jurar. Los nombres del Pachacámac y del Sol ya se ha dicho la veneraciǒn y acatamiento con que los tomaban en la boca, que no los nombraban sino para adorarlos. Cuando examinaban algún testigo, por muy grave que fuese el caso, le decía el juez (en lugar de juramento): "¿Prometes decir verdad al Inca?". Decía el testigo: "Sí, prometo". Volvía a decirle: "Mira que la has de decir sin mezcla de mentira ni callar parte alguna de lo que pasó, sino que

digas llanamente lo que sabes en este caso". Volvía el testigo a rectificarse, diciendo: "Así lo prometo de veras". Entonces, debajo de su promesa le dejaban decir todo lo que sabía del hecho, sin atajerle ni decirle "no os preguntamos eso sino estotro", ni otra cosa alguna. Y si era averiguación de pendencia, aunque hubiese habido muerte, le decían: "Di claramente lo que pasó en esta pendencia, sin encubrir nada de lo que hizo o dijo cualquiera de los dos que riñeron". Y así lo decía el testigo, de manera que por ambas las partes decía lo que sabía en favor o en contra. El testigo no osaba mentir, porque demás de ser aquella gente timidísima y muy religiosa en su idolatría, sabía que le habían de averiguar la mentira y castigarle rigurosísimamente, que muchas veces era con muerte, si el caso era grave, no tanto por el daño que había hecho con su dicho como por haber mentido al Inca y quebrantado su real mandato, que les mandaba que no mintiesen. Sabía el testigo que hablar con cualquiera juez era hablar con el mismo Inca que adoraban por Dios, y éste era el principal respeto que tenían, sin los demás, para no mentir en sus dichos.

Después que los españoles ganaron aquel Imperio sucedió un caso grave de muertes en una provincia de los Quechuas. El corregidor del Cuzco envió allá un juez que hiciese la averiguación, el cual, para tomar el dicho a un *curaca,* que es señor de vasallos, le puso delante la cruz de su vara y le dijo que jurase a Dios y a la cruz de decir verdad. Dijo el indio: "Aún no me han bautizado, para jurar como juran los cristianos". Replicó el juez diciendo que jurase por sus dioses, el Sol y la Luna y sus Incas. Respondió el curaca: "Nosotros no tomamos esos nombres sino para adorarlos, y así no me es lícito jurar por ellos". Dijo el juez: "¿Qué satisfacción tendremos de la verdad de tu dicho si no nos das alguna prenda?". "Bastará mi promesa —dijo el indio—, y entender yo que hablo personalmente delante de tu Rey, pues vienes a hacer justicia en su nombre, que así lo hacíamos con nuestros Incas. Mas, por acudir a la satisfacción que pides, juraré por la tierra, diciendo que se abra y me trague vivo como estoy si yo mintiera". El juez tomó el juramento, viendo que no podía más, y le hizo las preguntas que convenían acerca de los matadores, para averiguar quiénes eran. El curaca fue respondiendo, y cuando vio que no le preguntaban nada acerca de los muertos, que habían sido agresores de la pendencia, dijo que le dejase decir todo lo que sabía de aquel caso, porque, diciendo una parte y callando otra, entendía que mentía y que no había dicho entera verdad, como la había prometido. Y aunque el juez le dijo que bastaba que respondiese a lo que le preguntaban, dijo que no quedaba satisfecho, ni cumplía su promesa, si no decía por entero lo que unos y los otros hicieron. El juez hizo su averiguación como mejor pudo y se volvió al Cuzco, donde causó admiración el coloquio que contó haber tenido con el curaca.

IV. DE MUCHOS DIOSES QUE LOS HISTORIADORES ESPAÑOLES IMPROPIAMENTE APLICAN A LOS INDIOS

Volviendo a la idolatría de los Incas, decimos más largamente que atrás se dijo que no tuvieron más dioses que al Sol, al cual adoraron exteriormente. Hiciéronle templos, las paredes de alto abajo forradas con planchas de mucho oro; ofreciéronle sacrificios de muchas cosas; presen-

táronle grandes dádivas de mucho oro y de todas las cosas más preciosas que tenían, en agradecimiento de que él se las había dado; adjudicáronle por hacienda la tercia parte de todas las tierras de labor de los reinos y provincias que conquistaron y la cosecha de ellas e innumerable ganado; hiciéronle casas de gran clausura y recogimiento para mujeres dedicadas a él, las cuales guardaban perpetua virginidad.

Demás del Sol adoraron al Pachacámac (como se ha dicho) interiormente, por dios no conocido: tuviéronle en mayor veneración que al Sol; no le ofrecieron sacrificios ni le hicieron templos, porque decían que no le conocían, porque no se había dejado ver; empero, que creían que lo había. Y en su lugar diremos del templo famoso y riquísimo que hubo en el valle llamado Pachacámac, dedicado a este dios no conocido. De manera que los Incas no adoraron más dioses que los dos que hemos dicho, visible e invisible. Porque aquellos Príncipes y sus amautas, que eran los filósofos y doctores de su república (con ser gente tan sin enseñanza de letras, que nunca las tuvieron), alcanzaron que era cosa indigna y de mucha afrenta y deshonra aplicar honra, poderío, nombre y fama o virtud divina a las cosas inferiores, del cielo abajo. Y así establecieron ley y mandaron pregonarla para que en todo el Imperio supiesen que no habían de adorar más de al Pachacámac por supremo Dios y señor, y al Sol, por el bien que hacía a todos, y a la Luna venerasen y honrasen, porque era su mujer y hermana, y a las estrellas por damas y criadas de su casa y corte.

Adelante, en su lugar, trataremos del Dios Viracocha, que fue un fantasma que se apareció a un príncipe heredero de los Incas diciendo que era hijo del Sol. las.

españoles aplican otros muchos dioses a los Incas por no saber dividir los tiempos y las idolatrías de aquella primera edad y las de la segunda. Y también por no saber la propiedad del lenguaje para saber pedir y recibir la relación de los indios, de cuya ignorancia ha nacido dar a los Incas muchos dioses o todos los que ellos quitaron a los indios que sujetaron a su Imperio, que los tuvieron tantos y tan extraños como arriba se ha dicho. Particularmente nació este engaño de no saber los españoles las muchas y diversas significaciones que tiene este nombre *huaca*, el cual, pronunciada la última sílaba en lo alto del paladar, quiere decir ídolo, como Júpiter, Marte, Venus, y es nombre que no permite que de él se deduzca verbo para decir idolatrar. Demás de esta primera y principal significación tiene otras muchas, cuyos ejemplos iremos poniendo para que se entiendan mejor. Quiere decir cosa sagrada, como eran todas aquellas en que el demonio les hablaba, esto es, los ídolos, las peñas, piedras grandes o árboles en que el enemigo entraba para hacerles creer que era dios. Asimismo llaman *huaca* a las cosas que habían ofrecido al Sol, como figuras de hombres, aves y animales, hechas de oro o de plata o de palo, y cualesquiera otras ofrendas, las cuales tenían por sagradas, porque las había recibido el Sol en ofrenda y eran suyas, y, porque lo eran, las tenían en gran veneración. También llaman *huaca* a cualquiera templo grande o chico y a los sepulcros que tenían en los campos y a los rincones de las casas, de donde el demonio hablaba a los sacerdotes y a otros particulares que trataban con él familiarmente, los cuales rincones tenían por lugares santos, y así los respetaban como a un oratorio o santuario. También dan el mismo nombre a todas aquellas cosas que en hermosura o excelencia se aventajan de las otras de su especie, como una rosa, manzana o camuesa o cualquiera otra fruta que sea mayor y más hermosa que todas las de su árbol; y a los árboles que hacen la misma ventaja a los de su especie les dan el mismo nombre. Por el contrario llaman *huaca* a las cosas muy feas y monstruosas, que causan horror y asombro, y así daban este nombre a las culebras grandes de los Antis, que son de a veinte y cinco y de a treinta pies de largo. También llaman *huaca* a todas las cosas que salen de su curso natural, como a la mujer que pare dos de un vientre; a la madre y a los mellizos daban este nombre por la extrañeza del parto y nacimiento; a la parida sacaban por las calles con gran fiesta y regocijo y le ponían guirnaldas de flores con grandes bailes y cantares por su mucha fecundidad; otras naciones lo tomaban en contrario, que lloraban, teniendo por mal agüero los tales partos. El mismo nombre dan a las ovejas que paren dos de un vientre, digo al ganado de aquella tierra, que, por ser grande, su ordinario parir no es más de uno, como vacas o yeguas, y en sus sacrificios ofrecían más aína de los corderos mellizos, si los había, que de los otros, porque los tenían por mayor deidad, por lo cual les llaman *huaca*. Y al semejante llaman *huaca* al huevo de dos yemas, y el mismo nombre dan a los niños que nacen de pies o doblados o con seis dedos en pies o manos o nace corcobado o con cualquiera defecto mayor o menor en el cuerpo o en el rostro, como sacar partido alguno de los labios, que de éstos había muchos, o bisojo, que llaman señalado de naturaleza. Asimismo dan este nombre a las fuentes muy caudalosas que salen hechas ríos, porque se aventajan de las comunes, y a las piedrecitas y guijarros que hallan en los ríos o arroyos, con extrañas labores o de diversos colores, que se diferencian de las ordinarias. Llamaron *huaca* a la gran cordillera de la Sierra Nevada que corre por todo el Perú a lo largo hasta el Estrecho de Magallanes, por su largura y eminencia, que cierto es admirabilísima a quien la mira con atención. Dan el mismo nombre a los cerros muy altos, que se aventajan de los otros cerros, como las torres altas de las casas comunes, y a las cuestas grandes que se hallan por los caminos, que las hay de tres, cuatro, cinco y seis leguas de alto, casi tan derechas como una pared, a las cuales los españoles, corrompiendo el nombre, dicen *Apachitas,* y que los indios adoraban y les ofrecían ofrendas. De las cuestas diremos luego, y qué manera de adoración era la que hacían y a quién. A todas estas cosas y otras semejantes llamaron *huaca,* no por tenerlas por dioses ni adorarlas, sino por la particular ventaja que hacían a las comunes; por esta causa las miraban y trataban con veneración y respeto. Por las cuales significaciones tan diferentes los españoles, no entendiendo más de la primera y principal significación, que quiere decir ídolo, entienden que tenían por dioses todas aquellas cosas que llaman *huaca,* y que las adoraban los Incas como lo hacían los de la primera edad.

Declarando el nombre *Apachitas* que los españoles dan a las cumbres de las cuestas muy altas y las hacen dioses de los indios, es de saber que ha de decir *Apachecta;* es dativo, y el genitivo es *Apachecpa,* de este participio de presente *apáchec,* que es el nominativo, y con la sílaba *ta* se hace dativo: quiere decir al que hace llevar, sin decir quién es ni declarar qué es lo que hace llevar. Pero conforme al frasis de la lengua,

como atrás hemos dicho, y adelante diremos de la mucha significación que los indios encierran en sola una palabra, quiere decir demos gracias y ofrezcamos algo al que hace llevar estas cargas, dándonos fuerzas y vigor para subir por cuestas tan ásperas como ésta, y nunca lo decían sino cuando estaban ya en lo alto de la cuesta, y por esto dicen los historiadores españoles que llamaban Apachitas a las cumbres de las cuestas, entendiendo que hablaban con ellas, porque allí le oían decir esta palabra *Apachecta,* y, como no entienden lo que quiere decir, dánselo por nombre a las cuestas. Entendían los indios, con lumbre natural, que se debían dar gracias y hacer alguna ofrenda al Pachacámac. Dios no conocido que ellos adoraban mentalmente, por haberles ayudado en aquel trabajo. Y así, luego que habían subido la cuesta, se descargaban, y, alzando los ojos al cielo y bajándolos al suelo y haciendo las mismas ostentaciones de adoración que atrás dijimos para nombrar al Pachacámac, repetían dos, tres veces el dativo *Apachecta,* y en ofrenda se tiraban de las cejas y, que arrancasen algún pelo o no, lo soplaban hacia el cielo y echaban la yerba llamada *coca,* que llevaban en la boca, que ellos tanto aprecian, como diciendo que le ofrecían lo más preciado que llevaban. Y a más no poder ni tener otra cosa mejor, ofrecían algún palillo o algunas pajuelas, si las hallaban, por allí cerca, y, no las hallando, ofrecían un guijarro, y, donde no lo había, echaban un puñado de tierra. Y de estas ofrendas había grandes montones en las cumbres de las cuestas. No miraban al Sol cuando hacían aquellas ceremonias, porque no eran la adoración a él, sino al Pachacámac. Y las ofrendas, más eran señales de sus afectos que no ofrendas; porque bien entendían que cosas tan viles no eran para ofrecer. De todo lo cual soy testigo, que lo vi caminando con ellos muchas veces. Y más digo, que no lo hacían los indios que iban descargados, sino los que llevaban carga. Ahora, en estos tiempos, por la misericordia de Dios en lo alto de aquellas cuestas tienen puestas cruces, que adoran en hacimiento de gracias de habérseles comunicado Cristo Nuestro Señor.

V. DE OTRAS MUCHAS COSAS QUE EL NOMBRE HUACA SIGNIFICA

Esta misma dicción *huaca*, pronunciada la última sílaba en lo más interior de la garganta, se hace verbo: quiere decir llorar. Por lo cual dos historiadores españoles, que no supieron esta diferencia, dijeron: los indios entran llorando y guayando en sus templos a sus sacrificios, que *huaca* eso quiere decir. Habiendo tanta diferencia de este significado llorar a los otros, y siendo el uno verbo y el otro nombre, verdad es que la diferente significación consiste solamente en la diferente pronunciación, sin mudar letra ni acento, que la última sílaba de la una dicción se pronuncia en lo alto del paladar y la de la otra en lo interior de la garganta. De la cual pronunciación y de todas las demás que aquel lenguaje tiene, no hacen caso alguno los españoles, por curiosos que sean (con importarles tanto el saberlas), porque no la tiene el lenguaje español. Veráse el descuido de ellos por lo que me pasó con un religioso dominico que en el Perú había sido cuatro años catedrático de la lengua general de aquel Imperio, el cual, por saber que yo era natural de aquella tierra, me comunicó y yo le visité muchas veces en San Pablo de Córdoba. Acaeció que un día, hablando de aquel lenguaje y de las muchas y diferentes significaciones que unos mismos vocablos tienen, di por ejemplo este nombre *Pacha*, que,

pronunciado llanamente, como suenan las letras españolas, quiere decir mundo universo, y también significa el cielo y la Tierra y el infierno y cualquiera suelo. Dijo entonces el fraile: "Pues también significa ropa de vestir y de ajuar y muebles de casa". Yo dije: "Es verdad, pero dígame Vuestra Paternidad, ¿qué diferencia hay en la pronunciación para que signifique eso?" Díjome: "No la sé". Respondíle: "¿Habiendo sido maestro en la lengua ignora esto? Pues sepa que para que signifique ajuar o ropa de vestir han de pronunciar la primera sílaba apretando los labios y rompiéndolos con el aire de la voz, de manera que suene el romperlos". Y le mostré la pronunciación de este nombre y de otros *viva voce*, que de otra manera no se puede enseñar. De lo cual el catedrático y los demás religiosos que se hallaron a la plática se admiraron mucho. En lo que se ha dicho se ve largamente cuánto ignoren los españoles los secretos de aquella lengua, pues este religioso, con haber sido maestro de ella, no los sabía, por do vienen a escribir muchos yerros, interpretándola mal, como decir que los Incas y sus vasallos adoraban por dioses todas aquellas cosas que llaman *huaca*, no sabiendo las diversas significaciones que tiene. Y esto baste de la idolatría y dioses de los Incas. En la cual idolatría y en la que antes de ellos hubo, son mucho de estimar aquellos indios, así los de la segunda edad como los de la primera, que en tanta diversidad y tanta burlería de dioses como tuvieron no adoraron los deleites ni los vicios, como los de la antigua gentilidad del mundo viejo, que adoraban a los que ellos confesaban por adúlteros, homicidas, borrachos, y sobre todo al Príapo, con ser gente que presumía tanto de sus letras y saber, y esta otra tan ajena de toda buena enseñanza.

El ídolo Tangatanga, que un autor dice que adoraban en Chuquisaca y que los indios decían que en uno eran tres y en tres uno, yo no tuve noticia de tal ídolo, ni en el general lenguaje del Perú hay tal dicción. Quizá es del particular lenguaje de aquella provincia, la cual está ciento y ochenta leguas del Cuzco. Sospecho que el nombre está corrupto porque los españoles corrompen todos los más que toman en la boca, y que ha de decir *Acatanca*: quiere decir escarabajo, nombre con mucha propiedad compuesto de este nombre *aca*, que es estiércol, y de este verbo *tanca* (pronunciada la última sílaba en lo interior de la garganta), que es empujar. *Acatanca* quiere decir el que empuja el estiércol.

Que en Chuquisaca, en aquella primera edad y antigua gentilidad, antes del Imperio de los Reyes Incas, lo adorasen por dios, no me espantaría, porque, como queda dicho, entonces adoraban otras cosas tan viles; mas no después de los Incas, que las prohibieron todas. Que digan los indios que en uno eran tres y en tres uno, es invención nueva de ellos, que la han hecho después que han oído la Trinidad y unidad del verdadero Dios Nuestro Señor, para adular a los españoles con decirles que también ellos tenían algunas cosas semejantes a las de nuestra santa religión, como ésta y la Trinidad que el mismo autor dice que daban al Sol y al rayo, y que tenían confesores y que confesaban sus pecados como los cristianos. Todo lo cual es inventado por los indios con pretensión de que siquiera por semejanza se les haga alguna cortesía. Esto afirmo como indio, que conozco la natural condición de los indios. Y digo que no tuvieron ídolos con nombre de Trinidad, y aunque el general lenguaje del Perú, por ser tan corto de vocablos, comprende en junto con sólo un vocablo

tres y cuatro cosas diferentes, como el nombre *illapa*, que comprende el relámpago, trueno y rayo, y este nombre *maqui*, que es mano, comprende la mano y la tabla del brazo y el molledo —lo mismo es del nombre *chaqui*, que, pronunciado llanamente, como letras castellanas, quiere decir pie, comprende el pie y la pierna y el muslo, y por el semejante otros muchos nombres que pudiéramos traer a cuenta—, mas no por eso adoraron ídolos con nombre de Trinidad, ni tuvieron tal nombre en su lenguaje, como adelante veremos. Si el demonio pretendía hacerse adorar debajo de tal nombre, no me espantaré, que todo lo podía con aquellos infieles idólatras, tan alejados de la cristiana verdad. Yo cuento llanamente lo que entonces tuvieron aquellos gentiles en su vana religión. Decimos también que el mismo nombre *chaqui*, pronunciada la primera sílaba en lo alto del paladar, se hace verbo y significa haber sed o estar seco o enjugarse cualquiera cosa mojada, que también son tres significaciones en una palabra.

VI. LO QUE UN AUTOR DICE DE LOS DIOSES QUE TENÍAN

En los papeles del Padre Maestro Blas Valera hallé lo que sigue, que, por ser a propósito de lo que hemos dicho y por valerme de su autoridad, holgué de tomar el trabajo de traducirlo y sacarlo aquí. Dícelo hablando de los sacrificios que los indios de México y de otras regiones hacían y de los dioses que adoraban. Dice así:

No se puede explicar con palabras ni imaginar sin horror y espanto cuán contrarios a religión, cuán terribles, crueles e inhumanos eran los géneros de sacrificios que los indios acostumbraban hacer en su antigüedad, ni la multitud de los dioses que tenían, que sólo en la ciudad de México y sus arrabales había más de dos mil. A sus ídolos y dioses llaman en común Téutl. En particular, tuvieron diversos nombres. Empero, lo que Pedro Mártir y el Obispo de Chiapa y otros afirman, que los indios de las islas de Cuzumela, sujetos a la provincia de Yucatán, tenían por Dios la señal de la cruz y que la adoraron, y que los de la jurisdicción de Chiapa tuvieron noticia de la Santísima Trinidad y de la encarnación de Nuestro Señor, fue interpretación que aquellos autores y otros españoles imaginaron y aplicaron a estos misterios, también como aplicaron en las historias del Cuzco a la Trinidad las tres estatuas del Sol que dicen que había en su templo y las del trueno y rayo. Si el día de hoy, con haber habido tanta enseñanza de sacerdotes y obispos, apenas saben si hay Espíritu Santo, ¿cómo pudieron aquellos bárbaros, en tinieblas tan oscuras, tener tan clara noticia del misterio de la encarnación y de la Trinidad? La manera que nuestros españoles tenían para escribir sus historias era que preguntaban a los indios en lengua castellana las cosas que de ellos querían saber: los farautes, por no tener entera noticia de las cosas antiguas y por no saberlas de memoria, las decían faltas y menoscabadas o mezcladas con fábulas poéticas o historias fabulosas. Y lo peor que en ello había era la poca noticia y mucha falta que cada uno de ellos tenía del lenguaje del otro, para entenderse al preguntar y responder. Y esto era por la mucha dificultad que la lengua indiana tiene y por la poca enseñanza que entonces tenían los indios de la lengua castellana, lo cual era causa que el indio entendiese mal lo que el español le preguntaba y el español entendiese peor lo que el indio le respondía. De manera que muchas veces entendía el uno y el otro en contra de las cosas que hablaban, otras muchas veces entendían las cosas semejantes y no las propias y pocas veces entendían las propias y verdaderas. En esta confusión tan grande el sacerdote o seglar que les preguntaba tomaba a su gusto y elección lo que le parecía más semejante y más allegado a lo que deseaba saber, y lo que imaginaba que podría haber respondido el indio. Y así, interpretándolas a su imaginación y antojo, escribieron por verdades cosas que los indios no soñaron, porque de las historias verdaderas de ellos no se puede sacar misterio alguno de nuestra religión cristiana. Aunque no hay duda sino que el demonio, como tan soberbio, haya procurado siempre ser tenido y honrado como dios, no solamente en los ritos y ceremonias de la gentilidad, mas también en algunas costumbres de la religión cristiana, los cuales (como mona envidiosa) ha introducido en muchas religiones de las Indias, para ser por esta vía honrado y estimado de estos hombres miserables. Y de aquí es que en una región se usaba la confesión vocal para limpiarse de los delitos; en otra el lavar la cabeza a los niños, en otras provincias ayunar ayunos asperísimos. Y en otras que de su voluntad se ofrecían a la muerte por su falsa religión, porque, como en el mundo viejo los fieles cristianos se ofrecían al martirio por la fe católica, así también en el Nuevo Mundo los gentiles se ofreciesen a la muerte por el malvado demonio. Pero lo que dicen que Icona es Dios Padre y Bacab Dios hijo, Estruac Dios Espíritu Santo y que Chiripia es la Santísima Virgen María y Ischén la bienaventurada Santa Ana, y que Bacab, muerto por Eopuco, es Cristo Nuestro Señor, crucificado por Pilato, todo esto y otras cosas semejantes son todas invenciones y ficciones de algunos españoles que los naturales totalmente las ignoran. Lo cierto es que éstos fueron hombres y mujeres que los naturales de aquella tierra honraron entre sus dioses, cuyos nombres eran éstos que se han dicho, porque los mexicanos tuvieron dioses y diosas que adoraron, entre los cuales hubo algunos muy sucios, los cuales entendían aquellos indios que eran dioses de los vicios, como fue Tlazolteutl, dios de la lujuria, Ometochtli, dios de la embriaguez, Uitcilopuchtli, dios de la malicia o del homicidio. Icona era el padre de todos sus dioses: decían que los engendró en diversas mujeres y concubinas; teníanle por dios de los padres de familias. Bacab era dios de los hijos de familia. Estruac, dios del aire. Chiripia era madre de los dioses, y la Tierra misma. Ischén era madrastra de sus dioses, Tláloc, dios de las aguas. Otros dioses honraban por autores de las virtudes morales, como fue Quezalcóathl, dios aéreo, reformador de las costumbres. Otros por patrones de la vida humana, por sus edades tuvieron innumerables imágenes y figuras de dioses inventados para diversos oficios y diversas cosas. Muchos de ellos eran muy sucios. Unos dioses tuvieron en común, otros en particular. Eran anales, que cada año y cada uno los mudaba y trocaba conforme a su antojo. Y desechados los dioses viejos por infames o porque no habían sido de provecho, elegían otros dioses o demonios caseros. Otros dioses tuvieron imaginados para presidir y dominar en las edades de los niños, mozos y viejos. Los hijos podían en sus herencias aceptar o repudiar los dioses de sus padres, porque contra la voluntad de ellos no les permitían reinar. Los viejos honraban otros dioses mayores y también los desechaban, y en lugar de ellos criaban otros en pasando el año o la edad del mundo que los indios decían. Tales eran los dioses que todos los naturales de México y de Chiapa y los de Guatemala y los de la Vera Paz y otros muchos indios tuvieron, creyendo que los que ellos escogían eran los mayores, más altos y soberanos de todos los dioses. Los dioses que adoraban cuando pasaron los españoles a aquella tierra, todos eran nacidos, hechos y elegidos después de la renovación del sol en la última edad, que, según lo dice Gómara, cada sol de aquéllos contenía ochocientos y sesenta años, aunque según la cuenta de los mismos mexicanos eran mucho menos. Esta manera de contar por soles la edad del mundo fue cosa común y usada

entre los de México y del Perú. Y según la cuenta de ellos, los años del último sol se cuentan desde el año del Señor de mil y cuarenta y tres. Conforme a esto no hay duda sino que los dioses antiguos, que (en el sol o en la edad antes de la última) adoraron los naturales del Imperio de México, quiero decir, los que pasaron seiscientos o setecientos años antes, todos (según ellos mismos lo dicen) perecieron ahogados en la mar, y en lugar de ellos inventaron otros muchos dioses. De donde manifiestamente se descubre ser falsa aquella interpretación de Icona, Bacab y Estruca, que dice que eran el Padre y el Hijo y el Espíritu Santo.

Toda la demás gente que habita en las partes septentrionales, que corresponden a las regiones septentrionales del mundo viejo, que son las provincias de la gran Florida y todas las islas, no tuvieron ídolos ni dioses hechizos. Solamente adoraban a los que Varrón llama naturales, esto es, los elementos, la mar, los lagos, los ríos, fuentes, montes, animales fieros, serpientes, las mieses y otras cosas de este jaez, la cual costumbre tuvo principio y origen de los caldeos y se derramó por muchas diversas naciones. Los que comían carne humana, que ocuparon todo el Imperio de México y todas las islas y mucha parte de los términos del Perú, guardaron bestialísimamente esta mala costumbre hasta que reinaran los Incas y los españoles.

Todo esto es del Padre Blas Valera. En otra parte dice que los Incas no adoraban sino al Sol y a los planetas y que en esto imitaron a los caldeos.

VII. ALCANZARON LA INMORTALIDAD DEL ÁNIMA Y LA RESURRECCIÓN UNIVERSAL

Tuvieron los Incas amautas que el hombre era compuesto de cuerpo y ánima, y que el ánima era espíritu inmortal y que el cuerpo era hecho de tierra, porque le veían convertirse en ella, y así le llamaban Allpacamasca, que quiere decir tierra animada. Y para diferenciarle de los brutos le llaman *runa,* que es hombre de entendimiento y razón, y a los brutos en común dicen *llama,* que quiere decir bestia. Diéronles lo que llaman ánima vegetativa y sensitiva, porque les veían crecer y sentir, pero no la racional. Creían que había otra vida después de ésta, con pena para los malos y descanso para los buenos. Dividían el universo en tres mundos: llaman al cielo Hanan Pacha, que quiere decir mundo alto, donde decían que iban los buenos a ser premiados de sus virtudes; llamaban Hurin Pacha a este mundo de la generación y corrupción, que quiere decir mundo bajo; llamaban Ucu Pacha al centro de la Tierra que quiere decir mundo inferior de allá abajo, donde decían que iban a parar los malos, y para declararlo más le daban otro nombre, que es Zupaipa Huacin, que quiere decir Casa del Demonio. No entendían que la otra vida era espiritual, sino corporal, como esta misma. Decían que el descanso del mundo alto era vivir una vida quieta, libre de los trabajos y pesadumbres que en ésta se pasan. Y por el contrario tenían que la vida del mundo inferior, que llamamos infierno, era llena de todas las enfermedades y dolores, pesadumbres y trabajos que acá se padecen sin descanso ni contento alguno. De manera que esta misma vida presente dividían en dos partes: daban todo el regalo, descanso y contento de ella a los que habían sido buenos, y las penas y trabajos a los que habían sido malos. No nombraban los deleites carnales ni otros vicios entre los gozos de la otra vida, sino la quietud del ánimo sin cuidados y el descanso del cuerpo sin los trabajos corporales.

Tuvieron asimismo los Incas la resurrección universal, no para glo-ria ni pena, sino para la misma vida temporal, que no levantaron el entendimiento a más que esta vida presente. Tenían grandísimo cuidado de poner en cobro los cabellos y uñas que se cortaban y trasquilaban o arrancaban con el peine: poníanlos en los agujeros o resquicios de las paredes, y si por tiempo se caían, cualquiera otro indio que los veía los alzaba y ponía a recaudo. Muchas veces (por ver lo que decían) pregunté a diversos indios y en diversos tiempos para qué hacían aquello, y todos me respondían unas mismas palabras, diciendo:

Sábete que todos los que hemos nacido hemos de volver a vivir en el mundo (no tuvieron verbo para decir resucitar) y las ánimas se han de levantar de las sepulturas con todo lo que fue de sus cuerpos. Y porque las nuestras no se detengan buscando sus cabellos y uñas (que ha de haber aquel día gran bullicio y mucha prisa), se las ponemos aquí juntas para que se levanten más aína, y aun si fuera posible habíamos de escupir siempre en un lugar.

Francisco López de Gómara, capítulo ciento y veinte y cinco, hablando de los entierros que a los Reyes y a los grandes señores hacían en el Perú, dice estas palabras, que son sacadas a la letra: "Cuando españoles abrían estas sepulturas y desparcían los huesos, les rogaban los indios que no lo hiciesen, porque juntos estuviesen al resucitar, también creen la resurrección de los cuerpos y la inmortalidad de las almas", etcétera. Pruébase claro lo que vamos diciendo, pues este autor, con escribir en España, sin haber ido a Indias, alcanzó la misma relación. El contador Agustín de Zárate, libro primero, capítulo doce, dice en esto casi las mismas palabras de Gómara; y Pedro Cieza, capítulo sesenta y dos, dice que aquellos indios tuvieron la inmortalidad del ánima y la resurrección de los cuerpos.

Estas autoridades y la de Gómara hallé leyendo estos autores después de haber escrito yo lo que en este particular tuvieron mis parientes en su gentilidad. Holgué muy mucho con ellas, porque cosa tan ajena de gentiles como la resurrección parecía invención mía, no habiéndola escrito algún español. Y certifico que las hallé después de haberlo yo escrito porque se crea que en ninguna cosa de éstas sigo a los españoles, sino que, cuando los hallo, huelgo de alegarlos en confirmación de lo que oí a los míos de su antigua tradición. Lo mismo me acaeció en la ley que había contra los sacrílegos y adúlteros con las mujeres del Inca o del Sol (que adelante veremos), que, después de haberla yo escrito, la hallé acaso leyendo la historia del contador general Agustín de Zárate, con que recibí mucho contento, por alegar un caso tan grave un historiador español. Cómo o por cuál tradición tuviesen los Incas la resurrección de los cuerpos, siendo artículo de fe no lo sé, ni es de un soldado como yo inquirirlo, ni creo que se pueda averiguar con certidumbre, hasta que el Sumo Dios sea servido manifestarlo. Sólo puedo afirmar con verdad que lo tenían. Todo este cuento escribí en nuestra historia de la Florida, sacándola de su lugar por obedecer a los venerables padres maestros de la Santa Compañía de Jesús, Miguel Vásquez de Padilla, natural de Sevilla, y Jerónimo de Prado, natural de Úbeda, que me lo mandaron así, y de allí lo quité, aunque tarde, por ciertas causas tiránicas; ahora lo vuelvo a poner en su puesto porque no falte del edificio piedra tan principal. Y así iremos poniendo otras como se fueren ofreciendo, que no es posible contar de una vez las niñerías o burlerías que aquellos indios tuvieron, que una de ellas fue tener

que el alma salía del cuerpo mientras él dormía, porque decían que ella no podía dormir, y que lo que veía por el mundo eran las cosas que decimos haber soñado. Por esta vana creencia miraban tanto en los sueños y los interpretaban diciendo que eran agüeros y pronósticos para, conforme a ellos, temer mucho mal o esperar mucho bien.

VIII. LAS COSAS QUE SACRIFICABAN AL SOL

Los sacrificios que los Incas ofrecieron al Sol fueron de muchas y diversas cosas, como animales domésticos grandes y chicos. El sacrificio principal y el más estimado era el de los corderos, y luego el de los carneros, luego el de las ovejas machorras. Sacrificaban conejos caseros y todas las aves que eran de comer y sebo a solas, y todas las mieses y legumbres, hasta la yerba coca, y ropa de vestir de la muy fina, todo lo cual quemaban en lugar de incienso y lo ofrecían en hacimiento de gracias de que lo hubiese criado el Sol para sustento de los hombres. También ofrecían en sacrificio mucho brebaje de lo que bebían, hecho de agua y maíz, y en las comidas ordinarias, cuando les traían de beber, después que habían comido (que mientras comían nunca bebían), a los primeros vasos mojaban la punta del dedo de en medio, y mirando al cielo con catamiento, despedían del dedo (como quien da papirotes) la gota del brebaje que en él se les había pegado, ofreciéndola al Sol en hacimiento de gracias porque les daba de beber, y con la boca daban dos o tres besos al aire, que, como hemos dicho, era entre aquellos indios señal de adoración. Hecha esta ofrenda en los primeros vasos bebían lo que se les antojaba sin más ceremonias.

Esta última ceremonia o idolatría yo la vi hacer a los indios no bautizados, que en mi tiempo aún había muchos viejos por bautizar, y a necesidad yo bauticé algunos. De manera que en los sacrificios fueron los Incas casi o del todo semejantes a los indios de la primera edad. Sólo se diferenciaron en que no sacrificaron carne ni sangre humana con muerte, antes lo abominaron y prohibieron como el comerla, y si algunos historiadores lo han escrito, fue porque los relatores los engañaron, por no dividir las edades y las provincias, dónde y cuándo se hacían los semejantes sacrificios de hombres, mujeres y niños. Y así un historiador dice, hablando de los Incas, que sacrificaban hombres, y nombra dos provincias donde dice que se hacían los sacrificios: la una está pocas menos de cien leguas del Cuzco (que aquella ciudad era donde los Incas hacían sus sacrificios) y la otra es una de dos provincias de un mismo nombre, la una de las cuales está doscientas leguas al sur del Cuzco y la otra más de cuatrocientas al norte, de donde consta claro que por no dividir los tiempos y los lugares atribuyen muchas veces a los Incas muchas cosas de las que ellos prohibieron a los que sujetaron a su Imperio, que las usaban en aquella primera edad, antes de los Reyes Incas.

Yo soy testigo de haber oído vez y veces a mi padre y sus contemporáneos, cotejando las dos repúblicas, México y Perú, hablando en este particular de los sacrificios de hombres y del comer carne humana, que loaban tanto a los Incas del Perú porque no los tuvieron ni consintieron, cuanto abominaban a los de México, porque lo uno y lo otro se hizo dentro y fuera de aquella ciudad tan diabólicamente como lo cuenta la historia de su conquista, la cual es fama cierta aunque secreta que la escribió el mismo que

la conquistó y ganó dos veces, lo cual yo creo para mí, porque en mi tierra y en España lo he oído a caballeros fidedignos que lo han hablado con mucha certificación. Y la misma obra lo muestra a quien la mira con atención, y fue lástima que no se publicase en su nombre para que la obra tuviera más autoridad y el autor imitara en todo al gran Julio César.

Volviendo a los sacrificios, decimos que los Incas no los tuvieron ni los consintieron hacer de hombres o niños, aunque fuese de enfermedades de sus Reyes (como lo dice otro historiador) porque no las tenían por enfermedades como las de la gente común, teníanlas por mensajeros, como ellos decían, de su padre el Sol, que venían a llamar a su hijo para que fuese a descansar con él al cielo, y así eran palabras ordinarias que las decían aquellos Reyes Incas cuando se querían morir: "Mi padre me llama que me vaya a descansar con él". Y por esta vanidad que predicaban, porque los indios no dudasen de ella y de las demás cosas que a esta semejanza decían del Sol, haciéndose hijos suyos, no consentían contradecir su voluntad con sacrificios por su salud, pues ellos mismos confesaban que los llamaba para que descansasen con él. Y esto baste para que se crea que no sacrificaban hombres, niños ni mujeres, y adelante contaremos más largamente los sacrificios comunes y particulares que ofrecían y las fiestas solemnes que hacían al Sol.

Al entrar de los templos o estando ya dentro, el más principal de los que entraban echaba mano de sus cejas, como arrancando los pelos de ellas, y, que los arrancase o no, los soplaba hacia el ídolo en señal de adoración y ofrenda. Y esta adoración no la hacían al Rey, sino a los ídolos o árboles o otras cosas donde entraba el demonio a hablarles. También hacían lo

mismo los sacerdotes y las hechiceras cuando entraban en los rincones y lugares secretos a hablar
con el diablo, como obligando aquella deidad que ellos imaginaban a
que los oyese y respondiese, pues
en aquella demostración le ofrecían
sus personas. Digo que también les
vi yo hacer esta idolatría.

IX. LOS SACERDOTES, RITOS
Y CEREMONIAS Y SUS LEYES
ATRIBUYEN AL PRIMER INCA

Tuvieron sacerdotes para ofrecer
los sacrificios. Los sacerdotes de la
casa del Sol, en el Cuzco, todos
eran Incas de la sangre real; para
el demás servicio del templo eran
Incas de los del privilegio. Tenían
Sumo Sacerdote, el cual había de
ser tío o hermano del Rey, y por
lo menos de los legítimos en sangre.
No tuvieron los sacerdotes vesti-
mento particular, sino el común.
En las demás provincias donde había templos del Sol, que fueron
muchos, eran sacerdotes los naturales de ellas, parientes de los señores de las tales provincias. Empero,
el sacerdote principal (como obispo) había de ser Inca, para que los
sacrificios y ceremonias se conformasen con las del metropolitano,
que en todos los oficios preemi-
nentes de paz o de guerra ponían
Incas por superiores, sin quitar los
naturales por no los desdeñar y por
tiranizar. Tuvieron asimismo muchas casas de vírgenes, que unas
guardaban perpetua virginidad sin
salir de casa y otras eran concubinas del Rey, de las cuales diremos
adelante más largamente de su calidad, clausura, oficios y ejercicios.

Es de saber que los Reyes Incas,
habiendo de establecer cualesquiera
leyes o sacrificios, así en lo sagrado
de su vana religión como en lo profano de su gobierno temporal, siempre lo atribuyeron al primer Inca

Manco Cápac, diciendo que él las
había ordenado todas, unas que había dejado hechas y puestas en uso
y otras en dibujo, para que adelante
sus descendientes las perfeccionasen
a sus tiempos. Porque como certificaban que era hijo del Sol, venido
del cielo para gobernar y dar leyes
a aquellos indios, decían que su
padre le había dicho y enseñado las
leyes que había de hacer para el
beneficio común de los hombres y
los sacrificios que le habían de ofrecer en sus templos. Afirmaban esta
fábula por dar con ella autoridad a
todo lo que mandaban y ordenaban.
Y por esta causa no se puede decir
con certidumbre cuál de los Incas
hizo tal o tal ley, porque, como
carecieron de escritura, carecieron
también de muchas cosas que ella
guarda para los venideros. Lo cierto
es que ellos hicieron las leyes y ordenanzas que tuvieron sacando unas
de nuevo y reformando otras viejas
y antiguas, según que los tiempos y
las necesidades las pedían. A uno
de sus Reyes, como en su vida veremos, hacen gran legislador, que
dicen que dio muchas leyes de nuevo y enmendó y amplió todas las
que halló hechas, y que fue gran
sacerdote porque ordenó muchos
ritos y ceremonias en sus sacrificios e ilustró muchos templos con
grandes riquezas, y que fue gran
capitán que ganó muchos reinos y
provincias. Empero, no dicen precisamente qué leyes dio ni cuáles
sacrificios ordenó, y, por no hallar
mejor salida, se lo atribuyeron todo
al primer Inca, así las leyes como el
principio de su Imperio. Siguiendo
este orden confuso, diremos aquí la
primera ley, sobre la cual fundaban
todo el gobierno de su república.
Dicha ésta y otras algunas, segui-
remos la conquista que cada Rey
hizo, y entre sus hazañas y vidas
iremos entremetiendo otras leyes y
muchas de sus costumbres, maneras
de sacrificios, los templos del Sol,
las casas de las vírgenes, sus fiestas

mayores, el armar caballeros, el servicio de su casa, la grandeza de su corte, para que con la variedad de los cuentos, no canse tanto la lección. Mas primero me conviene comprobar lo que he dicho con lo que los historiadores españoles dicen en el mismo propósito.

X. COMPRUEBA EL AUTOR LO QUE HA DICHO CON LOS HISTORIADORES ESPAÑOLES

Porque se vea que lo que atrás hemos dicho del origen y principio de los Incas y de lo que antes de ellos hubo no es invención mía, sino común relación que los indios han hecho a los historiadores españoles, me pareció poner un capítulo de los que Pedro Cieza de León, natural de Sevilla, escribe en la primera parte de la *Crónica del Perú*, que trata de la demarcación de sus provincias, la descripción de ellas, las fundaciones de las nuevas ciudades, los ritos y costumbres de los incas y otras cosas, etcétera, las cuales palabras da el autor por título a su obra. Escribióla en el Perú, y para escribirla con mayor certificación anduvo, como él dice, mil y doscientas leguas de largo que hay por tierra desde el puerto de Uraba hasta la Villa de Plata, que hoy llaman Ciudad de Plata. Escribió en cada provincia la relación que le daban de las costumbres de ella, bárbaras o políticas; escribióla con división de los tiempos y edades. Dice lo que cada nación tenía antes que los Incas la sujetaran y lo que tuvieron después que ellos imperaron. Tardó nueve años en recoger y escribir las relaciones que le dieron, desde el año de cuarenta y uno hasta el de cincuenta, y habiendo escrito lo que halló desde Uraba hasta Pasto, luego que entra en el término que fue de los Incas hace capítulo aparte, que es treinta

y ocho de su historia, donde dice lo siguiente:

Porque en esta primera parte tengo muchas veces de tratar de los Incas y dar noticia de muchos aposentos suyos y otras cosas memorables, me pareció cosa justa decir algo de ellos en este lugar, para que los lectores sepan lo que estos señores fueron y no ignoren su valor ni entiendan uno por otro, no embargante que yo tengo hecho libro particular de ellos y de sus hechos, bien copioso. Por las relaciones que los indios del Cuzco nos dan, se colige que había antiguamente gran desorden en todas las provincias de este reino que nosotros llamamos Perú, y que los naturales eran de tan poca razón y entendimiento que es de no creer, porque dicen que eran muy bestiales y que muchos comían carne humana, y otros tomaban a sus hijas y madres por mujeres, cometiendo, sin éstos, otros pecados mayores y más graves, teniendo gran cuenta con el demonio, el cual todos ellos servían y tenían en grande estimación.

Sin esto, por los cerros y collados altos tenían castillos y fortalezas, desde donde, por causas muy livianas, salían a darse guerra unos a otros y se mataban y cautivaban todos los más que podían. Y no embargante que anduviesen metidos en estos pecados y cometiesen estas maldades, dicen también que algunos de ellos eran dados a la religión, que fue causa que en muchas partes de este reino se hicieron grandes templos en donde hacían sus oraciones y era visto el demonio y por ellos adorado, haciendo delante de los ídolos grandes sacrificios y supersticiones. Y viendo de esta manera las gentes de este reino, se levantaron grandes tiranos en las provincias del Collao y en otras partes, los cuales unos a otros se daban grandes guerras, y se cometían muchas muertes y robos. Y pasaron por unos y por otras grandes calamidades, tanto que se destruyeron muchos castillos y fortalezas, y siempre duraba entre ellos la porfía, de que no poco se holgaba el demonio, enemigo de natura humana, porque tantas ánimas se perdiesen.

Estando de esta suerte todas las provincias del Perú, se levantaron dos hermanos, que el uno de ellos había por nombre Manco Cápac, de los cuales cuentan grandes maravillas los indios y fábulas muy donosas. En el libro por mí alegado las podrá ver quien quisiere cuando salga a la luz. Este Manco Cápac fundó la ciudad del Cuzco y estableció leyes a su usanza, y él y sus descendientes se llamaron Ingas, cuyo nombre quiere decir o significar Reyes o grandes señores. Pudieron tanto que conquistaron y señorearon desde el Pasto hasta Chile. Y sus banderas vieron por la parte del sur al río Maule y por la del norte al río Angasmayo, y estos ríos fueron términos de su Imperio, que fue tan grande que hay de una parte a otra más de mil y trescientas leguas. Y edificaron grandes fortalezas y aposentos fuertes, y en todas las provincias tenían puestos capitanes y gobernadores. Hicieron tan grandes cosas y tuvieron tan buena gobernación, que pocos en el mundo les hicieron ventaja. Eran muy vivos de ingenio y tenían gran cuenta sin letras, porque éstas no se han hallado en estas partes de las Indias.

Pusieron en buenas costumbres a todos sus súbditos y diéronles orden para que vistiesen y trajesen ojotas en lugar de zapatos, que son como albarcas. Tenían gran cuenta con la inmortalidad del ánima y con otros secretos de naturaleza. Creían que había hacedor de las cosas, y al Sol tenían por Dios soberano, al cual hicieron grandes templos. Y engañados del demonio, adoraban en árboles y en piedras, como los gentiles. En los templos principales tenían gran cantidad de vírgenes muy hermosas, conforme a las que hubo en Roma en el templo de Vesta, y casi guardaban los mismos estatutos que ellas. En los ejércitos escogían capitanes valerosos y los más fieles que podían. Tuvieron grandes mañas para, sin guerra, hacer de los enemigos amigos. Y a los que se levantaban castigaban con gran severidad y no poca crueldad. Y pues (como digo) tengo hecho libro de estos Ingas, basta lo dicho para que los que leyeren este libro entiendan lo que fueron estos Reyes y lo mucho que valieron, y con todo volveré a mi camino.

Todo esto contiene el capítulo treinta y ocho, donde parece que en suma dice lo que nosotros hemos dicho y diremos muy a la larga de la idolatría, conquista y gobierno, en paz y en guerra, de estos Reyes Incas, y lo mismo va refiriendo adelante por espacio de ochenta y tres capítulos que escribe del Perú, y siempre habla en loor de los Incas. Y en las provincias donde cuenta que sacrificaban hombres y comían carne humana y andaban desnudos y no sabían cultivar la tierra y tenían otros abusos, como adorar cosas viles y sucias, siempre dice que con el señorío de los tumbres y aprendieron las de los tumbres y aprendieron las de Los Incas. Y hablando de otras muchas provincias que tenían las mismas cosas, dice que aún no había llegado allí el gobierno de los Incas. Y tratando de las provincias donde no había tan bárbaras costumbres, sino que vivían con alguna policía dice: "Estos indios se mejoraron con el Imperio de los Incas". De manera que siempre les da la honra de haber quitado los malos abusos y mejorado las buenas costumbres, como lo alegaremos en sus lugares, repitiendo sus mismas palabras. Quien las quisiere ver a la larga lea aquella su obra y verá diabluras en costumbres de indios, que, aunque se las quisieran levantar, no hallará la imaginación humana tan grandes torpezas. Pero mirando que el demonio era el autor de ellas, no hay que espantarnos, pues las mismas enseñaba a la gentilidad antigua y hoy enseña a la que no ha alcanzado a ver la luz de la fe católica.

En toda aquella su historia, con decir en muchas partes que los Incas o sus sacerdotes hablaban con el demonio y tenían otras grandes supersticiones, nunca dice que sacrificaron hombres o niños. Solamente hablando de un templo cerca del Cuzco, dice que allí sacrificaban sangre humana, que es la que echaban en cierta masa de pan, sacándola por sangría de entre las cejas, como en su lugar diremos, pero· no con muerte de niños ni de hombres. Alcanzó, como él dice, muchos curacas que conocieron a Huaina Cápac, el último de los Reyes, de los cuales hubo muchas relaciones de las que escribió, y las de entonces (que ha cincuenta y tantos años) eran diferentes de las de estos tiempos porque eran más frescas y más allegadas a aquella edad. Hase dicho todo esto por ir contra la opinión de los que dicen que los Incas sacrificaban hombres y niños, que cierto no hicieron tal. Pero téngala quien quisiere, que poco importa, que en la idolatría todo cabe, mas un caso tan inhumano no se debía decir si no es sabiéndolo muy sabido. El Padre Blas Valera, hablando de las antigüedades del Perú y de los sacrificios que los Incas hacían al Sol reconociéndole por padre, dice estas palabras, que son sacadas a la letra: "En cuya reverencia hacían los sucesores grandes sacrificios al Sol, de ovejas y de otros animales y nunca de hombres, como falsamente afirmaron Polo y los que le siguieron", etcétera.

Lo que decimos que salieron los primeros Incas de la laguna Titicaca lo dice también Francisco López de Gómara en la *General Historia* de *las Indias,* capítulo ciento y veinte, donde habla del linaje de Atahualpa, que los españoles prendieron y mataron. También lo dice Agustín de Zárate, contador general que fue de la hacienda de Su Majestad en la historia que escribió del Perú, libro primero, capítulo trece, y el muy venerable Padre José de Acosta, de la Santa Compañía de Jesús, lo dice asimismo en el libro famoso

que compuso de la *Filosofía natural y moral del Nuevo Orbe,* libro primero, capítulo veinte y cinco, en la cual obra habla muy muchas veces en loor de los Incas, de manera que no decimos cosas nuevas, sino que, como indio natural de aquella tierra, ampliamos y extendemos· con la propia relación la que los historiadores españoles, como extranjeros, acortaron por no saber la propiedad de la lengua ni haber mamado en la leche aquestas fábulas y verdades como yo las mamé; y con esto· pasemos adelante a dar noticias del orden que los Incas tenían en el gobierno de sus reinos.

XI. DIVIDIERON EL IMPERIO EN CUATRO DISTRITOS. REGISTRABAN SUS VASALLOS

Los Reyes Incas dividieron su Imperio en cuatro partes, que llamaron Tahuantinsuyu, que quiere decir las cuatro partes del mundo, conforme a las cuatro partes principales del cielo: oriente, poniente, septentrión y mediodía. Pusieron por punto o centro la ciudad del Cuzco, que en la lengua particular de los Incas quiere decir ombligo de la tierra: llamáronla con buena semejanza ombligo, porque todo el Perú es largo y angosto como un cuerpo humano, y aquella ciudad está casi en medio. Llamaron a la parte del oriente Antisuyu, por una provincia llamada Anti que está al oriente, por la cual también llaman Anti a toda aquella gran cordillera de sierra nevada que pasa al oriente del Perú, por dar a entender que está al oriente. Llamaron Cuntisuyu a la parte de poniente, por otra provincia muy pequeña llamada Cunti. A la parte del norte llamaron Chinchasuyu, por una gran provincia llamada Chincha, que está al norte de la ciudad. Y al distrito del mediodía llamaron Collasuyu, por otra grandísima provincia llamada Colla, que está al sur. Por estas cuatro provincias entendían toda la tierra que había hacia aquellas cuatro partes, aunque saliesen de los términos de la provincia muchas leguas adelante, como el reino de Chile, que, con estar más de seiscientas leguas al sur de la provincia de Colla, era del partido Collasuyu y el reino de Quito era del distrito Chinchasuyu, con estar más de cuatrocientas leguas de Chincha al norte. De manera que nombrar aquellos partidos era lo mismo que decir al oriente, al poniente, etcétera. Y a los cuatro caminos principales que salen de aquella ciudad también los llaman así, porque van a aquellas cuatro partes del reino.

Para principio y fundamento de su gobierno inventaron los Incas una ley, con la cual les pareció podrían prevenir y atajar los males que en sus reinos pudiesen nacer. Para lo cual mandaron que en todos los pueblos grandes o chicos de su Imperio se registrasen los vecinos por decurias de diez en diez, y que uno de ellos, que nombraban por decurión, tuviese cargo de los nueve. Cinco decurias de éstas de a diez tenían otro decurión superior, el cual tenía cargo de los cincuenta. Dos decurias de a cincuenta tenían otro superior, que miraba por los ciento. Cinco decurias de a ciento estaban sujetas a otro capitán decurión, que cuidaba de los quinientos. Dos compañías de a quinientos reconocían un general, que tenía dominio sobre los mil; y no pasaban las decurias de mil vecinos, porque decían que para que uno diese buena cuenta bastaba encomendarle mil hombres. De manera que había decurias de a diez, de a cincuenta, de a ciento, de a quinientos, de a mil, con sus decuriones o cabos de escuadra subordinados unos a otros, de menores a mayores, hasta el último y más principal decurión que llamamos general.

XII. DOS OFICIOS QUE LOS DECURIONES TENÍAN

Los decuriones de a diez tenían obligación de hacer dos oficios con los de su decuria o escuadra: el uno era ser procurador para socorrerles con su diligencia y solicitud en las necesidades que se les ofreciesen, dando cuenta de ellas al gobernador, o a cualquiera otro ministro a cuyo cargo estuviese el proveerlas, como pedir semilla si les faltaba para sembrar o para comer, o lana para vestir, o rehacer la casa si se le caía o quemaba, o cualquiera otra necesidad mayor o menor; el otro oficio era ser fiscal y acusador de cualquier delito que cualquiera de los de su escuadra hiciese, por pequeño que fuese, que estaba obligado a dar cuenta al decurión superior, a quien tocaba castigo de tal delito, o a otro más superior, porque conforme a la gravedad del pecado así eran los jueces unos superiores a otros y otros a otros, porque no faltase quién lo castigase con brevedad y no fuese menester ir con cada delito a los jueces superiores con apelaciones una y más veces, y de ellos a los jueces supremos de la corte. Decían que por la dilación del castigo se atrevían muchos a delinquir, y que los pleitos civiles, por las muchas apelaciones, pruebas y tachas se hacían inmortales, y que los pobres, por no pasar tantas molestias y dilaciones, eran forzados a desamparar su justicia y perder su hacienda, porque para cobrar diez se gastaban treinta. Por ende tenían proveído que en cada pueblo hubiese juez que definitivamente sentenciase los pleitos que entre los vecinos se levantasen, salvo los que se ofrecían entre una provincia y otra

sobre los pastos o sobre los términos, para los cuales enviaba el Inca
juez particular, como adelante diremos.

Cualquiera de los caporales inferiores o superiores que se descuidaba en hacer bien el oficio de
procurador incurría en pena y era
castigado por ello más o menos
rigurosamente, conforme a la necesidad que con su negligencia había
dejado de socorrer. Y el que dejaba
de acusar el delito del súbdito, aunque fuese holgar un día solo sin
bastante causa, hacía suyo el delito
ajeno, y se castigaba por dos cul-
pas, una por no haber hecho bien
su oficio y otra por el pecado ajeno, que por haberlo callado lo había
hecho suyo. Y como cada uno, hecho caporal, como súbdito tenía
fiscal que velaba sobre él, procuraba con todo cuidado y diligencia
hacer bien su oficio y cumplir con
su obligación. Y de aquí nacía que
no había vagabundos ni holgazanes,
ni nadie osaba hacer cosa que no
debiese, porque tenía el acusador
cerca y el castigo era riguroso, que,
por la mayor parte era de muerte, por liviano que fuese el delito,
porque decían que no los castigaban por el delito que habían hecho
ni por la ofensa ajena, sino por
haber quebrantado el mandamiento
y rompido la palabra del Inca, que
lo respetaban como a Dios. Y aunque el ofendido se apartase de la
querella o no la hubiese dado, sino
que procediese la justicia de oficio
o por la vía ordinaria de los fis-
cales o caporales, le daban la pena
entera que la ley mandaba dar a
cada delito, conforme a su calidad,
o de muerte o de azotes o destierro u otros semejantes.

Al hijo de familias castigaban por
el delito que cometía, como a todos
los demás, conforme a la gravedad
de su culpa, aunque no fuese sino
la que llaman travesuras de muchachos. Respetaban la edad que
tenía para quitar o añadir de la

pena, conforme a su inocencia; y
al padre castigaban ásperamente por
no haber doctrinado y corregido
su hijo desde la niñez para que no
saliera travieso y de malas costumbres. Estaba a cargo del decurión
acusar al hijo, de cualquier delito,
también como el padre, por lo cual
criaban los hijos con tanto cuidado
de que no anduviesen haciendo travesuras ni desvergüenzas por las
calles ni por los campos, que, además de la natural condición blanda
que los indios tienen, salían los muchachos, por la doctrina de los padres, tan domésticos que de ellos a
unos corderos mansos no había
diferencia.

XIII. DE ALGUNAS LEYES QUE LOS INCAS TUVIERON EN SU GOBIERNO

Nunca tuvieron pena pecuniaria
ni confiscación de bienes, porque
decían que castigar en la hacienda
y dejar vivos los delincuentes no
era desear quitar los malos de la
república, sino la hacienda a los
malhechores y dejarlos con más
libertad para que hiciesen mayores
males. Si algún curaca se rebelaba
(que era lo que más rigurosamente
castigaban los Incas) o hacía otro
delito que mereciese pena de muerte, aunque se la diesen no quitaban
el estado al sucesor, sino que se lo
daban representándole la culpa y la
pena de su padre, para que se guardase de otro tanto. Pedro Cieza de
León dice de los Incas a este propósito lo que sigue, capítulo veinte y uno:

Y tuvieron otro aviso para no ser
aborrecidos de los naturales, que
nunca quitaron el señorío de ser
caciques a los que le venían de
herencia y eran naturales. Y si
por ventura alguno cometía delito
o se hallaba culpado en tal manera
que mereciese ser desprivado del
señorío que tenía, daban y enco-

mendaban el cacicazgo a sus hijos
o hermanos y mandaban que fuesen obedecidos por todos...

Hasta aquí es de Pedro Cieza.
Lo mismo guardaban en la guerra,
que nunca descomponían los capitanes naturales de las provincias de
donde era la gente que traían para
la guerra: dejábanles con los oficios, aunque fuesen maeses de campo, y dábanles otros de la sangre
real por superiores, y los capitanes
holgaban mucho de servir como tenientes de los Incas, cuyos miembros decían que eran, siendo ministros y soldados suyos, lo cual
tomaban los vasallos por grandísimo
favor. No podía el juez arbitrar
sobre la pena que la ley mandaba
dar, sino que la había de ejecutar
por entero, so pena de muerte por
quebrantador del mandamiento real.
Decían que dando licencia al juez
para poder arbitrar, disminuían la
majestad de la ley, hecha por el
Rey de acuerdo y parecer de hombres tan graves y experimentados
como los había en el Consejo, la
cual experiencia y gravedad faltaba
en los jueces particulares, y que
era hacer venales los jueces y abrirles puerta para que, o por cohechos
o por ruegos, pudiesen comprarles
la justicia, de donde nacería grandísima confusión en la república,
porque cada juez haría lo que quisiese y que no era razón que nadie
se hiciese legislador sino ejecutor
de lo que mandaba la ley, por rigurosa que fuese. Cierto, mirado
el rigor que aquellas leyes tenían,
que por la mayor parte (por liviano que fuese el delito, como hemos
dicho) era la pena de muerte, se
puede decir que eran leyes de bárbaros; empero, considerado bien el
provecho que de aquel mismo rigor
se le seguía a la república, se podría
decir que eran leyes de gente prudente que deseaba extirpar los
males de su república, porque de
ejecutarse la pena de la ley con

tanta severidad y de amar los hombres naturalmente la vida y aborrecer la muerte, venían a aborrecer
el delito que la causaba, y de aquí
nacía que apenas se ofrecía en todo
el año delito qué castigar en todo el Imperio del Inca, porque
todo él, con ser mil y trescientas
leguas de largo y haber tanta variedad de naciones y lenguas, se
gobernaba por unas mismas leyes
y ordenanzas, como si no fuera
más de una sola casa. Valía también mucho, para que aquellas leyes
las guardasen con amor y respeto,
que las tenían por divinas, porque,
como en su vana creencia tenían a
sus reyes por hijos del Sol y al
Sol por su Dios, tenían por mandamiento divino cualquiera común
mandato del Rey, cuanto más leyes
particulares que hacía para el bien
común. Y así decían ellos que el
Sol las mandaba hacer y las revelaba a su hijo el Inca, y de aquí
nacía tenerse por sacrílego y ana-
tema el quebrantador de la ley,
aunque no se supiese su delito. Y
acaeció muchas veces que los tales
delincuentes, acusados de su propia
conciencia, venían a publicar ante
la justicia sus ocultos pecados, porque demás de creer que su ánima
se condenaba, creían por muy averiguado que por su causa y por su
pecado venían los males a la república, como enfermedades, muertes
y malos años y otra cualquiera
desgracia común o particular, y
decían que querían aplacar a su
Dios con su muerte para que por
su pecado no enviase más males
al mundo. Y de estas confesiones
públicas entiendo que ha nacido el
querer afirmar los españoles historiadores que confesaban los indios
del Perú en secreto, como hacemos
los cristianos, y que tenían confesores diputados, lo cual es relación
falsa de los indios, que lo dicen por
adular los españoles y congraciarse
con ellos respondiendo a las preguntas que les hacen conforme al

gusto que sienten en el que les pregunta, y no conforme a la verdad. Que cierto no hubo confesiones secretas en los indios (hablo de los del Perú y no me entremeto en otras naciones, reinos o provincias que no conozco) sino las confesiones públicas que hemos dicho, pidiendo castigo ejemplar.

No tuvieron apelaciones de un tribunal para otro en cualquier pleito que hubiese, civil o criminal, porque, no pudiendo arbitrar el juez, se ejecutaba llanamente en la primera sentencia la ley que trataba de aquel caso, y se fenecía el pleito, aunque, según el gobierno de aquellos Reyes y la vivienda de sus vasallos, pocos casos civiles se les ofrecían sobre qué pleitear. En cada pueblo había juez para los casos que allí se ofreciesen, el cual era obligado a ejecutar la ley en oyendo las partes, dentro de cinco días. Si se ofrecía algún caso de más calidad o atrocidad que los ordinarios, que requiriese juez superior, iban al pueblo metrópoli de la tal provincia y allí sentenciaban, que en cada cabeza de provincia había gobernador superior para todo lo que se ofreciese, porque ningún pleiteante saliese de su pueblo o de su provincia a pedir justicia. Porque los Reyes Incas entendieron bien que a los pobres, por su pobreza, no les estaba bien seguir su justicia fuera de su tierra ni en muchos tribunales, por los gastos que se hacen y molestias que se padecen, que muchas veces monta más esto que lo que van a pedir, por lo cual dejan perecer su justicia, principalmente si pleitean contra ricos y poderosos, los cuales, con su pujanza, ahogan la justicia de los pobres. Pues queriendo aquellos Príncipes remediar estos inconvenientes, no dieron lugar a que los jueces arbitrasen ni hubiese muchos tribunales ni los pleiteantes saliesen de sus provincias. De las sentencias que los jue-

ces ordinarios daban en los pleitos hacían relación cada luna a otros jueces superiores y aquéllos a otros más superiores, que los había en la corte de muchos grados, conforme a la calidad y gravedad de los negocios, porque en todos los ministerios de la república había orden de menores y mayores hasta los supremos, que eran los presidentes o visorreyes de las cuatro partes del Imperio. La relación era para que viesen si se había administrado recta justicia, porque los jueces inferiores no se descuidasen de hacerla, y, no la habiendo hecho, eran castigados rigurosamente. Esto era como residencia secreta que les tomaban cada mes. La manera de dar estos avisos al Inca y a los de su Consejo Supremo era por nudos dados en cordoncillos de diversos colores, que por ellos se entendían como por cifras. Porque los nudos de tales y tales colores decían los delitos que se habían castigado, y ciertos hilillos de diferentes colores que iban asidos a los cordones más gruesos decían la pena que se había dado y la ley que se había ejecutado. Y de esta manera se entendían, porque no tuvieron letras, y adelante haremos capítulo aparte donde se dará más larga relación de la manera del contar que tuvieron por estos nudos, que, cierto, muchas veces ha causado admiración a los españoles ver que los mayores contadores de ellos yerren en su aritmética y que los indios estén tan ciertos en las suyas de particiones y compañías, que cuanto más dificultosas, tanto más fáciles se muestran, porque los que las manejan no entienden en otra cosa de día y de noche y así están diestrísimos en ellas.

Si se levantaba alguna disensión entre dos reinos y provincias sobre los términos o sobre los pastos, enviaba el Inca un juez de los de sangre real, que, habiéndose informado y visto por sus ojos lo que a ambas partes convenía, procurase concertarlas, y el concierto que se hiciese diese por sentencia en nombre del Inca, que quedase por ley inviolable, como pronunciada por el mismo Rey. Cuando el juez no podía concertar las partes, daba relación al Inca de lo que había hecho, con aviso de lo que convenía a cada una de las partes y de lo que ellas dificultaban, con lo cual daba el Inca la sentencia hecha ley, y cuando no le satisfacía la relación del juez, mandaba se suspendiese el pleito hasta la primera vista que hiciese de aquel distrito, para que, habiéndolo visto por sus ojos, lo sentenciase él mismo. Esto tenían los vasallos por grandísima merced y favor del Inca.

XIV. LOS RECURSOS DABAN CUENTA DE LOS QUE NACÍAN Y MORÍAN

Volviendo a los caporales o decuriones, decimos que, demás de los dos oficios que habían de protector y fiscal, tenían cuidado de dar cuenta a sus superiores, de grado en grado, de los que morían y nacían cada mes de ambos sexos, y por consiguiente, al fin de cada año, se la daba al Rey de los que habían muerto y nacido en aquel año y de los que habían ido a la guerra y muerto en ella. La misma ley y orden había en la guerra, de los cabos de escuadra, alférez, capitanes y maeses de campo y el general, subiendo de grado en grado: hacían los mismos oficios de acusador y protector con sus soldados, y de aquí nacía andar tan ajustados en la mayor furia de la guerra como en la tranquilidad de la paz y en medio de la corte. Nunca permitieron saquear los pueblos que ganaban, aunque los ganasen por fuerza de armas. Decían los indios que por el mucho cui-

dado que había de castigar los primeros delitos, se excusaban los segundos y terceros y los infinitos que en cada república se hacían donde no había diligencia de arrancar la mala yerba en asomando a nacer, y que no era buen gobierno ni deseo de atajar males aguardar que hubiese quejosos para castigar los malhechores, que muchos ofendidos no querían quejar por no publicar sus infamias y que aguardaban a vengarse por sus manos, de lo cual nacían grandes escándalos en la república, los cuales se excusaban con velar la justicia sobre cada vecino y castigar los delitos de oficio, sin guardar parte quejosa.

Llamaban a estos decuriones por el número de sus decurias: a los primeros llamaban Chunca Camayu, que quiere decir el que tiene cargo de diez, nombre compuesto de *chunca*, que es diez, y de *camayu*, el que tiene cargo, y por el semejante con los demás números, que por excusar prolijidad no los decimos todos en la misma lengua, que para los curiosos fuera cosa agradable ver dos y tres números puestos en multiplicación, compuestos con el nombre *camayu*, el cual nombre sirve también en otras muchas significaciones, recibiendo composición con otro nombre o verbo que signifique de qué es el cargo, y el mismo nombre *chunca camayu*, en otra significación, quiere decir perpetuo tahúr, el que trae los naipes en la capilla de la capa, como dice el refrán, porque llaman *chunca*, a cualquier juego, porque todos se cuentan por números; y porque los números van a parar al deceno, tomaron el número diez por el juego, y para decir juguemos dicen *chuncásum*, que en rigor de propia significación se sirven aquellos indios de un mismo vocablo, por lo cual es muy dificultoso alcanzar de raíz las propiedades de aquel lenguaje.

Por la vía de estos decuriones sabía el Inca y sus virreyes y gobernadores de cada provincia y reino cuántos vasallos había en cada pueblo, para repartir sin agravio las contribuciones de las obras públicas que en común estaban obligados a hacer por sus provincias, como puentes, caminos, calzadas y los edificios reales y otros servicios semejantes, y también para enviar gente a la guerra, así soldados como bagajeros. Si alguno se volvía de la guerra sin licencia, lo acusaba su capitán o su alférez o su cabo de escuadra, y en su pueblo su decurión, y era castigado con pena de muerte por la traición y alevosía de haber desamparado en la guerra a sus compañeros y parientes y a su capitán, y últimamente al Inca o al general que representaba su persona. Para otro efecto, sin el de las contribuciones y el repartimiento de la gente de guerra, mandaba el Inca que se supiese cada año el número de los vasallos que de todas edades habían en cada provincia y en cada pueblo, y que también se supiese la esterilidad o abundancia de la tal provincia, lo cual era para que estuviese sabida y prevenida la cantidad de bastimento que era menester para socorrerlos en años estériles y altos de cosecha, y también para saber la cantidad de lana y de algodón necesaria para darles de vestir a sus tiempos, como en otra parte diremos. Todo lo cual mandaba el Inca que estuviese sabido y prevenido para cuando fuese menester, porque no hubiese dilación en el socorro de los vasallos cuando tuviesen necesidad. Por este cuidado tan anticipado que los Incas en el beneficio de sus vasallos tenían, dice muchas veces el Padre Blas Valera que en ninguna manera los debían llamar Reyes, sino muy prudentes y diligentes tutores de pupilos. Y los indios,

por decirlo todo en una palabra, les llamaban amador de pobres.

Para que los gobernadores y jueces no se descuidasen en sus oficios, ni cualesquiera otros ministros menores, ni los de la hacienda del Sol o del Inca en los suyos, había veedores y pesquisidores que de secreto andaban en sus distritos viendo o pesquisando lo que mal hacían los tales oficiales, y daban cuenta de ello a los superiores a quien tocaba el castigo de sus inferiores para que lo castigasen: Llamábanse *Túcuy ricoc,* que quiere decir el que lo mira todo. Estos oficiales y cualesquiera otros que tocaban al gobierno de la república o al ministerio de la hacienda real o cualquiera otro ministerio, todos eran subordinados de mayores a menores porque nadie se descuidase de su oficio. Cualquiera juez o gobernador u otro ministro inferior que se hallase no haber guardado justicia en su judicatura o que hubiese hecho cualquiera otro delito, era castigado más rigurosamente que cualquiera otro común en igual delito, y tanto más rigurosamente cuanto más superior era su ministerio, porque decían que no se podía sufrir que el que había sido escogido para hacer justicia hiciese maldad, ni que hiciese delitos el que estaba puesto para castigarlos, que era ofender al Sol y al Inca que le había elegido para que fuese mejor que todos sus súbditos

XV. NIEGAN LOS INDIOS HABER HECHO DELITO NINGÚN INCA DE LA SANGRE REAL

No se halla, o ellos lo niegan, que hayan castigado ninguno de los Incas de la sangre real, a lo menos en público: decían los indios que nunca hicieron delito que mereciese castigo público ni ejemplar, porque la doctrina de sus padres y el ejemplo de sus mayores y la voz común que eran hijos del Sol, nacidos para enseñar y hacer bien a los demás, los tenían tan refrenados y ajustados, que más eran dechado de la república que escándalo de ella; decían con esto que también les faltaban las ocasiones que suelen ser causa de delitos, como pasión de mujeres o codicia de hacienda o deseo de venganza, porque si deseaban mujeres hermosas les era lícito tener todas las que quisiesen, y cualquiera moza hermosa que apeteciesen y enviasen a pedirla a su padre sabía el Inca que no solamente no se la había de negar, mas que se la habían de dar con grandísimo hacimiento de gracias de que hubiese querido abajarse a tomarla por manceba o criada. Lo mismo era en la hacienda, que nunca tuvieron falta de ella para tomar la ajena ni dejarse cohechar por necesidad, porque dondequiera que se hallaban, con cargo de gobierno o sin él, tenían a su mandar toda la hacienda del Sol y del Inca como gobernadores de ellos. Y si no lo eran, estaban obligados los gobernadores y las justicias a darle de la una o de la otra todo lo que habían menester, porque decían que, por ser hijos del Sol y hermanos del Inca, tenían en aquella hacienda la parte que hubiesen menester. También les faltaba ocasión para matar o herir a nadie por vía de venganza o enojo, porque nadie les podía ofender, antes eran adorados en segundo lugar después de la persona real, y si alguno, por gran señor que fuese, enojase algún Inca, era hacer sacrilegio y ofender la misma persona real, por lo cual era castigado muy gravemente.

Pero también se puede afirmar que nunca se vio indio castigado por haber ofendido en la persona, honra ni hacienda a algún Inca, porque no se halló tal, porque los tenían por dioses; como tampoco se halló haber sido castigado Inca alguno por sus delitos, que lo uno cotejan con lo otro, que no quieren confesar los indios haber hecho ofensa a los Incas ni que los Incas tuviesen hecho grave delito, antes se escandalizan de que se lo pregunten los españoles. Y de aquí ha nacido entre los españoles historiadores decir uno de ellos que tenían hecha ley que por ningún crimen muriese Inca alguno. Fuera escándalo para los indios tal ley, que dijeran les daban licencia para que hicieran cuantos males quisieran, y que hacían una ley para sí y otra para los otros. Antes lo degraduaran y relajaran de la sangre real y castigaran con más severidad y rigor, porque siendo Inca se había hecho Auca, que es tirano, traidor, fementido.

Hablando Pedro Cieza de León de la justicia de los Incas, capítulo cuarenta y cuatro, acerca de la milicia, dice: "Y si hacían en la comarca de la tierra algunos insultos y latrocinios, eran luego con gran rigor castigados, mostrándose en esto tan justicieros los señores Incas, que no dejaban de mandar ejecutar el castigo, aunque fuese en sus propios hijos", etcétera. Y en el capítulo sesenta, hablando de la misma justicia, dice: "Y por el consiguiente, si alguno de los que con él iban de una parte a otra era osado de entrar en las sementeras o casas de los indios. aunque el daño que hiciesen no fuese mucho, mandaba que fuese muerto", etcétera. Lo cual dice aquel autor sin hacer distinción de Incas a no Incas, porque sus leyes eran generales para todos. Preciarse de ser hijos del Sol era lo que más los obligaba a ser buenos, por avejentarse a los demás, así en la bondad como en la sangre, para que creyesen los indios que lo uno y lo otro les venía de herencia. Y así lo creyeron, y con tanta certidumbre, según la opinión de ellos, que cuando algún español hablaba loando alguna cosa de las que los Reyes o algún pariente de ellos hubiese hecho, respondían los indios: "No te espantes, que eran Incas". Y si por el contrario vituperaba alguna cosa mal hecha, decían: "No creas que Inca alguno hizo tal, y si la hizo, no era Inca, sino algún bastardo echadizo", como dijeron de Atahualpa por la traición que hizo a su hermano Huáscar Inca, legítimo heredero, como diremos en su lugar más largamente.

Para cada distrito de los cuatro en que dividieron su Imperio tenía el Inca consejos de guerra, de justicia, de hacienda. Estos consejos tenían para cada ministerio sus ministros, subordinados de mayores a menores, hasta los últimos, que eran los decuriones de a diez, los cuales de grado en grado daban cuenta de todo lo que en el Imperio había, hasta llegar a los consejos supremos. Había cuatro visorreyes, de cada distrito el suyo: eran presidentes de los consejos de su distrito; recibían en suma la razón de todo lo que pasaba en el reino, para dar cuenta de ello al Inca; eran inmediatos a él y supremos gobernadores de sus distritos. Habían de ser Incas legítimos en sangre, experimentados en paz y en guerra. Estos cuatro, y no más, eran del consejo de estado, a los cuales daba el Inca orden de lo que se había de hacer en paz o en guerra, y ellos a sus ministros de grado en grado, hasta los últimos. Y esto baste por ahora de las leyes y gobiernos de los Incas. Adelante, en el discurso de sus vidas y hechos, iremos entretejiendo las cosas que hubiese más notables.

XVI. LA VIDA Y HECHOS DE SINCHI ROCA, SEGUNDO REY DE LOS INCAS

A Manco Cápac Inca sucedió su hijo Sinchi Roca: el nombre propio fue Roca (con la pronunciación de r sencilla); en la lengua general del Perú no tiene significación de cosa alguna; en la particular de los Incas la tendrá, aunque yo no la sé. El Padre Blas Valera dice que Roca significa Príncipe prudente y maduro, mas no dice en qué lengua; advierte la pronunciación blanda de la r, también como nosotros. Dícelo contando las excelencias de Inca Roca, que adelante veremos. Sinchi es adjetivo: quiere decir valiente, porque dicen que fue de valeroso ánimo y de muchas fuerzas, aunque no las ejercitó en la guerra, que no la tuvo con nadie. Mas en luchar, correr y saltar, tirar una piedra y una lanza, y en cualquiera otro ejercicio de fuerzas, hacía ventaja a todos los de su tiempo.

Este Príncipe, habiendo cumplido con la solemnidad de las exequias de su padre y tomando la corona de su reino, que era la borla colorada, propuso de aumentar su señorío, para lo cual hizo llamamiento de los más principales curacas que su padre le dejó, y a todos juntos les hizo una plática larga y solemne, y entre otras cosas les dijo que en cumplimiento de lo que su padre, cuando se quiso volver al cielo, le dejó mandado, que era la conversión de los indios al conocimiento y adoración del Sol, tenía propuesto de salir a convocar las naciones comarcanas; que les mandaba y encargaba tomasen el mismo cuidado, pues teniendo el nombre Inca como su propio Rey, tenían la misma obligación de acudir al servicio del Sol, padre común de todos ellos, y al provecho y beneficio de sus comarcanos, que tanta necesidad tenían de que los sacasen

de las bestialidades y torpezas en
que vivían; y pues en sí propios
podían mostrar las ventajas y mejora que al presente tenían, diferente de la vida pasada, antes de
la venida del Inca, su padre, le
ayudasen a reducir aquellos bárbaros, para que, viendo los beneficios
que en ellos se había hecho, acudiesen con más facilidad a recibir
otros semejantes.

Los curacas respondieron que
estaban prestos y apercibidos para
obedecer a su Rey hasta entrar en
el fuego por su amor y servicio.
Con esto acabaron su plática y
señalaron el día para salir. Llegado
el tiempo, salió el Inca, bien acompañado de los suyos, y fue hacia
Collasuyu, que es al mediodía de
la ciudad del Cuzco. Convocaron
a los indios, persuadiéndoles con
buenas palabras, con el ejemplo, a
que se sometiesen al vasallaje y
señorío del Inca y a la adoración
del Sol. Los indios de las naciones
Puchina y Canchi, que confinan
por aquellos términos, simplicísimos
de su natural condición y facilísimos a creer cualquiera novedad,
como lo son todos los indios, viendo el ejemplo de los reducidos,
que es lo que más les convence en
toda cosa, fueron fáciles de obedecer al Inca y someterse a su
Imperio. Y en espacio de los años
que vivió, poco a poco, de la manera que se ha dicho, sin armas
ni otro suceso que sea de contar,
ensanchó sus términos por aquella
banda hasta el pueblo que llaman
Chuncara, que son veinte leguas
adelante de lo que su padre dejó
ganado, con muchos pueblos que
hay a una mano y a otra del camino. En todos ellos hizo lo que
su padre en los que redujo, que fue
cultivarles las tierras y los ánimos
para la vida moral y natural, persuadiéndoles que dejasen sus ídolos
y las malas costumbres que tenían,
y que adorasen al Sol, guardasen

sus leyes y preceptos, que eran los
que había revelado y declarado al
Inca Manco Cápac. Los indios le
obedecieron, y cumplieron todo
lo que se les mandó y vinieron
muy contentos con el nuevo gobierno del Inca Sinchi Roca, el
cual, a imitación de su padre, hizo
todo lo que pudo en beneficio de
ellos, con mucho regalo y amor.

Algunos indios quieren decir que
este Inca no ganó más de hasta
Chuncara, y parece que bastaba
para la poca posibilidad que entonces los Incas tenían. Empero
otros dicen que pasó mucho más
adelante, y ganó otros muchos pueblos y naciones que van por el
camino de Umasuyu, que son Cán-
calla, Cacha, Rurucachi, Asillu,
Asáncaru, Huancani, hasta el pueblo llamado Pucara de Umasuyu,
a diferencia de otro que hay en
Orcosuyu. Nombrar las provincias
tan en particular es para los del
Perú, que para los de otros reinos
fuera impertinencia: perdóneseme,
que deseo servir a todos. *Pucara*
quiere decir fortaleza; dicen que
aquélla mandó labrar este Príncipe
para que quedase por frontera de
lo que había ganado, y que a la
parte de los Antis ganó hasta el
río llamado Callahuaya (donde se
cría el oro finísimo que pretende
pasar de los veinticuatro quilates
de su ley) y que ganó los demás
pueblos que hay entre Callahuaya
y el camino real de Umasuyu, donde están los pueblos arriba nombrados. Que sea como dicen los
primeros o como afirman los segundos hace poco el caso, que lo
ganase el segundo Inca o el tercero, lo cierto es que ellos los
ganaron, y no con pujanza de
armas, sino con persuasiones y
promesas y demostraciones de lo
que prometían. Y por haberse ganado sin guerra, no se ofrece qué
decir de aquella conquista más de
que duró muchos años, aunque no
se sabe precisamente cuántos, ni

los que reinó el Inca Sinchi Roca:
quieren decir que fueron treinta
años. Gastólos a semejanza de un
buen hortelano, que habiendo puesto una planta, la cultiva de todas
las maneras que le son necesarias
para que lleve el fruto deseado. Así
lo hizo este Inca con todo cuidado
y diligencia, y vio y gozó en mucha
paz y quietud la cosecha de su trabajo, que los vasallos le salieron
muy leales y agradecidos de los
beneficios que con sus leyes y ordenanzas les hizo, las cuales abrazaron con mucho amor y guardaron
con mucha veneración, como mandamientos de su Dios el Sol, que
así les hacía entender que lo eran.

Habiendo vivido el Inca Sanchi
Roca muchos años en la quietud
y bonanza que se ha dicho, falleció
diciendo que se iba a descansar
con su padre el Sol de los trabajos
que había pasado en reducir los
hombres a su conocimiento. Dejó
por sucesor a Lloque Yupanqui, su
hijo legítimo y de su legítima mujer y hermana Mama Cora, o Mama
Ocllo, según otros. Sin el príncipe
heredero, dejó otros hijos en su
mujer y en las concubinas de
su sangre, sobrinas suyas, cuyos
hijos llamaremos legítimos en sangre. Dejó asimismo otro gran número de hijos bastardos en las concubinas alienígenas, de las cuales
tuvo muchas, porque quedasen muchos hijos e hijas para que creciese
la generación y casta del Sol, como
ellos decían.

XVII. LLOQUE YUPANQUI, REY
TERCERO, Y LA SIGNIFICACIÓN
DE SU NOMBRE

El Inca Lloque Yupanqui fue
el tercero de los Reyes del Perú;
su nombre propio fue Lloque: quiere decir izquierdo; la falta que sus
ayos tuvieron en criarle, por do
salió zurdo, le dieron por nombre

propio. El nombre Yupanqui fue
nombre impuesto por sus virtudes
y hazañas. Y para que se vean
algunas maneras de hablar que los
indios del Perú en su lengua general
tuvieron, es de saber que esta dicción Yupanqui es verbo, y habla
de la segunda persona del futuro
imperfecto del indicativo modo, número singular, y quiere decir contarás, y con sólo el verbo, dicho
así absolutamente, encierran y ci-
fran todo lo que de un Príncipe
se puede contar en buena parte,
como decir contarás sus grandes hazañas, sus excelentes virtudes, su
clemencia, piedad y mansedumbre,
etcétera, que es frasis y elegancia
de la lengua decirlo así. La cual,
como se ha dicho, es muy corta
en vocablos, empero muy significativa en ellos mismos, y decir así
los indios un nombre o verbo impuesto a sus Reyes era para comprender todo lo que debajo de tal
verbo o nombre se puede decir,
como dijimos del nombre Cápac
que quiere decir rico, no de hacienda, sino de todas las virtudes
que un Rey bueno puede tener. Y
no usaban de esta manera de hablar
con otros, por grandes señores que
fuesen, sino con sus Reyes, por no
hacer común lo que aplicaban a
sus Incas, que lo tenían por sacrilegio, y parece que semejan estos
nombres al nombre Augusto, que
los romanos dieron a Octaviano
César por sus virtudes, que, dícho-
selo a otro que no sea Emperador
o gran Rey, pierde toda la majestad
que en sí tiene.

A quien dijere que también significara contar maldades, pues el
verbo contar se puede aplicar a
ambas significaciones de bueno y
de malo, digo que en aquel lenguaje, hablando en estas sus elegan-
cias, no toman un mismo verbo
para significar por él lo bueno
y lo malo, sino sola una parte, y
para la contraria toman otro verbo,
de contraria significación, apropiado

a las maldades del Príncipe, como (en el propósito que hablamos) decir Huacanqui, que, hablando del mismo modo, tiempo, número y persona, quiere decir llorarás sus crueldades hechas en público y secreto, con veneno y con cuchillo, su insaciable avaricia, su general profano, y todo lo demás que se puede llorar de un mal Príncipe. Y porque dicen que no tuvieron qué llorar de sus Incas, usaron del verbo *huacanqui* hablando de los enamorados en el mismo frasis, dando a entender que llorarán las pasiones y tormentos que el amor suele causar en los amantes. Estos dos nombres, Cápac y Yupanqui, en las significaciones que de ellos hemos dicho, se los dieron los indios a otros tres de sus Reyes por merecerlos, como adelante veremos. También los han tomado muchos de la sangre real, haciendo sobrenombre. el nombre propio que a los Incas dieron, como han hecho en España los del apellido Manuel, que, habiendo sido nombre propio de un Infante de Castilla, se ha hecho sobrenombre en sus descendientes.

XVIII. DOS CONQUISTAS QUE HIZO EL INCA LLOQUE YUPANQUI

Habiendo tomado el Inca Lloque Yupanqui la posesión de su reino y visitándolo por su persona, propuso extender sus límites, para lo cual mandó levantar seis. o siete mil hombres de guerra para ir a su reducción con más poder y autoridad que sus pasados, porque había más de sesenta años que eran Reyes, y le pareció no remitirlo todo al ruego y a la persuasión, sino que las armas y la potencia hiciesen su parte, a lo menos con los duros y pertinaces. Nombró dos tíos suyos que fuesen por maeses de campo y eligió otros pa-

rientes que fueron por capitanes y consejeros, y dejando el camino de Umasuyu, que su padre había llevado en su conquista, tomó el de Orcosuyu. Estos dos caminos se apartan en Chuncara y van por el distrito llamado Collasuyu y abrazan la gran laguna Titicaca.

Luego que el Inca salió de su distrito, entró en una gran provincia llamada Cana, envió mensajeros a los naturales con requerimiento que se redujesen a la obediencia y servicio del hijo del Sol, dejando sus vanos y malos sacrificios y bestiales costumbres. Los Canas quisieron informarse de espacio de todo lo que el Inca les enviaba a mandar, y qué leyes había de tomar y cuáles dioses habían de adorar. Y después de haberlo sabido, respondieron que eran contentos de adorar al Sol y obedecer al Inca y guardar sus leyes y costumbres, porque les parecían mejores que las suyas. Y así salieron a recibir al Rey y se entregaron por vasallos obedientes. El Inca, dejando ministros, así para que los instruyesen en su idolatría como para el cultivar y repartir las tierras, pasó adelante hasta la nación y pueblo llamado Ayauiri. Los naturales estuvieron tan duros y rebeldes que ni aprovecharon persuasiones ni promesas ni el ejemplo de los demás indios reducidos, sino que obstinadamente quisieron morir todos defendiendo su libertad, bien en contra de lo que hasta entonces había sucedido a los Incas. Y así salieron a pelear con ellos sin querer oír razones. y obligaron a los Incas a tomar las armas, para defenderse, más que para ofenderles. Pelearon mucho espacio y hubo muertos de ambas partes, y, sin reconocerse la victoria, se recogieron en su pueblo, donde se fortalecieron lo mejor que pudieron y cada día salían a pelear con los del Inca. El cual, por usar de lo que sus pasados le dejaron mandado, se excusaba todo

lo que podía por no venir a las
manos con los enemigos; antes,
como si él fuera cercado y no cer-
cador, sufría las desvergüenzas de
los bárbaros y mandaba a los suyos
que atendiesen a apretarlos en el
cerco (si fuese posible), sin llegar
a las manos. Mas los de Ayauiri,
tomando ánimo de la benignidad
del Inca y atribuyéndola a cobardía, se mostraban de día en día
más duros y sin reducirse y más
feroces en la pelea, y llegaban hasta
entrarse por los reales del Inca.
En estas escaramuzas y reencuentros siempre llevaban los cercados
lo peor.

El Inca, porque las demás naciones no tomasen el mal ejemplo
y se desvergonzasen a tomar las
armas, quiso castigar aquellos pertinaces. Envió por más gente, más
para mostrar su poder que por necesidad que tuviese de ella, y entre
tanto apretó a los enemigos por
todas partes, que no los dejaban
salir por cosa alguna que hubiesen
menester, de que ellos se afligieron
mucho, y mucho más de que les
iba faltando la comida. Tentaron
la ventura a ver si la hallaban en
sus brazos; pelearon un día feroci-
simamente. Los del Inca resistieron
con mucho valor; hubo muchos
muertos y heridos de ambas partes.
Los de Ayauiri escaparon tan mal
parados de esta batalla, que no
osaron salir más a pelear. Los Incas no quisieron degollarlos, que
bien pudieran; empero con el cerco
los apretaron porque se rindiesen
de suyo. Entre tanto llegó la gente
que el Inca había pedido, con la
cual acabaron de desmayar los enemigos y tuvieron por bien de rendirse. El Inca los recibió a discreción, sin partido alguno, y, después
de haberles mandado dar una grave
represión de que hubiesen desaca-
tado al hijo del Sol, los perdonó,
y mandó que los tratasen bien, sin
atender a la pertinacia que habían
tenido. Y dejando ministros que

los doctrinasen y mirasen por la
hacienda que se había de aplicar
para el Sol y para el Inca, pasó
adelante al pueblo que hoy llaman
Pucara, que es fortaleza, la cual
mandó hacer para defensa y frontera de lo que había ganado, y
también porque se defendió este
pueblo y fue menester ganarlo a
fuerza de armas, por lo cual hizo
la fortaleza, porque el sitio era dis-
puesto para ella, donde dejó buena
guarnición de gente. Hecho esto
se fue al Cuzco, donde fue recibido
con gran fiesta y regocijo.

XIX. LA CONQUISTA DE HATUN COLLA Y LOS BLASONES DE LOS COLLAS

Pasados algunos años, aunque
pocos, volvió el Inca Lloque Yupanqui a la conquista y reducción
de los indios, que estos Incas, como
desde sus principios hubiesen echado fama que el Sol los había enviado a la Tierra para que sacasen
los hombres de la vida ferina que
tenían y les enseñasen la política,
sustentando esta opinión tomaron
por principal blasón el reducir los
indios a su Imperio, encubriendo su
ambición con decir que lo mandaba el Sol. Con este achaque mandó el Inca aprestar ocho o nueve
mil hombres de guerra, y, habiendo
elegido consejeros y oficiales para
el ejército, salió por el distrito de
Collasuyu y caminó hasta su fortaleza llamada Pucara, donde fue
después el desbarate de Francisco
Hernández Girón en la batalla que
llamaron de Pucara. De allí envió
sus mensajeros a Paucarcolla y a
Hatuncolla, por quien tomó nombre el distrito llamado Collasuyu
(es una provincia grandísima que
contiene en sí muchas provincias y
naciones debajo de este nombre
Colla). Requirióles como a los
pasados y que no resistiesen como

los de Ayauiri, que los había castigado el Sol con mortandad y hambre porque habían osado tomar las armas contra sus hijos, que lo mismo haría de ellos si cayesen en el propio error. Los Collas tomaron su acuerdo juntándose los más principales en Hatun Colla, que quiere decir Colla la Grande, y pareciéndoles que la plaga pasada de Ayauiri y Pucara había sido castigo del cielo, queriendo escarmentar en cabeza ajena respondieron al Inca que eran muy contentos de ser sus vasallos y adorar al Sol y abrazar sus leyes y ordenanzas y guardarlas. Dada esta respuesta, salieron a recibirle con mucha fiesta y solemnidad, con cantares y aclamaciones inventadas nuevamente para mostrar sus ánimos.

El Inca recibió con mucho aplauso los curacas y les hizo mercedes de ropa de vestir de su propia persona y les dio otras dádivas que estimaron en mucho, y después, el tiempo adelante, él y sus descendientes favorecieron y honraron mucho estos dos pueblos, particularmente a Hatun Colla, por el servicio que le hicieron en recibirle con ostentación de amor, que siempre los Incas se mostraron muy favorables y agradecidos de semejantes servicios y lo encomendaban a los sucesores, y así ennoblecieron, el tiempo adelante, aquel pueblo con grandes y hermosos edificios, demás del templo del Sol y casa de las vírgenes que en él fundaron, cosa que los indios tanto estimaban.

Los Collas son muchas y diversas naciones, y así se jactan descender de diversas cosas. Unos dicen que sus primeros padres salieron de la gran laguna Titicaca; teníanla por madre, y antes de los Incas la adoraban entre sus muchos dioses, y en las riberas de ella le ofrecían sus sacrificios. Otros se precian venir de una gran fuente, de la cual afirman que salió el primer

antecesor de ellos. Otros tienen por blasón haber salido sus mayores de unas cuevas y resquicios de peñas grandes, y tenían aquellos lugares por sagrados, y a sus tiempos los visitaban con sacrificios en reconocimiento de hijos a padres. Otros se preciaban de haber salido el primero de ellos de un río: teníanle en gran veneración y reverencia como a padre; tenían por sacrilegio matar el pescado de aquel río, porque decían que eran sus hermanos. De esta manera tenían otras muchas fábulas acerca de su origen y principio, y por el semejante tenían muchos y diferentes dioses, como se les antojaba, unos por un respecto y otros por otro. Solamente en un Dios se conformaron los Collas, que igualmente le adoraron todos y lo tuvieron por su principal dios, y era un carnero blanco, porque fueron señores de infinito ganado. Decían que el primer carnero que hubo en el mundo alto (que así llaman al cielo) había tenido más cuidado de ellos que no de los demás indios, y que los amaba más, pues había producido y dejado más generación en la tierra de los Collas que en otra alguna de todo el mundo. Decían esto aquellos indios porque en todo el Collao se cría más y mejor ganado de aquel su ganado natural que en todo el Perú, por el cual beneficio adoraban los Collas al carnero y le ofrecían corderos y sebo en sacrificio, y entre su ganado tenían en mucha más estima a los carneros que eran del todo blancos, porque decían que los que asemejaban más a su primer padre tenían más deidad. Demás de esta burlería consentían en muchas provincias del Collao una grande infamia, y era que las mujeres, antes de casarse, podían ser cuan malas quisiesen de sus personas, y las más disolutas se casaban más aína, como que fuese mayor calidad haber sido malísima. Todo lo cual quitaron los Reyes Incas, principalmente los dioses, persuadiéndolos que solamente el Sol merecía ser adorado por su hermosura y excelencia, y que él creaba y sustentaba todas aquellas cosas que ellos adoraban por dioses. En los blasones que los indios tenían de su origen y descendencia, no les contradecían los Incas, porque, como ellos se preciaban descender del Sol, se holgaban que hubiese muchas semejantes fábulas porque la suya fuese más fácil de creer.

Puesto asiento en el gobierno de aquellos pueblos principales, así para su vana religión como para la hacienda del Sol y del Inca, se volvió al Cuzco, que no quiso pasar adelante en su conquista, porque estos Incas siempre tuvieron por mejor ir ganando poco a poco y poniéndolo en orden y razón para que los vasallos gustasen de la suavidad del gobierno y convidasen a los comarcanos a someterse a él que no abrazar de una vez muchas tierras, que fuera causar escándalo y mostrarse tiranos, ambiciosos y codiciosos.

XX. LA GRAN PROVINCIA CHUCUITU SE REDUCE DE PAZ. HACEN LO MISMO OTRAS MUCHAS PROVINCIAS

El Inca fue recibido en el Cuzco con mucha fiesta y regocijo, donde paró algunos años, entendiendo en el gobierno y común beneficio de sus vasallos. Después le pareció visitar todo su reino por el contento que los indios recibían de ver al Inca en sus tierras, y porque los ministros no se descuidasen en sus cargos y oficios por la ausencia del Rey. Acabada la visita, mandó levantar gente para llevar adelante la conquista pasada. Salió con diez mil hombres de guerra; llevó capitanes escogidos; llegó a Hatun Colla y a los confines de Chucuitu,

provincia famosa, de mucha gente, que, por ser tan principal, la dieron al Emperador en el repartimiento que los españoles hicieron de aquella tierra, a la cual y a sus pueblos comarcanos envió los requerimientos acostumbrados, que adorasen y tuviesen por Dios al Sol. Los de Chucuitu, aunque eran poderosos y sus pasados habían sujetado algunos pueblos de su comarca, no quisieron resistir al Inca; antes respondieron que le obedecían con todo amor y voluntad, porque era hijo del Sol, de cuya clemencia y mansedumbre estaban aficionados, y querían ser sus vasallos por gozar de sus beneficios.

El Inca los recibió con la afabilidad acostumbrada y les hizo mercedes y regalos con dádivas que entre los indios se estimaban en mucho y, viendo el buen suceso que en su conquista había tenido, envió los mismos requerimientos a los demás pueblos comarcanos, hasta el desaguadero de la gran laguna Titicaca, los cuales todos, con el ejemplo de Hatun Colla y de Chucuitu, obedecieron llanamente al Inca, que los más principales fueron Hillaui, Chulli, Pumata, Cipita, y no contamos en particular lo que hubo en cada pueblo de demandas y respuestas porque todas fueron a semejanza de lo que hasta aquí se ha dicho, y por no repetirlo tantas veces lo decimos en suma. También quieren decir que tardó el Inca muchos años en conquistar y sujetar estos pueblos, mas en la manera del ganarlos no difieren nada, y así va poco o nada hacer caso de lo que no importa.

Habiendo pacificado aquellos pueblos, despidió su ejército, dejando consigo la gente de guarda necesaria para su persona y los ministros para la enseñanza de los indios. Quiso asistir personalmente a todas estas cosas, así por darles calor como por favorecer aquellos pueblos y provincias con su presencia, que eran principales y de importancia para lo de adelante. Los curacas y todos sus vasallos se favorecieron de que el Inca quisiese pasar entre ellos un invierno, que para los indios era el mayor favor que se les podía hacer, y el Inca los trató con mucha afabilidad y caricias, inventando cada día nuevos favores y reglas, porque veía por experiencia (sin la doctrina de sus pasados) cuánto importaba la mansedumbre y el beneficio y el hacerse querer para atraer los extraños a su obediencia y servicio. Los indios pregonaban por todas partes las excelencias de su Príncipe, diciendo que era verdadero hijo del Sol.

Entre tanto que el Inca estaba en el Collao, mandó apercibir para el verano siguiente diez mil hombres de guerra. Venido el tiempo y recogida la gente, eligió cuatro meses de campo; y por general envió un hermano suyo, que no saben decir los indios cómo se llamaba, al cual mandó, que con parecer y consejo de aquellos capitanes, procediese en la conquista que le mandaba hacer, y a todos cinco dio orden y expreso mandato que en ninguna manera llegasen a rompimiento de batalla con los indios que no quisiesen reducirse por bien, sino que, a imitación de sus pasados, los atrajesen por caricias y beneficios, mostrándose en todo padres piadosos antes que capitanes belicosos. Mandóles que fuesen al poniente de donde estaban, a la provincia llamada Hurin Pacasa, y redujesen los indios que por allí hallasen. El general y sus capitanes fueron como se les mandó, y, con próspera fortuna, redujeron los naturales que hallaron en espacio de veinte leguas que hay hasta la falda de la cordillera y Sierra Nevada que divide la costa de la sierra. Los indios fueron fáciles de reducir, porque eran behetrías y gente suelta, sin orden, ley ni policía;

vivían a semejanza de bestias, gobernaban los que más podían con tiranía y soberbia; y por estas causas fueron fáciles de sujetar, y los más de ellos como gente simple, vinieron de suyo a la fama de las maravillas que se contaban de los Incas, hijos del Sol.

Tardaron en esta reducción casi tres años, porque se gastaba más tiempo en doctrinarlos, según eran brutos, que en sujetarlos. Acabada la conquista y dejados los ministros necesarios para el gobierno y los capitanes y gente de guerra para presidio y defensa de lo que se había conquistado, se volvió el general y sus cuatro capitanes a dar cuenta al Inca de lo que dejaban hecho. El cual, entre tanto que duró aquella conquista, se había ocupado en visitar su reino, procurando ilustrarle de todas maneras con aumentar las tierras de labor: mandó sacar nuevas acequias y hacer edificios necesarios para el provecho de los indios; como depósito, puentes y caminos, para que las provincias se comunicasen unas con otras. Llegado el general y los capitanes ante el Inca, fueron muy bien recibidos y gratificados de sus trabajos, y con ellos se volvió a su corte con propósito de cesar de las conquistas, porque le pareció haber ensanchado harto su Imperio, que norte sur ganó más de cuarenta leguas de tierra y leste hueste más de veinte hasta el pie de la sierra y cordillera nevada que divide los llanos de la sierra: estos dos nombres son impuestos por los españoles.

En el Cuzco fue recibido con grande alegría de toda la ciudad, que por su afable condición, mansedumbre y liberalidad, era amado en extremo. Gastó lo que le quedó de la vida en quietud y reposo, ocupado en el beneficio de sus vasallos, haciendo justicia. Envió dos veces a visitar el reino al príncipe heredero llamado Maita Cápac, acompañado de hombres viejos y experimentados, para que conociese los vasallos y se ejercitase en el gobierno de ellos. Cuando se sintió cercano a la muerte, llamó a sus hijos, y entre ellos al príncipe heredero, y en lugar de testamento les encomendó el beneficio de los vasallos, la guarda de las leyes y ordenanzas que sus pasados, por orden de su Dios y padre el Sol, les había dejado, y que en todo les mandaba hiciesen como hijos del Sol. A los capitanes Incas y a los demás curacas, que eran señores de vasallos, encomendó el cuidado de los pobres, la obediencia de su Rey. A lo último les dijo que se quedasen en paz, que su padre el Sol le llamaba para que descansase de los trabajos pasados. Dichas estas cosas y otras semejantes, murió el Inca Lloque Yupanqui. Dejó muchos hijos e hijas de las concubinas, aunque de su mujer legítima, que se llamó Mama Cahua, no dejó hijo varón más de al príncipe heredero Maita Cápac y dos o tres hijas. Fue llorado Lloque Yupanqui en todo su reino con gran dolor y sentimiento, que por sus virtudes era muy amado. Pusiéronle en el número de sus Dioses, hijos del Sol, y así le adoraron como a uno de ellos.

Y porque la historia no canse tanto hablando siempre de una misma cosa, será bien entretejer entre las vidas de los Reyes Incas algunas de sus costumbres, que serán agradables de oír que no las guerras y conquistas, hechas casi todas de una misma suerte. Por tanto digamos algo de las ciencias que los Incas alcanzaron.

XXI. LAS CIENCIAS CUE LOS INCAS ALCANZARON. TRÁTASE PRIMERO DE LA ASTROLOGÍA

La Astrología y la Filosofía natural que los Incas alcanzaron fue muy poca, porque, como no tuvieron letras, aunque entre ellos hubo hombres de buenos ingenios que llamaron amautas, que filosofaron cosas sutiles, como muchas que en su república platicaron, no pudieron dejarlas escritas para que los sucesores las llevaran adelante, perecieron con los mismos inventores. Y así quedaron cortos en todas ciencias o no las tuvieron, sino algunos principios rastreados con la lumbre natural, y ésos dejaron señalados con señales toscas y groseras para que las gentes las viesen y notasen. Diremos de cada cosa lo que tuvieron. La Filosofía moral alcanzaron bien, y en práctica la dejaron escrita en sus leyes, vida y costumbres, como en el discurso se verá por ellas mismas. Ayudábales para esto la ley natural que deseaban guardar y la experiencia que hallaban en las buenas costumbres, y, conforme a ella, iban cultivando de día en día en su república.

De la Filosofía natural alcanzaron poco o nada, porque no trataron de ella. Que como para su vida simple y rastrear los secretos de naturaleza, pasábanse sin saberlos ni procurarlos. Y así no tuvieron ninguna práctica de ella, ni aun de las calidades de los elementos, para decir que la tierra es fría y seca y el fuego caliente y seco, sino era por la experiencia de que les calentaba y quemaba, mas no por vía de ciencia de filosofía; solamente alcanzaron la virtud de algunas yerbas y plantas medicinales con que se curaban en sus enfermedades, como diremos de algunos cuando tratemos de su medicina. Pero eso lo alcanzarán más por experiencia (ensañados de su necesidad), que no por su filosofía natural, porque fueran poco especulativos de lo que no tocaban con las manos.

De la Astrología tuvieron alguna más práctica que la de la Filosofía natural, porque tuvieron más iniciativas que les despertaron a la especulación de ella, como fue el Sol y la Luna y el movimiento vario del planeta Venus, que unas veces la veían ir delante del Sol y otras en pos de él. Por el semejante veían la Luna crecer y menguar, ya perdida de vista en la conjunción, a la cual llaman muerte de la Luna, porque no la veían en los tres días de ella. También el Sol los incitaba a que mirasen en él, que unos tiempos se les apartaba y otros se les allegaba; que unos días eran mayores que las noches y otros menores y otros iguales, las cuales cosas los movieron a mirar en ellos, y las miraron tan materialmente que no pasaron de la vista.

Admirábanse de los efectos, pero no procuraban buscar las causas, y así no trataron si había muchos cielos o no más de uno, no imaginaron que había más de uno. No supieron de qué se causaba el crecer y menguar de la Luna ni los movimientos de los demás planetas, ya apresurados, ya espaciosos, ni tuvieron cuenta más de con los tres planetas nombrados, por el grandor, resplandor y hermosura de ellos; no miraron en los otros cuatro planetas. De los signos no hubo imaginación, y menos de sus influencias. Al Sol llamaron *Inti*, a la Luna *Quilla* y al lucero Venus *chasca*, que es crinita o crespa, por sus muchos rayos. Miraron en las siete cabrillas por verlas tan juntas y por la diferencia que hay de ellas a las otras estrellas, que les causaba admiración, mas no por otro respecto. Y no miraron en más estrellas porque, no teniendo necesidad forzosa, no sabían a qué propósito mirar en ellas, ni tuvieron más nombres de estrellas en particular que los dos que hemos dicho. En común las llamaron *cóillur*, que quiere decir estrella.

XXII. ALCANZARON LA CUENTA DEL AÑO Y LOS SOLSTICIOS Y EQUINOCCIOS

Mas con toda su rusticidad, alcanzaron los Incas que el movimiento del Sol se acababa en un año, al cual llamaron *huata*: es nombre y quiere decir año, y la misma dicción, sin mudar pronunciación ni acento, en otra significación es verbo y significa atar. La gente común contaba los años por las cosechas. Alcanzaron también los solsticios del verano y del invierno, los cuales dejaron escritos con señales grandes y notorias, que fueron ocho torres que labraron al oriente y otras ocho al poniente de la ciudad del Cuzco, puestas de cuatro en cuatro, dos pequeñas de a tres estados poco más o menos de alto en medio de otras dos grandes: las pequeñas estaban dieciocho o veinte pies la una de la otra; a los lados, otro tanto espacio, estaban las otras dos torres grandes, que eran mucho mayores que las que en España servían de atalayas, y éstas grandes servían de guardar y dar viso para que descubriesen mejor las torres pequeñas. El espacio que entre las pequeñas había, por donde el Sol pasaba al salir y al ponerse, era el punto de los solsticios; las unas torres del oriente correspondían a las otras del poniente del solsticio vernal o hiemal.

Para verificar el solsticio se ponía un Inca en cierto puesto al salir el Sol y al ponerse, y miraba a ver si salía y se ponía por entre las dos torres pequeñas que estaban al oriente y al poniente. Y con este trabajo se certificaban en la Astrología de sus solsticios. Pedro Cieza, capítulo noventa y dos, hace mención de estas torres; el Padre Acosta también trata de ellas, libro sexto, capítulo tercero, aunque no les dan su punto. Escribiéronlos con letras tan groseras porque no supieron fijarlos con los días de los meses en que son los solsticios, porque contaron los meses por lunas, como luego diremos, y no por días, y aunque dieron a cada año doce lunas, como el año solar exceda al año lunar común de once días, no sabiendo ajustar el un año con el otro, tenían cuenta con el movimiento del Sol por los solsticios, para ajustar el año y contarlo, y no con las lunas. Y de esta manera dividían el un año del otro rigiéndose para sus sembrados por el año solar, y no por el lunar. Y aunque haya quien diga que ajustaban el año solar con el año lunar, le engañaron en la relación, porque, si supieran ajustarlos, fijaran los solsticios en los días de los meses que son y no tuvieran necesidad de hacer torres por mojoneras para mirarlos y ajustarlos por ellas con tanto trabajo y cuidado como cada día tenían, mirando el salir del Sol y el ponerse por derecho de las torres; las cuales dejé en pie el año de mil y quinientos y sesenta, y si después acá no las han derribado, se podría verificar por ellas el lugar de donde miraban los Incas los solsticios, a ver si era de una torre que estaba en la casa del Sol y de otro lugar, que yo no lo pongo por no estar certificado de él.

También alcanzaron los equinoccios y los solemnizaron muy mucho. En el de marzo segaban los maizales del Cuzco con gran fiesta y regocijo, particularmente el andén de Collcampata, que era como jardín del Sol. En el equinoccio de septiembre hacían una de las cuatro fiestas principales del Sol, que llamaban Citua Raimi, r sencilla: quiere decir fiesta principal: celebrábase como en su lugar diremos. Para verificar el equinoccio tenían columnas de piedra riquísimamente labradas, puestas en los patios o plazas que había ante los templos del Sol. Los sacerdotes, cuando sentían que el equinoccio estaba cerca, tenían cuidado de mirar cada día la sombra que la columna hacía. Te-

nían las columnas puestas en el centro de un cerco redondo muy grande, que tomaba todo el ancho de la plaza o del patio. Por medio del cerco echaban por hilo, de oriente a poniente, una raya, que por larga experiencia sabían dónde había de poner el un punto y el otro. Por la sombra que la columna hacía sobre la raya veían que el equinoccio se iba acercando; y cuando la sombra tomaba la raya de medio a medio desde que salía el Sol hasta que se ponía y que a medio día bañaba la luz del Sol toda la columna en derredor, sin hacer sombra a parte alguna, decían que aquel día era el equinoccial. Entonces adornaban las columnas con todas las flores y yerbas olorosas que podían haber, y ponían sobre ellas la silla del Sol, y decían que aquel día se asentaba el Sol con toda su luz, de lleno en lleno, sobre aquellas columnas. Por lo cual en particular adornaban al Sol aquel día con mayores ostentaciones de fiesta y regocijo, y le hacían grandes presentes de oro y plata y piedras preciosas y otras cosas de estima.

Y es de notar que los Reyes Incas y sus amautas que eran los filósofos, así como iban ganando las provincias, así iban experimentando que, cuanto más se acercaban a la línea equinoccial, tanto menos sombra hacía la columna que estaba más cerca de la ciudad de Quito; y sobre todas las otras estimaron las que pusieron en la misma ciudad y en su paraje, hasta la costa de la mar, donde, por estar el Sol a plomo (como dicen los albañiles), no había señal de sombra alguna a mediodía. Por esta razón las tuvieron en mayor veneración, porque decían que aquéllas eran asiento más agradable para el Sol, porque en ellas se asentaba derechamente y en las otras de lado. Estas simplezas y otras semejantes dijeron aquellas gentes en su Astrología, porque no pasaron con la imaginación más

adelante de lo que veían materialmente con los ojos. Las columnas
de Quito y de toda aquella región
derribó el gobernador Sebastián de
Belalcázar muy acertadamente y las
hizo pedazos, porque idolatraban los
indios en ellas. Las demás que por
todo el reino había fueron derribando los demás capitanes españoles como las fueron hallando.

XXIII. TUVIERON CUENTA CON LOS
ECLIPSES DEL SOL, Y LO QUE HACÍAN
CON LOS DE LA LUNA

Contaron los meses por lunas, de
una luna nueva a otra, y así llaman al mes *quilla*, también como
a la Luna. Dieron su nombre a cada
mes; contaron los medios meses por
la creciente y menguante de ella;
contaron las semanas por los cuartos, aunque no tuvieron nombres
para los días de la semana. Tuvieron cuenta con los eclipses del Sol
y de la Luna, mas no alcanzaron
las causas. Decían al eclipse solar
que el Sol estaba enojado por algún
delito que habían hecho contra él,
pues mostraba su cara tubada como
hombre airado, y pronosticaban (a
semejanza de los astrólogos) que
les había de venir algún grave castigo. Al eclipse de la Luna, viéndola ir negreciendo, decían que enfermaba la Luna y que si acababa de
oscurecer se había de morir y caer-
se del cielo y cogerlos a todos debajo y matarlos, y que se había de
acabar el mundo. Por este miedo,
en empezando a eclipsarse la Luna,
tocaban trompetas, cornetas, caracoles y atabales y atambres y cuantos instrumentos podían haber que
hiciesen ruido; ataban los perros
grandes y chicos, dábanles muchos
palos para que aullasen y llamasen
la Luna, que, por cierta fábula que
ellos contaban, decían que la Luna
era aficionada a los perros, por cierto servicio que le habían hecho, y

que, oyéndolos llorar, habría lástima de ellos y recordaría del sueño
que la enfermedad le causaba.

Para las manchas de la Luna decían otra fábula más simple que la
de los perros, que aun aquélla se
podía añadir a las que la gentilidad antigua inventó y compuso a
su Diana, haciéndola cazadora. Mas
la que sigue es bestialísima. Dicen
que una zorra se enamoró de la
Luna viéndola tan hermosa, y que,
por visitarla, subió al cielo, y cuando quiso echar mano de ella, la
Luna se abrazó con la zorra y
la pegó a sí, y que de esto se le hicieron las manchas. Por esta fábula tan simple y tan desordenada se
podrá ver la simplicidad de aquella gente. Mandaban a los muchachos y niños que llorasen y diesen
grandes voces y gritos llamándola
Mama Quilla, que es madre Luna,
rogándole que no se muriese, porque no pereciesen todos. Los hombres y las mujeres hacían lo mismo.
Había un ruido y una confusión tan
grande que no se puede encarecer.

Conforme al eclipse grande o pequeño, juzgaban que había sido la
enfermedad de la Luna. Pero si llegaba a ser total, ya no había que
juzgar sino que estaba muerta, y por
momentos temían el caer la Luna
y el perecer de ellos; entonces era
más de veras el llorar y plañir, como
gente que veía al ojo la muerte de
todos y acabarse el mundo. Cuando
veían que la Luna iba poco a poco
volviendo a cobrar su luz, decían
que convalecía de su enfermedad,
porque el Pachacámac, que era el
sustentador del universo, le había
dado salud y mandándole que no
muriese, porque no pereciese el mundo. Y cuando acababa de estar del
todo claro, le daban la norabuena
de su salud y muchas gracias porque no se había caído. Todo esto de
la Luna vi por mis ojos. Al día llamaron *punchau* y a la noche *tuta*,
al amanecer *pacari*; tuvieron nombres para significar el alba y las

demás partes del día y de la noche, como medianoche y mediodía.a.

Tuvieron cuenta con el relámpago, trueno y rayo, y a todos tres en junto llamaron *illapa;* no los adoraron por dioses, sino que los honraban y estimaban por criados del Sol; tuvieron que residían en el aire, mas no en el cielo. El mismo acatamiento hicieron al arco del cielo, por la hermosura de sus colores y porque alcanzaron que procedía del Sol, y los Reyes Incas lo pusieron en sus armas y divisa. En la casa del Sol dieron aposento de por sí a cada cosa de éstas, como en su lugar diremos. En la vía que los astrólogos llaman láctea, en unas manchas negras que van por ella a la larga, quisieron imaginar que había una figura de oveja con su cuerpo entero, que estaba amamantando un cordero. A mí me la querían mostrar, diciendo: "Ves allí la cabeza de la oveja, ves acullá la del cordero mamando, ves el cuerpo, brazos y piernas del uno y del otro". Mas yo no veía las figuras, sino las manchas, y debía de ser por no saberlas imaginar.

Empero no hacían caudal de aquellas figuras para su Astrología, más de quererlas pintar imaginándolas, ni echaban juicios ni pronósticos ordinarios por señales del Sol ni de la Luna ni de los cometas, sino para cosas muy raras y muy grandes, como muertes de Reyes o destrucción de reinos y provincias; adelante en sus lugares diremos de algunos cometas, si llegamos allá. Para las cosas comunes más aína hacían sus pronósticos y juicios de los sueños que soñaban y de los sacrificios que hacían, que no de las estrellas ni señales del aire. Y es cosa espantosa oír lo que decían y pronosticaban por los sueños, que, por no escandalizar al vulgo, no digo lo que en esto pudiéramos contar. Acerca de la estrella Venus, que unas veces la veían al anochecer y otras al amanecer, decían que el Sol, como se-

ñor de todas las estrellas, mandaba que aquélla, por ser más hermosa que todas las demás, anduviese cerca de él, unas veces delante y otras atrás.

Cuando el Sol se ponia, viéndole trasponer por la mar (porque todo el Perú a la larga tiene la mar al poniente), decían que entraba en ella, y que con su fuego y calor secaba gran parte de las aguas de la mar, y que, como un gran nadador, daba una zambullida por debajo de la tierra para salir otro día al oriente, dando a entender que la tierra está sobre el agua. Del ponerse la Luna ni de las otras estrellas no dijeron nada. Todas estas boberías tuvieron en su Astrología los Incas, de donde se podrá ver cuán poco alcanzaron de ella, y baste esto de la Astrología de ellos. Digamos la medicina que usaban en sus enfermedades.

XXIV. LA MEDICINA QUE ALCANZARON Y LA MANERA DE CURARSE

Es así que atinaron que era cosa provechosa, y aun necesaria, la evacuación por sangría y purga, y, por ende, se sangraban de brazos y piernas, sin saber aplicar las sangrías ni la disposición de las venas para tal o tal enfermedad, sino que abrían la que estaba más cerca del dolor que padecían. Cuando sentían mucho dolor de cabeza, se sangraban de la junta de las cejas, encima de las narices. La lanceta era una punta de pedernal que ponían en un palillo hendido y lo ataban porque no se cayese, y aquella punta ponían sobre la vena y encima le daban un papirote, y así abrían la vena con menos dolor que con las lancetas comunes. Para aplicar las purgas tampoco supieron conocer los humores por la orina, ni miraban en ella, ni supieron qué cosa era cólera, ni flema, ni melancolía.

Purgábanse de ordinario cuando se sentían apesgados y cargados, y era en salud más que en enfermedad. Tomaban (sin otras yerbas que tienen para purgarse) unas raíces blancas que son como nabos pequeños. Dicen que de aquellas raíces hay macho y hembra; toman tanto de una como de otra, en cantidad de dos onzas, poco más o menos, y, molida, la dan en agua o en el brebaje que ellos beben, y habiéndola tomado, se echan al sol para que su calor ayude a obrar. Pasada una hora o poco más, se sienten tan descoyuntados que no se pueden tener. Semejan a los que se marean cuando nuevamente entran en la mar; la cabeza siente grandes vaguidos y desvanecimientos; parece que por los brazos y piernas, venas y nervios y por todas las coyunturas del cuerpo andan hormigas; la evacuación casi siempre es por ambas vías de vómitos y cámaras. Mientras ella dura, está el paciente totalmente descoyuntado y mareado, de manera que quien no tuviere experiencia de los efectos de aquella raíz entenderá que se muere el purgado. No gusta de comer ni de beber, echa de sí cuantos humores tiene; a vueltas salen lombrices y gusanos y cuantas sabandijas allá dentro se crían. Acabada la obra, queda con tan buen aliento y tanta gana de comer que se comerá cuanto le dieren. A mí me purgaron dos veces por un dolor de estómago que en diversos tiempos tuve, y experimenté todo lo que he dicho.

Estas purgas y sangrías mandaban hacer los más experimentados en ellas. particularmente viejas (como acá las parteras) y grandes herbolarios. que los hubo muy famosos en tiempo de los Incas, que conocían la virtud de muchas yerbas y por tradición las enseñaban a sus hijos. y éstos eran tenidos por médicos. y no para curar a todos, sino a los Reyes y a los de su sangre

y a los curacas y a sus parientes. La gente común se curaban unos a otros por lo que habían oído de medicamentos. A los niños de teta, cuando los sentían con alguna indisposición, particularmente si el mal era de calentura, los lavaban con orines por las mañanas para envolverlos, y, cuando podían haber de los orines del niño, le daban a beber algún trago. Cuando al nacer de los niños les cortaban el ombligo, dejaban la tripilla larga como un dedo, la cual después se le caía, guardaban con grandísimo cuidado y se la daban a chupar al niño en cualquiera indisposición que le sentían y para certificarse de la indisposición, le miraban la pala de la lengua, y, si la veían desblanquecida, decían que estaba enferma y entonces le daban la tripilla para que la chupase. Había de ser la propia, porque la ajena decían que no le aprovechaba.

Los secretos naturales de estas cosas ni me las dijeron ni yo las pregunté, mas de que las vi hacer. No supieron tomar el pulso y menos mirar la orina; la calentura conocían por el demasiado calor del cuerpo. Sus purgas y sangrías más eran en pie que después de caídos. Cuando se habían rendido a la enfermedad no hacían medicamento alguno; dejaban obrar la naturaleza y guardaban su dieta. No alcanzaron el uso común de la medicina que llaman purgadera, que es cristel, ni supieron aplicar emplastos ni unciones, sino muy pocas y de cosas muy comunes. La gente común y pobre se había en sus enfermedades poco menos que bestias. Al frío de la terciana o cuartana llaman *chucchu*, que es temblar; a la calentura llaman *rupa*, r sencilla, que es quemarse. Temían mucho estas tales enfermedades por los extremos, ya de frío, ya de calor.

XXV. LAS YERBAS MEDICINALES QUE ALCANZARON

Alcanzaron la virtud de la leche y resina de un árbol que llaman *mulli* y los españoles *molle*. Es cosa de grande admiración el efecto que hace en las heridas frescas, que parece obra sobrenatural. La yerba o mata que llaman *chillca*, calentada en una cazuela de barro, hace maravillosos efectos en las coyunturas donde ha entrado frío, y en los caballos desortijados de pie o mano. Una raíz, como raíz de grama, aunque mucho más gruesa, y los nudos más menudos y espesos, que no me acuerdo cómo la llamaban, servía para fortificar y encarnar los dientes y muelas. Asábanla al rescoldo y, cuando estaba asada, muy caliente, la partían a la larga con los dientes, y así hirviendo, ponían la una mitad en la una encía y la otra mitad en la otra, y allí la dejaban estar hasta que se enfriaba, y de esta manera andaban por todas las encías con gran pena del paciente, porque se le asaba la boca. El mismo paciente se pone la raíz, y hace todo el medicamento; hácenlo a prima noche; otro día amanecen las encías blancas como carne escaldada, y por dos o tres días no pueden comer cosa que se haya de mascar, sino manjares de cuchara. Al cabo de ellos se les cae la carne quemada de las encías y se descubre otra debajo, muy colorada y muy linda. De esta manera les vi muchas veces renovar sus encías, y yo sin necesidad lo probé a hacer, mas por no poder sufrir el quemarme con el calor y fuego de las raíces, lo dejé.

De la yerba o planta que los españoles llaman *tabaco* y los indios *sairi*, usaron mucho para muchas cosas. Tomaban los polvos por las narices para descargar la cabeza. De las virtudes de esta planta han experimentado muchas en España, y así le llaman por renombre la *yerba santa*. Otra yerba alcanzaron admirabilísima para los ojos: llámanla *matecllu*. Nace en arroyos pequeños; es de pie, y sobre cada pie tiene una hoja redonda y no más. Es como la que en España llaman *oreja de abad*, que nace de invierno en los tejados; los indios la comen cruda y es de buen gusto, la cual mascada y el zumo echado a prima noche en los ojos enfermos, y la misma yerba mascada puesta como emplasto sobre los párpados de los ojos y encima una venda porque no se caiga la yerba, gasta en una noche cualquier nube que los ojos tengan y mitiga cualquier dolor o accidente que sientan.

Yo se la puse a un muchacho que tenía un ojo para saltarle del el casco. Estaba inflamado como un pimiento, sin divisarse lo blanco ni prieto del ojo, sino hecho una carne, y lo tenía ya medio caído sobre el carrillo, y la primera noche que le puse la yerba se restituyó el ojo a su lugar y la segunda quedó del todo sano y bueno. Después acá he visto el mozo en España y me ha dicho que ve más de aquel ojo que tuvo enfermo que del otro. A mí me dio noticia de ella un español que me juró se había visto totalmente ciego de nubes y que en dos noches cobró la vista mediante la virtud de la yerba. Dondequiera que la veía la abrazaba y besaba con grandísimo afecto y la ponía sobre los ojos y sobre la cabeza, en hacimiento de gracias del beneficio que mediante ella le había hecho Nuestro Señor en restituirle la vista. De otras muchas yerbas usaban los indios mis parientes, de las cuales no me acuerdo.

Esta fue la medicina que comúnmente alcanzaron los indios Incas del Perú, que fue usar de yerbas simples y no de medicinas compuestas, y no pasaron adelante. Y pues en cosas de tanta importancia como la salud estudiaron y supieron tan poco, de creer es que en cosas que les iba menos, como la Filosofía natural y la Astrología, supieron menos, y mucho menos de la Teología, porque no supieron levantar el entendimiento a cosas invisibles; toda la Teología de los Incas se encerró en el nombre de Pachacámac. Después acá los españoles han experimentado muchas cosas medicinales, principalmente del maíz, que llaman *zara*, y esto ha sido parte por el aviso que los indios les han dado de eso poco que alcanzaron de medicamentos y parte porque los mismos españoles han filosofado de lo que han visto, y así han hallado que el maíz, demás de ser mantenimiento de tanta sustancia, es de mucho provecho para el mal de riñones, dolor de ijada, pasión de piedra, retención de orina, dolor de la vejiga y del caño. Y esto le han sacado de ver que muy pocos indios o casi ninguno se halla que tenga estas pasiones, lo cual atribuyen a la común bebida de ellos, que es el brebaje del maíz, y así lo beben muchos españoles que tienen las semejantes enfermedades. También la aplican los indios en emplastos para otros muchos males.

XXVI. DE LA GEOMÉTRICA, GEOGRAFÍA, ARITMÉTICA Y MÚSICA QUE ALCANZARON

De la Geométrica supieron mucho porque les fue necesario para medir sus tierras, para las ajustar y partir entre ellos, mas esto fue materialmente, no por altura de grados ni por otra cuenta especulativa, sino por sus cordeles y piedricitas, por las cuales hacen sus cuentas y particiones, que, por no atreverme a darme a entender, dejaré de decir lo que supe de ellas.

De la Geografía supieron bien para pintar y hacer cada nación el modelo y dibujo de sus pueblos y provincias, que era lo que habían visto. No se metían en las ajenas: era extremo lo que en este particular hacían. Yo vi el modelo del Cuzco y parte de su comarca con sus cuatro caminos principales, hecho de barro y piedrezuelas y palillos, trazado por su cuenta y medida, con sus plazas chicas y grandes, con todas sus calles anchas y angostas, con sus barrios y casas, hasta las muy olvidadas, con los tres arroyos que por ella corren, que era admiración mirarlo.

Lo mismo era ver el campo con sus cerros altos y bajos, llanos y quebradas, ríos y arroyos, con sus vueltas y revueltas, que el mejor cosmógrafo del mundo no lo pudiera poner mejor. Hicieron este modelo para que lo viera un visitador que se llamaba Damián de la Bandera, que traía comisión de la Chancillería de Los Reyes para saber cuántos pueblos y cuántos indios había en el distrito del Cuzco; otros visitadores fueron a otras partes del reino a lo mismo. El modelo que digo que vi se hizo en Muina, que los españoles llaman Mohina, cinco leguas al sur de la ciudad del Cuzco; yo me hallé allí porque en aquella visita se visitaron parte de los pueblos e indios del repartimiento de Garcilaso de la Vega, mi señor.

De la Aritmética supieron mucho y por admirable manera, que por nudos dados en unos hilos de diversos colores daban cuenta de todo lo que en el reino del Inca había de tributos y contribuciones por cargo y descargo. Sumaban, restaban y multiplicaban por aquellos nudos, y, para saber lo que cabía a cada pueblo, hacían las particiones con granos de maíz y piedrezuelas, de manera que les salía cierta su cuenta. Y como para cada cosa de paz o de guerra, de vasallos, de tributos, ganados, leyes, ceremonias y todo lo demás de que se daba cuenta, tuviesen contadores de por sí y éstos estudiasen en sus ministerios y en sus cuentas, las daban con facilidad, porque la cuenta de cada cosa de aquéllas estaba en hilos y madejas de por sí como cuadernos sueltos y aunque un indio tuviese cargo (como contador mayor) de dos o tres o más cosas, las cuentas de cada cosa estaban de por sí. Adelante daremos más larga relación de la manera del contar y cómo se entendían por aquellos hilos y nudos.

De música alcanzaron algunas consecuencias, las cuales tenían los indios Collas, o de su distrito, en unos instrumentos hechos de cañutos de caña, cuatro o cinco cañutos atados a la par; cada cañuto tenía un punto más alto que el otro, a manera de órganos. Estos cañutos atados eran cuatro, diferentes unos de otros. Uno de ellos andaba en puntos bajos y otro en más altos y otro en más y más, como las cuatro voces naturales: tiple, tenor, contralto y contrabajo. Cuando un indio tocaba un cañuto, respondía el otro en consonancia de quinta o de otra cualquiera, y luego el otro en otra consonancia y el otro en otra, unas veces subiendo a los puntos altos y otras bajando a los bajos siempre en compás. No supieron echar glosa con puntos disminuidos; todos eran enteros de un compás. Los tañedores eran indios enseñados para dar música al Rey y a los señores vasallos, que, con ser tan rústica la música, no era común, sino que la aprendían y alcanzaban con su trabajo. Tuvieron flautas de cuatro o cinco puntos, como las de los pastores; no las tenían juntas en consonancia, sino cada una de por sí, porque no las supieron concertar. Por ellas tañían sus cantares, compuestos en verso medido, los cuales por la mayor parte eran de pasiones amorosas, ya de placer, ya de pesar, de favores o disfavores de la dama.

Cada canción tenía su tonada conocida por sí, y no podían decir dos canciones diferentes por una tonada. Y esto era porque el galán enamorado, dando música de noche con su flauta, por la tonada que tenía decía a la dama y a todo el mundo el contento o descontento de su ánimo, conforme al favor o disfavor que se le hacía. Y si se dieran dos cantares diferentes por una tonada, no se supiera cuál de ellos era el que quería decir el galán. De manera que se puede decir que hablaba por la flauta. Un español topó una noche a deshora en el Cuzco una india que él conocía, y queriendo volverla a su posada, le dijo la india:

—Señor, déjame ir donde voy; sábete que aquella flauta que oyes en aquel otero me llama con mucha pasión y ternura, de manera que me fuerza a ir allá. Déjame, por tu vida, que no puedo dejar de ir allá, que el amor me lleva arrastrando para que yo sea su mujer y él mi marido.

Las canciones que componían de sus guerras y hazañas no las tañían, porque no se habían de cantar a las damas ni dar cuenta de ellas por sus flautas. Cantábanlas en sus fiestas principales y en sus victorias y triunfos, en memoria de sus hechos hazañosos. Cuando yo salí del Perú, que fue el año de mil y quinientos y sesenta, dejé en el Cuzco cinco indios que tañían flautas diestrísimamente por cualquier libro de canto de órgano que les pusiesen delante: eran de Juan Rodríguez de Villalobos, vecino que fue de aquella ciudad. En estos tiempos, que es ya el año de mil y seiscientos y dos, me dicen que hay tantos indios tan diestros en música para tañer instrumentos que dondequiera se hallan muchos. De las voces no usaban los indios en mis tiempos porque no las tenían buenas —debía de ser la causa que, no sabiendo cantar, no las ejercitaban—, y por el contrario había muchos mestizos de muy buenas voces.

XXVII. LA POESÍA DE LOS INCAS AMAUTAS, QUE SON FILÓSOFOS, Y HARÁUICUS, QUE SON POETAS

No les faltó habilidad a los amautas, que eran los filósofos, para componer comedias y tragedias, que en días y fiestas solemnes representaban delante de sus Reyes y de los señores que asistían en la corte. Los representantes no eran viles, sino Incas y gente noble, hijos de curacas y los mismos curacas y capitanes, hasta maeses de campo, porque los autos de las tragedias se representaban al propio, cuyos argumentos siempre eran de hechos militares, de triunfos y victorias, de las hazañas y grandezas de los Reyes pasados y de otros heroicos varones. Los argumentos de las comedias eran de agricultura, de hacienda, de los casos caseros y familiares. Los representantes, luego que se acababa la comedia, se sentaban en sus lugares conforme a su calidad y oficios. No hacían entremeses deshonestos, viles y bajos: todo era de cosas graves y honestas, con sentencias y donaires permitidos en tal lugar. A los que se aventajaban en la gracia del representar les daban joyas y favores de mucha estima.

De la poesía alcanzaron otra poca, porque supieron hacer versos cortos y largos, con medida de sílabas: en ellos ponían sus cantares amorosos con tonadas diferentes, como se ha dicho. También componían en verso las hazañas de sus Reyes y de otros famosos Incas y curacas principales, y los enseñaban a sus descendientes por tradición, para que se acordasen de los buenos hechos de sus pasados y los imitasen. Los versos eran pocos, porque la memoria los guardase; empero muy compendiosos, como cifras. No usaron de consonante en los versos; todos eran sueltos. Por la mayor parte semejaban a la natural compostura española que llaman redondillas. Una canción amorosa compuesta en cuatro versos me ofrece la memoria; por ellos se verá el artificio de la compostura y la significación abreviada, compendiosa, de lo que en su rusticidad querían decir. Los versos amorosos hacían cortos, porque fuesen más fáciles de tañer en la flauta. Holgara poner también la tonada en puntos de canto de órgano, para que se viera lo uno y lo otro, mas la impertinencia me excusa del trabajo.

La canción es la que sigue y su traducción en castellano:

Caylla llapi	*Al cántico*
Puñunqui	*Dormirás*
Chaupituta	*Media noche*
Samúsac	*Yo vendré*

Y más propiamente dijera: veniré, sin el pronombre yo, haciendo tres sílabas del verbo, como las hace el indio, que no nombra la persona, sino que la incluye en el verbo, por la medida del verso. Otras muchas maneras de versos alcanzaron los Incas poetas, a los cuales llamaban *haráuec*, que en propia significación quiere decir inventador. En los papeles del Padre Blas Valera hallé otros versos que él llamaba espondaicos: todos son de a cuatro sílabas, a diferencia de estotros que son de a cuatro y a tres. Escríbelos en indio y en latín; son en materia de Astrología. Los Incas poetas los compusieron filosofando las causas segundas que Dios puso en la región del aire, para los truenos, relámpagos y rayos, y para el granizar, nevar y llover, todo lo cual dan a entender en los versos, como se verá. Hiciéronlos conforme a una fábula que tuvieron, que es la que sigue: Dicen que el Hacedor puso en el cielo una doncella, hija de un Rey, que tiene un cántaro lleno de agua, para derramarla cuando la tierra la ha menester, y que un hermano de ella lo quiebra a sus tiempos, y que del golpe se causan los truenos, relámpagos y rayos. Dicen que el hombre los causa, porque son hechos de hombres feroces y no de mujeres tiernas. Dicen que el granizar, llover y nevar lo hace la doncella, porque son hechos de más suavidad y blandura y de tanto provecho. Dicen que un Inca poeta y astrólogo hizo y dijo los versos, loando las excelencias y virtudes de la dama, y que Dios se las había dado para que con ellas hiciese bien a las criaturas de la Tierra. La fábula y los versos, dice el Padre Blas Valera que halló en los nudos y cuentas de unos anales antiguos, que estaban en hilos de diversos colores, y que la tradición de los versos y de la fábula se la dijeron los indios contadores, que tenían cargo de los nudos y cuentas historiales, y que, admirado de que los amautas hubiesen alcanzado tanto, escribió los versos y los tomó de memoria para dar cuenta de ellos.

Yo me acuerdo haber oído esta fábula en mi niñez con otras muchas que me contaban mis parientes, pero, como niño y muchacho, no les pedí la significación, ni ellos me la dieron. Para los que no entienden indio ni latín me atreví a traducir los versos en castellano, arrimándome más a la significación de la lengua que mamé en la leche que no a la ajena latina, porque lo poco que de ella sé lo aprendí en el mayor fuego de las guerras de mi

tierra, entre armas y caballos, pólvora y arcabuces, de que supe más que de letras. El Padre Blas Valera imitó en su latín las cuatro sílabas del lenguaje indio en cada verso, y está muy bien imitado; yo salí de ellas porque en castellano no se pueden guardar, que, habiendo de declarar por entero la significación de las palabras indias, en unas son menester más sílabas y en otras menos. *Ñusta*, quiere decir doncella de sangre real, y no se interpreta con menos, que, para decir doncella de las comunes, dicen *tazque; china* llaman a la doncella muchacha de servicio. *Illapántac* es verbo; incluye en su significación la de tres verbos que son tronar, relampaguear y caer rayos, y así los puso en dos versos el Padre Maestro Blas Valera, porque el verso anterior, que es *Cunuñunun*, significa hacer estruendo, y no lo puso aquel autor por declarar las tres significaciones del verbo *illapántac. Unu* es agua, *para* es llover, *chichi* es granizar, *riti* nevar. *Pacha Cámac* quiere decir el que hace con el universo lo que el alma con el cuerpo. *Viracocha* es nombre de un dios moderno que adoraban, cuya historia veremos adelante muy a la larga. *Chura* quiere decir poner; *cama* es dar alma, vida, ser y sustancia. Conforme a esto diremos lo menos mal que supiéremos, sin salir de la propia significación del lenguaje indio. Los versos son los que se siguen, en las tres lenguas·

Zúmac ñusta	Pulchra Nimpha	*Hermosa doncella,*
Torallái quim	Frater tuus	*Aquese tu hermano*
Puiñuy quita	Urnam tuam	*Él tu cantarillo*
Páquir cayan	Nunc infringit	*Lo está quebrantando,*
Hina mántara	Cuius ictus	*Y de aquesta causa*
Cunuñunun	Tonat fulget	*Truena y relampaguea,*
Illapántac	Fulminatque	*También caen rayos.*
Camri ñusta	Sed tu Ninpha	*Tú, real doncella,*
Unuiquita	Tuam limphan	*Tus muy lindas aguas*
Para munqui	Fundens pluis	*Nos darás lloviendo;*
Mai ñimpiri	Interdumque	*También a las veces*

Chichi munqui	Grandinen, seu	*Granizar nos has,*
Riti munqui	Nivem mittis	*Nevarás asimesmo*
Pacha rúrac	Mundi factor	*El Hacedor del Mundo,*
Pacha cámac	Deus qui animat eum.	*El Dios que le anima,*
Viracocha	Viracocha	*El gran Viracocha,*
Cai hinápac	Ad hoc munus	*Para aqueste oficio*
Churasunqui	Te sufficit	*Ya te colocaron*
Camasunqui	Ac praefecit	*Y te dieron alma.*

Esto puse aquí por enriquecer mi pobre historia, porque cierto, sin lisonja alguna, se puede decir que todo lo que el Padre Blas Valera tenía escrito eran perlas y piedras preciosas. No mereció mi tierra verse adornada de ellas.

Díceme que en estos tiempos se dan mucho los mestizos a componer en indio estos versos, y otros de muchas maneras, así a lo divino como a lo humano. Dios les dé su gracia para que le sirvan en todo.

Tan tasada y tan cortamente como se ha visto sabían los Incas del Perú las ciencias que hemos dicho, aunque si tuvieran letras las pasaran adelante poco a poco, con la herencia de unos a otros, como hicieron los primeros filósofos y astrólogos. Sólo en la Filosofía moral se extremaron así en la enseñanza de ella como en usar las leyes y costumbres que guardaron, no sólo entre los vasallos, cómo se debían tratar unos a otros, conforme a ley natural, mas también cómo debían obedecer, servir y adorar al Rey y a los superiores y cómo debía el Rey gobernar y beneficiar a los curacas y a los demás vasallos y súbditos inferiores. En el ejercicio de esta ciencia se desvelaron tanto que ningún encarecimiento llega a ponerla en su punto, porque la experiencia de ella les hacía pasar adelante, perfeccionándola de día en día y de bien en mejor, la cual experiencia les faltó en las demás ciencias, porque no podían manejarlas tan materialmente como la moral ni ellos se daban a tanta especula-

ción como aquéllas requieren, porque se contentaban con la vida y ley natural, como gente que de su naturaleza era más inclinada a no hacer mal que a saber bien. Mas León, capítulo treinta y ocho, hablando de los Incas y de su gobierno, dice: "Hicieron tan grandes cosas y tuvieron tan buena gobernación que pocos en el mundo les hicieron ventaja", etcétera. Y el Padre Maestro Acosta, libro sexto, capítulo primero, dice lo que se sigue en favor de los Incas y de los mexicanos:

Habiendo tratado lo que toca a la religión que usaban los indios, pretendo en este libro escribir sus costumbres y policía y gobierno para dos fines. El uno, deshacer la falsa opinión que comúnmente se tiene de ellos cómo de gente bruta y bestial y sin entendimiento, o tan corto que apenas merece ese nombre; del cual engaño se sigue hacerles muchos y muy notables agravios, sirviéndose de ellos poco menos que de animales y despreciando cualquiera género de respeto que se les tenga, que es tan vulgar y tan pernicioso engaño, como saben los que con algún celo y consideración han andado entre ellos y visto y sabido sus secretos y avisos, y juntamente el poco caso que de todos ellos hacen los que piensan que saben mucho, que son de ordinario los más necios y más confiados de sí. Esta tan perjudicial opinión no veo medio con que pueda mejor deshacerse que con dar a entender el orden y modo de proceder que éstos tenían cuando vivían en su ley, en la cual, aunque tenían muchas cosas de bárbaros y sin fundamento, pero había también otras muchas dignas de admiración, por ias cúales se deja bien entender que tienen natural capacidad para ser bien enseñados, y aun en gran parte hacen ventaja a muchas de nuestras repúblicas. Y no es de maravillar que se mezclasen yerros graves, pues en los más estirados de los legisladores y filósofos, se hallan, aunque entren Licurco y Platón en ellos. Y en las más sabias repúblicas, como fueron la romana y la ateniense, vemos ignorancias dignas de risa, que cierto que si las repúblicas de los mexicanos y de los Incas se refirieran en tiempo de romanos o griegos, fueran sus leyes y gobierno estimados. Mas como sin saber nada de esto entramos por la espada sin oírles ni entenderles, no nos parece que merecen reputación las cosas de los indios, sino como de caza habida en el monte y traída para nuestros servicio y antojo. Los hombres más curiosos y sabios que han penetrado y alcanzado sus secretos, su estilo y gobierno antiguo, muy de otra suerte los juzgan, maravillándose que hubiese tanta orden y razón ellos, etcétera.

Hasta aquí es del Padre Maestro Iosé de Acosta, cuya autoridad, pues es tan grande, valdra para todo lo que hasta aquí hemos dicho y adelante diremos de los Incas, de sus leyes y gobierno y habilidad, que una de ellas fue que supieron componer en prosa, también como en verso, fábulas breves y compendiosas por vía de poesía, para encerrar en ellas doctrina moral o para guardar alguna tradición de su idolatría o de los hechos famosos de sus Reyes o de otros grandes varones, muchas de las cuales quieren los españoles que no sean fábulas, sino historias verdaderas, porque tienen alguna semejanza de verdad. De otras muchas hacen burla, por parecerles que son mentiras mal compuestas, porque no entienden la alegoría de ellas. Otras muchas hubo torpísimas, como algunas que hemos referido. Quizá en el discurso

de la historia se nos ofrecerán algunas de las buenas que declaremos.

XXVIII. LOS POCOS INSTRUMENTOS QUE LOS INDIOS ALCANZARON PARA SUS OFICIOS

Ya que hemos dicho la habilidad y ciencias que los filósofos y poetas de aquella gentilidad alcanzaron, será bien digamos la inhabilidad que los oficiales mecánicos tuvieron en sus oficios, para que se vea con cuánta miseria y falta de las cosas necesarias vivían aquellas gentes. Y comenzando de los plateros, decimos que, con haber tanto número de ellos y con trabajar perpetuamente en su oficio, no supieron hacer yunque de hierro ni de otro metal: debió de ser porque no supieron sacar el hierro, aunque tuvieron minas de él; en el lenguaje llaman al hierro *quillay*. Servíanse para yunque de unas piedras durísimas, de color entre verde y amarillo; aplanaban y alisaban unas con otras; teníanlas en grande estima porque eran muy raras. No supieron hacer martillos con cabo de palo; labraban con unos instrumentos que hacen de cobre y latón, mezclado uno con otro; son de forma de dado, las esquinas muertas; unos son grandes, cuando pueden abarcar con la mano para los golpes mayores; otros hay medianos y otros chicos y otros perlongados, para martillar en cóncavo; si traen aquellos sus martillos en la mano para golpear con ellos como si fueran guijarros. No supieron hacer limas ni buriles; no alcanzaron a hacer fuelles para fundir; fundían a poder de soplos con unos cañutos de cobre, largos de media braza más o menos, como era la fundición grande o chica; los cañutos cerraban por el un cabo; dejábanle un agujero pequeño, por do el aire saliese más recogido y más recio; juntábanse ocho, diez y doce, como eran menester para la fundición. Andaban al derredor del fuego soplando con los cañutos, y hoy se están en lo mismo, que no han querido mudar costumbre. Tampoco supieron hacer tenazas para sacar el metal del fuego: sacábanlo con unas varas de palo o de cobre, y echábanlo en un montoncillo de tierra humedecida que tenían cabe sí, para templar el fuego del metal. Allí lo traían y revolcaban de un cabo a otro hasta que estaba para tomarlo en las manos. Con todas estas inhabilidades hacían obras maravillosas, principalmente en vaciar unas cosas por otras dejándolas huecas, sin otras admirables, como adelante veremos. También alcanzaron, con toda su simplicidad, que el humo de cualquiera metal era dañoso para la salud y así hacían sus fundiciones, grandes o chicas, al descubierto, en sus patios o corrales, y nunca sotechado.

No tuvieron más habilidad los carpinteros; antes parece que anduvieron más cortos, porque de cuantas herramientas usan los de por acá para sus oficios, no alcanzaron los del Perú más de la hacha y azuela, y éstas de cobre. No supieron hacer una sierra ni una barrena ni cepillo ni otro instrumento alguno para oficio de carpintería, y así no supieron hacer arcas ni puertas más de cortar la madera y blanquearla para sus edificios. Para las hachas y azuelas y algunas pocas escardillas que hacían, servían los plateros en lugar de herreros, porque todo el herramental que labraban era de cobre y azófar. No usaron el clavazón, que cuanta madera ponían en sus edificios, toda era atada con sogas de esparto y no clavada. Los canteros, por el semejante, no tuvieron más instrumentos para labrar la piedra que unos guijarros negros que llamaban *hihuana*, con que las labran machucando más que no cortando. Para subir y bajar las piedas no tuvieron ingenio alguno: todo

lo hacían a fuerza de brazos. Y con todo eso hicieron obras tan grandes y de tanto artificio y policía que son increíbles, como lo encarecen los historiadores españoles y como se ve por las reliquias que de muchas de ellas han quedado. No supieron hacer unas tijeras ni agujas de metal: de unas espinas largas que allá nacen las hacían, y así era poco lo que cosían, que más era remendar que coser, como adelante diremos. De las mismas espinas hacían peines para peinarse: atábanlas entre dos cañuelas, que eran como el lomo del peine, y las espinas salían al un lado y al otro de las cañuelas en forma de peine. Los espejos en que se miraban las mujeres de la sangre real eran de plata muy bruñida, las comunes en azófar porque no podían usar de la plata, como se dirá adelante. Los hombres nunca se miraban al espejo, que lo tenían por infamia, por ser cosa mujeril. De esta manera carecieron de otras muchas cosas necesarias para la vida humana. Pasábanse con lo que no podían excusar, porque fueron poco o nada inventivos de suyo, y, por el contrario, son grandes imitadores de lo que ven hacer, como lo prueba la experiencia de lo que han aprendido de los españoles en todos los oficios que les han visto hacer, que en algunos se aventajan.

La misma habilidad muestran para las ciencias, si se las enseñasen como consta por las comedias que en diversas partes han representado, porque es así que algunos curiosos religiosos, de diversas religiones, principalmente de la Compañía de Jesús, por aficionar a los indios a los misterios de nuestra redención, han compuesto comedias para que las representen los indios, porque supieron que las representaban en tiempo de sus Reyes Incas y porque vieron que tenían habilidad e ingenio para lo que quisiesen enseñarles, y así un Padre de la Compañía compuso una comedia en loor

de Nuestra Señora la Virgen María y la escribió en lengua aimara,
diferente de la lengua general del
Perú. El argumento era sobre aquellas palabras del libro tercero del
Génesis: "Pondré enemistades entre ti y entre la mujer, etcétera y
ella misma quebrantará tu cabeza".
Representáronla indios muchachos y
mozos en un pueblo llamado Sulli.
Y en Potosí se recitó un diálogo de
la fe, al cual se hallaron presentes
más de doce mil indios. En el Cuzco se representó otro diálogo del
niño Jesús, donde se halló toda la
grandeza de aquella ciudad. Otro
se representó en la ciudad de Los
Reyes, delante de la Cancillería y
de toda la nobleza de la ciudad y de
innumerables indios, cuyo argumento fue del Santísimo Sacramento,
compuesto a pedazos en dos lenguas, en la española y en la general del Perú. Los muchachos indios
representaron los diálogos en todas
las cuatro partes con tanta gracia y
donaire en el hablar, con tantos
meneos y acciones honestas, que
provocaban a contento y regocijo,
y con tanta suavidad en los cantares que muchos españoles derramaron lágrimas de placer y alegría
viendo la gracia y habilidad y buen
ingenio de las indiezuelos, y trocaron en contra la opinión que hasta
entonces tenían de que los indios
eran torpes e inhábiles.

Los muchachos indios, para tomar de memoria los dichos que han
de decir, que se los dan por escrito,
se van a los españoles que saben
leer, seglares o sacerdotes, aunque
sean de los más principales, y les
suplican que les lean cuatro o cinco veces el primer renglón, hasta
que lo toman de memoria, y porque
no se les vaya de ella, aunque son
tenaces, repiten muchas veces cada
palabra, señalándola con una piedrecita o con un grano de una semilla de diversos colores, que allá
hay, del tamaño de garbanzos, que
llaman *chuy,* y por aquellas señales

se acuerdan de las palabras, y de
esta manera van tomando sus dichos de memoria con facilidad y
brevedad, por la mucha diligencia
y cuidado que en ello ponen. Los
españoles a quien los indiezuelos piden que les lean no se desdeñan ni
se enfadan, por graves que sean antes les acarician y dan gusto, sabiendo para lo que es. De manera
que los indios del Perú, ya que no
fueron inegniosos para inventar, son
muy hábiles para imitar y aprender
lo que les enseñan. Lo cual experimentó largamente el Licenciado
Juan de Cuéllar, natural de Medina
del Campo, que fue canónigo de la
Santa Iglesia del Cuzco, el cual leyó
gramática a los mestizos hijos de
hombres nobles y ricos de aquella
ciudad. Movióse a hacerlo de caridad propia y por súplica de los mismos estudiantes, porque cinco preceptores que en veces antes habían
tenido los habían desamparado a
cinco o seis meses de estudio, pareciéndoles que por otras granjerías tendrían más ganancia, aunque
es verdad que cada estudiante les
daba cada mes diez pesos, que son
doce ducados, mas todo se les hacía poco, porque los estudiantes eran
pocos, que cuando más llegaron a
docena y media. Entre ellos conocí
un indio Inca llamado Felipe Inca,
y era de un sacerdote rico y honrado que llamaban el Padre Pedro
Sánchez, el cual, viendo la habilidad que el indio mostraba en leer
y escribir, le dio estudio, donde
daba tan buena cuenta de la gramática como el mejor estudiante de
los mestizos. Los cuales, cuando el
preceptor los desamparaba, se volvían a la escuela hasta que venía
otro, el cual enseñaba por diferentes
principios que el pasado, y si algo
se les había quedado de lo pasado,
les decían que lo olvidasen porque
no valía nada.

De esta manera anduvieron en
mis tiempos los estudiantes descarriados de un preceptor en otro, sin

aprovecharles ninguno hasta que el
buen canónigo los recogió debajo de
su capa y les leyó latinidad casi
dos años entre armas y caballos,
entre sangre y fuego de las guerras
que entonces hubo de los levantamientos de don Sebastián de Castilla y de Francisco Hernández Girón, que apenas se había apagado
el un fuego cuando se encendió el
segundo que fue peor y duró más
en apagarse. En aquel tiempo vio
el canónigo Cuéllar la mucha habilidad que sus discípulos mostraban
en la gramática y la agilidad que
tenían para las demás ciencias, de
las cuales carecían por la esterilidad de la tierra. Doliéndose de que
se perdiesen aquellos buenos ingenios, les decía muchas veces: "¡Oh,
hijos, que lástima tengo no ver una
docena de vosotros en aquella uni-

versidad de Salamanca!" Todo esto
se ha referido por decir la habilidad que los indios tienen para lo
que quisieren enseñarles, de la cual
también participan los mestizos,
como parientes de ellos. El canónigo Juan de Cuéllar tampoco dejó
sus discípulos perfeccionados en latinidad porque no pudo llevar el
trabajo que pasaba en leer cuatro
lecciones cada día y acudir a las
horas de su coro, y así quedaron
imperfectos en la lengua latina. Los
que ahora son deben dar muchas
gracias a Dios porque les envió la
Compañía de Jesús, con la cual hay
tanta abundancia de todas ciencias
y de toda buena enseñanza de ellas,
como la que tienen y gozan. Y con
esto será bien volvamos a dar cuenta de la sucesión de los Reyes Incas y de sus conquistas.

LIBRO TERCERO

Contiene la vida y hechos de Maita Cápac, Rey cuarto. La primera puente de mimbre que en el Perú se hizo, la admiración que causó. La vida y conquistas del quinto Rey, llamado Cápac Yupanqui. La famosa puente de paja y enea que mandó hacer en el Desaguadero. La descripción de la casa y templo del Sol y sus grandes riquezas.

I. MAITA CÁPAC, CUARTO INCA, GANA A TIAHUANACU, Y LOS EDIFICIOS QUE ALLÍ HAY

El Inca Maita Cápac (cuyo nombre no se tiene que interpretar, porque Maita fue el nombre propio —en la lengua general no significa cosa alguna— y el nombre Cápac está ya declarado), habiendo cumplido con las ceremonias del entierro de su padre y con la solemnidad de la posesión de su reino, volvió a visitarle como Rey absoluto, que, aunque en vida de su padre lo había visitado dos veces, había sido como pupilo restringido debajo de tutela, que no podía oír de negocios ni responder a ellos ni hacer mercedes sin la presencia y consentimiento de los de su consejo, a los cuales tocaba el ordenar la respuesta y los decretos de las peticiones, pronunciar las sentencias y tantear y proveer las mercedes que el príncipe hubiese de hacer, aunque fuese heredero, si no tenía edad para gobernar, que era ley del reino. Pues como se viese libre de ayos y tutores, quiso volver a visitar sus vasallos por sus provincias, porque, como ya lo hemos apuntado, era una de las cosas que aquellos Príncipes hacían de que más

se favorecían los súbditos. Por esto y por mostrar su ánimo liberal y magnífico, manso y amoroso, hizo la visita, con grandes mercedes de mucha estima a los curacas y a la demás gente común.

Acabada la visita, volvió el ánimo al principal blasón que aquellos Incas tuvieron, que fue llamar y traer gente bárbara a su vana religión, y con el título de idolatría encubrirían su ambición y codicia de ensanchar su reino. Otra sea por lo uno o por lo otro o por ambas cosas, que todo cabe en los poderosos, mandó levantar gente, y, venida la primavera, salió con doce mil hombres de guerra y cuatro maeses de campo y los demás oficiales y ministros del ejército, y fue hasta el desaguadero de la gran laguna Titicaca, que, por ser llana toda la tierra de Collao, le parecía más fácil de conquistar que otra laguna, y también porque la gente de aquella región se mostraba más simple y dócil.

Llegado al desaguadero, mandó hacer grandes balsas, en que pasó el ejército, y a los primeros pueblos que halló envió los requerimientos acostumbrados, que no hay para qué repetirlos tantas veces. Los indios obedecieron fácilmente, por las maravillas que habían oído decir de los Incas, y entre otros pueblos que se redujeron fue uno Tiahuanacu, de cuyos grandes e increíbles edificios será bien que digamos algo. Es así que entre otras obras que hay en aquel sitio, que son para admirar, una de ellas es un cerro o collado hecho a mano, tan alto (para ser hecho de hombres) que causa admiración, y porque el cerro o la tierra amontonada no se le deslizase y se allanase el cerro, lo fundaron sobre grandes cimientos de piedra, y no se sabe para qué fue hecho aquel edificio. En otra parte, apartado de aquel cerro, estaban dos figuras de gigantes entallados en piedra, con vestiduras largas hasta el suelo y con sus tocados en las cabezas, todo ello bien gastado del tiempo, que muestra su mucha antigüedad. Vese también una muralla grandísima, de piedras tan grandes que la mayor admiración que causa es imaginar qué fuerzas humanas pudieron llevarlas donde están, siendo, como es verdad, que en muy gran distancia de tierra no hay peñas ni canteras de donde se hubiesen sacado aquellas piedras. Vense también en otra parte otros edificios bravos, y lo que más admira son unas grandes portadas de piedra hechas en diferentes lugares, y muchas de ellas son enterizas, labradas de sola una piedra por todas cuatro partes, y aumenta la maravilla de estas portadas que muchas de ellas están asentadas sobre piedras, que, medidas algunas, se hallaron tener treinta pies de largo y quince de ancho y seis de frente. Y estas piedras tan grandes y las portadas son de una pieza, las cuales obras no se alcanza ni se entiende con qué instrumentos o herramientas se pudieran labrar. Y pasando adelante con la consideración de esta grandeza, es de advertir cuánto mayores serían aquellas piedras antes que se labraran.

Los naturales dicen que todos estos edificios y otros que no se escriben son obras antes de los Incas, y que los Incas, a semejanza de éstas, hicieron la fortaleza del Cuzco, que adelante diremos, y que no saben quién las hizo, mas de que oyeron decir a sus pasados que en solo una noche remanecieron hechas todas aquellas maravillas. Las cuales, obras parece que no se acabaron, sino que fueron principios de lo que pensaban hacer los fundadores. Todo lo dicho es de Pedro de Cieza de León, en la *Demarcación* que escribió del Perú y sus provincias, capítulo ciento y cinco, donde largamente escribe estos y otros edificios que en suma hemos dicho, con los cuales me pareció juntar otros que me escribe un sacerdote, condiscípulo mío, llamado Diego de Alcobaza (que puedo llamarle hermano porque ambos nacimos en una casa y su padre me crió como ayo), el cual, entre otras relaciones que de mi tierra él y otros me han enviado, hablando de estos grandes edificios de Tiahuanacu, dice estas palabras:

En Tiahuanacu, provincia del Collao, entre otras hay una antigualla digna de inmortal memoria. Está pegada a la laguna llamada por los españoles Chucuitu cuyo nombre propio es Chuquiuitu. Allí están unos edificios grandísimos, entre los cuales están un patio cuadrado de quince brazas a una parte y a otra, con su cerca de más de dos estados de alto. A un lado el patio está una sala de cuarenta y cinco pies de largo y veinte y dos de ancho, cubierta a semejanza de las piezas cubiertas de paja que vuestra merced vio en la casa del Sol en esta ciudad de Cuzco. El patio que tengo dicho, con sus paredes y suelo, y la sala y su techumbre y cubierta y las portadas y umbrales de dos puertas que la sala tiene, y otra puerta que tiene el patio todo esto es de una sola pieza, hecha y labrada en un peñasco y las paredes de patio y las de la sala son de tres cuartas de vara de ancho, y el techo de la sala, por de fuera, parece de paja, aunque es de piedra, porque, como los indios cubren sus casas con paja, porque semejase ésta a las otras, peinaron la piedra y la arrayaron para que pareciese cobija de paja. La laguna bate en un lienzo de los del patio. Los naturales dicen que aquella casa y los demás edificios los tenían dedicados al Hacedor del universo. También hay allí cerca de otra gran suma de piedras labradas en figuras de hombres y mujeres, tan al natural que parece que están vivos, bebiendo con los vasos en las manos, otros sentados, otros en pie parados, otros que van pasando un arroyo que por entre aquellos edificios pasa; otras estatuas están con sus criaturas en las faldas y regazo; otras las llevan a cuestas y otras de mil maneras. Dicen los indios presentes que por grandes pecados que hicieron los de aquel tiempo y porque apedrearon un hombre que pasó por aquella provincia, fueron convertidos en aquellas estatuas.

Hasta aquí son las palabras de Diego de Alcobaza, el cual en muchas provincias de aquel reino ha sido vicario y predicador de los indios, que sus prelados lo han mudado de unas partes a otras, porque como mestizo natural del Cuzco sabe mejor el lenguaje de los indios que otros no naturales de aquella tierra, y hace más fruto.

II. REDÚCESE HATUNPACASA Y CONQUISTAN A CAC-YAUIRI

Volviendo al Inca Maita Cápac, es así que casi sin resistencia redujo la mayor parte de la provincia llamada Hatunpacasa, que es la tierra que está a mano izquierda del Desaguadero. Si fue en sola una jornada o en muchas, hay diferencia entre los indios, que los más quieren decir que los Incas iban ganando poco a poco, por ir doctrinando

y cultivando la tierra y los vasallos. Otros dicen que esto fue a los principios, cuando no eran poderosos, pero que después que lo fueron conquistaban todo lo que podían. Que sea de la una manera o de la otra, importa poco. Antes será mejor, para no causar enfado repitiendo unas mismas cosas muchas veces, digamos de una vez lo que cada Rey de estos ganó; si no, se les hace agravio en no decir las jornadas que cada uno hizo a diferentes partes. Pasando, pues, el Inca en su conquista, llegó a un pueblo llamado Cac-yauiri, que tenía muchas caserías en su comarca, derramadas sin orden de pueblo, y en cada una de ellas había señoretes que gobernaban y mandaban a los demás. Todos éstos, sabiendo que el Inca iba a conquistarlos, se conformaron y redujeron en un cerro que hay en aquella comarca como hecho a mano, alto menos que un cuarto de legua y redondo como un pilón de azúcar, con ser por allí toda la tierra llana. A este cerro, por ser solo y por su hermosura, tenían aquellos indios por cosa sagrada, y le adoraban y ofrecían sus sacrificios. Fuéronse a socorrer a él, para que, como su Dios, los amparase y librase de sus enemigos. Hicieron en él un fuerte de piedra seca y céspedes de tierra por mezcla. Dicen que las mujeres se obligaron a dar todos los céspedes que fuesen menester, por que se acabase más aína la obra, y que los varones pusiesen la piedra de su parte. Metiéronse en el fuerte con sus mujeres e hijos en gran número, con la más comida que pudieron recoger.

El Inca envió los requerimientos acostumbrados y que en particular les dijesen que no iba a quitarles sus vidas ni haciendas, sino a hacerles los beneficios que el Sol mandaba que hiciese a los indios; que no se desacatasen a sus hijos, ni se tomasen con ellos, que eran in-

vencibles, que el Sol les ayudaba
en todas sus conquistas y peleas,
y que lo tuviesen por su Dios y lo
adorasen. Este recado envió el Inca
muchas veces a los indios, los cuales estuvieron siempre pertinaces diciendo que ellos tenían buena manera de vivir, que no la querían
mejorar y que tenían sus dioses, y
que uno de ellos era aquel cerro que los tenía amparados y los
había de favorecer; que los Incas
se fuesen en paz y enseñasen a
otros lo que quisiesen, que ellos no
lo querían aprender. El Inca que
no llevaba ánimo de darles batalla,
sino vencerlos con halagos o con
la hambre, si de otra manera no
pudiese, repartió su ejército en cuatro partes y cerró el cerro.

Los Collas estuvieron muchos días
en su pertinacia apercibidos para
si les combatiesen el fuerte, mas
viendo que no querían pelear los
Incas, lo atribuyeron a temor y cobardía, y, haciéndose más atrevidos
de día en día, salieron muchas veces del fuerte a pelear con ellos,
los cuales, por cumplir el orden
mandado por su Rey, no hacían
más que resistirles, aunque todavía
moría gente de una parte y de otra,
y más de los Collas, porque, como
gente bestial, se metían por las armas contrarias. Fue común fama
entonces entre los indios del Collao,
y después la derramaron los Incas
por todos sus reinos, que un día
de los que así salieron los indios
cercados a pelear con los del Inca,
que las piedras y flechas y otras
armas que contra los Incas tiraban
se volvían contra ellos mismos, y
que así murieron muchos Collas,
heridos con sus propias armas. Adelante declararemos esta fábula, que
es de las que tenían en más veneración. Con la gran mortandad
que aquel día hubo, se rindieron
los amotinados, y en particular los
curacas, arrepentidos de su pertinacia; temiendo otro mayor castigo,
recogieron toda su gente, y en cua-

drillas fueron a pedir misericordia.
Mandaron que saliesen los niños delante, y en pos de ellos sus madres
y los viejos que con ellos estaban.
Poco después salieron los soldados,
y luego fueron los capitanes y curacas, las manos atadas y sendas
sogas al pescuezo, en señal que merecían la muerte por haber tomado
las armas contra los hijos del Sol.
Fueron descalzos, que entre los indios del Perú era señal de humildad,
con la cual daban a entender que
había gran majestad o divinidad
en el que iban reverenciar.

III. PERDONAN LOS RENDIDOS Y DECLARASE LA FÁBULA

Puestos ante el Inca, se humilla-
ron en tierra por sus cuadrillas y
con grandes aclamaciones le adoraron por hijo del Sol. Pasada la
común adoración, llegaron los curacas en particular y, con la veneración que entre ellos se acos-
tumbraba, dijeron suplicaban a Su
Majestad los perdonase, y si gustaba
más de que muriesen, tendrían por
dichosa su muerte con que perdonase aquellos soldados, que, por
haberles dado ellos mal ejemplo y
mandádoselo, habían resistido al
Inca. Suplicaban asimismo perdonase las mujeres, viejos y niños,
que no tenían culpa, que ellos solos
la tenían y así querían pagar por
todos.

El Inca los recibió sentado en
su silla, rodeado de su gente de
guerra, y, habiendo oído a los curacas, mandó que les desatasen las
manos y quitasen las sogas de
los cuellos, en señal de que les perdonaba las vidas y les daba libertad,
y con palabras suaves les dijo que
no había ido a quitarles sus vidas
ni haciendas, sino a hacerles bien y
a enseñarles que viviesen en razón
y ley natural, y que, dejados sus
ídolos, adorasen por Dios al Sol,

a quien debían aquella merced; que por habérselo mandado el Sol les perdonaba el Inca y de nuevo les hacía merced de sus tierras y vasallos, sin otra pretensión más que hacerles bien, lo cual verían por larga experiencia ellos y sus hijos y descendientes, porque así lo había mandado el Sol; por tanto, se volviesen a sus casas y curasen de su salud y obedeciesen lo que se les mandase, que todo sería en pro y utilidad de ellos. Y para que llevasen mayor seguridad del perdón y testimonio de la mansedumbre del Inca, mandó que los curacas, en nombre de todos los suyos le diesen paz en la rodilla derecha, para que viesen que, pues permitía tocasen su persona, los tenía por suyos. La cual merced y favor fue inestimable para todos ellos, porque era prohibido y sacrilegio llegar a tocar al Inca, que era uno de sus dioses, si no eran de su sangre real o con licencia suya. Viendo, pues, al descubierto el ánimo piadoso del Rey, se aseguraron totalmente del castigo que temían, y, volviendo a humillarse en tierra, dijeron los curacas que serían buenos vasallos para merecer tan gran merced, y que en palabras y obras mostraba Su Majestad ser hijo del Sol, pues a gente que merecía la muerte hacía merced nunca jamás imaginada.

Declarando la fábula, dicen los Incas que lo historial de ella es que viendo los capitanes del Inca la desvergüenza de los Collas, que cada día era mayor, mandaron de secreto a sus soldados que estuviesen apercibidos para pelear con ellos a fuego y a sangre y llevarlos por todo el rigor de las armas, porque no era razón permitir tanto desacato como hacían al Inca. Los Collas salieron como solían a hacer sus fieros y amenazas, descuidados de la ira y apercibimiento de sus contrarios. Fueron recibidos y tratados con gran rigor; murieron la

mayor parte de ellos. Y como hasta entonces los del Inca no habían peleado para matarlos, sino para resistirles, dijeron que tampoco habían peleado aquel día, sino que el Sol, no pudiendo sufrir la poca estima que de su hijo hacían los Collas, había mandado que sus propias armas se volviesen contra ellos y los castigasen, pues los Incas no habían querido hacerlo. Los indios, como tan simples, creyeron que era así, pues los Incas, que eran tenidos por hijos del Sol, lo afirmaban. Los amautas, que eran los filósofos, alegorizando la fábula, decían que por no haber querido los Collas soltar las armas y obedecer al Inca cuando se lo mandaron, se les habían vuelto en contra, porque sus armas fueron causa de la muerte de ellos.

IV. REDÚCENSE TRES PROVINCIAS, CONQUÍSTANSE OTRAS, LLEVAN COLONIAS, CASTIGAN A LOS QUE USAN DE VENENO.

Esta fábula, y el auto de la piedad y clemencia del Príncipe, se divulgó por las naciones comarcanas de Hatunpacasa, donde pasó el hecho, y causó tanta admiración y asombro, y por otra parte tanta afición, que voluntariamente se redujeron muchos pueblos y vinieron a dar la obediencia al Inca Maita Cápac, y le adoraron y sirvieron como a hijo del Sol, y entre otras naciones que dieron la obediencia fueron tres provincias grandes, ricas de mucho ganado y poderosas de gente belicosa, llamadas Cauquicura, Mallama y Huarina, donde fue la sangrienta batalla de Gonzalo Pizarro y Diego Centeno. El Inca, habiendo hecho mercedes y favores, así a los rendidos como a los que vinieron de su grado, volvió a pasar el Desaguadero hacia la parte del Cuzco, y desde Hatun Colla envió el ejército con los cuatro maeses de campo al poniente de donde estaba, y les mandó que, pasando el despoblado que llaman Hatunpuna (hasta cuyas faldas dejó ganado el Inca Lloque Yupanqui), redujesen a su servicio las naciones que hallasen de la otra parte del despoblado, a las vertientes del Mar del Sur. Mandóles que en ninguna manera llegasen a rompimiento de batalla con los enemigos, y que, se hallasen algunos tan duros y pertinaces que no quisiesen reducirse sino por fuerza de armas, los dejasen, que más perdían los bárbaros que ganaban los Incas. Con esta orden y mucha provisión de bastimento que les iban llevando de día en día, caminaron los capitanes y pasaron la Cordillera Nevada con algún trabajo, a causa de no haber camino abierto y tener por aquella banda treinta leguas de travesía de despoblado. Llegaron a una provincia llamada Cuchuna, de poblazón suelta y derramada, aunque de mucha gente. Los naturales, con la nueva del nuevo ejército, hicieron un fuerte, donde se metieron con sus mujeres e hijos. Los Incas los cercaron y, por guardar el orden de su Rey, no quisieron combatir el fuerte, que era harto flaco; ofreciéronles los partidos de paz y amistad. Los enemigos no quisieron recibir ninguno.

En esta porfía estuvieron los unos y los otros más de cincuenta días, en los cuales se ofrecieron muchas ocasiones en que los Incas pudieran hacer mucho daño a los contrarios, mas por guardar su antigua costumbre y el orden particular del Inca, no quisieron pelear con ellos más de apretarles con el cerco. Por otra parte les apretaba la hambre, enemiga cruel de gente cercada, y fue grande a causa que por la repentina venida de los Incas no habían hecho bastante provisión ni entendieron que porfiaran tanto en el cerco, sino que se fueran, viéndolos per-

tinaces. La gente mayor, hombres y mujeres, sufrían la hambre con buen ánimo, mas los muchachos y niños, no pudiendo sufrirla, se iban por los campos a buscar yerbas y muchos se iban a los enemigos, y los padres lo consentían por no verlos morir delante de sí. Los incas los recogían y les daban de comer y algo que llevasen a sus padres, y con la poca comida les enviaban los partidos acostumbrados de paz y amistad. Todo lo cual visto por los contrarios y que no esperaban socorro, acordaron entregarse sin partido alguno, pareciéndoles que los que habían sido tan clementes y piadosos cuando ellos eran rebeldes y contrarios, lo serían mucho más cuando los viesen rendidos y humillados. Así se rindieron a la voluntad de los Incas, los cuales los recibieron con afabilidad, sin mostrar enojo ni reprenderles de la pertinacia pasada; antes les hicieron amistad y les dieron de comer y les desengañaron, diciéndoles que el Inca, hijo del Sol, no procuraba ganar tierras para tiranizarlas, sino para hacer bien a moradores, como se lo mandaba su padre el Sol. Y para que lo viesen por experiencia, dieron ropa de vestir y otras dádivas a los principales, diciéndoles que el Inca les hacía aquellas mercedes; a la gente común dieron bastimento para que fuesen a sus casas, con que todos quedaron muy contentos.

Los capitanes Incas avisaron de todo lo que había sucedido en la conquista y pidieron gente para poblar dos pueblos en aquella provincia, porque les pareció tierra fértil y capaz de mucha más gente de la que tenía, y que convenía dejar en ella presidio para asegurar lo ganado y para cualquiera otra cosa que adelante sucediese. El Inca les envió la gente que pidieron, con sus mujeres e hijos, de los cuales poblaron dos pueblos; el uno al pie de la sierra donde los naturales habían hecho el fuerte; llamáronle Cuchuna, que era el nombre de la misma sierra; al otro llamaron Moquehua. Dista el un pueblo del otro cinco leguas, y hoy se llaman aquellas provincias de los nombres de estos pueblos, y son de la jurisdicción de Collasuyu.

Entendiendo los capitanes en fundar los pueblos y dar la traza y orden acostumbrada en la doctrina y gobierno de ellos, alcanzaron a saber que entre aquellos indios había algunos que usaban de veneno contra sus enemigos, no tanto para los matar cuanto para traerlos afeados y lastimados en su cuerpo y rostro. Era un veneno blando, que no morían con él sino los de flaca complexión; empero, los que tenían robusta vivían pero con gran pena, porque quedaban inhabilitados de los sentidos y de sus miembros y atontados de su juicio y afeados de sus rostros y cuerpos. Quedaban feísimos, albarazados, aoverados de prieto y blanco; en suma, quedaban destruidos interior y exteriormente, y todo el linaje vivía con mucha lástima de verlos así. De lo cual holgaban más los del tósigo, por verlos penar, que no de matarlos luego. Los capitanes, sabida esta maldad, dieron cuenta de ella al Inca, el cual les envió a mandar quemasen vivos todos los que hallasen haber usado de aquella crueldad, e hiciese de manera que no quedase memoria de ellos. Fue tan agradable este mandato del Rey a los naturales de aquellas provincias, que ellos mismos hicieron la pesquisa y ejecutaron la sentencia; quemaron vivos los delincuentes y todo cuanto tenían en sus casas, las cuales derribaron y sembraron de cascajo piedra, como a cosas de gente maldita; quemaron sus ganados y destruyeron sus heredades, hasta arrancar los árboles que habían paltado; mandaron que jamás las diesen a nadie, sino que quedasen desiertas, por que no

heredasen con ellas la maldad de los primeros dueños. La severidad del castigo causó tanto miedo en los naturales, que, como ellos lo certifican, nunca más se usó aquella maldad en tiempo de los Reyes Incas, hasta que los españoles ganaron la tierra. Ejecutado, pues, el castigo y asentada la población de los trasplantados y el gobierno de los conquistados, se volvieron los capitanes al Cuzco a dar cuenta de lo que habían hecho. Fueron muy bien recibidos y gratificados de su Rey.

V. GANA EL INCA TRES PROVINCIAS, VENCE UNA BATALLA MUY REÑIDA

Pasados algunos años, determinó el Inca Maita Cápac salir a reducir a su Imperio nuevas provincias, porque de día en día crecía a estos Incas la codicia y ambición de aumentar su reino, para lo cual, habiendo juntado la más gente de guerra que se pudo, y proveído de bastimentos, se puso en Pucara de Umasuyu, que fue el postrer pueblo que por aquella banda su abuelo dejó ganado, o su padre según otros, como en su lugar dijimos. De Pucara fue al levante, a una provincia que llaman Llaricasa, y sin resistencia alguna redujo los naturales de ella, que holgaron de recibirle por señor. De allí pasó a la provincia llamada Sancáuan, y con la misma facilidad la atrajo a su obediencia, porque, como la fama hubiese andado por aquellas provincias apregonando las hazañas pasadas del padre y abuelo de este Príncipe, acudieron los naturales de ellas con mucha voluntad a darle su vasallaje. Tienen estas dos provincias de largo más de cincuenta leguas y de ancho por una parte treinta y por otra veinte; son provincias muy pobladas de gente y ricas de ganados. El Inca, habiendo dado la orden acostumbrada en su idolatría y hacienda y en el gobierno de los nuevos vasallos, pasó a la provincia llamada Pacasa, por ella fue reduciendo a su servicio los naturales de ella sin que le hiciesen contradicción alguna con batalla ni reencuentro, sino que todos le daban la obediencia y veneración como a hijo del Sol.

Esta provincia es parte de la que el Inca Lloque Yupanqui dijimos había conquistado, que es muy grande y contiene muchos pueblos, y así la acabaron de conquistar ambos estos Incas, padre e hijo. Hecha la conquista, llegó al camino real de Umasuyu, cerca de un pueblo que hoy llaman Huaichu. Allí supo cómo adelante había gran número de gente allegada para le hacer guerra. El Inca siguió su camino en busca de los enemigos, los cuales salieron a defenderle el paso de un río que llaman el río de Huaichu. Salieron trece o catorce mil indios de guerra de diversos apellidos, aunque todos se encierran debajo de este nombre Colla. El Inca, por no venir a batalla, sino a seguir su conquista como hasta allí la había llevado, envió muchas veces a ofrecer a los enemigos grandes partidos de paz y amistad, mas ellos nunca los quisieron recibir, antes de día en día se hacían más desvergonzados, que les parecía que los partidos que el Inca les ofrecía y el no querer venir con ellos a rompimiento, todo era temor que les había cobrado. Con esta vana presunción pasaban en cuadrillas por muchas partes del río y acometían con mucha desvergüenza el real del Inca, el cual, por excusar muertes de ambas partes, procuraba por todas vías atraerlos por bien y sufría el desacato de los enemigos con tanta paciencia que ya los suyos se los tenían a mal y le decían que a la majestad del hijo del Sol no era decente permitir y sufrir tanta insolencia a aquellos bárbaros,

que era cobrar menosprecio para adelante y perder la reputación ganada.

El Inca templaba el enojo de los suyos con decirles que por imitar a sus pasados y por cumplir el mandato de su padre el Sol, que le mandaba mirase por el bien de los indios, deseaba no castigar aquéllos con las armas; que aguardasen algún día sin hacerles mal ni darles batalla, a ver si nacía en ellos algún conocimiento del bien que les deseaban hacer. Con estas palabras y otras semejantes entretuvo el Inca muchos días sus capitanes, sin querer dar licencia para que viniesen a las manos con los enemigos. Hasta un día, vencido de la importunidad de los suyos y forzado de la insolencia de los contrarios, que era ya insoportable, mandó apercibir batalla.

Los Incas, que en extremo la deseaban, salieron a ella con toda prontitud. Los enemigos, viendo cerca la pelea que tanto habían incitado, salieron asimismo con grande ánimo y presteza, y, venidos a las manos, pelearon de una parte y de otra con grandísima ferocidad y coraje, los unos por sustentar su libertad y opinión de no querer sujetarse ni servir al Inca, aunque fuese hijo del Sol, y los otros por castigar el desacato que a su Rey habían tenido. Pelearon con gran pertinacia y ceguera, particularmente los Collas, que como insensibles se metían por las armas de los Incas, y como bárbaros, obstinados en su rebeldía, peleaban como desesperados sin orden ni concierto, por lo cual fue grande la mortandad que en ellos se hizo. En esta porfiada batalla estuvieron todo el día sin cesar. El Inca se halló en toda ella, entrando y saliendo, ya a esforzar los suyos haciendo oficio de capitán, ya a pelear con los enemigos por no perder el mérito de buen soldado.

VI. RÍNDENSE LOS DE HUAICHU; PERDÓNANLOS AFABLEMENTE

De los Collas, según dicen sus descendientes, murieron más de seis mil por el mal concierto y desatino con que pelearon. Por el contrario, de la parte de los Incas, por su orden y buen gobierno, faltaron no más de quinientos. Con la oscuridad de la noche se recogieron los unos y los otros a sus alojamientos, donde los Collas, sintiendo el dolor de las heridas ya resfriadas y viendo los que habían muerto, perdido el ánimo y el coraje que hasta entonces habían tenido, no supieron qué hacer ni qué consejo tomar, porque para librarse por las armas peleando no tenían fuerzas, y para escapar huyendo no sabían cómo ni por dónde, porque sus enemigos los habían cercado y tomado los pasos, y para pedir misericordia les parecía que no la merecían por su mucha villanía y por haber menospreciado tantos y tantos buenos partidos como el Inca les había ofrecido.

En esta confusión tomaron el camino más seguro que fue el parecer de los más viejos, los cuales aconsejaron que rendidos, aunque tarde, invocasen la clemencia del Príncipe, el cual, aunque ofendido, imitaría la piedad de sus padres, de los cuales se sabía cuán misericordiosos habían sido con enemigos rebeldes. Con este acuerdo se pusieron, luego que amaneció, en el más vil traje que inventar pudieron, destocados, descalzos, sin mantas, no más de con las camisetas. Y los capitanes y la gente principal, atadas las manos sin hablar palabra alguna, fueron a enterarse por las puertas del alojamiento del Inca, el cual los recibió con mucha mansedumbre. Los Collas, puestos de rodillas, le dijeron que no venían a pedir misericordia, porque sabían que no merecían que el Inca la usase con ellos, por su ingratitud y mucha pertinacia; que solamente le suplicaban mandase a la gente de guerra los pasase a cuchillo porque fuesen ejemplo para que otros no se atreviesen a ser inobedientes al hijo del Sol, como ellos lo habían sido.

El Inca mandó que un capitán de los suyos respondiese en su nombre y les dijese que su Padre el Sol no lo había enviado a la tierra para que matase indios sino para que les hiciese beneficios, sacándoles de la vida bestial que tenían, y les enseñase el conocimiento del Sol, su Dios, y les diese ordenanzas, leyes y gobierno para que viviesen como hombres y no como brutos; y que por cumplir este mandamiento andaba de tierra en tierra, sin tener necesidad de ellos, atrayendo a los indios al servicio del Sol; y que como hijo suyo, aunque ellos no lo merecían, los perdonaba y mandaba que viviesen y que de la rebeldía que habían tenido le había pesado al Inca por el castigo riguroso que su padre el Sol había de hacer en ellos, como lo hizo; que de allí delante se enmendasen y fuesen obedientes a los mandamientos del Sol, para que con sus beneficios viviesen en prosperidad y descanso. Dada esta respuesta, los mandó vestir y curar y que los tratasen con todo el regalo posible. Los indios se volvieron a sus casas, pregonando el mal que su rebeldía les había causado, y que vivían por la clemencia del Inca.

VII. REDÚCENSE MUCHOS PUEBLOS; EL INCA MANDA HACER UNA PUENTE DE MIMBRE

La nueva de la mortandad de aquella batalla se derramó luego por toda la comarca, y que había sido castigo que el Sol había hecho en aquellos indios porque no habían obedecido a sus hijos, los

Incas, ni querido recibir sus beneficios. Por lo cual muchos pueblos que adelante había que tenían gente levantada y campos formados para resistir al Inca, los deshicieron, y sabida su clemencia y piedad, se fueron a él y le pidieron perdón y suplicaron los recibiese por sus vasallos, que ellos se hallaban dichosos de serlo. El Inca los recibió con mucha afabilidad y les mandó dar de vestir y otras dádivas, con que los indios fueron muy contentos, publicando por todas partes cómo los Incas eran verdaderos hijos del Sol.

Estos pueblos que vinieron a la obediencia del Inca fueron los que hay desde Huaichu hasta Callamarca, al mediodía, camino de los Charcas, donde hay treinta leguas de camino. El Inca pasó adelante de Callamarca otras veinte y cuatro leguas por el mismo camino real de los Charcas hasta Caracollo, trayendo a su servicio todos los pueblos que están a una mano y a otra del camino real, hasta llegar a la laguna de Paria. Desde allí revolvió al levante hacia los Antis, y llegó al valle que hoy llaman Chuquiapu, que en la lengua general quiere decir lanza capitana o lanza principal, que es lo mismo. En aquel distrito mandó poblar muchos pueblos de indios trasplantados, porque reconoció que aquellos valles eran más calientes para llevar maíz que no todas las demás provincias que se encierran debajo de este nombre Colla. Del valle de Caracatu fue al levante hasta las faldas de la gran cordillera y sierra nevada de los Antis, que distan treinta leguas y más del camino real de Umasuyu.

En aquellos caminos y en reducir la gente y dar traza a los pueblos que se poblaron, y en ordenar sus leyes y gobierno, gastó tres años. Volvióse al Cuzco, donde fue recibido con grandísima fiesta y regocijo. Y habiendo descansado dos

o tres años, mandó apercibir para el verano siguiente bastimentos y gente para hacer nueva conquista, porque no le sufría el ánimo estarse ocioso y porque pretendía ir al poniente del Cuzco, que es lo que llaman Contisuyu, que tiene muchas y grandes provincias. Y porque había de pasar el gran río llamado Apurímac, mandó hiciesen puente por do pasase su ejército. Dióles la traza como se había de hacer, habiéndola consultado con algunos indios de buenos ingenios. Y porque los escritores del Perú, aunque dicen que hay puentes de crizneja, no dicen de qué manera son hechas, me pareció pintarla yo aquí para los que no las han visto, y también porque fue ésta la primera puente de mimbre que en el Perú se hizo por orden de los Incas.

Para hacer una puente de aquéllas, juntan grandísima cantidad de mimbre, que aunque no es de la misma de España es otra especie, de rama delgada y correosa. Hacen de tres mimbres sencillas unas criznejas muy largas, a medida del largo que ha de tener la puente. De tres criznejas de a tres mimbres hacen otras de a nueve mimbres; de tres de aquéllas hacen otras criznejas que vienen a tener en grueso veinte y siete mimbres, y de tres de éstas hacen otras más gruesas; y de esta manera van multiplicando y engrosando las criznejas hasta hacerlas tan gruesas y más que el cuerpo de un hombre. De éstas muy gruesas hacen cinco criznejas. Para pasarlas de la otra parte del río pasan los indios nadando o en balsas. Llevan asido un cordel delgado, al cual atan una maroma como el brazo, de un cáñamo que los indios llaman chábuar; a esta maroma atan una de las criznejas, y tiran de ella gran multitud de indios hasta pasarla de la otra parte. Y habiéndolas pasado todas cinco, las ponen sobre dos estribos

altos que tienen hechos de peñas
vivas, donde las hallan en comodidad, y, no los hallando, hacen los
estribos de cantería tan fuerte como
la peña. La puente de Apurímac,
que está en el camino real del
Cuzco a Los Reyes, tiene el un
estribo de peña viva y el otro
de cantería. Los estribos, hacia la
parte de tierra, son huecos, con
fuertes paredes a los lados. En
aquellos huecos, de una pared a
otra, tiene cada estribo atravesadas
cinco o seis vigas, tan gruesas como
bueyes, puestas por su orden y
compás como una escalera de mano; por cada viga de éstas hacen
dar una vuelta a cada una de las
criznejas gruesas de mimbre de por
sí, para que la puente esté tirante
y no se afloje con su mismo peso,
que es grandísimo; pero, por mucho que la tiren, siempre hace vaga
y queda hecho arco, que entran
descendiendo hasta el medio y salen subiendo hasta el cabo, y con
cualquier aire que sea algo recio,
se está meciendo.

Tres criznejas de las gruesas ponen por el suelo de la puente, y
las otras dos ponen por pretiles a
un lado y a otro. Sobre las que
sirven de suelo echan madera delgada como el brazo, atravesada y
puesta por su orden en forma de
zarzo, que toma todo el ancho
de la puente, la cual será de dos
varas de ancho. Echan aquella madera para que guarde las criznejas,
porque no se rompan tan presto, y
átanla fuertemente con las mismas
criznejas. Sobre la madera echan
gran cantidad de rama atada puesta
por su orden. Échanla porque los
pies de las bestias tengan en qué
asirse y no deslicen y caigan. De las
criznejas bajas, que sirven de suelo,
a las altas, que sirven de petriles,
entretejen mucha rama y madera
delgada, muy fuertemente atada,
que hace pared por todo el largo
de la puente, y así queda fuerte
para que pasen por ella hombres

y bestias. La de Apurímac, que es
la más larga de todas, tendrá doscientos pasos de largo. No la medí,
mas tanteándola en España con
muchos que la han pasado le dan
este largo, y antes más que menos.
Muchos españoles vi que no se apea-
ban para la pasar, y algunos la
pasaban corriendo a caballo, por
mostrar menos temor, que no deja
de tener algo de temeridad. Esta
máquina tan grande se empieza a
hacer de solas tres mimbres, y llega
a salir la obra tan brava y soberbia
como se ha visto, aunque mal pin-
tada. Obra por cierto maravillosa,
e increíble, si no se viera como se
ve hoy, que la necesidad común
la ha sustentado, que no se haya
perdido, que también la hubiera
destruido el tiempo, como ha hecho
otras que los españoles hallaron en
aquella tierra, tan grandes y mayores. En tiempo de los Incas se
renovaban aquellas puentes cada
año; acudían a las hacer las provincias comarcanas, entre las cuales
estaba repartida la cantidad de los
materiales, conforme a la vecindad
y posibilidad de los indios de cada
provincia. Hoy se usa lo mismo.

VIII. CON LA FAMA DE LA PUENTE
SE REDUCEN MUCHAS NACIONES
DE SU GRADO

Sabiendo el Inca que la puente
estaba hecha, sacó su ejército, en
que llevaba doce mil hombres de
guerra con capitanes experimentados, y caminó hasta la puente, en
la cual halló buena guarda de gente
para defenderla si los enemigos la
quisieran quemar. Mas ellos estaban tan admirados de la nueva obra
cuan deseosos de recibir por señor
al Príncipe que tal máquina mandó
hacer, porque los indios del Perú
en aquellos tiempos, y aun hasta
que fueron los españoles, fueron
tan simples que cualquiera cosa

nueva que otro inventase, que ellos no hubiesen visto, bastaba para que se rindiesen y reconociesen por divinos hijos del Sol a los que las hacían. Y así ninguna cosa los admiró tanto para que tuviesen a los españoles por dioses y se sujetasen a ellos en la primera conquista, como verlos pelear sobre animales tan feroces como al parecer de ellos son los caballos, y verles tirar con arcabuces y matar al enemigo a doscientos y a trescientos pasos. Por estas dos cosas, que fueron las principales, sin otras que en ellos vieron los indios, los tuvieron por hijos del Sol y se rindieron con tan poca resistencia como hicieron, y después acá también han mostrado y muestran la misma admiración y reconocimiento cada vez que los españoles sacan alguna cosa nueva que ellos no han visto, como ver molinos para moler trigo, y arar bueyes, hacer arcos de bóveda de cantería en las puentes que han hecho en los ríos, que les parece que todo aquel gran peso está en el aire; por las cuales cosas y otras que cada día ven, dicen que merecen los españoles que los indios los sirvan. Pues como en tiempo del Inca Maita Cápac era aún mayor esta simplicidad, recibieron aquellos indios tanta admiración de la obra de la puente que sola ella fue parte para que muchas provincias de aquella comarca recibiesen al Inca sin contradicción alguna, y una de ellas fue la que llaman Chumpiuillca, que está en el distrito de Contisuyu, la cual tiene veinte leguas de largo y más de diez de ancho: recibiéronle por señor muy de su grado, así por la fama de hijo del Sol como por la maravilla de la obra nueva que les parecía que semejantes cosas no las podían hacer sino hombres venidos del cielo. Sólo en un pueblo llamado Uillilli halló alguna resistencia, donde los naturales, habiendo hecho fuera del pueblo un

fuerte, se metieron dentro. El Inca los mandó cercar por todas partes para que no se fuese indio alguno, y por otra parte les convidó con su acostumbrada clemencia y piedad.

Los del fuerte, habiendo estado pocos días, que no pasaron de doce o trece. se rindieron, y el Inca los perdonó llanamente, y, dejando aquella provincia pacífica, atravesó el despoblado de Contisuyu, que tiene dieciséis leguas de travesía; halló una mala ciénega de tres leguas de ancho que a una mano y a otra corre mucha tierra a la larga, que impedía el paso del ejército.

El Inca mandó hacer en ella una calzada, la cual se hizo de piedras grandes y chicas, entre las cuales echaban por mezcla céspedes de tierra. El mismo Inca trabajaba en la obra, así en dar la industria como en ayudar a levantar las piedras grandes que en el edificio se ponían. Con este ejemplo pusieron tanta diligencia los suyos, que en pocos días acabaron la calzada, con ser de seis varas en ancho y dos de alto. Esta calzada han tenido y tienen hoy en gran veneración los indios de aquella comarca, así porque el mismo Inca trabajó en la obra como por el provecho que sienten de pasar por ella, porque ahorran mucho camino y trabajo que antes tenían para descabezar la ciénega por la una parte o por la otra. Y por esta causa tienen grandísimo cuidado de repararla, que apenas se ha caído una piedra cuando la vuelven a poner. Tiénenla repartida por sus distritos, para que cada nación tenga cuidado de reparar su parte, ya porfía unos de otros la tienen, como si hoy se acabara, y en cualquier obra pública había el mismo repartimiento, por linajes si la obra era pequeña o por pueblos si era mayor o por provincias si era muy grande, como lo son las puentes, pósitos, casas reales y otras semejantes. Los céspedes son de mu-

cho provecho en las calzadas, porque, entretejiendo las raíces unas
con otras por entre las piedras, las
asen y traban y las fortalecen grandemente.

IX. GANA EL INCA OTRAS MUCHAS
Y GRANDES PROVINCIAS Y MUERE
PACÍFICO

Hecha la calzada, pasó el Inca
Maita Cápac, y entró por una provincia llamada Allca, donde salieron muchos indios de guerra de
toda la comarca a defenderle el
paso de unas asperísimas cuestas y
malos pasos que hay en el camino
que son tales que, aun pasar por
ellos caminando en toda paz, ponen grima y espanto, cuanto más
habiéndolos de pasar con enemigos
que los contradigan. En aquellos pasos se hubo el Inca con tanta prudencia y consejo, y con tan buen
arte militar, que, aunque se los de-
fendieron y murió gente de una
parte y de otra, siempre fue ganando tierra a los enemigos. Los cuales,
viendo que en unos pasos tan fra-
gosos no le podían resistir, antes
iban perdiendo de día en día, dijeron que verdaderamente los Incas
eran hijos del Sol, pues se mostraban invencibles. Con esta creencia
vana (aunque habían resistido más
de dos meses), de común consentimiento de toda la provincia los
recibieron por Rey y señor, prome-
tiéndole fidelidad de vasallos leales.

El Inca entró en el pueblo principal llamado Allca con gran triunfo. De allí pasó a otras grandes
provincias cuyos nombres son: Tau-
risma, Cotahuaci, Pumatampu, Parihuana Cocha, que quiere decir
laguna de pájaros flamencos, por-
quen en un pedazo de despoblado que hay en aquella provincia hay
una laguna grande: en la lengua
del Inca llaman *cocha* a la mar y
a cualquiera laguna o charco de

agua, y *parihuana* llaman a los
pájaros que en España llaman flamencos, y de estos dos nombres
componen uno diciendo Parihuana
Cocha, con el cual nombran aquella
provincia, que es grande, fértil y
hermosa y tiene mucho oro; y los
españoles, haciendo síncopa, le llaman Parina Cocha. Pumatampu
quiere decir depósito de leones,
compuesto de *puma*, que es león,
y de *tampu*, que es depósito: debió
ser por alguna leonera que en aquella provincia hubiese habido en algún tiempo o porque hay más leones en ella que en otra alguna.

De Parihuana Cocha pasó el Inca
adelante, y atravesó el despoblado
de Coropuna, donde hay una hermosísima y eminentísima pirámide
de nieve que los indios, con mucha
consideración, llaman Huaca, que
entre otras significaciones que este
nombre tiene, aquí quiere decir admirable (que cierto lo es), y en su
simplicidad antigua la adoraban sus
comarcanos por su eminencia y hermosura, que es admirabilísima. Pasando el despoblado, entró en la
provincia llamada Aruni; de allí
pasó a otra que dicen Collahua,
que llega hasta el valle de Arequipa, que según el Padre Blas Valera
quiere decir trompeta sonora.

Todas estas naciones y provincias
redujo el Inca Maica Cápac a su Imperio con mucha facilidad de su
parte y mucha suavidad de parte
de los súbditos. Porque, como hubiesen oído las hazañas que los Incas hicieron en los malos pasos y
asperezas de la sierra de Allca, creyendo que eran invencibles e hijos
del Sol, holgaron de ser vasallos.
En cada provincia de aquéllas paró
el Inca el tiempo que fue menester
para dar asiento y orden en lo que
convenía al buen gobierno y quietud
de ella. Halló el valle de Arequipa
sin habitadores, y, considerando la
fertilidad del sitio, la templanza del
aire, acordó pasar muchos indios de
los que había conquistado para po-

blar aquel valle. Y dándoles a entender la comodidad del sitio, el
provecho que se les seguiría de habitar y gozar aquella tierra, no solamente a los que la poblasen, sino
también a los de su nación, porque
en todos ellos redundaría el aprovechamiento de aquel valle, sacó
más de tres mil casas y con ellos
fundó cuatro o cinco pueblos. A
uno de ellos llaman Chimpa y a
otro Sucahuaya, y dejando en ellos
los gobernadores y los demás ministros necesarios, se volvió al Cuzco, habiendo gastado en esta segunda conquista tres años, en los
cuales redujo a su Imperio, en el
distrito llamado Cuntisuyu, casi noventa leguas de largo y diez y doce
de ancho por unas partes y quince
por otras. Toda esta tierra estaba
contigua a la que tenía ganada y
sujeta a su Imperio.

En el Cuzco fue recibido el Inca
con grandísima solemnidad de fiestas y regocijos, bailes y cantares
compuestos en loor de sus hazañas.
El Inca, habiendo regalado a sus
capitanes y soldados con favores y
mercedes, despidió su ejército, y,
pareciéndole que por entonces bastaba lo que había conquistado, quiso
descansar de los trabajos pasados y
ocuparse en sus leyes y ordenanzas
para el buen gobierno de su reino,
con particular cuidado y atención
de beneficio de los pobres y huérfanos, en lo cual gastó lo que de la
vida le quedaba, que, como a los
pasados, le dan treinta años de reinado, poco más o menos, que de
cierto no se sabe los que reinó ni
los años que vivió ni yo pude haber más de sus hechos. Falleció lleno de trofeos y hazañas que en paz
y guerra hizo. Fue llorando y la-
mentando un año, según la costumbre de los Incas; fue muy amado y
querido de sus vasallos. Dejó por
su universal heredero a Cápac Yupanqui, su hijo primogénito y de su
hermana y mujer Mama Cuca. Si
el príncipe, dejó otros hijos e hijas,
así de los que llamaban legítimos
en sangre como de los no legítimos.

X. CÁPAC YUPANQUI, REY QUINTO,
GANA MUCHAS PROVINCIAS
EN CUNTISUYU

El Inca Cápac Yupanqui, cuyo
nombre está ya interpretado por los
nombres de sus pasados, luego que
murió su padre, tomó en señal de
posesión la borla colorada, y, habiendo hecho las exequias, salió a
visitar toda su tierra y la anduvo
por sus provincias, inquiriendo cómo
vivían sus gobernadores y los demás ministros reales: gastó en la
visita dos años. Volvióse al Cuzco;
mandó apercibir gente y bastimentos para el año siguiente, porque
pensaba salir a conquistar hacia la
parte de Cuntisuyu, que es al poniente del Cuzco, donde sabía que
había muchas y grandes provincias
de mucha gente. Para pasar a ellas,
mandó que en el gran río Apurímac, en el paraje llamado Huacachaca, se hiciese otro puente más
bajo de la Accha, la cual se hizo
con toda diligencia y salió más larga que la pasada, porque el río
viene ya por aquel paraje más ancho.

El Inca salió del Cuzco y llevó
casi veinte mil hombres de guerra;
llegó a la puente que está ocho leguas de la ciudad, camino bien áspero y dificultoso que solamente la
cuesta que hay para bajar al río
tiene de bajada grandes tres leguas,
casi perpendicularmente, que por el
altura no tiene media legua, y de
subida a la otra parte del río tiene
otras tres leguas. Pasando la puente,
entró por una hermosa provincia
llamada Yanahuara, que hoy tiene
más de treinta pueblos; los que entonces tenía no se sabe, mas de que
el primer pueblo que hay por aquella banda, que se dice Piti, salió con
todos sus moradores, hombres y

mujeres, viejos y niños, con gran fiesta y regocijo, con grandes cantares y aclamaciones al Inca, y lo recibieron por señor y le dieron la obediencia y vasallaje. El Inca los recibió con mucho aplauso y les dio muchas dádivas de ropas y otras cosas que en su corte se usaban traer. Los del pueblo Piti enviaron mensajeros a los demás pueblos de su comarca, que son de la misma nación Yanahuara, avisándoles de la venida del Inca, y cómo lo habían recibido por Rey señor, a cuyo ejemplo vinieron los demás curacas y con mucha fiesta hicieron lo mismo que los de Piti.

El Inca los recibió como a los primeros y les hizo mercedes y regalos, y para mayor favor quiso ver sus pueblos y pasearlos todos, que están en espacio de veinte leguas de largo y más de quince de ancho. De la provincia Yanahuara pasó a otra llamada Aimara. Entre estas dos provincias hay un despoblado de quince leguas de travesía. De la otra parte del despoblado, en un gran cerro que llaman Mucansa, halló gran número de gente recogida para resistirle el paso y la entrada de su provincia, que tiene más de treinta leguas de largo y más de quince de ancho, rica de minas de oro y plata y plomo y de mucho ganado, poblada de mucha gente, la cual antes de la reducción de los pueblos tenía más de ochenta.

El Inca mandó alojar su ejército al pie del cerro para atajar el paso a los contrarios, que como gente bárbara, sin milicia, habían desamparado sus pueblos y recogiéndose en aquel cerro por lugar fuerte, sin mirar que quedaban atajados como en un corral. El Inca estuvo muchos días sin quererles dar batalla ni consentir que les hiciesen otro mal más de prohibirles los bastimentos que podían haber, porque forzados de la hambre se rindiesen y por otra parte les convidaba con la paz. En esta porfía estuvieron los unos y los otros más de un mes, hasta que los indios rebeldes, necesitados de la hambre, enviaron mensajeros al Inca, diciendo que ellos estaban prestos y aparejados de recibirle por su Rey y adorarle por hijo del Sol, si como tal hijo del Sol les daba su fe y palabra de conquistar y sujetar a su Imperio (luego que ellos se hubiesen rendido) la provincia Umasuyu, vecina a ellos, poblada de gente belicosa y tirana, que les entraban a comer sus pastos hasta las puertas de sus casas y les hacían otras molestias, sobre lo cual habían tenido guerras con muertes y robos, las cuales, aunque se habían apaciguado muchas veces, se habían vuelto a encender otras tantas, y siempre por la tiranía y desafueros de los de Umasuyu; que le suplicaban, pues habían de ser sus vasallos, les quitase aquellos malos enemigos y que con esta condición se le rendían y le recibían por Príncipe y señor.

El Inca respondió por un capitán que él no había venido allí sino a quitar sinrazones y agravios y a enseñar todas aquellas naciones bárbaras a que viviesen en ley de hombres y no de bestias, y a mostrarles el conocimiento de su Dios el Sol, y pues el quitar agravios y poner en razón los indios era oficio del Inca, no tenían para qué ponerle por condición lo que el Rey estaba obligado a hacer de oficio; que les recibía el vasallaje, mas no la condición, porque no le habían ellos de dar leyes, sino recibirlas del hijo del Sol; que lo que tocaba a sus disensiones, pendencias y guerras, lo dejasen a la voluntad del Inca, que él sabía lo que había de hacer.

Con esta respuesta se volvieron los embajadores, y el día siguiente vinieron todos los indios que estaban retirados en aquellas sierras, que eran más de doce mil hombres de guerra; trajeron consigo sus mujeres e hijos, que pasaban de treinta mil ánimas, las cuales todas venían en sus cuadrillas, divididas de por sí la gente de cada pueblo, y, puestos de rodillas a su usanza, acataron al Inca y se entregaron por sus vasallos, y en señal de vasallaje le presentaron oro y plata y plomo y todo lo demás que tenían. El Inca los recibió con mucha clemencia, y mandó que les diesen de comer, que venían traspasados de hambre, y les proveyesen de bastimentos hasta que llegasen a sus pueblos, porque no padeciesen por los caminos, y mandóles que se fuesen luego a sus casas.

XI. LA CONQUISTA DE LOS AIMARAS; PERDONAN A LOS CURACAS. PONEN MOJONERAS EN SUS TÉRMINOS

Despachada la gente, se fue el Inca a un pueblo de los de la misma provincia Aimara, llamado Huaquirca, que hoy tiene más de dos mil casas, de donde envió mensajeros a los caciques de Umasuyu. Mandólos pareciesen ante él, que como hijo del Sol quería averiguar las diferencias que entre ellos y sus vecinos, los de Aimara, había sobre los pastos y dehesas, y que los esperaba en Huaquirca para les dar leyes y ordenanzas en que viviesen como hombres de razón, y no que se matasen como brutos animales por cosa de tan poca importancia como eran los pastos para sus ganados, pues era notorio que los unos y los otros tenían dónde los apacentar bastantemente. Los curacas de Umasuyu, habiéndose juntado para consultar la respuesta, porque fuese común, pues el mandato lo había sido, dijeron que ellos no habían menester al Inca para ir donde él estaba; que si el Inca los había menester fuese a buscarlos a sus tierras, donde le esperaban con las armas en las manos, y que no sabían si era hijo del Sol ni conocían por su Dios al Sol, ni lo que-

rían, que ellos tenían dioses naturales de su tierra con los cuales se hallaban bien y no deseaban otros dioses; que el Inca diese sus leyes y premáticas a quien las quisiese guardar, que ellos tenían por muy buena ley tomar por las armas lo que hubiesen menester y quitárselo por fuerza a quienquiera que lo tuviese, y por ellas mismas defender sus tierras al que quisiese ir a ellas a los enojar; que esto daban por respuesta, y si el Inca quisiese otra, se la darían en el campo como valientes soldados.

El Inca Cápac Yupanqui y sus maeses de campo, habiendo considerado la respuesta de los Umasuyus, acordaron que lo más presto que fuese posible diesen en sus pueblos, para que, tomándolos desapercibidos, domasen su atrevimiento y desvergüenza, con el miedo y asombro de las armas más que con el daño de ellas, porque, como se ha dicho, fue ley y mandato expreso del primer Inca Manco Cápac, para todos los Reyes sus descendientes, que en ninguna manera derramasen sangre en conquista alguna que hiciesen, si no fuese a más no poder, y que procurasen atraer los indios con caricias y beneficios y buena maña, porque así serían amados de los vasallos conquistados por amor, y al contrario serían aborrecidos perpetuamente de los rendidos y forzados por las armas. El Inca Cápac Yupanqui, viendo cuán bien le estaba guardar esta ley para el aumento y conservación de su reino, mandó a percibir con toda diligencia ocho mil hombres, los más escogidos de todo su ejército, con los cuales caminando día y noche, se puso en muy breve tiempo en la provincia de Umasuyu, donde los enemigos, descuidados, no le esperaban en más de un mes, por el grande ejército y muchas dificultades que consigo llevaban. Mas viéndole ahora repentinamente en medio de sus pueblos con ejército escogido, y que el demás que había dejado atrás le venía siguiendo, pareciéndoles que no podrían juntarse tan presto para su defensa que no les tuviese el Inca primero quemadas sus casas, arrepentidos de su mala respuesta, dejadas las armas, acudieron los curacas de todas partes con toda presteza, avisándose con sus mensajeros, a pedir misericordia y perdón del delito. Y puestos delante del Inca, como acertaban a venir, unos ahora y otros después, le suplicaron les perdonase, que ellos le confesaban por hijo del Sol, y que, como hijo de tal padre, los recibiese por vasallos, que protestaban servirle fielmente.

El Inca, muy en contra del temor de los curacas, que entendían los mandara degollar, los recibió con mucha clemencia y les mandó decir que no se admiraba que, como bárbaros mal enseñados, no entendiesen lo que les convenía para su religión ni para su vida moral; que cuando hubiesen gustado del orden y gobierno de los Reyes sus, antecesores, holgarían ser sus vasallos, y lo mismo harían en menospreciar sus ídolos cuando hubiesen considerado y reconocido los muchos beneficios que ellos y todo el mundo recibían de su padre el Sol, por los cuales merecía ser adorado y tenido por Dios, y no los dioses que ellos decían de su tierra, los cuales, por ser figuras de animales sucios y viles, merecían ser menos preciados antes que tenidos por dioses; por tanto les mandaba que en todo y por todo le obedeciesen e hiciesen lo que el Inca y sus gobernadores les ordenasen, así en la religión como en las leyes, porque lo uno y lo otro venía ordenado de su padre el Sol.

Los curacas, con grande humildad, respondieron que prometían de no tener otro Dios sino al Sol, su padre, ni guardar otras leyes sino las que les quisiese dar, que por lo que habían oído y visto entendían

que todas eran ordenadas para honra y provecho de sus vasallos. El Inca, por favorecer los nuevos vasallos, se fue a un pueblo principal de los de aquella provincia llamado Chiriqui, y de allí, habiéndose informado de la disposición de los pastos sobre que eran las pendencias y guerras, y habiendo considerado lo que convenía a ambas las partes, mandó echar las mojoneras por donde mejor le pareció para que cada una de las provincias reconociese su parte y no se metiese en la ajena. Estas mojoneras se han guardado y guardan hoy con gran veneración por que fueron las primeras que en todo el Perú se pusieron por orden del Inca.

Los curacas de ambas provincias besaron las manos al Inca, dándole muchas gracias de que la partición hubiese sido tan a contento de todos ellos. El Rey visitó despacio aquellas dos provincias para dar asiento en sus leyes y ordenanzas, y, habiéndolo hecho, le pareció volverse al Cuzco y por entonces no pasar adelante en su conquista, aunque pudiera, según la prosperidad y buen suceso que hasta allí había tenido. Entró el Inca Cápac Yupanqui en su corte con su ejército en manera de triunfo, porque los curacas y gente noble que de las tres provincias nuevamente ganadas habían ido con el Rey a ver la ciudad imperial, lo metieron en hombros sobre las andas de oro en señal de que se habían sometido a su Imperio. Sus capitanes iban al derredor de las andas, y la gente de guerra delante, por su orden y concierto militar, en escuadrones la de cada provincia de por sí dividida de la otra, guardando todas las antigüedades de como habían sido ganadas y reducidas al Imperio, porque las primeras iban más cerca del Inca y las postreras más lejos. Toda la ciudad salió a recibirle con bailes y cantares, como lo había de costumbre.

XII. ENVÍA EL INCA A CONQUISTAR
LOS QUECHUAS. ELLOS SE REDUCEN
DE SU GRADO

El Inca se ocupó cuatro años en
el gobierno y beneficio de sus vasallos; mas pareciéndole que no era
bien gastar tanto tiempo en la quietud y regalo de la paz, sin dar parte al ejercicio militar, mandó que
con particular cuidado se proveyesen los bastimentos y las armas, y
la gente se aprestase para el año
venidero. Llegado el tiempo, eligió
un hermano suyo llamado Auqui
Titu por capitán general, y cuatro
Incas, de los parientes más cercanos, hombres experimentados en paz
y en guerra, por maeses de campo,
que cada uno de ellos llevase a su
cargo un tercio de cinco mil hombres de guerra y todos cinco gobernasen el ejército. Mandóles que llevasen adelante la conquista que él
había hecho en el distrito de Cuntisuyu, y para dar buen principio a
la jornada fue con ellos hasta la
puente de Huacachaca, y habiéndoles encomendado el ejemplo de los
Incas sus antecesores en la conquista de los indios, se volvió al Cuzco.

El Inca general y sus maeses de
campo entraron en una provincia
llamada Cotapampa; hallaron al señor de ella acompañado de un pariente suyo, señor de otra provincia que se dice Cotanera, ambas de
la nación llamada Quechua. Los caciques, sabiendo que el Inca enviaba ejército a sus tierras, se habían
juntado para recibirle muy de su
grado por Rey y señor, porque había muchos días que lo deseaban,
y así salieron acompañados de mucha gente y con bailes y cantares,
y recibieron al Inca Auqui Titu, y,
con muestras de mucho contento
y alegría, le dijeron:

Seas bien venido Inca Apu (que es
general) a darnos nuevo ser y nueva calidad con hacernos criados y
vasallos del hijo del Sol, por lo cual
te adoramos como a hermano suyo,

y te hacemos saber por cosa muy
cierta que si no vinieras tan presto
a reducirnos al servicio del Inca,
estábamos determinados de ir al año
venidero al Cuzco a entregarnos al
Rey y suplicarle mandara admitir-
nos debajo de su Imperio, porque
la fama de las hazañas y maravillas
de estos hijos del Sol, hecha en paz
y en guerra, nos tienen tan aficionados y deseosos de servirles y ser
sus vasallos que cada día se nos
hacía un año. También lo deseábamos por vernos libres de las tiranías y crueldades que las naciones
Chanca y Hancohuallu y otras, sus
comarcanas, nos hacen de muchos
años atrás, desde el tiempo de nuestros abuelos y antecesores, que a
ellos y a nosotros nos han ganado
muchas tierras, y nos hacen grandes
sinrazones y nos traen muy oprimidos; por lo cual deseábamos el imperio de los Incas, por vernos libres
de tiranos. El Sol, tu padre, te
guarde y ampare, que así has cumplido nuestros deseos.

Dicho esto, hicieron su acatamiento al Inca y a los maeses de campo,
y les presentaron mucho oro para
que lo enviasen al Rey. La provincia de Cotapampa, después de la
guerra de Gonzalo Pizarro, fue repartimiento de don Pedro Luis de
Cabrera, natural de Sevilla, y la provincia Cotanera y otra que luego
veremos, la llamada Huamanpallpa,
fueron de Garcilaso de la Vega, mi
señor, y fue el segundo repartimiento que tuvo en el Perú; del primero
diremos adelante en su lugar.

El general Auquitu y los capitantes respondieron en nombre del
Inca y les dijeron que agradecían
sus buenos deseos pasados y los servicios presentes, que de lo uno y de
lo otro y de cada palabra de las que
habían dicho darían larga cuenta a
Su Majestad, para que las mandase
gratificar como se gratificaba cuanto en su servicio se hacía. Los curacas quedaron muy contentos de
saber que hubiesen de llegar a noticia del Inca sus palabras y servicios; y así cada día mostraban más

amor y hacían con mucho gusto
cuanto el general y sus capitanes
les mandaban. Los cuales, dejada la
buena orden acostumbrada en aquellas dos provincias, pasaron a otra
llamada Huamanpallpa; también la
redujeron sin guerra ni contradicción alguna. Los Incas pasaron el
río Amáncay por dos o tres brazos
que lleva corriendo por entre aquellas provincias, los cuales, juntándose poco adelante, hacen el caudaloso río llamado Amáncay.

Uno de aquellos brazos pasa por
Chuquiinca, donde fue la batalla de
Francisco Hernández Girón con el
mariscal don Alonso de Alvarado,
y en este mismo río, años antes, fue
la de don Diego de Almagro y el
dicho mariscal, y en ambas fue vencido don Alonso de Alvarado, como
se dirá más largo en su lugar, si
Dios nos deja llegar allá. Los incas
anduvieron reduciendo las provincias que hay de una parte y otra
del río Amáncay, que son muchas
y se contienen debajo de este apellido Quechua. Todos tienen mucho
oro y ganado.

XIII. POR LA COSTA DE LA MAR REDUCEN MUCHOS VALLES. CASTIGAN LOS SODOMITAS

Dejando en ellas el orden necesario para el gobierno, salieron al
despoblado de Huallaripa, famosa
sierra por el mucho oro que han sacado de ella y mucho más que le
queda por sacar, y atravesando una
manga de despoblado, la cual por
aquella parte tiene treinta y cinco
leguas de travesía, bajaron a los llanos, que es la costa de la mar. A
toda la tierra que es costa de mar
y a cualesquiera otra que sea tierra caliente llaman los indios Yunca, que quiere decir tierra caliente:
debajo de este nombre Yunca se
contienen muchos valles que hay
por toda aquella costa. Los españoles llaman valles a la tierra que

alcanza a regar los ríos que bajan
de la sierra a la mar. La cual tierra es solamente la que se habita
en aquella costa, porque, salido de
lo que el agua riega, todo lo demás
es tierra inhabitable, porque son
arenales muertos donde no se cría
yerba ni otra cosa alguna de provecho.

Por el paraje que estos Incas salieron a los llanos está el valle de
Hacari, grande, fértil y muy poblado, que en tiempos pasados tenía
más de veinte mil indios de vecindad, los cuales redujeron los Incas
a su obediencia y servicio con mucha facilidad. Del valle Hacari pasaron a los valles que llaman Uiña,
Camana, Carauilli, Picta, Quellca y
otros que hay adelante en aquella
costa, norte sur, en espacio de sesenta leguas de largo la costa adelante. Y estos valles abajo, desde
la sierra a la mar, y de ancho lo
que alcanzan los ríos a regar a una
mano y otra, que unos riegan dos
leguas, otros más y otros menos,
según las aguas que llevan, pocas o
muchas. Algunos ríos hay en aquella costa que no los dejan los indios
llegar a la mar, sacándolos de sus
madres para regar sus mieses y arboledas. El Inca general Auquititu
y sus maeses de campo, habiendo
reducido todos aquellos valles al servicio de su Rey sin batalla, le dieron cuenta de todo lo sucedido, y
en particular le avisaron que pesquisando las costumbres secretas de
aquellos naturales de sus ritos y ceremonias y de sus dioses, que eran
los pescados que mataban, habían
hallado que había algunos sodomitas, no en todos los valles, sino en
cual y cual, ni en todos los vecinos
en común, sino en algunos particulares que en secreto usaban aquel
mal vicio. Avisaron también que
por aquella parte no tenían más
tierra qué conquistar, porque habían llegado a cerrar, con lo que
de atrás estaba conquistado, la costa adelante al sur.

El Inca holgó con la relación de la conquista y mucho más de que se hubiese hecho sin derramar sangre. Envió a mandar que, dejando el orden acostumbrado para el gobierno, se volviesen al Cuzco. Y en particular mandó que con gran diligencia hiciesen pesquisa de los sodomitas, y en pública plaza quemasen vivos los que hallasen no solamente culpados sino iniciados, por poco que fuese; asimismo quemasen sus casas y las derribasen por tierra y quemasen los árboles de sus heredades, arrancándolos de raíz, porque en ninguna manera quedase memoria de cosa tan abominable, y pregonasen por ley inviolable que de allí adelante se guardasen de caer en semejante delito, so pena de que por el pecado de uno sería asolado todo su pueblo y quemados sus moradores en general, como entonces lo eran en particular.

Lo cual todo se cumplió como el Inca lo mandó, con grandísima admiración de los naturales de todos aquellos valles del nuevo castigo que se hizo sobre el nefando; el cual fue tan aborrecido de los Incas y de toda su generación, que aun el nombre sólo les era tan odioso que jamás lo tomaron en la boca, y cualquiera indio de los naturales del Cuzco, aunque no fuese de los Incas, que con enojo, riñendo con otro, se lo dijese por ofensa, que daba el mismo ofensor por infame, y por muchos días le miraban los demás indios como a cosa vil y asquerosa, porque había tomado tal nombre en la boca.

Habiendo el general y sus maeses de campo concluido con todo lo que el Inca les envió a mandar, se volvieron al Cuzco, donde fueron recibidos con triunfo y les hicieron grandes mercedes y favores. Pasados algunos años después de la conquista que se ha dicho, el Inca Cápac Yupanqui deseó hacer nueva jornada por su persona y alargar por la parte llamada Collasuyu los términos de su Imperio, porque en las dos conquistas pasadas no habían salido del distrito llamado Contisuyo. Con este deseo mandó que para el año venidero se apercibiesen veinte mil soldados escogidos.

Entre tanto que la gente se aprestaba, el Inca proveyó lo que convenía para el gobierno de todo su reino. Nombró a su hermano, el general Auquititu, por gobernador y lugarteniente. Mandó que los cuatro maeses de campo que con él habían ido quedasen por consejeros del hermano. Eligió para que fuesen consigo cuatro maeses de campo y otros capitanes que gobernasen el ejército, todos Incas, porque habiéndolos, no podían los de otra nación ser capitanes, y aunque los soldados que venían de diverdas provincias trajesen capitanes elegidos de su misma nación, luego que llegaban al ejército real daban a cada capitán extranjero un Inca por superior, cuya orden y mandado obedeciese y guardase en las cosas de la milicia como su teniente: de esta manera venía a ser todo el ejército gobernado por los Incas, sin quitar a las otras naciones los cargos particulares que traían porque no se desfavoreciesen ni desdeñasen ni se los quitasen. Porque los Incas, en todo lo que no era contra sus leyes y ordenanzas, siempre mandaban se diese gusto y contento a los curacas y a las provincias de cada nación: por esta suavidad de gobierno que en toda cosa había, acudían los indios con tanta prontitud y amor a servir a los Incas. Mandó que el príncipe, su heredero, le acompañase, para que se ejercitase en la milicia, aunque era de poca edad.

XIV. DOS GRANDES CURACAS COMPROMETEN SUS DIFERENCIAS EN EL INCA Y SE HACEN VASALLOS SUYOS

Llegado el tiempo de la jornada, salió el Inca Cápac Yupanqui del Cuzco y fue hasta la laguna de Paria, que fue el postrer término que por aquella banda su padre dejó conquistado. Por el camino fue con los ministros recogiendo la gente de guerra que en cada provincia estaba apercibida. Tuvo cuidado de visitar los pueblos que a una mano y otra del camino pudo alcanzar, por favorecer aquellas naciones con su presencia, que era tan grande el favor que sentían de que el Inca entrase en sus provincias, que en muchas de ellas se guarda hoy la memoria de muchos lugares donde los Incas acertaron a hacer alguna parada en el campo o en el pueblo para mandarles algo o para hacerles alguna merced o a descansar del camino. Los cuales puestos tienen hoy los indios en veneración por haber estado sus Reyes en ellos.

El Inca, luego que llegó a la laguna de Paria, procuró reducir a su obediencia los pueblos que halló por aquella comarca: unos se le sujetaron por las buenas nuevas que de los Incas habían oído y otros por no poderle resistir. Andando en estas conquistas, le llegaron mensajeros de dos grandes capitanes que había en aquel distrito que llamamos Collasuyu, los cuales se hacían cruel guerra el uno al otro. Y para que se entienda mejor la historia, es de saber que estos dos grandes curacas eran descendientes de dos capitanes famosos que en tiempos pasados, antes de los Incas, se habían levantado en aquellas provincias cada uno de por sí y ganado muchos pueblos y vasallos y hechose grandes señores. Los cuales, no contentos con lo que iban ganando, volvieron las armas el uno contra el otro, por la común cos-

tumbre del reinar, que no sufre igual. Hiciéronse cruel guerra, perdiendo y ganando ya el uno, ya el otro, aunque, como bravos capitanes, se sustentaron valerosamente todo el tiempo que vivieron. Esta guerra y contienda dejaron en herencia a sus hijos y descendientes, los cuales la sustentaron con el mismo valor que sus pasados, hasta el tiempo del Inca Cápac Yupanqui.

Viendo, pues, la continua y cruel guerra que se hacían, y que muchas veces se habían visto casi consumidos, temiendo destruirse del todo sin provecho de alguno de ellos, porque las fuerzas y valor siempre se habían mostrado iguales, acordaron, con parecer y consejo de sus capitanes y parientes, de someterse al arbitrio y voluntad del Inca Cápac Yupanqui y pasar por lo que él les mandase y ordenase acerca de sus guerras y pasiones. Vinieron en este concierto movidos por la fama de los Incas pasados y del presente, cuya justicia y rectitud, con las maravillas que decían haber hecho su padre el Sol por ellos, andaban tan divulgadas por entre aquellas naciones que todos deseaban conocerlos. El uno de aquellos señores se llamaba Cari y el otro Chiapana: los mismos nombres tuvieron sus antepasados, desde los primeros; querían los sucesores conservar la memoria con sus nombres, heredándolos de uno en otro, por acordarse de sus mayores e imitarles, porque fueron valerosos. Pedro Cieza de León, capítulo ciento, toca esta historia brevemente, aunque la pone mucho después de cuando pasó: llama al uno de los curacas Cari y al otro Zapana. Los cuales, como supiesen que el Inca andaba conquistando cerca de sus provincias, le enviaron mensajeros dándole cuenta de sus guerras y pendencias, suplicándole tuviese por bien darles licencia para que fuesen a besarle las manos y hacerle más larga relación de sus pasiones y diferencias, para que Su Majestad las concertase y aviniese, que ellos protestaban pasar por lo que el Inca les mandase, pues todo el mundo le confesaba por hijo del Sol, cuya rectitud esperaban haría justicia a ambas las partes, de manera que hubiese paz perpetua.

El Inca oyó los mensajeros y respondió que los curacas viniesen cuando bien le estuviese, que él procuraría concertarlos, y esperaba ponerlos en paz y hacerles amigos, porque las leyes y ordenanzas que para ello les daría serían decretadas por su padre el Sol, a quien consultaría aquel caso para que fuese más acertado lo que sobre él determinase. Con la respuesta holgaron mucho los curacas y, desde a pocos días, vinieron a Paria, donde el Inca estaba, y entraron ambos en un día por diversas partes, que así lo habían concertado. Puestos ante el Rey, le besaron las manos igualmente, sin quererse aventajar el uno del otro. Y Cari, que tenía sus tierras más cerca de las del Inca, habló en nombre de ambos y dio larga cuenta de la discordia que entre ellos había y las causas de ella. Dijo que unas veces era de envidia que cada uno tenía de las hazañas y ganancias del otro y que otras veces era ambición y codicia por quitarse los estados, y cuando menos era sobre los términos y jurisdicción; que suplicaban a Su Majestad los concertase, mandando lo que más gustase, que a eso venían ambos, cansados ya de las guerras que de muchos años atrás entre ellos había. El Inca, habiéndolos recibido con la afabilidad acostumbrada, mandó que asistiesen algunos días en su ejército, y que dos capitanes Incas de los más ancianos enseñasen cada uno al suyo las leyes, fundadas en la ley natural, con que los Incas gobernaban sus reinos para que sus vasallos viviesen en paz, respetándose unos a otros, así en la honra como en la hacienda. Y para

lo de las diferencias que tenían acerca de sus términos y jurisdicción sobre que fundaban sus guerras, envió dos Incas parientes suyos para que hiciesen pesquisa en las provincias de los curacas y supiesen de raíz las causas de aquellas guerras. Habiéndose informado el Inca de todo, y consultándolo con los de su Consejo, llamó los curacas y en breves palabras les dijo que su padre el Sol les mandaba que para tener paz y concordia guardasen las leyes que los Incas les habían enseñado, y mirasen por la salud y aumento de los vasallos, que las guerras más eran para destruirse y destruirlos que para aumentarlos; que advirtiesen que por verlos en discordia podrían levantarse otros curacas y sujetarlos, hallándose flacos y debilitados, y quitarles los estados y borrar del mundo la memoria de sus antepasados, todo lo cual se conservaba y aumentara con la paz. Mandóles asimismo que echasen por tal y tal parte las mojoneras de sus términos y que no las rompiesen. Díjoles a lo último que su Dios el Sol lo mandaba y ordenaba así para que tuviesen paz y viviesen en descanso, y que el Inca lo confirmaba, so pena de castigar severamente al que lo quebrantase, pues lo habían hecho juez de sus diferencias.

Los curacas respondieron que obedecerían a Su Majestad llanamente, y, por la afición que a su servicio habían cobrado, serían amigos verdaderos. Después los caciques Cari y Chipana trataron entre sí las leyes del Inca, el gobierno de su casa y corte y de todo su reino, la mansedumbre con que procedía en la guerra y la justicia que a todos hacía sin permitir agravio a ninguno. Particularmente notaron la suavidad e igualdad con que ellos dos habían usado, y cuán justificada había sido la partición de sus tierras. Todo lo cual bien mirado con los deudos y súbditos que consigo tenían, determinaron entre todos de entregarse al Inca y ser sus vasallos. También lo hicieron porque vieron que el Imperio del Inca llegaba ya muy cerca de sus estados y que otro día se los había de ganar con fuerza, porque ellos no eran poderosos para resistirle. Quisieron como discretos ser vasallos voluntarios y no forzados, por no perder los méritos que los tales adquirían con los Incas. Con este acuerdo se pusieron ante él y le dijeron suplicaban a Su Majestad los recibiese en su servicio, que querían ser vasallos y criados del hijo del Sol, y que desde luego le entregaban sus estados; que Su Majestad enviase gobernadores y ministros que enseñasen a aquellos nuevos súbditos lo que hubiesen de hacer en su servicio.

El Inca dijo que les agradecía su buen ánimo y tendría cuenta de hacerles merced en todas ocasiones. Mandóles dar mucha ropa de vestir, de la del Inca para los caciques, y de la otra, no tan subida, para sus parientes; hízoles otras mercedes de mucho favor y estima, con que los curacas quedaron muy contentos. De esta manera redujo el Inca a su Imperio muchas provincias y pueblos que en el distrito de Collasuyu poseían aquellos dos caciques, que entre otros fueron Pocoata, Murumuru, Maccha, Caracara y todo lo que hay al levante de estas provincias hasta la gran cordillera de los Antis, y más todo aquel despoblado grande que llega hasta los términos de la gran provincia llamada Tapacri, que los españoles llaman Tapacari, el cual despoblado tiene más de treinta leguas de travesía de tierra muy fría y, por serlo tanto, está despoblada de habitantes, pero, por los muchos pastos que tiene, llena de innumerable ganado bravo y doméstico y de muchas fuentes de agua tan caliente que no pueden tener la mano dentro un avemaría, y en el vaho que el agua echa al salir se ve dónde está la fuente, aunque esté lejos. Y esta agua caliente toda hiede a piedra azufre, y es de notar que entre estas fuentes de agua tan caliente hay otras de agua frigidísima y muy sabrosa, y de unas y de otras se viene a hacer un río que llaman de Cochapampa.

Pasado el gran despoblado de las fuentes, llegan a una cuesta que tiene de bajada siete leguas de camino, hasta lo llano de la provincia de Tapacari, la cual fue el primer repartimiento de indios que en el Perú tuvo Garcilaso de la Vega, mi señor. Es de tierra fertilísima, poblada de mucha gente y ganado; tiene más de veinte leguas de largo y más de doce de ancho. Ocho leguas adelante está otra hermosísima provincia llamada Cochapampa; tiene el valle treinta leguas de largo y cuatro de ancho, con un caudaloso río que hace el valle. Estas dos hermosas provincias, entre otras, entraron en la reducción que los dos curacas Cari y Chipana hicieron de sus estados, como se ha contado. Con la reducción alargaron su Imperio los Incas de sesenta leguas de largo. En la provincia Cochapampa, por ser tan buena y fértil, poblaron los españoles un pueblo, año de mil y quinientos y sesenta y cinco: llamáronle S. Pedro de Cardeña, porque el fundador fue un caballero natural de Burgos llamado el capitán Luis Osorio.

Hecha la reducción, mandó el Inca que dos maeses de campo de los que tenía consigo fuesen a los estados de aquellos curacas y llevasen los ministros necesarios para el gobierno y enseñanza de los nuevos vasallos; lo cual proveído, pareciéndole que por aquel año bastaba la conquista hecha, que era más de la que había esperado, se volvió al Cuzco, llevando consigo los dos caciques para que viesen la corte y para regalarlos y festejarlos en ella. En la ciudad fueron muy bien recibidos, y a los dos curacas les hicieron muchas fiestas, honrándolos y estimándolos porque así lo mandó el Inca. Pasados algunos días, les dio licencia que se fuesen a sus tierras y los envió muy contentos de las mercedes y favores que les hizo, y a la partida les dijo que estuviesen apercibidos, que pensaba ir presto a sus estados a reducir a los indios que de la otra parte había.

XV. HACEN UN PUENTE DE PAJA, ENEA Y JUNCIA EN EL DESAGUADERO, REDÚCESE CHAYANTA

El Inca Cápac Yupanqui quedó ufano de haber salido con la empresa de la puente que dijimos de Huancacha en el río Apurímac, y así mandó hacer otra en el desaguadero de la laguna Titicaca, porque pensaba volver presto a la conquista de las provincias que había en Collasuyu, que por ser aquella tierra llana y apacible de andar con ejércitos, se hallaron bien los Incas en la conquista de ella, y por esta causa porfiaron hasta que ganaron todo aquel distrito. La puente de Huacachaca y todas las que hay en el Perú son hechas de mimbre; la de aquel río que los españoles llaman el Desaguadero es de juncia y de otros materiales. Está sobre el agua como la de Sevilla, que es de barcos, y no está en el aire como están las de mimbre, según dijimos. En todo el Perú se cría una paja larga, suave y correosa, que los indios llaman *ichu*, con que se cubren sus casas. La que se cría en el Collao es más aventajada y muy buen pasto para el ganado, de la cual hacen los Collas canastas y cestillas y lo que llaman *patacas* (que son como arcas pequeñas) y sogas y maromas. Demás de esta buena paja se cría en la ribera de la laguna Titicaca grandísima cantidad de juncia y de espadaña, que por otro nombre llaman *enea*. A sus tiem-

pos cortan los indios de las provincias que están obligadas a hacer la puente mucha cantidad de enea y juncia para que esté seca cuando hayan de hacer la puente. De la paja que hemos dicho hacen cuatro maromas gruesas como la pierna; las dos echan sobre el agua; atraviesan el río de una parte a otra, el cual por cima parece que no corre y por debajo lleva grandísima corriente, según afirman los que han querido verlo por experiencia. Sobre las maromas, en lugar de barcas, echan muy grandes haces de enea y de juncia, del grueso de un buey, fuertemente atadas una con otra y con las maromas; luego echan sobre los haces de juncia y enea las otras dos maromas y las atan fuertemente con los haces para que se incorpore y fortalezca uno con otro. Sobre aquellas maromas, porque no se rompan tan presto con el hollar de las bestias, echan otra mucha cantidad de enea en haces delgados como el brazo y la pierna, los cuales van asimismo por su orden cosidos unos con otros y con las maromas. A estos haces menores llaman los españoles la calzada de la puente. Tiene la puente trece o catorce pies de ancho y más de una vara de alto y ciento y cincuenta pasos poco más o menos de largo, donde se puede imaginar qué cantidad de juncia y enea será menester para obra tan grande. Y es de advertir que la renueven cada seis meses, quiero decir que la hacen de nuevo, porque los materiales que han servido, por ser de cosas tan flacas como paja, enea y juncia, no quedan para servir de nuevo. Y porque haya seguridad en la puente, la renueven antes que las maromas se acaben de podrir y se quiebren.

Esta puente, como las demás obras grandes, estaba en tiempo de los Incas repartida por las provincias comarcanas, y se sabía con qué cantidad de materiales había de acudir cada una, y, como los tenían apercibidos de un año para otro, hacían la puente en brevísimo tiempo. Los cabos de las maromas gruesas, que son el fundamento de la puente, entierran debajo de tierra, y no hacen estribos de piedra donde las aten. Dicen los indios que aquello es lo mejor para aquella manera de puente, más también lo hacen porque mudan sitio, haciendo la puente unas veces más arriba y otras más abajo, aunque en poco espacio. El Inca, sabiendo que la puente estaba hecha, salió del Cuzco con el príncipe su heredero y caminó por sus jornadas hasta las últimas provincias de los caciques Cari y Chipana, que, como atrás queda dicho, eran Tapacari y Cochapampa. Los caciques estaban apercibidos con gente de guerra para servir al Inca. De Cochapampa fueron a Chayanta; pasaron treinta leguas de un mal despoblado que hay en medio, donde no hay un palmo de tierra de provecho, sino peñas y riscos y pedregales y peña viva; no se cría en aquel desierto cosa alguna, si no son unos cirios que llevan espinas tan largas como los dedos de la mano, de las cuales hacían las indias agujas para coser eso poco que cosían; aquellos cirios se crían en todo el Perú. Pasado el despoblado, entran en la provincia Chayanta, que tiene veinte leguas de largo y casi otras tantas de ancho. El Inca mandó al príncipe que enviase mensajeros con los requerimientos acostumbrados.

Para responder el mensaje estuvieron los indios de Chayanta diferentes, que unos decían que era muy justo que se recibiese el hijo del Sol por señores y sus leyes se guardasen, pues se debía creer que, siendo ordenadas por el Sol, serían justas, suaves y provechosas, todas en favor de los vasallos y ninguna en interés del Inca. Otros dijeron que no tenían necesidad de Rey ni de nuevas leyes, que las que se tenían eran muy buenas, pues las habían guardado sus antepasados, y que les bastaban sus dioses, sin tomar nueva religión y nuevas costumbres, y lo que peor les parecía era sujetarse a la voluntad de un hombre que estaba predicando religión y santidades y que mañana, cuando los tuviese sujetos, les pondría las leyes que quisiese, que todas serían en provecho suyo y daño de los vasallos, y que no era bien se experimentasen estos males, sino que viviesen en libertad como hasta allí o muriesen sobre ello.

En esta diferencia estuvieron algunos días, pretendiendo cada una de las partes salir con su opinión hasta que por una parte el temor de las armas del Inca y por otra las nuevas de sus buenas leyes y suave gobierno los redujo a que se conformasen. Respondieron no concediendo absolutamente ni negando del todo, sino en un medio compuesto de ambos pareceres, y dijeron que ellos holgarían de recibir al Inca por su Rey y señor; empero, que no sabían qué leyes les había de mandar guardar, si serían en daño o en provecho de ellos. Por tanto le suplicaban hubiese treguas de ambas partes, y que (entre tanto que les enseñaban las leyes) el Inca y su ejército entrase en la provincia, con palabra que les diese de salirse y dejarlos libres si sus leyes no les contentasen; empero que si fuesen tan buenas como él decía, desde luego le adoraban por hijo del Sol y le reconocían por señor.

El Inca dijo que aceptaba la condición con que le recibían, aunque podía rendirlos por fuerza de armas; empero que holgaba de guardar el ejemplo de sus pasados, que era ganar los vasallos por amor y no por fuerza, y que les daba su fe y palabra de dejarlos en la libertad que tenían cuando no quisiesen adorar a su padre el Sol ni guardar sus leyes; porque esperaba que habiéndolas visto y entendido, no solamente no las aborrecerían, sino que las amarían y les pesaría de no haberlas conocido muchos siglos antes.

Hecha esta promesa entró el Inca en Chayanta, donde fue recibido con veneración y acato, mas no con fiesta y regocijo como en otras provincias se había hecho, porque no sabían qué tal les había de salir aquel partido. Y así tuvieron entre temor y esperanza, hasta que los varones ancianos diputados por el Inca, que tenía para consejeros y gobierno del ejército, en presencia del príncipe heredero, que asistió algunos días a esta enseñanza, les manifestaron las leyes, así las de su idolatría como las del gobierno de la república; y esto se hizo muchas veces y en muchos días hasta que las entendieron bien. Los indios, mirando con atención cuán en su honra y provecho eran todas, dijeron que el Sol y los Incas, sus hijos, que tales ordenanzas y leyes daban a los hombres merecían ser adorados y tenidos por dioses y señores de la tierra. Por tanto prometían guardar sus fueros y estatutos y desechar cualesquiera ídolos, ritos y costumbres que tuviesen. Y con esta protestación, hecha ante el príncipe, lo adoraron en lugar de su padre el Sol y del Inca Cápac Yupanqui.

Acabada la jura y la solemnidad de ella, sacaron grandes danzas y bailes a la usanza de ellos, nuevos para los Incas. Salieron con muchas galas y arreos y cantares compuestos en loor del Sol y de los Incas y de sus buenas leyes y gobierno, y los festejaron y sirvieron con toda la ostentación de amor y buena voluntad que pudieron mostrar.

XVI. DIVERSOS INGENIOS QUE TUVIERON LOS INDIOS PARA PASAR LOS RÍOS Y PARA SUS PESQUERÍAS

Ya que se ha dado cuenta de las dos maneras de puentes que los Incas mandaron hacer para pasar los ríos, una de mimbre y la otra de juncia y enea, será razón digamos otras maneras y artificios que tenían para los pasar, porque las puentes, por la mucha costa y prolijidad, no se sufría hacerlas sino en los caminos reales.

Y como aquella tierra sea tan ancha y larga y la atraviesen tantos ríos, los indios, enseñados de la pura necesidad, hicieron diversos ingenios para pasarlas, conforme a las diversas disposiciones que los ríos tienen y también para navegar por la mar eso poco que por ella navegaban. Para lo cual no supieron o no pudieron hacer piraguas ni canoas como los de la Florida y los de las islas de Barlovento y Tierra Firme, que son a manera de artesas, porque en el Perú no hubo madera gruesa dispuesta para ellas, y aunque es verdad que tienen árboles muy gruesos, es la madera tan pesada como el hierro, por lo cual se valen de otra madera, delgada como el muslo, liviana como la higuera; la mejor, según decían los indios, se criaba en las provincias de Quito, de donde la llevaban por mandado del Inca a todos los ríos.

Hacían de ella balsas grandes y chicas, de cinco o de siete palos largos, atados unos con otros: el de en medio era más largo que todos los otros: los primeros colaterales eran menos largos, luego los segundos eran más cortos y los terceros más cortos, porque así cortasen mejor el agua, que no la frente toda pareja y la misma forma tenían a la popa que a la proa. Atábanles dos cordeles, y por ellos tiraban para pasarla de una parte a otra. Muchas veces, a falta de los balseros, los mismos pasajeros tiraban de la soga para pasar de un cabo al otro. Acuérdome haber pasado en algunas balsas que eran del tiempo de los Incas, y los indios las tenían por veneración.

Sin las balsas, hacen otros barquillos más manuales: son de un haz rollizo de enea, del grueso de un buey; átanlo fuertemente, y del medio adelante lo ahusan y lo levantan hacia arriba como proa de barco, para que rompa y corte el agua; de los dos tercios atrás lo van ensanchando; lo alto del haz es llano, donde echan la carga que ha de pasar. Un indio solo gobierna cada barco de éstos; pónese al cabo de la popa y échase de pechos sobre el barco, y los brazos y piernas le sirven de remos, y así lo lleva al amor del agua. Si el río es raudo va a salir cien pasos y doscientos más abajo de como entró. Cuando pasan alguna persona, lo echan de pechos a la larga sobre el barco, la cabeza hacia el barquero; mándanle que se asga a los cordeles del barco y pegue el rostro con él y no levante ni abra los ojos a mirar cosa alguna. Pasando yo de esta manera un río caudaloso y de mucha corriente (que en los semejantes es donde lo mandan, que en los mansos no se les da nada), por los extremos y demasiado encarecimiento que el indio barquero hacía mandándome que no alzase la cabeza ni abriese los ojos, que por ser yo muchacho me ponía unos miedos y asombros como que se hundiría la tierra o se caerían los cielos, me dio deseo de mirar por ver si veía algunas cosas de encantamiento o del otro mundo. Con esta codicia, cuando sentí que íbamos en medio del río, alcé un poco la cabeza y miré el agua arriba, y verdaderamente me pareció que caíamos del cielo abajo, y esto fue por desvanecérseme la cabeza por la grandísima corriente de río y por la furia con que el barco

de enea iba cortando el agua al amor de ella. Forzóme el miedo a cerrar los ojos y a confesar que los barqueros tenían razón en mandar que no los abriesen.

Otras balsas hacen de grandes calabazas enteras enredadas y fuertemente atadas unas con otras en espacio de vara y media en cuadro, más y menos, como es menester. Echan de por delante un pretal como a silla de caballo, donde el indio barquero mete la cabeza y se hecha a nado y lleva sobre sí nadando la balsa y la carga hasta pasar el río o la bahía o estero del mar. Y si es necesario lleva detrás un indio o dos ayudantes que van nadando y empujando la balsa.

En los ríos grandes, que por su mucha corriente y ferocidad no consienten que anden sobre ellos con balsas de calabazas ni barcos de enea, y que por los muchos riscos y peñas que a una ribera y a otra tienen no hay playa donde pueden embarcar ni desembarcar, echan por lo alto, de una sierra a otra, una maroma muy gruesa de aquel su cáñamo que llaman *cháhuar*: átanla a gruesos árboles o fuertes peñascos. En la maroma anda una canasta de mimbre con un asa de madera, gruesa como el brazo; es capaz de tres o cuatro personas. Trae dos sogas atadas, una a un cabo y otra a otro, por las cuales tiran de la canasta para pasarla de la una ribera a la otra. Y como la maroma sea tan larga, hace mucha vaga y caída en medio; es menester ir soltando la canasta poco a poco hasta el medio de la maroma, porque va muy cuesta abajo, y de allí adelante la tiran a fuerza de brazos. Para esto hay indios que las provincias comarcanas envían por su rueda, que asistan en aquellos pasos para los caminantes, sin interés alguno; y los pasajeros desde la canasta ayudaban a tirar de las sogas, y muchos pasaban a solas sin ayuda alguna; metíanse de pies en la canasta, y con las manos iban dando pasos por la maroma. Acuérdome haber pasado por esta manera de pasaje dos o tres veces, siendo bien muchacho, que apenas había salido de la niñez; por los caminos me llevaban los indios a cuestas. También pasaban su ganado en aquellas canastas, siendo en poca cantidad, empero con mucho trabajo, porque lo maniatan y echan en la canasta, y así lo pasan con mucha cansera. Lo mismo hacen con el ganado menor de España, como son ovejas, cabras y puercos. Pero los animales mayores, como caballos, mulos, asnos y vacas, por la fortaleza y peso de ellos, no los pasan en las canastas, sino que los llevan a las puentes o a los vados buenos. Esta manera de pasaje no la hay en los caminos reales, sino en los particulares que los indios tienen de unos pueblos a otros; llámanle *uruya*.

Los indios de toda la costa del Perú entran a pescar en la mar en los barquillos de enea que dijimos: entran cuatro y cinco y seis leguas la mar adentro y más si es menester, porque aquella mar es mansa y se deja hollar de tan flacos bajeles. Para llevar o traer cargas mayores usan de las balsas de madera. Los pescadores, para andar por la mar, se sientan sobre sus piernas, poniéndose de rodillas encima de su haz de enea, van bogando con una caña gruesa de una braza en largo, hendida por medio a la larga. Hay cañas en aquella tierra tan gruesas como la pierna y el muslo; adelante hablaremos más largo de ellas. Toman la caña con ambas manos para bogar; la una ponen en el un cabo de caña y la otra en medio de ella. El hueco de la caña les sirve de pala para hacer mayor fuerza en el agua. Tan presto como dan el golpe en el agua al lado izquierdo para remar, tan presto truecan las manos, corriendo la caña por ellas y para dar el otro golpe al

lado derecho, y donde tenían la mano derecha ponen la izquierda y donde tenían la izquierda ponen la derecha: de esta manera van bogando y trocando las manos y la caña de un lado a otro, que, entre otras cosas de admiración que hacen en aquel su navegar y pescar, es esto lo más admirable. Cuando un barquillo de éstos va a toda furia no los alcanzará una posta por buena que sea.

Pescan con fisgas peces tan grandes como un hombre. Esta pesquería de las fisgas (para la pobreza de los indios) es semejante a la que hacen en Vizcaya de las ballenas. En la fisga atan un cordel delgado que los marineros llaman volantín, es de veinte, treinta, cuarenta brazas; el otro cabo atan a la proa del barco. En hiriendo al pez, suelta el indio las piernas, y con ellas abraza su barco, y con las manos va dando carrete al pez que huye y en acabándose el cordel, se abraza con su barco fuertemente, y así asido lo lleva el pez si es muy grande, con tanta velocidad que parece ave que va volando por la mar. De esa manera andan ambos peleando hasta que el pez se cansa y viene a manos del indio. También pescaban con redes y anzuelos mas todo era pobreza y miseria, que las redes (por pescar cada uno para sí y no en compañía) eran muy pequeñas y los anzuelos muy desastrados, porque no alcanzaron acero ni hierro, aunque tuvieron minas de él, mas no supieron sacarlo. Al hierro llaman *quíllay*.

No echan vela en los barquillos de enea, porque no tienen sostén para sufrirla ni creo que camina tanto con ella como camina con solo un remo. A las balsas de madera se la echan cuando navegan por la mar. Estos ingenios que los indios del Perú tenían para navegar por la mar y pasar los ríos caudalosos yo los dejé en uso, y lo mismo será ahora porque aquella gente, como tan pobre, no aspiran a cosas mayores de las que tenían. En la historia de la Florida, libro sexto, dijimos algo de estos ingenios, hablando de las canoas que en aquella tierra hacen para pasar y navegar los ríos, tantos y tan caudalosos como allí los hay. Y con esto volvamos a la conquista del Inca Cápac Yupanqui.

XVII. DE LA REDUCCIÓN DE CINCO PROVINCIAS GRANDES, SIN OTRAS MENORES

De Chayanta salió el Inca, habiendo dejado en ella la gente de guarnición y los ministros necesarios para su idolatría y para su hacienda, y fue a otras provincias que hay en aquella comarca que llaman Charca. Debajo de este nombre se encierran muchas provincias de diferentes naciones y lenguas, y todas ellas son del distrito Collasuyu. Las más principales son Tutura, Sipisipi, Chaqui, y al levante de éstas, que es hacia los Antis, hay otras provincias que llaman Chamuru (en la cual también se cría la yerba que llaman coca, aunque no tan buena como la del término del Cuzco) y otra provincia llamada Sacaca, y otras muchas que se dejan por excusar prolijidad, a las cuales envió el Inca los apercibimientos acostumbrados.

Aquellas naciones que ya sabían lo que había pasado en Chayanta, respondieron todas casi unas mismas razones, con poca diferencia de unas a otras: en suma, dijeron que se tenían por dichosas de adorar al Sol y de tener por señor al Inca, su hijo; que ya tenían noticia de sus leyes y buen gobierno; le suplicaban los recibiese debajo de su amparo, que le ofrecían sus vidas y haciendas; que mandase conquistar y allanar las demás naciones circunvecinas a ellos porque no les hiciesen guerra y maltratasen por haber desechado sus ídolos antiguos y tomando nueva religión y nuevas leyes.

El Inca mandó responder que dejasen a su cuenta y cargo la conquista de sus vecinos, que él tenía cuidado de la hacer como y cuando fuese más en provecho de los vasallos; que no temiesen que nadie les ofendiese por se haber sujetado al Inca y recibido sus leyes, que cuando las hubiesen experimentado holgarían los unos y los otros vivir debajo de ellas, porque las había dado el Sol. Con estas respuestas recibieron al Inca en todas aquellas provincias llanamente que, por no haberse ofrecido cosas dignas de memoria, hacemos relación en junto. Gastó el Inca en esta conquista dos años, y otros dicen que tres, y, habiendo dejado bastante guarnición para que los comarcanos no se atreviesen a hacerles guerra, se volvió al Cuzco, visitando de camino los pueblos y provincias que se le ofrecieron por delante. Al príncipe su hijo mandó ir por otros rodeos para que también fuese visitando los vasallos, por el mucho favor que sentían de ver a sus Reyes y príncipes en sus pueblos.

El Inca fue recibido con gran fiesta y regocijo en su corte, donde entró rodeado de sus capitanes y delante de ellos iban los curacas que de aquellas provincias nuevamente conquistadas habían venido a ver la ciudad imperial. Pocos días después entró el príncipe Inca Roca, y fue recibido en el mismo contento, con muchos bailes y cantares que en loor de sus victorias le tenían compuestos. El Inca, habiendo hecho merced a sus capitanes, les mandó que se fuesen a sus casas, y él quedó en la suya, atendiendo el gobierno de sus reinos y provincias, cuyos términos por la parte hacia el sur se alargaban ya del Cuzco más de ciento y ochenta leguas que hay hasta Tutura y Chaqui, y por la parte del poniente llegaban a la Mar del Sur, que por una parte son más de sesenta leguas de la ciudad y por otra más de ochenta; y al levante del Cuzco llegaban hasta el río Paucartampu, que son trece leguas de la ciudad, derecho al este; al sudeste se había alargado hasta Callauaya, que son cuarenta leguas del Cuzco. Por lo cual le pareció al Inca no hacer por entonces nuevas conquistas, sino conservar lo ganado con regalo y beneficio de los vasallos, y así entendió en este ejercicio algunos años, en mucha paz y quietud. Procuró ennoblecer la casa del Sol y la de las vírgenes escogidas, que el primer Inca Manco Cápac había fundado; entendió en mandar hacer otros edificios dentro de la ciudad y fuera en muchas provincias, donde eran menester para el aumento de ellas; mandó hacer muchas puentes para los ríos y arroyos grandes, por la seguridad de los caminantes; mandó abrir nuevos caminos de unas provincias a otras, para que se comunicasen todos los de su Imperio. En suma, hizo todo lo que le pareció convenir al bien común y aprovechamiento de sus vasallos y grandeza y majestad propia.

XVIII. EL PRÍNCIPE INCA ROCA REDUCE MUCHAS Y GRANDES PROVINCIAS MEDITERRÁNEAS Y MARÍTIMAS

En estos ejercicios y otros semejantes se entretuvo este Inca seis o siete años, y al fin de ellos le pareció sería bien volver al ejercicio militar y al aumento de su reino, para lo cual mandó aprestar veinte mil hombres de guerra y cuatro maeses de campo experimentados que fuesen con el Príncipe Inca Roca, su hijo, hacia Chinchasuyu, que es el septentrión del Cuzco. Porque los Incas por aquella banda no habían alargado su Imperio más

de como lo dejó el primer Inca Manco Cápac, que era hasta Rimactampu, siete leguas de la ciudad, que, por ser aquella tierra mal poblada y muy áspera, no habían dado los Incas en conquistarla.

El Príncipe salió del Cuzco y llegó al río Apurímac; pasólo en grandes balsas que le tenían aprestadas, y, por ser tierra despoblada, pasó adelante hasta Curahuaci y Amáncay, diez y ocho leguas de la ciudad: fue reduciendo con mucha facilidad los pocos indios que por aquella comarca halló. De la provincia Amáncay echó a mano izquierda del camino real que viene del Cuzco a Rímac, y pasó el despoblado que llaman Cochacasa, que por aquel paraje tiene veinte y dos leguas de travesía, y entró en la provincia llamada Sura, que es de mucha gente, rica de mucho oro y ganado, donde el Inca fue recibido de paz y obedecido por señor. De allí pasó a otra provincia llamada Apucara, donde asimismo lo recibieron llanamente, y la causa de allanarse estas provincias con tanta facilidad fue porque siendo cada una de por sí y enemiga la una de la otra, no podía ninguna de ellas resistir al Inca.

De Apucara pasó a la provincia de Rucana, dividida en dos provincias, la una llamada Rucana y la otra Hatunrucana, que quiere decir Rucana la grande. Es de gente hermosa y bien dispuesta; las cuales redujo con mucho aplauso de los naturales. De allí bajó a la costa del mar, que los españoles llaman los llanos, y llegó al primer valle que hay por aquel paraje, llamado Nanasca —quiere decir lastimada o escarmentada, y no se sabe a qué propósito le pusieron este nombre, que no debía de ser acaso, sino por algún castigo u otra plaga semejante (los españoles le llaman Lanasca)—, donde asimismo fue recibido el Inca con mucha paz y obedecido llanamente, y lo

mismo pasó en todos los demás valles que hay desde Nanasca hasta
Arequipa, la costa adelante, en espacio de más de ochenta leguas de
largo y catorce y quince de ancho.
Los valles más principales son Hacari y Camata, en los cuales había
veinte mil vecinos; otros valles hay
pequeños, de menos consideración,
que son Aticu, Ucuña, Atiquipa y
Quellca. Todos los redujo el príncipe Inca Roca a su obediencia
con mucha facilidad, así porque no
tenían fuerzas para resistirle como
porque estaban desnudos, y cada
valle de los pequeños tenía un se-
ñorete de por sí, y los mayores
tenían dos y tres y entre ellos había
pendencias y enemistades.

Será razón, pues estamos en el
puesto, no pasar adelante sin dar
cuenta de un caso extraño que pasó
en el valle de Hacari poco después que los españoles lo ganaron,
aunque lo anticipemos de su tiempo, y fue que dos curacas que en él
había, aún no bautizados, tuvieron
grandes diferencias sobre los términos; tanto, que llegaron a darse
batalla con muertes y heridas en
ambas partes. Los gobernadores españoles enviaron un comisario que
hiciese justicia y los concertase de
manera que fuesen amigos. El cual
partió los términos como le pareció
y mandó a los curacas que tuviesen
paz y amistad. Ellos la prometieron, aunque el uno, por sentirse
agraviado en la participación, quedó
con pasión y quiso vengarse de su
contrario secretamente, debajo de
aquella amistad. Y así, el día que
se solemnizaron las paces, comieron
todos juntos, quiero decir en una
plaza, los unos fronteros de los
otros. Y acabada la comida, se
levantó el curaca apasionado y llevó
dos vasos de su brebaje para brindar a su nuevo amigo (como lo
tienen los indios de común costumbre); llevaba el uno de los vasos
atosigado para lo matar y, llegando
ante el otro curaca, le convido con

el vaso. El convidado, o que viese
demudado al que le convidaba o
que no tuviese tanta satisfacción
de su condición como era menester
para fiarse de él, sospechando lo
que fue le dijo: "Dame tú ese
otro vaso y bébete ése". El curaca,
por no mostrar flaqueza, con mucha facilidad trocó las manos y dio
a su enemigo el vaso saludable y
se bebió el mortífero, y donde a pocas horas reventó, así por la fuerza
del veneno como por la del enojo
de ver que por matar a su enemigo
se hubiese muerto a sí propio.

XIX. SACAN INDIOS DE LA COSTA
PARA COLONIZAR LA TIERRA
ADENTRO. MUERE EL INCA
CÁPAC YUPANQUI

De Nanasca sacó el Inca indios
de aquella nación para trasplantar-
los en el río Apurímac, porque aquel
río, desde el camino real que pasa
del Cuzco a Rímac, pasa por región
tan caliente que los indios de la
sierra, como son de tierra fría o
templada, no pueden vivir en tanta
calor, que luego enferman y mueren. Por lo cual, como ya se ha
dicho, tenían los Incas dada orden
que cuando así se trasplantasen indios de una provincia a otra, que
ellos llaman mítmac, siempre se
cotejasen las regiones, que fuesen
de un mismo temple de tierra, porque no se les hiciese de mal la
diferencia destemplada, pasándolos
de tierra fría a tierra caliente o al
contrario, porque luego mueren. Y
por esto era prohibido bajar los
indios de la sierra a los llanos, porque es muy cierto morir luego dentro de pocos días. El Inca, teniendo atención a este peligro, llevó
indios de tierra caliente para poblar
en tierra caliente y fueron pocos,
porque había poca tierra que poblar a causa de que el río Apurímac, por pasar entre altísimas y
asperísimas sierras, tiene a una

mano y otra de su corriente muy
poca tierra de provecho, y esa poca
no quiso el Inca que se perdiese,
sino que se aprovechase en lugar
de jardines, siquiera por gozar de
la mucha y muy buena fruta que
se cría en las riberas de aquel
famoso río.

Hecho esto y dejado el orden
acostumbrado para el gobierno de
las provincias nuevamente ganadas,
se volvió el príncipe Inca Roca al
Cuzco, donde fue muy bien recibido de su padre y de su corte. A
los capitanes y soldados mandó
despedir, habiéndoles hecho mercedes y favores por los servicios de
la guerra. Y por entonces le pareció al Inca Cápac Yupanqui no
pasar adelante en sus conquistas
porque ya se sentía viejo y deseaba
asentar y confirmar en su servicio
lo ganado. En esta quietud vivió
algunos años, con mucho cuidado
del beneficio de sus vasallos, los
cuales asimismo acudían con mucho amor y prontitud al servicio
del Inca, así en la labor de la
casa del Sol como los demás edificios que se hacían, unos por mandado del Inca y otros que los
indios inventaban por le servir y dar
gusto, cada provincia de por sí en
su distrito.

En esta quietud y descanso falleció el Inca Cápac Yupanqui; fue
valerosísimo Príncipe, digno del
nombre Cápac que los indios en
tanto estimaron. Fue llorado en la
corte y en todo su reino con gran
sentimiento; fue embalsamado y
puesto en el lugar de sus pasados.
Dejó por sucesor a Inca Roca, su
hijo primogénito y de la Coya Maca
Curíllpay, su mujer y hermana;
dejó otros muchos hijos e hijas, legítimos y bastardos, que, por no saber el número cierto, no se ponen,
mas de que se cree que pasaron
de ochenta, porque los más de estos
Incas dejaron a ciento y a doscientos, y algunos hubo que dejaron
más de trescientos hijos e hijas.

XX. LA DESCRIPCIÓN DEL TEMPLO DEL SOL Y SUS GRANDES RIQUEZAS

Uno de los principales ídolos que
los Reyes Incas y sus vasallos tuvieron fue la imperial ciudad del
Cuzco, que la adoraban los indios
como a cosa sagrada, por haberla
fundado el primer Inca Manco Cápac y por las innumerables victorias
que ella tuvo en las conquistas que
hizo y porque era casa y corte de
los Incas, sus dioses. De tal manera era su adoración que aun en
cosas muy menudas la mostraban,
que si dos indios de igual condición se topaban en los caminos, el
uno que fuese del Cuzco y el otro
que viniese a él, el que iba era
respetado y acatado del que venía
como superior de inferior, sólo por
haber estado e ir de la ciudad,
cuanto más si era vecino de ella
y mucho más si era natural. Lo
mismo era en las semillas y legumbres o cualquiera otra cosa que llevasen del Cuzco a otras partes, que,
aunque en la calidad no se aventajase, sólo por ser de aquella ciudad era más estimada que las de
otras regiones y provincias. De aquí
se sacará lo que habría en cosas
mayores. Por tenerla en esta veneración la ennoblecieron aquellos
Reyes lo más que pudieron con edificios suntuosos y casas reales que
muchos de ellos hicieron para sí,
como en la descripción de ella diremos de algunas de las casas. Entre
las cuales, y en la que más se esme-
raron, fue la casa y templo del
Sol, que la adornaron de increíbles
riquezas, aumentándolas cada Inca
de por sí y aventajándose del pasado. Fueron tan increíbles las
grandezas de aquella casa que no
me atreviera yo a escribirlas sino las
hubieran escrito todos los españoles historiadores del Perú. Mas
ni lo que ellos dicen ni lo que yo
diré alcanzar a significar las que
fueron. Atribuyen el edificio de

aquel templo al Rey Inca Yupanqui, abuelo de Huaina Cápac, no
porque él lo fundase, que desde el
primer Inca quedó fundado, sino
porque lo acabó de adornar y poner
en la riqueza y majestad que los
españoles lo hallaron.

Viniendo, pues, a la traza del
templo, es de saber que el aposento
del Sol era lo que ahora es la
iglesia del divino S. Domingo, que
por no tener la precisa anchura y
largura suya no la pongo aquí; la
pieza, en cuanto su tamaño, vive
hoy. Es labrada de cantería llana,
muy prima y pulida.

El altar mayor (digámoslo así
para darnos a entender, aunque
aquellos indios no supieron hacer
altar) estaba al oriente; la techumbre era de madera muy alta, porque tuviese mucha corriente; la
cobija fue de paja, porque no alcanzaron a hacer teja. Todas las cuatro paredes del templo estaban cubiertas de arriba abajo de planchas
y tablones de oro. En el testero
que llamamos altar mayor tenían
puesta la figura del Sol, hecha de
una plancha de oro al doble más
gruesa que las otras planchas que
cubrían las paredes. La figura estaba hecha con su rostro en redondo
y con sus rayos y llamas de fuego
todo de una pieza, ni más ni menos
que la pintan los pintores. Era tan
grande que tomaba todo el testero
del templo, de pared a pared. No
tuvieron los Incas otros ídolos suyos
ni ajenos con la imagen del Sol en
aquel templo ni otro alguno, porque no adoraban otros dioses sino
al Sol, aunque no falta quien diga
lo contrario.

Esta figura del Sol cupo en suerte, cuando los españoles entraron
en aquella ciudad, a un hombre
noble, conquistador de los primeros,
llamado Mancio Serra de Leguizamo, que yo conocí y dejé vivo
cuando me vine a España, gran
jugador de todos juegos, que con
ser tan grande la imagen, la jugó

y perdió en una noche. De donde
podremos decir, siguiendo al Padre
Maestro Acosta, que nació el refrán que dice: "Juega el Sol antes
que amanezca". Después, el tiempo adelante, viendo el Cabildo de
aquella ciudad cuán perdido andaba este su hijo por el juego, por
apartarlo de él lo eligió un año
por alcalde ordinario. El cual acudió al servicio de su patria con
tanto cuidado y diligencia (porque
tenía muy buenas partes de caballero) que todo aquel año no tomó
naipe en la mano. La ciudad, viendo esto, le ocupó otro año y otros
muchos en oficios públicos. Mancio Sierra, con la ocupación ordinaria, olvidó el juego y lo aborreció para siempre, acordándose de
los muchos trabajos y necesidades
en que cada día le ponía. Donde
se ve claro cuánto ayuda la ociosidad al vicio y cuán de provecho
sea la ocupación a la virtud.

Volviendo a nuestra historia, decimos que por sola aquella pieza
que cupo de parte a un español se
podrá sacar el tesoro que en aquella ciudad y su templo hallaron los
españoles. A un lado y a otro de
la imagen del Sol estaban los cuerpos de los Reyes muertos, puestos
por su antigüedad, como hijos de
ese Sol, embalsamados, que (no se
sabe cómo) parecían estar vivos.
Estaban asentados en sus sillas de
oro, puestas sobre los tablones
de oro en que solían asentarse. Tenían los rostros hacia el pueblo; sólo
Huaina Cápac se aventajaba de los
demás, que estaba puesto delante
de la figura del Sol, vuelto el rostro hacia él, como hijo más querido y amado, por haberse aventajado de los demás, pues mereció
que en vida le adorasen por Dios
por las virtudes y ornamentos reales que mostró desde muy mozo.
Estos cuerpos escondieron los indios
con el demás tesoro, que los más
de ellos o no han parecido hasta
hoy. El año de 1559 el licenciado

Polo descubrió cinco de ellos, tres de Reyes y dos de Reinas.

La puerta principal del templo miraba al norte como hoy está, sin la cual había otras menores para servicio del templo. Todas éstas estaban aforradas con planchas de oro en forma de portada. Por de fuera del templo, por lo alto de las paredes del templo, corría una cenefa de oro de un tablón de más de una vara de ancho, en forma de corona, que abrazaba todo el templo.

XXI. DEL CLAUSTRO DEL TEMPLO Y DE LOS APOSENTOS DE LA LUNA Y ESTRELLAS, TRUENO Y RELÁMPAGO Y ARCO DEL CIELO

Pasado el templo, había un claustro de cuatro lienzos; el uno de ellos era el lienzo del templo. Por todo lo alto del claustro había una cenefa de un tablón de oro más de una vara en ancho, que servía de corona al claustro; en lugar de ella mandaron poner los españoles, en memoria de la pasada, otra cenefa blanca, de yeso, del anchor de la de oro: yo la dejé viva en las paredes que estaban en pie y no se habían derribado. Al derredor del claustro había cinco cuadras o aposentos grandes cuadrados, cada uno de por sí, no trabados con otros, cubiertos en forma de pirámide, de los cuales se hacían los otros tres lienzos del claustro.

La una cuadra de aquéllas estaba dedicada para aposento de la Luna, mujer del Sol, y era la que estaba más cerca de la capilla mayor del templo; toda ella y sus puertas estaban aforradas con tablones de plata, porque por el color blanco viesen que era aposento de la Luna. Teníanle puesta su imagen y retrato como al Sol, hecho y pintado un rostro de mujer en un tablón de plata. Entraban en aquel aposento a visitar la Luna y a encomendarse a ella porque la tenían por hermana y mujer del Sol y madre de los Incas y de toda su generación, y así la llamaban Mama Quilla, que es Madre Luna; no le ofrecían sacrificios como al Sol. A una mano y a otra de la figura de la Luna estaban los cuerpos de las Reinas difuntas, puestas por su orden y antigüedad: Mama Ocllo, madre de Huaina Cápac, estaba delante de la Luna, rostro a rostro con ella y aventajada de las demás, por haber sido madre de tal hijo.

Otro aposento de aquéllos, el más cercano a la Luna, estaba dedicado al lucero Venus y a las siete Cabrillas y a todas las demás estrellas en común. A la estrella Venus llamaban Chasca, que quiere decir de cabellos largos y crespos; honrábanla porque decían que era paje del Sol, que andaba más cerca de él, unas veces delante y otras veces en pos. A las siete Cabrillas respetaban por la extrañeza de su postura y conformidad de su tamaño. A las estrellas tenían por criadas de la Luna, y así les dieron el aposento cerca del de su señora, porque estuviesen más a mano para el servicio de ella, porque decían que las estrellas andan en el cielo con la Luna, como criadas suyas, y no con el Sol, porque las ven de noche y no de día.

Este aposento estaba entapizado de plata, también como el de la Luna, y la portada era de plata: tenía lo alto del techo sembrado de estrellas grandes y chicas, a semejanza del cielo estrellado. El otro aposento, junto al de las estrellas, era dedicado al relámpago, trueno y rayo. Estas tres cosas nombraban y comprendían debajo de este nombre *Illapa*, y con el verbo que le juntaban distinguían las significaciones del nombre, que diciendo, ¿Viste la *Illapa*? entendían por el relámpago; si decían ¿oíste la *Illapa*?, entendían por el trueno; y cuando decían, la *illapa* cayó en tal parte, o hizo tal daño, entendían por el rayo.

No los adoraron por dioses, más de respetarlos por criados del Sol. Lo mismo sintieron de ellos que la gentilidad antigua sintió del rayo, que lo tuvo por instrumento y armas de su dios Júpiter. Por lo cual los Incas dieron aposento al relámpago, trueno y rayo en la casa del Sol, como a criados suyos, y estaba todo él guarnecido de oro. No dieron estatua ni pintura al trueno, relámpago y rayo, porque, no pudiendo retratarlos al natural (que siempre lo procuraban en toda cosa de imágenes), los respetaban con el nombre Illapa, cuya trina significación no han alcanzado hasta ahora los historiadores españoles, que ellos hubieran hecho de él un dios trino y uno y dádoselo a los indios, asemejando su idolatría a nuestra santa religión; que en otras cosas de menos apariencia y color han hecho trinidades componiendo nuevos nombres en el lenguaje, no habiéndolas imaginado los indios. Yo escribo, como otras veces he dicho, lo que mamé en la leche y vi y oí a mis mayores. Y acerca del trueno queda atrás dicho lo que más tuvieron.

Otro aposento (que era el cuarto) dedicaron al arco del cielo, porque alcanzaron que procedía del Sol, y por ende lo tomaron los Reyes Incas por divisa y blasón, porque se jactaban descender del Sol. Este aposento estaba todo guarnecido de oro. En un lienzo de él, sobre las planchas de oro, tenían pintado muy al natural el arco del cielo, tan grande, que tomaba de una pared a otra con todos sus colores al vivo. Llaman al arco cuichu, y, con tenerle en esta veneración, cuando le veían en el aire cerraban la boca y ponían la mano adelante, porque decían que si le descubrían los dientes los gastaba y empobrecía. Esta simplicidad, tenían, entre otras, sin dar razón para ello.

El quinto y último aposento estaba dedicado para el sumo sacerdote y para los demás sacerdotes que asistían al servicio del templo, que todos habían de ser Incas de la sangre real. Éstos tenían aquel aposento no para dormir ni comer en él, sino que era sala de audiencia para ordenar los sacrificios que se habían de hacer y para todo lo demás que conviniese al servicio del templo. Estaba este aposento, también como los demás, guarnecido con oro de alto abajo.

XXII. NOMBRE DEL SUMO SACERDOTE, Y OTRAS PARTES DE LA CASA

Al sumo sacerdote llaman los españoles Vilaoma, habiendo de decir Uíllac Umu, nombre compuesto de este verbo uilla que significa decir, y de este nombre umu, que es adivino o hechicero. Uíllac, con la c, es participio de presente; añadido el nombre Umu quiere decir el adivino o el hechicero que dice; y no declararan qué es lo que dice, dando a entender que decía al pueblo lo que como sumo sacerdote consultaba al Sol y lo que el Sol le ordenaba que dijese, según sus fábulas, y lo que los demonios en sus ídolos y santuarios le hablaban, y lo que él mismo, como pontífice, adivinaba y sacaba por sus agüeros, cantando los sacrificios e interpretando los sueños y las demás supersticiones que en su gentilidad tenían. No tuvieron nombre para decir sacerdote; componíanlo de las mismas cosas que hacían los sacerdotes.

De las cinco cuadras alcancé las tres que aún estaban en su antiguo ser de paredes y techumbre. Sólo les faltaban los tablones de oro y plata. Las otras dos, que eran la cuadra de la Luna y de las estrellas estaban ya derribadas por el suelo. En las paredes de estos aposentos que miraban al claustro, por la parte de afuera, en el grueso de ellas, había en cada lienzo cuatro tabernáculos, embebidos en las mismas paredes labradas de cantería, como eran todas las demás de aquella casa. Tenían sus molduras por las esquinas y por todo el hueco del tabernáculo, y, conforme a las molduras que en la piedra estaban hechas, así estaban aforrados con tablones de oro, no sólo las paredes y lo alto, mas también el suelo de los tabernáculos. Por las esquinas de las molduras habían muchos engastes de piedras finas, esmeraldas y turquesas, que no hubo en aquella tierra diamantes ni rubíes. Sentábase el Inca en estos tabernáculos cuando hacían fiestas al Sol, unas veces en un lienzo y otras en otro conforme al tiempo de la fiesta.

En dos tabernáculos de éstos, que estaban en un lienzo que miraba al oriente, me acuerdo que vi muchos agujeros en las molduras que estaban hechas en las piedras: las que estaban a las esquinas pasaban de un cabo a otro; las otras, que estaban en el campo y espacio del tabernáculo, no tenían más que estar señaladas en la pared. A los indios y a los religiosos de la casa oí decir que en aquellos mismos lugares solían estar sobre el oro los engastes de las piedras finas en tiempo de aquella gentilidad. Los tabernáculos y todas las puertas que salían al claustro, que eran doce (salvo las del aposento de la Luna y de las estrellas), todas estaban chapadas con planchas y tablones de oro en forma de portadas, y las otras dos, porque en el color blanco asemejasen a sus dueños, tenían las portadas de plata.

Sin los cinco galpones grandes que hemos dicho, había en la casa del Sol otros muchos aposentos para los sacerdotes y para los criados de la casa, que eran Incas de los de privilegio, que no podía entrar en aquella casa indio alguno que no fuese Inca, por gran señor que fuese. Tampoco entraban mujeres en ella, aunque fuesen las hijas y mujeres del mismo Rey. Los sacerdotes asistían al servicio del templo por semanas, las cuales contaban por los cuartos de la Luna. Por aquel espacio de tiempo se abstenían de sus mujeres y no salían del templo de día ni de noche.

Los indios que servían en el templo como criados, esto es, porteros barrenderos, cocineros, botilleros, reposteros, guardajoyas, leñadores y aguadores y cualquier otro oficio perteneciente al servicio del templo eran de los mismos pueblos que servían de criados en la casa real, los cuales pueblos eran obligados a dar aquellos oficiales a la casa del Inca y a la del Sol; que estas dos casas, como casas de padre e hijo, no se diferenciaban en cosa alguna del servicio, salvo que en la casa del Sol no había servicio de mujeres ni en la del Inca ofrenda de sacrificios; todo lo demás era igual en grandeza y majestad.

XXIII. LOS SITIOS PARA LOS SACRIFICIOS Y EL TÉRMINO DONDE SE DESCALZABAN PARA IR AL TEMPLO. LAS FUENTES QUE TENÍAN

Los lugares donde se quemaban los sacrificios eran conforme a la solemnidad de ellos, que unos se quemaban en unos patios y otros en otros, de muchos que la casa tenía dedicados para tales y tales fiestas particulares, conforme a la obligación o devoción de los Incas. Los sacrificios generales que se hacían en la fiesta principal del Sol llamada Raimi, se hacían en la plaza mayor de la ciudad; otros sacrificios y fiestas no tan principales se hacían en una gran plaza que había delante del templo, donde hacían sus danzas y bailes todas las provincias y naciones del reino, y no podían pasar de allí a entrar en el templo, y aun allí no podían

estar sino descalzos, porque era ya
dentro del término donde se habían
de descalzar, el cual señalaremos
aquí para que se sepa dónde era.

Tres calles principales salen de
la plaza mayor del Cuzco y van
norte sur hacia el templo: la una
es la que va siguiendo el arroyo
abajo: la otra es la que en mi tiempo llamaban la calle de la Cárcel,
porque estaba en ella la cárcel de
los españoles, que según me han
dicho la han mudado ya a otra
parte; la tercera es la que sale del
rincón de la plaza y va a la misma
vía. Otra calle hay más al levante
de estas tres, que lleva el mismo
viaje, que llaman ahora la de San
Agustín. Por todas estas cuatro
calles iban al templo del Sol. Pero
la calle más principal y la que va
más derecha hasta la puerta del
templo es la que llamamos de la
Cárcel, que sale de en medio de
la plaza, por la cual iban y venían al templo a adorar al Sol y
a llevarle sus embajadas, ofrendas
y sacrificios, y era calle del Sol. A
todas estas cuatro atraviesa otra
calle que va de poniente a oriente,
desde el arroyo hasta la calle de
San Agustín. Ésta que atraviesa
las otras era el término y límite
donde se descalzaban los que iban
hacia el templo, y aunque no fuesen al templo se habían de descalzar en llegando a aquellos puestos
porque era prohibido pasar calzados
de allí adelante. Hay, desde la calle
que decimos que era término hasta
la puerta del templo, más de doscientos pasos. Al oriente, poniente
y mediodía del templo había los
mismos términos, que llegando a
ellos se habían de descalzar.

Volviendo al ornato del templo,
tenían dentro en la casa cinco fuentes de agua que iba a ella de diversas partes. Tenían los caños de
oro; los pilares, unos eran de piedra y otros eran tinajones de oro
y otros de plata, donde lavaban los
sacrificios conforme a la calidad

de ellos y a la grandeza de la fiesta. Yo no alcancé más de una de
las fuentes, que servía de regar la
huerta de hortaliza que entonces
tenía aquel convento; las otras se
habían perdido, y por no las haber
menester o por no saber de dónde
las traían, que es lo más cierto, las
han dejado perder. Y aun la que
digo que conocí, la vi perdida seis
o siete meses y la huerta desamparada por falta de riego, y todo
el convento afligido por su pérdida,
y aun la ciudad porque no hallaron
indio que supiese decir de dónde
ni por dónde iba el agua de aquella fuente.

La causa de perderse entonces
fue que el agua iba del poniente del
convento por debajo de tierra y
atravesaba el arroyo que corre por
medio de la ciudad. El cual, en
tiempo de los Incas, tenía las ba-
rrancas de muy buena cantería y
el suelo de grandes losas, porque
las crecientes no hiciesen daño en
el suelo ni en las paredes, y salía
este edificio más de un cuarto de
legua fuera de la ciudad. Con el
descuido de los españoles se ha ido
rompiendo, principalmente lo enlosado, que aquel arroyo (aunque es
de poquísima agua porque nace casi
dentro de la ciudad) suele contener
arrebatadas crecientes e increíbles
de grandes, con las cuales ha ido
llevando las losas.

El año de mil y quinientos y
cincuenta y ocho acabó de llevar
las que había encima de los caños
de aquella fuente y rompió y que-
bró el mismo caño, y con el azolve
lo cubrió todo, de manera que atajó
el agua y dejó en seco la huerta,
y con la basura que todo el año
echan en el arroyo se cegó todo
y no quedó señal de los caños.

Los frailes, aunque hicieron las
diligencias que pudieron, no hallaron rastro alguno, y para seguir el
de los caños desde la fuente era
menester derribar mucho edificio y
ahondar mucha tierra, porque la

fuente estaba en alto; ni hallaron indio que les supiese guiar, por lo cual desconfiaron de aquella fuente, también como de las otras que la casa tenía. De donde se puede colegir la poca tradición que aquellos indios el día de hoy tengan de sus antiguallas, pues hoy ha cuarenta y dos años ya la tenían perdida de cosas tan grandes como eran las aguas que iban a la casa de su Dios el Sol. De las cuales no es posible sino que había tradición de los maestros mayores a los sucesores y de los sacerdotes a los suyos para no caer en semejante falta. Verdad es que como ya en aquellos tiempos se habían acabado los maestros mayores y los sacerdotes que en aquella república había, entre los cuales andaba la tradición de las cosas que tenían por sagradas, que pertenecían a la honra y servicio de los templos, faltó esta relación, como otras muchas de que los indios no saben dar cuenta; que si la tradición anduviera en los nudos de los tributos o en los repartimientos del servicio real o en las historias de los sucesos anales, que eran las cosas profanas, no hay duda sino que se hallara razón de aquellas fuentes, como se halla y la dan de otras cosas tan grandes y mayores los contadores y los historiadores que guardaban la tradición de ellas, aunque también ésta se va perdiendo a más andar con el trueque de las nuevas cuentas y modernas historias del nuevo Imperio.

XXIV. DEL JARDÍN DE ORO Y OTRAS RIQUEZAS DEL TEMPLO, A CUYA SEMEJANZA HABÍA OTROS MUCHOS EN AQUEL IMPERIO

Volviendo a la fuente, digo que al cabo de los seis o siete meses que estuvo perdida, unos muchachos indios, andando jugando por el arroyo, vieron el manantial del agua que salía por el caño quebrado y azolvado. Con la novedad del agua se llamaron unos a otros hasta que llegó la nueva a los indios mayores, y de ellos a los españoles, los cuales, sospechando que era el agua que se había perdido al convento, porque era cerca de él, descubrieron el viaje de los caños, y, viendo que iban hacia la casa, se certificaron en la sospecha y dieron aviso a los religiosos. Ellos aderezaron los caños con gran regocijo, aunque no con la policía que antes tenían, y restituyeron el agua a su huerta sin más procurar saber de dónde venía ni por do pasaba. Verdad es que había mucha tierra encima porque los caños venían muy hondos.

Aquella huerta que ahora sirve al convento de dar hortaliza era, en tiempo de los Incas, jardín de oro y plata, como los había en las casas reales de los Reyes, donde había muchas yerbas y flores de diversas suertes, muchas plantas menores, muchos árboles mayores, muchos animales chicos y grandes, bravos y domésticos, y sabandijas de las que van arrastrando, como culebras, lagartos y lagartijas, y caracoles, mariposas y pájaros y otras aves mayores del aire, cada cosa puesta en el lugar que más al propio contrahiciese a la natural que remedaba.

Había un gran maizal y la semilla que llaman *quinua* y otras legumbres y árboles frutales, con su fruta toda de oro y plata, contrahecho al natural. Había también en la casa rimeros de leña contrahecha de oro y plata, como los había en la casa real; también había grandes figuras de hombres y mujeres y niños, vaciados de lo mismo, y muchos graneros y trojes, que llaman *pirua*, todo para ornato y mayor majestad de la casa de su Dios el Sol. Que como cada año, a todas las fiestas principales que le hacían le presentaban tanta plata y oro, lo empleaban todo en adornar su casa inventando cada día nuevas grandezas, porque todos los plateros que había dedicados para el servicio del Sol no entendían en otra cosa sino hacer y contrahacer las cosas dichas. Hacían infinita vajilla, que el templo tenía para su servicio hasta ollas, cántaros, tinajas y tinajones. En suma, no había en aquella casa cosa alguna de qué echar mano para cualquier ministerio que todo no fuese de oro y plata, hasta lo que servía de azadas y azadillas para limpiar los jardines. De donde con mucha razón y propiedad llamaron al templo del Sol y a toda la casa Coricancha, que quiere decir casa de oro.

A semejanza de este templo de la ciudad del Cuzco eran los demás que había en muchas provincias de aquel reino, de muchos de los cuales y de las casas de las vírgenes escogidas hace mención Pedro Cieza de León en la demarcación que hizo de aquella tierra, que, como la va pintando casi provincia por provincia, pudo decir dónde las hubo, aunque no dice todas las casas y templos que había, sino los que se le ofrecieron en los caminos reales que dibujó y pintó, dejando en olvido los que aquí en las provincias grandes, que hay a una mano y a otra de los caminos. Y yo también lo dejaré por excusar prolijidad, porque no hay para qué hacer mención de ellos, habiéndola hecho del más principal, a cuya semejanza eran todos los demás templos, en el ornato de los cuales se esforzaba cada curaca conforme a la riqueza de oro y plata que en su tierra había, procurando cada cual hacer todo lo que podía, así por honrar y servir a su Dios como por lisonjear a sus Reyes, que se preciaban ser hijos del Sol. Por lo cual todos aquellos templos de las provincias también estaban chapeadas de oro y plata, que competían con el del Cuzco.

Los parientes más cercanos de los curacas eran los sacerdotes de los templos del Sol. El Sumo Sacerdote, como obispo de cada provincia, era Inca de la sangre real, porque los sacrificios que al Sol se hacían fuesen conforme a los ritos y ceremonias del Cuzco y no conforme a las supersticiones que en algunas provincias había, las cuales vedaron los Incas, como sacrificar hombres y mujeres y niños y comer la carne humana de aquellos sacrificios y otras cosas muy bárbaras que dijimos tuvieron en su primera gentilidad. Y porque los súbditos no se volviesen a ellas les obligaban a que tuviesen por Sumo Sacerdote un Inca, que es varón de la sangre real.

También se lo daban por honrar a los vasallos que, como en muchas partes lo hemos dicho, estimaban en mucho les diesen Incas por superiores, así para sacerdotes en la paz como para capitanes en la guerra, porque era hacer a los inferiores miembros de aquellas cabezas. Y esto basta para lo mucho más que de aquel riquísimo templo pudiera decir otro que supiera ponerlo mejor en su punto.

XXV. DEL FAMOSO TEMPLO DE TITICACA Y DE SUS FÁBULAS Y ALEGORÍAS

Entre otros templos famosos que en el Perú había dedicados al Sol, que en ornamento y riqueza de oro y plata podían competir con el del Cuzco, hubo uno en la isla llamada Titicaca, que quiere decir sierra de plomo: es compuesto de *titi*, que es plomo, y de *caca* que es sierra; hanse de pronunciar ambas sílabas *caca* en lo interior de la garganta, porque pronunciada como suenan las letras españolas quiere decir tío, hermano de madre. El lago llamado Titicaca, donde está la isla, tomó el mismo nombre de ella, la cual está de tierra firme poco más de dos tiros de arcabuz; tiene de circuito de cinco a seis mil pasos, donde dicen los Incas que el Sol puso aquellos sus dos hijos varón y mujer, cuando los envió a la Tierra para que doctrinasen y enseñasen la vida humana a la gente barbarísima que entonces había en aquella tierra. A esta fábula añaden otra de siglos más antiguos: dicen que después del diluvio vieron los rayos de Sol en aquella isla y en aquel gran lago primero que en otra parte alguna. El cual tiene por parte setenta y ochenta brazas de fondo y ochenta leguas de contorno. De sus propiedades y causas porque no admita barcos que anden encima de sus aguas, escribía el Padre Blas Valera, en lo cual yo no me entrometo, porque dice que tiene mucha piedra imán.

El primer Inca Manco Cápac, favorecido de esta fábula antigua y de su buen ingenio, inventiva y sagacidad, viendo que los indios la creían y tenían el lago y la isla por lugar sagrado, compuso la segunda fábula, diciendo que él y su mujer eran hijos del Sol y que su padre los había puesto en aquella isla para que de allí fuesen por toda la Tierra doctrinando aquellas gentes, como al principio de esta historia se dijo largamente. Los Incas amautas, que eran los filósofos y sabios de su república, reducían la primera fábula a la segunda, dándosela por pronóstico o profecía, si así se puede decir. Decían que el haber echado el Sol en aquella isla sus primeros rayos para alumbrar el mundo había sido señal y promesa de que en el mismo lugar pondría sus dos primeros hijos para que enseñasen y alumbrasen aquellas gentes, sacándolas de las bestialidades en que vivían, como lo habían hecho después aquellos Reyes. Con estas invenciones y otras semejantes hechas en su favor, hicieron los Incas creer a los demás indios que eran hijos del Sol, y con sus muchos beneficios lo confirmaron. Por estas dos fábulas tuvieron los Incas y todos los de su Imperio aquella isla por lugar sagrado, y así mandaron hacer en ella un riquísimo templo, todo aforrado con tablones de oro, dedicado al Sol, donde universalmente todas las provincias sujetas al Inca ofrecían cada año mucho oro y plata y piedras preciosas en hacimiento de gracia al Sol por los dos beneficios que en aquel lugar les había hecho. Aquel templo tenía el mismo servicio que el templo del Cuzco. De las ofrendas de oro y plata había tanta cantidad amontonada en la isla, fuera de lo que para el servicio del templo estaba labrado, que lo que dicen los indios acerca de esto más es para admirar que para lo creer. El Padre Blas Valera, hablando de la riqueza de aquel templo y de lo mucho que fuera de él había sobrado y amontonado, dice que los indios trasplantados (que llaman *mítmac*) que viven en Copacabana le certificaron que era tanto lo que había sobrado de oro y plata, que pudieran hacer de ello otro templo, desde los fundamentos hasta la cumbre, sin mezcla de otro material. Y que luego que los indios supieron la entrada de los españoles en aquella tierra, y que iban tomando para sí cuanta riqueza hallaban, la echaron toda en aquel gran lago.

Otro cuento semejante se me ofrece, y es que en el valle de Orcos, que está seis leguas al sur del Cuzco, hay una laguna pequeña que tiene menos de media legua de circuito, empero muy honda y rodeada de cerros altos. Es fama que los indios echaron en ella mucho tesoro de lo que había en el Cuzco, luego que supieron la ida de los españoles, y que entre otras riquezas echaron la cadena de oro que Huaina Cápac mandó hacer, de la cual diremos en su lugar. Doce o trece españoles moradores del Cuzco, no de los vecinos que tienen indios, sino de los mercaderes y tratantes, movidos de esta fama, hicieron compañía a pérdida o a ganancia, para desaguar aquella laguna y gozar de su tesoro. Sondáronla y hallaron que tenía veintitrés o veinticuatro brazas de agua, sin el cieno, que era mucho. Acordaron hacer una mina por la parte del oriente de la laguna, por do pasa el río llamado Yúcay, porque por aquella parte está la tierra más baja que el suelo de la laguna, por do podía correr el agua y quedar en seco la laguna, y por las otras partes no podían desaguarla, porque está rodeada de sierras. No abrieron el desaguadero a tajo abierto desde lo alto (que quizá les fuera mejor) por parecerles más barato entrar por debajo de tierra con el socavón. Empezaron su obra el año de mil y quinientos y cincuenta y siete, con grandes esperanzas de haber el tesoro, y, entrados ya más de cincuenta pasos por el cerro adelante, toparon con una peña, y aunque se esforzaron a romperla, hallaron que era de pedernal, y porfiando con ella, vieron que sacaban más fuego que piedra. Por lo cual, gastados muchos ducados de su caudal, perdieron sus esperanzas y dejaron la empresa. Yo entré por la cueva dos o tres veces, cuando andaban en la obra. Así que hay fama pública, como la tuvieron aquellos españoles, de haber escondido los indios infinito tesoro en lagos, cuevas y en montañas sin que haya esperanza de que se pueda cobrar.

Los Reyes Incas, demás del templo y su grande ornato, ennoblecieron mucho aquella isla, por ser la primera tierra que sus primeros progenitores, viniendo del cielo, habían pisado, como y peñascos; hicieron andenes, los cuales cubrieron con tierra ellos decían. Allanáronla todo lo que ser pudo, quitándole peñas que en toda aquella región, por ser tierra muy fría, no se coge buena y fértil, traída de lejos, para que pudiese llevar maíz, por de ninguna manera. En aquellos andenes lo sembraban con otras semillas, y, con los muchos beneficios que les hacían, cogían algunas mazorcas en poca cantidad, las cuales llevaban al Rey por cosa sagrada y él las llevaba al templo del Sol y de ellas enviaba a las vírgenes escogidas que estaban en el Cuzco y mandaba que se llevasen a otros conventos y templos que por el reino había, un año a unos y otros, para que todos gozasen de aquel grano que era como traído del cielo. Sembraban de ello en los jardines de los templos del Sol y de las casas de las escogidas en las provincias donde las había, y lo que se cogía se repartía por los pueblos de las tales provincias.

Echaban algunos granos en los graneros del Sol y en los del Rey y en los pósitos de los concejos, para que como cosa divina guardase, aumentase y librase de corrupción el pan que para el sustento común allí estaba recogido. Y el indio que podía haber un grano de aquel maíz o de cualquiera otra semilla para echarlo en sus orones, creía que no le había de faltar pan en toda su vida: tan supersticiosos como esto fueron en cualquiera cosa que tocaba a sus Incas.

Trata de las vírgenes dedicadas al Sol; la ley contra los que las violan. Cómo se casaban los indios en común y cómo casaban al príncipe heredero; las maneras de heredar los estados; cómo criaban los hijos. La vida de Inca Roca, sexto Rey; sus conquistas, las escuelas que fundó y sus dichos. La vida de Yáhuar Huácac, séptimo Rey, y de un extraño fantasma que se apareció al príncipe, hijo.

I. LA CASA DE LAS VÍRGENES DEDICADAS AL SOL

Tuvieron los Reyes Incas, en su gentilidad y vana religión, cosas grandes, dignas de mucha consideración, y una de ellas fue la profesión de perpetua virginidad que las mujeres guardaban en muchas casas de recogimiento que para ellas en muchas provincias de su Imperio edificaron, y para que se entienda qué mujeres eran éstas y a quién se dedicaban y en qué se ejercitaban, lo diremos como ello era; porque los historiadores españoles que de esto tratan pasan por ello conforme al refrán que dice: "como gato por brasas". Diremos particularmente de la casa que había en el Cuzco, a cuya semejanza se hicieron después las que hubo en todo el Perú.

Es así que un barrio de los de aquella ciudad se llamaba Acllahuaci: quiere decir la Casa de las Escogidas. El barrio es el que está entre las dos calles que salen de la plaza mayor y van al convento de Santo Domingo, que solía ser casa del Sol. La una de las calles es la que sale del rincón de la plaza, a mano izquierda de la iglesia mayor, y va norte sur. Cuando yo salí de aque-

lla ciudad, el año de mil y quinientos y sesenta, era esta calle la principal de los mercaderes. La otra calle es la que sale del medio de la plaza, donde deja la cárcel, y va derecha al mismo convento dominico, también norte sur. La frente de la casa salía a la plaza mayor entre las dos calles dichas, y las espaldas de ella llegaban a la calle que las atraviesa de oriente a poniente, de manera que estaba hecha isla entre la plaza y las tres calles. Quedaba entre ella y el templo del Sol otra isla grandísima de casas y una plaza grande que hay delante del templo. De donde se ve claro la falta de relación verdadera que tuvieron los historiadores que dicen que las vírgenes estaban en el templo del Sol, y que eran sacerdotisas y que ayudaban a los sacerdotes en los sacrificios, habiendo tanta distancia de la una casa a la otra y siendo la principal intención de aquellos Reyes Incas que en ésta de las monjas no entrasen hombres ni en la del Sol mujeres. Llamábase casa de escogidas porque las escogían o por linaje o por hermosura: habían de ser vírgenes, y para seguridad de que lo eran las escogían de ocho años abajo.

Y porque las vírgenes de aquella

casa del Cuzco eran dedicadas para mujeres del Sol, habían de ser de su misma sangre, quiero decir, hijas de los Incas, así del Rey como de sus deudos, los legítimos y limpios de sangre ajena; porque de las mezcladas con sangre ajena, que llamamos bastardas, no podían entrar en esta casa del Cuzco del cual vamos hablando. Y la razón de esto decían que como no se sufría dar al Sol mujer corrupta, sino virgen, así tampoco era lícito dársela bastarda, con mezcla de sangre ajena; porque, habiendo de tener hijos el Sol, como ellos imaginaban, no era razón que fueran bastardos, mezclados de sangre divina y humana. Por tanto habían de ser legítimas de la sangre real, que era la misma del Sol. Había de ordinario más de mil y quinientas monjas, y no había tasa de las que podían ser.

Dentro, en la casa, había mujeres mayores de edad que vivían en la misma profesión, envejecidas en ella, que habían entrado con las mismas condiciones, y, por ser ya viejas y por el oficio que hacían, las llamaban Mamacuna, que interpretándolo superficialmente bastaría decir matrona, empero, para darle toda su significación, quiere decir mujer que tiene cuidado de hacer oficio de madre; porque es compuesto de *mama*, que es madre, y de esta partícula *cuna*, que por sí no significa nada, y en composición significa lo que hemos dicho, sin otras muchas significaciones, según las diversas composiciones que recibe. Hacíalas bien el nombre, porque unas hacían oficio de abadesas, otras de maestras de novicias para enseñarlas, así en el culto divino de su idolatría como en las cosas que hacían de manos para su ejercicio, como hilar, tejer, coser. Otras eran porteras, otras provisoras de la casa, para pedir lo que habían menester, lo cual se les proveía abundantísimamente de la hacienda del Sol, porque eran mujeres suyas.

II. LOS ESTATUTOS Y EJERCICIOS DE LAS VÍRGENES ESCOGIDAS

Vivían en perpetua clausura hasta acabar la vida, con guarda de perpetua virginidad; no tenían locatorio ni torno ni otra parte alguna por donde pudiesen hablar ni ver hombre ni mujer; si no eran ellas mismas unas con otras, porque decían que las mujeres del Sol no habían de ser tan comunes que las viese nadie. Y esta clausura era tan grande que aun el propio Inca no quería gozar del privilegio que como Rey podía tener de las ver y hablar, porque nadie se atreviese a pedir semejante privilegio. Sola la Coya, que es la Reina, y sus hijas tenían licencia de entrar en la casa y hablar con las encerradas, así mozas como viejas.

Con la Reina y sus hijas enviaba el Inca a las visitar y saber cómo estaban y qué habían menester. Esta casa alcancé yo a ver entera de sus edificios, que sola ella y la del Sol, que eran dos barrios, y otros cuatro galpones grandes, que habían sido casas de los Reyes Incas, respetaron los indios en su general levantamiento contra los españoles, que no las quemaron (como quemaron todo lo demás de la ciudad), porque la una había sido casa del Sol, su Dios, y la otra casa de sus mujeres y las otras de sus Reyes. Tenían entre otras grandezas de sus edificios una calleja angosta, capaz de dos personas, la cual atravesaba toda la casa. Tenía la calleja muchos apartados a una mano y otra, donde había oficinas de la casa donde trabajaban las mujeres de servicio. A cada puerta de aquéllas había porteras de mucho recaudo; en el último apartado, al fin de la calleja, estaban las mujeres del Sol, donde no entraba nadie. Tenía la casa su puerta principal como las que acá llaman puerta reglar, la cual no se abría sino para la Reina y para recibir las que entraban para ser monjas.

Al principio de la calleja, que era la puerta del servicio de la casa había veinte porteros de ordinario para llevar y traer hasta la segunda puerta lo que en la casa hubiese de entrar y salir. Los porteros no podían pasar de la segunda puerta, so pena de la vida, aunque se lo mandasen de allá adentro, ni nadie lo podía mandar, so la misma pena.

Tenían para servicio de las monjas y de la casa quinientas mozas, las cuales también habían de ser doncellas, hijas de los Incas del privilegio, que el primer Inca dio a los que redujo a su servicio, no de los de la sangre real porque no entraban para mujeres del Sol, sino para criadas. No querían que fuesen hijas de alienígenas, sino hijas de Incas, aunque de privilegio. Las cuales mozas también tenían sus Mamacunas de la misma casta y doncellas, que les ordenaban lo que habían de hacer. Y estas Mamacunas no eran sino las que envejecían en la casa, que, llegadas a tal edad, les daban el nombre y la administración como diciéndoles: "Ya podéis ser madres y gobernar la casa". En el repartimiento que los españoles hicieron para sus moradas de las casas reales de la ciudad del Cuzco, cuando la ganaron, cupo la mitad de este convento a Pedro del Barco, de quien adelante haremos mención —fue la parte de las oficinas—, y la otra mitad cupo al licenciado de la Gama, que yo alcancé en mis niñeces, y después fue de Diego Ortiz de Guzmán, caballero natural de Sevilla que yo conocí y dejé vivo cuando vine a España.

El principal ejercicio que las mujeres del Sol hacían era hilar y tejer y hacer todo lo que el Inca traía sobre su persona de vestido y tocado, y también para la Coya, su mujer legítima. Labraban asimismo

toda la ropa finísima que ofrecían al Sol en sacrificio; lo que el Inca traía en la cabeza era una trenza llamada *llautu*, ancha como el dedo merguerite y muy gruesa, que venía a ser casi cuadrada, que daba cuatro o cinco vueltas a la cabeza, y la borla colorada, que le tomaba de una sien a otra.

El vestido era una camiseta que descendía hasta las rodillas, que llaman *uncu*. Los españoles le llaman *cusma;* no es del general lenguaje, sino vocablo intruso de alguna provincia particular. Traía una manta cuadrada de dos piernas, en lugar de capa, que llaman *yacolla*. Hacían asimismo estas monjas para el Inca unas bolsas que son cuadradas, de una cuarta en cuadro; tráenlas debajo del brazo, asida a una trenza muy labrada de dos dedos en ancho, puesta como tahalí del hombro izquierdo al costado derecho. A estas bolsas llaman *chuspa*: servían solamente de traer la yerba llamada coca, que los indios comen, la cual entonces no era tan común como ahora, porque no la comían sino el Inca y sus parientes y algunos curacas a quien el Rey, por mucho favor y merced, enviaba algunos cestos de ella por año.

También hacían unas borlas pequeñas de dos colores, amarillo y colorado, llamadas *paicha*, asidas a una trenza delgada de una braza en largo, las cuales no eran para el Inca, sino para los de su sangre real: traíanlas sobre su cabeza; caían las borlas sobre la sien derecha.

III. LA VENERACIÓN EN QUE TENÍAN LAS COSAS QUE HACÍAN LAS ESCOGIDAS, Y LA LEY CONTRA LOS QUE LAS VIOLASEN

Todas estas cosas hacían las monjas de sus manos en mucha cantidad para el Sol, marido de ellas. Y porque el Sol no podía vestir ni traer aquellos ornamentos, se los enviaban al Inca, como a hijo legítimo y natural y heredero que decían ser suyo, para que él los trajese. El cual los recibía como cosas sagradas y las tenía él y todo su Imperio en mayor veneración que las tuvieran los griegos y romanos si en su gentilidad las hicieran sus diosas Juno, Venus y Palas. Porque estos nuevos gentiles, como más simples que lo fueron los antiguos, adoraron con grandísima veneración y afecto de corazón todo lo que en su falsa religión tenían por sagrado y divino. Y porque aquellas cosas eran hechas por las manos de las Coyas, mujeres del Sol, y hechas para el Sol, y las mujeres por su calidad eran de la misma sangre del Sol, por todos estos respectos las tenían en suma veneración. Y así el mismo Inca no podía darlas a otro alguno que no fuese de su sangre real y parentela, porque las cosas divinas, decían ellos, no era lícito, sino sacrilegio, emplearlas en hombres humanos, y de aquí le era prohibido al mismo Rey dar a los curacas y capitanes, por mucho que hubiesen servido, si no fuesen de su sangre, y adelante diremos de cuáles otros vestidos suyos daba el Inca a los curacas y a los visorreyes, gobernadores y capitanes, por gran merced y favor que les hacía con ellos.

Sin lo dicho, tenían cuidado estas monjas de hacer a sus tiempos el pan llamado *zancu* para los sacrificios que ofrecían al Sol en las fiestas mayores que llamaban Raimi y Cittua. Hacían también la bebida que el Inca y sus parientes aquellos días festivos bebían, que en su lengua llaman *aca*, pronunciada la última sílaba en las fauces, porque pronunciada como suenan las letras españolas significa estiércol. Toda la vajilla de aquella casa, hasta las ollas, cántaros y tinajas, eran de plata y oro, como en la casa del Sol porque eran mujeres

suyas y ellas lo merecían por su calidad. Había asimismo un jardín con árboles y plantas, yerbas y flores, aves y animales, contrahechos de oro y plata, como los que había en el templo del Sol.

Las cosas que hemos dicho eran las principales en que las monjas de la ciudad del Cuzco se ocupaban. Todo lo demás era conforme a la vida y conversación de unas mujeres que guardaban perpetua clausura con perpetua virginidad. Para la monja que delinquiese contra su virginidad había ley que la enterrasen viva y al cómplice mandaban ahorcar. Y porque les parecía (y así lo afirmaban ellos) que era poco castigo matar un hombre sólo por delito tan grave como era atreverse violar una mujer dedicada al Sol, su Dios y padre de sus Reyes, mandaba la ley matar con el delincuente su mujer e hijos y criados, y también sus parientes y todos los vecinos y moradores de su pueblo y todos sus ganados, sin quedar mamante ni piante, como dice. Derribaban el pueblo y lo sembraban de piedra; y como patria y madre que tan mal hijo había parido y criado, quedaba desierta y asolada, y el sitio maldito y descomulgado, para que nadie lo hollase, ni aun los ganados, si ser pudiese.

Esta era la ley, mas nunca se vio ejecutada, porque jamás se halló que hubiesen delinquido contra ello, porque, como otras veces hemos dicho, los indios del Perú fueron temerosísimos de sus leyes y observantísimos de ellas, principalmente de las que tocaban en su religión o en su Rey. Mas si se hallara haber delinquido alguno contra ella, se ejecutara al pie de la letra sin remisión alguna, como si no fuera más que matar un gozque. Porque los Incas nunca hicieron leyes para asombrar los vasallos ni para que burlasen de ellas, sino para ejecutarlas en los que se atreviesen a quebrantarlas.

IV. QUE HABÍA OTRAS MUCHAS CASAS DE ESCOGIDAS. COMPRUÉBASE LA LEY RIGUROSA

Todo lo que se ha dicho era de la casa de las vírgenes del Cuzco, dedicadas al Sol, a semejanza de la cual había otras muchas en todo el reino, en las provincias más principales, donde el Inca por gran merced y privilegio las mandaba edificar. En las cuales entraban doncellas de todas suertes, así de las legítimas de la sangre real como las de las que llamamos bastardas, mezcladas con sangre - ajena. Entraban también, por gran favor y merced, hijas de los curacas señores de vasallos; asimismo entraban hijas de la gente común, las que eran escogidas por muy hermosas, porque eran para mujeres o concubinas del Inca y no del Sol. Los padres lo tenían por suma felicidad que les tomasen las hijas para mujeres del Rey, y ellas lo mismo.

Guardábanse con la misma vigilancia y cuidado que las del Sol. Tenían mozas de servicio, doncellas como las otras; sustentábanse de la hacienda del Inca porque eran sus mujeres; entendían en lo mismo que las del Sol, en hilar y tejer y hacer de vestir en grandísima cantidad para el Inca; hacían también todas las demás cosas que dijimos de las otras. De las cuales obras repartía el Inca con los de su sangre real, con los señores de vasallos y con los capitanes de guerra y con todas las demás personas a quien él, por mucho favor y regalo, quería hacer merced, y no le era prohibido el darles porque las hacían sus mujeres, y no las del Sol, y las hacían para él y no para el Sol.

Tenían también sus Mamacunas, que las gobernaban como a las del Cuzco. En suma, todas eran una misma casa, salvo que en la del Cuzco entraban para mujeres del Sol y habían de ser legítimas en la sangre real y guardaban perpetua clausura, y en las demás casas del reino entraban mujeres de todas suertes, con que fuesen muy hermosas y doncellas, porque eran para el Inca. De donde, cuando él las pedía, sacaban las más hermosas para llevárselas donde él estaba para concubinas.

Contra los delincuentes de estas casas de las mujeres del Inca había la misma ley rigurosa que contra los adúlteros de las escogidas dedicadas para el Sol, porque el delito era uno mismo, mas nunca se vio ejecutada, porque nunca hubo en quién. En confirmación de lo que decimos de la ley rigurosa contra los atrevidos a las mujeres del Sol o del Inca, dice el contador Agustín de Zárate, hablando de las causas de la muerte violenta de Atahualpa, libro segundo, capítulo séptimo, estas palabras, que son sacadas a la letra, que hacen a nuestro propósito:

Y como las averiguaciones que sobre esto se hicieron era por lengua del mismo Felipillo, interpretaba lo que quería conforme a su intención; la causa que lo movió nunca se pudo bien averiguar, más de que fue una de dos, o que este indio tenía amores con una de las mujeres de Atabáliba y quiso con su muerte gozar de ella seguramente, lo cual había ya venido a noticia de Atabáliba, y él se quejó de ello al gobernador, diciendo que sentía más aquel desacato que su prisión ni cuantos desastres le habían venido, aunque se le siguiese la muerte con ellos, que un indio tan bajo le tuviese en tan poco y le hiciese tan gran afrenta, sabiendo él la ley que en aquella tierra había en semejante delito, porque el que se hallaba culpado en él, y aun el que solamente lo intentaba le quemaban vivo con la misma mujer si tenía culpa y mataban a sus padres e hijos y hermanos y a todos los otros parientes cercanos y aun hasta las ovejas del tal adúltero, y demás de esto despoblaban la tierra donde él era natural, sembrándola de sal

y cortando los árboles y derribando
las casas de toda la población y haciendo otros muy grandes castigos
en memoria del delito.

Hasta aquí es de Agustín de Zárate, donde muestra haber tenido
entera relación del rigor de aquella ley. Hallélo después de haber
escrito lo que yo sabía de ella; holgué mucho hallar la ley tan copiosamente escrita por un caballero
español! por abonarse con su autoridad, que, aunque todos los demás
historiadores hablan de esta ley, lo
más que dicen es que a los delincuentes daban pena de muerte, sin
decir que también la daban a sus
hijos, padres, parientes y a todos
los vecinos de su pueblo hasta matar los animales y arrancar los árboles y asolar su patria y sembrarla
de piedra o de sal, que todo es uno.
Todo lo cual contenía la ley, encareciendo el delito, para dar a entender cuán grave era. Y así lo
encareció bien el pobre Inca Atahualpa, diciendo que sentía más
aquel desacato que su prisión ni todas sus adversidades, aunque viniese la muerte con ellas.

Las que una vez salían para concubinas del Rey como ya corrup-
tas, no podían volver a la casa; servían en la casa real como damas o
criadas de la reina hasta que las
jubilaban y daban licencia que se
volviesen a sus tierras, donde les daban casas y heredades y las servían
con gran veneración; porque era
grandísima honra de toda su nación tener consigo una mujer del
Inca. Las que no alcanzaban a ser
concubinas del Rey se quedaban en
la casa hasta muy viejas; entonces
tenían libertad para irse a sus tierras, donde eran servidas como hemos dicho, o se quedaban en las casas hasta morir.

V. EL SERVICIO Y ORNAMENTO DE LAS ESCOGIDAS Y QUE NO LAS DABAN POR MUJERES A NADIE

Las que se dedicaban para el Rey
presente, muerto él se llamaban madres del sucesor, y entonces les daban el nombre Mamacuna con más
propiedad, porque ya eran madres,
y éstas doctrinaban y guardaban las
que entraban para concubinas del
nuevo Inca, como suegras o nueras.
Tenía cada convento de éstos su
gobernador, el cual había de ser
Inca; tenía mayordomo y despense-
ro y los demás oficios necesarios
para el servicio de las mujeres del
Rey, que, aunque concubinas las
llamaban mujeres por la honestidad del nombre. En todas las casas
de las doncellas escogidas para el
Inca, la vajilla y los demás vasos de
servicio eran de plata y oro, como
los había en la casa de las mujeres del Sol y en su famoso templo,
y como los hubo (según diremos)
en las casas reales; que, hablando en
suma, se puede afirmar que toda la
riqueza de oro y plata y piedras
preciosas que en aquel grande imperio se sacaba no se empleaba en
otra casa sino el adorno y servicio
de los templos del Sol, que eran
muchos, y de las casas de las vírgenes, que por consiguiente eran
otras tantas, y en la suntuosidad y
majestad de las casas reales que fueron muchas más. Lo que se gastaba
en el servicio de los señores de vasallos era poco o nada, porque no
era más de para los vasos de beber,
y ésos eran limitados por su cuenta y número conforme al privilegio
que el Inca les daba para ellos; otro
poco se empleaba en los vestidos y
arreos con que celebraban sus fiestas principales.

Decir que de estas casas de las
escogidas sacaban doncellas para
dárselas por mujeres a los señores
de vasallos y a los capitanes famosos y a otros beneméritos del Inca,
y que él mismo se las daba por mu-

jeres, es engaño que hicieron al autor por falsa relación que le dieron. Porque, dedicadas una vez para mujer del Inca y admitidas en aquella profesión, no era lícito bajarlas de aquel estado ni se permitía que, siendo mujer de un particular, dijesen: "Esta fue mujer del Inca". Porque era profanar lo sagrado, que secundariamente, después del Sol, se tenía por sagrado lo que se dedicaba para el Inca, particularmente las mujeres, por la mayor unión que hay con ellas, ni se sufría permitir el agravio que a ellas se les hacía en bajarlas de mujeres del Inca a mujeres de un particular, que aun en cosas de muy poca importancia nunca permitieron agraviar a nadie, cuanto más en la de tanta grandeza, que tenían en más ser esclavas del Inca que ser mujeres de señores vasallos; que por ser esclavas del Inca (digámoslo así, aunque no las tuvieron ni supieron qué cosa era ser esclavo) las veneraban como a cosa sagrada, por ser del Inca, y por mujeres de señoras de vasallos no eran estimadas más que las otras comunes en comparación de las cosas del Inca. Todas estas razones miraban los indios con grandísima atención y las guardaban en sumo grado, porque a sus Reyes, demás de la majestad real, como ya se ha dicho, los tenían por dioses.

VI. DE CUÁLES MUJERES HACÍA MERCED EL INCA

Verdad es que los Incas daban mujeres de su mano a las personas beneméritas en su servicio, como curacas y capitanes y otros semeantes. Empero, eran hijas de otros capitanes y de otros curacas, las cuales el Inca tomaba para darlas por mujeres a los que le habían servido; y no se tenía por menos favorecido y menos gratificado aquél a quien pedían la hija que al que

se la daban, porque se había acordado el Inca de su hija para la pedir y hacer joya propia y darla de su mano al que le había servido, que en las mercedes que el Inca hacía no se estimaba tanto la dádiva, por grande que fuese, como el haber sido de mano de la majestad del Inca, porque se tenía por merced divina y no humana.

También daba el Inca, aunque raras veces, mujeres bastardas de su sangre real por mujeres a curacas señores de grandes provincias; así por hacerles merced como por obligarles con ella a que le fuesen leales vasallos. Y de esta manera, habiendo tantas mujeres que dar, no tenía el Rey necesidad de dar mujeres de las que se le habían dedicado en las dichas casas; porque le fuera menoscabo a él y a la mujer y a su religión, que ellos tuvieron por inviolable, porque pudiendo las legítimas ser mujeres del Sol, como está dicho, o del Inca, como era costumbre tomar concubinas de su sangre real, o pudiendo ser mujer de otro Inca legítimo, que en estos tres estados no salían de lo que tenían por divino, no era lícito que fuera mujer de un hombre humano, por gran señor que fuera, que era bajar de su deidad aquella sangre que tenían por divina. Y porque la bastarda ya estaba decaída de su falsa divinidad, no se le hacía agravio en darla por mujer a un gran señor.

VII. DE OTRAS MUJERES QUE GUARDABAN VIRGINIDAD Y DE LAS VIUDAS

Demás de las vírgenes que entraban en los monasterios de recogimiento a profesar perpetua virginidad había muchas mujeres de sangre real que en sus casas vivían en recogimiento y honestidad, con voto de virginidad, aunque no de clausura; porque no dejaban de salir a visitar las parientas más cercanas en sus enfermedades y partos, y cuando trasquilaban y ponían el nombre a los primogénitos. Éstas eran tenidas en grandísima veneración por su castidad y limpieza y por excelencia y deidad las llamaban *Ocllo,* que era como nombre consagrado en su idolatría. Su castidad no era fingida, sino muy verdadera, so pena de que por amabidora y falsaria en su vana religión la quemaran viva o la echaran en el lago de los leones si pareciera lo contrario. Yo alcancé a conocer una de éstas en su última vejez que no se había casado: llamábanla Ocllo, algunas veces visitaba a mi madre y, según entendí, era su tía, hermana de sus abuelos. Teníanla en la veneración que hemos dicho, porque dondequiera le daban el primer lugar, y soy testigo que mi madre lo hacía así con ella, tanto por ser tía como por su edad y honestidad.

No es de dejar en olvido la honestidad de las viudas en común, que guardaban gran clausura por todo el primer año de su viudez, y muy pocas de las que no tenían hijos se volvían a casar, y las que los tenían no habían de casarse jamás, sino que vivían en continencia. Por esta virtud eran muy favorecidas en sus leyes y ordenanzas, pues mandaban que se labrasen primero las tierras de las viudas que las del curaca ni las del Inca, sin otros muchos privilegios semejantes que les daban. Verdad es que también a los indios se les hacía de mal casarse con viuda, principalmente si él no era viudo, porque decía que aquél tal perdía no sé qué de su calidad en casar con viuda. Las cosas dichas son las más notables que acerca de las vírgenes y de las honestas y de las viudas se pueden decir.

VIII. CÓMO CASABAN EN COMÚN Y CÓMO ASENTABAN LA CASA

Será bien tratemos de la manera como se casaban en todos los reinos y provincias sujetas al Inca. Es de saber que cada año, o de dos a dos años por tal tiempo, mandaba el Rey juntar todos los mozos y mozas casaderas que en la ciudad del Cuzco había de su linaje. Las mozas habían de ser de diez y ocho a veinte años y los mozos de a veinte y cuatro arriba, y no los permitían que se casasen antes, porque decían que era menester que tuviesen edad y juicio para gobernar casa y hacienda, porque casarlos de menos edad era todo muchachería.

El Inca se ponía en medio de los contrayentes que estaban cerca unos de otros, y mirándolos llamaba a él y a ella y a cada uno tomaba por la mano y los juntaba como que los unía con el vínculo del matrimonio y los entregaba a sus padres; los cuales se iban a casa del padre del novio, y entre los parientes más cercanos se solemnizaban las bodas, dos o cuatro o seis días, o más los que querían. Estas eran las mujeres legítimas, y para mayor favor y honra de ellas las llamaban, en su lengua, entregadas de la Mano del Inca, habiendo casado el Rey los de su linaje, luego otro día siguiente los ministros que para ello estaban diputados casaban por la misma orden a los demás hijos de vecinos de la ciudad, guardando la división de las dos parcialidades llamadas Cuzco el alto y Cuzco el bajo, de las cuales al principio de esta historia dimos larga cuenta.

Las casas para la morada de los novios que eran Incas, de quien vamos hablando, las hacían los indios de aquellas provincias a cuyo cargo era el hacerlas conforme al repartimiento que para cada cosa había hecho. El ajuar, que eran las cosas de servicio de casa, lo proveían los parientes, acudiendo cada uno con su pieza, y no había otras ceremonias ni sacrificios. Y si los historiadores españoles dicen que usaban otras cosas en sus matrimonios, es por no saber distinguir las provincias donde se usaban tales y tales cosas. De donde vienen a atribuir en común a los Incas las costumbres bárbaras que muchas provincias tuvieron antes que ellos las señorearan, las cuales no solamente no las tuvieron los Incas, mas antes las quitaron a los indios que las tenían, imponiéndoles gravísimas penas si las usaban.

Los Incas no tuvieron otra manera de casar sino la que se ha referido, y según aquello salía por todos los reinos su mandato para que cada gobernador en su distrito, juntamente con el curaca de la provincia, casase los mozos y mozas que hubiese para casar, y habían de asistir los curacas a los casamientos o hacerlos ellos mismos como señores y padres de la Patria; porque nunca jamás los Incas tiranizaron cosa alguna de la jurisdicción del curaca, y el Inca gobernador asistía a los casamientos que el curaca hacía, no para quitar ni poner nada en ellos, sino para aprobar en nombre del Rey lo que el curaca hacía con sus vasallos.

En los casamientos de la gente común eran obligados los concejos de cada pueblo a labrar las casas de los novios, y el ajuar lo proveía la parentela. No les era lícito casarse los de una provincia en otra, ni los de un pueblo en otro, sino todos en sus pueblos y dentro de su parentela (como las tribus de Israel) por no confundir los linajes y naciones mezclándose unos con otros. Reservaban las hermanas, y todos los de un pueblo se tenían por parientes (a semejanza de las abejas de una colmena), y aun los de una provincia, como fuesen de una nación y de una lengua. Tampoco les era lícito irse a vivir de una provincia a otra ni de un pueblo a otro ni de un barrio a otro, porque no podían confundir las decurias que estaban hechas de los vecinos de cada pueblo y barrio, y también por que las casas las hacían los concejos y no las habían de hacer más de una vez, y había de ser en el barrio o colación de sus parientes.

IX. CASABAN AL PRÍNCIPE HEREDERO CON SU PROPIA HERMANA, Y LAS RAZONES QUE PARA ELLO DABAN

Ya que hemos dicho la manera de casarse los indios en común, será bien digamos cómo casaba en particular el príncipe heredero del reino. Para lo cual es de saber que los Reyes Incas, desde el primero de ellos, tuvieron por ley y costumbre muy guardada que el heredero del reino casase con su hermana mayor, legítima de padre y madre, y ésta su legítima mujer; llamábanle Coya, que es tanto como Reina o Emperatriz. El primogénito de estos dos hermanos era el legítimo heredero del reino.

Guardaron esta ley y costumbre desde el primer Inca Manco Cápac y su mujer Mama Ocllo Huaco, los cuales vinieron diciendo que eran hermanos, hijos del Sol y de la Luna, y así lo creyeron los indios, sus vasallos y los no vasallos. Tomaron también otro ejemplo antiguo para autorizar este segundo, y fue que, como ya se ha dicho, tuvieron en su gentilidad que la Luna era hermana y mujer del Sol, de los cuales se preciaban descender los Incas. De aquí nació que para imitar en todo al Sol y a los primeros Incas, sus hijos, establecieron ley que el primogénito del Inca, siguiendo ambos ejemplos, casase con su propia hermana de padre y madre. A falta de hermana legítima, casaban con la parienta más cercana al árbol real, prima hermana o sobrina

o tía, la que a falta de varón pudiese heredar el reino conforme a
la ley de España.

Si el príncipe no había hijos en
la primera hermana, casaba con la
segunda y tercera hasta tenerlos, y
este rigor de ley y costumbre lo
fundaban en los ejemplos ya dichos.
Decían que pues el Sol se había casado con su hermana y había hecho
aquel casamiento de sus dos primeros hijos, era justo se guardase la
misma orden en los primogénitos
del Rey. También lo hacían por
conservar limpia la sangre del Sol,
porque decían que no era lícito se
mezclase con sangre humana: llamaban sangre humana la que no
era de los Incas. Decían asimismo
que casaban los príncipes con sus
hermanas porque al heredero le perteneciese el reino tanto por la madre como por el padre; porque, no
siendo así, decían que el príncipe
en la herencia bastardeaba por la
vía de su madre. En tanto rigor
como esto ponían la sucesión y derecho de heredar el reino.

A estas razones añadían otras, y
decían que no era de permitir que
la majestad de ser Reina la diesen a
mujer alguna que no le perteneciese por legítimo derecho propio,
y no por conjunta persona del Rey,
ni era justo que, no siendo ella por
sí capaz del reinado, la adorasen y
sirviesen otras que en igual fortuna eran mejores que ella.

Sin la mujer legítima, tuvieron
aquellos Reyes muchas concubinas;
de ellas eran de sus parientas dentro y fuera del cuarto grado; otras
eran de las alienígenas. Los hijos
de las parientas eran tenidos por
legítimos porque no tenían mezcla
de sangre ajena; la cual limpieza se
tuvo entre los Incas en suma veneración no solamente entre los Reyes, mas también entre todos los
de la sangre real. Los hijos de las
mancebas extranjeras eran tenidos
por bastardos, y, aunque los respetaban como a hijos del Rey, no era

con el acatamiento y adoración interior y exterior que a los legítimos
en sangre, porque a éstos los adoraban como a dioses y (a) aquéllos como a hombres. De manera
que el Rey Inca tenía tres suertes
de hijos: los de su mujer, que eran
legítimos para la herencia del reino; los de las parientas, que eran
legítimos en sangre, y los bastardos,
hijos de las extranjeras.

X. DIFERENTES MANERAS DE HEREDAR LOS ESTADOS

A falta de los hijos de la legítima
mujer, era ley que podía heredar el
mayor de los legítimos en sangre,
como heredó Manco Inca a Huáscar, como se dirá en su lugar, y así
sucesivamente los demás a falta del
mayor, y en ninguna manera se permitía heredar alguno de los bastardos. Y no habiendo hijo legítimo
en sangre, volvía la herencia al pariente varón legítimo más cercano.

Por esta ley destruyó Atahualpa
toda la sangre real, hombres y mujeres, como en su lugar diremos,
porque él era bastardo y temía no
le quitasen el reino usurpado y se
lo diesen a algún legítimo. Casaban
todos los de la sangre real con sus
parientes dentro en el cuarto grado,
porque hubiese muchos hijos legítimos en sangre. Reservaban la hermana, cuyo casamiento no era permitido sino sólo al Rey. Heredaba
siempre el reino el hijo mayor, y
nunca faltó esta sucesión en doce
Reyes que reinaron hasta los españoles. En los curacas, señores de
vasallos, hubo diferentes costumbres en la herencia de los estados.
En unas provincias heredaba el hijo
primogénito, sucediendo llanamente de padres a hijos. En otras heredaba el hijo más bienquisto de sus
vasallos, amado por su virtud y afabilidad, que parece elección, más
que no herencia. Esta ley era freno

para que ninguno de los hijos del curaca fuese tirano mal acondicionado, sino que cada uno de ellos procurase merecer la herencia del estado y señorío por su bondad y valor, obligando a los vasallos a que lo pidiesen por señor porque era virtuoso.

En otras provincias heredaban todos los hijos por su antigüedad, que, muerto el padre, sucedía el hijo mayor y luego el segundo y tercero, etcétera, y muertos todos los hermanos, volvía la herencia a los hijos del mayor, y después a los del segundo y tercero, etcétera, y así iban en una muy cansada esperanza. De haber oído esta manera de heredar de algunos curacas, se engañó un historiador español, diciendo que era común costumbre en todo el Perú, no solamente en los caciques mas también en los Reyes, heredar los hermanos del Rey y luego los hijos de ellos, por su orden y antigüedad; lo cual no hubo en los Reyes Incas, sino en algunos curacas, como hemos dicho.

Las tres diferentes costumbres o leyes que los señores de vasallos en diversas provincias tenían para heredar sus estados no las hicieron los Incas, porque sus leyes y ordenanzas eran comunes y generales para todos sus reinos. Los curacas las tenían y usaban antes del Imperio de los Incas, y aunque ellos los conquistaron después, así como no les quitaban los estados, tampoco les quitaban las costumbres que en su antigüedad tenían, como no fuesen contrarias a las que ellos mandaban guardar. Antes confirmaron muchas de ellas que les parecieron buenas, particularmente la costumbre de heredar el estado al hijo más virtuoso y más bienquisto, que les pareció muy loable, y así la aprobaron y mandaron que se guardase donde se hubiese usado y donde quisiesen usarla. Y un Rey de ellos hubo que quiso valerse de esta ley de los curacas contra la aspereza y

mala condición del príncipe, su hijo primogénito, como en su lugar veremos. En un pueblo que está cuarenta leguas al poniente del Cuzco que yo vi —es de la nación Quechua, dícese Sutcunca— acaeció lo que se dirá, que es a propósito de las herencias diferentes de aquella tierra. El curaca del pueblo se llamaba don García. El cual, viéndose cerca de morirse, llamó cuatro hijos varones que tenía y los hombres nobles de su pueblo y les dijo por vía de testamento que guardasen la ley de Jesucristo que nuevamente habían recibido, y que siempre diesen gracias a Dios por habérsela enviado, sirviesen y respetasen mucho a los españoles porque se la habían llevado: particularmente sirviesen a su amo con mucho amor porque les había cabido en suerte para ser señor de ellos. Y a los últimos les dijo:

Bien sabéis que según la costumbre de nuestra tierra hereda mi estado el más virtuoso y más bienquisto de mis hijos; yo os encargo escojáis el que fuere tal, y si entre ellos no lo hubiere, os mando que los desheredéis y elijáis uno de vosotros que sea para mirar por vuestra honra, salud y provecho, porque deseo más el bien común de todos vosotros que el particular de mis hijos.

Todo esto contaba el sacerdote que los doctrinaba, por hazaña y testamento notable de su inquilino.

XI. EL DESTETAR, TRASQUILAR Y PONER NOMBRE A LOS NIÑOS

Los Incas usaron hacer gran fiesta al destetar de los hijos primogénitos y no a las hijas ni a los demás varones segundos y terceros, a lo menos no con la solemnidad del primero; porque la dignidad de la primogenitura, principalmente del varón, fue muy estimada entre estos Incas y a imitación de ellos lo fue entre todos sus vasallos.

Destetábanlos de dos años arriba y les trasquilaban el primer cabello con que habían nacido, que hasta entonces no tocaban en él, y les ponían el nombre propio que había de tener, para lo cual se juntaba toda la parentela, y elegían uno de ellos para padrino del niño, el cual daba la primera tijerada al ahijado. Las tijeras eran cuchillos de pedernal, porque los indios no alcanzaron la invención de las tijeras. En pos del padrino iba cada uno por su grado de edad o dignidad a dar su tijerada al destetado; y habiéndole trasquilado, le ponían el nombre y le presentaban las dádivas que llevaban, unos ropas de vestir, otros ganado, otros armas de diversas maneras, otros le daban vasijas de oro o de plata para beber, y éstos habían de ser de la estirpe real, que la gente común no los podía tener sino por privilegio.

Acabado el ofrecer, venía la solemnidad del deber, que sin él no había fiesta buena. Cantaban y bailaban hasta la noche, y este regocijo duraba dos, tres o cuatro días, o más, como era la parentela del niño, y casi lo mismo se hacía cuando destetaban y trasquilaban al príncipe heredero, sino que era con solemnidad real y era el padrino el Sumo Sacerdote del Sol. Acudían personalmente o por sus embajadores los curacas de todo el reino; hacíase una fiesta que por lo menos duraba más de veinte días; hacíanle grandes presentes de oro y plata y piedras preciosas y de todo lo mejor que había en sus provincias.

A semejanza de lo dicho, porque todos quieren imitar a la cabeza, hacían lo mismo los curacas y universalmente toda la gente común del Perú, cada uno según su grado y parentela, y ésta era una de sus fiestas de mayor regocijo. Para los curiosos de lenguas decimos que la general del Perú tiene dos nombres

para decir hijos: el padre dice *churi* y la madre *huahua* (habíase de escribir este nombre sin las h. h.; solamente las cuatro vocales, pronunciadas cada una de por sí en dos diptongos; uaua: yo le añado las *h, h,* porque no se hagan dos sílabas). Son nombres, y ambos quieren decir hijos, incluyendo en sí cada uno de ellos ambos sexos y ambos números, con tal rigor que no pueden los padres trocarlos, so pena de hacerse el varón hembra y la hembra varón. Para distinguir los sexos añaden los nombres que significan macho o hembra; mas para decir hijos en plural o en singular, dice el padre *churi* y la madre *uaua*. Para llamarse hermanos tienen cuatro nombres diferentes. El varón dice *huauque*: quiere decir hermano; de mujer a mujer dicen *ñaña*: quiere decir hermana. Y si el hermano a la hermana dijese *ñaña* (pues significa hermana) sería hacerse mujer. Y si la hermana al hermano dijese *huauque* (pues significa hermano) sería hacerse varón. El hermano a la hermana dice *pana*: quiere decir hermana; y la hermana al hermano dice *tora*: quiere decir hermano. Y un hermano a otro no puede decir *tora,* aunque significa hermano, porque sería hacerse mujer, ni una hermana a otra puede decir *pana,* aunque significa hermana, porque sería hacerse varón.

De manera que hay nombres de una misma significación y de un mismo género, unos apropiados a los hombres y otros a las mujeres, para que usen de ellos, sin poderlos trocar, so la dicha pena. Todo lo cual se debe advertir mucho para enseñar nuestra Santa Religión a los indios sin darles ocasión de risa con los barbarismos. Los Padres de la Compañía, como tan curiosos en todo, y otros religiosos trabajan mucho en aquella lengua para doctrinar aquellos gentiles, como al principio dijimos.

XII. CRIABAN LOS HIJOS SIN REGALO NINGUNO

Los hijos criaban extrañamente, así los Incas como la gente común, ricos y pobres, sin distinción alguna, con el menos regalo que les podían dar. Luego que nacía la criatura la bañaban con agua fría para envolverla en sus mantillas, y cada mañana que lo envolvían la habían de llevar con agua fría, y las más veces puesta al sereno. Y cuando la madre le hacía mucho regalo, tomaba el agua en la boca y le lavaba todo el cuerpo, salvo la cabeza, particularmente la mollera, que nunca le llegaban a ella. Decían que hacían esto por acostumbrarlos al frío y al trabajo, y también porque los miembros se fortaleciesen. No les soltaban los brazos de las envolturas por más de tres meses porque decían, que soltándoselos antes, los hacían flojos de brazos. Teníanlos siempre echados en sus cunas, que era un banquillo mal aliñado de cuatro pies, y el un pie era más corto que los otros para que se pudiese mecer. El asiento o lecho donde echaban al niño era una red gruesa, porque no fuese tan dura si fuese de tabla, y con la misma red lo abrazaban por un lado y otro de la cuna y lo aliaban, porque no se cayese de ella.

Al darles la leche ni en otro tiempo alguno no los tomaban en el regazo ni en brazos, porque decían que haciéndose a ellos se hacían llorones y no querían estar en la cuna, sino siempre en brazos. La madre se recostaba sobre el niño y le daba el pecho, y el dárselo era tres veces al día: por la mañana y al mediodía y a la tarde. Y fuera de estas horas no les daban leche, aunque llorasen, porque decían que se habituaban a mamar todo el día y se criaban sucios con vómitos y cámaras, y que cuando hombres eran comilones y glotones: decían que los animales no estaban dando le-

che a sus hijos todo el día ni toda la noche, sino a ciertas horas. La madre propia criaba a su hijo; no se permitía darlo a criar, por gran señora que fuese, si no era por enfermedad. Mientras criaban se abstenían del coito, porque decían que era malo para la leche y encanijaba la criatura. A los tales encanijados llamaban ayusca; es participio de pretérito; quiere decir, en toda su significación, el negado, y más propiamente el trocado por otro de sus padres. Y por semejanza se lo decía un mozo a otro, motejándole que su dama hacía más favor a otro que no a él. No se sufría decírselo al casado, porque es palabra de las cinco; tenía gran pena el que la decía. Una Palla de la sangre real conocí que por necesidad dio a criar una hija suya. La ama debió de hacer traición o se empeñó, que la niña se encanijó y se puso como ética, que no tenía sino los huesos y el pellejo. La madre, viendo su hija *ayusca* (al cabo de ocho meses que se le había enjugado la leche) la volvió a llamar a los pechos con cernadas y emplastos de yerbas que se puso en las espaldas, y volvió a criar su hija y la convaleció y libró de muerte. No quiso dársela a otra ama, porque dijo que la leche de la madre era la que le aprovechaba.

Si la madre tenía leche bastante para sustentar su hijo, nunca jamás le daba de comer hasta que lo destetaba, porque decía que ofendía el manjar a la leche y se criaban hediondos y sucios. Cuando era tiempo de sacarlos de la cuna, por no traerlos en brazos les hacían un hoyo en el suelo, que les llegaba a los pechos; aforrábanlos con algunos trapos viejos, y allí los metían y les ponían delante algunos juguetes en que se entretuviesen. Allí dentro podía el niño saltar y brincar, mas en brazos no lo habían de traer, aunque fuese hijo del mayor curaca del reino.

Ya cuando el niño andaba a gatas, llegaba por el un lado o el otro de la madre a tomar el pecho, y había de mamar de rodillas en el suelo, empero no entrar en el regazo de la madre, y cuando quería el otro pecho le enseñaban que rodease a tomarlo, por no tomarlo la madre en brazos. La parida se regalaba menos que regalaba a su hijo porque en pariendo se iba a un arroyo o en casa se lavaba con agua fría, y lavaba su hijo y se volvía a hacer las haciendas de su casa, como si nunca hubiera parido. Parían sin partera, ni la hubo entre ellas; si alguna hacía oficio de partera, más era hechicera que partera. Esta era la común costumbre que las indias del Perú tenían en el parir y criar sus hijos, hecha ya naturaleza, sin distinción de ricas a pobres ni de nobles a plebeyas.

XIII. VIDA Y EJERCICIO DE LAS MUJERES CASADAS

La vida de las mujeres casadas en común era con perpetua asistencia de sus casas; entendían en hilar y tejer lana en las tierras frías, y algodón en las calientes. Cada una hilaba y tejía para sí y para su marido y sus hijos. Cosían poco, porque los vestidos que vestían, así hombres como mujeres, eran de poca costura. Todo lo que tejían era torcido, así algodón como lana. Todas las telas, cualesquiera que fuesen, las sacaban de cuatro orillos. No las urdían más largas de como las habían menester para cada manta o camiseta. Los vestidos no eran cortados, sino enterizos, como la tela salía del telar, porque antes que la tejiesen le daban el ancho y largo que había de tener, más o menos.

No hubo sastres ni zapateros ni calceteros entre aquellos indios. ¡Oh, qué de cosas de las que por acá hay no hubieron menester, que se pasaban sin ellas! Las mujeres cuidaban del vestido de sus casas y los varones del calzado, que, como dijimos, en el armarse caballeros lo habían de saber hacer, y aunque los Incas hacían de calzar, no se desdeñaban ellos de ejercitarse de cuando en cuando en hacer un calzado y cualquiera género de armas que su profesión les mandaba que supiesen hacer, porque se preciaron mucho de cumplir sus estatutos. Al trabajo del campo acudían todos, hombres y mujeres, para ayudarse unos a otros.

En algunas provincias muy apartadas del Cuzco, que aún no estaban bien cultivadas por los Reyes Incas, iban las mujeres a trabajar al campo y los maridos quedaban en casa a hilar y tejer. Mas yo hablo de aquella corte y de las naciones que la imitaban que eran casi todas las de su Imperio; que esotras, por bárbaras, merecían quedar en olvido. Las indias eran tan amigas de hilar y tan enemigas de perder cualquiera pequeño espacio de tiempo, que, yendo o viniendo de las aldeas a la ciudad, y pasando de un barrio a otro a visitarse en ocasiones forzosas, llevaban recaudo para dos maneras de hilado, quiero decir para hilar y torcer. Por el camino iban torciendo lo que llevaban hilado, por ser oficio más fácil; y en sus visitas sacaban la rueca del hilado e hilaban en buena conversación. Esto de ir hilando o torciendo por los caminos era de la gente común, mas las Pallas, que eran las de la sangre real, cuando se visitaban unas a otras llevaban sus hilados y labores con sus criadas; y así las que iban a visitar como las visitadas estaban en su conversación ocupadas, por no estar ociosas. Los husos hacen de caña, como en España los de hierro; échanles torteros, mas no les hacen huecas a la punta. Con la hebra que van hilando les hechan una la-

zada, y al hilar suelta el huso como
cuando tuercen; hacen la hebra cuan
larga pueden; recógenla en los dedos mayores de la mano izquierda
para meterla en el huso. La rueca
traen en la mano izquierda, y no
en la cinta: es de una cuarta en
largo; tiénenla con los dedos menores; acuden con ambas manos a
adelgazar la hebra y quitar las mo-
tas. No la llegan a la boca porque
en mis tiempos no hilaban lino, que
no lo había, sino lana y algodón.
Hilan poco porque es con las prolijidades que hemos dicho.

XIV. CÓMO SE VISITABAN LAS MUJERES, CÓMO TRATABAN SU ROPA, Y QUE LAS HABÍA PÚBLICAS

Si alguna mujer que no fuese Palla, aunque fuese mujer de curaca,
que es señor de vasallos, iba a visitar a la Palla de la sangre real, no
llevaba hacienda suya qué hacer;
mas luego, pasadas las primeras palabras de la visita o de la adoración, que más era adorarla, pedía
que le diesen qué hacer, dando a
entender que no iba a visitar, por
no ser igual, sino a servir como inferior a superior. La Palla, por gran
favor, correspondía a esta demanda con darle algo de lo que ella
misma hacía o alguna de sus hijas,
por no la igualar con las criadas
si mandase darle de lo que ellas hacían. El cual favor era todo lo que
podía desear la que visitaba, por
haberse humanado la Palla a igua-
larla consigo o con sus hijas. Con
semejante correspondencia de afabilidad a humildad, que en toda
cosa mostraban, se trataban las mujeres y los hombres en aquella república, estudiando los inferiores
cómo servir y agradar a los superiores, y los superiores cómo regalar
y favorecer a los inferiores, desde
el Inca, que es el Rey, hasta el más
triste *llamamíchec*, que es pastor.

La buena costumbre de visitarse
las indias unas con otras, llevando
sus labores consigo, la imitaron las
españolas en el Cuzco y la guardaron con mucha loa de ellas hasta
la tiranía y guerra de Francisco
Hernández Girón, la cual destruyó
esta virtud, como suele destruir todas las que halla en su jurisdicción
tiránica y cruel. Olvidado se me
había decir cómo remienda la gente
común su ropa, que es de notar.
Si la ropa de su vestir o cualquiera
otra de su servicio se le rompe no
por vejez sino por accidente, que
se la rompa algún garrancho o se
la queme alguna centella de fuego u otra desgracia semejante, la
toman, y con una aguja hecha de
una espina (que no supieron hacerla de metal) y una hebra de hilo
del mismo color y del mismo grueso de la ropa, la vuelven a tejer,
pasando primero los hilos de la
urdimbre por los mismos hilos rotos, y volviendo por los de la trama
quince o veinte hilos a una parte
y a otra más adelante de lo roto,
donde los cortaban y volvían con
el mismo hilo, cruzando y tejiendo
siempre la trama con la urdimbre
y la urdimbre con la trama, de
manera que, hecho el remiendo, parecía no haber sido roto. Y aunque fuese la rotura como la palma
de la mano y mayor, la remenda-
ban como se ha dicho, sirviéndose
de bastidor de la boca de una olla
o de una calabaza partida por medio, para que la tela estuviese tirante y pareja. Reíanse del remendar
de los españoles; verdad sea que
es diferente tejido el de los indios;
y la ropa española no sufre aquella
manera de remendar. También es
de notar que el hogar que en sus
casas tenían para guisar de comer
eran hornillos hechos de barro,
grandes o chicos, conforme a la
posibilidad de sus dueños. El fuego
les daban por la boca, y por lo
alto les hacían un agujero o dos
o tres, según los platos que comían,

donde ponían las ollas que guisaban. Esta curiosidad tenían como gente aplicada, porque no se desperdiciase el fuego ni se gastase más leña de la que fuese menester; admirábanse del desperdicio que los españoles hacían de ella.

Resta decir de las mujeres públicas, las cuales permitieron los Incas por evitar mayores daños. Vivían en los campos, en unas malas chozas, cada una de por sí y no juntas. No podían entrar en los pueblos porque no comunicasen con las otras mujeres. Llámanlas *pampairuna*, nombre que significa la morada y el oficio, porque es compuesto de *pampa*, que es plaza o campo llano (que ambas significaciones contiene), y de *runa*, que en singular quiere decir persona, hombre o mujer, y en plural quiere decir gente. Juntas ambas dicciones, si las toman en la significación del campo, *pampairuna* quiere decir gente que vive en el campo, esto es por su mal oficio; y si las toman en la significación de plaza, quiere decir persona o mujer de plaza, dando a entender que, como la plaza es pública y está dispuesta para recibir a cuantos quieren ir a ella, así lo están ellas y son públicas para todo el mundo. En suma, quiere decir mujer pública.

Los hombres las trataban con grandísimo menosprecio. Las mujeres no hablaban con ellas, so pena de haber el mismo nombre y ser trasquiladas en público y dadas por infames y ser repudiadas de los maridos si eran casadas. No las llamaban por su nombre propio, sino *pampairuna*, que es ramera.

XV. INCA ROCA, SEXTO REY, CONQUISTA MUCHAS NACIONES Y ENTRE ELLAS LOS CHANCAS Y HANCOHUALLU

El Rey Inca Roca, cuyo nombre, según atrás queda dicho por el Maestro Blas Valera, significa príncipe prudente y maduro, muerto su padre tomó la borla colorada, y, habiendo cumplido con las solemnidades del entierro, visitó su reino: gastó en la visita los primeros tres años de su reinado. Luego mandó apercibir gente de guerra para pasar adelante en su conquista por la banda de Chinchasuyu, que es el septentrión del Cuzco. Mandó que se hiciese una puente en el río Apurímac, que es la que está en el camino real del Cuzco a la Ciudad de los Reyes, porque le pareció cosa indigna que, siendo ya Rey, pasase su ejército aquel río en balsas, como lo pasó cuando era príncipe. Entonces no la mandó hacer el Inca pasado porque no tenía sujetas las provincias de la comarca, como al presente lo estaban.

Hecha la puente, salió el Inca del Cuzco con veinte mil hombres de guerra y cuatro maeses de campo. Mandó que su ejército pasase la nueva puente en escuadrón formado de tres hombres por fila, para perpetua memoria de su estreno. Llegó al valle Amáncay, que quiere decir azucena, por la infinidad que de ellas se crían en aquel valle. Aquella flor es diferente en forma y olor de la de España, porque la flor *amáncay* es de forma de una campana y el tallo verde, liso, sin hojas y sin olor ninguno. Solamente porque se parece a la azucena en las colores blanca y verde, la llamaron así los españoles. De Amáncay echó a mano derecha del camino hacia la gran cordillera de la Sierra Nevada, y entre la cordillera y el camino halló pocos pueblos, y ésos redujo a su Imperio. Llámanse estas naciones Tacmara y Quiñuella. De allí pasó a Cochacasa, donde mandó hacer un gran pósito. De allí fue a Curampa, y con gran facilidad redujo aquellos pueblos, porque son de poca gente. De Curampa fue a la gran provincia llamada Antahuailla, cuyos moradores se extienden a una mano y otra del camino real, por espacio de diez y seis o diez y siete leguas. Es gente rica y muy belicosa. Esta nación se llama Chanca; jáctanse descender de un león, y así lo tenían y adoraban por dios, y en sus grandes fiestas, antes y después de ser conquistados por los Reyes Incas, sacaban dos docenas de indios de la misma manera que pintan a Hércules cubierto con el pellejo del león, y la cabeza del indio metida en la cabeza del león. Yo las vi así en las fiestas del Santísimo Sacramento, en el Cuzco.

Debajo de este apellido Chanca se encierran otras muchas naciones, como son Hancohuallu, Utunsulla, Uramarca, Uillca y otras, las cuales se jactan descender de diversos padres, unas de una fuente, otras de una laguna, otras de un collado muy alto; y cada nación tenía por dios a los que tenía por padre, y le ofrecía sacrificios. Los antepasados de aquellas naciones vinieron de lejas tierras y conquistaron muchas provincias, hasta llegar donde entonces estaban, que es la provincia Antahuailla, la cual ganaron por fuerza de armas, y echaron sus antiguos moradores fuera de ella y arrinconaron y estrecharon a los indios Quechuas en sus provincias, ganándoles muchas tierras; sujetáronles a que les diesen tributos; tratábanlos con tiranía; hicieron otras cosas famosas de que hoy se premian sus descendientes. De todo lo cual iba bien informado el Rey Inca Roca, y así, llegando a los términos de la provincia Antahuailla, envió a los Chancas los requerimientos acostumbrados, que se sometiesen a los hijos del Sol o se apercibiesen a las armas. Aquellas naciones se juntaron para responder al requerimiento, y tuvieron diversos pareceres, porque se dividieron en dos parcialidades. Los unos decían que era muy justo recibiesen al Inca por señor, que era

hijo del Sol. Los otros decían en contrario (y éstos eran los descendientes del león), que no era justo reconocer señorío ajeno, siendo señores de tantos vasallos y descendientes de un león; que su descendencia sabían, y no querían creer que el Inca fuese hijo del Sol; que, conforme al blasón de ellos y a las hazañas de los Chancas, sus pasados, más honroso les era presumir sujetas otras naciones a su imperio, que no hacerse súbditos del Inca sin haber hecho la última prueba del valor de sus brazos, por lo cual era mejor resistir al Inca y no obedecerle con tanta vileza de ánimo que al primer recado se le rindiesen sin desplegar sus banderas ni haber sacado sus armas al campo.

En estas diferencias estuvieron muchos días los Chancas, ya resueltos de recibirle, ya determinados de resistir, sin concordarse. Lo cual sabido por el Inca, determinó entrar por la provincia para amedrentarlos, porque no tomasen ánimo y osadía viendo su mansedumbre y blandura; y también porque, confiados en sus muchas victorias pasadas, no se desvergonzasen a hacer algún desacato a su persona con que les forzasen a les hacer cruel guerra y castigo riguroso. Mandó a sus maeses de campo que entrasen en la provincia Antahuailla y juntamente envió un mensajero a los Chancas diciéndoles que los recibiesen por señor o apercibiesen las gargantas, que los había de pasar todos a cuchillo, porque ya no se podía sufrir la pertinacia y rebeldía que hasta allí habían tenido. Los Chancas, viendo la determinación del Inca, y sabiendo que venían en su ejército muchos Quechuas y otras naciones que de tiempos pasados tenían ofendidas, bajaron la soberbia y recibieron el yugo de los Incas, más por temor de sus armas y porque no se vengasen sus enemigos, que no por amor de sus leyes y gobierno. Y así le enviaron a decir que llanamente le obedecían por señor y se sometían a sus leyes y ordenanzas. Mas el rencor del corazón no perdieron, como adelante veremos.

El Inca, habiendo dejado los ministros necesarios, pasó adelante en su conquista a otra provincia que llaman Uramarca, que también es del apellido Chanca, pequeña de términos, aunque muy poblada de gente brava y guerrera, la cual se redujo con algún desabrimiento y resistencia. Y si al ánimo gallardo y belicoso igualaran las fuerzas, resistieran de veras, que ya por este paraje no se mostraban los indios tan blandos y amorosos para con los Incas como se mostraron los de Cuntisuyu y Collasuyu; mas al fin, aunque con señal de disgusto, se rindieron los de Uramarca. De allí pasó el Inca a la provincia y nación llamada Hancohuallu y Uillca, que los españoles llaman Vilcas, y con la misma pesadumbre se sujetaron a su imperio, porque estas naciones, que también son Chancas, eran señores de otras provincias que habían sujetado con las armas, y de día en día iban ganando con mucha ambición y trataban los nuevamente ganados con soberbia y tiranía; la cual reprimió el Rey Inca Roca con sujetarlos a su obediencia, de que todos ellos quedaron muy lastimados y guardaron el rencor en sus ánimos. En ambas estas provincias sacrificaban niños a sus dioses en sus fiestas principales. Lo cual sabido por el Inca, les hizo una plática persuadiéndoles adorasen al Sol y quitasen aquella crueldad de entre ellos; y porque no la usasen de allí adelante les puso ley, pronunciándola por su propia boca porque fuese más respetada, y les dijo que por un niño que sacrificasen los pasaría todos a cuchillo y poblaría sus tierras de otras naciones que amasen a sus hijos y no los matasen. Lo cual sintieron aque-

llas provincias gravísimamente, porque estaban persuadidos de los demonios, sus dioses, que era el sacrificio más agradable que les hacían.

De Uillca torció el camino a mano izquierda al poniente, que es hacia la costa del mar, y llegó a una de dos provincias muy grandes, ambas de un mismo nombre, Sulla, aunque para diferenciar la una de la otra llaman la una de ellas Utumsulla. Estas dos provincias abrazan entre sí muchas naciones de diversos nombres, unas de mucha gente y otras de poca, que —por excusar hastío— no se refieren, mas de que pasaban de cuarenta mil vecinos, con los cuales gastó el Inca muchos meses (y aun dicen los naturales que tres años) por no romper y llegar a las armas, sino atraerlos por caricias y regalos. Mas aquellos indios, viéndose tantos en número, y ellos de suyo belicosos y rústicos, estuvieron muchas veces a punto de romper la guerra. Empero, la buena maña del Inca y su mucha afabilidad pudieron tanto que al fin de aquel largo tiempo se redujeron a su servicio y abrazaron sus leyes y admitieron los gobernadores y ministros que el Inca les dijo. El cual se volvió al Cuzco con esta victoria. En las dos últimas provincias que conquistó este Inca, llamadas Sulla y Utumsulla, se han descubierto de treinta y dos años a esta parte algunas minas de plata y otras de azogue, que son riquísimas y de grande importancia para fundir el metal de plata.

XVI. EL PRÍNCIPE YÁHUAR HUÁCAC Y LA INTERPRETACIÓN DE SU NOMBRE

Pasados algunos años, que el Rey Inca Roca gastó en paz y quietud en el gobierno de sus reinos, le pareció enviar al príncipe heredero, llamado Yáhuar Huácac, su hijo, a la conquista de Antisuyu, que es al levante del Cuzco y cerca de la ciudad; porque por aquella banda no se había alargado su Imperio más de lo que el primer Inca Manco Cápac dejó ganado, hasta el río Paucartampu.

Antes que pasemos adelante, será bien declaremos la significación del nombre Yáhuar Huácac y la causa porque se lo dieron a este príncipe. Dicen los indios que cuando niño, de tres o cuatro años, lloró sangre. Si fue sola una vez o muchas, no lo saben decir; debió ser que tuviese algún mal de ojos, y que el mal causase alguna sangre en ellos. Otros dicen que nació llorando sangre, y esto tienen por más cierto. También pudo ser que sacase en los ojos algunas gotas de sangre de la madre, y como tan agoreros y supersticiosos dijeron que eran lágrimas del niño. Como quiera que haya sido, certifican que lloró sangre, y como los indios fueron tan dados a hechicerías, habiendo sucedido el agüero en el príncipe heredero miraron más en ello y tuviéronlo por agüero y pronóstico infelice y temieron en su príncipe alguna gran desdicha o maldición de su padre el Sol, como ellos decían. Esta es la deducción del nombre Yáhuar Huácac, y quiere decir el que llora sangre, y no lloro de sangre como algunos interpretan; y el llorar fue cuando niño y no hombre, ni por verse vencido y preso, como otros dicen, que nunca lo fue Inca ninguno hasta el desdichado Huáscar, que lo prendió el traidor de Atahualpa, su hermano bastardo, como diremos en su lugar si el Sumo Dios nos deja llegar allá. Tampoco lo hurtaron cuando niño, como otro historiador dice, que son cosas muy ajenas de la veneración en que los indios tenían a sus Incas, ni en

los ayos y criados diputados para el servicio y guarda del príncipe había tanto descuido que lo dejaran hurtar, ni indio tan atrevido que lo hiciera aunque pudiera; antes, si tal imaginara, entendiera que sin ponerlo por obra, sólo por haberlo imaginado, se había de abrir la tierra y tragárselo a él y a toda su parentela, pueblo y provincia, porque, como otras veces lo hemos dicho, adoraban a sus Reyes por dioses, hijos de su Dios el Sol, y los tenían en suma veneración, más que cualquiera otra gentilidad a sus dioses.

A semejanza y en confirmación del agüero del llorar sangre se me ofrece otra superstición que los indios cataban en los ojos, en el palpitar de los párpados altos y bajos, que por ser en los ojos no saldremos del propósito, para que se vea y sepa que los Incas y todos sus vasallos tuvieron por agüero bueno o malo, según el párpado que palpitaba. Era buen agüero palpitar el párpado alto del ojo izquierdo; decían que habían de ver cosas de contento y alegría. Pero con grandes ventajas era mejor agüero palpitar el párpado derecho, porque les prometía que verían cosas felicísimas y prosperidades de grandes bienes, de mucho placer y descanso, fuera de todo encarecimiento. Y al contrario eran los párpados bajos, porque el derecho pronosticaba llanto, que habían de ver cosas que les darían pena y dolor, mas no con encarecimiento. Empero, palpitar el párpado bajo izquierdo ya era extremo de males, porque les amenazaba infinidad de lágrimas y que verían las cosas más tristes y desdichadas que pudiesen imaginar. Y tenían tanto crédito en estos sus agüeros que, con este postrer agüero, se ponían a llorar tan tiernamente como si estuvieran ya en medio de cuantos males podían temer, y, para no perecer llo-

rando los males que aún no habían
visto, tenían por remedio otra superstición tan ridiculosa como la
del mal agüero; y era que tomaban
una punta de paja, y, mojándola
con la saliva, la pegaban en el
mismo párpado bajo y decían con-
solándose que aquella paja atravesada atajaba que no corriesen las
lágrimas que temían derramara y
que deshacía el mal pronóstico de
la palpitación. Casi lo mismo tuvieron del zumbar de los oídos,
que lo dejo por no ser tan a propósito como lo dicho de los ojos,
y lo uno y lo otro doy fe que lo vi.

El Rey Inca Roca (como decía-
mos) determinó enviar a la conquista de Antisuyu a su hijo, para
lo cual mandó apercibir quince mil
hombres de guerra y tres maeses
de campo, que le dio por acompañados y consejeros. Enviólo bien
industriado de lo que había de hacer. El príncipe fue con buen suceso hasta el río Paucartampu, y
pasó adelante a Challapampa y redujo los pocos indios que por aquella región halló. De allí pasó a
Pillcupata, donde mandó poblar
cuatro pueblos de gente advenediza.
De Pillcupata pasó a Hauisca y a
Tunu, que son las primeras chacras
de coca que los Incas tuvieron, que
es aquella yerba que los indios tanto estiman. La heredad llamada
Hauisca fue después de Garcilaso
de la Vega, mi señor, de la cual
me hizo merced por donación en
vida, y yo la perdí por venirme a
España. Para entrar a estos valles
donde se cría la coca se pasa una
cuesta llamada Cañac-huay, que
tiene cinco leguas de bajada casi
perpendicular, que pone grima y
espanto sólo el mirarla, cuanto más
subir y bajar por ella, porque que
toda ella sube el camino en forma
de culebra, dando vueltas a una
mano y a otra.

XVII. LOS ÍDOLOS DE LOS INDIOS ANTIS Y LA CONQUISTA DE LOS CHARCAS

En estas provincias de los Antis
comúnmente adoraban por dios a
los tigres y a las culebras grandes
que llaman *amaru*: son mucho
más gruesas que el muslo de un
hombre y largas de veinticinco y
de treinta pies; otras hay menores.
Todas las adoraban aquellos indios
por su grandeza y monstruosidad.
Son bobas y no hacen mal; dicen
que una maga las encantó para que
no hiciesen mal, y que antes eran
feroces. Al tigre adoraban por su
ferocidad y braveza; decían que
las culebras y los tigres eran naturales de aquella tierra, y, como
señores de ella, merecían ser adorados, y que ellos eran advenedizos
y extranjeros. Adoraban también
la yerba *cuca*, o coca, como dicen
los españoles. En esta jornada aumentó el príncipe Yáhuar Huácac
casi treinta leguas de tierra a su
Imperio, aunque de poca gente y
mal poblada; y no pasó adelante
por la mucha maleza de montes,
ciénagas y pantanos que hay en
aquella región, donde confina la
provincia que propiamente se llama
Anti, por quien toda aquella banda
se llama Antisuyu.

Hecha la conquista, se volvió el
príncipe al Cuzco. El Rey, su padre, por entonces dejó de hacer
nuevas conquistas porque por Antisuyu, que es al levante, ya no
había qué conquistar, y al poniente,
que es lo que llaman Cuntisuyu,
tampoco había qué reducir, porque
por aquella banda llegaba ya el
término de su Imperio a la Mar
del Sur. De manera que de oriente
al poniente tenían por el paraje de
Cuzco más de cien leguas de tierra,
y de septentrión a mediodía tenían
más de doscientas leguas. En todo
este espacio entendían los indios en
edificios de casas reales, jardines,
baños y casas de placer para el

Inca; y también labraban pósitos por los caminos reales, donde encerrasen los bastimentos, armas y munición y ropa de vestir para la gente común.

Pasados algunos años que el Rey Inca Roca se hubo ejercitado en la paz, determinó hacer una jornada famosa por su persona, e ir a acabar de ganar las grandes provincias llamadas Charcas, que su padre, el Inca Cápac Yupanqui, dejó empezadas a conquistar en el distrito de Collasuyu. Mandó apercibir treinta mil hombres de guerra, ejército que hasta entonces no lo había levantado ninguno de sus pasados. Nombró seis maeses de campo, sin los demás capitanes y ministros de menor cuenta; mandó que el príncipe Yáhuar Huácac quedase para el gobierno del reino con otros cuatro Incas que fuesen sus consejeros.

Salió el Inca del Cuzco por el camino real de Collasuyu; fue recogiendo la gente de guerra que por todas aquellas provincias estaba apercibida; llegó a los confines de las provincias Chuncuri, Pucuna y Muyumuyu, que eran las más cercanas a su reino. Envióles mensajeros, avisándoles cómo iba a reducir aquellas naciones para que viviesen debajo de las leyes de su padre el Sol y le reconociesen por Dios y dejasen sus ídolos, hechos de piedra y de madera, y muchos malos abusos que contra la ley natural y vida humana tenían. Los naturales se alteraron grandemente, y los capitanes, mozos y belicosos, tomaron las armas con mucho furor, diciendo que era cosa muy rigurosa y extraña negar sus dioses naturales y adorar al ajeno, repudiar sus leyes y costumbres y sujetarse a las del Inca, que quitaba las tierras a los vasallos y les imponía pechos y tributos hasta servirse de ellos como de esclavos, lo cual no era de sufrir ni se debía recibir en ninguna manera sino morir todos defendiendo sus dioses, su patria y libertad.

XVIII. EL RAZONAMIENTO DE LOS VIEJOS Y CÓMO RECIBEN AL INCA

Los más ancianos, y mejor considerados dijeron que mirasen que, por la vecindad que con los vasallos del Inca tenían, sabían años había que sus leyes eran buenas y su gobierno muy suave; que a los vasallos trataban como a propios hijos, y no como a súbditos; que las tierras que tomaban no eran las que los indios habían menester, sino las que les sobraban, que no podían labrar, y que la cosecha de las tierras que a su costa hacía labrar era el tributo que llevaba y no la hacienda de los indios, antes les daba el Inca de la suya toda la que sobraba del gasto de sus ejércitos y corte; y que en prueba de lo que habían dicho no querían traer otras razones, mas que mirasen desapasionadamente cuán mejorados estaban al presente los vasallos del Inca que antes que lo fueran, cuánto más ricos y prósperos, más quietos, pacíficos y urbanos; cómo habían cesado las disensiones y pendencias que por causas muy livianas solía haber entre ellos, cuánto más guardadas sus haciendas de ladrones, cuánto más seguras sus mujeres e hijas de fornicarios y adúlteros; y, en suma, cuán certificada toda la república de que ni el rico ni el pobre, ni el grande ni el chico, habían de recibir agravio.

Que advirtiesen que muchas provincias circunvecinas a las del Inca era notorio que, habiéndose certificado de estos bienes, se habían ofrecido y sometido voluntariamente a su imperio y señorío, por gozar de la suavidad de su gobierno. Y que pues a ellos les constaba todo esto, sería bien hiciesen lo mismo,

porque era mejor y más seguro
aplacar al Inca otorgando su demanda, que provocarlo a ira y enojo y negándosela; que si después
se habían de rendir y obedecer por
fuerza de armas y perder la gracia
del Inca, cuánto mejor era cobrarla
ahora, obedeciendo por vía de
amor. Mirasen que este camino era
más seguro, que les aseguraba sus
vidas y haciendas, mujeres e hijos;
y que en lo de sus dioses, sin que
el Inca lo mandase, les decía la
razón que el Sol merecía ser adorado mejor que sus ídolos. Por
tanto, que se allanasen y recibiesen
al Inca por señor y al Sol por su
Dios, pues en lo uno y en lo otro
ganaban honra y provecho. Con
estas razones y otras semejantes
aplacaron los viejos a los mozos
de tal manera que de común consentimiento fueron los unos y los
otros a recibir al Inca; los mozos
con las armas en las manos y los
viejos con dádivas y presentes de
lo que en su tierra había, diciendo
que le llevaban los frutos de su
tierra en señal de que se entregaban por suya. Los mozos dijeron
que llevaban sus armas para con
ellas servirle en su ejército como
leales vasallos y ayudar a ganar
otras nuevas provincias.

El Inca les recibió con mucha
afabilidad; mandó que a los viejos
les diesen ropa de vestir; a los más
principales, por mayor favor, de
la que el Inca vestía, y a los demás
de la otra ropa común. A los capitanes y soldados mozos, por condescender con el buen ánimo que
mostrasen, les hizo merced que recibiesen por soldados quinientos de
ellos, no escogiéndolos ni nombrán-
dolos por favor, porque no se
afrentasen los desechados, sino que
fuesen por suerte, y para satisfacer
a los demás les dijeron que no los
recibían todos porque su tierra no
quedase desamparada, sin gente.
Con las mercedes y favores quedaron los indios viejos y mozos tan
ufanos y contentos, que todos a
una empezaron a dar grandes aclamaciones, diciendo:

Bien pareces hijo del Sol; tú solo
mereces el nombre de Rey; con
mucha razón te llaman amador de
pobres, pues apenas fuimos tus vasallos cuando nos colmaste de mercedes y favores. Bendígate el Sol,
tu padre, y las gentes de todas las
cuatro partes del mundo te obe-
dezcan y sirvan, porque mereces el
nombre Zapa Inca, que es solo
Señor.

Con estas bendiciones y otras
semejantes fue adorado el Rey Inca
Roca de sus nuevos vasallos. El
cual habiendo proveído los ministros necesarios, pasó adelante a
reducir las demás provincias cercanas, que son Misqui, Sacaca, Ma-
chaca, Caracara y otras que hay
hasta Chuquisaca, que es la que
ahoran llaman la Ciudad de la
Plata. Todas son del apellido Charca, aunque de diferentes naciones
y diferentes lenguajes. Todas las
redujo el Rey Inca Roca a su obediencia, con la misma facilidad que
las pasadas. En esta jornada ex-
tendió su Imperio más de cincuenta
leguas de largo norte sur y otras
tantas de ancho este oeste, y dejando en ellas, según la costumbre
antigua, los ministros necesarios
para la doctrina de su idolatría y
administración de su hacienda, se
volvió al Cuzco. Fue despidiendo
los soldados por sus provincias,
como los había ido recogiendo. A
los capitanes hizo mercedes y
favores.

Hecho esto, le pareció descansar
de las conquistas y atender a la
quietud y gobierno de su reino, en
lo cual gastó los años que le quedaban de vida, que no sabemos decir cuántos fueron. Falleció no
habiendo degenerado nada de la
bondad de sus pasados, antes habiéndolos imitado en todo lo que
le fue posible, así en aumentar su

Imperio como en regalar y hacer bien a sus vasallos. Fundó escuelas donde enseñasen los amautas las ciencias que alcanzaban; hizo cerca de ellas su casa real, como veremos en su lugar; instituyó leyes, dijo sentencias graves, y porque el Padre Blas Valera las escribía en particular, diré luego las que Su Paternidad tenía escritas, que cierto son de notar. Fue llorado universalmente de todos los suyos y embalsamado según la costumbre de los Reyes. Dejó por heredero a Yáhuar Huácac, su hijo y de su legítima mujer y hermana Mama Mícay; dejó otros muchos hijos legítimos y bastardos.

XIX. DE ALGUNAS LEYES QUE EL REY INCA ROCA HIZO Y LAS ESCUELAS QUE FUNDÓ EN EL CUZCO, Y DE ALGUNOS DICHOS QUE DIJO

Lo que el Padre Blas Valera, como grande escudriñador que fue de las cosas de los Incas, dice de este Rey, es que reinó casi cincuenta años y que estableció muchas leyes, entre las cuales dice por más principales las que se siguen. Que convenía que los hijos de la gente común no aprendiesen las ciencias, las cuales pertenecían solamente a los nobles, porque no ensoberbeciesen y amenguasen la república. Que les enseñasen los oficios de sus padres, que les bastaban. Que al ladrón y al homicida, al adúltero y al incendiario, ahorcasen sin remisión alguna. Que los hijos sirviesen a sus padres hasta los veinticinco años, y de allí adelante se ocupasen en el servicio de la república. Dice que fue el primero que puso escuelas en la real ciudad del Cuzco, para que los amautas enseñasen las ciencias que alcanzaban a los príncipes Incas y a los de su sangre real y a los nobles de su Imperio, no por enseñanza de letras, que no las tuvieron, sino por práctica y por uso cotidiano y por experiencia, para que supiesen los ritos, preceptos y ceremonias de su falsa religión y para que entendiesen la razón y fundamento de sus leyes y fueros y el número de ellos y su verdadera interpretación; para que alcanzasen el don de saber gobernar y se hiciesen más urbanos y fuesen de mayor industria para el arte militar; para conocer los tiempos y los años y saber por los nudos las historias y dar cuentas de ellas; para que supiesen hablar con ornamento y elegancia y supiesen criar sus hijos, gobernar sus casas. Enseñábanles poesía, filosofía y astrología, eso poco que de cada ciencia alcanzaron. A los maestros llamaban *amautas*, que es tanto como filósofos y sabios, los cuales eran tenidos en suma veneración. Todas estas cosas dice el Padre Blas Valera que instituyó por ley este Príncipe Inca Roca, y que después las favoreció, declaró y amplió muy largamente el Inca Pachacútec, su bisnieto, y que añadió otras muchas leyes. También dice de este Rey Inca Roca, que, considerando la grandeza del cielo, su resplandor y hermosura, decía muchas veces que se podía concluir que el Pachacámac (que es Dios) era poderosísimo Rey en el cielo, pues tenía tal y tan hermosa morada. Asimismo decía: "Si yo hubiese de adorar alguna cosa de las de acá abajo, cierto yo adorara al hombre sabio y discreto, porque hace ventaja a todas las cosas de la Tierra. Empero, el que nace niño y crece y al fin muere; el que ayer tuvo principio y hoy tiene fin; el que no puede librarse de la muerte, ni cobrar la vida que la muerte le quita, no debe ser adorado". Hasta aquí es del Padre Blas Valera.

XX. EL INCA LLORA SANGRE, SÉPTIMO REY, Y SUS MIEDOS Y CONQUISTAS, Y EL DISFAVOR DEL PRÍNCIPE

Muerto el Rey Inca Roca, su hijo Yáhuar Huácac tomó la corona del reino; gobernólo con justicia, piedad y mansedumbre, acariciando sus vasallos, haciéndoles todo el bien que podía. Deseó sustentarse en la prosperidad que sus padres y abuelos le dejaron, sin pretender conquistas ni pendencia con nadie, porque, con el mal agüero de su nombre y los pronósticos que cada día echaban sobre él, estaba temeroso de algún mal suceso y no osaba tentar la fortuna por no irritar la ira de su padre el Sol, no le enviase algún grave castigo, como ellos decían. Con este miedo vivió algunos años, deseando paz y quietud para sí y para todos sus vecinos; y por no estar ocioso visitó sus reinos una y dos y tres veces. Procuraba ilustrarlos con edificios magníficos; regalaba los vasallos en común y en particular; tratábalos con mayor afición y ternura que mostraron sus antepasados, que eran muestras y efectos del temor; en lo cual gastó nueve o diez años. Empero, por no mostrarse tan pusilánime que entre todos los Incas fuese notado de cobarde por no haber aumentado su Imperio, acordó enviar un ejército de veinte mil hombres de guerra al sudoeste del Cuzco, la costa adelante de Arequipa, donde sus pasados habían dejado por ganar una larga punta de tierra, aunque de poca poblazón. Eligió por capitán general a su hermano Inca Maita, que desde aquella jornada, por haber sido general en ella, se llamó siempre Apu Maita, que quiere decir el capitán general Maita. Nombró cuatro Incas experimentados para maeses de campo. No se atrevió el Inca a hacer la conquista por su persona, aunque lo deseó mucho, más nunca se determinó a ir, porque su mal agüero (en las cosas de la guerra) lo traía sobre olas tan dudosas y tempestuosas, que de donde le arrojaban las del deseo lo retiraban las del temor. Por estos miedos nombró al hermano y a sus ministros, los cuales hicieron su conquista con brevedad y buena dicha, y redujeron al Imperio de los Incas todo lo que hay desde Arequipa hasta Tacama, que llaman Collisuyu, que es el fin y término por la costa de lo que hoy llaman Perú. La cual tierra es larga y angosta y mal poblada, y así se detuvieron y gastaron más tiempo los Incas en caminar por ella que en reducirla a su señorío.

Acabada esta conquista, se volvieron al Cuzco y dieron cuenta al Inca Yáhuar Huácac de lo que habían hecho. El cual, cobrando nuevo ánimo con el buen suceso de la jornada pasada, acordó hacer otra conquista de más honra y fama, que era reducir a su imperio unas grandes provincias que habían quedado por ganar en el distrito de Collasuyu, llamadas Caranca, Ullaca, Llipi, Chicha, Ampara. Las cuales, demás de ser grandes, eran pobladas de mucha gente valiente y belicosa, por los cuales inconvenientes los Incas pasados no habían hecho aquella conquista por fuerza de armas, por no destruir aquellas naciones bárbaras e indómitas, sino que de suyo se fuesen domesticando y cultivando poco a poco y aficionándose al imperio y señorío de los Incas, viéndolo en sus comarcanos tan suave, tan piadoso, tan en provecho de los vasallos como lo experimentaban todos ellos.

En los cuidados de la conquista de aquellas provincias andaba el Inca Yáhuar Huácac muy congojado, metido entre miedos y esperanzas, que unas veces se prometía buenos sucesos, conforme a la jornada que su hermano Apu Maita había hecho; otras veces desconfiaba de ellos por su mal agüero, por el cual no osaba acometer ninguna empresa de guerra, por los peligros de ella. Andando, pues, rodeado de estas pasiones y congojas, volvió a otros cuidados domésticos que dentro en su casa se criaban, que días había le daban pena y dolor, que fue la condición áspera de su hijo, el primogénito, heredero que había de ser de sus reinos; el cual desde niño se había mostrado mal acondicionado, porque maltrataba los muchachos que de su edad con él andaban y mostraba indicios de aspereza y crueldad, y aunque el Inca hacía diligencias para corregirle y esperaba que con la edad, cobrando más juicio, iría perdiendo la braveza de su mala condición, parecía salirle vana esta confianza, porque con la edad antes crecía que menguaba la ferocidad de su ánimo. Lo cual para el Inca su padre era de grandísimo tormento, porque, como todos sus pasados se hubiesen preciado tanto de la afabilidad y mansedumbre, érale de suma pena ver al príncipe de contraria condición. Procuró remediarla con persuasiones y con ejemplos de sus mayores, trayéndoselos a la memoria para aficionarle a ellos, y también con represiones y disfavores que le hacía; mas todo le aprovechaba poco o nada, porque la mala inclinación en el grande y poderoso pocas veces o nunca suele admitir corrección.

Así le acaeció a este príncipe que cuanto triaca le aplicaban a su mala inclinación, toda la convertía en la misma ponzoña. Lo cual viendo el Inca su padre, acordó desfavorecerlo del todo y apartarlo de sí con propósito, si no aprovechaba el remedio del disfavor para enmendar la condición, de desheredarlo y elegir otro de sus hijos para heredero, que fuese de la con-

dición de sus mayores. Pensaba hacer esto imitando la costumbre de algunas provincias de su Imperio, donde heredaban los hijos más bienquisto. La cual ley quería el Inca guardar con su hijo, no habiéndose hecho tal entre los Reyes Incas. Con este presupuesto, mandó echarlo de su casa y de la corte, siendo ya el príncipe de diecinueve años, y que los llevasen poco más de una legua al levante de la ciudad, a unas grandes y hermosas dehesas que llaman Chita, donde yo estuve muchas veces. Allí había mucho ganado del Sol; mandó que lo apacentase con los pastores que tenían aquel cuidado. El príncipe, no pudiendo hacer otra cosa, aceptó el destierro y el disfavor que le daban en castigo de su ánimo bravo y belicoso; y llanamente se puso a hacer el oficio de pastor con los demás ganaderos, y guardó el ganado del Sol, que ser del Sol era consuelo para el triste Inca. Este oficio hizo aquel desfavorecido príncipe por espacio de tres años y más, donde lo dejaremos hasta su tiempo, que él nos dará bien qué decir, si lo acertásemos a decir bien.

XXI. DE UN AVISO QUE UN FANTASMA DIO AL PRÍNCIPE PARA QUE LO LLEVE A SU PADRE

Habiendo desterrado el Inca Yáhuar Huácac a su hijo primogénito (cuyo nombre no se sabe cuál era mientras fue príncipe, porque lo borró totalmente el que adelante le dieron, que como no tuvieron letras se les olvidaba para siempre todo lo que por su tradición dejaban de encomendar a la memoria), le pareció dejar del todo las guerras y conquistas de nuevas provincias y atender solamente al gobierno y quietud de su reino, y no perder el hijo de vista, alejándolo de sí, sino tenerlo a la mira y procurar la mejora de su condición, y, no pudiendo haberla, buscar otros remedios, aunque todos los que se le ofrecían como ponerle en perpetua prisión o desheredarle y elegir otro en su lugar, le parecían violentos y mal seguros, por la novedad y grandeza del caso, que era deshacer la deidad de los Incas, que eran tenidos por divinos hijos del Sol, y que los vasallos no consentirían aquel castigo ni cualquier otro que quisiese hacer en el príncipe.

Con esta congoja y cuidado, que le quitaba todo descanso y reposo, anduvo el Inca más de tres años sin que en ellos se ofreciese cosa digna de memoria. En este tiempo envió dos veces a visitar el reino a cuatro parientes suyos, repartiendo a cada uno las provincias que habían de visitar; mandóles que hiciesen las obras que conviniesen al honor del Inca y al beneficio común de los vasallos, como era sacar nuevas acequias, hacer pósitos y casas reales y fuentes y puentes y calzadas y otras obras semejantes; mas él no osó salir de la corte, donde entendía en celebrar las fiestas del Sol y las otras que se hacían entre año, y en hacer justicia a sus vasallos. Al fin de aquel largo tiempo, un día, poco después de mediodía, entró el príncipe en la casa de su padre, donde menos le esperaban, solo y sin compañía, como hombre desfavorecido del Rey. Al cual envió a decir que estaba allí y que tenía necesidad de darle cierta embajada. El Inca respondió con mucho enojo que se fuese luego donde le había mandado residir, si no quería que lo castigase con pena de muerte por inobediente al mandato real, pues sabía que a nadie era lícito quebrantarlo, por muy liviano que fuese el caso que se le mandase. El príncipe respondió diciendo que él no había venido allí por quebrantar su man-

damiento, sino por obedecer a otro tan gran Inca como él. El cual le enviaba a decir ciertas cosas, que le importaba mucho saberlas; que si las quería oír le diese licencia para que entrase a decírselas; y si no, que con volver al que le había enviado y darle cuenta de lo que había respondido, habría cumplido con él.

El Inca, oyendo decir otro tan gran señor como él, mandó que entrase por ver qué disparates eran aquéllos, y saber quién le enviaba recados con el hijo desterrado y privado de su gracia; quiso averiguar qué novedades eran aquéllas para castigarlas. El príncipe, puesto ante su padre, le dijo:

—Sólo Señor, sabrás que, estando yo recostado hoy a mediodía (no sabré certificarte si despierto o dormido) debajo de una gran peña de las que hay en los pastos de Chita, donde por tu mandato apaciento las ovejas de Nuestro Padre el Sol, se me puso delante un hombre extraño en hábito y en figura diferente de la nuestra, porque tenía barbas en la cara de más de un palmo y el vestido largo y suelto, que le cubría hasta los pies. Traía atado por el pescuezo un animal no conocido. El cual me dijo: "Sobrino, yo soy hijo del Sol y hermano del Inca Manco Cápac y de la Coya Mama Ocllo Huaco, su mujer y hermana, los primeros de tus antepasados; por lo cual soy hermano de tu padre y de todos vosotros. Llámome Viracocha Inca; vengo de parte del Sol, Nuestro Padre, a darte aviso para que se lo des al Inca, mi hermano, cómo toda la mayor parte de las provincias de Chinchasuyu sujetas a su imperio, y otras de las no sujetas, están rebeladas y juntan mucha gente para venir con poderoso ejército a derribarle de su trono y destruir nuestra imperial ciudad del Cuzco. Por tanto ve al Inca, mi hermano, y dile de mi parte que se aperciba y prevenga y mire lo que le conviene acerca de este caso. Y en particular te digo a ti que en cualquiera adversidad que te suceda no temas que yo te falte, que en todas ellas te socorreré como a mi carne y sangre. Por tanto no dejes de acometer cualquiera hazaña, por grande que sea, que convenga a la majestad de tu sangre y a la grandeza de tu Imperio, que yo seré siempre en tu favor y amparo y te buscaré los socorros que hubieres menester". Dichas estas palabras (dijo el príncipe), se me desapareció el Inca Viracocha, que no le vi más. Y yo tomé luego el camino para darte cuenta de lo que me mandó te diese.

XXII. LAS CONSULTAS DE LOS INCAS SOBRE EL RECADO DEL FANTASMA

El Inca Yáhur Huácac, con la pasión y enojo que contra su hijo tenía, no quiso creerle; antes le dijo que era un loco soberbio, que los disparates que andaba imaginando venía a decir que eran revelaciones de su padre el Sol; que se fuese luego a Chita y no saliese de allí jamás, so pena de su ira. Con esto se volvió el príncipe a guardar sus ovejas, más desfavorecido de su padre que antes lo estaba. Los Incas más allegados al Rey, como eran sus hermanos y tíos, que asistían a su presencia, como fuesen tan agoreros y supersticiosos, principalmente en cosas de sueños, tomaron de otra manera lo que el príncipe dijo, y dijeron al Inca que no era de menos preciar el mensaje y aviso del Inca Viracocha, su hermano, habiendo dicho que era hijo del Sol y que venía de su parte. Ni era de creer que el príncipe fingiese aquellas razones en desacato del Sol, que fuera sacrilegio el imaginarlas cuanto más decirlas delante del Rey, su padre. Por tanto sería bien se examinasen una a una las palabras del príncipe, y sobre ellas se hiciesen sacrificios al Sol y tomasen sus agüeros, para ver si les pronosticaban bien o mal, y se hiciesen las

diligencias necesarias a negocio tan grave; porque dejarlo así desamparado no solamente era hacer en su daño, mas también parecían menospreciar al Sol, padre común, que enviaba aquel aviso, y al Inca Viracocha, su hijo, que lo había traído, y era amontonar para adelante errores sobre errores.

El Inca, con el odio que a la mala condición de su hijo tenía, no quiso admitir los consejos que sus parientes le daban; antes dijo que no se había de hacer caso del dicho de un loco furioso, que en lugar de enmendar y corregir la aspereza de su mala condición para merecer la gracia de su padre venía con nuevos disparates, por los cuales y por sus extrañezas merecía que lo depusieran y privaran del principado y herencia del reino, como lo pensaba hacer muy presto, y elegir uno de sus hermanos que imitase a sus pasados, el cual, por su clemencia, piedad y mansedumbre mereciese el nombre de hijo del Sol, porque no era razón que un loco, por ser iracundo y vengativo, destruyese con el cuchillo de la crueldad lo que todos los Incas pasados, con la mansedumbre y beneficios, habían reducido a su imperio; que mirasen que aquello era de más importancia para prevenir y tratar de su remedio que no las palabras desatinadas de un furioso, que ellas mismas decían cuyas eran; que si no autorizara su atrevimiento con decir que la embajada era de un hijo del Sol, mandara le cortaran la cabeza por haber quebrantado el destierro que le había dado. Por tanto les mandaba que no tratasen de aquel caso, sino que se le pusiese perpetuo silencio, porque le causaba mucho enojo traerle a la memoria cosa alguna del príncipe, que ya él sabía lo que había de hacer de él.

Por el mandato del Rey callaron los Incas, y no hablaron más en ello, aunque en sus ánimos no dejaron de temer algún mal suceso, porque estos indios, como toda la demás gentilidad, fueron muy agoreros y particularmente miraron mucho en sueños, y más si los sueños acertaban a ser del Rey o del príncipe heredero o del Sumo Sacerdote, que éstos eran tenidos entre ellos por dioses y oráculos mayores, a los cuales pedían cuenta de sus sueños los adivinos y hechiceros para los interpretar y declarar, cuando los mismos Incas no decían lo que habían soñado.

XXIII. LA REBELIÓN DE LOS CHANCAS Y SUS ANTIGUAS HAZAÑAS

Tres meses después del sueño del príncipe Viracocha Inca (que así le llaman los suyos de aquí adelante, por el fantasma que vio), vino nueva, aunque incierta, del levantamiento de las provincias de Chinchasuyu, desde Antahualla adelante, la cual está cerca de cuarenta leguas del Cuzco, al norte. Esta nueva vino sin autor, mas de que la fama la trajo confusa y oculta, como ella suele hablar siempre en casos semejantes. Y así, aunque el príncipe Viracocha lo había soñado y conformaba la nueva con el sueño, no hizo el Rey caso de ella, porque le pareció que eran hablillas de camino y un recordar el sueño pasado, que parecía estaba ya olvidado. Pocos días después se volvió a refrescar la misma nueva, aunque todavía incierta y dudosa, porque los enemigos habían cerrado los caminos con grandísima diligencia, para que el levantamiento de ellos no se supiese, sino que primero los viesen en el Cuzco que supiesen de su ida. La tercera nueva llegó ya muy certificada, diciendo que las naciones llamadas Chanca, Uramarca, Uillca, Utunsulla, Hancohuallu y otras circunvecinas a ellas se habían rebelado y muerto los gobernadores y ministros regios, y que

venían contra la ciudad con ejército de más de cuarenta mil hombres de guerra.

Estas naciones son las que dijimos haberse reducido al imperio del Rey Inca Roca más por el terror de sus armas que por el amor de su gobierno, y, como lo notamos entonces, quedaron con rencor y odio de los Incas para mostrarlo cuando se les ofreciese ocasión. Viendo, pues, al Inca Yáhuar Huácac tampoco belicoso, antes acobardado con el mal agüero de su nombre y escandalizado y embarazado con la aspereza de la condición de su hijo el príncipe Inca Viracocha, y habiéndose divulgado entre estos indios algo del nuevo enojo que el Rey había tenido con su hijo, aunque no se dijo la causa, y los grandes disfavores que le hacía, les pareció bastante ocasión para mostrar el mal ánimo que al Inca tenían y el odio que habían a su imperio y dominio. Y así, con la mayor brevedad y secreto que pudieron, se convocaron unos a otros y llamaron sus comarcanos, y entre todos ellos levantaron un poderoso ejército de más de treinta mil hombres de guerra y caminaron en demanda de la imperial ciudad del Cuzco. Los autores de este levantamiento y los que incitaron a los demás señores de vasallos fueron tres indios principales, curacas de tres grandes provincias de la nación Chanca (debajo de este nombre se incluyen otras muchas naciones); el uno se llamó Hancohuallu, mozo de veintiséis años, y el otro Túmay Huaraca y el tercero Astu Huaraca; estos dos últimos eran hermanos, y deudos de Hancohuallu. Los antepasados de estos tres reyecillos tuvieron guerra perpetua, antes de los Incas, con las naciones comarcanas a sus provincias, particularmente con la nación llamada Quechua, que debajo de este apellido entran cinco provincias grandes. A éstas y a otras sus vecinas tuvieron muy rendidas, y se hubieron con ellas áspera y tiránicamente, por lo cual holgaron los Quechuas y sus vecinos de ser vasallos de los Incas y se dieron con facilidad y amor, como en su lugar vimos, por librarse de las insolencias de los Chancas. A los cuales, por el contrario, pesó mucho de que el Inca atajase sus buenas andanzas, y de señores de vasallos los hiciese tributarios; de cuya causa, guardando el odio antiguo que sus padres habían heredado, hicieron el levantamiento presente, pareciéndoles que con facilidad vencerían al Inca por la presteza con que pensaban acometerle y por el descuido con que imaginaban hallarle, desapercibido de gente de guerra, y que con sola una victoria serían señores, no solamente de sus enemigos antiguos, mas también de todo el Imperio de los Incas.

Con esta esperanza convocaron sus vecinos, así de los sujetos al Inca como de los no sujetos, prometiéndoles grande parte de la ganancia; los cuales fueron fáciles de persuadir, tanto por el gran premio que se prometían como por la antigua opinión de los Chancas, que eran valientes guerreros. Eligieron por capitán general a Hancohuallu, que era un valeroso indio y por maeses de campo a los dos hermanos, y los demás curacas fueron caudillos y capitanes de sus gentes, y a toda diligencia fueron en demanda del Cuzco.

XXIV. EL INCA DESAMPARA LA CIUDAD Y EL PRÍNCIPE LA SOCORRE

El Inca Yáhuar Huácac se halló confuso con la certificación de la venida de los enemigos, porque nunca había creído que tal pudiera ser, por la grande experiencia que tenían de que no se había rebelado provincia alguna de cuantas se habían conquistado y reducido a su Imperio, desde el primer Inca Manco

Cápac hasta el presente. Por esta seguridad y por el odio que al príncipe su hijo tenía, que dio el pronóstico de aquella rebelión, no había querido darle crédito ni tomar los consejos de sus parientes, porque la pasión le cegaba el entendimiento. Viéndose, pues, ahora anegado porque no tenía tiempo para convocar gente con qué salir al encuentro a los enemigos, ni presidio en la ciudad para (mientras le viniese socorro) defenderse de ellos, le pareció dar lugar a la furia de los tiranos y retirarse hacia Collasuyu, donde se prometía estar seguro de la vida por la nobleza y lealtad de los vasallos. Con esta determinación se retiró con los pocos Incas que pudieron seguirle, y fue hasta la angostura que llaman de Muina, que está cinco leguas al sur de la ciudad, donde hizo alto para certificarse de lo que hacían los enemigos por los caminos y dónde llegaban ya.

La ciudad del Cuzco, con la ausencia de su Rey, quedó desamparada sin capitán ni caudillo que osase hablar, cuanto más pensar defenderla, sino que todos procuraban huir; y así se fueron los que pudieron por diversas partes, donde entendían poder mejor salvar las vidas. Algunos de los que iban huyendo fueron a toparse con el príncipe Viracocha Inca y le dieron nueva de la rebelión de Chinchasuyu, y cómo su padre se había retirado hacia Collasuyu, por parecerle que no tenía posibilidad para resistir a los enemigos, por el repentino asalto con que le acometían.

El príncipe sintió grandemente saber que su padre se hubiese retirado y desamparado la ciudad. Mandó a los que le habían dado la nueva y a algunos de los pastores que consigo tenía, que fuesen a la ciudad, y a los indios que topasen por los caminos y a los que hallasen en ella les dijesen de su parte que todos los que pudiesen procurasen ir en pos del Inca su señor, con las armas que tuviesen, porque él pensaba hacer lo mismo, y que pasasen la palabra de este mandato de unos a otros. Dada esta orden, salió el príncipe Viracocha Inca en seguimiento de su padre por unos atajos, sin querer entrar en la ciudad, y con la prisa que se dio lo alcanzó en la angostura de Muina, que aún no había salido de aquel puesto. Y lleno de polvo y sudor, con una lanza en la mano, que había llevado por el camino, se puso delante del Rey y con semblante triste y grave le dijo:

—Inca, ¿cómo se permite que por una nueva, falsa o verdadera, de unos pocos de vasallos rebelados, desampares tu casa y corte y vuelvas las espaldas a los enemigos aún no vistos? ¿Cómo se sufre que dejes entregada la casa del Sol, tu padre, para que los enemigos las huellen con sus pies calzados y hagan en ella las abominaciones que tus antepasados les quitaron, de sacrificios de hombres, mujeres y niños, y otras grandes bestialidades y sacrilegios? ¿Qué cuenta daremos de las vírgenes que están dedicadas para mujeres del Sol, con observancia de perpetua virginidad, si las dejamos desamparadas para que los enemigos brutos y bestiales hagan de ellas lo que quisieran? ¿Qué honra habremos ganado de haber permitido estas maldades para salvar la vida? Yo no la quiero, y así vuelvo a ponerme delante de los enemigos para que me la quiten antes que entren en el Cuzco, porque no quiero ver las abominaciones que los bárbaros harán en aquella imperial y sagrada ciudad, que el Sol y sus hijos fundaron. Los que me quisieren seguir vengan en pos de mí, que yo les mostraré a trocar vida vergonzosa por muerte honrada.

Habiendo dicho con gran dolor y sentimiento estas razones, volvió su camino hacia la ciudad, sin querer tomar refresco alguno de comida ni bebida. Los Incas de la sangre real, que habían salido con el Rey, entre ellos hermanos suyos y muchos sobrinos y primos hermanos suyos y otra parentela, que serían más de cuatro mil hombres, se volvieron todos con el príncipe, que no quedaron con su padre sino los viejos inútiles. Por el camino y fuera de él toparon mucha gente que salía huyendo de la ciudad. Apellidáronlos que se volviesen, diéronles nueva, para que se esforzasen, cómo el príncipe Inca Viracocha volvía a defender su ciudad y la casa de su padre el Sol. Con esta nueva se animaron los indios tanto, que volvieron todos los que huían, principalmente los que eran de provecho y unos y otros se apellidaban por los campos, pasando la palabra de mano en mano, cómo el príncipe volvía a la defensa de la ciudad, la cual hazaña les era tan agradable que, con grandísimo consuelo, volvían a morir con el príncipe. El cual mostraba tanto ánimo y esfuerzos que lo ponía a todos los suyos.

De esta manera entró en la ciudad y mandó que la gente que se recogía le siguiese luego, y él pasó adelante y tomó el camino de Chinchasuyu, por donde los enemigos venían, para ponerse entre ellos y la ciudad porque su intención no era de resistirles, que bien entendía que no tendría fuerzas para contra ellos, sino de morir peleando, antes que los contrarios entrasen en la ciudad y la hollasen como bárbaros y enemigos victoriosos, sin respetar al Sol, que era lo que más sentía. Y porque el Inca Yáhuar Huácac, cuya vida escribimos, no reinó más que hasta aquí, como adelante veremos, me pareció cortar el hilo de esta historia para dividir sus hechos de los de su hijo, Inca Viracocha, y entremeter otras cosas del gobierno de aquel Imperio y variar los cuentos, porque no sean todos de un propósito. Hecho esto, volveremos a las hazañas del príncipe Viracocha, que fueron muy grandes.

L I B R O   Q U I N T O

Dice cómo se repartían y labraban las tierras, el tributo que daban al Inca, la provisión de armas y bastimentos que tenían para la guerra; que daban de vestir a los vasallos; que no tuvieron mendigantes; las leyes y ordenanzas en favor de los súbditos, con otras cosas notables. Las victorias y generosidades del príncipe Inca Viracocha, octavo Rey; su padre, privado del Imperio; la huida de un gran señor; el pronóstico de la ida de los españoles.

I. CÓMO ACRECENTABAN Y REPARTÍAN LAS TIERRAS A LOS VASALLOS

Habiendo conquistado el Inca cualquiera reino o provincia y dado asiento en el gobierno de los pueblos y vivienda de los moradores conforme a su idolatría y leyes, mandaba que se aumentasen las tierras de labor, que se entiende las que llevaban maíz, para lo cual mandaba traer los ingenieros de acequias de agua, que los hubo famosísimos, como lo muestran hoy sus obras, así las que se han destruido, cuyos rastros se ven todavía, como las que viven. Los maestros sacaban las acequias necesarias, conforme a las tierras que había de provecho, porque es de saber que por la mayor parte toda aquella tierra es pobre de tierra de pan, y por esto procuraban aumentarlas todo lo que les era posible. Y porque por ser debajo de la tórrida zona tienen necesidades de riego, se lo daban con gran curiosidad, y no sembraban grano de maíz sin agua de riego. También abrían acequias para regar las dehesas, cuando el otoño detenía sus aguas, que también quisieron asegurar los pastos como los sembrados, porque tuvieron infini-

to ganado. Estas acequias para las dehesas se perdieron luego que los españoles entraron en la tierra, pero viven hoy los rastros de ellas.

Sacadas las acequias, allanaban los campos y los ponían de cuadrado para que gozasen bien del riego. En los cerros y laderas que eran de buena tierra hacían andenes para allanarlas, como hoy se ven en el Cuzco y en todo el Perú. Para hacer estos andenes echaban tres muros de cantería fuerte, uno por delante y dos por los lados, algo pendientes adentro (como son todas las paredes que labran), para que puedan sufrir el peso de la tierra que les arriman hasta emparejar con lo alto de las paredes. Pasado el primer andén, hacían luego otro menor, y adelante de aquél otro más chico. Y así iban ganando todo el cerro poco a poco, allanándolo por sus andenes a manera de escalera, gozando de toda la tierra que era buena para sembrar y que se podía regar. Donde había peñascales quitaban las peñas y llevaban tierra de otra parte para hacer andenes y aprovechar aquel sitio, porque no se perdiese. Los andenes primeros eran grandes conforme a la disposición del sitio, anchos y largos de cientas y doscientas y trescientas, más o menos, fanegas de sembradura, y los segundos eran menores y así iban disminuyéndose como iban subiendo, hasta los postreros, que venían a ser de dos o tres hilados de maíz. Tan aplicados como esto fueron los Incas en lo que era aumentar tierras para sembrar el maíz. En muchas partes llevaron quince y veinte leguas una acequia de agua para regar muy pocas fanegas de tierra de pan, porque no se perdiesen.

Habiendo aumentado las tierras, medían todas las que había en toda la provincia, cada pueblo de por sí, y las repartían en tres partes: la una para el Sol y la otra para el Rey y la otra para los naturales. Estas partes se dividían siempre con atención que los naturales tuviesen bastantemente en qué sembrar, que antes les sobrase que les faltase. Y cuando la gente del pueblo o provincia crecía el número, quitaban de la parte del Sol y de la parte del Inca para los vasallos; de manera que no tomaba el Rey para sí ni para el Sol sino las tierras que habían de quedar desiertas, sin dueño. Los andenes por la mayor parte se aplicaban al Sol y al Inca, porque los había él mandado hacer. Sin las tierras del maíz que se regaba repartían otras que no alcanzaban riego, en las cuales sembraban de sequero otras semillas y legumbres que son de mucha importancia, como es la que llaman *papa* y *oca* y *añus*, las cuales tierras también se repartían por su cuenta y razón, tercia parte de los vasallos, como al Sol y al Inca, porque eran estériles por falta de riego, no las sembraban más de un año o dos, y luego repartían otras y otras, porque descansasen las primeras; de esta manera traían en concierto sus tierras flacas para que siempre les fuesen abundantes.

Las tierras del maíz las sembraban cada año, porque, como las beneficiaban con agua y estiércol como una huerta, les hacían llevar siempre fruto. Con el maíz sembraban una semilla que es casi como arroz, que llaman *quinua,* la cual también se da en las tierras frías.

II. EL ORDEN QUE TENÍAN EN LABRAR LAS TIERRAS; LA FIESTA CON QUE LABRABAN LAS DEL INCA Y LAS DEL SOL

En el labrar y cultivar las tierras también había orden y concierto. Labraban primero las del Sol, luego las de las viudas y huérfanos y de los impedidos por su vejez o por enfermedad: todos éstos eran tenidos por pobres, y por tanto mandaba el Inca que les labrasen las tierras. Había en cada pueblo, o en cada barrio si el pueblo era grande, hombres diputados solamente para hacer beneficiar las tierras de los que llamamos pobres. A estos diputados llamaban *llactacamayu,* que es regidor del pueblo. Tenían cuidado, al tiempo de barbechar, sembrar y coger los frutos, subirse de noche en atalayas o torres que para este efecto había hechas, y tocaban una trompeta o caracol para pedir atención, y a grandes voces decían: "Tal día se labran las tierras de los impedidos; acuda cada uno a su pertinencia". Los vecinos de cada colación ya sabían, por el padrón que estaba hecho, a cuáles tierras habían de acudir, que eran las de sus parientes o vecinos más cercanos. Era obligado cada uno llevar de comer para sí lo que había de comer en su casa, porque los impedidos no tuviesen cuidado de buscarles la comida. Decían que a los viejos enfermos, viudas y huérfanos les bastaba su miseria, sin cuidar de la ajena. Si los impedidos no tenían semilla, se la daban los pósitos, de los cuales diremos adelante. Las tierras de los soldados que andaban ocupados en la guerra también se labraban por concejo, como las tierras de las viudas, huérfanos y pobres, que mientras los maridos servían en la milicia las mujeres entraban en la cuenta y lista de las viudas, por la ausencia de ellos. Y así se les hacía este beneficio como a gente necesitada. Con los hijos de los que morían en la guerra tenían gran cuidado en la crianza de ellos, hasta que los casaban.

Labradas las tierras de los pobres, labraba cada uno las suyas, ayudándose unos a otros, como dicen a tornapeón. Luego labraban las del curaca, las cuales habían de ser las postreras que en cada pueblo o provincia se labrasen. En tiempo de Huaina Cápac, en un pueblo de los Chachapuyas, porque un indio regidor antepuso las tierras del curaca, que era su pariente, a las de una viuda, lo ahorcaron, por quebrantador del orden que el Inca tenía dado en el labrar de las tierras, y pusieron la horca en la misma tierra del curaca. Mandaba el Inca que las tierras de los vasallos fuesen preferidas a las suyas, porque decían que de la prosperidad de los súbditos redundaba el buen servicio para el Rey; que estando pobres y necesitados, mal podían servir en la guerra ni en la paz.

Las últimas que labraban eran las del Rey: beneficiábanlas en común; iban a ellas y a las del Sol todos los indios generalmente, con grandísimo contento y regocijo, vestidos de las vestiduras y galas que para sus mayores fiestas tenían guardadas, llenas de chapería de oro y plata y con grandes plumajes en las cabezas. Cuando barbechaban (que entonces era el trabajo de mayor contento), decían muchos cantares que componían en loor de sus Incas; trocaban el trabajo en fiesta y regocijo, porque era en servicio de su Dios y de sus Reyes.

Dentro en la ciudad del Cuzco, a las faldas del cerro donde está la fortaleza, había un andén grande de muchas fanegas de tierra, y hoy estará vivo si no lo han cubierto de casas; llámase Collcampata. El barrio donde está tomó el nombre propio del andén, el cual era particular y principal joya del Sol, porque fue la primera que en todo el Imperio de los Incas le dedicaron. Este andén labraban y beneficiaban los de la sangre real, y no podían trabajar otros en él sino los Incas y Pallas. Hacíase con grandísima fiesta, principalmente el barbechar: iban los Incas con todas sus mayores galas y arreos. Los cantares que decían el loor del Sol y de sus Reyes, todos eran compuestos sobre la significación de esta palabra *hailli*, que en lengua general del Perú quiere decir triunfo, como que triunfan de la tierra, barbechándola y desentrañándola para que diese fruto. En estos cantares entremetían dichos graciosos, de enamorados discretos y de soldados valientes, todo a propósito de triunfar de la tierra que labraban; y así el retuécano de todas sus coplas era la palabra *hailli*, repetida muchas veces, cuantas eran menester para cumplir el compás que los indios traen en un cierto contrapaso que hacen, barbechando la tierra con entradas y salidas que hacen para tomar y romperla mejor.

Traen por arado un palo de una braza en largo; es llano por delante y rollizo por detrás; tiene cuatro dedos de ancho; hácenle una punta para que entre en la tierra; media vara de la punta hacen un estribo de dos palos atados fuertemente al palo principal, donde el indio pone el pie de salto, y con la fuerza hinca el arado hasta el estribo. Andan en cuadrillas de siete en siete y de ocho en ocho, más y menos, como en la parentela o camarada, y, apalancando todos juntos a una, levantan grandísimos céspedes, increíbles a quien no los ha visto. Y es admiración ver que con tan flacos instrumentos hagan obra tan grande, y la hacen con grandísima facilidad, sin perder el compás del canto. Las mujeres andan contrapuestas a los varones, para ayudar con las manos a levantar los céspedes y volcar las raíces de las yerbas hacia arriba, para que se sequen y mueran y haya menos qué escardar. Ayudan también a cantar a sus maridos, particularmente con el retruécano *hailli*.

Pareciendo bien estos cantares de los indios y el tono de ellos al maestro de capilla de aquella iglesia catedral, compuso el año de cincuenta y uno, o el de cincuenta y dos, una chanzoneta en canto de órgano para la fiesta del Santísimo Sacramento, contrahecha muy al natural al canto de los Incas. Salieron ocho muchachos mestizos, de mis condiscípulos, vestidos como indios, con sendos arados en las manos, con que representaron en la procesión el cantar y el *hailli* de los indios, ayudándoles toda la capilla al retruécano de las coplas, con gran contento de los españoles y suma alegría de los indios, de ver que con sus cantos y bailes solemnizasen los españoles la fiesta del Señor Dios nuestro, al cual ellos llaman Pachacámac, que quiere decir el que da vida al universo.

He referido la fiesta particular que los Incas hacían cuando barbechaban aquel andén dedicado al Sol, que lo vi en mis niñeces dos o tres años, para que por ella se saquen las demás fiestas que en todo el Perú se hacían cuando barbechaban las tierras del Sol y las del Inca; aunque aquella fiesta que yo vi, en comparación de la que hacían en tiempo de sus Incas, eran sombra de las pasadas, según lo encarecían los indios.

III. LA CANTIDAD DE TIERRA QUE DABAN A CADA INDIO, Y CÓMO LA BENEFICIABAN

Daban a cada indio un *tupu*, que es una hanega de tierra, para sembrar maíz, empero, tiene por hanega y media de las de España. También llaman *tupu* a una legua de camino, y lo hacen verbo y significa medir, y llaman *tupu* a cualquier medida de agua o de vino o de cualquiera otro licor, y a los alfileres grandes con que las mujeres prenden sus ropas cuando se visten. La medida de las semillas tiene otro nombre, que es *poccha*: quiere decir hanega.

Era bastante un *tupu* de tierra para el sustento de un plebeyo y casado y sin hijos. Luego que los tenían le daban para cada hijo varón otro *tupu*, y para las hijas a medio. Cuando el hijo varón se casaba le daba el padre la hanega de tierra que para su alimento había recibido, porque echándolo de su casa no podía quedarse con ella.

Las hijas no sacaban sus partes cuando se casaban, porque no se las habían dado por dote, sino alimentos, que habiendo de dar tierras a sus maridos no las podían ellas llevar, porque no hacían cuenta de las mujeres después de casadas sino mientras no tenían quién las sustentase, como era antes de casadas y después de viudas. Los padres se quedaban con las tierras si las habían menester; y si no, las volvían al concejo, porque nadie las podía vender ni comprar.

Al respecto de las tierras que daban para sembrar el maíz, repartían las que daban para sembrar las demás legumbres que no se regaban.

A la gente noble, como eran los curacas, señores de vasallos, les daban las tierras conforme a la familia que tenían de mujeres e hijos y concubinas, criados y criadas. A los Incas, que son los de la sangre real, daban al mismo respecto, dondequiera que vivían, de lo mejor de la tierra; y esto era sin la parte común que todos ellos tenían en la hacienda del Rey y en la del Sol, como hijos de éste y hermanos de aquél.

Estercolaban las tierras para fertilizarlas, y es de notar que en todo el valle del Cuzco, y casi en toda la serranía, echaban al maíz estiércol de gente, porque dicen que es el mejor. Procúranlo hacer con gran cuidado y diligencia, y lo tienen enjuto y hecho polvo para cuando hayan de sembrar el maíz. En todo el Collao, en más de ciento y cincuenta leguas de largo, donde por ser tierra muy fría no se da el maíz, echan, en las sementeras de las papas y las demás legumbres, estiércol de ganado; dicen que es de más provecho que otro alguno.

En la costa de la mar, desde más abajo de Arequipa hasta Tarapaca, que son más de doscientas leguas de costa, no echan otro estiércol sino el de los pájaros marinos, que los hay en toda la costa del Perú grandes y chicos, y andan en bandas tan grandes que son increíbles si no se ven. Crían en unos islotes despoblados que hay por aquella costa, y es tanto el estiércol que en ellos dejan, que también es increíble; de lejos parecen los montones del estiércol puntas de alguna sierra nevada. En tiempo de los Reyes Incas había tanta vigilancia en guardar aquellas aves, que al tiempo de la cría a nadie era lícito entrar en las islas, so pena de la vida, porque no las asombrasen y echasen de sus nidos. Tampoco era lícito matarlas en ningún tiempo, dentro ni fuera de las islas, so la misma pena.

Cada isla estaba, por orden del Inca, señalada para tal o tal provincia, y si la isla era grande, la daban a dos o tres provincias. Poníanles mojones porque los de la una provincia no se entrasen en el distrito de la otra; y repartiéndola más en particular, daban con el mismo límite a cada pueblo su parte y a cada vecino la suya, tanteando la cantidad de estiércol que había menester, y, so pena de muerte, no podía el vecino de un pueblo tomar estiércol del término ajeno, porque era hurto, ni de su mismo término podía sacar más de la cantidad que le estaba tasada conforme a sus tierras, que le era bastante, y la demasía le castigaban por el desacato. Ahora, en estos tiempos, se gasta de otra manera. Es aquel estiércol de los pájaros de mucha fertilidad.

En otras partes de la misma costa, como en las hoyas de Atica, Atiquipa, Uillacori, Malla y Chillca y otros valles, estercolan con cabezas de sardinas, y no con otro estiércol. Los naturales de estas partes que hemos nombrado y de otras semejantes viven con mucho trabajo, porque no tienen riego de agua, de pie ni llovediza porque, como es notorio, en más de setecientas leguas de largo de aquella costa no llueve jamás, ni pasan ríos por aquellas regiones que hemos dicho. La tierra es muy caliente y toda arenales; por lo cual los naturales, buscando humedad suficiente para sembrar el maíz, acercan sus pueblos lo más que pueden a la mar, y apartan la arena superficial que está sobre la haz de la tierra, y ahondan en partes un estado y en partes dos, y más y menos, hasta llegar al peso del agua de la mar. Y por esto las llamaron hoyas los españoles; unas son grandes y otras son chicas: las menores tendrán a media hanega de sembradura, y las mayores a tres y a cuatro hanegas. No las barbechan ni cosechan, porque no lo han menester. Siémbranlas con estacas gruesas a compás y medida haciendo hoyos, en los cuales entierran las cabezas de las sardinas, con dos o tres granos de maíz dentro de ellas. Este es el estiércol que usan para echar en las sementeras de las hoyas, y otro cualquiera dicen que antes daña que aprovecha. Y la providencia divina, que en toda cosa abunda, provee a los indios y a las aves de aquella costa con que la mar, a sus tiempos, eche de sí tanta cantidad de sardina viva, que haya para comer y estercolar sus tierras y para cargar muchos navíos si fuesen a cogerla. Algunos dicen que las sardinas salen huyendo de las lisas y de otros pescados mayores que se las comen; que sea de la una manera o de la otra, es provecho de los indios, para que tengan estiércol. Quién haya sido el inventor de estas hoyas, no lo saben decir los indios: debiólo de ser la necesidad que aviva los entendimientos, que, como hemos dicho, en todo el Perú hay gran falta de tierras de pan; puédese creer que harían las hoyas como hicieron los andenes. De manera que todos universalmente sembraban lo que habían menester para sustentar sus casas, y así no tenían necesidad de vender los bastimentos ni de encarecerlos, ni saben qué cosa era carestía.

IV. CÓMO REPARTÍAN EL AGUA PARA REGAR. CASTIGABAN A LOS FLOJOS Y DESCUIDADOS

En las tierras donde alcanzaban poca agua para regar, la daban por su orden y medida (como todas las demás cosas que se repartían), porque entre los indios no hubiese rencillas sobre el tomarlas. Y esto se hacía en los años escasos de lluvias, cuando la necesidad era mayor. Medían el agua, y por experiencia sabían qué espacio de tiempo era menester para regar una hanega de tierra, y por esta cuenta daban a cada indio las horas que conforme a sus tierras había menester holgadamente. El tomar el agua era

por su vez, como iban sucediendo las hazas, una en pos de otra. No era preferido el más rico ni el más noble, ni el privado o pariente del curaca, ni el mismo curaca, ni el ministro o gobernador del Rey. Al que se descuidaba de regar su tierra en el espacio de tiempo que le tocaba, lo castigaban afrentosamente: dábanle en público tres o cuatro golpes en las espaldas con una piedra, o le azotaban los brazos y piernas con varas de mimbre por holgazán y flojo, que entre ellos fue muy vituperado; a los cuales llamaban *mizquitullu*, que quiere decir huesos dulces, compuesto de *mizqui*, que es dulce, y de *tullu*, que es hueso.

V. EL TRIBUTO QUE DABAN AL INCA Y LA CUENTA DE LOS ORONES

Ya que se ha dicho de qué manera repartían los Incas las tierras y de qué manera las beneficiaban sus vasallos, será bien que digamos el tributo que daban a sus Reyes. Es así que el principal tributo era el labrar y beneficiar las tierras del Sol y del Inca y coger los frutos, cualesquiera que fuesen, y encerrarlos en sus orones y ponerlos en los pósitos reales que había en cada pueblo para recoger los frutos, y uno de los principales frutos era el *uchu*, que los españoles llaman *ají* y por otro nombre *pimiento*.

A los orones llaman *pirua*: son hechos de barro pisado, con mucha paja. En tiempo de sus Reyes los hacían con mucha curiosidad: eran largos, más o menos, conforme al altor de las paredes del aposento donde los ponían; eran angostos y cuadrados y enterizos, que los debían de hacer con molde y de diferentes tamaños. Hacíanlos por cuenta y medida, unos mayores que otros, de a treinta hanegas, de a cincuenta y de a ciento y de a doscientas, más y menos, como convenía hacerlos. Cada tamaño de orones estaba en su aposento de por sí, porque se habían hecho a medida de él; poníanlos arrimados a todas cuatro paredes y por medio del aposento; por sus hiladas dejaban calles entre unos y otros, para henchirlos y vaciarlos a sus tiempos. No los mudaban de donde una vez los ponían. Para vaciar el orón hacían por la delantera de él unas ventanillas de una ochava en cuadro, abiertas por su cuenta y medida, para saber por ellas las hanegas que se habían sacado y las que quedaban sin haberlas medido. De manera que por el tamaño de los orones sabían con mucha facilidad el maíz que en cada aposento y en cada pósito había, y por las ventanillas sabían lo que habían sacado y lo que quedaba en cada orón. Yo vi algunos de estos orones que quedaron del tiempo de los Incas, y eran de los más aventajados, porque estaban en la casa de las vírgenes escogidas, mujeres del Sol, y eran hechos para el servicio de aquellas mujeres. Cuando los vi, era la casa de los hijos de Pedro del Barco, que fueron mis condiscípulos.

La cosecha del Sol y la del Inca se encerraba cada una de por sí aparte, aunque en unos mismos pósitos. La semilla para sembrarla daba el dueño de la tierra, que es el Sol o el Rey; y lo mismo era el sustento de los indios que trabajaban, porque los mantenían de la hacienda de cada uno de ellos, cuando labraban y beneficiaban sus tierras; de manera que los indios no ponían más del trabajo personal. De la cosecha de sus tierras particulares no pagaban los vasallos cosa alguna al Inca. El Padre Maestro Acosta dice lo mismo en el libro sexto, capítulo quince, por estas palabras:

La tercera parte de tierras daba el Inca para la comunidad. No se ha averiguado qué tanta fuese esta parte, si mayor o menor que la del Inca y guacas, pero es cierto que se tenía atención que bastase a sustentar el pueblo. De esta tercera parte ningún particular poseía cosa propia, ni jamás poseyeron los indios cosa propia, si no era por merced especial del Inca, y aquello no se podía enajenar ni aun dividir entre los herederos. Estas tierras de comunidad se repartían cada año, y a cada uno se les señalaba el pedazo que había menester para sustentar su persona y la de su mujer e hijos; y así era unos años más y otros menos, según era la familia, para la cual había ya sus medidas determinadas. De esto que a cada uno se le repartía no daba jamás tributo, porque todo su tributo era labrar y beneficiar las tierras del Inca y de los guacas y ponerles en sus depósitos los frutos...

Hasta aquí es del Padre Acosta. Llama tierras de las huacas a las del Sol, porque eran de los sagrado.

En toda la provincia llamada Colla, en más de ciento y cincuenta leguas de largo, por ser la tierra muy fría, no se da el maíz, cógese mucha quinua, que es como arroz, y otras semillas y legumbres que fructificaban debajo de tierra, y entre ellas hay una que llaman *papa*: es redonda y muy húmeda, y por su mucha humedad dispuesta a corromperse presto. Para preservarla de corrupción la echan en el suelo sobre paja, que la hay en aquellos campos muy buena. Déjanla muchas noches al hielo, que en todo el año hiela en aquella provincia rigurosamente, y después que el hielo la tiene pasada, como si la cocieran, la cubren con paja y la pisan con tiento y blandura, para que despiche la acuosidad que de suyo tiene la papa y la que el hielo le ha causado; y después de haberla bien exprimido, la ponen al sol y la guardan del sereno hasta que está del todo enjuta. De esta manera preparada, se conserva la papa mucho tiempo y trueca su nombre y se llama *chuñu*. Así pasaban toda la que se cogía en las tierras del Sol y del Inca, y la guardaban en los pósitos con las demás legumbres y semillas.

VI. HACÍAN DE VESTIR, ARMAS Y CALZADO PARA LA GENTE DE GUERRA

Sin el tributo principal, que era sembrar las tierras, coger y beneficiar los frutos del Sol y del Inca, daban otro segundo tributo, que era hacer de vestir y de calzar y armas para el gasto de la guerra y para la gente pobre, que eran los que no podían trabajar por vejez o por enfermedad. En repartir y dar este segundo tributo había la misma orden y concierto que en todas las demás cosas. La ropa, en toda la serranía, la hacían de la lana que el Inca les daba a sus ganados y del Sol, que era innumerable. En los llanos, que es la costa de la mar, donde por ser la tierra caliente no visten lana, hacían ropa de algodón de la cosecha de las tierras del Sol y del Inca, que los indios no ponían más de la obra de sus manos. Hacían tres suertes de ropa de lana. La más baja, que llaman *auasca*, era para la gente común. Otra hacían más fina que llaman *compi;* de ésta vestía la gente noble como eran capitanes y curacas_ y otros ministros, hacíanla de todos colores y labores con peine, como se hacen los paños de Flandes; era a dos haces. Otra ropa hacían finísima, del mismo nombre *compi;* ésta era para los de la sangre real, así capitanes como soldados y ministros regios, en la guerra y en la paz. Hacían la ropa fina en las provincias donde los naturales tenían más habilidad y maña para la hacer, y la no fina en otras, donde no había tan buena disposición. La lana para toda esta ropa hilaban las mujeres, y tejían la ropa basta, que llaman *auasca;* la fina tejían los hombres, porque la tejen en pie, y la una y

la otra labraban los vasallos y no los Incas, ni aun para su vestir. Digo esto porque hay quien diga que hilaban los Incas. Adelante cuando tratemos de cómo los armaban caballeros, diremos cómo y para qué era el hilar que dicen de los Incas. El calzado hacían las provincias que tenían más abundancia de cáñamo, que se hace de las pencas del árbol llamado *maguey*.

Las armas se hacían en las tierras que tenían abundancia de materiales para ellas. En unas hacían arcos y flechas, en otras lanzas y dardos, en otras porras y hachas y en otras hachas hondas y sogas de cargar, en otras paveses y rodelas. No supieron hacer otras armas defensivas. En suma, cada provincia y nación daba de lo que tenía de su cosecha, sin ir a buscar a tierra ajena lo que en la suya no había, que no le obligaban a más. En fin, pagaban su tributo sin salir de sus casas, que era ley universal para todo el Imperio que ningún indio saliese fuera de su tierra a buscar lo que hubiese de dar en tributo, porque decían los Incas que no era justo pedir a los vasallos lo que no tenían de cosecha, y que era abrirles la puerta para que en achaque del tributo anduviesen vagando de tierra en tierra, hechos holgazanes.

De manera que eran cuatro las cosas que de obligación daban al Inca, que eran: bastimentos de las propias tierras del Rey, ropa de lana de su ganado real, armas y calzado de lo que había en cada provincia. Repartían estas cosas por gran orden y concierto: las provincias que en el repartimiento cargaban de ropa, por el buen aliño que en ellas había para hacerla, descargaban de las armas y del calzado, y, por el semejante, a las que daban más de una cosa, descargaban de otra; y en toda cosa de contribución había el mismo respecto, de manera que ni en común ni en particular nadie se diese por agraviado. Por esta suavidad que en sus leyes había, acudían los vasallos a servir al Inca con tanta prontitud y contento, que hablando en el mismo propósito, dice un famoso historiador español estas palabras: "Pero la mayor riqueza de aquellos bárbaros Reyes era ser sus esclavos todos sus vasallos, de cuyo trabajo gozaban a su contento, y, lo que pone admiración, servíanse de ellos por tal orden y por tal gobierno que no se le hacía servidumbre, sino vida muy dichosa". Hasta aquí es ajeno, y holgué ponerlo aquí, como pondrá en sus lugares otras cosas de este muy venerable autor, que es el Padre José de Acosta, de la Compañía de Jesús, de cuya autoridad y de los demas historiadores españoles me quiero valer en semejantes pasos contra los maldicientes, porque no digan que finjo fábulas en favor de la patria y de los parientes. Este era el tributo que entonces pagaban a los Reyes idólatras.

Otra manera de tributo daban los impedidos que llamamos pobres, y era que de tantos a tantos días eran obligados a dar a los gobernadores de sus pueblos ciertos cañutos de piojos. Dicen que los Incas pedían aquel tributo porque nadie (fuera de los libres de tributo) se ausentase de pagar pecho, por pobre que fuese, y que a éstos se lo pedían de piojos, porque, como pobres impedidos, no podían hacer servicio personal, que era el tributo que todos pagaban. Pero también decían que la principal intención de los Incas para pedir aquel tributo era celo amoroso de los pobres impedidos, por obligarles a que despiojasen y limpiasen, porque, como gente desastrada, no pereciesen comidos de piojos. Por este celo que en toda cosa tenían los Reyes, les llamaban amadores de pobres. Los decuriones de a diez (que en su lugar dijimos) tenían cargo de hacer pagar este tributo.

Eran libres de los tributo que hemos dicho todos los de la sangre real y los sacerdotes y ministros de los templos y los curacas, que eran los señores de vasallos, y todos los maeses de campo y capitanes de mayor nombre, hasta los centuriones, aunque no fuesen de la sangre real, y todos los gobernadores, jueces y ministros regios mientras les duraban los oficios que administraban; todos los soldados que actualmente estaban ocupados en la guerra, y los mozos que no llegaban a veinticinco años, porque hasta entonces ayudaban a servir a sus padres y no podían casarse, y después de casados, por el primer año eran libres de cualquier tributo. Asimismo eran libres los viejos de cincuenta años, las mujeres, así doncellas como viudas y casadas, aunque muchos españoles quieren porfiar en decir que pagaban tributo, porque dicen que todos trabajaban. Y engáñanse, que cuando ellas trabajaban era por su voluntad, por ayudar a sus padres, maridos o parientes, para que acabasen más aína sus tareas, y no por obligación de tributo. Los enfermos eran libres hasta que cobrasen entera salud, y los ciegos, cojos, mancos y lisiados. Por el contrario, los sordos y mudos no eran libres, porque podían trabajar, de manera que, bien mirado, el trabajo personal era el tributo que cada uno pagaba. Lo mismo dice el Padre Blas Valera, como adelante veremos, tan al propio, que parece lo uno sacado de lo otro, y la misma conformidad se hallará en todo lo que tratamos de tributos.

VII. EL ORO Y PLATA Y OTRAS COSAS DE ESTIMA NO ERAN DE TRIBUTO, SINO PRESENTADAS

El oro y plata y las piedras preciosas que los Reyes Incas tuvieron en tanta cantidad, como es notorio, no eran de tributo obligatorio, que fuesen los indios obligados a darlo, ni los Reyes lo pedían, porque no lo tuvieron por cosa necesaria para la guerra ni para la paz, y todo esto no estimaron por hacienda ni tesoro, porque, como se sabe, no vendían ni compraban cosa alguna por plata ni por oro, ni con ello pagaban la gente de guerra ni lo gastaban en socorro de alguna necesidad que se les ofreciese, y por tanto lo tenían por cosa superflua, porque ni era de comer ni para comprar de comer. Solamente lo estimaban por su hermosura y resplandor, para ornato y servicio de las casas reales y templo del Sol y casas de las vírgenes, como en sus lugares hemos visto y veremos adelante. Alcanzaron los Incas el azogue, mas no usaron de él, porque no le hallaron de ningún provecho; antes, sintiéndolo dañoso, prohibieron el sacarlo; y adelante, en su lugar, daremos más larga cuenta de él.

Decimos, pues, que el oro y plata que daban al Rey era presentado, y no de tributo forzoso, porque aquellos indios (como hoy lo usan) no supieron jamás visitar al superior sin llevar algún presente, y cuando no tenían otra cosa, llevaban una cestica de fruta verde o seca. Pues como los curacas, señores de vasallos, visitasen al Inca en las fiestas principales del año, particularmente en la principalísima que hacían al Sol llamada *Raimi*, y en los triunfos que se celebraban por sus grandes victorias y en el trasquilar y poner nombre al príncipe heredero y en otras muchas ocasiones que entre año se ofrecían, cuando hablaban al Rey en sus negocios particulares o en los de sus tierras o cuando los Reyes visitaban el reino, en todas estas visitas jamás le besaban las manos sin llevarle todo el oro y plata y piedras preciosas que sus indios sacaban cuando estaban ociosos, por-

que, como no era cosa necesaria para la vida humana, no los ocupaban en sacarlo cuando había otra cosa en qué entender. Empero, como veían que los empleaban en adornar las casas reales y los templos (cosa que ellos tanto estimaban), gastaban el tiempo que les sobraba buscando oro y plata y piedras preciosas, para tener qué presentar al Inca y al Sol, que eran sus dioses.

Sin estas riquezas, presentaban los curacas al Rey madera preciada, de muchas maneras, para los edificios de sus casas; presentaban también los hombres que en cualquiera oficio salían excelentes oficiales, como plateros, pintores, canteros, carpinteros y albañiles, que de todos estos oficios tenían los Incas grandes maestros, que, por ser dignos de su servicio, se los presentaban los curacas. La gente común no los había menester, porque cada uno sabía lo necesario para su casa, como hacer de vestir y de calzar y una pobre choza en qué vivir, aunque entonces se la daba hecha el Consejo, y ahora la hace cada uno para sí, con ayuda de sus parientes o amigos. Y así los oficiales de cualquier oficio eran impertinentes para los pobres porque no pretendían más de pasar y sustentar la vida natural, sin la superfluidad de tantas cosas como son menester para los poderosos.

Demás de los grandes oficiales, presentaban al Inca animales fieros, tigres, leones y osos; y otros no fieros, micos y monos y gatos cervales, papagayos y guacamayas, y otras aves mayores, que son avestruces, y el ave que llaman *cúntur*, grandísima sobre todas las aves que hay allá ni acá. También le presentaban culebras grandes y chicas, de las que se crían en los Antis: las mayores, que llaman *amaru*, son de veinticinco y de a treinta pies y más de largo. Llevábanle grandes sapos y escuerzos y lagartos que llaman *caimanes,* que también los hay de a veinticinco y de a treinta pies de largo. En suma, no hallaban cosa notable en ferocidad o en grandeza o en lindeza que no se la llevasen a presentar juntamente con el oro y la plata, para decirle que era señor de todas aquellas cosas y de los que se las llevaban y para mostrarle el amor con que le servían.

VIII. LA GUARDA Y EL GASTO DE LOS BASTIMENTOS

Será bien digamos cómo se guardaban y en qué se gastaba este tributo. Es de saber que por todo el reino había tres maneras de pósitos donde encerraban las cosechas y tributos. En cada pueblo, grande o chico, había dos pósitos; en uno se encerraba el mantenimiento que se guardaba para socorrer naturales en años estériles; en el otro pósito se guardaban las cosechas del Sol y del Inca. Otros pósitos había por los caminos reales, de tres a tres leguas, que ahora sirven a los españoles de ventas y mesones.

La cosecha del Sol y del Inca, de cincuenta leguas al derredor de la ciudad del Cuzco, llevaba a ella, para el sustento de la corte, para que el Inca tuviese a mano bastimento de qué hacer merced a los capitanes y curacas que a ella fuesen. De la renta del Sol dejaban en cada pueblo de aquellas cincuenta leguas cierta parte, para el pósito común de los vasallos.

La cosecha de los demás pueblos, fuera del distrito de la corte, guardaban en los pósitos reales que en ellos había, y de allí la llevaban por su cuenta y razón a los pósitos que estaban en los caminos donde encerraban bastimento, armas, ropa de vestir y calzado para los ejércitos que por ellos caminaban a las cuatro partes del mundo, que llamaron Tahuantinsuyu. De estas cuatro cosas tenían tan bastecidos los pósitos de los caminos, que, aunque pasasen por ellos muchas compañías o tercios de gente de guerra, había bastante recaudo para todos. No permitían que los soldados se alojasen por los pueblos a costa de los vasallos. Decían los Incas que ya había pagado cada pueblo el tributo que le cabía, que no era justicia hacerle más vejación, y de aquí nacía la ley que mandaba dar pena de muerte a cualquier soldado que tomase cosa alguna a los vasallos, por poca que fuese. Pedro Cieza de León, hablando de los caminos, lo refiere, capítulo sesenta, y dice estas palabras:

> Había para los Incas aposentos grandes y muy principales, y depósitos para proveimientos de la gente de guerra; porque fueron tan temidos, que no osaban dejar de tener gran proveimiento, y si faltaba alguna cosa se hacía castigo grande, y por el consiguiente, si alguno de los que con él iban de una parte a otra era osado de entrar en las sementeras o casas de indios aunque el daño que hiciese no fuese mucho, mandaban que fuese muerto.

Hasta aquí es de Pedro Cieza. Decían los indios que, para prohibir a los soldados el hacer agravio a nadie en campos ni poblados, y para castigarles con justicia, les daban todo lo necesario. Así como la gente de guerra iba gastando lo que había en los pósitos de los caminos, así iban llevando de los pósitos de los pueblos, por tanta cuenta y razón que jamás hubo falta en ellos.

Agustín de Zárate, habiendo hablado de la grandeza de los caminos reales (que en su lugar diremos), dice lo que se sigue, libro primero, capítulo catorce:

> Demás de la obra y gastos de estos caminos, mandó Guainacaba que en el de la sierra, de jornada a jornada, se hiciesen unos palacios de muy

grandes anchuras y aposentos donde pudiese caber su persona y casa, con todo su ejército. Y en el de los llanos otros semejantes, aunque no se podían hacer tan menudos y espesos como los de la sierra, sino a la orilla de los ríos, que como tenemos dicho, están apartados ocho o diez leguas, y en partes quince y veinte. Estos aposentos se llaman *tambos*, donde los indios en cuya jurisdicción caían tenían hecha provisión y depósito de todas las cosas que en el se había menester para proveimiento de su ejército, no solamente de mantenimientos mas aun de armas y vestidos y todas las otras cosas necesarias; tanto, que si en cada uno de estos tambos quería renovar de armas y vestidos a veinte o treinta mil hombres de su campo, lo podía hacer sin salir de casa.

Traía consigo gran número de gente de guerra con picas y alabardas y porras y hachas de armas de plata y cobre, y algunas de oro, y con hondas y tiraderas de palma, tostadas las puntas...

Hasta aquí es de Agustín de Zárate, acerca de la provisión que en los caminos aquellos Reyes tenían para sus ejércitos.

Si por ser los gastos excesivos de la guerra no alcanzaban las rentas del Rey, entonces se valía de la hacienda del Sol, como hijo legitimo y universal heredero que decía ser suyo. Los bastimentos que sobraban de los gastos de la guerra y de la corte se guardaban en las tres maneras de pósitos que hemos dicho, para repartirlos en años de necesidad a los vasallos, en cuyo beneficio se empleaba el principal cuidado de los Incas.

De la hacienda del Sol mantenían en todo el reino a los sacerdotes y ministros de su idolatría mientras asistían en los templos, porque servían a semanas por su rueda. Mas cuando estaban en sus casas comían a su costa, que también les daban a ellos tierras para sembrar como a toda la demás gente común; y con todo eso era poco el gasto que había en la hacienda del Sol, según la cantidad de la renta, y así sobraba mucha para socorrer al Inca en sus necesidades.

IX. DABAN DE VESTIR A LOS VASALLOS. NO HUBO POBRES MENDIGANTES

Así como había orden y gobierno para que hubiese ropa de vestir en abundancia para la gente de guerra, así también lo había para dar lana de dos a dos años a todos los vasallos y a los curacas en general, para que hiciesen de vestir para sí y para sus mujeres e hijos; y los decuriones tenían cuidado de mirar si se vestían. Los indios en común fueron pobres de ganado, que aun los curacas tenían apenas para sí y para su familia, y, por el contrario, el Sol y el Inca tenían tanto, que era innumerable. Decían los indios que, cuando los españoles entraron en aquella tierra, ya no tenían dónde apacentar sus ganados. Y también lo oí a mi padre y a sus contemporáneos, que contaban grandes excesos y desperdicios que algunos españoles habían hecho en el ganado, que quizá los contaremos en su lugar. En las tierras calientes daban algodón de las rentas reales, para que los indios hiciesen de vestir para sí y para toda su casa. De manera que lo necesario para la vida humana, de comer y vestir y calzar, lo tenían todos, que nadie podía llamarse pobre ni pedir limosna; porque lo uno y lo otro tenían bastantemente, como si fueran ricos; y para las demasías eran pobrísimos, que nada les sobraba; tanto que el Padre Maestro Acosta, hablando del Perú, breve y compendiosamente dice lo mismo que nosotros con tanta prolijidad hemos dicho. Al fin del capítulo quince, libro sexto, dice estas palabras:

Trasquilábase a su tiempo el ganado, y daban a cada uno a hilar y tejer su ropa para hijos y mujer, y había visita si lo cumplían, y castigaban al negligente. La lana que sobraba poníase en sus depósitos; y así los hallaron, muy llenos de éstas y de todas las otras cosas necesarias a la vida humana, los españoles, cuando en ella entraron. Ningún hombre de consideración habrá que no se admire de tan noble y próvido gobierno, pues, sin ser religiosos ni cristianos los indios, en su manera guardaban aquella tan alta perfección de no tener cosa propia y proveer a todo lo necesario y sustentar tan copiosamente las cosas de la religión y las de su Rey y señor.

Con esto acaba aquel capítulo decimoquinto, que intitula: "La hacienda del Inca y tributo".

En el capítulo siguiente, hablando de los oficios de los indios, donde toca muchas cosas de las que hemos dicho y adelante diremos, dice lo que se sigue, sacado a la letra:

Otro primor tuvieron también los indios del Perú, que es enseñar cada uno desde muchacho en todos los oficios que ha menester un hombre para la vida humana. Porque entre ellos no había oficiales señalados, como entre nosotros, de sastres y zapateros y tejedores, sino que todo cuanto en sus personas y casa habían menester lo aprendían todos y se proveían a sí mismos. Todos sabían tejer y hacer sus ropas; y así el Inca, con proveerles de lana, los daba por vestidos. Todos sabían labrar la tierra y beneficiarla, sin alquilar otros obreros. Todos se hacían sus casas, y las mujeres eran las que más sabían de todo sin criarse en regalo, sino con mucho cuidado, sirviendo a sus maridos. Otros oficios que no son para cosas comunes y ordinarias de la vida humana tenían sus propios y especiales oficiales, como eran plateros y pintores y olleros y barqueros y contadores y tañedores, y en los mismos oficios de tejer y labrar o

edificar había maestros para obra prima y de quien se servían los señores. Pero el vulgo común, como está dicho, cada uno acudía a lo que había menester en su casa, sin que uno pagase a otro para esto, y hoy día es así, de manera que ninguno ha menester a otro para las cosas de su casa y persona, como es calzar y vestir y hacer una casa y sembrar y coger y hacer los aparejos y herramientas necesarias para ello. Y casi en esto imitan los indios a los institutos de los monjes antiguos, que refieren las vidas de los Padres. A la verdad, ellos son gente poco codiciosa ni regalada, y así se contentan con pasar bien moderadamente; que, cierto, si su linaje de vida se tomara por elección y no por costumbre y naturaleza, dijéramos que era vida de gran perfección, y no deja de tener harto aparejo para recibir la doctrina del Santo Evangelio, que tan enemiga es de la soberbia y codicia y regalo. Pero los predicadores no todas veces se conforman con el ejemplo que dan, con la doctrina que predican a los indios.

Poco más abajo dice: "Era ley inviolable no mudar cada uno el traje y hábito de su provincia, aunque se mudase a otra, y para el buen gobierno lo tenía el Inca por muy importante, y lo es hoy día, aunque no hay tanto cuidado como solía". Hasta aquí es del Padre Maestro Acosta. Los indios se admiran mucho de ver mudar traje a los españoles cada año, y lo atribuían a soberbia, presunción y perdición.

La costumbre de no pedir nadie limosna todavía se guardaba en mis tiempos, que hasta el año de mil y quinientos y sesenta, que salí del Perú, por todo lo que por él anduve no vi indio ni india que la pidiese; sola una vieja conocí en el Cuzco, que se decía Isabel, que la pedía, y más era por andarse chocarreando de casa en casa, como las gitanas, que no por necesidad que hubiese. Los indios e indias se lo reñían, y riñéndole escupían en el suelo, que es señal de vituperio y abominación; y por ende no pedía la vieja a los indios, sino a los españoles; y como entonces aún no había en mi tierra moneda labrada, le daban maíz en limosna, que era lo que ella pedía, y si sentía que se lo daban de buena gana, pedía un poco de carne; y si se la daban, pedía un poco de brebaje que beben, y luego, con sus chocarrerías, haciéndose truhana, pedía un poco de *coca*, que es la yerba preciada que los indios traen en la boca, y de esta manera andaba en su vida holgazana y viciosa. Los Incas en su república tampoco se olvidaron de los caminantes, que en todos los caminos reales y comunes mandaron hacer casas de hospedería, que llamaron *corpahuaci*, donde les daban de comer y todo lo necesario para su camino, de los pósitos reales que en cada pueblo había; y si enfermaban, los curaban con grandísimo cuidado y regalo, de manera que no echasen menos sus casas, sino que antes les sobrase de lo que en ellas podían tener. Verdad es que no caminaban por su gusto y contento ni por negocios propios de granjerías u otras cosas semejantes, porque no las tenían particulares, sino por orden del Rey o de los curacas, que los enviaban de unas partes a otras, o de los capitanes y ministros de la guerra o de la paz. A estos tales caminantes daban bastante recaudo; y a los demás, que caminaban sin causa justa, los castigaban por vagabundos.

X. EL ORDEN Y DIVISIÓN DEL GANADO, Y DE LOS ANIMALES EXTRAÑOS

Para poder tener cuenta con tanta multitud de ganado como tuvieron los Incas, lo tenían dividido por sus colores, que aquel ganado es de muchos y diversos colores, como los caballos de España, y tienen sus nombres para nombrar cada color. A los muy pintados, de dos colores, llaman *murumuru,* y a los españoles dicen *moromoro.* Si algún cordero nacía de diferente color que sus padres, luego que se había criado lo pasaban con los de su color; y de esta manera con mucha facilidad daban cuenta y razón de aquel su ganado, por sus nudos, porque los hilos eran de los mismos colores del ganado.

Las recuas para llevar los bastimentos a todas partes, las hacían de este ganado que los españoles llaman carneros, teniendo más semejanza de camellos (quitada la corcova) que de carneros; y aunque el cargarse los indios era común costumbre entre ellos, el Inca no lo permitía en su servicio, si no era a necesidad. Mandaba que fuesen reservados de todo el trabajo que se les pudiese excusar, porque decía que lo quería guardar para emplearlo en otras obras, en las cuales no se podía excusar y se empleaba mejor, como en labrar fortalezas y casas reales, hacer puentes y caminos, andenes y acequias y otras obras de provecho común, en que los indios andaban siempre ocupados.

Del oro y plata que los vasallos presentaban al Inca, dijimos atrás en qué y cómo se empleaba, en el ornato de los templos del Sol; y de las casas reales y de las escogidas, diremos cuando tratemos de ellas.

Las aves extrañas y los animales fieros y las culebras grandes y chicas, con todas las demás sabandijas malas y buenas que presentaban los curacas, las sustentaban en algunas provincias que hoy retienen los nombres de ellas, y también las tenían en la corte, así para grandeza de ella como para dar a entender a los vasallos que las habían traído que, pues el Inca las mandaba guardar y sustentar en su corte, le había sido agradable el servicio que con ellas, él habían hecho lo cual era de sumo contento para los indios.

De los barrios donde tenían estos animales, había alguna memoria cuando yo salí del Cuzco: llamaban Amarucancha (que quiere decir barrio de *amarus* que son las culebras muy grandes) al barrio donde ahora es la casa de los Padres de la Compañía de Jesús; asimismo llamaban Pumacurcu y Pumapchupan a los barrios donde tenían los leones, tigres y osos, dándoles el nombre del león, que llaman *puma*. El uno de ellos está a las faldas del cerro de la fortaleza; el otro barrio está a las espaldas del monasterio de Santo Domingo.

Las aves, para que se criasen mejor, las tenían fuera de la ciudad y de aquí se llamó Surihualla, que es prado de avestruces, un heredamiento que está cerca de una legua del Cuzco, al mediodía, que fue de mi ayo Juan de Alcobaza, y lo heredó su hijo Diego de Alcobaza, presbítero, mi condiscípulo.

Los animales fieros, como tigres y leones, culebras y sapos y escuerzo (demás de la grandeza de la corte), los mantenían para castigo de los malhechores, como en otra parte diremos, donde se tratará de las leyes que tuvieron para tales o tales delincuentes.

Esto es lo que hay que decir acerca de los tributos que daban a los Reyes Incas, y cómo lo gastaban ellos. De los papeles escritos de mano del curioso y muy docto Padre Maestro Blas Valera saqué lo que se sigue, para que se vea la conformidad de lo que él iba diciendo con todo lo que de los principios, costumbres, leyes y gobierno de aquella república hemos dicho. Su Paternidad lo escribía por mejor orden, más breve y con mucha gala y hermosura, lo cual me movió a sacarlo aquí, también como la conformidad de la historia, para hermosear la mía y suplir las faltas de ella con trabajos ajenos.

XI. LEYES Y ORDENANZAS DE LOS INCAS PARA EL BENEFICIO DE LOS VASALLOS

El Padre Blas Valera dice del gobierno de los Incas lo que se sigue, que, por ser tan conforme a lo que hemos dicho y por valerme de su autoridad, lo saqué a la letra de su galanísimo latín:

Los indios del Perú comenzaron a tener alguna manera de república desde el tiempo del Inca Manco Cápac y del Rey Inca Roca, que fue uno de sus Reyes. Hasta entonces, en muchos siglos atrás, habían vivido en mucha torpeza y barbariedad, sin ninguna enseñanza de leyes ni otra alguna policía. Desde aquel tiempo criaron sus hijos con doctrina, comunicáronse unos con otros, hicieron de vestir para sí, no sólo con honestidad, más también con algún atavío y ornato; cultivaron los campos con industria y en compañía unos de otros; dieron en tener jueces, hablaron cortesanamente, edificaron casas, así particulares como públicas y comunes; hicieron otras muchas cosas deste jaez, dignas de loor. Abrazaron muy de buena gana las leyes que sus Príncipes, enseñados con la lumbre natural, ordenaron, y las guardaron muy cumplidamente. En lo cual tengo para mí que estos Incas del Perú deben ser preferidos, no sólo a los chinos y japoneses y a los indios orientales, mas también a los gentiles naturales de Asia y de Grecia. Porque, bien mirado, no es tanto de estimar lo que Numa Pompilio padeció y trabajó en hacer leyes para los romanos, y Solón para los atenienses y Licurgo para los lacedemonios, porque supieron letras y ciencias humanas, las cuales enseñan a trazar y componer leyes y costumbres buenas, que dejaron escritas para los hombres de sus tiempos y de los venideros. Pero es de grande admiración que estos indios, del todo desamparados de estos socorros y ayudas de costa, alcanzasen a fabricar de tal manera sus leyes (sacadas las que pertenecen a su idolatría y errores); innumerables de ellas vemos que guardan hoy los indios fieles, todas puestas en razón y muy conformes a las leyes de los muy grandes letrados; las cuales escribieron y encomendaron distintamente a los nudos de los hilos de diversos colores que para sus cuentas tenían, y las enseñaron a sus hijos y descendientes, de tal manera que las que sus primeros Reyes establecieron, de seiscientos años a esta parte, tienen hoy tan en la memoria como si ahora de nuevo se hubieran promulgado. Tuvieron la ley municipal, que hablaba acerca de los particulares provechos que cada nación o pueblo tenían dentro de su jurisdicción. Y la ley agraria, que trataba del dividir y medir las tierras y repartirlas por los vecinos de cada pueblo; la cual se cumplía con grandísima diligencia y rectitud, que los medidores medían las tierras con sus cordeles por hanegas, que llaman *tupu*, y las repartían por los vecinos, señalando a cada uno su parte. Llamaban ley común a la que mandaba que los indios acudiesen en común (sacando los viejos, muchachos y enfermos) a hacer y trabajar en las cosas de la república, como era edificar los templos y las casas de los Reyes o de los señores, y labrar sus tierras, hacer puentes, aderezar los caminos y otras cosas semejantes. Llamaban ley de hermandad a la que mandaba que todos los vecinos de cada pueblo se ayudasen unos a otros a barbechar y a sembrar y a coger sus cosechas y a labrar sus casas y otras cosas de esta suerte, y que fuese sin llevar paga ninguna. La ley que llamaban *Mitachanácuy*, que es mudarse a veces por su rueda o por linajes, la cual mandaba que en todas las obras y fábricas de trabajo que se hacían y acababan con el trabajo común hubiese la misma cuenta, medida y repartimiento que había en las tierras para que cada provincia, cada pueblo, cada linaje, cada persona, trabajase lo que le pertenecía y no más, y aquel trabajo fuese remudándose a veces, por que fuesen trabajando y descansando. Tuvieron ley sobre el gasto ordinario, que les prohibía el fausto en los vestidos ordinarios y las cosas precio-

sas, como el oro y la plata y piedras finas, y totalmente quitaba la superfluidad en los banquetes y comidas; y mandaba que dos o tres veces al mes comiesen juntos los vecinos de cada pueblo, delante de sus curacas, y se ejercitasen en juegos militares o populares para que se reconciliasen los ánimos y guardasen perpetua paz, y para que los ganaderos y otros trabajadores del campo se alentasen y regocijasen. La ley en favor de los que llamaban pobres, la cual mandaba que los ciegos, mudos y cojos, los tullidos, los viejos y viejas decrépitos, los enfermos de larga enfermedad y otros impedidos que no podían labrar sus tierras, para vestir y comer por sus manos y trabajo, los alimentasen de los pósitos públicos. También tenían ley que mandaba que de los mismos pósitos públicos proveyesen los huéspedes que recibiesen, los extranjeros y peregrinos y los caminantes, para todos los cuales tenían casas públicas, que llaman *corpahuaci*, que es casa de hospedería, donde les daban de gracia y de balde todo lo necesario. Demás de esto mandaba la misma ley que dos o tres veces al mes llamasen a los necesitados que arriba nombramos a los convites y comidas públicas, para que con el regocijo común desechasen parte de su miseria. Otra ley llamaban casera. Contenía dos casas: la primera, que ninguno estuviese ocioso, por lo cual, como atrás dijimos, aun los niños de cinco años ocupaban en cosas muy livianas, conforme a su edad; los ciegos; cojos y mudos, si no tenían otras enfermedades, también les hacían trabajar en diversas cosas; la demás gente, mientras tenía salud, se ocupaba cada uno en su oficio y deshonra castigar en público a alguno por ocioso. Después de esto, mandaba la misma ley que los indios comiesen y cenasen las puertas abiertas para que los ministros de los jueces pudiesen entrar más libremente a visitarles. Porque había ciertos jueces que tenían cargo de visitar los templos, los lugares y edificios públicos y las casas particulares: llamábanse *llactacamayu*. Éstos, por sí o por sus ministros, visitaban a menudo las casas para ver el cuidado y diligencia que así el varón como la mujer tenía acerca de su casa y familia, y la obediencia, solicitud y ocupación de los hijos. Colegían y sacaban la diligencia de ellos del ornamento, atavío y limpieza y buen aliño de su casa, de sus alhajas, vestidos, hasta los vasos y todas las demás cosas caseras. Y a los que hallaban aliñosos premiaban con loarlo en público, y a los desaliñados castigaban con azotes en brazos y piernas o con otras penas que la ley mandaba. De cuya causa había tanta abundancia de las cosas necesarias para la vida humana, que casi se daban de balde, y aun las que hoy tanto estiman. Las demás leyes y ordenanzas morales, que en común y en particular todos guardaban, tan allegadas a razón, se podrán colegir y sacar de lo que diremos de la vida y costumbres de ellos. También diremos largamente en el capítulo octavo y noveno la causa por qué se han perdido estas leyes y derechos, o la mayor parte de ellos, y el gobierno de los Incas, tan político y tan digno de loor; y cómo es mayor la barbaridad que ahora tienen los indios para las cosas ciudadanas y mayor falta y carestía de las cosas necesarias para la vida humana, que no la que tuvieron los de aquellos tiempos.

XII. CÓMO CONQUISTABAN Y DOMESTICABAN LOS NUEVOS VASALLOS

La orden y manera que los Incas tenían de conquistar las tierras y el camino que tomaban para enseñar las gentes a la vida política y ciudadana, cierto no es de olvidar ni de menospreciar; porque desde los primeros Reyes, a los cuales imitaron los sucesores, nunca hicieron guerra sino movidos por alguna razón que les parecía bastante, como era la necesidad que los bárbaros tenían de que los redujesen a vida humana y política, o por injurias y molestias que los comarcanos hacían a sus vasallos, y antes que moviesen la guerra, requerían a los enemigos una y dos y tres veces. Después de sujetada la provincia, lo primero que el Inca hacía era que, como en rehenes, tomaba el ídolo principal que aquella tal provincia tenía y lo llevaba al Cuzco; mandaba que se pusiese en un templo hasta que el cacique y sus indios se desengañasen de la burlería de sus vanos dioses y se aficionasen a la idolatría de los Incas, que adoraban al Sol. No echaban por tierra los dioses ajenos luego que conquistaban la provincia, por la honra de ella, porque los naturales no se desdeñasen del menosprecio de sus dioses hasta que los tenían cultivados en su vana religión. También llevaban al Cuzco al cacique principal y a todos sus hijos, para los acariciar y regalar, y para que ellos, frecuentando la corte, aprendiesen, no solamente las leyes y costumbres y la propiedad de la lengua, mas también sus ritos, ceremonias y supersticiones; lo cual hecho restituía al curaca en su antigua dignidad y señorío y, como Rey, mandaba a los vasallos le sirviesen y obedeciesen como a señor natural. Y para que los soldados vencedores y vencidos se reconciliasen y tuviesen perpetua paz y amistad y se perdiese y olvidase cualquiera enojo o rencor que durante la guerra hubiese nacido, mandaba que entre ellos celebrasen grandes banquetes, abundantes de todo regalo, y que se hallasen a ellos ciegos, cojos y mudos y los demás pobres impedidos, para que gozasen de la liberalidad real. En aquellas fiestas había danzas de doncellas, juegos y regocijos de mozos, ejercicios militares de hombres maduros. Demás de esto les daban muchas dádivas de oro y plata y plumas para adornar los vestidos y arreos de las fiestas principales. Sin esto les hacían otras mercedes de ropa de vestir y otras preseas, que entre ellos eran muy estimados. Con estos regalos y otros semejantes, regalaba el Inca los indios nuevamente conquistados, de tal manera que, por bárbaros y brutos que fuesen, se sujetaban y unían a su amor y servicio con tal vínculo que nunca jamás provincia alguna imaginó rebelarse. Y por que se quitasen del todo las ocasiones de producir quejas, y de las quejas se causasen rebeliones, confirmaba y de nuevo (porque fuesen más estimadas y acatadas) promulgaba todas las leyes, fueros y estatutos antiguos, sin tocar en cosa alguna de ellos, si no eran los contrarios a la idolatría y leyes del Imperio. Mudaba, cuando era menester, los habitadores de una provincia a otra; proveíanles de heredades, casas, criados y ganados, en abundancia bastante; y en lugar de aquéllos, llevaban ciudadanos del Cuzco o de otras provincias fieles, para que, haciendo oficio de soldados en presidio, enseñasen a los comarcanos las leyes, ritos y ceremonias y la lengua general del reino.

Lo restante del gobierno suave que los Reyes Incas tuvieron, en que hicieron ventaja a todos los demás Reyes y naciones del Nuevo Mundo, consta claro no solamente por las cuentas y nudos anales de los indios, mas también por los cuadernos fidedignos, escritos de mano, que el visorrey don Francisco de Toledo mandó a sus visitadores y jueces y a sus escribanos que escribiesen, habiéndose informado largamente de los indios de cada provincia, los cuales papeles están hoy en los archivos públicos, donde se ve claro cuán benignamente trataron los Incas Reyes del Perú a los suyos. Porque, como ya se ha dicho, sacadas algunas cosas que convenían para la seguridad de todo el Imperio, todo lo demás de las leyes y derechos de los vasallos se conservaban sin tocarles en nada. Las haciendas y patrimonios así comunes como particulares mandaban los Incas que se sustentasen libres y enteras, sin disminuirles parte alguna. Nunca permitieron que sus soldados robasen ni saqueasen las provincias y reinos que por armas sujetaban y rendían; y a los rendidos, naturales de ellas, en breve tiempo les proveían en gobierno de paz y en cargos de la guerra, como si los unos fueran soldados viejos del Inca, de mucho tiempo atrás, y los otros fueran criados fidelísimos.

La carga de los tributos que a sus vasallos imponían aquellos Reyes era tan liviana que parecerá cosa de burla lo que adelante diremos, a los que lo leyeren. Empero, los Incas, no contentos ni satisfechos con todas estas cosas, distribuían con grandísima largueza, las cosas necesarias para el comer y el vestir, sin otros muchos dones, no solamente a los señores y a los nobles, mas también a los pecheros y a los pobres, de tal manera que con más razón se podrían llamar diligentes padres de familia o cuidadosos mayordomos, que no Reyes, de donde nació el renombre Cápac Titu con que los indios les solían llamar: Cápac, lo mismo es que Príncipe poderoso en riquezas y grandezas y Titu significa Príncipe liberal magnánimo, medio Dios, augusto. De aquí también nació que aquellos Reyes del Perú, por haber sido tales, fuesen tan amados y queridos de sus vasallos que hoy los indios, con ser ya cristianos, no pueden olvidarlos, antes en sus trabajos y necesidades, con llantos y gemidos, a voces y alaridos los llaman uno a uno por sus nombres; porque no se lee que ninguno de los Reyes antiguos de Asia, África y Europa haya sido para sus naturales vasallo tan cuidadoso, tan apacible, tan provechoso, franco y liberal, como lo fueron los Reyes Incas para con los suyos. De estas cosas que historialmente escribimos y adelante escribiremos podrá el que las leyere colegir y sacar las antiguas leyes y derechos de los indios del Perú, las costumbres de ellos, sus estatutos, sus oficios y manera de vivir, tan allegada a razón, las cuales cosas también se pudieran guardar y conservar para reducirlos a la religión cristiana con más suavidad y comodidad.

XIII. CÓMO PROVEÍAN LOS MINISTROS PARA TODOS OFICIOS

El Padre Blas Valera, procediendo en lo que escribía, pone este título a lo que se sigue:

Cómo proveían los Incas los gobernadores y ministros para paz; cómo repartían los maestros de las obras y los trabajadores; cómo disponían los bienes comunes y particulares y cómo se imponían los tributos.

Habiendo sujetado al Inca cualquiera nueva provincia y mandado llevar al Cuzco el ídolo principal de ella, y habiendo apaciguado los ánimos de los señores y de los vasallos, mandaba que todos los indios, así sacerdotes y adivinos como la demás gente común, adorasen al Dios Ticci Viracocha, por otro nombre llamado Pachacámac, como a Dios poderosísimo, triunfador de todos los demás dioses. Luego mandaba que tuviesen al Inca por Rey y supremo señor, para le servir y obedecer; y que los caciques, por su rueda, fuesen a la corte cada año o cada dos años, según distancia de las provincias, de lo cual se causaba que aquella ciudad era una de las más frecuentadas y pobladas que hubo en el Nuevo Mundo. Demás de esto mandaba que todos los naturales y moradores de la tal provincia se contasen y empadronasen, hasta los niños, por sus edades y linajes, oficios, haciendas, familias, artes y costumbres; que todo se notase y asentase como por escrito en los hilos de diversos colores, para que después, conforme a aquellas condiciones, se les impusiese la carga del tributo y las demás obligaciones que a las cosas y obras públicas tenían. Nombraba diversos ministros para la guerra, como generales, maeses de campo, capitanes mayores y menores, alféreces, sargentos y cabos de escuadra. Unos eran de a diez soldados y otros de a cincuenta. Los capitanes menores eran de a cien soldados, otros de a quinientos, otros de a mil. Los maeses de campo eran de a tres, cuatro, cinco mil hombres de guerra. Los generales, eran de diez mil arriba: llamábanles *Hatun Apu*, que es gran capitán. A los señores de vasallos, como duques, condes y marqueses, llamaban *curaca*, los cuales, como verdaderos y naturales señores, presidían en paz y en guerra a los suyos: tenían potestad de hacer leyes particulares y de repartir los tributos y de proveer a su familia y a todos sus vasallos en tiempo de necesidad, conforme a las ordenanzas y estatutos del Inca. Los capitanes mayores y menores, aunque no tenían autoridad de hacer leyes ni declarar derechos, también sucedían por herencia en los oficios, y en la paz nunca pagaban tributo, antes eran tenidos por libres de pecho, y en sus necesidades les proveían de los pósitos reales y no de los comunes. Los demás, inferiores a los capitanes, como son los cabos de escuadra de a diez y de a cincuenta, no eran libres de tributo, porque no eran de claro linaje. Podían los generales y los maeses de campo elegir los cabos de escuadra; empero, una vez elegidos, no podían quitarles los oficios: eran perpetuos. El tributo que pagaban era el ocuparse en sus oficios de decuriones; los cuales también tenían cuidado de mirar y visitar los campos y heredades, las casas reales y el vestir y los alimentos de la gente común. Otros gobernadores y ministros nombraba el Inca, subordinados de menores a mayores, para todas las cosas del gobierno y tributos del Imperio, para que, por su cuenta y razón, las tuviesen de manifiesto, para que ninguno pudiese ser engañado. Tenían pastores mayores y menores, a los cuales entregaban todo el ganado real y común, y lo guardaban con distinción y gran fidelidad, de manera que no faltaba una oveja, porque tenían cuidado de ahuyentar las fieras, y no tenían ladrones, porque no los había, y así todos dormían seguros. Había guardas y veedores mayores y menores de los campos y heredades. Había mayordomos y administradores, y jueces, visitadores. El oficio de todos ellos era que a su pueblo, en común ni en particular, no faltase cosa alguna de lo necesario, y habiendo necesidad (de cualquiera cosa que fuese), luego al punto daban cuenta de ella a los gobernadores y a los curacas y al mismo Rey, para que la proveyesen, lo cual ellos habían maravillosamente, principalmente el Inca, que en este particular en ninguna manera quería que los suyos lo tuviesen por Rey, sino por padre de familias y tutor muy diligente. Los jueces y visitadores tenían cuidado y diligencia que todos los varones se ocupasen de sus oficios y de ninguna manera estuviesen ociosos; que las mujeres cuidasen de aliñar sus casas, sus aposentos, sus vestidos y comida, de criar sus hijos, finalmente, de hilar y tejer para su casa; que las mozas obedeciesen bien a sus madres, a sus amas; que siempre estuviesen ocupadas en los oficios caseros y mujeriles; que los viejos y viejas y los impedidos para los trabajos mayores se ocupasen en algún ejercicio provechoso para ellos, siquiera en coger seroja y paja, y en despiojarse, y que llevasen los piojos a sus decuriones o cabos de escuadra. El oficio propio de los ciegos era limpiar el algodón de la semilla o granillos que tiene dentro en sí, y desgranar el maíz de las mazorcas en que se cría. Había oficiales de diversos oficios, los cuales reconocían y tenían sus maestros mayores, como plateros de oro y plata y de cobre y latón, carpinteros, albañiles, canteros, lapidarios de piedras preciosas, sin los demás oficiales necesarios para la república; cuyos hijos, si ejercitaran hoy aquellos oficios por el orden y concierto que los Incas lo tenían establecido, y después por el Emperador Carlos Quinto Máximo confirmado, quizá la repú-

blica de los indios estuviera ahora más florecida y más abundante de las cosas pertinentes al comer y vestir, como antes lo estaba, y para la predicación del Evangelio muy acomodada. Empero, que estos daños hayan nacido de nuestro descuido y negligencia, y cómo los curacas y los indios que ahora son superiores murmuran y mofan muchas veces en sus juntas y conversaciones del gobierno presente, comparando estos nuestros tiempos con los de los Incas, lo diremos adelante, en el libro segundo, capítulo nueve, número cincuenta y cinco.

Hasta aquí es el Padre Blas Valera. Lo que se promete se perdió. Pasando su Paternidad adelante en el mismo propósito, dice lo que se sigue:

Demás de lo dicho, había ministros oficiales labradores para visitar los campos; había cazadores de aves y pescadores, así de ríos como de la mar; tejedores, zapateros de aquel su calzado; había hombres que cortaban la madera para las casas reales y edificios públicos, y herreros que hacían de cobre las herramientas para su menesteres. Sin éstos, había otros muchos oficiales mecánicos, y aunque eran innumerables, todos ellos acudían con gran cuidado y diligencia a sus oficios y obras de sus manos. Pero ahora, en nuestros tiempos, es cosa de grande admiración ver cuán olvidados tienen los indios el orden antiquísimo de estos oficios públicos y cuán porfiadamente procuran guardar los demás usos y costumbres que tenían, y cuán pesadamente lo llevan si nuestros gobernadores les quitan algo de ellas.

XIV. LA RAZÓN Y CUENTA QUE HABÍA EN LOS BIENES COMUNES Y PARTICULARES

Habiendo ganado el Inca la provincia y mandado empadronar los naturales de ella, y habiéndoles dado gobernadores y maestros para su idolatría, procuraba componer y dar orden en las cosas de aquella región, para lo cual mandaba que se asentasen y pusiesen en sus nudos y cuentas las dehesas, los montes altos y bajos, las tierras de labor, las heredades, las minas de los metales, las salinas, fuentes, lagos y ríos, los algodonales y los árboles frutíferos nacidos de suyo, los ganados mayores y menores de lana y sin ella. Todas estas cosas y otras muchas mandaban que se contasen y midiesen y se asentasen por memoria, cada una de por sí, primeramente las de toda la provincia, luego las de cada pueblo y a lo último las de cada vecino; midiesen lo ancho y largo de las tierras de labor y provecho y de los campos, y que, sabiéndolo muy en particular, le diesen relación muy clara de todo ello, lo cual mandaba, no para aplicar para sí ni para su tesoro cosa alguna de las que tan por entero y tan por menudo pedía la noticia y razón de ellas, sino para que, sabida muy bien la fertilidad y abundancia a la esterilidad y pobreza de aquella región y de sus pueblos, se proveyese lo que había de contribuir y lo que habían de trabajar los naturales, y para que se viese con tiempo el socorro de bastimento o de ropa o de cualquiera otra cosa que hubiesen menester en tiempos de hambre o de peste o de guerra; finalmente mandaba que fuese público y notorio a los indios cualquiera cosa que hubiesen de hacer en servicio del Inca o de los curacas o de la república. De esta manera, ni los vasallos podían disminuir cosa alguna de lo que estaban obligados a hacer, ni los curacas ni los ministros regios les podían molestar ni agraviar. Demás de esto mandaba que, conforme a la cuenta y medida que se había hecho de la provincia, le pusiesen sus mojoneras y linderos, para que estuviese dividida de sus comarcanas. Y porque en los tiempos venideros no se

causase alguna confusión, ponían nombres propios y nuevos a los montes y collados, campos, prados y fuentes, y a los demás lugares cada uno de por sí, y si de antes tenían nombres, se los confirmaba, añadiéndoles alguna cosa nueva que significase la distinción de las otras regiones, lo cual es muy mucho de notar para que adelante veamos de dónde nació la veneración y respeto que aún hoy día tienen los indios a aquellos semejantes lugares, como adelante diremos. Después de esto repartían las tierras, a cada pueblo de la provincia lo que le pertenecía, para que lo tuviese por territorio suyo particular; y prohibía que estos campos y sitios universales, señalados y medidos dentro de los términos de cada pueblo, en ninguna manera se confundiesen; ni los pastos y montes ni las demás cosas las tuviesen por comunes sino entre los naturales de la tal provincia o entre los vecinos de tal pueblo. Las minas de oro y plata antiguas, o halladas de nuevo, concedía a los curacas y a sus parientes y vasallos que tomasen lo que bien les estuviese, no para tesoros (que antes los menospreciaron), sino para adornar los vestidos y arreos con que celebraban sus fiestas principales y para algunos vasos en que bebiese el cacique, y esto último con limitación; lo cual proveído, no hacían caso de las minas, antes parece que las olvidaban y dejan perder, y ésta era la causa que hubiese tan pocos mineros que sacasen y fundiesen los metales, aunque de los demás oficios y artes había innumerables oficiales. Los mineros y fundidores de los metales y los demás ministros que andaban ocupados en aquel oficio no pagaban otro tributo sino el de su trabajo y ocupación.

Las herramientas y los instrumentos y el comer y vestir y cualquier otra cosa que hubiese menester, se les proveía largamente de la hacienda del Rey o del señor de vasallos, si andaban en su servicio. Eran obligados a trabajar dos meses, y no más, y con ellos cumplían su tributo; el demás tiempo del año lo gastaban en lo que bien les estaba. No trabajaban todos los indios de la provincia en este ministerio, sino los que lo tenían por oficio particular y sabían el arte, que eran llamados metaleros. Del cobre que ellos llaman *anta*, se servían en lugar de hierro, del cual hacían los hierros para las armas, los cuchillos para cortar y los pocos instrumentos que tenían para la carpintería, los alfileres grandes que las mujeres tenían para prender sus ropas, los espejos en que se miraban, las azadillas con que escardaban sus sementeras y los martillos para los plateros; por lo cual estimaban mucho este metal, porque para todos era de más provecho que no la plata ni el oro y así sacaban más cantidad de él que de estos otros.

La sal que se hacía, así de las fuentes salobres como del agua marina, y el pescado de los ríos, arroyos y lagos, y el fruto de los árboles nacidos de suyo, el algodón y el cáñamo, mandaba el Inca que fuese común para todos los naturales de la provincia donde había aquellas cosas, y que nadie en particular las aplicase para sí, sino que todos cogiesen lo que hubiesen menester, y no más. Permitía que cada uno en sus tierras plantase los árboles frutales que quisiese y gozase de ellos a su voluntad.

Las tierras de pan y las que no eran de pan, sino de otros frutos y legumbres que los indios sembraban, repartía el Inca en tres partes: la primera para el Sol y sus templos, sacerdotes y ministros; la segunda para el patrimonio real, de cuyos frutos sustentaban a los gobernadores y ministros regios, que andaban fuera de sus patrias, de donde también se sacaba su parte para los pósitos comunes; la otra tercera parte para los naturales de la provincia y moradores de cada pueblo. Daban a cada vecino su parte, la cual bastaba a sustentar su casa. Este repartimiento hacía el Inca en todas las provincias de su Imperio, para que en ningún tiempo pidiesen a los indios tributo alguno de sus bienes y hacienda, ni ellos fuesen obligados a darlo a nadie, ni a sus caciques ni a los pósitos comunes de sus pueblos ni a los gobernadores del Rey ni al mismo Rey ni a los templos ni a los sacerdotes, ni aun para los sacrificios que hacía al Sol; ni nadie pudiese apremiarles a que lo pagasen, porque ya estaba hecho el repartimiento para cada cosa. Los frutos que sobraban de la parte que al Rey le cabía se aplicaban a los pósitos comunes de cada pueblo. Los que sobraban de las tierras del Sol también se aplicaban a los pobres, que eran los inútiles, cojos y mancos, ciegos y tullidos y otros semejantes. Y esto era después de haber cumplido muy largamente con los sacrificios que hacían, que eran muchos, y con el sustento de los sacerdotes y ministros de los templos, que eran innumerables.

XV. EN QUÉ PAGABAN EL TRIBUTO, LA CANTIDAD DE ÉL Y LAS LEYES ACERCA DE ÉL

Viniendo a los tributos que los Incas Reyes del Perú imponían y cobraban de sus vasallos, eran tan moderados que, si se consideran las cosas que eran y la cantidad de ellas, se podrá afirmar con verdad que ninguno de todos los Reyes antiguos, ni los grandes Césares que se llamaron Augustos y Píos, se pueden comparar con los Reyes Incas. Porque, cierto, bien mirado, parece que no recibía pechos ni tributos de sus vasallos, sino que ellos los pagaban a los vasallos o los imponían para el provecho de los mismos vasallos, según los gastaban en el beneficio de ellos mismos. La cantidad del tributo, considerándolo conforme a la cuenta y razón de aquellos tiempos y al jornal de los trabajadores y al valor de las cosas y a los gastos de los Incas, era tan poca que muchos indios apenas pagaban el valor de cuatro reales de los de ahora; y aunque no dejaba de haber algunas molestias por causa del tributo o del servicios del Rey o de los curacas, las llevaban con gusto y contento, así por la pequeña cantidad del tributo y por las ayudas de costa que tenían, como por los muchos provechos que de aquellas pequeñas ocupaciones se les seguían. Los fueros y leyes que había en favor de los tributarios, que inviolablemente se guardaban, de tal manera que ni los jueces ni los gobernadores ni los capitanes generales ni el mismo Inca podía corromperlas en perjuicio de los vasallos, eran las que se siguen. La primera y principal era que a cualquiera que fuese libre de tributo, en ningún tiempo ni por causa alguna le obligasen a pagarlo. Eran libres todos los de la sangre real, todos los capitanes generales y los capitanes menores, hasta los centuriones y sus hijos y nietos, todos los curacas y su parentela; los ministros regios en oficios menores (si eran de la gente común) no pagaban tributo durante el oficio, ni los soldados que andaban ocupados en las guerras y conquistas ni los mozos hasta los veinticinco años, porque hasta aquella edad eran obligados a servir a sus padres. Los viejos de cincuenta años arriba eran libres de tributo, y todas las mujeres, así las doncellas, solteras y viudas como las casadas; y los enfermos hasta que cobraban entera salud; y todos los inútiles, como ciegos, cojos y mancos y otros impedidos de sus miembros, aunque los mudos y sordos se ocupaban en las cosas donde no había necesidad de oír ni hablar. La segunda ley

era que todos los demás indios, sacados los que se han dicho, eran pecheros obligados a pagar tributo, si no eran sacerdotes o ministros de los templos del Sol o de las vírgenes escogidas. La tercera ley era que por ninguna causa ni razón indio alguno era obligado a pagar de su hacienda cosa alguna en lugar de tributo, sino que solamente lo pagaba con su trabajo o servicio del Rey o de su república; y en esta parte eran iguales el pobre y el rico, porque ni éste pagaba más ni aquél menos. Llamábase rico el que tenía hijos y familia que le ayudaban a trabajar para acabar más aína el trabajo tributario que le cabía; y el que no la tenía, aunque fuese rico de otras cosas, era pobre. La cuarta ley era que a ninguno podía compeler a que trabajase ni se ocupase en otro oficio sino en el suyo, si no era en el labrar de las tierras y en la milicia, que en estas dos cosas eran todos comunes. La quinta ley era que cada uno pagaba su tributo en aquello que en su provincia podía haber sin salir a la ajena a buscar las cosas que en su tierra no había, porque le parecía al Inca mucho agravio pedir al vasallo el fruto que su tierra no daba. La sexta ley mandaba que a cada uno de los maestros y oficiales que trabajaban en servicio del Inca o de sus curacas se les proveyese de todo lo que habían menester para trabajar en sus oficios y artes; esto es, que al platero le diesen oro o plata o cobre en que trabajase y al tejedor lana o algodón y al pintor colores, y todas las demás cosas en cada oficio necesarias, de manera que el maestro no pusiese más de su trabajo y el tiempo que estaba obligado a trabajar que eran dos meses, y, cuando mucho, tres; los cuales cumplidos, no era obligado a trabajar más. Empero, si en la obra que hacía quedaba algo por acabar, y él, por su gusto y voluntad, quería trabajar más y acabarlo, se lo recibían en descuento del tributo del año venidero, y así lo ponían por memoria en sus nudos y cuentas. La séptima ley mandaba que a todos los maestros y oficiales, de cualquiera oficio y arte que trabajaban, en lugar de tributo se les proveyese todo lo necesario de comida y vestido y regalos y medicinas, si enfermasen; para él solo, si trabajaba solo, y para sus hijos y mujeres, los llevaba para que le ayudasen a acabar más aína su tarea. Y en estos repartimientos de las obras por tarea, no tenían cuenta con el tiempo, sino que se acabase la obra. De manera que, si con la ayuda de los suyos acababa en una semana lo que había de trabajar en dos meses, cumplía y largamente satisfacía con la obligación de aquel año, de suerte que no podían apremiarle con otro tributo alguno. Esta razón bastará para responder y contradecir a los que dicen que antiguamente pagaban tributo los hijos y las hijas y las madres cualesquiera que fuesen; lo cual es falso, porque todos éstos trabajaban, no por obligación de tributo que se les impusiese, sino por ayudar a sus padres y maridos o a sus amos, porque si el varón no quería ocupar a los suyos en su obra y trabajo, sino trabajarlo él solo, quedaban libres sus hijos y mujer para ocuparse en las cosas de su casa, y no podían los jueces y decuriones forzarlos a cosa alguna más de que no estuviesen ociosos en sus haciendas. Por esta causa, en tiempo de los Incas eran estimados y tenidos por hombres ricos los que tenían muchos hijos y familia; porque los que no los tenían, muchos de ellos enfermaba por el largo tiempo que se ocupaban en el trabajo hasta cumplir con su tributo. Para remedio de esto también había ley que los ricos de familia, y los demás que hubiesen acabado sus partes, les ayudasen un día o dos, lo cual era muy agradable a todos los indios.

XVI. ORDEN Y RAZÓN PARA COBRAR LOS TRIBUTOS. EL INCA HACÍA MERCED A LOS CURACAS DE LAS COSAS PRECIADAS QUE LE PRESENTABAN

La octava ley era acerca del cobrar los tributos, los cuales se cobraban como se dirá, porque en todo hubiese cuenta, orden y razón. A cierto tiempo señalado se juntaban en el pueblo principal de cada provincia los jueces cobradores y los contadores o escribanos que tenían los nudos y cuentas de los tributos y delante del curaca y del gobernador Inca hacían las cuentas y particiones por los nudos de sus hilos y con piedrezuelas, conforme al número de los vecinos de la tal provincia, y las sacaban tan ajustadas y verdaderas, que en esta parte yo no sé a quién se pueda atribuir mayor alabanza, si a los contadores, que, sin cifras de guarismos, hacían sus cuentas y particiones ajustadas de cosas tan menudas, cosa que nuestros aritméticos suelen hacer con mucha dificultad, o al gobernador y ministros regios, que con tanta facilidad entendían la cuenta y razón que de todas ellas les daban.

Por los nudos se veía lo que cada indio había trabajado, los oficios que había hecho, los caminos que había andado por mandado de sus príncipes y superiores, y cualquiera otra ocupación en que le habían ocupado, todo lo cual se le descontaba del tributo que le pertenecía dar. Luego mostraban a los jueces cobradores y al gobernador cada cosa de por sí, de las que había encerradas en los pósitos reales, que eran los bastimentos, el pimiento, los vestidos, el calzado, las armas y todas las demás cosas que los indios daban de tributo, hasta la plata y el oro y las piedras preciosas y el cobre que había del Rey y del Sol, cada parte dividida por sí. También daban cuenta de lo que había en los pósitos de cada pueblo. De todas las cuales cosas mandaba la ley que el Inca gobernador de la provincia tuviese un traslado de las cuentas en su poder, para que ni de parte de los indios tributarios ni de parte de los ministros cobradores hubiese falsedad alguna. La novena ley era que todo lo que de estos tributos sobraba del gasto real se aplicaba al bien común y se ponía en los pósitos comunes para los tiempos de necesidad. De las cosas preciosas, como oro y plata y piedras finas, plumería de diversas aves, los colores para las pinturas y tinturas, el cobre y otras muchas cosas que cada año o a cada visita presentaban al Inca los curacas, mandaba el Rey que tomasen para su casa y servicios, y para los de la sangre real, lo que fuese menester, y de lo que sobraba hacía gracia y merced a los capitanes y a los señores de vasallos que habían traído aquellas cosas que, aunque las tenían en sus tierras, no podían servirse de ellas si no era con privilegio y merced hecha por el Inca. De todo lo dicho se concluye que los Reyes Incas tomaban para sí la menor parte de los tributos que les daban, y más se convertía en provecho de los mismos vasallos. La décima ley era que declaraba las diversas ocupaciones en que los indios se habían de ocupar, así en servicio del Rey como en provecho de sus pueblos y república, las cuales cosas se les imponía en lugar de tributo, que las habían de hacer en compañía y en común, y éstas eran: allanar los caminos y empedrarlos; aderezar y reparar o hacer de nuevo los templos del Sol y los demás santuarios de su idolatría, y hacer cualquiera otra cosa perteneciente a los templos. Eran obligados a hacer las casas públicas, como pósitos y casas para los jueces y gobernadores; aderezar las puentes, ser correos que llamaban *chasqui*, labrar las tierras, encerrar los frutos, apacentar los ganados; guardar las heredades, los sembrados y cualesquiera otros bienes públicos, hacer casas de hospedería para aposentar los caminantes, y asistir en ellas, para proveerlas de la hacienda real lo que hubiesen menester. Sin lo dicho, eran obligados a hacer cualquier otra cosa que fuese en provecho común de ellos o de sus curacas o en servicio del Rey; mas como en aquellos tiempos había tanta multitud de indios, cabía a cada uno de ellos tan poca parte de todas estas cosas que no sentían el trabajo de ellas; porque servían por su rueda, en común, con gran rectitud de no cargar más a unos que a otros. También declaraba esta ley que una vez al año se aderezasen los caminos y sus pretiles; se renovasen las puentes; se limpiasen las acequias de las aguas para regar las tierras; todo lo cual mandaba la ley que lo hiciesen de balde, porque era en provecho común de cada reino y provincia y de todo el Imperio.

Otras leyes más menudas se dejan por no cansar con ellas; las dichas eran las principales en negocio de tributos.

Hasta aquí es del Padre Blas Valera. Holgara preguntar en este paso a un historiador, que dice que los Incas hacían fueros disolutos para que los vasallos les pagasen grandes subsidios y tributos, que me dijera cuáles de estas leyes eran las disolutas; porque éstas, y otras que adelante diremos, las confirmaron muy de grado los Reyes de España de gloriosa memoria, como lo dice el mismo Padre Blas Valera; y con esto será razón volvamos al príncipe Viracocha, que lo dejamos metido en grandes afanes por defender la majestad de la honra de sus pasados y de la suya.

XVII. EL INCA VIRACOCHA TIENE NUEVA DE LOS ENEMIGOS Y DE UN SOCORRO QUE LE VIENE

Las grandes hazañas del Inca Viracocha nos obligan y fuerzan a que, dejadas otras cosas, tratemos de ellas. Dijimos al fin de la historia de su padre cómo, dejándolo en Muina, se volvió al Cuzco, apellidando la gente que andaba derramada por los campos, y cómo salió de la ciudad a recibir los enemigos, para morir peleando con ellos, antes que ver las insolencias y torpezas que habían de hacer en las casas y templo del Sol y en el convento de las vírgenes escogidas y en toda aquella ciudad que tenía por sagrada. Ahora es de saber que poco más de media legua de la ciudad, al norte, están un llano grande; allí paró el príncipe Inca Viracocha a esperar la gente que en pos de él salía del Cuzco y a recoger los que habían huido por los campos. De los unos y de los otros y de los que trajo consigo, juntó más de ocho mil hombres de guerra, todos Incas, determinados de morir delante de su príncipe. En aquel puesto le llegó aviso que los enemigos quedaban nueve o diez leguas de la ciudad, y que pasaban ya el gran río Apurímac. Otro día después de esta mala nueva, llegó otra buena en favor de los Incas y vino de la parte de Cuntisuyu, de un socorro de casi veinte mil hombres de guerra que venían pocas leguas de allí en servicio de su príncipe, de las naciones Quechua, Cotapampa y Cotanera y Aimara y otras que por aquellas partes confinaban con las provincias rebeladas.

Los Quechuas, por mucho que hicieron los enemigos por encubrir su traición, la supieron, porque confinan con tierras de los Chancas; y por parecerles el tiempo corto, no quisieron avisar al Inca, por no esperar su mandato, sino que levantaron toda la demás gente que pudieron, con la presteza que la necesidad pedía, y con ella caminaron hacia la ciudad del Cuzco, para socorrerla, si pudiesen, o morir en servicio de su Rey; porque estas naciones eran las que se redujeron de su voluntad al Imperio del Inca Cápac Yupanqui, como dijimos en su tiempo, y, por mostrar aquel amor, vinieron con este socorro. También lo hicieron por

su propio interés, por el odio y enemistad antigua que siempre hubo entre Chancas y Quechuas, de muchos años atrás; y por no volver a las tiranías de los Chancas (si por alguna vía venciesen) llevaron aquel socorro. Y porque los enemigos no entrasen primero que ellos en la ciudad, fueron atajando para salir al norte de ella a encontrarse con los rebelados. Y así llegaron casi a un tiempo amigos y enemigos.

El príncipe Inca Viracocha y todos los suyos se esforzaron mucho de saber que les venía tan gran socorro en tiempo de tanta necesidad, y lo atribuyeron a la promesa que su tío, el fantasma Viracocha Inca, le había hecho cuando le apareció en sueños y le dijo que en todas sus necesidades le favorecía como a su carne y sangre, y buscaría los socorros que hubiese menester, de las cuales palabras se acordó el príncipe viendo el socorro tan a tiempo, y las volvió a referir muchas veces, certificando a los suyos que tenían el favor de su dios Viracocha, pues veían cumplida su promesa; con lo cual cobraron los Incas tanto ánimo, que certificaban por suya la victoria, y, aunque habían determinado de ir a recibir los enemigos y pelear con ellos en las cuestas y malos pasos que hay desde el río Apurímac, hasta lo alto de Uillacunca (que por tenerlo alto les tenían ventaja), sabiendo la venida del socorro acordaron estarse quedos hasta que llegasen los amigos para que descansasen y tomasen algún refresco, entre tanto que llegaban los enemigos. También le pareció al Inca Viracocha y a sus parientes, los consejeros, que ya que se aumentaban sus fuerzas, no se alejasen de la ciudad, por tener cerca los bastimentos y lo demás necesario para la gente de guerra y para socorrer la ciudad con presteza, si se le ofreciese algún peligro.

Con este acuerdo estuvo el príncipe Inca Viracocha en aquel llano, hasta que llegó el socorro, que fue de doce mil hombres de guerra. El príncipe los recibió con mucho agradecimiento del amor que a su Inca tenían, hizo grandes favores y regalos a los curacas de cada nación y a todos los demás capitanes y soldados, loando su lealtad y ofreciendo para adelante el galardón de aquel servicio tan señalado. Los curacas, después de haber adorado a su Inca Viracocha, le dijeron cómo dos jornadas atrás venían otros cinco mil hombres de guerra, que ellos, por venir aprisa con el socorro, no los habían esperado. El príncipe les agradeció de nuevo la venida de los unos y de los otros, y habiéndolo consultado con los parientes, mandó a los curacas que enviasen aviso a los que venían de lo que pasaba, y cómo el príncipe quedaba en aquel llano con su ejército; que se diesen prisa hasta llegar a unos cerrillos y quebradas que allí cerca había, y que en ellos se emboscasen y estuviesen encubiertos hasta ver qué hacían los enemigos de sí. Porque si quisiesen pelear entrarían en el mayor hervor de la batalla y darían en los contrarios por un lado para vencerlos con más facilidad; y si no quisiesen pelear habrían hecho como buenos soldados. Dos días después que llegó el socorro al Inca, asomó por lo alto de la cuesta de Rimactampu la vanguardia de los enemigos; los cuales, sabiendo que el Inca Viracocha estaba cinco leguas de allí, fueron haciendo pausas y pasaron la palabra atrás para que la batalla y retaguardia se diesen prisa a caminar y se juntasen con la vanguardia. De esta manera caminaron aquel día, y llegaron todos juntos a Sacsahuana, tres leguas y media de donde estaba el príncipe Viracocha y donde fue después la batalla de Gonzalo Pizarro y el de la Gasca.

XVIII. BATALLA MUY SANGRIENTA, Y EL ARDID CON QUE SE VENCIÓ

A Sacsahuana envió mensajeros el Inca Viracocha a los enemigos, con requerimientos de paz y amistad y perdón de lo pasado. Mas los Chancas, habiendo sabido que el Inca Yáhuar Huácac se había retirado y desamparado la ciudad, aunque supieron que el príncipe su hijo estaba determinado a defenderla y que aquel mensaje era suyo, no lo quisieron escuchar, por parecerles (conforme a la soberbia que traían) que, habiendo huido el padre, no había por qué temer al hijo, y que la victoria era de ellos. Con estas esperanzas despidieron los mensajeros, sin les oír. Otro día, bien de mañana, salieron de Sacsahuana y caminaron hacia el Cuzco, y, por prisa que se dieron, habiendo de caminar en escuadrón formado, según orden de guerra, no pudieron llegar antes de la noche a donde el príncipe estaba; pararon un cuarto de legua en medio. El Inca Viracocha envió nuevos mensajeros, y al camino se los había enviado muy a menudo con el mismo ofrecimiento de amistad y perdón de la rebelión. Los Chancas no los habían querido oír; solamente oyeron los postreros, que era cuando estaban ya alojados, a los cuales, por vía de desprecio, dijeron: "Mañana se verá quién merece ser Rey y quién puede perdonar".

Con esta mala respuesta, estuvieron los unos y los otros bien a recaudo toda la noche, con sus centinelas puestas, y luego, en siendo de día, armaron sus escuadrones, y con grandísima grita y vocería y sonido de trompetas y atabales y caracoles, caminaron los unos contra los otros. El Inca Viracocha quiso ir delante de todos los suyos y fue el primero que tiró a los enemigos el arma que llevaba; luego se trabó una bravísima pelea. Los Chancas, por salir con la victoria que se habían prometido, pelearon obstinadamente. Los Incas hicieron lo mismo, por librar a su príncipe de muerte o de afrenta. En esta pelea anduvieron todos con grandísimo coraje hasta mediodía, matándose unos a otros cruelmente, sin reconocerse ventaja de alguna de las partes. A esta hora asomaron los cinco mil hombres que habían estado emboscados, y, con mucho denuedo y grande alarido, dieron en los enemigos por el lado derecho de su escuadrón. Y como llegasen de refresco y arremetiesen con gran ímpetu, hicieron mucho daño en los Chancas y los retiraron muchos pasos atrás. Más ellos, esforzándose unos a otros, volvieron a cobrar lo perdido y pelearon con grandísimo enojo que de sí mismos tenían, de ver que estuviesen tanto tiempo sin ganar la victoria, que tan prometida se tenían.

Después de esta segunda arremetida, pelearon más de dos horas largas, sin que se reconociese ventaja alguna; mas de allí adelante empezaron a aflojar los Chancas, porque a todas horas sentían entrar nueva gente en la batalla. Y fue que los que se iban huyendo de la ciudad y los vecinos de los pueblos comarcanos a ella, sabiendo que el príncipe Viracocha Inca había vuelto a la defensa de la casa del Sol, juntándose de cincuenta en cincuenta y de ciento en ciento y más y menos, como acertaban a hallarse, iban a morir con el príncipe, y viendo la pelea trabada, entraban en ella dando grandísimos alaridos, haciendo más ruido de lo que era la gente. Por estos nuevos socorros desconfiaron los Chancas de la victoria, entendiendo que eran de mucha más gente, y así pelearon de allí adelante más por morir que por vencer.

Los Incas, como gente que estaba hecha a engrandecer sus hechos con fábulas y testimonios falsos

que levantaban al Sol, viendo tantos socorros, aunque tan pequeños, quisieron no perder esta ocasión, sino valerse de ella con la buena industria que para semejantes cosas tenían. Dieron grandes voces, diciendo que las piedras y las matas de aquellos campos se convertían en hombres y venían a pelear en servicio del príncipe, porque el Sol y el Dios Viracocha lo mandaban así. Los Chancas, como gente creedora de fábulas, desmayaron mucho con esta novela, y ella se imprimió entonces y después en la gente común y simple de todo aquel reino, con tanta credulidad de ellos como lo dice el Padre Fray Jerónimo Román en el libro segundo de la *República de las Indias Occidentales*, capítulo once, hablando de esta batalla, que es lo que se sigue, sacado a la letra:

> De manera que el campo quedó por el Inga; dicen hasta hoy todos los indios, cuando se habla de aquella valerosa batalla, que todas las piedras que habían en aquel campo se tornaron hombres, para pelear por ellos, y que todo aquello hizo el Sol para cumplir la palabra que dio el valeroso Pachacuti Inca Yupanqui, que así se llamaba también este mozo valeroso.

Hasta aquí es de aquel curioso inquiridor de repúblicas, el cual, en el capítulo alegado y en el siguiente, toca brevemente muchas cosas de las que hemos dicho y diremos de los Reyes del Perú. También escribe el Padre Maestro Acosta del fantasma Viracocha, aunque trocados los nombres de los Reyes de aquel tiempo, y dice la batalla de los Chancas y otras cosas de las que diremos de este príncipe, aunque abreviada y confusamente, como son casi todas las relaciones que los indios dan de los españoles, por las dificultades del lenguaje y porque tienen ya perdidos los memoriales de las tradiciones de sus historias. Dicen en confuso la sustancia de ellas, sin guardar orden ni tiempo. Pero, como quiera que la haya escrito, huelgo mucho poner aquí lo que dice, para que se vea que no finjo fábulas, sino que mis parientes las fingieron y que también las alcanzaron los españoles, mas no en las mantillas ni en la leche, como yo.

Dice, pues, Su Paternidad lo que se sigue, que es sacado a la letra, libro sexto, capítulo veintiuno:

Pachacuti Inga Yupanqui reinó sesenta años y conquistó mucho. El principio de sus victorias fue que un hermano mayor suyo, que tenía el señorío en vida de su padre y con su voluntad administraba la guerra, fue desbaratado en una batalla que tuvo con los Changas, que es la nación que poseía el valle de Andaguailas, que está obra de treinta leguas del Cuzco, camino de Lima; y así desbaratado, se retiró con poca gente. Visto esto, el hermano menor, Inga Yupanqui, para hacerse señor, inventó y dijo que, estando él solo y muy acongojado, le había hablado el Viracocha creador, y quejándosele que siendo él señor universal y creador de todo, y habiendo él hecho el cielo y el Sol y el mundo y los hombres, y estando todo debajo de su poder, no le daban la obediencia debida, antes hacían veneración igual al Sol y al trueno y a la tierra y otras cosas, no teniendo ellas ninguna virtud más de la que les daba; y que le hacía saber que en el cielo, donde estaba, le llamaban Viracocha Pachayacháchic, que significa creador universal. Y para que creyesen que esto era verdad, que, aunque estaba solo, no dudase de hacer gente con este título, que aunque los Changas eran tantos y estaban victoriosos, que él daría victoria contra ellos y le haría señor, porque le enviaría gente, que, sin que fuese vista, le ayudase. Y fue así que con apellido comenzó a hacer gente, y juntó mucha cantidad y alcanzó la victoria y se hizo señor y quitó a su padre y a su hermano el señorío. Y desde aque-

lla victoria estatuyó que el Viracocha fuese tenido por señor universal y que las estatuas del Sol y del trueno le hiciesen reverencia y acatamiento. Y desde aquel tiempo se puso la estatua de Viracocha más alta que la del Sol y del trueno y de las demás guacas. Y aunque este Inga Yupanqui señaló chac-ras y tierras y ganado al Sol y al trueno y a otras guacas, no señaló cosa ninguna al Viracocha, dando por razón que, siendo señor universal y creador, no lo había menester.

Habida, pues la victoria de los Changas, declaró a sus soldados que no habían sido ellos los que habían vencido, sino ciertos hombres barbudos que el Viracocha le había enviado, y que nadie pudo verlos sino él, y que éstos se habían después convertido en piedras y convenía buscarlos, que él los conocería. Y así juntó de los montes gran suma de piedras, que él escogió y puso por guacas, y las adoraban y hacían sacrificios, y ésas llamaban pururaucas, las cuales llevaban a la guerra con grande devoción, teniendo por cierta la victoria con su ayuda, y pudo esta imaginación y ficción de aquel Inga tanto, que con ella alcanzó victorias muy notables...

Hasta aquí es del Maestro Acosta, y según lo que su Paternidad dice, la fábula es toda una. Decir que pusieron la estatua de Viracocha más alta que la del Sol es invención nueva de los indios, por adular a los españoles, por decir que les dieron el nombre del Dios más alto y más estimado que tuvieron, no siendo así, porque no tuvieron más de dos dioses, que fueron el Pachacámac, no visto ni conocido, y el Sol visible y notorio. Al Viracocha y a los demás Incas tuvieron por hijos del Sol.

XIX. GENEROSIDADES DEL PRÍNCIPE INCA VIRACOCHA DESPUÉS DE LA VICTORIA

Los Incas, viendo enflaquecer los enemigos, apellidando todos el nombre de su tío el fantasma Inca Viracocha, porque así lo mandó el príncipe, cerraron con ellos con grande ímpetu y los llevaron de arrancada. Mataron gran número de ellos, y los pocos que quedaron volvieron las espaldas, huyendo a más no poder. El príncipe, habiendo seguido un rato el alcance, mandó tocar a recoger, porque no matasen ni hiriesen más enemigos, pues se daban ya por vencidos; y él por su persona corrió todo el campo do había sido la batalla y mandó recoger los heridos para que los curasen y los muertos para que los enterrasen. Mandó soltar los presos, que se fuesen libremente a sus tierras, diciéndoles que los perdonaba a todos. La batalla, habiendo sido tan reñida que duró más de ocho horas, fue muy sangrienta: tanto, que dicen los indios que, demás de la que se derramó por el campo, corrió sangre por un arroyo seco que pasa por aquel llano, por lo cual le llamaron de allí adelante *Yáhuar Pampa*, que quiere decir campo de sangre. Murieron más de treinta mil indios; los ocho fueron de la parte del Inca Viracocha, y los demás de las naciones Chanca, Huancohuallu, Uramarca, Uillca y Utunsulla y otras.

Quedaron presos los dos maeses de campo y el general Hancohuallu; al cual mandó curar el príncipe con mucho cuidado, que salió herido, aunque poco, y a todos tres los retuvo para el triunfo que pensaba hacer adelante. Un tío del príncipe, pocos días después de la batalla, les dio una grave represión, por haberse atrevido a los hijos del Sol, diciendo que eran invencibles, en cuyo favor y servicio peleaban las piedras y los árboles, convirtiéndose en hombres porque así lo mandaba su padre el Sol, como en la batalla pasada lo habían visto y lo verían todas las veces que lo quisiesen experimentar.

Dijo otras fábulas en favor de los Incas, y a lo último les dijo que rindiesen las gracias al Sol, que mandaba a sus hijos tratasen con misericordia y clemencia a los indios; que por esta razón el príncipe les perdonaba las vidas y les hacía nueva merced de sus estados, y a todos los demás curacas que con ellos se habían rebelado, aunque merecían cruel muerte; y que de allí adelante fuesen buenos vasallos, si no querían que el Sol los castigase con mandar a la tierra que se los tragase vivos. Los curacas, con mucha humildad, rindieron las gracias de la merced que les hacía y prometieron ser leales criados.

Habida tan gran victoria, el Inca Virachocha hizo luego tres mensajeros. El uno envió a la casa del Sol a hacerle saber la victoria que mediante su favor y socorro habían alcanzado, como si él no la hubiera visto; porque es así que estos Incas, aunque tenían al Sol por Dios, le trataban tan corporalmente como si fuera un hombre como ellos; porque, entre otras cosas que con él hacían a semejanza de hombre era brindarle, y lo que el Sol había de beber lo echaban en un medio tinajón de oro que ponían en la plaza donde hacían sus fiestas o en su templo, y la tenían al Sol y decían que lo que de allí faltaba lo bebía el Sol; y no decían mal, porque su calor lo consumía. También le ponían platos de vianda que comiese. Y cuando había sucedido alguna cosa grande, como la victoria pasada, le hacían mensajero particular, para hacerle saber lo que pasaba y rendirle las gracias de ello. Guardando esta costumbre antigua, el príncipe Viracocha Inca envió su mensajero al Sol con la nueva de la victoria, y envió a mandar a los sacerdotes que (recogiéndose los que de ellos habían huido) le diesen las gracias y le hiciesen nuevos sacrificios. Otro mensajero envió a las vírgenes dedicadas para mujeres del Sol, que llamamos escogidas, con la nueva de la victoria, como que por sus oraciones y méritos se la hubiese dado el Sol. Otro correo que llaman *chasqui*, envió al Inca, su padre, dándole cuenta de todo lo que hasta aquella hora había pasado y suplicándole que, hasta que él volviese, no se moviese de donde estaba.

XX. EL PRÍNCIPE SIGUE EL ALCANCE, VUELVE AL CUZCO, VESE CON SU PADRE, DESPOSÉELE DEL IMPERIO

Despachados los mensajeros, mandó elegir seis mil hombres de guerra que fuesen con él en seguimiento del alcance, y a la demás gente despidió, que se volviesen a sus casas, con promesa que hizo a los curacas de gratificarles a su tiempo aquel servicio. Nombró dos tíos suyos por maeses de campo, que fuesen con él, y dos días después de la batalla salió con su gente en seguimiento de los enemigos; no para maltratarlos, sino para asegurarlos del temor que podían llevar de su delito. Y así los que por el camino alcanzó, heridos y no heridos, los mandó regalar y curar, y de los mismos indios rendidos envió mensajeros que fuesen a sus provincias y pueblos y les dijesen cómo el Inca iba a perdonarlos y consolarlos, y que no hubiesen miedo. Con estas prevenciones hechas, caminó aprisa, y, cuando llegó a la provincia Antahuailla,. que es la de los Chancas, salieron las mujeres y niños que pudieron juntarse, con ramos verdes en las manos aclamando y diciendo: "Solo Señor, hijo del Sol, amador de pobres, habed lástima de nosotros y perdonadnos".

El príncipe los recibió con mucha mansedumbre y les mandó decir que de la desgracia recibida habían tenido la culpa sus padres y maridos, y que a todos los que se habían rebelado los tenían perdonados, y que venía a visitarlos por su persona, para que, oyendo el perdón de su propia boca, quedasen más satisfechos y perdiesen de todo el temor que podían tener de su delito. Mandó que les diesen lo que hubiesen menester y los tratasen con todo amor y caridad y tuviesen gran cuenta con el alimento de las viudas y huérfanos, hijos de los que habían muerto en la batalla de Yahuarpampa.

Corrió en muy breve tiempo todas las provincias que se habían rebelado, y, dejando en ellas gobernadores con bastante gente, se volvió a la ciudad y entró en ella en espacio de una luna (como dicen los indios) que habían salido de ella; porque cuentan los meses por lunas. Los indios, así los leales como los que se habían rebelado, quedaron admirados de ver la piedad y mansedumbre del príncipe, que no lo esperaban de la aspereza de su condición; antes habían temido que, pasada la victoria, había de hacer alguna gran carnicería. Empero decían que su Dios el Sol le había mandado que mudase de condición y semejase a sus pasados. Mas lo cierto es que el deseo de la honra y fama puede tanto en los ánimos generosos, que les hace fuerza a que truequen la brava condición y cualquiera otra mala inclinación en la contraria, como lo hizo este príncipe, para dejar el buen nombre que dejó entre los suyos.

El Inca Viracocha entró en el Cuzco a pie, por mostrarse soldado más que no Rey; descendió por la cuesta abajo de Carmenca, rodeado de su gente de guerra, en medio de sus dos tíos: los maeses de campo y los prisioneros en pos de ellos. Fue recibido con grandísima alegría y muchas aclamacio-

nes de la multitud del pueblo. Los
Incas viejos salieron a recibirle y
adorarle por hijo del Sol; y después de haberle hecho el acatamiento debido, se metieron entre sus
soldados, para participar del triunfo de aquella victoria. Daban a entender que deseaban ser mozos para
militar debajo de tal capitán. Su
madre, la Coya Mama Chicya, y
las mujeres más cercanas en sangre al príncipe, como hermanas,
tías y primas hermanas y segundas,
con otra gran multitud de Pallas,
salieron por otra parte a recibirle
con cantares de fiestas y regocijo.
Unas le abrazaban, otras le enju-
gaban el sudor de la cara, otras le
quitaban el polvo que traía, otras
le echaban flores y yerbas olorosas.
De esta manera fue el príncipe hasta la casa del Sol, donde entró descalzo, según la costumbre de ellos,
a rendirle las gracias de la victoria
que le había dado. Luego fue a visitar las vírgenes mujeres del Sol
y habiendo hecho estas visitas, salió de la ciudad a ver a su padre,
que todavía se estaba en la angostura de Muina, donde lo había dejado.

El Inca Yáhuar Huácac recibió
al príncipe, su hijo, no con el regocijo, alegría y contento que se
esperaba de hazaña tan grande y
victoria tan desconfiada, sino con
un semblante grave y melancólico,
que antes mostraba pesar que placer. O que fuese de envidia de la
famosa victoria del hijo o de vergüenza de su pusilanimidad pasada
o de temor que el príncipe le quitase el reino, por haber desamparado la casa del Sol y las vírgenes
sus mujeres, y la ciudad imperial:
no se sabe cuál de estas tres cosas
causase su pena, o si todas tres
juntas.

En aquel acto público pasaron
entre ellos pocas palabras, más después en secreto, hablaron muy largo. Sobre qué fuese la plática no
lo saben decir los indios, mas de

que por conjeturas se entiende que
debió de ser acerca de cuál de ellos
había de reinar, si el padre o el
hijo, porque de la plática secreta
salió resuelto el príncipe que su
padre no volviese al Cuzco, por
haberla desamparado. Y como la
ambición y deseo de reinar, en los
príncipes, esté tan dispuesta a abrazar cualquier aparente color, bastó
sólo esto para quitar el reino a su
padre. El cual dio lugar a la determinación del hijo, porque sintió inclinada a su deseo toda la corte,
que era la cabeza del reino; y por
evitar escándalos y guerras civiles,
y particularmente porque no pudo
más, consintió en todo lo que el
príncipe quiso hacer de él. Con este
acuerdo trazaron luego una casa
real, entre la angostura de Muina
y Quespicancha, en un sitio ameno
(que todo aquel valle lo es), con
todo regalo y delicias que se pudieron imaginar de huertas y jardines
y otros entretenimientos reales de
caza y pesquería; que al levante
de la casa pasa cerca de ella el
río de Yúcay y muchos arroyos que
entran en él.

Dada la traza de la casa, cuyas
reliquias y cimientos hoy viven, se
volvió el príncipe Viracocha Inca a
la ciudad, dejó la borla amarilla y
tomó la colorada. Mas, aunque él
la traía, nunca consintió que su padre se quitase la suya; que de las
insignias se hace poco caudal como
falte la realidad del imperio y dominio. Acabada de labrar la casa,
le puso todos los criados y el demás servicio necesario; tan cumplido, que si no era el gobierno del
reino no le faltó al Inca Yáhuar
Huácac otra cosa. En esta vida so-
litaria vivió el pobre Rey lo que
de la vida le quedó; desposeído del
reino por su propio hijo y desterrado en el campo a hacer vida con
las bestias, como poco antes tuvo
él al mismo hijo.

Esta desdicha decían los indios
que había pronosticado el mal agüe-

ro de haber llorado sangre en su niñez. Decían también, razonando unos con otros, volviendo a la memoria las cosas pasadas, que si este Inca, cuando temía la mala condición del hijo y procuraba remediarla, cayera en darle un poco de tósigo (según la costumbre de los tiranos, y como lo hacían los hechiceros de algunas provincias de su Imperio), quizá no se viera desposeído de él. Otros que hablaban en favor del príncipe, no negando lo mal que lo había hecho con su padre, decían que también pudiera suceder peor al padre si cayera en poder de los enemigos, pues les había vuelto ya las espaldas y desamparado la ciudad; que le quitaran la vida y el reino, la sucesión de los hijos, de manera que perecieran del todo, y que el príncipe lo había remediado con su buen ánimo y valor. Otros, hablando en alabanza común de sus Reyes, decían que aquel malhadado Inca no había caído en el remedio del veneno porque todos antes cuidaban en quitarlo del mundo que en usar de él. Otros, que se tenían por religiosos, encareciendo más la nobleza y generosidad de sus Incas, decían que, aunque le advirtieran del remedio del veneno, no usara de él, porque era cosa indigna de Incas, hijos del Sol, usar con sus hijos lo que a los vasallos prohibían usar con los extraños. De esta suerte decían otras muchas cosas en sus pláticas, como a cada uno le parecía que era más a propósito. Y con esto dejaremos al Inca Llora Sangre, para no hablar más de él.

XXI. DEL NOMBRE VIRACOCHA, Y POR QUÉ SE LO DIERON A LOS ESPAÑOLES

Volviendo al Príncipe, es de saber que por el sueño pasado le llamaron Viracocha Inca o Inca Viracocha, que todo es uno, porque el nombre Inca no significa más antepuesto que pospuesto. Diéronle el nombre del fantasma que se le apareció, el cual dijo llamarse así. Y porque el Príncipe dijo que tenía barbas en la cara, a diferencia de los indios que generalmente son lampiños, y que traían el vestido hasta los pies, diferente hábito del que los indios traen, que no les llega más de hasta la rodilla, de aquí nació que llamaron Viracocha a los primeros españoles que entraron en el Perú, porque les vieron barbas y todo el cuerpo vestido. Y porque luego que entraron los españoles prendieron a Atahualpa, Rey tirano, y lo mataron, el cual poco antes había muerto a Huáscar Inca, legítimo heredero, y había hecho en los de la sangre real (sin respetar sexo ni edad) las crueldades que en su lugar diremos, confirmaron de veras el nombre de Viracocha a los españoles, diciendo que eran hijos de su dios Viracocha, que los envió del cielo para que sacasen a los Incas y librasen la ciudad del Cuzco y todo su Imperio de las tiranías y crueldades de Atahualpa, como el mismo Viracocha lo había hecho otra vez, manifestándose al príncipe Inca Viracocha para librarle de la rebelión de los Chancas. Y dijeron que los españoles habían muerto al tirano en castigo y venganza de los Incas, por habérselo mandado así el dios Viracocha, padre de los españoles, y ésta es la razón por la cual llamaron Viracocha a los primeros españoles. Y porque creyeron que eran hijos de su dios, los respetaron tanto que los adoraron y les hicieron tan poca defensa, como se verá en la conquista del reino, pues seis españoles solos (Hernando de Soto y Pedro del Barco, entre ellos) se atrevieron a ir desde Casamarca al Cuzco y a otros partes, doscientas y trescientas leguas de camino, a ver las riquezas de aquella ciudad y de otras, y los llevaron en andas, porque fuesen más regalados. También les llamaron Incas, hijos del Sol, como a sus Reyes.

Si a esta vana creencia de los indios correspondieran los españoles con decirle que el verdadero Dios los había enviado para sacarlos de las tiranías del demonio, que eran mayores que las de Atahualpa, y les predicaran el Santo Evangelio con el ejemplo que la doctrina pide, no hay duda sino que hicieran grandísimo fruto. Pero pasó todo tan diferente, como sus mismas historias lo cuentan, a que me remito, que a mí no me es lícito decirlo: dirán que, por ser indio, hablo apasionadamente. Aunque es verdad que no se deben culpar todos, que los más hicieron oficio de buenos cristianos; pero entre gente tan simple como eran aquellos gentiles, destruía más un malo que edificaban cien buenos.

Los historiadores españoles, y aun todos ellos, dicen que los indios llamaron así a los españoles porque pasaron allá por la mar. Y dicen que el nombre de Viracocha significa grosura del mar, haciendo composición de uira, que dicen que es grosura y cocha, que es mar. En la composición se engañan, también como en la significación, porque conforme a la composición que los españoles hacen, querrá decir mar de sebo, porque uira, en propia significación, quiere decir sebo, y con el nombre de cocha, que es mar, dice mar de sebo; porque en semejantes composiciones de nominativo y genitivo, siempre ponen los indios el genitivo delante. De donde consta claro no ser nombre compuesto, sino propio de aquel fantasma que dijo llamarse Viracocha y que era hijo del Sol. Esto puse aquí para los curiosos que holgaran de ver la interpretación de este nombre tan común, y cuánto se engañan en declarar el lenguaje del Perú los que no lo mamaron en la leche

de la misma ciudad del Cuzco, aunque sean indios, porque los no naturales de ella también son extranjeros y bárbaros en la lengua, como los castellanos. Sin la razón dicha, para llamar Viracocha a los españoles diremos adelante otra que no fue menos principal, que fue la artillería y arcabucería que llevaron. El Padre Blas Valera, interpretando la significación de este nombre, lo declara por esta dicción numen, que es voluntad y poderío de Dios; dícelo no porque signifique esto el nombre Viracocha, sino por la deidad en que los indios tuvieron al fantasma, que después del Sol le adoraron por dios y le dieron el segundo lugar, y en pos de él adoraron a sus Incas y Reyes y no tuvieron más dioses.

El Inca Viracocha quedó con tanta reputación acerca de sus parientes y vasallos, así por el sueño como por la victoria, que en vida le adoraron por nuevo dios, enviado por el Sol para reparo de los de su sangre, porque no se perdiese, y para remedio de la imperial ciudad y casa del Sol y de sus vírgenes, que no las destruyesen los enemigos. Y así le hacían la veneración y acatamiento con nuevas y mayores ostentaciones de adoración que a sus pasados, como que en él hubiese nueva y mayor deidad que en ellos, pues habían sucedido por él cosas tan extrañas y admirables. Y aunque el Inca quiso prohibir a los indios que no le adorasen, sino a su tío, el que se le había aparecido, no pudo acabarlo con ellos. Empero, quedó acordado que los adorasen a ambos igualmente, y que nombrando a cualesquiera de ellos, pues tenían un mismo nombre, se entendiese que los nombraban a ambos. Y el Inca Viracocha, para mayor honra y fama de su tío el fantasma, y de sí propio, edificó un templo, como poco adelante diremos.

El sueño puédese creer que el demonio, como tan gran maestre de maldad, lo causase durmiendo el príncipe, o que velando se le representase en aquella figura, que no se sabe de cierto si dormía o velaba; y los indios antes se inclinaban a afirmar que no dormía sino que velaba, recostado debajo de aquella peña. Y pudo hacer esto el enemigo del género humano por aumentar crédito y reputación a la idolatría de los Incas, porque, como viese que el reino de ellos se iba estableciendo y que los Incas habían de ser los legisladores de las supersticiones de su gentilidad y vana ley, para que fuesen creídos y tenidos por dioses y obedecidos por tales, haría aquella representación y otras que los indios cuentan, aunque ninguna para ellos de tanta admiración como la del Viracocha Inca, porque el fantasma vino diciendo que era hijo del Sol y hermano de los Incas; y como sucedió después el levantamiento de los Chancas y la victoria contra ellos, quedó el Inca en grandísima autoridad y crédito, hecho un oráculo para lo que de allí adelante quisiese ordenar y mandar a los indios. Este es el dios fantástico Viracocha que algunos historiadores dicen que los indios tuvieron por principal dios y en mayor veneración que al Sol, siendo falsa relación y adulación que los indios le hacen, por lisonjearlos, diciendo que les dieron el nombre de su más principal dios. Lo cierto es que no tuvieron dios más principal que el Sol (si no fue Pachacámac, dios no conocido), antes, por dar deidad a los españoles, decían a los principios que eran hijos del Sol, como lo dijeron del fantasma Viracocha.

XXII. EL INCA VIRACOCHA MANDA LABRAR UN TEMPLO EN MEMORIA DE SU TÍO, EL FANTASMA

Para mayor estima de su sueño y para perpetuarlo en la memoria de las gentes, mandó el Inca Viracocha hacer, en un pueblo llamado Cacha, que está a dieciséis leguas al sur de la ciudad del Cuzco, un templo a honor y reverencia de su tío, el fantasma que se le apareció. Mandó que la hechura del templo imitase todo lo que fuese posible al lugar donde se le apareció; que fuese (como el campo) descubierto, sin techo; que le hiciesen una capilla pequeña, cubierta de piedra; que semejase al cóncavo de la peña donde estuvo recostado; que tuviese un soberado, alto del suelo; traza y obra diferentes de todo cuanto aquellos indios, antes ni después, hicieron, porque nunca hicieron casa ni pieza con soberado. El templo tenía ciento y veinte pies de hueco en largo y ochenta en ancho. Era de cantería pulida, de piedra hermosamente labrada, como es toda la que labran aquellos indios. Tenía cuatro puertas, a las cuatro partes principales del cielo; las tres estaban cerradas, que no eran sino portadas para ornamento de las paredes. La puerta que miraba al oriente servía de entrada y salida del templo, estaba en medio del hastial; y porque no supieron aquellos indios hacer bóveda para hacer soberado encima de ella, hicieron paredes de la misma cantería, que sirviesen de vigas, porque durasen más que si fueran de madera. Pusiéronlas a trechos, dejando siete pies de hueco entre pared y pared, y las paredes tenían tres pies de macizo; eran doce los callejones que estas paredes hacían. Cerráronlos por lo alto, en lugar de tablas, con losas de a diez pies en largo y media vara de alto, labradas a todas seis haces. Entrando por la puerta del templo, volvían a mano derecha por el primer callejón, hasta llegar a la pared de la mano derecha del templo; luego volvían a mano izquierda por el segundo callejón, hasta la otra pared. De allí volvían otra vez sobre mano dere-

or el tercer callejón, y de esta manera (como van los espacios de los renglones de esta plana) iban ganando todo el hueco del templo, de callejón en callejón, hasta el postrero, que eran el duodécimo, donde había una escalera para subir al soberado del templo.

De frente de cada callejón, a una mano y a otra, había ventanas como saeteras, que bastantemente daban luz a los callejones; debajo de cada ventana había un vacío hecho en la pared, donde estaba un portero sentado, sin ocupar el paso del callejón. La escalera estaba hecha a dos aguas, que podían subir y bajar por la una banda o por la otra; venía a salir lo alto de ella de frente del altar mayor. El suelo del soberado estaba enlosado de unas losas negras muy lustrosas, que parecían azabache, traídas de muy lejas tierras. En lugar del altar mayor había una capilla de doce pies de hueco en cuadro, cubierta de las mismas losas negras, encajadas unas en otras, levantadas en forma de chapitel de cuatro aguas: era lo más admirable de toda la obra. Dentro de la capilla, en el grueso de la pared del templo, había un tabernáculo, donde tenían puesta la imagen del fantasma Viracocha, a un lado y a otro de la capilla había otros dos tabernáculos, mas no había nada en ellos; solamente servían de ornamento y de acompañar la capilla principal. Las paredes del templo, encima del soberado, subían tres varas en alto, sin ventana ninguna; tenían su cornisa de piedra, labrada adentro y afuera, por todos cuatro lienzos. En el tabernáculo que estaba dentro de la capilla había una basa grande; sobre ella pusieron una estatua de piedra que mandó hacer el Inca Viracocha, de la misma figura que dijo habérsele aparecido el fantasma.

Era un hombre de buena estatura, con una barba larga de más de un palmo; los vestidos, largos y anchos como túnica o sotana, llegaban hasta los pies. Tenía un extraño animal, de figura no conocida, con garras de león, atado por el pescuezo con una cadena, y el ramal de ella en la una mano de la estatua. Todo esto estaba contrahecho de piedra, y porque los oficiales por no haber visto la figura ni su retrato, no atinaban a esculpirla como les decía el Inca, se puso él mismo muchas veces en el hábito y figura que dijo haberla visto. Y no consintió que otro alguno se pusiese en ella, porque no pareciese desacatar y menospreciar la imagen de su dios Viracocha, permitiendo que la representase otro que el mismo Rey; en tanto como esto estimaban sus vanos dioses.

La estatua semejaba a las imágenes de nuestros bienaventurados apóstoles, y más propiamente a la del Señor San Bartolomé, porque le pintan con el demonio atado a sus pies, como estaba la figura del Inca Viracocha con su animal no conocido. Los españoles, habiendo visto este templo y la estatua de la forma que se ha dicho, han querido decir que pudo ser que el apóstol San Bartolomé llegase hasta el Perú a predicar a aquellos gentiles, y que en memoria suya hubiesen hecho los indios la estatua y el templo. Y los mestizos naturales del Cuzco, de treinta años a esta parte, en una cofradía que hicieron de ellos solos, que no quisieron que entrasen españoles en ella, la cual solemnizan con grandes gastos, tomaron por abogado a este bienaventurado apóstol, diciendo que, ya que con ficción o sin ella se había dicho que había predicado en el Perú, lo querían por su patrón, aunque algunos españoles maldicientes, viendo los arreos y galas que aquel día sacan, han dicho que no lo hacen por el apóstol sino por el Inca Viracocha.

Qué motivo tuviese el Inca Viracocha y a qué propósito hubiese mandado hacer aquel templo en Cacha y no en Chita, donde el fantasma se le apareció, o en Yahuarpampa, donde hubo la victoria de los Chancas, siendo cualquiera de aquellos dos puestos más a propósito que el de Cacha, no lo saben decir los indios, mas de que fue voluntad del Inca; y no es de creer sino que tuvo alguna causa oculta. Con ser el templo de tan extraña labor, como se ha dicho, lo han destruido los españoles, como han hecho otras muchas obras famosas que hallaron en el Perú, debiéndolas sustentar ellos mismos, a su costa, para que en siglos venideros vieran las gentes las grandezas con que sus brazos y buena fortuna habían ganado. Mas parece que a sabiendas, como envidiosos de sí propios, las han derribado por el suelo, de tal manera que el día de hoy hoy apenas quedan los cimientos de esta obra, ni de otras semejantes que había, cosa que a los discretos ha lastimado mucho. La principal causa que les movió a destruir esta obra, y todas las que han derribado, fue decir que no era posible sino que había mucho tesoro debajo de ella. Lo primero que derribaron fue la estatua, porque dijeron que debajo de sus pies había mucho oro enterrado. El templo fueron cavando a tiento, ya aquí, ya allí, hasta los cimientos; y de esta manera lo han derribado todo. La estatua de piedra vivía pocos años ha, aunque toda desfigurada, a poder de pedradas que le tiraban.

XXIII. PINTURA FAMOSA Y LA GRATIFICACIÓN A LOS DEL SOCORRO

Hablando del Inca Viracocha, es de saber que quedó tan ufano y glorioso de sus hazañas y de la nueva adoración que los indios le hacían que, no contento con la obra famosa del templo, hizo otra galana y vistosa, aunque no menos mordaz contra su padre que aguda en su favor, aunque dicen los indios que no la hizo hasta que su padre fue muerto. Y fue en una peña altísima, que entre otras muchas hay en el paraje donde su padre paró cuando salió del Cuzco retirándose de los Chancas, mandó pintar dos aves que los indios llaman *cúntur*, que son de punta a punta de las alas. Son aves de rapiña y ferocísimas, aunque la naturaleza, madre común, por templarles la ferocidad les quitó las garras; tienen las manos como pies de gallina, pero el pico tan feroz y fuerte, que de una herronada rompen el cuero de una vaca; que dos aves de aquéllas la acometen y matan, como si fueran lobos. Son prietas y blancas, a remiendos, como las urracas Dos aves de estas mandó pintar, la una con las alas cerradas y la cabeza baja y encogida, como se ponen las aves, por fieras que sean, cuando se quieren esconder; tenía el rostro hacia Collasuyu y las espaldas al Cuzco. La otra mandó pintar en contrario, el rostro vuelto a la ciudad y feroz, con las alas abiertas, como que iba volando a hacer alguna presa. Decían los indios que el un cúntur figuraba a su padre, que había salido huyendo del Cuzco e iba a esconderse en el Collao, y el otro representaba al Inca Viracocha, que había vuelto volando a defender la ciudad y todo su Imperio.

Esta pintura vivía en todo su buen ser el año de mil y quinientos y ochenta; y el de noventa y cinco pregunté a un sacerdote criollo, que vino del Perú a España, si la había visto y cómo estaba. Díjome que estaba muy gastada, que casi no se divisaba nada de ella porque el tiempo con sus aguas y el descuido de la perpetuidad de aquella y otras semejantes antiguallas, la habían arruinado.

Como el Inca Viracocha quedase absoluto señor de todo su Imperio, tan amado y acatado de los suyos como se ha dicho, y adorado por Dios, procuró al principio de su reinado establecer su reino y atender al sosiego y quietud de él y al buen gobierno y beneficio de sus vasallos.

Lo primero que hizo fue gratificar con favores y mercedes a los que le habían dado el socorro en el levantamiento pasado, particularmente a los Quechuas de los apellidos Cotapampa y Cotanera, que, por haber sido los principales autores del socorro, les mandó que trajesen las cabezas trasquiladas y el llautu por tocado y las orejas horadadas como los Incas, aunque el tamaño del horado fue limitado, como lo dio el primer Inca Manco Cápac a sus primeros vasallos.

A las demás naciones dio otros privilegios de grandes favores, con que todos quedaron muy contentos y satisfechos. Visitó sus reinos porque se favoreciesen con verle, que, por las maravillas que de él se contaban, era deseado por todos ellos. Y habiendo gastado algunos años en la visita, se volvió al Cuzco, donde con el parecer de los de su Consejo determinó conquistar aquellas grandes provincias que llaman Caranca, Ullaca, Llipi, Chicha, las cuales su padre dejó de conquistar por acudir al remedio de la mala condición del hijo, como en su lugar dijimos. Para lo cual mandó el Inca Viracocha que en Collasuyu y Cuntisuyu se apercibiesen treinta mil hombres de guerra para el verano siguiente. Eligió por capitán general uno de sus hermanos, llamado Páhuac Maita Inca, que quiere decir el que vuela Maita Inca, que fue ligerísimo sobre todos los de su tiempo, y el don natural le pusieron por sobrenombre.

Eligió cuatro Incas por consejeros del hermano y maeses de campo; salieron del Cuzco y recogie-

ron de camino la gente levantada. Fueron a las provincias dichas; las dos de ellas, que sin Chicha y Ampara, adoraban la gran cordillera de la Sierra Nevada, por su grandeza y hermosura y por los ríos que de ella salen con que riegan sus campos. Tuvieron algunos reencuentros y batallas, aunque de poco momento; porque más fue querer los enemigos, como belicosos, tentar sus fuerzas que hacer guerra descubierta a los Incas, cuya potencia era ya tanta, y más con la nueva reputación de las hazañas del Inca Viracocha, que los enemigos no se hallaban poderosos para los resistir. Por estas causas se redujeron aquellas grandes provincias al Imperio de los Incas con más facilidad y menos peligros y muertes de las que al principio se habían temido, porque son belicosas y pobladas de mucha gente; aunque todavía se gastaron más de tres años en la reducción y conquista de ellas.

XXIV. NUEVAS PROVINCIAS QUE EL INCA SUJETA Y UNA ACEQUIA PARA REGAR LOS PASTOS

El Inca Páhuac Maita y sus tíos, habiendo dado fin a su jornada y dejado los gobernadores y ministros necesarios para instruir los nuevos vasallos, se volvieron al Cuzco, donde fueron recibidos del Inca con muchas fiestas y grandes favores y mercedes, cuales convenían a tan gran conquista como la que hicieron; con la cual acrecentó el Inca Viracocha su Imperio hasta los términos posibles, porque al oriente llegaba hasta el pie de la gran cordillera y sierra nevada, y al poniente hasta la mar, y al mediodía hasta la última provincia de los Charcas, más de doscientas leguas de la ciudad. Y por estas tres partes ya no había qué conquistar, porque por la una parte le atajaba la mar y por la otra las nieves y grandes montañas de los Antis y al sur le atajaban los desiertos que hay entre el Perú y el reino de Chile. Mas con todo eso, como el reinar sea insaciable, le nacieron nuevos cuidados de la Parte de Chinchasuyu, que es al norte: deseó aumentar su Imperio lo que pudiese por aquella banda, y habiéndolo comunicado con los de su Consejo, mandó levantar treinta mil hombres de guerra y eligió seis Incas, de los más experimentados, que fuesen con él. Proveído todo lo necesario, salió con su ejército por el camino de Chinchasuyu, dejando por gobernador de la ciudad a su hermano, el Inca Páhuac Maita. Llegó a la provincia de Antahuailla, que es de la nación Chanca, la cual, por la traición que hicieron al Inca Yáhuar Huácac en rebelarse contra él, fue llamada traidora por sobrenombre, y dura este apellido entre los indios hasta hoy, que jamás dicen Chanca que no añaden *Auca,* que quiere decir traidor. También significa tirano, alevoso, fementido y todo lo demás que puede pertenecer a la tiranía y alevosía: todo lo contiene este adjetivo *auca.* También significa guerrear y dar batalla, porque se vea cuánto comprende el lenguaje común del Perú con una sola palabra.

Con la fiesta y el regocijo que, como gente afligida, pudieron hacer los Chancas, fue recibido el Inca Viracocha. El cual se mostró muy afable con todos ellos, ya los más principales regaló, así con palabras como con dádivas; que les dio de vestidos y otras preseas, porque perdiesen el temor del delito pasado, que, como no había sido el castigo conforme a la maldad, temían si había de llegar entonces o después. El Inca, demás del común favor que a todos hizo, visitó las provincias todas; proveyó en ellas lo que le pareció convenir. Hecho esto recogió el ejército, que estaba aloja-

do en diversas provincias; caminó a las que estaban por sujetar. La más cercana, llamada Huaitara, grande y muy poblada de gente rica y belicosa, y que habían sido del bando de los rebelados; la cual se rindió luego que el Inca Viracocha envió sus mensajeros mandándoles que le obedeciesen, y así salieron con mucha humildad, a recibirle por señor, porque estaban escarmentados de la batalla de Yahuarpampa. El Inca los recibió con mucha afabilidad y les mandó decir que viviesen quietos y pacíficos, que era lo que más les convenía.

De allí pasó a otra provincia, llamada Pocra, por otro nombre Huamanca, y a otras que se dicen Asáncaru, Parco, Pícuy y Acos, las cuales todas se dieron con mucha facilidad y holgaron ser de su Imperio; porque el Inca Viracocha era deseado en todas partes, por las maravillas que había hecho. Habiéndolas ganado, despidió el ejército; ordenó lo que al beneficio común de los vasallos convenía, y, entre otras cosas que mandó hacer, fue sacar una acequia de agua de más de doce pies de hueco, que corría más de ciento y veinte leguas de largo; empezaba de lo alto de las sierras que hay entre Parcu y Pícuy, de unas hermosas fuentes que allí nacen, que parecen caudalosos ríos. Y corría el acequia hacia los Rucanas; servía de regar los pastos que hay por aquellos despoblados, que tienen diez y ocho leguas de travesía y de largo toman casi todo el Perú.

Otra acequia semejante atraviesa casi todo Cuntisuyu y corre del sur al norte más de ciento y cincuenta leguas por lo alto de las sierras más altas que hay en aquellas provincias, y sale a los Quechuas, y sirve o servía solamente para regar los pastos cuando el otoño detenía sus aguas. De estas acequias para regar los pastos hay muchas en todo el Imperio que los Incas gobernaron;

es obra digna de la grandeza y gobierno de tales príncipes. Puédense igualar estas acequias a las mayores obras que en el mundo ha habido, y darles el primer lugar, consideradas las sierras altísimas por donde las llevaban, las peñas grandísimas que rompían sin instrumentos de acero ni hierro, sino que con unas piedras quebrantaban otras, a pura fuerza de brazos, y que no supieron hacer cimbras para sobre ellas armas arcos de puentes con qué atajar las quebradas y los arroyos. Si algún arroyo hondo se le atravesaba, iban a descabezarlo hasta su nacimiento, rodeando las sierras todas que se le ofrecían por delante. Las acequias eran de diez, doce pies de hueco, por la parte de la sierra a que iban arrimadas; rompían la misma sierra para el paso del agua y por la parte de afuera les ponían grandes losas de piedras labradas por todas sus seis partes, de vara y media y de dos varas de largo, y más de vara de alto, las cuales iban puestas a la hila, pegadas unas a otras y fortalecidas por la parte de afuera con grandes céspedes y mucha tierra arrimada a las losas para que el ganado que atravesase de una parte a otra no desportillase la acequia.

Ésta, que viene atravesando todo el distrito llamado Cuntisuyu, vi en la provincia llamada Quechua, que es al fin del mismo distrito, y tiene todo lo que he dicho, y la miré con mucha atención. Y cierto son obras tan grandes y admirables que excedían a toda pintura y encarecimiento que de ellas se pueda hacer. Los españoles, como extranjeros, no han hecho caso de semejantes grandezas, ni para sustentarlas ni para estimarlas, ni aun para haber hecho mención de ellas en sus historias; antes parece que a sabiendas, o con sobra de descuido, que es lo más cierto, han permitido que se pierdan todas. Lo mismo ha sido de las acequias que los indios tenían sacadas para regar las tierras de pan, que han dejado perder las dos tercias partes; que hoy, y muchos años atrás, no sirven ya sino las acequias que no pueden dejar de sustentar, por la necesidad que tienen de ellas. De las que se han perdido, grandes y chicas, viven todavía los rastros y señales.

XXV. EL INCA VISITA SU IMPERIO; VIENEN EMBAJADORES OFRECIENDO VASALLAJE

Habiéndose dado la traza y proveído lo necesario para sacar la acequia grande para regar los pastos, el Inca Viracocha pasó de la provincia de Chinchasuyu a la de Cuntisuyu, con propósitos de visitar todos sus reinos de aquel viaje. Las primeras provincias que visitó fueron las que llaman Quechua, que, entre otras que hay de este nombre, las más principales son dos, la una llamada Cotapampa y la otra Cotanera; las cuales regaló con particulares mercedes y favores, por el gran servicio que le hicieron en el socorro contra los Chancas. Luego pasó a visitar todas las demás provincias de Cuntisuyu, y no se contentó con visitar las de la sierra, sino también los valles de los llanos y costa de la mar, porque no quedase alguna provincia desfavorecida de que el Inca no la hubiese visto, según era deseado de todas.

Hizo gran pesquisa para saber si los gobernadores y ministros regios hacen el deber, cada cual en su ministerio. Mandaba castigar severísimamente al que había hecho mal su oficio: decía que estos tales merecían más pena y castigo que los salteadores de caminos, porque, con la potestad real que les daban para hacer justicia y beneficio a los vasallos, los fatigaban con molestias y agravios contra la voluntad del Inca, menospreciando sus leyes y ordenanzas. Hecha la visita de Cuntisuyu, entró en las provincias de Collasuyu, las cuales anduvo una por una, visitando los pueblos más principales, donde, como en las pasadas, hizo muchas mercedes y favores, así a los indios en común como a sus curacas en particular. Visitó aquella costa de la mar hasta Tarapaca.

Estando el Inca en la provincia Charca, vinieron embajadores del reino llamado Tucma, que los españoles llaman Tucumán, que está doscientas leguas de los Charcas, al sudeste, y, puestos ante él, le dijeron:

Zapa Inca Viracocha, la fama de las hazañas de los Incas, tus progenitores, la rectitud e igualdad de su justicia, la bondad de sus leyes, el gobierno tan en favor y beneficio de los súbditos, la excelencia de su religión, la piedad, clemencia y mansedumbre de la real condición de todos vosotros y las grandes maravillas que tu padre el Sol nuevamente ha hecho por ti, han penetrado hasta los últimos fines de nuestra tierra, y aun pasan adelante. De las cuales grandezas aficionados los curacas de todo el reino Tucma, envian a suplicarte haya por bien de recibirlos debajo de tu Imperio, y permitas que se llamen tus vasallos, para que gocen de tus beneficios, y te dignes de darnos Incas de tu sangre real que vayan con nosotros a sacarnos de nuestras bárbaras leyes y costumbres y a enseñarnos la religión que debemos tener y los fueros que debemos guardar. Para lo cual, en nombre de todo nuestro reino, te adoramos por hijo del Sol y te recibimos por Rey y señor nuestro, en testimonio de lo cual ofrecemos nuestras personas y los frutos de nuestra tierra, para que sea señal y muestra de que somos tuyos.

Diciendo esto, descubrieron mucha ropa de algodón, mucha miel muy buena, *zara* y otras mieses y legumbres de aquella tierra, que de todas ellas trajeron parte, para que en todas se tomase la posesión. No trajeron oro ni plata, porque no la tenían los indios, ni hasta ahora, por mucha que ha sido la diligencia de los que la han buscado, han podido descubrirla.

Hecho el presente, los embajadores se pusieron de rodillas a la usanza de ellos, delante del Inca, y le adoraron como a su Dios y como a su Rey. El cual los recibió con mucha afabilidad, y después de haber recibido el presente, en señal de posesión de todo aquel reino, mandó a sus parientes que los brindasen, para hacerles el favor que entre ellos era tenido por inestimable. Hecha la bebida, mandó decirles que el Inca holgaba mucho hubiesen venido de su grado a la obediencia y señoría de los Incas, que serían tanto más regalados y bien tratados que los demás cuanto su amor y buena voluntad lo merecía mejor que los que venían por fuerza. Mandó que les diesen mucha ropa de lana para sus curacas, de la muy fina, que se hacía para el Inca, y otras preseas de la misma persona real hechas de mano de las vírgenes escogidas, que eran tenidas por cosas divinas y sagradas, y a los embajadores dieron muchas dádivas. Mandó que fuesen Incas parientes suyos a instruir aquellos indios en su idolatría y que les quitasen los abusos y torpezas que tuviesen y enseñasen las leyes y ordenanzas de los Incas, para que las guardasen. Mandó que fuesen ministros que entendiesen en sacar acequias y cultivar la tierra, para acrecentar la hacienda del Sol y la del Rey.

Los embajadores, habiendo asistido algunos días a la presencia del Inca, muy contentos de su condición y admirados de las buenas leyes y costumbres de la corte, y habiéndolas cotejado con las que ellos tenían, decían que aquéllas eran leyes de hombres, hijos del Sol, y las suyas de bestias sin entendimiento. Y movidos de buen celo, dijeron a su partida al Inca:

Sólo Señor, porque no quede nadie en el mundo que no goce de tu religión, leyes y gobierno, te hacemos saber que. lejos de nuestra tierra, entre el sur y el poniente, está un gran reino llamado Chili, poblado de mucha gente, con los cuales no tenemos comercio alguno por una gran cordillera de sierra nevada que hay entre ellos y nosotros, mas la relación tenémosla de nuestros padres y abuelos y pareciónos dártela para que hayas por bien de conquistar aquella tierra y reducirla a tu Imperio, para que sepan tu religión y adoren al Sol y gocen de tus beneficios.

El Inca mandó tomar por memoria aquella relación y dio licencia a los embajadores para que se volviesen a sus tierras.

El Inca Viracocha pasó adelante en su visita, como íbamos diciendo, y visitó las provincias todas de Collasuyu, haciendo siempre mercedes y favores a los curacas y capitanes de guerra y a los concejos y gente común; de manera que todos, en general, quedaron con nuevo contento y nueva satisfacción de su Inca. Recibíanlo por todas aquellas provincias con grandísima fiesta y regocijo y aclamaciones hasta entonces nunca oídas; porque, como muchas veces se nos ofrece decir, el suelo y la gran victoria de Yahuarpampa habían causado en los indios tanta veneración y respeto para con el Inca, que le adoraban por nuevo dios y hoy día tienen en gran veneración la peña donde dicen que estuvo recostado cuando se le apareció el fantasma. Y no lo hacen por idolatrar, que por la misericordia de Dios bien desengañados están ya de la que tuvieron, sino por memoria de su Rey, que tan bueno les fue en paz y en guerra.

Acabada la visita de Collasuyu, entró en Antisuyu, donde, aunque fue recibido con menos fausto y pompa, por ser los pueblos menores que los pasados no dejaron de hacerle toda la fiesta y aparato posible. Hicieron por los caminos arcos triunfales de madera, cubiertos de juncia y flores, cosa muy usada entre los indios para grandes recibimientos; cubrieron los caminos con flores y juncia, por do pasaba el Inca. En suma, hacían todas las ostentaciones que podían para dar a entender la vana adoración que deseaban hacerle. En la visita de estas tres partes de su Imperio, gastó el Inca Viracocha tres años, en las cuales no dejaba de hacer las fiestas del Sol, que llamaban Raimi, y la que llaman Citua, donde le hallaba el tiempo de las fiestas, aunque era con menos solemnidad que en el Cuzco; mas como podían la solemnizaban, por cumplir con su vana religión. Acabada la visita, se volvió a su imperial ciudad, donde fue tan bien recibido como había sido deseado, porque, como a nuevo fundador, defensor y amparo que había sido de ella, salieron todos sus cortesanos a recibirle con muchas fiestas y nuevos cantares, compuestos en loor de sus grandezas.

XXVI. LA HUIDA DEL BRAVO HANCOHUALLU DEL IMPERIO DE LOS INCAS

De la manera que se ha dicho visitó este Inca otras dos veces todos sus reinos y provincias. En la segunda visita sucedió que, andando en la provincia de los Chichas, que es lo último del Perú hacia el mediodía, le llevaron nuevas de un caso extraño, que le causó mucha pena y dolor, y fue que el bravo Hancohuallu, que dijimos fue Rey de los Chancas, aunque había gozado de nueve o diez años del suave gobierno de los Incas, y aunque de sus estados y jurisdicción no le habían quitado nada, sino que se era tan gran señor como antes y el Inca le había hecho todo el regalo y buen tratamiento posible, con todo eso, no pudiendo su ánimo altivo y generoso sufrir ser súbdito y vasallo de otro habiendo sido absoluto señor de tantos vasallos como tenía, y que sus padres y abuelos y antepasados habían conquistado y sujetado muchas naciones a su estado y señorío, particularmente los Quechuas, que fueron los primeros que dieron el socorro al Inca Viracocha, para que él no alcanzase la victoria que esperaba, y que al presente se veía igual a todos los que había tenido por inferiores, y le parecía, según su imaginación y conforme a buena razón, que por aquel servicio que sus enemigos hicieron al Inca eran más queridos y estimados que no él, y que él había de ser cada día menos y menos, desdeñado de estas imaginaciones, que a todas horas se le representaban en la fantasía, aunque por otra parte veía que el gobierno de los Incas era para someterse a él de su voluntad todos los potentados y señoríos libres, quiso más procurar su libertad, desechando cuanto poseía, que sin ella gozar de otros mayores estados. Para lo cual habló a algunos indios de los suyos y les descubrió su pecho, diciendo cómo deseaba desamparar su tierra natural y señorío propio y salir del vasallaje de los Incas y de todo su Imperio y buscar nuevas tierras dónde poblar y ser señor absoluto o morir en la demanda; que para conseguir este deseo se hablasen unos a otros, y que lo más disimuladamente que pudiesen se fuesen saliendo poco a poco de la jurisdicción del Inca, con sus mujeres e hijos, y como mejor pudiesen, que él les daría pasaportes para que no les pidiesen cuenta de su ca-

mino, y que le esperasen en las tierras ajenas comarcanas, porque todos juntos no podrían salir sin que el Inca lo supiese y estorbase, y que él saldría en pos de ellos lo más presto que pudiera, y que aquel camino era el más seguro para conseguir la libertad perdida, porque tratar de nuevo levantamiento era locura y disparate, porque no eran poderosos para resistir al Inca, y, aunque lo fueran, dijo que no lo hicieran por no mostrarse ingrato y desconocido a quien tantas mercedes le había hecho, ni traidor a quien tan magnánimo le había sido; que él se contentaba con buscar su libertad con la menos ofensa que pudiese hacer a un Príncipe tan bueno como el Inca Viracocha.

Con estas palabras persuadió el bravo y generoso Hancohuallu a los primeros que le oyeron, y aquéllos a los segundos y terceros, y así de mano en mano; y de esta manera, por el amor entrañable que en común los indios a su señor natural tienen, fueron fáciles los Chancas de persuadirse unos a otros, y en breve espacio salieron de su tierra más de ocho mil indios de guerra de provecho, sin la demás gente común y menuda de mujeres y niños, con los cuales se fue el altivo Hancohuallu haciendo camino por tierras ajenas con el terror de sus armas y con el nombre Chanca, cuya ferocidad y valentía era temida por todas aquellas naciones de su comarca. Con el mismo asombro se hizo proveer de mantenimientos hasta llegar a las provincias de Tarma y Pumpu, que están sesenta leguas de su tierra, donde tuvo algunos reencuentros; y aunque pudiera con facilidad sujetarse aquellas naciones y poblar en ellas, no quiso, por parecerle que estaban cerca del Imperio del Inca, cuya ambición le parecía tanta que tardaría en llegar a sujetar aquellas tierras, y caería en la misma sujeción y desventura que había huido.

Por lo cual le pareció pasar adelante y alejarse donde el Inca no llegase tan presto, siquiera mientras él viviese. Con este acuerdo caminó arrimándose a mano derecha de como iba, llegándose hacia las grandes montañas de los Antis, con propósito de entrarse por ellas y poblar donde hallase buena disposición. Y así dicen los de su nación que lo hizo, habiéndose alejado casi doscientas leguas de su tierra; mas por dónde entró y dónde pobló, no lo saben decir más de que entraron por un gran río abajo y poblaron en las riberas de unos grandes y hermosos lagos donde dicen que hicieron tan grandes hazañas que más parecen fábulas compuestas en loor de sus parientes, los Chancas, que historia verdadera, aunque del ánimo y valor del grande Hancohuallu se pueden creer muy grandes cosas las cuales dejaremos de contar porque no son de nuestra historia. Baste haber dicho lo que a ella pertenece.

XXVII. COLONIAS EN LAS TIERRAS DE HANCOHUALLU; EL VALLE DE YUCAY ILUSTRADO

El Inca Viracocha recibió mucha pena de la huida de Hancohuallu, y quisiera haber podido estorbarla, mas ya que no le fue posible, se consoló con que no había sido por su causa y, mirándolo más en su particular, decían los indios se había holgado de que se hubiese ido, por la natural condición de los señores, que sufren mal los vasallos de semejante ánimo y valor porque les son formidables. Informóse muy por menudo de la huida de Hancohuallu, y de qué manera quedaban aquellas provincias, y habiendo sabido que no había alteración alguna, envió a mandar (por no dejar de hacer su visita) que su hermano Páhuac Maita, que había quedado

en el Cuzco por gobernador, y otros dos de su Consejo, fuesen con buena guarda de gente y visitasen los pueblos de los Chancas y con blandura y mansedumbre aquietasen los ánimos que hubiese alterados por la ida de Hancohuallu.

Los Incas fueron y visitaron aquellos pueblos y las provincias circunvecinas, y lo mejor que pudieron las dejaron quietas y pacíficas. Visitaron asimismo dos famosas fortalezas, que eran de la antigüedad, de los antecesores de Hancohuallu, llamadas Challcumarca y Suramarca. *Marca*, en la lengua de aquellas provincias, quiere decir fortaleza. En ellas estuvo el desterrado Hancohuallu los postreros días que estuvo en su señorío, como despidiéndose de ellas, las cuales, según dicen sus indios, sintió más dejar que todo su estado. Sosegado el alboroto que causó la huida de Hancohuallu y acabada la visita que el Inca hacía de su Imperio, se volvió al Cuzco, con determinación de hacer asiento por algunos años en su corte y ocuparse en el gobierno y beneficio de sus reinos hasta que se olvidase este segundo motín de los Chancas. Lo primero que hizo fue promulgar algunas leyes que parecieron convenir, para atajar que no sucediesen otros levantamientos como los pasados. Envió a las provincias chancas gente, de la que llamaban advenediza, en cantidad de diez mil vecinos, que poblasen y restaurasen la falta de los que murieron en la batalla de Yahuarpampa y de los que se fueron con Hancohuallu. Dióles por caudillos Incas de los del privilegio, los cuales ocuparon los vacíos que en aquellas provincias había. Concluido lo que se ha dicho, mandó hacer grandes y suntuosos edificios por todo su Imperio, particularmente en el valle Yucay, y más abajo, en Tampu. Aquel valle se aventaja en excelencia a todos los que hay en el Perú, por lo cual todos los Reyes Incas, desde Manco Cápac, que fue el primero, hasta el último, lo tuvieron por jardín y lugar de sus deleites y recreación donde iban a alentarse de la carga y pesadumbre que el reinar tiene consigo, con los negocios de paz y de guerra que perpetuamente se ofrecen. Está cuatro leguas pequeñas al nordeste de la ciudad; el sitio es amenísimo, de aires frescos y suaves, de lindas aguas, de perpetua templanza, de tiempo sin frío ni calor, sin moscas ni mosquitos ni otras sabandijas penosas. Está entre dos sierras grandes; la que tiene al levante es la gran cordillera de la Sierra Nevada, que con una de sus vueltas llega hasta allí. Lo alto de aquella sierra es de perpetua nieve, de la cual descienden al valle muchos arroyos de agua, de que sacan acequias para regar los campos. Lo medio de la sierra es de bravísimas montañas; la falda de ella es de ricos y abundantes pastos llenos de venados, corzos, gamos, *hunacus* y vicuñas y perdices, y otras muchas aves, aunque el desperdicio de los españoles tiene ya destruido todo lo que es cacería. Lo llano del valle es de fertilísimas heredades, llenas de viñas y árboles frutales y cañaverales de azúcar que los españoles han puesto.

La otra sierra que tiene al poniente es baja, aunque tiene más de una legua de subida; al pie de ella corre el caudaloso río de Yucay, con suave y mansa corriente, con mucha pesquería y abundancia de garzas, ánades y otras aves de agua. Por las cuales cosas se van a convalecer a aquel valle todos los enfermos del Cuzco que pueden ir a él, porque la ciudad, por ser de temple más frío, no es buena para convalecientes. El día de hoy no se tiene por bienandante el español morador del Cuzco si no tiene parte en aquel valle. Este Inca Viracocha fue particularmente aficiona-

do a aquel sitio, y así mandó hacer en él muchos edificios, unos para recreación y otros para mostrar majestad y grandeza: yo alcancé alguna parte de ellos.

Amplió la casa del Sol, así en riquezas como en edificios y gente de servicio, conforme a su magnanimidad y conforme a la veneración y acatamiento que todos los Incas tuvieron a aquella casa, y particularmente el Inca Viracocha, por el mensaje que le envió con el fantasma.

XXVIII. DIO NOMBRE AL PRIMOGÉNITO, HIZO PRONÓSTICO DE LA IDA DE LOS ESPAÑOLES

En las cosas referidas se ejercitó el Inca Viracocha algunos años, con suma tranquilidad y paz de todo su Imperio, por el buen gobierno que en él había. Al primer hijo que le nació de la Coya Mama Runtu, su legítima mujer y hermana, mandó en su testamento que se llamase Pachacútec (llamándose antes Titu Manco Cápac): es participio de presente; quiere decir el que vuelve, o el que trastorna o trueca el mundo; dicen por vía de refrán *pácham cutin;* quiere decir el mundo se trueca, o por la mayor parte lo dicen cuando las cosas grandes se truecan de bien en mal, y raras veces lo dicen cuando se truecan de mal en bien; porque dicen que más cierto es trocarse de bien en mal que de mal en bien. Conforme al refrán, el Inca Viracocha se había de llamar Pachacútec, porque tuvo en pie su Imperio y lo trocó de mal en bien, que por la rebelión de los Chancas y por la huida de su padre se trocaba de bien en mal. Empero, porque no le fue posible llamarse así, porque todos sus reinos le llamaron Viracocha desde que se le apareció el fantasma, por esto dio al príncipe,

...ro, el nombre Pachacútec, ... había de tener, porque se conservase en el hijo la memoria de la hazaña del padre.

El Maestro Acosta, libro sexto, capítulo veinte, dice:

A este Inca le tuvieron a mal que se intitulase Viracocha, que es el nombre de Dios, y, para excusarse dijo que el mismo Viracocha, en sueños les había parecido y mandado que tomase su nombre. A éste sucedió Pachacuti Inga Yupanqui, que fue muy valeroso conquistador y gran republicano e inventor de la mayor parte de los ritos y supersticiones de su idolatría, como luego diré.

Con esto acababa aquel capítulo. Yo alego en mi favor el habérsele aparecido en sueños el fantasma y haber tomado su nombre, y la sucesión del hijo llamado Pachacútec. Lo que Su Paternidad dice en el capítulo veintiuno que el Pachacútec quitó el reino a su padre, es lo que hemos dicho que el Inca Viracocha se lo quitó a su padre, Yahuar Huácac, y no Pachacútec a Viracocha, su padre, que atrasaron una generación la relación que a Su Paternidad dieron. Y aunque sea así, huelgo que se le hayan dado, por favorecerme de ella.

El nombre de la Reina, mujer del Inca Viracocha, fue Mama Runtu: quiere decir madre huevo; llamáronla así porque esta Coya fue más blanca de color que lo son en común todas las indias, y por vía de comparación la llamaron madre huevo, que es gala y manera de hablar de aquel lenguaje; quisieron decir madre blanca como el huevo. Los curiosos en lenguas holgaron de oír éstas y otras semejantes prolijidades, que para ellos no lo serán. Los no curiosos me las perdonen.

A este Inca Viracocha dan los suyos el origen del pronóstico que los Reyes del Perú tuvieron, que después que hubiese reinado cierto número de ellos había de ir a aquella tierra gente nunca jamás vista y les había de quitar la idolatría y el Imperio. Esto contenía el pronóstico en suma, dicho en palabras confusas, de dos sentidos, que no se dejaban entender. Dicen los indios que como este Inca, después del sueño del fantasma, quedase hecho oráculo de ellos, los amautas, que eran los filósofos, y el Sumo Sacerdote, con los sacerdotes más antiguos del templo del Sol, que eran los adivinos, le preguntaban a sus tiempos lo que había soñado, y que de los sueños y de los cometas del cielo y de los agüeros de la tierra, que cataban en aves y animales, y de las supersticiones y anuncios que de sus sacrificios sacaban, consultándolo todo con los suyos, salió el Inca Viracocha con el pronóstico referido, haciéndose adivino mayor, y mandó que se guardase por tradición en la memoria de los Reyes y que no se divulgase entre la gente común, porque no era lícito profanar lo que tenían por revelación divina, ni era bien que se supiese ni se dijese que en algún tiempo habían de perder los Incas su idolatría y su Imperio, que caerían de la alteza y divinidad en que los tenían. Por esto no se habló más de este pronóstico hasta el Inca Huaina Cápac, que lo declaró muy al descubierto, poco antes de su muerte, como en su lugar diremos. Algunos historiadores tocan brevemente en lo que hemos dicho: dicen que dio el pronóstico un dios que los indios tenían, llamado Ticci Viracocha. Lo que yo digo lo oí al Inca viejo que contaba las antigüedades y fábulas de sus Reyes en presencia de mi madre.

Por haber dado este pronóstico el Inca Viracocha y por haberse cumplido con la ida de los españoles al Perú y haberlo ganado ellos y quitado la idolatría de los Incas y predicado la fe católica de nuestra Santa Madre Iglesia Romana, dieron los indios el nombre Viracocha a los españoles, y fue la segunda razón que tuvieron para dárselo, juntándola con la primera, que fue decir que eran hijos del dios fantástico Viracocha, enviados por él (como atrás dijimos) para remedio de los Incas y castigo del tirano. Hemos antepuesto este paso de su lugar por dar cuenta de este maravilloso pronóstico, que tantos años antes lo tuvieron los Reyes Incas; cumplióse en los tiempos de Huáscar y Atahualpa, que fueron choznos de este Inca Viracocha.

XXIX. LA MUERTE DEL INCA VIRACOCHA. EL AUTOR VIO SU CUERPO

Murió el Inca Viracocha en la majestad y alteza de estado que se ha referido; fue llorado universalmente de todo su Imperio, adorado por Dios, hijo del Sol, a quien ofrecieron muchos sacrificios. Dejó por heredero a Pachacútec Inca y a otros muchos hijos e hijas, legítimos en sangre real y no legítimos; ganó once provincias, las cuatro al mediodía del Cuzco y las siete al septentrión. No se sabe de cierto qué años vivió ni cuántos reinó, mas de que comúnmente se tiene que fueron más de cincuenta los de su reinado; y así lo mostraba su cuerpo cuando yo lo vi en el Cuzco, al principio del año de mil y quinientos y sesenta, que, habiendo de venirme a España, fui a la posada del licenciado Polo Ondegardo, natural de Salamanca, que era corregidor de aquella ciudad, a besarle las manos y despedirme de él para mi viaje. El cual, entre otros favores que me hizo, me dijo: "Pues que vais a España, entrad en ese aposento; veréis algunos de los vuestros que he sacado a luz, para que llevéis qué conta allá"

En el aposento hallé cinco cuerpos de los Reyes Incas, tres de varón y dos de mujer. El uno de ellos decían los indios que era este Inca Viracocha; mostraba bien su larga edad; tenía la cabeza blanca como la nieve. El segundo. decían que era el gran Túpac Inca Yupanqui, que fue bisnieto de Viracocha Inca. El tercero era Huaina Cápac, hijo de Túpac Yupanqui y tataranieto del Inca Viracocha. Los dos últimos no mostraban haber vivido tanto, que, aunque tenían canas, eran menos que las del Viracocha. La una de las mujeres era la Reina Mama Runtu, mujer de este Inca Viracocha. La otra era la Coya Mama Ocllo, madre de Huaina Cápac, y es verosímil que los indios los tuviesen juntos después de muertos, marido y mujer, como vivieron en vida. Los cuerpos estaban tan enteros que no les faltaba cabello, ceja ni pestaña. Estaban con sus vestiduras, como andaban en vida: los llautos en las cabezas, sin más ornamento ni insignias de las reales. Estaban asentados, como suelen sentarse los indios y las indias: las manos tenían cruzadas sobre el pecho, la derecha sobre la izquierda; los ojos bajos, como que miraban al suelo.

El Padre Maestro Acosta, hablando de uno de estos cuerpos, que también los alcanzó Su Paternidad, dice, libro sexto, capítulo veintiuno: "Estaba el cuerpo tan entero y bien aderezado con cierto betún, que parecía vivo. Los ojos tenía hechos de una telilla de oro; tan bien puestos, que no le hacían falta los naturales", etcétera. Yo confieso mi descuido, que no los miré tanto, y fue porque no pensaba escribir de ellos; que si lo pensara, mirara más por entero cómo estaban y supiera cómo y con qué los embalsamaban, que a mí, por ser hijo natural, no me lo negaran, como lo han negado a los españoles que, por diligencia que han hecho, no ha sido posible sacarlo de los indios: debe de ser porque les falta ya la tradición de esto, como de otras cosas que hemos dicho y diremos. Tampoco eché de ver el betún porque estaban tan enteros que parecían estar vivos, como Su Paternidad dice. Y es de creer que lo tenían, porque cuerpos muertos de tantos años y estar tan enteros y llenos de sus carnes como lo parecían, no es posible sino que les ponían algo; pero era tan disimulado que no se descubría.

El mismo autor, hablando de estos cuerpos, libro quinto, capítulo sexto, dice lo que sigue:

Primeramente los cuerpos de los Reyes y señores procuraban conservarlos, y permanecerían enteros, sin oler mal ni corromperse, más de doscientos años. De esta manera estaban los Reyes Incas en el Cuzco, cada uno en su capilla y adoratorio, de los cuales el visorrey Marqués de Cañete (por extirpar la idolatría) hizo sacar y traer a la Ciudad de los Reyes tres o cuatro de ellos, que causó admiración ver cuerpos humanos de tantos años, con tan linda tez y tan enteros...

Hasta aquí es del Padre Maestro, y es de advertir que la Ciudad de los Reyes (donde había casi veinte años que los cuerpos estaban cuando Su Paternidad los vio) es tierra muy caliente y húmeda, y por ende muy corrosiva, particularmente de carnes, que no se pueden guardar de un día para otro; que con todo eso, dice que causaba admiración ver cuerpos muertos de tantos años con tan linda tez y tan enteros. Pues cuánto mejor estarían veinte años antes y en el Cuzco, donde, por ser tierra fría y seca, se conserva la carne sin corromperse hasta secarse como un palo. Tengo para mí que la principal y mejor diligencia que harían para embalsamar-

los sería llevarlos cerca de las nieves y tenerlos allí hasta que se secasen las carnes, y después les pondrían el betún que el Padre Maestro dice, para llenar y suplir las carnes que se habían secado, que los cuerpos estaban tan enteros en todo como si estuvieran vivos, sanos y buenos, que, como dicen, no les faltaba sino hablar. Náceme esta conjetura de ver que el tasajo que los indios hacen en todas las tierras frías lo hacen solamente con poner la carne al aire, hasta que ha perdido toda la humedad que tenía, y no le echan sal ni otro preservativo, y así seca la guardan todo el tiempo que quieren. Y de esta manera se hacía todo el carnaje en tiempo de los Incas para bastimento de la gente de guerra.

Acuérdome que llegué a tocar un dedo de la mano de Huaina Cápac; parecía que era de una estatua de palo, según estaba duro y fuerte. Los cuerpos pesaban tan poco que cualquiera indio los llevaba en brazos o en los hombros, de casa en casa de los caballeros que los pedían para verlos. Llevábanlos cubiertos con sábanas blancas; por las calles y plazas se arrodillaban los indios, haciéndoles reverencia, con lágrimas y gemidos; y muchos españoles les quitaban la gorra, porque eran cuerpos de Reyes, de lo cual quedaban los indios tan agradecidos que no sabían cómo decirlo.

Esto es lo que se pudo haber de las hazañas del Inca Viracocha; las demás cosas más menudas de hechos y dichos de este famoso Rey no se saben en particular, por lo cual es lástima que, por falta de letras, muriesen y se enterrasen con ellos mismos las hazañas de hombres tan valerosos.

El Padre Blas Valera refiere sólo un dicho de este Inca Viracocha; dice que los repetía muchas veces, y que tres Incas (que nombra) le dieron la tradición de él y de otros dichos, que adelante veremos, de otros Reyes Incas. Es acerca del criar los hijos, que como este Inca se crió con tanta aspereza y disfavor de su padre, acordándose de lo que había pasado advertía a los suyos de qué manera debían criar sus hijos para que saliesen bien doctrinados. Decía:

Los padres muchas veces son causa de que los hijos se pierdan o corrompan, con las malas costumbres que les dejan tomar en la niñez; porque algunos los crían con sobra de regalos y demasiada blandura, y, como encantados con la hermosura y ternura de los niños, los dejan ir a toda su voluntad, sin cuidar de lo que adelante, cuando sean hombres, les ha de suceder. Otros hay que los crían con demasiada aspereza y castigo, que también los destruyen; porque con el demasiado regalo se debilitan y apocan las fuerzas del cuerpo y del ánimo, y con el mucho castigo desmayan y desfallecen los ingenios de tal manera que pierden la esperanza de aprender y aborrecer la doctrina, y los que lo temen todo no pueden esforzarse a hacer cosa digna de hombres. El orden que se debe guardar es que los críen en un medio, de manera que salgan fuertes y animosos para la guerra y sabios y discretos para la paz.

Con este dicho acaba el Padre Blas Valera la vida de este Inca Viracocha.

*Contiene el ornamento y servicio de la casa real de los Incas, las
exequias reales, las cacerías de los Reyes, los correos y el contar
por nudos, las conquistas, leyes y gobierno del Inca Pachacútec,
noveno Rey, la fiesta principal que hacían, las conquistas de muchos valles de la costa, el aumento de las escuelas del Cuzco y los
dichos senteciosos del Inca Pachacútec.*

I. LA FÁBRICA Y ORNAMENTO DE LAS CASAS REALES

El servicio y ornamento de las
casas reales de los Incas Reyes que
fueron del Perú no era de menos
grandeza, riqueza y majestad que
todas las demás cosas magníficas
que para su servicio tenían; antes
parece que en algunas de ellas,
como se podrán notar, excedieron
a todas las cosas de los Reyes y
Emperadores, que hasta hoy se sabe
que hayan sido en el mundo. Cuanto a lo primero, los edificios de
sus casas, templos, jardines y baños,
fueron en extremo pulidos, de cantería maravillosamente labrada, tan
ajustadas las piedras unas con otras
que no admitían mezcla, y aunque
es verdad que se la echaban, era
de un barro colorado (que en su
lengua le llaman *lláncac allpa*, que
es barro pegajoso) hecho leche, del
cual barro no quedaba señal ninguna entre las piedras, por lo cual
dicen los españoles que labraban
sin mezcla; otros dicen que echaban
cal, y engáñanse, porque los indios
del Perú no supieron hacer cal ni
yeso, teja ni ladrillo.

En muchas casas reales y templos del Sol echaron plomo derretido
y plata y oro por mezcla. Pedro
Cieza, capítulo noventa y cuatro,
lo dice también, que huelgo alegar
los historiadores españoles para mi
abono. Echábanlo para mayor majestad, lo cual fue la principal causa de la total destrucción de aquellos edificios, porque, por haber
hallado estos metales en algunos de
ellos, los han derribado todos, buscando oro y plata, que los edificios
eran de suyo tan bien labrados y
de tan buena piedra que duraran
muchos siglos si los dejaran vivir.
Pedro Cieza, capítulo cuarenta y
dos, y sesenta, y noventa y cuatro, dice lo mismo de los edificios,
que duraran mucho si no los derri-
baran. Con planchas de oro cha-
paron los templos del Sol y los
aposentos reales, dondequiera que
los había; pusieron muchas figuras
de hombres y mujeres, y de aves
del aire y del agua, y de animales
bravos, como tigres, osos, leones,
zorras, perros y gatos cervales, venados, huanacos y vicuñas, y de
las ovejas domésticas, todo de oro
y plata, vaciado al natural en su
figura y tamaño, y los ponían por
las paredes, en los vacíos y concavidades que, yendo labrando, les
dejaban para aquel efecto. Pedro
Cieza, capítulo cuarenta y cuatro,
lo dice largamente.

Contrahacían yerbas y plantas, de las que nacen por los muros, y las ponían por las paredes, que parecía haberse nacido en ellas. Sembraban las paredes de lagartijas y mariposas, ratones y culebras grandes y chicas, que parecían andar subiendo y bajando por ellas. El Inca se sentaba de ordinario en un asiento de oro macizo, que llaman *tiana*: era de una tercia en alto, sin braceras ni espaldar, con algún cóncavo para el asiento; poníanla sobre un gran tablón cuadrado, de oro. Las vasijas de todo el servicio de la casa, así de la mesa como de la botillería y cocina, chicas y grandes, todas eran de oro y plata, y las había en cada casa de depósito para cuando el Rey caminase, que no las llevaban de unas partes a otras sino que cada casa de las del Inca, así las que había por los caminos reales como las que había por las provincias, todas tenían lo necesario para cuando el Inca llegase a ellas, caminando con su ejército o vistando sus reinos. Había también en estas casas reales muchos graneros y orones, que los indios llaman *pirua*, hechos de oro y plata, no para encerrar grano, sino para grandeza y majestad de la casa y del señor de ella.

Juntamente tenían mucha ropa de cama de vestir, siempre nueva porque el Inca no se ponía un vestido dos veces, que luego los daba a sus parientes. La ropa de la casa toda era de mantas y frazadas de lana de vicuña, que es tan fina y tan regalada, que, entre otras cosas preciadas de aquellas tierras, se las han traído para la cama del Rey Don Felipe Segundo: echábanlas debajo y encima. No supieron o no quisieron la invención de los colchones, y puédese afirmar que no la quisieron, pues, con haberlos visto en las camas de los españoles, nunca los han querido admitir en las suyas, por parecerles demasiado

regalo y curiosidad para la vida natural que ellos profesaban.

Tapices por las paredes no los usaban, porque, como se ha dicho, las entapizaban con oro y plata. La comida era abundantísima, porque se aderezaba para todos los Incas parientes que quisiesen ir a comer con el Rey y para los criados de la casa real, que eran muchos. La hora de la comida principal de los Incas y de toda la gente común era por la mañana, de las ocho a las nueve; a la noche cenaban con luz del día, livianamente, y no hacían más comidas que estas dos. Fueron generalmente malos comedores, quiero decir de poco comer; en el beber fueron más viciosos; no bebían mientras comían, pero después de la comida se vengaban, porque duraba el beber hasta la noche. Esto se usaba entre los ricos, que los pobres, que era la gente común, en toda cosa tenían escasez, pero no necesidad. Acostábanse temprano, y madrugaban mucho a hacer sus haciendas.

II. CONTRAHACÍAN DE ORO Y PLATA CUANTO HABÍA PARA ADORNAR LAS CASAS REALES

En todas las casas reales tenían hechos jardines y huertos, donde el Inca se recreaba. Plantaban en ellos todos los árboles hermosos y vistosos, posturas de flores y plantas olorosas y hermosas que en el reino había, a cuya semejanza contrahacían de oro y plata muchos árboles y otras matas menores, al natural, con sus hojas, flores y frutas: unas que empezaban a brotar, otras a medio sazonar, otras del todo perfeccionadas en su tamaño. Entre estas y otras grandes hacían maizales, contrahechos al natural con sus hojas, mazorcas y caña, con sus raíces y flor. Y los cabellos que echa la mazorca eran de oro, y todo lo demás de plata, soldado lo uno con lo otro. Y la misma diferencia hacían en las demás plantas, que la flor, o cualquiera otra cosa que amarilleaba, la contrahacían de oro y lo demás de plata.

También había animales chicos y grandes, contrahechos y vaciados de oro y plata, como eran conejos, ratones, lagartijas, culebras, mariposas, zorras, gatos monteses, que domésticos no los tuvieron. Había pájaros de todas suertes, unos puestos por los árboles, como que cantaban, otros como que estaban volando y chupando la miel de las flores. Había venados y gamos, leones y tigres y todos los demás animales y aves que en la tierra se criaban, cada cosa puesta en su lugar, como mejor contrahiciese a lo natural.

En muchas casas, o en todas, tenían baños con grandes tinajones de oro y plata en que se llevaban, y caños de plata y oro, por los cuales venía el agua a los tinajones. Y donde había fuentes de agua caliente natural, también tenían baños, hechos de gran majestad y riqueza. Entre otras grandezas, tenían montones y rimeros de rajas de leña, contrahechos al natural, de oro y plata, como que estuviesen de depósito para gastar en el servicio de las casas.

La mayor parte de estas riquezas hundieron los indios luego que vieron los españoles deseosos de oro y plata, y de tal manera la escondieron, que nunca más ha aparecido ni se espera que aparezca, si no es que se hallen acaso, porque se entiende que los indios que hoy viven no saben los sitios de quedaron aquellos tesoros, y que sus padres y abuelos no quisieron dejarles noticia de ellos, porque las cosas que habían sido dedicadas para el servicio de sus Reyes no querían que sirviesen a otros. Todo lo que hemos dicho del tesoro y riqueza de los Incas lo refieren generalmente todos los historiadores del Perú, encareciéndolas cada uno conforme a la relación que de ellas tuvo. Y los que más a la larga lo escriben son Pedro Cieza de León, capítulo veintiuno, treinta y siete, cuarenta y uno, cuarenta y cuatro y noventa y cuatro, sin otros muchos lugares de su historia, y el contador general Agustín de Zárate, libro primero, capítulo catorce, donde dice estas palabras:

Tenían en grande estima el oro, porque de ello hacía el Rey y sus principales sus vasijas para su servicio, y de ello hacían joyas para su atavío, y lo ofrecían en los templos, y traía el Rey un tablón en que se sentaba, de oro de diez y seis quilates, que valió de buen oro más de veinte y cinco mil ducados, que es el que Don Francisco Pizarro escogió por su joya al tiempo de la conquista, porque, conforme a su capitulación, le habían de dar una joya que él escogiese, fuera de la cuenta común.

Al tiempo que le nació un hijo, el primero, mandó hacer Guainacava una maroma de oro tan gruesa (según hay muchos indios vivos que lo dicen) que, asidos a ella más de doscientos indios, orejones, no la levantaban muy fácilmente. Y en memoria de esta tan señalada joya, llamaron al hijo Guasca, que en su lengua quiere decir soga, con el sobrenombre de Inga, que era de todos los Reyes, como los emperadores romanos se llamaban Augustos. Esto he traído aquí por desarraigar una opinión que comúnmente se ha tenido en Castilla, entre la gente que no tiene práctica en las cosas de las Indias, de que los indios no tenían en nada el oro ni conocían su valor. También tenían muchos graneros y trojes, hechas de oro y plata, y grandes figuras de hombres y mujeres y de ovejas y de todos los otros animales y todos los géneros de yerbas que nacían en aquella tierra, con sus espigas y vástigas y nudos, hechos al natural, y gran suma de mantas y hondas, entretejidas con oro tirado, y aun cierto número de leños, como los que había de quemar, hechos de oro y plata.

Todas son palabras de aquel autor, con las cuales acaba el capítulo catorce de su *Historia del Perú*.

La joya que dice que Don Francisco Pizarro escogió, fue de aquel gran rescate que Aatahualpa dio por sí, y Pizarro, como general, podía según ley militar tomar del montón la joya que quisiese, y aunque había otras de más precio, como tinajas y tinajones, tomó aquella porque era singular y era asiento del Rey (que sobre aquel tablón le ponían la silla), como pronosticando que el Rey de España se había de sentar en ella. De la maroma de oro diremos en la vida de Huaina Cápac, último de los Incas, que fue una cosa increíble.

Lo que Pedro Cieza escribe de la gran riqueza del Perú, y que lo demás de ella escondieron los indios, es lo que se sigue, y es del capítulo veintiuno, sin lo que dice en los otros capítulos alegados:

Si lo que hay en el Perú y en estas tierras enterrado se sacase, no se podría numerar el valor, según es grande; y en tanto lo pondero, que es poco lo que los españoles han habido para compararlo con ello. Estando yo allí, en el Cuzco, tomando de los principales de allí la relación de los Ingas, oí decir que Paulo y otros principales decían que si todo el tesoro que había en las provincias y guacas, que son sus templos, y en los enterramientos se juntase, que haría tan poca mella lo que los españoles habían sacado cuan poca se hará sacado de una gran vasija de agua una gota de ella. Y que haciendo más clara y patente la comparación, tomaban una medida de maíz, de la cual, sacando un puñado, decían: "Los cristianos han habido esto, lo demás está en tales partes que nosotros mismos no sabemos de ello". Así que grandes son los tesoros que en estas partes están perdidos, y lo

que ha habido, si los españoles no lo hubieran habido, ciertamente todo ello o lo más estuviera ofrecido al diablo y a sus templos y sepulturas, donde enterraban sus difuntos; porque estos indios no lo quieren ni lo buscan para otra cosa, pues no pagan sueldo con ello a la gente de guerra ni mercan ciudades, ni reinos ni quieren más que enjaezarse con ello siendo vivos, y después que son muertos llevárselo consigo. Aunque me parece a mí que todas estas cosas éramos obligados a los amonestar que viniesen a conocimiento de nuestra Santa Fe Católica, sin pretender solamente henchir las bolsas...

Todo esto es de Pedro Cieza, del capítulo veintiuno, sacado a la letra sucesivamente. El Inca que llama Paulo se decía Paullu, de quien hacen mención todos los historiadores españoles: fue uno de los muchos hijos de Huaina Cápac; salió valeroso, sirvió al Rey de España en las guerras de los españoles; llamóse en el bautismo Don Cristóbal Paullu; fue su padrino de pila Garcilaso de la Vega, mi señor, y de un hermano suyo, de los legítimos en sangre, llamado Titu Auqui, el cual tomó por nombre en el bautismo don Felipe, a devoción de Don Felipe Segundo, que era entonces Príncipe de Espaqa. Yo los conocí ambos; murieron poco después. También conocí a la madre de Paullu: llamábase Añas.

Lo que Francisco López de Gómara escribe en su *Historia* de la riqueza de aquellos Reyes es lo que se sigue, sacado a la letra del capítulo ciento y veintiuno:

Todo el servicio de su casa, mesa y cocina era de oro y de plata, y cuando menos de plata y cobre, por más recio. Tenía en su recámara estatuas huecas de oro, que parecían gigantes, y las figuras al propio tamaño de cuantos animales, aves y árboles y yerbas produce la tierra, y de cuantos peces cría la mar y aguas de sus reinos. Tenía así-

mismo sogas, costales, cestas y trojes de oro y plata rimeros de palos
de oro, que pareciese leña rajada
para quemar. En fin, no había cosa
en su tierra que no la tuyiese de
oro contrahecha, y aun dicen que
tenían los Incas un vergel, en una
isla cerca de Puna, donde se iban
a holgar cuando querían mar, que
tenía la hortaliza, los árboles y flores de oro y plata, invención y grandeza hasta entonces nunca vista.
Allende de todo esto tenía infiniti-
sima cantidad de oro y plata por
labrar en el Cuzco, que se perdió
por la muerte de Guáscar: que los
indios lo escondieron, viendo que
los españoles se lo tomaban y enviaban a España Muchos lo han
buscado después acá, y no lo hallan...

Hasta aquí es de Francisco López de Gómara, y el vergel que dice
que los Reyes Incas tenían cerca de
Puna, lo tenían en cada casa de todas las reales que había en el reino,
con toda la demás riqueza que de
ellas escribe, sino que, como los españoles no vieron otro vergel en
pie, sino aquel que estaba por donde ellos entraron en aquel reino, no
pudieron dar relación de otro. Porque luego que ellos entraron, lo descompusieron los indios y escondieron la riqueza donde nunca más ha
aparecido, como lo dice el mismo
autor y todos los otros historiadores.
La infinita cantidad de plata y oro
que dice que tenían por labrar en
el Cuzco, allende de aquella grandeza y majestad que ha dicho de
las casas reales, era lo que sobraba
del ornato de ellas, que, no teniendo en qué lo ocupar, lo tenían amontonado. No se hace esto duro de
creer a los que después acá han
visto traer de mi tierra tanto oro y
plata como se ha traído, pues sólo
en el año de mil y quinientos y noventa y cinco, en espacio de ocho
meses, en tres partidas entraron por
la barra de San Lúcar treinta y cinco millones de plata y oro.

III. LOS CRIADOS DE LA CASA REAL Y LOS QUE TRAÍAN LAS ANDAS DEL REY

Los criados para el servicio de la
casa real, como barrenderos, aguadores, leñadores, cocineros para la
mesa de estado (que para la del
Inca guisaban sus mujeres concubinas), botilleros, porteros, guarda-
rropa y guardajoya, jardineros, caseros y todos los demás oficios
personales que hay en las casas de
los Reyes y Emperadores, en la
de estos Incas no eran personas particulares los que servían en estos ministerios, sino que para cada oficio
había un pueblo o dos o tres, señalados conforme al oficio, los cuales
tenían cuidado de dar hombres hábiles y fieles, que en número bastante sirviesen aquellos oficios, remudándose de tantos a tantos días,
semanas o meses; y éste era el tributo de aquellos pueblos, y el descuido o negligencia de cualquiera
de estos sirvientes era delito de todo
su pueblo, y por el singular castigaban a todos sus moradores más
o menos rigurosamente, según era
el delito; y si era contra la majestad real, asolaban el pueblo. Y porque decimos de leñadores, no se
entienda que éstos fuesen por leña
al monte, sino que metían en la casa
real la que todo el vasallaje traía
para el gasto y servicio de ella; y
así se puede entender en los demás
ministerios, los cuales oficios eran
muy preciados entre los indios, porque servían la persona real de más
cerca, y fiaban de ellos, no solamente la casa del Inca mas también
su persona que era lo que más estimaban.

Estos pueblos que así servían de
oficiales en la casa real eran los
que más cerca estaban de la ciudad
del Cuzco, cinco o seis o siete leguas en contorno de ella, y eran
los primeros que el primer Inca
Manco Cápac mandó poblar de los
salvajes que redujo a su servicio.

Y por particular privilegio y merced suya se llamaron Incas y recibieron las insignias y el traje de vestidos y tocado de la misma persona real, como se dijo al principio de esta historia.

Para traer en hombros la persona real, en las andas de oro en que andaban continuamente, tenían escogidas dos provincias, ambas de un nombre, que confina la una con la otra, y por diferenciarlas las llamaban a la Una Rucana y a la otra Hatun Rucana, que es Rucana la grande. Tenían más de quince mil vecinos, gente granada, bien dispuesta a pareja. Los cuales en llegando a edad de veinte años se ensayaban a traer las andas sesgas, sin golpes ni vaivenes, sin caer ni dar tropezones, que era grande afrenta para el desdichado que tal le acaecía, porque su capitán, que era el andero mayor, lo castigaba con afrenta pública, como en España sacar a la vergüenza. Un historiador dice que tenía pena de muerte el que caía. Los cuales vasallos servían al Inca por su rueda en aquel ministerio, y era su principal tributo, por el cual eran reservados de otros y ellos en sí muy favorecidos, porque los hacían dignos de traer a su Rey en sus hombros; iban siempre asidos a las andas veinte y cinco hombres y más, porque, si alguno tropezase o cayese, no se echase de ver.

El gasto de la comida de la casa real era muy grande, principalmente el gasto de la carne, porque de la casa del Inca la llevaban para todos los de la sangre real que residían en la corte, y lo mismo se hacía dondequiera que estaba la persona del Rey. Del maíz, que era el pan que comían, no se gastaba tanto, si no era con los criados de dentro en la casa real; porque los de fuera todos cogían bastantemente para el sustento de sus casas. Caza de venados, gamos o corzos, huanaco o vicuña, no mataban ninguna para el gasto de la casa real ni para la de otro ningún señor de vasallos, si no era de aves, porque la de los animales la reservaban para hacer la cacería que hacían a sus tiempos, como diremos en el capítulo de la caza, que llamaban *chacu;* y entonces repartían la carne y la lana por todos los pobres y ricos. La bebida que se gastaba en casa del Inca era tanta, que casi no había cuenta ni medida, porque, como el principal favor que se hacía era dar de beber a todos los que venían a servir al Inca, curacas y no curacas, como venir a visitarle o a traer otros recados de paz o de guerra, era cosa increíble lo que se gastaba.

IV. SALAS QUE SERVÍAN DE PLAZA Y OTRAS COSAS DE LAS CASAS REALES

En muchas casas de las del Inca había galpones muy grandes, de a doscientos pasos de largo y de cincuenta y sesenta de ancho, todo de una pieza, que servían de plaza, en los cuales hacían sus fiestas y bailes cuando el tiempo con aguas no les permitía estar en la plaza al descubierto. En la ciudad del Cuzco alcancé a ver cuatro galpones de éstos, que aún estaban en pie en mi niñez. El uno estaba en Amarucancha, casas que fueron de Hernando Pizarro, donde hoy es el colegio de la Santa Compañía de Jesús, y el otro estaba en Casana, donde ahora son las tiendas de mi condiscípulo Juan de Cillorico, y el otro estaba en Collcampata, en las casas que fueron del Inca Paullu y de su hijo Don Carlos, que también fue mi condiscípulo. Este galpón era el menor de todos cuatro, y el mayor era el de Casana, que era capaz de tres mil personas. Cosa increíble que hubiese madera que alcanzase a cubrir tan grandes piezas. El cuarto galpón es el que ahora sirve de iglesia catedral. Advertimos que nunca los indios del Perú labraron soberados en sus casas, sino que todas eran piezas bajas, y no trababan unas piezas con otras, sino que todas las hacían sueltas cada una de por sí; cuando mucho, de una muy gran sala o cuadra sacaban a un lado y otro sendos aposentos pequeños, que servían de recámaras. Dividían las oficinas con cercas largas o cortas, para que no se comunicasen unas con otras.

También se advierte que todas las cuatro paredes de cantería o de adobes, de cualquiera casa o aposento, grande o chico, las hacían aviadas adentro porque no supieron trabar una pieza con otra ni echar tirantes de una pared a otra, ni supieron usar de la clavazón. Echaban suelta sobre las paredes toda la madera que servía de tijeras; por lo alto de ella, en lugar de clavos, la ataban con fuertes sogas que hacen de una paja larga y suave, que asemeja al esparto. Sobre esta primera madera echaban la que servía de costaneras y cabios, atada asimismo una a otra y otra a otra; sobre ella echaban la cobija de paja, en tanta cantidad que los edificios reales de que vamos hablando tenían de grueso casi una braza, si ya no tenían más. La misma cobija servía de cornisa a la pared para que no se mojase. Salía más de una vara afuera de la pared, a verter las aguas; toda la paja que salía fuera de las paredes la cercenaban muy pareja. Una cuadra alcancé en el valle de Yucay, labrada de la manera que hemos dicho, de más de setenta pies en cuadro, cubierta en forma de pirámide; las paredes eran de tres estados en alto y el techo tenía más de doce estados; tenía dos aposentos pequeños a los lados. Esta pieza no quemaron los indios en el general levantamiento que hicieron contra los españoles, porque sus Reyes Incas se ponían en ella

para ver las fiestas más principales que, en una grandísima plaza cuadrada (mejor se dijera campo) que ante ella había, se le hacían. Quemaron otros muchos edificios hermosísimos que en aquel valle había, cuyas paredes yo alcancé.

Sin la cantería de piedra, labraban paredes de adobes, los cuales hacían en sus moldes, como hacen acá los ladrillos: eran de barro pisado con paja; hacían los adobes tan largos como querían que fuese el grueso de la pared, que los más cortos venían a ser de una vara de medir; tenían una sesma, poco más o menos, de ancho, y casi otro tanto de grueso; enjugábanlos al sol, después los amontonaban por su orden y los dejaban al sol, y al agua debajo de techado dos y tres años, por que se enjugasen del todo. Asentábanlos en el edificio como asientan los ladrillos: echábanles por mezcla el mismo barro de los adobes, pisado con paja.

No supieron hacer tapias, ni los españoles usan de ellas por el material de los adobes. Si a los indios se les quemaba alguna casa, de estas soberbias que hemos dicho, no volvían a labrar sobre las paredes quemadas, porque decían que, habiendo quemado el fuego la paja de los adobes, quedaban las paredes flacas, como de tierra suelta, y no podían sufrir el peso de la techumbre. Debíanlo de hacer por alguna otra abusión, porque yo alcancé de aquellos edificios muchas paredes que habían sido quemadas y estaban muy buenas. Luego que fallecía el Rey poseedor, cerraban el aposento donde solía dormir, con todo el ornato de oro y plata que tenía dentro, como lugar sagrado, para que nadie entrase jamás en él, y esto se hacía en todas las casas reales del reino en las cuales hubiese el Inca hecho noche o noches, aunque no fuese sino caminando. Y para el Inca sucesor labraban luego otro aposento en que durmiese, y reparaban con gran cuidado por de fuera el aposento cerrado, porque no viniese a menos. Todas las vasijas de oro y plata que manualmente habían servido al Rey, como jarros, cántaros, tinajas y todo el servicio de la cocina, con todo lo demás que suele servir en las casas reales y todas las joyas y ropas de su persona, lo enterraban con el Rey muerto cuyo había sido, y en todas las casas del reino donde tenía semejante servicio también lo enterraban, como que se lo enviaban para que en la otra vida se sirviese de ello. Las demás riquezas, que era ornamento y majestad de las casas reales, como jardines, baños, la leña contrahecha y otras grandezas, se quedaban para los sucesores.

La leña y el agua y otras cosas que se gastaban en la casa real, cuando el Inca estaba en la ciudad del Cuzco, la traían por su vez y repartimiento los indios de los cuatro distritos que llamaron Tauantinsuyu, quiero decir los pueblos más cercanos a la ciudad de aquellas cuatro partes, en espacio de quince a veinte leguas a la redonda. En ausencia del Inca también servían los mismos, mas no en tanta cantidad. El agua que gastaban en el brebaje que hacen para beber (que llama aca, pronunciada la última sílaba en lo más interior de la garganta), la quieren gruesa y algo salobre, porque la dulce y delgada dicen que se les ahíla y corrompe, sin dar sazón ni gusto al brebaje. Por esta causa no fueron curiosos los indios en tener fuentes de buenas aguas, que antes las querían gruesas que delgadas. Siendo mi padre corregidor en aquella ciudad, después de la guerra de Francisco Hernández Girón, por los años de mil y quinientos y cincuenta y cinco y cincuenta y seis, llevaron el agua que llaman de Ticatica, que nace un cuarto de legua fuera de la ciudad, que es muy buena, y la pusieron en la Plaza Mayor de ella;

después acá la han pasado (según me han dicho) a la Plaza de San Francisco, y para la Plaza Mayor han llevado otra fuente más caudalosa y de muy linda agua.

V. CÓMO ENTERRABAN LOS REYES. DURABAN LAS EXEQUIAS UN AÑO

Las exequias que hacían a los Reyes Incas eran muy solemnes, aunque prolijas. El cuerpo difunto embalsamaban, que no se sabe cómo; quedaban tan enteros que parecían estar vivos, como atrás dijimos de cinco cuerpos de los Incas que se hallaron año de mil y quinientos y cincuenta y nueve. Todo lo interior de ellos enterraban en el templo que tenían en el pueblo que llamaron Tampu, que está el río abajo de Yúcay, menos de cinco leguas de la ciudad del Cuzco, donde hubo edificios muy grandes y soberbios de cantería, de los cuales Pedro Cieza, capítulo noventa y cuatro, dice que le dijeron por muy cierto que "se halló en cierta parte del palacio real o del templo del Sol oro derretido en lugar de mezcla, con que, juntamente con el betún que ellos ponen, quedaban las piedras asentadas unas con otras". Palabras son suyas sacadas a la letra.

Cuando moría el Inca o algún curaca de los principales, se mataban y se dejaban enterrar vivos los criados más favorecidos y las mujeres más queridas diciendo que querían ir a servir a sus Reyes y señores a la otra vida; porque, como ya lo hemos dicho, tuvieron en su gentilidad que después de esta vida había otra semejante a ella, corporal y no espiritual. Ofrecíanse ellos mismos a la muerte o se la tomaban con sus manos, por el amor que a sus señores tenían. Y lo que dicen algunos historiadores, que los mataban para enterrarlos con sus amos o maridos, es falso; porque fueran gran inhumanidad, tiranía y escándalo que dijeran que, en achaque de enviarlos con sus señores, mataban a los que tenían por odiosos. Lo cierto es que ellos mismos se ofrecían a la muerte, y muchas veces eran tantos que los atajaban los superiores, diciéndoles que de presente bastaban los que iban, que adelante, poco a poco, como fuesen muriendo irían a servir a sus señores.

Los cuerpos de los Reyes, después de embalsamados, ponían delante de la figura del Sol en el templo del Cuzco, donde les ofrecían muchos sacrificios como a hombres divinos, que decían ser hijos de ese Sol. El primer mes de la muerte del Rey le lloraban cada día, con gran sentimiento y muchos alaridos, todos los de la ciudad. Salía a los campos cada barrio de por sí; llevaban las insignias del Inca, sus banderas, sus armas y ropa de su vestir, las que dejaban de enterrar para hacer las exequias. En sus llantos, a grandes voces, recitaban sus hazañas hechas en la guerra y las mercedes y beneficios que habían hecho a las provincias de donde eran naturales los que vivían en aquel tal barrio. Pasado el primer mes hacían lo mismo de quince a quince días, a cada llena y conjunción de la luna; y esto duraba todo el año. Al fin de él hacían su cabo de año, con toda la mayor solemnidad que podían y con los mismos llantos, para los cuales había hombres y mujeres señaladas y aventajadas en habilidad, como endechaderas, que, cantando en tonos tristes y funerales, decían las grandezas y virtudes del Rey muerto. Lo que hemos dicho hacía la gente común de aquella ciudad; lo mismo hacían los Incas de la parentela real, pero con mucha más solemnidad y ventajas, como de príncipes a plebeyos.

Lo mismo se hacía en cada provincia de las del Imperio, procurando cada señor de ella que por la muerte de su Inca se hiciese el mayor sentimiento que fuese posible. Con estos llantos iban a visitar los lugares donde aquel Rey había parado, en aquella tal provincia, en el campo caminando o en el pueblo, para hacerles alguna merced; los cuales puestos, como se ha dicho, tenían gran veneración; allí eran mayores los llantos y alaridos, y en particular recitaban la gracia, merced o beneficio que en aquel tal lugar les había hecho. Y esto baste de las exequias reales, a cuya semejanza hacían parte de ellas en las provincias por sus caciques, que yo me acuerdo haber visto en mis niñeces algo de ello. En una provincia de las que llaman Quechua, vi que salía una gran cuadrilla al campo a llorar su curaca; llevaban sus vestidos hechos pendones. Y los gritos que daban me despertaron a que preguntase qué era aquello, y me dijeron que eran las exequias del cacique Huamanpallpa, que así se llamaba el difunto.

VI. CACERÍA SOLEMNE QUE LOS REYES HACÍAN EN TODO EL REINO

Los Incas Reyes del Perú, entre otras muchas grandezas reales que tuvieron, fue una de ellas hacer a sus tiempos una cacería solemne, que en su lenguaje llaman *chacu*, que quiere decir atajar, porque atajaban la caza. Para lo cual es de saber que en todos sus reinos era vedado el cazar ningún género de caza, si no eran perdices, palomas, tórtolas y otras aves menores para la comida de los gobernadores Incas y para los curacas, y esto en poca cantidad, y no sin orden y mandado de la justicia. En todo lo demás era prohibido el cazar, porque los indios, con el deleite de la caza, no se hiciesen holgazanes y dejasen de acudir a lo necesario de sus casas y hacienda; y así no osaba nadie matar un pájaro, porque lo habían de matar a él, por quebrantador de la ley del Inca, que sus leyes no las hacía para que burlasen de ellas.

Con esta observancia en toda cosa, y en particular en la caza, había tanta, así de animales como de aves, que se entraban por las casas. Empero, no les quitaba la ley que no echasen de sus heredades y sementeras los venados, si en ellos los hallasen, porque decían que el Inca quería el venado y toda la caza para el vasallo, y no el vasallo para la caza.

A cierto tiempo del año, pasada la cría, salía el Inca a la provincia que le parecía conforme a su gusto y según que las cosas de la paz o de la guerra daban lugar. Mandaba que saliesen veinte o treinta mil indios, o más o menos, los que eran menester para el espacio de tierra que habían de atajar. Los indios se dividían en dos partes: los unos iban hacia la mano derecha y los otros a la izquierda, a la hila, haciendo un gran cerco de veinte o treinta leguas de tierra, más o menos, según el distrito que habían de cercar; tomaban los ríos, arroyos o quebradas que estaban señaladas por términos y padrones de la tierra que cazaban aquel año, y no entraban en el distrito que estaba señalado para el año siguiente. Iban dando voces y ojeando cuantos animales topaban por delante, y ya sabían dónde habían de ir a parar y juntarse las dos mangas de gente para abrazar el cerco que llevaban hecho y acorralar el ganado que había recogido; y sabían también dónde habían de ir a parar con el ojeo, que fuese tierra limpia de montes, riscos y peñas, porque no estorbasen la cacería; llegados allí, apretaban la caza con tres y cuatro paredes de indios, hasta llegar a tomar el ganado a manos.

Con la caza traían antecogidos leones y osos y muchas zorras, ga-

tos cervales, que llaman *ozcollo*, que los hay de dos o tres especies, jinetas y otras sabandijas semejantes, que hacen daño en la caza. Todas las mataban luego, por limpiar el campo de aquella mala canalla. De tigres no hacemos mención, porque no los hay sino en las bravas montañas de los Antis. El número de los venados, corzos y gamos, y del ganado mayor, que llaman *vicuña*, que es menor de cuerpo y de lana finísima, era muy grande; que muchas veces, y según que las tierras eran unas de más caza que otras, pasaban de veinte, treinta y cuarenta mil cabezas, cosa hermosa de ver y de mucho regocijo. Esto había entonces; ahora, digan los presentes el número de las que se han escapado del estrago y desperdicio de los arcabuces, pues apenas se hallan ya guanacos y vicuñas, sino donde ellos no han podido llegar.

Todo este ganado tomaban a manos. Las hembras del ganado cervuno, como venados, gamos y corzos, soltaban luego, porque no tenían lana que les quitar: las muy viejas, que ya no eran para criar, mataban. También soltaban los machos que les parecían necesarios para padres, y soltaban los mejores y más crecidos; todos los demás mataban, y repartían la carne a la gente común; también soltaban los guanacos y vicuñas, luego que los habían trasquilado. Tenían cuenta del número de todo este ganado bravo como si fuera manso, y en los *quipus*, que eran los libros anales, lo asentaban por sus especies, dividiendo los machos de las hembras. También asentaban el número de animales que habían muerto, así de las salvajinas dañosas como de las provechosas, para saber las cabezas que habían muerto y las que quedaban vivas, para ver en la cacería venidera lo que se había multiplicado.

La lana de los guanacos, porque es lana basta, se repartía a la gente común; y la de la vicuña, por ser tan estimada por su fineza, era toda para el Inca, de la cual mandaba repartir con los de su sangre real que otros no podían vestir de aquella lana so pena de la vida. También daban de ella por privilegio y merced particular a los curacas, que de otra manera tampoco podían vestir de ella. La carne de los guanacos y vicuñas que mataban se repartía toda a la gente común, y a los curacas daban su parte, y también de la de los corzos, conforme a sus familias, no por necesidad, sino por regocijo y fiesta de la cacería, por que todos alcanzasen de ella.

Estas cacerías se hacían en cada distrito de cuatro en cuatro años, dejando pasar tres años de la una a la otra, porque dicen los indios que en este espacio de tiempo cría la lana de la vicuña todo lo que ha de criar, y no la querían trasquilar antes porque no perdiese de su ser, y también lo hacían porque todo aquel ganado bravo tuviese tiempo de multiplicar y no anduviese tan asombrado como anduviera si cada año lo corrieran, con menos provecho de los indios y más daño del ganado. Y por que no se dejase de hacer la cacería cada año (que parece que la habían hecho cosecha anal), tenían repartidas las provincias en tres o cuatro partes u hojas, como dicen los labradores, de manera que cada año cazaban la tierra que había holgado tres años.

Con este concierto cazaban los Incas sus tierras conservando la caza y mejorándola para adelante, y deleitándose él y su corte, y aprovechando sus vasallos con toda ella, y tenían dada la misma orden por todos sus reinos. Porque decían que se había de tratar al ganado bravo de manera que fuese tan de provecho como el manso, que no lo había criado el Pachacámac o el Sol para que fuese inútil. Y que también se habían de cazar los animales dañosos y malos para matarlos y quitarlos de entre los buenos, como escardan la mala yerba de los panes. Estas razones y otras semejantes daban los Incas de esta su cacería real llamada *chacu,* por las cuales se podrá ver el orden y buen gobierno que estos Reyes tenían en las cosas de más importancia, pues en la caza pasaba lo que hemos dicho. De este ganado bravo se saca la piedra bezoar que traen de aquella tierra, aunque dicen que hay diferencia en la bondad de ella, que la de tal especie es mejor que toda la otra.

Por el mismo orden cazaban los visorreyes y gobernadores Incas, cada uno en su provincia asistiendo ellos personalmente a la cacería, así por recrearse como porque no hubiese agravio en el repartir la carne y lana a la gente común y pobres, que eran los impedidos por vejez o larga enfermedad.

La gente plebeya en general era pobre de ganado (si no eran los Collas, que tenían mucho), y por tanto padecía necesidad de carne, que no la comían sino de merced de los curacas o de algún conejo que por mucha fiesta mataban, de los caseros que en sus casas criaban, que llaman *coy.* Para socorrer esta general necesidad, mandaba el Inca hacer aquellas cacerías y repartir la carne en toda la gente común, de la cual hacían tasajos que llaman *charqui,* que les duraba todo el año hasta otra cacería, porque los indios fueron muy escasos en su comer, y muy avaros en guardar los tasajos.

En sus guisados comen cuantas yerbas nacen en el campo, dulces y amargas, como no sean ponzoñosas; las amargas cuecen en dos o tres aguas y las pasan al sol y las guardan para cuando no las hay verdes. No perdonan las ovas que se crían en los arroyos, que también las guardan lavadas y preparadas para sus tiempos. También comían yerbas verdes crudas, como se comen las lechugas y los rábanos, mas nunca hicieron ensalada de ellas.

VII. POSTAS Y CORREOS, Y LOS DESPACHOS QUE LLEVABAN

Chasqui llamaban a los correos que había puestos por los caminos, para llevar con brevedad los mandatos del Rey y traer las nuevas y los avisos que por sus reinos y provincias, lejos o cerca, hubiese de importancia. Para lo cual tenían a cada cuarto de legua cuatro o seis indios mozos y ligeros, los cuales estaban en dos chozas para repararse de las inclemencias del cielo. Llevaban los recados por su vez, ya los de una choza, ya los de la otra; los unos miraban a la una parte del camino y los otros a la otra, para descubrir los mensajeros antes que llegasen a ellos, y apercibirse para tomar el recado, por que no se perdiese tiempo alguno. Y para esto ponían siempre las chozas en alto, y también las ponían de manera que se viesen las unas a las otras. Estaban a cuarto de legua, porque decían que aquello era lo que un indio podía correr con ligereza y aliento, sin cansarse.

Llamáronlos *chasqui*, que quiere decir trocar, o dar y tomar, que es lo mismo, porque trocaban, daban y tomaban de uno en otro, y de otro en otro, los recados que llevaban. No les llamaron *cacha*, que quiere decir mensajero, porque este nombre lo daban al embajador o mensajero propio que personalmente iba del un príncipe al otro o del señor al súbdito. El recado o mensaje que los *chasquis* llevaban era de palabra, porque los indios del Perú no supieron escribir. Las palabras eran pocas y muy concertadas y corrientes, por que no se trocasen y por ser muchas no se olvidasen. El que venía con el mensaje daba voces llegando a vista de la choza, para que se apercibiese el que había de ir, como hace el correo en tocar su bocina para que le tengan ensillada la posta, y, en llegando donde le podían entender, daba su recado, repitiéndolo dos y tres y cuatro veces, hasta que lo entendía el que lo había de llevar, y si no lo entendía, aguardaba que llegase y diese muy en forma su recado, y de esta manera pasaba de uno en otro hasta donde había de llegar.

Otros recados llevaban, no de palabra sino por escrito, digámoslo así, aunque hemos dicho que no tuvieron letras. Las cuales eran nudos dados en diferentes hilos de diversos colores, que iban puestos por su orden, mas no siempre de una misma manera, sino unas veces antepuesto el un color al otro y otras veces trocados al revés, y esta manera de recados eran cifras por las cuales se entendían el Inca y sus gobernadores para lo que había de hacer, y los nudos y las colores de los hilos significaban el número de gente, armas o vestidos o bastimento o cualquiera otra cosa que se hubiese de hacer, enviar o aprestar. A estos hilos anudados llamaban *quipu* (que quiere decir anudar y nudo, que sirve de nombre y verbo), por los cuales se entendían en sus cuentas. En otra parte, capítulo de por sí, diremos largamente como eran y de qué servían. Cuando había prisa de mensajes añadían correos, y ponían en cada posta ocho y diez y doce indios chasquis.

Tenían otra manera de dar aviso por estos correos, y era haciendo ahumadas de día, de uno en otro, y llamaradas de noche. Para lo cual tenían siempre los chasquis apercibido el fuego y las hachas, y velaban perpetuamente, de noche y de día, por su rueda, para estar apercibidos para cualquiera suceso que se ofreciese. Esta manera de aviso por los fuegos era solamente cuando había algún levantamiento y rebelión de reino o provincia grande, y hacíase para que el Inca lo supiese dentro de dos o tres horas cuando mucho (aunque fuese de quinientas o seiscientas leguas de la corte), y mandase apercibir lo necesario para cuando llegase la nueva cierta de cuál provincia o reino era el levantamiento. Este era el oficio de los chasquis y los recados que llevaban.

VIII. CONTABAN POR HILOS Y NUDOS; HABÍA GRAN FIDELIDAD EN LOS CONTADORES

Quipu quiere decir anudar y nudo, y también se toma por la cuenta, porque los nudos la daban de toda cosa. Hacían los indios hilos de diversos colores: unos eran de un solo color, otros de dos colores, otros de tres y otros demás, porque las colores simples, y las mezcladas, todas tenían su significación de por sí; los hilos eran muy torcidos, de tres o cuatro liñuelos, y gruesos como un huso de hierro y largos de a tres cuartas de vara, los cuales ensartaban en otro hilo por su orden a la larga, a manera de rapacejos. Por los colores sacaban lo que se contenía en aquel tal hilo, como el oro por el amarillo y la plata por el blanco, y por el colorado la gente de guerra.

Las cosas que no tenían colores iban puestas por su orden, empezando de las demás calidad y procediendo hasta las de menos, cada cosa en su género como en las mieses y legumbres. Pongamos por comparación las de España; primero el trigo, luego la cebada, luego el garbanzo, haba, mijo, etcétera. Y también cuando daban cuenta de las armas, primero ponían las que tenían por más nobles, como lanzas, y luego dardos, arcos y flechas, porras y hachas, hondas y las demás armas que tenían. Y hablando de los vasallos, daban cuenta de los vecinos de cada pueblo, y luego en junto los de cada provincia: en el primer hilo ponían los viejos de sesenta años arriba; en el segundo los hombres maduros de cincuenta arriba y el tercero contenía los de cuarenta, y así de diez a diez años, hasta los niños de teta. Por el mismo orden contaban las mujeres por las edades.

Algunos de estos hilos tenían otros hilitos delgados del mismo color, como hijuelas o excepciones de aquellas reglas generales; como digamos en el hilo de los hombres o mujeres de tal edad, que se entendían ser casados, los hilitos significaban el número de los viudos o viudas que de aquella edad había aquel año, porque estas cuentas eran anales y no daban razón más que de un año solo.

Los nudos se daban por su orden de unidad, decena, centena, millar, decena de millar, y pocas veces o nunca pasaban a la centena de millar; porque, como cada pueblo tenía su cuenta de por sí y cada metrópoli la de su distrito, nunca llegaba el número de éstos o de aquéllos a tanta cantidad que pasase la centena de millar, que en los números que hay de allí abajo tenían harto. Mas si se ofreciera haber de contar por el número de centena de millar, también lo contaran; porque en su lenguaje pueden dar todos los números del guarismo, como él los tiene, mas porque no había para qué usar de los números mayores, no pasaban de la decena de millar. Estos números contaban por nudos dados en aquellos hilos, cada número dividido del otro; empero, los nudos de cada número estaban dados todos juntos, debajo de una vuelta, a manera de los nudos que se dan en el cordón del bienaventurado patriarca San Francisco, y podíase hacer bien, porque nunca pasaban de nueve como pasan de nueve las unidades y decenas, etcétera.

En lo más alto de los hilos ponían el número mayor, que era la decena de millar, y más abajo el millar, y así hasta la unidad. Los nudos de cada número y de cada hilo iban parejos unos con otros, ni más ni menos que los pone un buen contador para hacer una suma grande. Estos nudos o quipus los tenían los indios de por sí a cargo, los cuales llamaban *quipucamayu*: quiere decir, el que tiene cargo de las cuentas, y aunque en aquel tiempo había poca diferencia en los indios de buenos a malos, que, según su poca malicia y el buen gobierno que tenían todos se podían llamar buenos, con todo eso elegían para este oficio y para otro cualquiera los más aprobados y los que hubiesen dado más larga experiencia de su bondad. No se los daban por favor, porque entre aquellos indios jamás se usó favor ajeno, sino el de su propia virtud. Tampoco se daban vendidos ni arrendados, porque ni supieron arrendar ni comprar ni vender, porque no tuvieron moneda. Trocaban unas cosas por otras, esto es las cosas del comer, y no más, que no vendían los vestidos ni las casas ni heredades.

Con ser los quipucamayus tan fieles y legales como hemos dicho, habían de ser en cada pueblo conforme a los vecinos de él, que, por muy pequeño que fuese el pueblo, había de haber cuatro, y de allí arriba hasta veinte y treinta, y todos tenían unos mismos registros, y aunque por ser los registros todos unos mismos, bastaba que hubiera un contador o escribano, querían los Incas que hubiese muchos en cada pueblo y en cada facultad, por excusar la falsedad que podía haber entre los pocos, y decían que habiendo muchos, habían de ser todos en la maldad o ninguno.

IX. LO QUE ASENTABAN EN CUENTAS, Y CÓMO SE ENTENDÍAN

Éstos asentaban por sus nudos todo el tributo que daban cada año al Inca, poniendo cada cosa por sus géneros, especies y calidades. Asentaban la gente que iba a la guerra, la que moría en ella, los que nacían y fallecían cada año, por sus meses. En suma decimos que escribían en aquellos nudos todas las cosas que consistían en cuenta de números, hasta poner las batallas y reencuentros que se daban, hasta decir cuántas embajadas habían traído al Inca y cuántas pláticas y razonamientos había hecho el Rey. Pero lo que contenía la embajada, ni las palabras del razonamiento ni otro suceso historial, no podían decirlo por los nudos, porque consiste en oración ordenada de viva voz, o por escrito, la cual no se puede referir por nudos, porque el nudo dice el número, mas no la palabra.

Para remedio de esta falta, tenían señales que mostraban los hechos historiales hazañosos o haber habido embajada, razonamiento o plática, hecha en paz o en guerra. Las cuales pláticas tomaban los Indios quipucamayus de memoria, en suma, en breves palabras, y las encomendaban a la memoria, y por tradición las enseñaban a los sucesores, de padres a hijos y descendientes principales y particularmente en los pueblos o provincias donde habían pasado, y allí se conservaban más que en otra parte, porque los naturales se preciaban de ellas. También usaban de otro remedio para que sus hazañas y las embajadas que traían al Inca y las respuestas que el Inca daba se conservasen en la memoria de las gentes, y es que los *amautas*, que eran los filósofos y sabios, tenían cuidado de ponerlas en prosa, en cuentos historiales, breves como fábulas, para que por sus edades los contasen a los niños y a los mozos y a la gente rústica del campo, para que, pasando de mano en mano y de edad en edad, se conservasen en la memoria de todos. También ponían las historias en modo fabuloso con su alegoría, como hemos dicho de algunas y adelante diremos de otras. Asimismo los *harauicus,* que eran los poetas, componían versos breves y compendiosos, en los cuales encerraban la historia o la embajada o la respuesta del Rey; en suma, decían en los versos todo lo que no podían poner en los nudos, y aquellos versos cantaban en sus triunfos y en sus fiestas mayores, y los recitaban a los Incas noveles cuando los armaban caballeros, y de esta manera guardaban la memoria de sus historias. Empero, como la experiencia lo muestra, todos eran remedios perecederos, porque las letras son las que perpetúan los hechos; mas como aquellos Incas no las alcanzaron, valiéronse de lo que pudieron inventar, y, como si los nudos fueran letras, eligieron historiadores y contadores que llamaron *quipucamayu,* que es el que tiene cargo de los nudos, para que por ellos y por los hilos y por los colores de los hilos, y con el favor de los cuentos y de la poesía, escribiesen y retuviesen la tradición de sus hechos. Esta fue la manera del escribir que los Incas tuvieron en su república.

A estos quipucamayus acudían los curacas y los hombres nobles en sus provincias a saber las cosas historiales que de sus antepasados deseaban saber o cualquier otro acaecimiento notable que hubiese pasado en aquella tal provincia; porque éstos, como escribanos y como historiadores, guardaban los registros, que eran los quipus anales que de los sucesos dignos de memoria se hacían, y, como obligados por el oficio, estudiaban perpetuamente en las señales y cifras que en los nudos había, para conservar en la memoria la tradición que de aquellos hechos famosos tenían, porque como historiadores, habían de dar cuenta de ellos cuando se la pidiesen, por el cual oficio eran reservados de tributos y de cualquiera otro servicio, y así nunca jamás soltaban los nudos de las manos.

Por la misma orden daban cuenta de sus leyes y ordenanzas, ritos y ceremonias, que, por el color del hilo y por el número de los nudos, sacaban la ley que prohibía tal o tal delito y la pena que se daba al quebrantador de ella. Decían el sacrificio y ceremonia que en tales y tales fiestas se hacían al Sol. Declaraban la ordenanza y fuero que hablaba en favor de las viudas o de los pobres o pasajeros; y así daban cuenta de todas las demás cosas, tomadas de memoria por tradición. De manera que cada hilo y nudo les traía a la memoria lo que en sí contenía, a semejanza de los mandamientos o artículos de nuestra Santa Fe Católica y obras de misericordia; que por el número sacamos lo que debajo de él se nos manda. Así se acordaban los indios, por los nudos, de las cosas que sus padres y abuelos les habían enseñado por tradición, la cual tomaban con grandísima atención y veneración, como cosas sagradas de su idolatría y leyes de sus Incas, y procuraban conservarlas en la memoria por la falta que tenían de escritura; y el indio que no había tomado de memoria por tradición las cuentas, o cualquiera otra historia que hubiese pasado entre ellos, era tan ignorante en lo uno y en lo otro como el español o cualquier otro extranjero. Yo traté los quipus y nudos con los indios de mi padre, y con otros curacas, cuando por San Juan y Navidad venían a la ciudad a pagar sus tributos. Los curacas ajenos rogaban a mi madre que me mandase les cotejase sus cuentas porque, como gente sospechosa, no se fiaban de los españoles que les tratasen verdad en aquel particular, hasta que yo les certificaba de ella, leyéndoles los traslados que de sus tributos me traían y cotejándolos con sus nudos, y de esta manera supe de ellos tanto como los indios.

X. EL INCA PACHACÚTEC VISITA SU IMPERIO; CONQUISTA LA NACIÓN HUANCA

Muerto el Inca Viracocha, sucedió en su imperio Pachacútec Inca, su hijo legítimo. El cual, habiendo cumplido solemnísimamente con las exequias del padre, se ocupó tres años en el gobierno de sus reinos sin salir de su corte. Luego los visitó personalmente; anduvo todas las provincias una a una, y aunque no halló qué castigar, porque los gobernadores y los ministros regios procuraban vivir ajustados, so pena de la vida, holgaban aquellos Reyes hacer estas visitas generales a sus tiempos, porque los ministros no se descuidasen y tiranizasen, por la ausencia larga y mucha negligencia del Príncipe. Y también lo hacían porque los vasallos pudiesen dar las quejas de sus agravios al mismo Inca, vista a vista, porque no consentían que les hablasen por terceras personas, porque el tercero, por amistad o por cohechos del acusado, no disminuyese su culpa ni el agravio del quejoso; que cierto, en esto de administrar justicia igualmente al chico y al grande, al pobre y al rico, conforme a la ley natural tuvieron estos Reyes Incas muy grande cuidado, de manera que nadie recibiese agravio. Y por esta rectitud que guardaron fueron tan amados como lo fueron, y lo serán en la memoria de sus indios muchos siglos. Gastó en la visita otros tres años; vuelto a su corte, le pareció que era razón dar parte del tiempo al ejercicio militar y no gastarlo todo en la ociosidad de la paz, con achaque de administrar justicia, que parece cobardía; mandó juntar treinta mil hombres de guerra, con los cuales fue por el distrito de Chinchasuyu, acompañado de su hermano Cápac Yupanqui, que fue un valeroso príncipe, digno de tal nombre; fueron hasta llegar a Uillca, que era lo último que por aquella banda tenían conquistado.

De allí envió al hermano a la conquista, bien proveído de todo lo necesario para la guerra. El cual entró por la provincia llamada Sausa, que los españoles corrompiendo dos letras llaman Jauja, hermosísima provincia que tenía más de treinta mil vecinos, todos debajo de un nombre y de una misma generación y apellido que es Huanca. Précianse descender de un hombre y de una mujer que dicen que salieron de una fuente; fueron belicosos; a los que prendían en las guerras desollaban; unos pellejos henchían de ceniza y los ponían en un templo, por trofeos de sus hazañas; y otros pellejos, ponían en sus tambores diciendo que sus enemigos se acobardaban viendo que eran de los suyos y huían en oyéndolos. Tenían sus pueblos, aunque pequeños, muy fortalecidos, a manera de las fortalezas que entre ellos usaban; porque, con ser todos de una nación, tenían bandos y pendencias sobre las tierras de labor y sobre los términos de cada pueblo.

En su antigua gentilidad, antes de ser conquistados por los Incas, adoraban por dios la figura de un perro, y así lo tenían en sus templos por ídolo y comían la carne de los perros sabrosísimamente, que se perdían por ella. Sospéchase que adoraban el perro por lo mucho que les sabía la carne; en suma, era la mayor fiesta que celebraban el convite de un perro, y para mayor ostentación de la devoción que tenían a los perros, hacían de sus cabezas una manera de bocinas que tocaban en sus fiestas y bailes por música muy suave a sus oídos; y en la guerra los tocaban para terror y asombro de sus enemigos, y decían que la virtud de su dios causaba aquellos dos efectos contrarios: que a ellos, porque lo honraban, les sonase bien y a sus enemigos los asombrase e hiciese huir. Todas estas abusiones y crueldades les quitaron los Incas, aunque para memoria de su antigüedad les permitieron que, como eran las bocinas de cabezas de perros, lo fuesen de allí adelante de cabezas de corzos, gamos o venados, como ellos más quisiesen; y así las tocan ahora en sus fiestas y bailes; y por la afición o pasión con que esta nación comía los perros, les dijeron un sobrenombre que vive hasta hoy, que nombrando el nombre Huanca añaden "comeperros". También tuvieron un ídolo en figura de hombre; hablaba el demonio en él, mandaba lo que quería y respondía a lo que le preguntaban, con el cual se quedaron los Huancas después de ser conquistados porque era oráculo hablador y no contradecía la idolatría de los Incas, y desecharon el perro porque no consintieron adorar figuras de animales.

Esta nación, tan poderosa y tan amiga de perros, conquistó el Inca Cápac Yupanqui con regalos y halagos mas que no con fuerza de arma, porque pretendían ser señores de los ánimos antes que de los cuerpos. Después de sosegados los Huancas, mandó dividirlos en tres parcialidades, por quitarles de las pendencias que traían, y que les partiesen las tierras y señalasen los términos. La una parte llamaron Sausa y la otra Marcauillca y la tercera Llacsapallanca. Y el tocado que todos traían en la cabeza, que era de una misma manera, mandó que, sin mudar la forma, lo diferenciasen en los colores. Esta provincia se llama Huanca, como hemos dicho. Los españoles, en estos

tiempos, no sé con qué razón, le llamaron Huancauillca, sin advertir que la provincia Huancauillca está cerca de Túmpiz casi trescientas leguas de esta otra que está cerca de la ciudad de Huamanca, la una en la costa de la mar y la otra muy adentro en tierra. Decimos esto para que no se confunda el que leyere esta historia, y adelante, en su lugar, diremos de Huancauillca, donde pasaron cosas extrañas.

XI. DE OTRAS PROVINCIAS QUE GANÓ EL INCA, Y DE LAS COSTUMBRES DE ELLAS Y CASTIGO DE LA SODOMÍA

Con la misma buena orden y maña conquistó el Inca Cápac Yupanqui otras muchas provincias que hay en aquel distrito, a una mano y a otra del camino real. Entre las cuales se cuentan por más principales las provincias Tarma y Pumpu, que los españoles llaman Bombón, provincias fertilísimas, y las sujetó el Inca Cápac Yupanqui con toda facilidad, mediante su buena industria y maña, con dádivas y promesas, aunque por ser la gente valiente y guerrera, no faltaron algunas peleas en que hubo muertes, mas al fin se rindieron con poca defensa, según la que se temió que hicieran. Los naturales de estas provincias Tarma y Pumpu, y de otras muchas circunvecinas, tuvieron por señal de matrimonio un beso que el novio daba a la novia en la frente o en el carrillo. Las viudas se trasquilaban por luto y no podían casar dentro del año. Los varones, en los ayunos, no comían carne ni sal ni pimiento, ni dormían con sus mujeres. Los que se daban más a la religión, que eran como sacerdotes, ayunaban todo el año por los suyos.

Habiendo ganado el Inca Cápac Yupanqui a Tarma y a Pumpu,

pasó adelante, reduciendo otras muchas provincias que hay al oriente, hacia los Antis, las cuales eran como behetrías, sin orden ni gobierno; ni tenían pueblos ni adoraban dioses ni tenían cosas de hombres; vivían como bestias, derramados por los campos, sierras y valles, matándose unos a otros, sin saber por qué; no reconocían señor, y así no tuvieron nombre sus provincias, y esto fue por espacio de más de treinta leguas norte sur y otras tantas este oeste. Los cuales se redujeron y obedecieron al Inca Pachacútec, atraídos por bien, y, como gente simple, se iban donde les mandaban; poblaron pueblos y aprendieron la doctrina de los Incas; y no se ofrece otra cosa qué contar hasta la provincia llamada Chucurpu, la cual era poblada de gente belicosa, bárbara y áspera de condición y de malas costumbres, y conforme a ellas adoraban a un tigre por su ferocidad y braveza.

Con esta nación, por ser tan feroz, y que como bárbaros se preciaban de no admitir razón alguna, tuvo el Inca Cápac Yupanqui algunos reencuentros, en que murieron de ambas partes más de cuatro mil indios, mas al cabo se rindieron, habiendo experimentado la pujanza del Inca y su mansedumbre y piedad: porque vieron que muchas veces pudo destruirlos y no quiso, y que, cuanto más apretados y necesitados los tenía, entonces los convidaba con la paz con mayor mansedumbre y clemencia. Por lo cual tuvieron por bien de rendirse y sujetarse al señorío del Inca Pachacútec y abrazar sus leyes y costumbres y adorar al Sol, dejando al tigre que tenían por dios y la idolatría y manera de vivir de sus pasados.

El Inca Cápac Yupanqui tuvo a buena dicha que aquella nación se le sujetase, porque, según se habían mostrado ásperos e indomables, temía destruirlos del todo habiéndolos de conquistar o dejarlos libres como los había hallado, por no los matar, que lo uno o lo otro fuera pérdida de la reputación de los Incas, y así, con buena maña y muchos halagos y regalos, asentó la paz con la provincia Chucurpu, donde dejó los gobernadores y ministros necesarios para la enseñanza de los indios y para la administración de la hacienda del Sol y del Inca; dejó asimismo gente de guarnición para asegurar lo que había conquistado.

Luego pasó a mano derecha del camino real, y con la misma industria y maña (que vamos abreviando, por no repetir los mismos hechos), redujo otras dos provincias muy grandes y de mucha gente, la una llamada Ancara y la otra Huaillas; dejó en ellas, como en las demás, los ministros del gobierno y de la hacienda y la guarnición necesaria. Y en la provincia de Huaillas castigó severísimamente algunos sométicos, que en mucho secreto usaban el abominable vicio de la sodomía. Y porque hasta entonces no se había hallado ni sentido tal pecado en los indios de la sierra, aunque en los llanos sí, como ya lo dejamos dicho, escandalizó mucho el haberlos entre los Huaillas, del cual escándalo nació un refrán entre los indios de aquel tiempo, y vive hasta hoy en oprobio de aquella nación, que dice: *Astaya Huaillas*, que quiere decir "Apártate allá, Huaillas", como que hiedan por su antiguo pecado, aunque usado entre pocos y en mucho secreto, y bien castigado por el Inca Cápac Yupanqui.

El cual, habiendo proveído lo que se ha dicho, pareciéndole que por entonces bastaba lo que había ganado, que eran sesenta leguas de largo, norte sur, y de ancho lo que hay de los llanos a la gran cordillera de la Sierra Nevada, se volvió al Cuzco, al fin de tres años que había salido de aquella ciudad, donde halló al Inca Pachacútec, su hermano. El cual lo recibió con gran fiesta y triunfo de sus victorias, que duraron una lunación, que así cuentan el tiempo los indios por lunas.

XII. EDIFICIOS Y LEYES Y NUEVAS CONQUISTAS QUE EL INCA PACHACÚTEC HIZO

Acabadas las fiestas y hechas muchas mercedes a los maeses de campo y capitanes y curacas particulares que se hallaron en la conquista, y también a los soldados que se señalaron y aventajaron de los demás, que de todos había singular cuidado y noticia, acordó el Inca, pasados algunos meses, volver a visitar sus reinos, porque era el mayor favor y beneficio que les podía hacer. En la visita mandó edificar en las provincias más nobles y ricas templos a honor y reverencia del Sol, donde los indios le adorasen; y también se fundaron casas de las vírgenes escogidas, porque nunca fundaron la una sin la otra. Las cuales eran de mucho favor para los naturales de las provincias donde se edificaban, porque era hacerlos vecinos y naturales del Cuzco. Sin los templos, mandó hacer muchas fortalezas en las fronteras de lo que estaba por ganar, y casas reales en los valles y sitios más amenos y deleitosos y también en los caminos, donde se alojasen los Incas cuando se ofreciese caminar con sus ejércitos. Mandó asimismo hacer pósitos en los pueblos particulares, donde se guardasen los bastimentos para los años de necesidad, con qué socorrer los naturales.

Ordenó muchas leyes y fueron particulares, arrimándose a las costumbres antiguas de aquellas provincias donde se había de guardar, porque todo lo que no era contra su idolatría ni contra las leyes comunes tuvieron por bien aquellos Reyes Incas dejarlo usar a cada nación como lo tenían en su antigüedad, por que no pareciese que los tiranizaban, sino que los sacaban de la vida ferina y los pasaban a la humana, dejándoles todo lo que no fuese contra ley natural, que era la que estos Incas más desearon guardar.

Hecha la visita, en la cual gastó tres años, se volvió a su corte, donde gastó algunos meses en fiestas y regocijos, mas luego trató con el hermano, que era su segunda persona, y con los de su Consejo, de volver a la conquista de las provincias de Chinchasuyu, que por aquella parte sola había tierras de provecho qué conquistar, que por las de Antisuyu, arrimadas a la cordillera nevada, eran montañas bravas las que se descubrían. Acordaron que el Inca Cápac Yupanqui volviese a la conquista, pues en la jornada pasada había dado tan buena muestra de su prudencia y valor y de las demás partes de gran capitán; mandaron que llevase consigo al príncipe heredero, su sobrino, llamado Inca Yupanqui, muchacho de diez y seis años (que aquel mismo año le habían armado caballero, conforme a la solemnidad del Huaracu, que largamente diremos adelante), para que se ejercitase en el arte militar, que tanto estimaban los Incas. Apercibieron cincuenta mil hombres de guerra. Los Incas, tío y sobrino, salieron con el primer tercio; caminaron hasta la gran provincia llamada Chucurpu, que era la última del Imperio por aquel paraje.

De allí enviaron los apercibimientos acostumbrados a los naturales de una provincia llamada Pincu, los cuales, viendo que no podían resistir al poder del Inca, y también porque habían sabido cuán bien les iba a todos sus vasallos con sus leyes y gobierno, respondieron que holgaban mucho recibir el imperio del Inca y sus leyes. Con esta respuesta entraron los Incas en la provincia, y de allí enviaron el mismo recado a las demás provincias cercanas a ella, que, entre otras que hay, las más principales son Huaras, Psicopampa, Cunchucu. Las cuales, habiendo de seguir el ejemplo de Pincu, hicieron lo contrario, que se amotinaron y convocaron unas a otras, deponiendo sus pasiones particulares para acudir a la común defensa; y así se juntaron y respondieron diciendo que antes querían morir todos que recibir nuevas leyes y costumbres y adorar nuevos dioses; que no los querían, que muy bien se hallaban con los suyos antiguos, que eran de sus antepasados, conocidos de muchos siglos atrás; y que el Inca se contentase con lo que había tiranizado, pues con celo de religión había usurpado el señorío de tantos curacas como había sujetado.

Dada esta respuesta, viendo que no podían resistir la pujanza del Inca en campaña abierta, acordaron retirarse a sus fortalezas y alzar los bastimentos y quebrar los caminos y defender los malos pasos que hubiese, lo cual todo apercibieron con gran diligencia y presteza.

XIII. GANA EL INCA LAS PROVINCIAS REBELDES, CON HAMBRE Y ASTUCIA MILITAR

El general Cápac Yupanqui no recibió alteración alguna con la soberbia y desvergonzada respuesta de los enemigos, porque, como magnánimo, iba apercibido para recibir con un mismo ánimo las buenas y malas palabras y también los sucesos; mas no por eso dejó de apercibir su gente, y, sabiendo que los contrarios se retiraban a sus plazas fuertes, dividió su ejército en cuatro tercios de a diez mil hombres y a cada tercio encaminó a las fortalezas que más cerca les caían. con apercibimiento que no llegasen con los enemigos a rompimiento, sino que les apretasen el cerco y con la hambre, hasta que se rindiesen. Y él se quedó a la mira, con el príncipe su sobrino, para socorrer donde fuese menester. Y por que no faltasen los bastimentos, por haberlos alzado los enemigos para si durase mucho la guerra, envió a mandar a las provincias comarcanas del Inca su hermano le acudiesen con doblada provisión de la ordinaria.

Con estas prevenciones esperó el Inca Cápac Yupanqui la guerra. La cual se encendió cruelísima, con mucha mortandad de ambas partes, porque los enemigos, con gran pertinacia, defendían los caminos y lugares fuertes, de donde viendo que los Incas no los acometían salían a ellos y peleaban con rabia de desesperados, metiéndose por las armas de sus contrarios; y cada provincia de las tres, en competencia de las otras, hacía cuanto podía por mostrar mayor ánimo y valor que las demás, por aventajarse de ellas.

Los Incas no hacían más que resistirles y esperar a que la hambre y las demás incomodidades de la guerra los rindiesen; y cuando por los campos y por los pueblos desamparados hallaban las mujeres e hijos de los enemigos, que los habían dejado por no haber podido llevarlos todos consigo, los regalaban y acariciaban y les daban de comer; y recogiendo los más que podían, los encaminaban a que se fuesen con sus padres y con sus maridos, para que viesen que no iban a cautivarlos, sino a mejorarlos de ley y costumbres. También lo hacían con astucia militar, porque tuviesen los enemigos más que mantener, más que guardar y cuidar, y que no estuviesen tan libres como lo estaban, sin mujeres e hijos, para hacer la guerra sin estorbos. Y también para que la hambre y la aflicción de los hijos los afligiese más que la propia, y el llanto de las mujeres enterneciese a los varones y les hiciese perder el ánimo y la ferocidad, para que se rindiesen más aína.

Los contrarios no dejaban de reconocer los beneficios que se hacían a sus mujeres e hijos, mas la obstinación y pertinacia que tenían era tanta, que no daba lugar al agradecimiento; antes parecía que los mismos benèficios los endurecían más.

Así porfiaron en la guerra los unos y los otros cinco o seis meses, hasta que se empezó a sentir la hambre y la mortandad de la gente más flaca, que eran los niños y las mujeres más delicadas, y, creciendo más y más estos males, forzaron a los varones a lo que pensaban, que no los forzara la propia muerte; y así, de común consentimiento de capitanes y soldados, cada cual en las fortalezas donde estaban, eligieron embajadores que con toda humildad fuesen a los Incas y les pidiesen perdón de lo pasado y ofreciesen la obediencia y vasallaje en lo por venir.

Los Incas los recibieron con la clemencia acostumbrada, y con las más blandas palabras que supieron decir les amonestaron que se volviesen a sus pueblos y casas y procurasen ser buenos vasallos para merecer los beneficios del Inca y tenerle por señor, y que todo lo pasado se les perdonaba, sin acordarse más de ello.

Los embajadores volvieron muy contentos a los suyos, de la buena negociación de su embajada, y sabida la respuesta de los Incas, hubieron mucho regocijo, y conforme al mandato de ellos se volvieron a sus pueblos, en los cuales los acariciaron y proveyeron de lo necesario; y fue bien menester el doblado bastimento que al principio de esta guerra el Inca Cápac Yupanqui

mandó pedir a los suyos, para con él proveer a los enemigos rendidos, que lo pasaran mal aquel primer año, porque por causa de la guerra se habían perdido todos los sembrados; con la comida les proveyeron los ministros necesarios para el gobierno de la justicia y de la hacienda y para la enseñanza de su idolatría.

XIV. DEL BUEN CURACA HUAMACHUCU Y CÓMO SE REDUJO

El Inca pasó adelante en su conquista; llegó a los confines de la gran provincia llamada Huamachucu, donde había un gran señor del mismo nombre tenido por hombre de mucho juicio y prudencia; al cual envió los requerimientos y protestaciones acostumbradas; ofreciéndole paz y amistad y mejoría de religión, leyes y costumbres; porque es verdad que aquella nación las tenía bárbaras y crueles; y en su idolatría y sacrificios eran barbarísimos, porque adoraban piedras, las que hallaban por los ríos o arroyos, de diversas colores como el jaspe, que les parecía que no podían juntarse diferentes colores en una piedra sino por gran deidad que en ella hubiese, y, con esta bobería las tenían en sus casas por ídolos, honrándolas como a dioses; sus sacrificios eran de carne y sangre humana. No tenían pueblos poblados; vivían por los campos, en chozas derramadas, sin orden ni concierto; andaban como bestias. Todo lo cual deseaba remediar el buen Huamachucu, mas no osaba intentarlo porque no le matasen los suyos, diciendo que, pues alteraba su vida, menospreciaba la religión y la manera de vivir de sus antepasados, y este miedo le tenía reprimido en sus buenos deseos y así recibió mucho contento con el mensaje del Inca.

Y usando de su buen juicio, respondió que holgaba mucho que el Imperio del Inca y sus banderas hubiesen llegado a los confines de su tierra, que por las buenas nuevas que había oído de su religión y buen gobierno había años que lo deseaba por su Rey y señor; que por las provincias de enemigos que había en medio y por no desamparar sus tierras, no había salido de ellas a buscarle para darle la obediencia y adorarle por hijo del Sol, y que, ahora que sus deseos se habían cumplido, lo recibía con todo el buen ánimo y deseo que había tenido de ser su vasallo; que le suplicaba lo recibiese con el mismo ánimo que él se ofrecía, y en él y en sus vasallos hiciese los beneficios que en los demás indios había hecho.

Con la buena respuesta del gran Huamachucul, entró el príncipe Inca Yupanqui, y el general, su tío, en sus tierras. El curaca salió a recibirlos con dádivas y presentes de todo lo que había en su estado, y, puesto delante de ellos, los adoró con toda reverencia. El general lo recibió con mucha afabilidad, y en nombre del Inca su hermano le rindió las gracias de su amor y buena voluntad, y el príncipe le mandó dar mucha ropa de vestir de la de su padre, así para el curaca como para sus deudos y los principales y nobles de su tierra. Sin esta merced, que los indios estimaron en mucho, les dieron gracias y privilegios de mucho favor y honra, por el amor que mostraron al servicio del Inca. Y es así que el Inca Pachacútec, y después los que le sucedieron, hicieron siempre mucho caudal y estima desde Huamachucu y de sus descendientes y ennoblecieron grandemente su provincia, por haberse sujetado a su Imperio de la manera que se ha dicho.

Acabadas las fiestas que se hicieron por haber recibido al Inca por señor, el gran curaca Huama-

chucu habló al capitán general diciendo que le suplicaba mandase reducir con brevedad aquella manera de pueblos de su estado a otra mejor forma y mejorase su idolatría, leyes y costumbres, que bien entendía que las que sus antepasados les habían dejado eran bestiales, dignas de risa, por lo cual él había deseado mejorarlas, mas que no había osado porque los suyos no lo matasen por menospreciador de la ley de sus antecesores; que, como brutos, se contentaban con lo que sus mayores les dejaron. Empero que, ya que su buena dicha le había llevado Incas, hijos del Sol, a su tierra, le suplicaba se la mejorase en todo, pues eran sus vasallos.

El Inca holgó de haberle oído y mandó que las caserías y chozas derramadas por los campos se redujesen a pueblos de callés y vecindad, en los mejores sitios que para ello se hallasen. Mandó pregonar que no tuviesen otro dios sino al Sol, y que echasen en la calle las piedras pintadas que en sus casas tenían por ídolos, que unas eran para que los muchachos jugasen con ellas que no para que los hombres las adorasen; y que guardasen y cumpliesen las leyes y ordenanzas de los Incas, para cuya enseñanza mandó señalar hombres que asistiesen en cada pueblo como maestros en su ley.

XV. RESISTEN LOS DE CASAMARCA Y AL FIN SE RINDEN

Todo lo cual proveído con mucho contento del buen Huamachucu, pasaron adelante los Incas, tío y sobrino, en su conquista, y en llegando a los términos de Casamarca, famosa por la prisión de Atahualpa, en ella, la cual era una gran provincia, rica, fértil, poblada de mucha gente belicosa, enviaron un mensaje con los requerimientos y protestaciones acostumbradas de paz o de guerra, porque después no alegasen que los habían cogido descuidados.

Los de Casamarca se alteraron grandemente, aunque de atrás, como gente valiente y belicosa, por haber visto la guerra cerca de sus tierras, tenían apercibidas las armas y los bastimentos y estaban fortalecidos en sus plazas fuertes y tenían tomados los malos pasos de los caminos, y así respondieron con mucha soberbia diciendo que ellos no tenían necesidad de nuevos dioses ni de señor extranjero que les diese nuevas leyes y fueros extraños, que ellos tenían los que habían menester, ordenados y establecidos por sus antepasados, y no querían novedades; que los Incas se contentasen con los que quisiesen obedecerles y buscasen otros, que ellos no querían su amistad y menos su señorío, y que protestaban de morir todos por defender su libertad.

Con esta respuesta entró el Inca Cápac Yupanqui en los confines de Casamarca, donde los naturales, como bravos y animosos, se le ponían delante en los pasos dificultosos, ganosos de pelear por vencer o morir; y aunque el Inca deseaba excusar la pelea, no le era posible, porque, para haber de pasar adelante, le convenía ganar los pasos fuertes a fuerza de armas; en los cuales, peleando obstinadamente los unos y los otros, murieron muchos; lo mismo pasó en algunas batallas que se dieron en campo abierto; mas como la potencia de los Incas fuese tanta no pudiendo resistirla sus contrarios, se acogieron a las fortalezas y riscos y peñas fuertes, donde pensaban defenderse. De allí salían a hacer sus saltos; mataban mucha gente a los Incas, y también morían muchos de ellos. Así duró la guerra cuatro meses, por querer los Incas ir entreteniéndola por no

destruir los enemigos, más que no por la pujanza de ellos, aunque no dejaban de resistir con todo ánimo y esfuerzo; empero, ya disminuido de su primera bizarría.

Durante la guerra hacían los Incas todo el beneficio que podían a sus enemigos, por vencerlos por bien; los que prendían en las batallas soltaban libremente con muy buenas palabras que enviaban a decir a su curaca, ofreciéndole paz y amistad; los heridos curaban, y después de sanos los enviaban con los mismos recados y les decían que volviesen a pelear contra ellos, que cuantas veces los hiriesen y prendiesen tantas veces los volverían a curar y soltar, porque habían de vencer como Incas y no como tiranos, enemigos crueles; las mujeres y niños que hallaban en los montes y cuevas, después de haberlos regalado, los enviaban a sus padres y maridos con persuasiones que no porfiasen en su obstinación, pues no podían vencer a los hijos del Sol.

Con estas y otras semejantes caricias, porfiadas en tan largo tiempo, empezaron los de Casamarca a ablandar y amansar la ferocidad y dureza de sus ánimos y volver en sí poco a poco, para considerar que no les estaba mal sujetarse a gente que, pudiéndolos matar, usaba con ellos de aquellos beneficios. Sin lo cual, veían por experiencia que el poder del Inca crecía cada día y el suyo menguaba de hora en hora, y que la hambre los apretaba ya de manera que a poco más no podían dejar de perecer, cuanto más vencer o resistir a los Incas. Por estas dificultades, habiéndolas consultado el curaca con los más principales de su estado, les pareció aceptar los partidos que los Incas les ofrecían, antes que por obstinación e ingratitud se los negasen, y así enviaron luego sus embajadores diciendo que, por haber experimentado la piedad, clemencia y mansedumbre de los Incas y la potencia de sus armas, confesaban que merecían ser señores del mundo, y que con mucha razón publicaban ser hijos del Sol los que tales beneficios hacían a sus enemigos; en los cuales se certificaba que serían mayores las mercedes cuando fuesen sus vasallos. Por lo cual, arrepentidos de su dureza y avergonzados de su ingratitud, de no haber correspondido antes a tantos beneficios recibidos, suplicaban al príncipe y a su tío el general tuviesen por bien de perdonarles su rebeldía y ser sus padrinos y abogados, para que la majestad del Inca los recibiese por sus vasallos.

Apenas pudieron haber llegado los embajadores ante los Incas, cuando el curaca Casamarca y sus nobles acordaron ir ellos mismos a pedir el perdón de sus delitos, por mover a mayor compasión a los Incas, y así fueron con la mayor sumisión que pudieron, y, puestos ante el Príncipe y el Inca General, los adoraron a la usanza de ellos y repitieron las mismas palabras que sus embajadores habían dicho. El Inca Cápac Yupanqui, en lugar del príncipe su sobrino, los recibió con mucha afabilidad, y con muy dulces palabras les dijo que, en nombre del Inca, su hermano, y del príncipe, su sobrino, los perdonaba y recibía en su servicio, como a cualquiera de sus vasallos, y que de lo pasado no se acordarían jamás; que procurasen hacer lo que debían de su parte para merecer los beneficios del Inca, que Su Majestad no faltaría de les hacer las mercedes acostumbradas y los trataría como su padre el Sol se lo tenía mandado; que se fuesen en paz y se redujesen a sus pueblos y casas y pidiesen cualquier merced que bien les estuviese.

El curaca, juntamente con los suyos, volvió a adorar a los Incas y en nombre de todos dijo que bien mostraban ser hijos del Sol, y que ellos se tenían por dichosos de haber alcanzado tales señores y que servirían al Inca como buenos vasallos. Dicho esto, se despidieron y volvieron a sus casas.

XVI. LA CONQUISTA DE YAUYU Y EL TRIUNFO DE LOS INCAS TÍO Y SOBRINO

El Inca General tuvo en mucho haber ganado esta provincia, porque era una de las buenas que había en todo el Imperio de su hermano. Procuró ilustrarla luego; mandó reducir las caserías derramadas a pueblos recogidos; mandó trazar una casa o templo para el Sol y otra para las vírgenes escogidas. Estas casas crecieron después en tanta grandeza de ornamento y servicio que fueron de las principales que hubo en todo el Perú. Dióseles maestros para su idolatría y los ministros para el gobierno común y para la hacienda del Sol y del Rey, y grandes ingenieros para sacar acequias de agua y aumentar las tierras de labor. Dejó guarnición de gente, para asegurar lo ganado.

Lo cual proveído, acordó volverse al Cuzco y de camino conquistar un rincón de tierra que había dejado atrás, que por estar lejos del camino que llevó a la ida, no la dejó ganada. Esta provincia, que llaman Yauyu, es áspera de sitio y de gente belicosa, mas con todo eso le pareció que le bastarían doce mil soldados; mandó que se escogiesen y despidió los demás, por no fatigarlos donde no era menester. Llegando a los términos de aquella provincia le envió los requerimientos acostumbrados de paz o de guerra.

Los Yauyus se juntaron y platicaron sobre el caso; tuvieron contrarios pareceres. Unos decían que muriesen todos defendiendo la patria y la libertad y sus dioses antiguos. Otros, más cuerdos, dijeron que no había para qué proponer temeridades y locuras manifiestas, que bien veían que no se podía defender la patria ni la libertad contra el poder del Inca, que los tenía rodeados por todas partes, y sabían que había sujetado otras provincias mayores y que sus dioses no se ofenderían, pues los dejaban por fuerza, a más no poder, y que no hacían ellos mayor delito que todas las demás naciones, que habían hecho lo mismo; que mirasen que los Incas, según habían oído decir, trataban a sus vasallos de manera que antes se debía desear y amar que aborrecer el imperio de ellos. Por todo lo cual les parecía que llanamente le obedeciesen, porque lo contrario era manifiesto desatino y total destrucción de lo que pretendían conservar, porque podían los Incas, si quisiesen, echarles encima las sierras que en derredor tenían.

Este consejo prevaleció, y así, de común consentimiento, recibieron a los Incas con toda la fiesta y solemnidad que pudieron hacer. El general hizo muchas mercedes al curaca, y a sus deudos, capitanes y gente noble, mandó dar mucha ropa de la fina, que llaman *compi;* y a los plebeyos otra mucha, de la común, que llaman *auasca;* y todos quedaron muy contentos de haber cobrado tal Rey y señor.

Los Incas, tío y sobrino, se fueron al Cuzco, dejando en Yauyu los ministros acostumbrados para el gobierno de los vasallos y de la hacienda real. El Inca Pachacútec salió a recibir al hermano y al príncipe su hijo con solemne triunfo y mucha fiesta, que les tenía apercibida; mandó que entrasen en andas, que llevaron sobre sus hombros los indios naturales de las provincias que de aquella jornada conquistaron.

Todas las naciones que vivían en la ciudad, y los curacas que vinieron a hallarse en la fiesta, entraron por sus cuadrillas, cada una de por sí, con diferentes instrumentos de tambores, trompetas, bocinas y caracoles, conforme a la usanza de sus tierras, con nuevos y diversos cantares, compuestos en su propia lengua en loor de las hazañas y excelencias del capitán general Cápac Yupanqui y del príncipe su sobrino, Inca Yupanqui, de cuyos buenos principios recibieron grandísimo contento su padre, parientes y vasallos. En pos de los vecinos y cortesanos entraron los soldados de guerra con sus armas en las manos, cada nación de por sí, cantando también ellos las hazañas que sus Incas habían hecho en la guerra; hacían de ambos una persona. Decían las grandezas y excelencias de ellos: el esfuerzo, ánimo y valentía en las batallas; la industria, diligencia y buena maña en los ardides de la guerra; la paciencia, cordura y mansedumbre para sufrir los ignorantes y atrevidos; la clemencia, piedad y caridad con los rendidos; la afabilidad, liberalidad y magnificencia con sus capitanes y soldados y con los extraños; la prudencia y buen consejo en todos sus hechos. Repetían muchas veces los nombres de los Incas, tío y sobrino; decían que dignamente merecían por sus virtudes renombres de tanta majestad y alteza. En pos de la gente de guerra iban los Incas de la sangre real, con sus armas en las manos, así los que salieron de la ciudad como los que venían de la guerra, todos igualmente compuestos, sin diferencia alguna, porque cualesquiera hazañas que pocos o muchos incas hiciesen las hacían comunes de todos ellos, como si todos se hubieran hallado en ellas.

En medio de los Incas iba el general, y el príncipe a su lado derecho; tras ellos iba el Inca Pachacútec en sus andas de oro. Con este orden fueron hasta los límites de la casa del Sol, donde se apearon los Incas y se descalzaron todos, si no fue el Rey, y así fueron todos hasta la puerta del templo, donde se descalzó el Inca y entró dentro con todos los de su sangre real, y no otros; y habiéndole adorado y rendido las gracias de las victorias que les había dado, se volvieron a la plaza principal de la ciudad, donde se solemnizó la fiesta con cantares y bailes y mucha comida y bebida, que era lo más principal de sus fiestas.

Cada nación, según su antigüedad, se levantaba de su asiento e iba a bailar y cantar delante del Inca, conforme al uso de su tierra; llevaban consigo sus criados, que tocaban los tambores y otros instrumentos y respondían a los cantares; y acabando de bailar aquéllos, se brindaban unos con otros, y luego se levantaban otros a bailar, y luego otros y otros, y de esta manera duraba el baile todo el día. Por este orden regocijaron la solemnidad de aquel triunfo por espacio de una lunación; y así lo hicieron en todos los triunfos pasados, mas no hemos dado cuenta de ellos porque éste de Cápac Yupanqui fue el más solemne de los que hasta entonces se hicieron.

XVII. REDÚCENSE DOS VALLES,
Y CHINCHA RESPONDE
CON SOBERBIA

Pasadas las fiestas, descansaron los Incas tres o cuatro años sin hacer guerra; solamente atendían a ilustrar y engrandecer con edificios y beneficios las provincias y reinos ganados. Tras este largo tiempo que los pueblos hubieron descan-

sado, trataron los Incas de hacer la conquista de los llanos, que por aquella parte no tenían ganado más de hasta Nanasca, y habiéndose consultado en el consejo de guerra, mandó apercibir treinta mil soldados que fuesen luego a la conquista, y quedasen apercibiéndose otros treinta mil para remudar los ejércitos de dos a dos meses, que convenía hacerlo así porque la tierra de los llanos es enferma y peligrosa para los nacidos y criados en la sierra.

Aprestada la gente, mandó el Inca Pachacútec que los treinta mil hombres quedasen en los pueblos comarcanos, apercibidos para cuando los llamasen, y los otros treinta mil salieron para la conquista. Con los cuales salieron los tres Incas, que son el Rey y el príncipe Inca Yupanqui y el general Cápac Yupanqui, y caminaron por sus jornadas hasta las provincias llamadas Rucana y Hatunrucana, donde el Inca quiso quedarse, por estar en comarca que pudiese dar calor a la guerra y acudir al gobierno de la paz.

Los Incas, tío y sobrino, pasaron adelante hasta Nanasca; de allí enviaron mensajeros al valle de Ica que está al norte de Nanasca, con los requerimientos acostumbrados. Los naturales pidieron plazo para comunicar la respuesta, y al fin de algunas diferencias acordaron recibir al Inca por señor, porque, por el largo tiempo de la vecindad de Nanasca habían sabido y visto el suave gobierno de los Incas. Lo mismo hicieron los del valle de Pisco, aunque con alguna dificultad por la vecindad del gran valle de Chincha, cuyo favor y socorro quisieron pedir, y lo dejaron de intentar por parecerles que no podía ser el socorro tan grande que bastase a defenderlos del Inca, por lo cual tomaron el consejo más seguro y saludable y aceptaron las leyes y costumbres del Inca y prometieron de adorar al Sol por su Dios y repudiar y abominar los dioses que tenían.

Al valle de Ica, que es fértil, como lo son todos aquellos valles, ennoblecieron todos aquellos Reyes Incas con una hermosísima acequia que mandaron sacar de lo alto de las sierras, muy caudalosa de agua, cuyas corrientes trocaron en contra con admirable artificio, que, yendo naturalmente encaminadas al levante, las hicieron volver al poniente, porque un río que pasa por aquel valle traía muy poca agua de verano y padecían los indios mucha esterilidad en sus sembrados, que muchos años que en la sierra llovía poco, los perdían por falta de riego. Y con el socorro del acequia, que era mayor que el río, ensancharon las tierras de labor en más que otro tanto, y de allí adelante vivieron en grande abundancia y prosperidad. Todo lo cual causaba que los indios conquistados y no conquistados deseasen y amasen el Imperio de los Incas, cuya vigilancia y cuidado notaban que se empleaba siempre en semejantes beneficios de los valles.

Es de saber que generalmente los indios de aquella costa, en casi quinientas leguas desde Trujillo hasta Tarapaca, que es lo último del Perú, norte sur, adoraban en común a la mar (sin los ídolos que en particular cada provincia tenía); adorábanla por el beneficio que con su pescado les hacía para comer y para estercolar sus tierras, que en algunas partes de aquella costa las estercolan con cabezas de sardinas; y así le llamaban Mamacocha, que quiere decir madre mar, como que hacía oficio de madre en darles de comer. Adoraban también comúnmente a la ballena, por su grandeza y monstruosidad, y en particular unas provincias adoraban a unos peces y otras a otros, según que les eran más provechosos, porque los ma-

taban en más cantidad. Esta era, en suma, la idolatría de los yuncas de aquella costa, antes del Imperio de los Incas.

Habiendo ganado los dos valles, Ica y Pisco, enviaron los Incas sus mensajeros al grande y poderoso valle llamado Chincha (por quien se llamó Chinchasuyu todo aquel distrito, que es una de las cuatro partes en que dividieron los Incas su Imperio), diciendo que tomasen las armas o diesen la obediencia al Inca Pachacútec, hijo del Sol.

Los de Chincha, confiados en la mucha gente de guerra que tenían, quisieron bravear; dijeron que ni querían al Inca por su Rey, ni al Sol por su dios; que ellos tenían dios a quien adorar y Rey a quien servir; que su dios en común era la mar, que como todos los veían, era mayor cosa que el Sol y tenía mucho pescado que les dar, y que el Sol no les hacía beneficio alguno, antes los ofendía con su demasiado calor; que su tierra era caliente y no habían menester al Sol; que los de la sierra, que vivían en tierras frías, le adorasen, pues tenían necesidad de él. Y cuanto al Rey, dijeron que ellos le tenían natural de su mismo linaje, que no lo querían extranjero, aunque fuese hijo del Sol, que ni habían menester al Sol ni a sus hijos tampoco; y que no tenían necesidad de que los apercibiesen para las armas, que quien los buscase los hallaría siempre bien apercibidos para defender su tierra, su libertad y sus dioses, particularmente a su dios llamado Chincha Cámac, que era sustentador y hacedor de Chincha; que los Incas harían mejor en volverse a sus casas que no en tener guerra con el señor y Rey de Chincha, que era poderosísimo Príncipe. Los naturales de Chincha se preciaban haber venido sus antepasados de lejanas tierras (aunque no dicen de dónde), con capitán general tan religioso como valiente, según ellos dicen; y que ganaron aquel valle a fuerza de armas, destruyendo los que hallaron en él, y que no hicieron mucho porque era una gente vil y apocada, los cuales perecieron todos sin quedar alguno, y que hicieron otras mayores valentías que se dirán adelante.

XVIII. LA PERTINACIA DE CHINCHA Y CÓMO AL FIN SE REDUCE

Habida la respuesta, caminaron los Incas hacia Chincha. El curaca, que se llamaba del mismo nombre, salió con una buena banda de gente fuera del mismo valle a escaramuzar con los Incas, mas por la mucha arena no pudieron pelear los unos ni los otros y los Yuncas se fueron retirando hasta meterse en el valle, donde resistieron la entrada a los Incas, mas no pudieron hacer tanto que no perdiesen sitio bastante donde se alojasen los enemigos. La guerra se trabó entre ellos muy cruel, con muertes y heridas de ambas partes. Los Yuncas peleaban por defender su patria y los Incas por aumentar su Imperio, honra y fama.

Así estuvieron muchos días en su porfía; los Incas los convidaron muchas veces con la paz y amistad: los Yuncas, obstinados en su pertinacia y confiados en el calor de su tierra, que forzaría a los serranos que se saliesen de ella, no quisieron aceptar partido alguno, antes se mostraban cada día más rebeldes, porfiando en su vana esperanza. Los Incas, guardando su antigua costumbre de no destruir los enemigos por guerra, sino conquistarlos por bien, dejaron correr el tiempo hasta que los Yuncas se cansasen y se entregasen de su grado, y porque habían pasado ya dos meses, mandaron los Incas renovar su ejército antes que el calor de aquella tierra les hiciese mal; para

lo cual enviaron a mandar que la gente que había quedado aprestada para aquel efecto caminase a toda prisa, para que los que asistían en la guerra saliesen antes que enfermasen por el mucho calor de la tierra.

Los maeses de campo del nuevo ejército se dieron prisa a caminar, y en pocos días llegaron a Chincha; el general Cápac Yupanqui los recibió y despidió el ejército viejo; mandó que estuviesen aprestados otros tantos soldados, para renovar otra vez el ejército si fuese menester. Mandó asimismo que el príncipe, su sobrino, se saliese a la sierra con los soldados viejos porque su salud y vida no corriese tanto riesgo en los llanos.

Despachadas estas cosas, apretó el general la guerra contra los de Chincha, sitiándolos más estrechamente y talando las mieses y los frutos del campo, para que la hambre los rindiese. Mandó quebrar las acequias, para que no pudiesen regar lo que no alcanzaron a talar, que fue lo que más sintieron los Yuncas porque, como la tierra es tan caliente y el sol arde mucho en ella, tiene necesidad de que la rieguen cada tres o cuatro días para poder dar fruto.

Pues como los Yuncas; se viesen por una parte apretados con el sitio más estrecho y quebradas las acequias, y por otra perdida la esperanza que tenían de que los Incas se habían de salir a la sierra de temor de las enfermedades de los llanos, viendo ahora nuevo ejército y sabiendo que lo habían de renovar cada tres meses, perdieron parte del orgullo, mas no la pertinacia, y en ella se estuvieron otros dos meses, que no quisieron aceptar la paz y amistad que los Incas les ofrecían cada ocho días. Por una parte resistían a sus enemigos con las armas, haciendo lo que podían y sufriendo con mucha paciencia los trabajos de la guerra. Por otra acudían con gran devoción y promesas a su dios Chincha Cámac; particularmente las mujeres, con muchas lágrimas y sacrificios le pedían los librase del poder de los Incas.

Es de saber que los indios de este hermoso valle Chincha tenían un ídolo famoso que adoraban por dios y le llamaban Chincha Cámac. Levantaron este dios a semejanza del Pachacámac, dios no conocido que los Incas adoraban mentalmente como se ha dicho atrás; porque supieron que los naturales de otro gran valle que está adelante de Chincha (del cual hablaremos presto) habían levantado al Pachacámac por su dios y héchole un templo famoso. Pues como supiesen que Pachacámac quería decir sustentador del universo, les pareció que, teniendo tanto qué sustentar, se descuidaría o no podría sustentar a Chincha tan bastantemente como sus moradores quisieran. Por lo cual les pareció inventar un dios que fuese particular sustentador de su tierra, y así le llamaron Chincha Cámac, en cuya confianza estaban obstinados a no rendirse a los enemigos, esperando que, siendo su dios casero, los libraría presto de ellos.

Los Incas sufrían con mucha paciencia el hastío de la guerra y la porfía de los Yuncas por no destruirlos, mas no por eso dejaban de apretarles en todo lo que podían, como no fuese matarlos.

El Inca Cápac Yupanqui, viendo la rebeldía de los Yuncas, y que se perdía tiempo y reputación en esperarlos tanto, y que para cumplir con la piedad del Inca, su hermano, bastaba lo esperado y que podría ser que la mansedumbre que se usaba con los enemigos se convirtiese en crueldad contra los suyos, si enfermasen, como se temía del mucho calor de aquella tierra para indios no hechos a ella, les envió un mensaje diciendo que ya

él había cumplido con el mandato del Inca, su hermano, que era que atrajese los indios a su imperio por bien y no por mal, y que ellos cuanta más piedad habían sentido en los Incas tanto más rebeldes se mostraban, atribuyéndolo a cobardía; por tanto, les enviaba a amonestar que se rindiesen al servicio del Inca dentro de ocho días, los cuales pasados, les prometían pasarlos todos a cuchillo y poblar sus tierras de nuevas gentes que a ellas traería. Mandó a los mensajeros que, dado el recado, se volviesen sin esperar respuesta.

Los Yuncas temieron el recado, porque vieron que el Inca tenía demasiada razón, que les había sufrido y esperado mucho, y que, pudiendo haberles hecho la guerra a fuego y a sangre, la había hecho con mucha mansedumbre, que había usado así con ellos como sus heredades, no las talando del todo, por lo cual, habiéndolo platicado, les pareció no a irritarlo a mayor saña sino hacer lo que les mandaba, pues ya la hambre y los trabajos los forzaban a que se rindiesen. Con este acuerdo enviaron sus embajadores suplicando al Inca los perdonase y recibiese por súbditos, que la rebeldía que hasta allí habían tenido la trocarían de allí adelante en lealtad, para le servir como buenos vasallos. Otro día fue el curaca, acompañado de sus deudos y otros nobles, a besar las manos al Inca y a darle la obediencia personalmente.

XIX CONQUISTAS ANTIGUAS
Y JACTANCIAS FALSAS
DE LOS CHINCHAS

El Inca holgó mucho con el curaca Chincha por ver acabada aquella guerra, que le había dado hastío y pesadumbre, y así recibió con mucha afabilidad al gran Yunca y le dijo muy buenas palabras acerca del perdón y de la rebeldía pasada, porque el curaca se mostraba muy apenado y afligido de su delito. El Inca le mandó que no hablase más en ello ni se le acordase, que ya el Rey su hermano lo tenía borrado de la memoria; y para que viese que estaba perdonado, le hizo mercedes en nombre del Inca a él y a los suyos y les dio de vestir y preseas de las muy estimadas del Inca, con que todos quedaron muy contentos.

Estos indios de Chincha se jactan mucho en este tiempo diciendo la mucha resistencia que hicieron a los Incas, y que no los pudieron sujetar de una vez, sino que fueron sobre ellos dos veces, que de la primera vez se retiraron y volvieron a sus tierras; y lo dicen por los dos ejércitos que fueron sobre su provincia, trocándose el uno por el otro, como se ha dicho. Dicen también que tardaron los Incas muchos años en conquistarlos, y que más los rindieron con las promesas, dádivas y presentes que no con las armas, haciendo valentía suya la mansedumbre de los Incas, cuya potencia en aquellos tiempos era ya tanta que si quisieran ganarlos por fuerza, pudieran hacerlo con mucha facilidad. Mas esto del blasonar, pasada la tormenta, quien quiera lo sabe hacer bien.

También dicen que antes que los Incas los sujetaran se vieron tan poderosos y fueron tan belicosos que muchas veces salían a correr la tierra y traían muchos despojos de ella, y que los serranos les temían y les desamparaban los pueblos, y que de esta manera llegaron muchas veces hasta la provincia Colla. Todo lo cual es falso, porque aquellos Yuncas por la mayor parte son gente regalada y de poco trabajo y para llegar a los Collas habían de caminar casi doscientas leguas y atravesar provincias mayores y más pobladas que

la suya. Y lo que más les contradice es que los Yuncas, como en su tierra hace mucho calor y no oyen jamás truenos, porque no llueve en ella, en subiendo a la sierra y oyendo tronar se mueren de miedo, y no saben dónde se meter y se vuelven huyendo a sus tierras. Por lo cual se ve que los Yuncas levantan grandes testimonios en su favor contra los de la sierra.

El Inca Cápac Yupanqui, entre tanto que se daba orden y asiento en el gobierno de Chincha, avisó al Inca su hermano de todo lo hasta allí sucedido, y le suplicó le enviase nuevo ejército para trocar el que tenía y pasar adelante en la conquista de los Yuncas y tratando en Chincha de las nuevas leyes y costumbres que habían de tener, supo que había algunos sométicos, y no pocos, los cuales mandó prender, y en un día los quemaron vivos todos juntos y mandaron derribar sus casas y talar sus heredades y sacar los árboles de raíz, porque no quedase memoria de cosa que los sodomitas hubiesen plantado con sus manos, y las mujeres e hijos quemaron por el pecado de sus padres, si no pareciere inhumanidad, porque fue un vicio éste que los Incas abominaron fuera de todo encarecimiento.

El tiempo adelante los Reyes Incas ennoblecieron mucho este valle de Chincha; hicieron solemnísimo templo para el Sol y casa de escogidas; tuvo más de treinta mil vecinos; es uno de los más hermosos valles que hay en el Perú. Y porque las hazañas y conquistas de este Rey Pachacútec fueron muchas, y porque hablar siempre en una materia suele enfadar, me pareció dividir su vida y hechos en dos partes y poner en medio dos fiestas principales que aquellos Reyes en su gentilidad tuvieron: hecho esto, volveremos a la vida de este Rey.

XX. LA FIESTA PRINCIPAL DEL SOL Y CÓMO SE PREPARABAN PARA ELLA

Este nombre *Raimi* suena tanto como Pascua o fiesta solemne. Entre cuatro fiestas que solemnizaban los Reyes Incas en la ciudad del Cuzco, que fue otra Roma, la solemnísima era la que hacían al Sol por el mes de junio, que llamaban Intip Raimi, que quiere decir la Pascua solemne del Sol, y absolutamente le llamaban Raimi, que significa lo mismo, y si a otras fiestas llamaban con este nombre era por participación de esta fiesta, a la cual pertenecía derechamente el nombre Raimi; celebrábanla pasado el solsticio de junio.

Hacían esta fiesta al Sol en reconocimiento de tenerle y adorarle por sumo, solo y universal Dios, que con su luz y virtud creaba y sustentaba todas las cosas de la Tierra

Y en reconocimiento de que era padre natural del primer Inca Manco Cápac y de la Coya Mama Ocllo Huaco y de todos los Reyes y de sus hijos y descendientes, enviados a la tierra para el beneficio universal de las gentes, por estas causas, como ellos dicen, era solemnísima esta fiesta.

Hallábanse a ella todos los capitanes principales de guerra ya jubilados y los que no estaban ocupados en la milicia, y todos los curacas, señores de vasallos, de todo el Imperio; no por precepto que les obligase a ir a ella, sino porque ellos holgaban de hallarse en la solemnidad de tan gran fiesta; que, como contenía en sí la adoración de su Dios, el Sol, y la veneración del Inca, su Rey, no quedaba nadie que no acudiese a ella. Y cuando los curacas no podían ir por estar impedidos de vejez o de enfermedad o con negocios graves en servicio del Rey o por la mucha distancia del camino, enviaban a ella los hijos y hermanos, acompañados de los más nobles de su parentela, para que se hallasen a la fiesta en nombre de ellos. Hallábase a ella el Inca en persona, no siendo impedido en guerra forzosa o en visita del reino.

Hacía el Rey las primeras ceremonias como Sumo Sacerdote, que, aunque siempre había Sumo Sacerdote de la misma sangre, porque lo había de ser hermano o tío del Inca, de los legítimos del padre y madre, en esta fiesta, por ser particular del Sol, hacía las ceremonias el mismo Rey, como hijo primogénito de ese Sol a quien primero y principalmente tocaba solemnizar su fiesta.

Los curacas venían con todas sus mayores galas e invenciones que podían haber: unos traían los vestidos chapados de oro y plata, y guirnaldas de lo mismo en las cabezas, sobre sus tocados.

Otros venían ni más ni menos que pintan a Hércules, vestida la piel de león y la cabeza encajada en la del indio, porque se precian los tales descender de un león.

Otros venían de la manera que pintan los ángeles, con grandes alas de un ave que llaman *cúntur*. Son blancas y negras, y tan grandes que muchas han muerto los españoles de catorce y quince pies de punta a punta de los vuelos; porque se jactan descender y haber sido su origen de un cúntur.

Otros traían máscaras hechas aposta de las más abominables figuras que pueden hacer, y éstos son los Yuncas. Entraban en las fiestas haciendo ademanes y visajes de locos, tontos y simples. Para lo cual traían en las manos instrumentos apropiados, como flautas, tamboriles mal concertados, pedazos de pellejos, con que se ayudaban para hacer sus tonterías.

Otros curacas venían con otras diferentes invenciones de sus blasones. Traía cada nación sus armas con que peleaban en las guerras: unos traían arcos y flechas, otros lanzas, dardos, tiraderas, porras, hondas y hachas de asta corta para pelear con una mano, y otras de asta larga, para combatir a dos manos.

Traían pintadas las hazañas que en servicio del Sol y de los Incas habían hecho; traían grandes atabales y trompetas, y muchos ministros que los tocaban; en suma, cada nación venía lo mejor arreado y más bien acompañado que podía, procurando cada uno en su tanto aventajarse de sus vecinos y comarcanos, o de todos, si pudiese.

Preparábanse todos generalmente para el Raimi del Sol con ayuno riguroso, que en tres días no comían sino un poco de maíz blanco, crudo y unas pocas de yerbas que llaman *chúcam* y agua simple. En todo este tiempo no encendían fuego en toda la ciudad, y se abstenían de dormir con sus mujeres.

Pasado el ayuno, la noche antes de la fiesta, los sacerdotes Incas diputados para el sacrificio entendían en apercibir los carneros y corderos que se habían de sacrificar y las demás ofrendas de comida y bebida que al Sol se había de ofrecer. Todo lo cual se prevenía sabida la gente que a la fiesta había venido, porque de las ofrendas habían de alcanzar todas las naciones, no solamente los curacas y los embajadores sino también los parientes, vasallos y criados de todos ellos.

Las mujeres del Sol entendían aquella noche en hacer grandísima cantidad de una masa de maíz que llaman *zancu;* hacían panecillos redondos del tamaño de una manzana común, y es de advertir que estos indios no comían nunca su trigo amasado y hecho pan sino en esta fiesta y en otra que llamaban Citua, y no comían este pan a toda la comida, sino dos o tres bocados al principio; que su comida ordi-

naria, en lugar de pan, es la zara tostada o cocida en grano.

La harina para este pan, principalmente lo que el Inca y los de su sangre real habían de comer, la molían y amasaban las vírgenes escogidas, mujeres del Sol, y estas mismas guisaban toda la demás vianda de aquella fiesta; porque el banquete más parecía que lo hacía el Sol a sus hijos que sus hijos a él; y por tanto guisaban las vírgenes, como mujeres que eran del Sol.

Para la demás gente común amasaban el pan y guisaban la comida otra infinidad de mujeres diputadas para esto. Empero, el pan, aunque era para la comunidad, se hacía con atención y cuidado de que a lo menos la harina la tuviesen hecha doncellas porque este pan lo tenían por cosa sagrada, no permitido comerse entre año, sino en solo esta festividad, que era fiesta de sus fiestas.

XXI. ADORABAN AL SOL, IBAN A SU CASA, SACRIFICABAN UN CORDERO

Prevenido lo necesario, el día siguiente, que era el de la fiesta, al amanecer, salía el Inca acompañado de toda su parentela, la cual iba por su orden, conforme a la edad y dignidad de cada uno, a la plaza mayor de la ciudad, que llaman Haucaipata. Allí esperaban a que saliese el Sol y estaban todos descalzos y con grande atención, mirando al oriente, y en asomando el Sol se ponían todos de cuclillas (que entre estos indios es tanto como ponerse de rodillas) para le adorar, y con los brazos abiertos y las manos alzadas y puestas en derecho del rostro, dando besos al aire (que es lo mismo que en España besar su propia mano o la ropa del Príncipe, cuando le reverencian) le adoraban con grandísimo afecto y reconocimiento de tenerle por su Dios y padre natural.

Los curacas, porque no eran de la sangre real, se ponían en otra plaza, pegada a la principal, que llaman Cusipata; hacían al Sol la misma adoración que los Incas. Luego el Rey se ponía en pie, quedando los demás de cuclillas, y tomaba dos grandes vasos de oro, que llaman *aquilla,* llenos del brebaje que ellos beben. Hacía esta ceremonia (como primogénito) en nombre de su padre el Sol, y con el vaso de la mano derecha le convidaba a beber, que era lo que Sol había de hacer, convidando el Inca a todos sus parientes, porque eso del darse a beber unos a otros era la mayor y más ordinaria demostración que ellos tenían del beneplácito del superior para con el inferior y de la amistad de un amigo con el otro.

Hecho el convite del beber, derramaba el vaso de la mano derecha, que era dedicada al Sol, en un tinajón de oro, y del tinajón salía a un caño de muy hermosa cantería, que desde la plaza mayor iba hasta la casa del Sol, como que él se lo tuviese debido. Y del más vaso de la mano izquierda, tomaba el Inca un trago, que era su parte, y luego se repartía lo demás por los demás Incas, dando a cada uno un poco en un vaso pequeño de oro o plata que para lo recibir tenía apercibido, y de poco en poco recebaban el vaso principal que el Inca había tenido, para que aquel licor primero, santificado por mano del Sol o del Inca, o de ambos a dos, comunicase su virtud al que le fuesen echando. De esta bebida bebían todos los de la sangre real, cada uno un trago. A los demás curacas, que estaban en la otra plaza, daban a beber del mismo brebaje que las mujeres del Sol habían hecho, pero no de la santificada, que era solamente para los Incas.

Hecha esta ceremonia, que era como salva de lo que después se había de beber, iban todos por su orden a la casa del Sol, y doscientos pasos antes de llegar a la puerta se descalzaban todos, salvo el Rey, que no se descalzaba hasta la misma puerta del templo. El Inca y los de sus sangre entraban dentro, como hijos naturales, y hacían su adoración a la imagen del Sol. Los curacas, como indignos de tan alto lugar porque no eran hijos, quedaban fuera, en una gran plaza que hoy está ante la puerta del templo.

El Inca ofrecía de su propia mano los vasos de oro en que había hecho la ceremonia; los demás Incas daban sus vasos a los sacerdotes Incas que para servicio del Sol estaban nombrados y dedicados, porque a los no sacerdotes, aunque de la misma sangre del Sol (como a seglares), no les era permitido hacer oficio de sacerdotes. Los sacerdotes, habiendo ofrecido los vasos de los Incas, salían a la puerta a recibir los vasos de los curacas, los cuales llegaban por su antigüedad, como habían sido reducidos al Imperio y quedaban sus vasos, y otras cosas de oro y plata que para presentar al Sol habían traído de sus tierras, como ovejas, corderos, lagartijas, sapos, culebras, zorras, tigres y leones y mucha variedad de aves; en fin, de lo que más abundancia había en sus provincias, todo contrahecho al natural en plata y oro, aunque en pequeña cantidad cada cosa.

Acabada la ofrenda, se volvían a sus plazas por su orden; luego venían los sacerdotes Incas, con gran suma de corderos, ovejas machorras y carneros de todos colores, porque el ganado natural de aquella tierra es de todos colores, como los caballos de España. Todo este ganado era del Sol. Tomaban un cordero negro, que este color fue entre estos indios antepuesto a los demás colores para los sacrificios, porque lo tenían por de mayor deidad, porque decían que la res prieta era en todo prieta, y que la blanca, aunque lo fuese en todo su cuerpo, siempre tenía el hocico prieto, lo cual era defecto, y por tanto era tenida en menos que la prieta. Y por esta razón los Reyes lo más del tiempo vestían de negro, y el de luto de ellos era el vellorí, color pardo que llaman.

Este primer sacrificio del cordero prieto era para catar los agüeros y pronósticos de su fiesta. Porque todas las cosas que hacían de importancia, así para la paz como para la guerra, casi siempre sacrificaban un cordero, para mirar y certificarse por el corazón y pulmones si era acepto al Sol, esto es, si había de ser feliz o no aquèlla jornada de guerra, si habían de tener buena cosecha de frutos aquel año. Para unas cosas tomaban su agüero en un cordero, para otras en un carnero, para otras en una oveja estéril, que, cuando se dijere oveja siempre se ha de entender estéril, porque las parideras nunca las mataban, ni aun para su comer, sino cuando eran ya inútiles para criar.

Tomaban el cordero o carnero y poníanle la cabeza hacia el oriente; no les ataban las manos ni los pies, sino que lo tenían asido tres o cuatro indios, abríanle vivo por el costado izquierdo, por do metían la mano y sacaban el corazón, con los pulmones y todo el gazgorro arrancándolo con la mano y no cortándolo, y había de salir entero desde el paladar.

XXII. LOS AGÜEROS DE SUS
SACRIFICIOS, Y FUEGO
PARA ELLOS

Tenían por felicísimo agüero si los pulmones salían palpitando, no acabados de morir, como ellos decían, y habiendo este buen agüero, aunque hubiese otros en contrario, no hacían caso de ellos. Porque decían que la bondad de este dichoso agüero vencía a la maldad y desdicha de todos los malos. Sacada la asadura, lo hinchaban de un soplo y guardaban el aire dentro, atando el cañón de la asadura o apretando con las manos, y luego miraban las vías por donde el aire entra en los pulmones y las venillas que hay por ellos, a ver si estaban muy hinchados, o poco llenos de aire, porque cuanto más hinchados, tanto más feliz era el agüero. Otras cosas miraban, que no sabré decir cuáles, porque no las noté; de las dichas que acuerdo, que miré en ellos dos veces, que como niño acerté a entrar en ciertos corrales donde indios viejos, aún no bautizados, estaban haciendo este sacrificio, no del Raimi, que cuando yo nací ya era acabado, sino en otros casos particulares en que miraban sus agüeros, y para los mirar sacrificaban los corderos y carneros, como hemos dicho del sacrificio del Raimi; porque cuanto hacían en sus sacrificios particulares era semejanza de lo que hacían en sus fiestas principales.

Tenían por implícito un agüero si la res, mientras le abrían el costado, se levantaba en pie, venciendo de fuerza a los que le tenían asido. Asimismo era mala señal si al arrancar el cañón del asadura se quebraba y no salía todo entero. También era mal pronóstico que los pulmones saliesen rotos o el corazón lastimado; y otras cosas, que, como he dicho, ni las pregunté ni las noté. De éstas me acuerdo porque las oí hablar a los indios que hallé haciendo el sacrificio, preguntándose unos a otros por los buenos o malos agüeros y no se recataban de mí por mi poca edad.

Volviendo a la solemnidad de la fiesta Raimi, decimos que si del sacrificio del cordero no salía próspero el agüero, hacían otro del carnero, y si tampoco salía dichoso, hacían otro de la oveja machorra, y cuando éste salía infeliz, no dejaban de hacer la fiesta, mas era con tristeza y llanto interior, diciendo que el Sol, su padre, estaba enojado contra ellos por alguna falta o descuido, que, sin lo advertir, hubiesen cometido en su servicio.

Temían crueles guerras, esterilidad en los frutos, muerte de sus ganados y otros males semejantes. Empero, cuando los agüeros pronosticaban felicidad, era grandísimo el regocijo que en festejar su Pascua traían, por las esperanzas de los bienes venideros.

Hecho el sacrificio del cordero, traían gran cantidad de corderos, ovejas y carneros para el sacrificio común; y no lo hacían como el pasado, abriéndolos vivos, sino que llanamente los degollaban y desollaban; guardaban la sangre y el corazón de todos ellos y lo ofrecían al Sol, como el del primer cordero: quemábanlo todo hasta que se convertía en ceniza.

El fuego para aquel sacrificio había de ser nuevo, dado de mano del Sol, como ellos decían. Para el cual tomaban un brazalete grande, que llaman *chipana* (a semejanza de otros que comúnmente traían los Incas en la muñeca izquierda), el cual tenía el Sumo Sacerdote; era grande, más que los comunes; tenía por medalla un vaso cóncavo, cómo media naranja, muy bruñido; poníanlo contra el Sol, y a un cierto punto, donde los rayos que del vaso salían daban en junto, ponían un poco de algodón muy carmenado, que no supieron hacer yesca, el cual se encendía en breve espacio, porque es cosa natural. Con este fuego dado así, de mano del Sol, se quemaba el sacrificio y se asaba toda la carne de aquel día. Y del fuego llevaban al templo del Sol y a la casa de las vírgenes, donde lo conservaban todo el año, y

era mal agüero apagárseles, como quiera que fuese. Si la víspera de la fiesta que era cuando se apercibía lo necesario para el sacrificio del día siguiente, no hacía sol para sacar el fuego nuevo, lo sacaban con dos palillos rollizos, delgados como el dedo merguerite y largos de media vara, barrenando uno con otro; los palillos son de color de canela; llaman *uyaca* así a los palillos como al sacar del fuego, que una misma dicción sirve de nombre y verbo. Los indios se sirven de ellos en lugar de eslabón y pedernal, y de camino los llevan para sacar fuego en las dormidas que han de hacer en despoblados, como yo lo vi muchas veces caminando con ellos, y los pastores se valen de ellos para lo mismo.

Tenían por mal agüero sacar el fuego para el sacrificio de la fiesta con aquel instrumento; decían que pues se lo negaba el Sol de su mano, estaba enojado de ellos. Toda la carne de aquel sacrificio asaban en público en las dos plazas, y la repartían por todos los que se habían hallado en la fiesta, así Incas como curacas y la demás gente común, por sus grados. Y a los unos y a los otros se la daban con el pan llamado *zancu;* y éste era el primer plato de su gran fiesta y banquete solemne. Luego traían otra gran variedad de manjares, que comían sin beber entre comida, porque fue costumbre universal de los indios del Perú no beber mientras comían.

De lo que hemos dicho puede haber nacido lo que algunos españoles han querido afirmar, que comulgaban estos Incas y sus vasallos como los cristianos. Lo que entre ellos había hemos contado llanamente; aséméjalo cada uno a su gusto.

Pasada la comida, les traían de beber en grandísima abundancia, que éste que era uno de los vicios más notables que estos indios tenían, aunque ya el día de hoy, por la misericordia de Dios y por el buen ejemplo que los españoles en este particular les han dado, no hay indio que se emborrache; sino que lo vituperan y abominan por grande infamia, que si en todo vicio hubiera sido el ejemplo tal, hubieran sido apostólicos predicadores del Evangelio.

XXIII. BRÍNDANSE UNO A OTROS, Y CON QUÉ ORDEN

El Inca, sentado en su silla de oro macizo, puesta sobre un tablón de lo mismo, enviaba a los parientes llamados Hanan Cuzco y Hurin Cuzco a que en su nombre fuesen a brindar a los indios más señalados que de las otras naciones había. Convidaban primero a los capitanes que habían sido valerosos en la guerra, que estos tales, aunque no fuesen señores de vasallos, eran por su valerosidad preferidos a los curacas; pero si el curaca, juntamente con ser señor de vasallos, había sido capitán en la guerra, le hacían honra por el un título y por el otro. Luego, en segundo lugar, mandaba el Inca convidar a beber a los curacas de la redondez del Cuzco, que eran todos los que el primer Inca Manco Cápac redujo a su servicio; los cuales, por el privilegio tan favorable que aquel Príncipe les dio del nombre Inca, eran tenidos por tales y estimados en el primer grado, después de los Incas de la sangre real, y preferidos a todas las demás naciones; porque aquellos Reyes nunca jamás imaginaron disminuir, en todo ni en parte, privilegio a merced alguna que en común o en particular sus pasados hubiesen hecho a sus vasallos; antes las iban confirmando y aumentando de más en más.

Para este brindarse que unos a otros se hacían, es de saber que todos estos indios generalmente (cada uno en su tanto) tuvieron y hoy tienen los vasos para beber todos hermanados, de dos en dos: o sean grandes o chicos, han de ser de un tamaño, de una misma hechura, de un mismo metal, de oro o plata o de madera. Y esto hacían porque hubiese igualdad en lo que se bebiese. El que convidaba a beber. llevaba sus dos vasos en las manos, y si el convidado era de menor calidad la daba el vaso de la mano izquierda, y si de mayor o igual, el de la derecha, con más o menos comedimiento conforme al grado o calidad del uno y del otro, y luego bebían ambos a la par, y habiendo vuelto a recibir su vaso, se volvían a su lugar y siempre en semejantes fiestas el primer convite era del mayor al menor, en señal de merced y favor que el superior hacía al inferior. Dende a poco iba el inferior a convidar al superior, en reconocimiento de su vasallaje y servitud.

Guardando esta común costumbre, enviaba el Inca a convidar primero a sus vasallos por el orden que hemos dicho, prefiriendo en cada nación a los capitanes de los que no lo eran. Los Incas que llevaban la bebida decían al convidado: "El Zapa Inca te envía a convidar a beber, y yo vengo en su nombre a beber contigo". El capitán o curaca tomaba el vaso con gran reverencia y alzaba los ojos al Sol, como dándole gracias por aquella no merecida merced que su hijo le hacía, y habiendo bebido volvía el vaso al Inca, sin hablar palabra más de con ademanes y muestras de adoración con las manos y los labios, dando besos al aire.

Y es de advertir que el Inca no enviaba a convidar a beber a todos los curacas en general (aunque a los capitanes sí), sino a algunos en particular, que eran más bienquistos de sus vasallos, más amigos del bien común; porque éste fue el blanco a que ellos tiraban, así el Inca como los curacas y los ministros de paz y de guerra. A los demás curacas convidaban a beber los mismos Incas, que llevaban los vasos en su propio nombre, y no en nombre del Inca, que les bastaba y lo tenían a muy buena dicha porque era Inca, ·hijo del Sol, también como su Rey.

Hecho el primer convite del beber, dende a poco espacio los capitanes y curacas de todas naciones volvían a convidar por el mismo orden que habían sido convidados los unos al mismo Inca y los otros a los otros Incas, cada uno al que le había bebido. Al Inca llegaban sin hablar, no más de con la adoración que hemos dicho. Él los recibía con grande afabilidad y tomaba los vasos que le daban, y porque no podía ni le era lícito beberlos todos, acometía llegarlos a la boca: de algunos bebía un poco, tomando de unos más y de otros menos, conforme a la merced y favor que a sus dueños les quería hacer, según el mérito y calidad de ellos. Y a los criados que cabe sí tenía, que eran todos Incas del privilegio, mandaba bebiesen por él con aquellos capitanes y curacas; los cuales, habiendo bebido, les volvían sus vasos.

Estos vasos, porque el Zapa Inca los había tocado con la mano y con los labios, los tenían los curacas en grandísima veneración, como a cosa sagrada; no bebían en ellos ni los tocaban, sino que los ponían como a ídolos, donde los adoraban en memoria y reverencia de su Inca, que les había tocado; que cierto, llegando a este punto, ningún encarecimiento basta a poder decir suficientemente el amor y veneración interior y exterior que estos indios a sus Reyes tenían.

Hecho el retorno y cambio de la bebida, se volvían todos a sus puestos. Luego salían las danzas, cantares y bailes de diversas maneras, con las divisas, blasones, máscaras e invenciones que cada nación traía. Y entre tanto que cantaban y bailaban, no cesaba el beber, convidándose unos Incas a otros, unos capitanes y curacas a otros, conforme a sus particulares amistades y a la vecindad de sus tierras y otros respectos que entre ellos hubiese.

Nueve días duraba el celebrar la fiesta Raimi, con la abundancia del comer y beber que se ha dicho y con la fiesta y regocijo que cada uno podía mostrar; pero los sacrificios para tomar los agüeros no los hacían más del primer día. Pasados los nueve, se volvían los curacas a sus tierras, con licencia de su Rey, muy alegres y contentos de haber celebrado la fiesta principal de su Dios el Sol. Cuando el Rey andaba ocupado en las guerras o visitando sus reinos, hacía la fiesta donde le tomaba el día de la fiesta, mas no era con la solemnidad que en el Cuzco; en la cual tenía cuidado de hacerla el gobernador Inca y el Sumo Sacerdote y los demás Incas de la sangre real, y entonces acudían los curacas o los embajadores de las provincias, cada cual a la fiesta que más cerca les caía.

XXIV. ARMABAN CABALLEROS A LOS INCAS, Y CÓMO LOS EXAMINABAN

Este nombre *huaracu* es de la lengua general del Perú: suena tanto como en castellano armar caballero, porque era dar insignias de varón a los mozos de la sangre real y habilitarlos, así para ir a la guerra como para tomar estado. Sin las cuales insignias no eran capaces ni para lo uno ni para lo otro, que, como dicen los libros de caballerías, eran donceles que no podían vestir armas. Para darles estas insignias, que las diremos adelante, pasaban los mozos que se disponían a recibirlas por un noviciado rigurosísimo, que era ser examinados en todos los trabajos y necesidades que en la guerra se les podía ofrecer, así en próspera como en adversa fortuna, y para que nos demos mejor a entender, será bien vamos desmiembrando esta fiesta y solemnidad, recitándola a pedazos, que, cierto, para gente tan bárbara tiene muchas cosas de policía y admiración, encaminadas a la milicia. Es de saber que era fiesta de mucho regocijo para la gente común y de grande honra y majestad para los Incas, así viejos como mozos, para los ya aprobados y para los que entonces se aprobaban. Porque la honra o infamia que de esta aprobación los novicios sacaban, participaba toda la parentela, y como la de los Incas fuese toda una familia, principalmente la de los legítimos y limpios en sangre real, corría por todos ellos el bien o mal que cada uno pasaba, aunque más en particular por los más propincuos.

Cada año o cada dos años, o más o menos, como había la disposición, admitían los mozos Incas (que siempre se ha de entender de ellos y no de otros, aunque fuesen hijos de grandes señores) a la aprobación militar: habían de ser de dieciséis años arriba. Metíanlos en una casa que para estos ejercicios tenían hecha en el barrio llamado Collcampata, que aún yo la alcancé en pie y vi en ella alguna parte de estas fiestas, que más propiamente se pudieran decir sombras de las pasadas que realidad y grandeza de ellas. En esta casa había Incas viejos, experimentados en paz y en guerra, que eran maestros de los novicios, que los examinaban en las cosas que diremos y en otras que la memoria ha perdido. Hacíanles ayunar seis días un ayuno muy riguroso, porque no les daban más de sendos puñados de *zara* cruda, que es su trigo, y un jarro de agua simple, sin otra cosa alguna, ni sal, ni *uchu*, que es lo que en España llaman pimiento de las Indias, cuyo condimento enriquece y saborea cualquiera pobre y mala comida que sea, aunque no sea sino de yerbas, y por esto se lo quitaban a los novicios.

No se permitía ayunar más de tres días este ayuno riguroso; empero, doblábanselo a los noveles, porque era aprobación y querían ver si eran hombres para sufrir cualquiera sed o hambre que en la guerra se les ofreciese. Otro ayuno menos riguroso ayunaban los padres y hermanos y los parientes más cercanos de los noveles, con grandísima observancia, rogando todos a su padre el Sol diese fuerzas y ánimo a aquellos sus hijos para que saliesen con honra aprobados de aquellos ejercicios. Al que en este ayuno se mostraba flaco y debilitado o pedía más comida, lo reprobaban y echan del noviciado.

Pasado el ayuno, habiéndolos confortado con alguna más vianda, los examinaban en la ligereza de sus personas, para lo cual les hacían correr desde el cerro llamado Huanacuri (que ellos tenían por sagrado hasta la fortaleza de la misma ciudad), que debe de haber casi legua y media, donde les tenían puesta una señal, como pendón o bandera, y el primero que llegaba quedaba elegido por capitán de todos los demás. También quedaban con grande honra el segundo, tercero y cuarto, hasta el décimo de los primeros y más ligeros; y por el semejante quedaban notados de infamia y reprobados los que se desalentaban y desmayaban en la carrera. En la cual se ponían a trechos los padres y parientes a esforzar los que corrían, poniéndoles delante la honra y la infamia, diciéndoles que eligiesen por menos mal reventar, antes que desmayar en la carrera.

Otro día los dividían en dos números iguales: a los unos mandaban quedar en la fortaleza y a los otros salir fuera, y que peleasen unos contra otros, unos para ganar el fuerte y otros por defenderle. Y habiendo combatido de esta manera todo aquel día, los trocaban el siguiente, que los que habían sido defensores fuesen ofensores, para que de todas maneras mostrasen la agilidad y habilidad que en ofender o defender las plazas fuertes les convenía tener. En estas peleas, aunque, les templaban las armas para que no fuesen tan rigurosas como en las veras, había muy buenas heridas, y algunas veces muertes, porque la codicia de la victoria los encendía hasta matarse.

XXV. HABÍAN DE SABER HACER SUS ARMAS Y EL CALZADO

Pasados estos ejercicios en común, les hacían luchar unos con otros, los más iguales en edad, y que saltasen y tirasen una piedra chica o grande y una lanza y un dardo y cualquiera otra arma arrojadiza. Hacíanles tirar al terrero con arcos y flechas, para ver la destreza que tenían en la puntería y uso de estas armas. También les hacían tirar a tira más tira, para prueba de la fortaleza y ejercicio de sus brazos. Lo mismo les hacían hacer con las hondas, mandándoles tirar a puntería y a lo largo. Sin estas armas, los examinaban en todas las demás que ellos usaban en la guerra, para ver la destreza que en ellas tenían. Hacíanles velar en veces diez o doce noches puestos como centinelas, para experimentar si eran hombres que resistían la fuerza del sueño: requeríanlos a sus horas inciertas, y al que hallaban durmiendo reprobaban

con grande ignominia, diciéndole que era niño para recibir insignias militares de honra y majestad. Heríanlos ásperamente con varas de mimbre y otros renuevos en los brazos y piernas, que los indios del Perú en su hábito común traen descubiertas, para ver qué semblante mostraban a los golpes; y si hacían sentimiento de dolor con el rostro o con encoger tanto cuanto las piernas o brazos, lo repudiaban diciendo que quien no era para sufrir golpes de varas tan tiernas, menos sufriría los golpes y heridas de las armas duras de sus enemigos. Habían de estar como insensibles.

Otras veces los ponían hechos calle, y en ella entraba un capitán maestro de armas con un arma a manera de montante, o digamos porra, porque le es más semejante, que se juega a dos manos, que los indios llaman *macana*; otras veces con una pica, que llaman *chuqui*, y con cualquiera de estas armas jugaba diestrísimamente entre los noveles y les pasaba los botes por delante de los ojos, como que se los quisiese sacar, o por las piernas, como para las quebrar, y si por desgracia hacían algún semblante de temor, palpitando los ojos o retrayendo la pierna, los echaban de la aprobación, diciendo que quien temía los ademanes de las armas que sabían que no les habían de herir, mucho más temerían las de los enemigos, pues eran ciertos que se las tiraban para matarlos; por lo cual les convenía estar sin moverse, como rocas combatidas del mar y del viento.

Sin lo dicho, habían de saber hacer de su mano todas las armas ofensivas que en la guerra hubiesen menester, a lo menos las más comunes y las que no tienen necesidad de herrería, como un arco y flecha; una tiradera que se podrá llamar bohordo, porque se tira con amiento de palo o de cordel; una lanza, la punta aguzada en lugar de hierro; una honda de cáñamo o esparto, que a necesidad se sirven y aprovechan de todo. De armas defensivas no usaron de ningunas; sino fueron rodelas o paveses, que ellos llaman *huallcanca*. Estas rodelas habían de saber hacer también de lo que pudiesen haber. Habían de saber hacer el calzado que ellos traen, que llaman *usuta*, que es de una suela de cuero o de esparto o de cáñamo, como las suelas de las alpargatas que en España hacen; no les supieron dar capellada, empero atan las suelas al pie con unos cordeles del mismo cáñamo o lana, que por abreviar diremos que son a semejanza de los zapatos abiertos que los religiosos de San Francisco traen.

Los cordeles para este calzado hacen de lana torcida con un palillo; la lana tienen al torcer en la una mano y el palillo en la otra, y con media braza de cordel tienen harto para el un pie. Es grueso como el dedo merguerite porque, cuanto más grueso, menos ofende el pie. A esta manera de torcer un cordel, y para el efecto que vamos contando, dice un historiador de las Indias, hablando de los Incas, que hilaban, sin decir cómo ni para qué. Podrásele perdonar esta falsa relación que le hicieron, con otras muchas que así en perjuicio de los indios como de los españoles recibió sin culpa suya, porque escribió de lejos y por relaciones varias y diversas, compuestas conforme al interés y pretensión de los que las daban. Por lo cual sea regla general que en toda la gentilidad no ha habido gente más varonil, que tanto se haya preciado de cosas de hombres, como los Incas, ni que tanto aborreciesen las cosas mujeriles; porque, cierto, todos ellos generalmente fueron magnánimos y aspiraron a las cosas más altas de las que manejaron; porque se preciaban de hijos del Sol, y este blasón levantaba a ser heroicos.

Llaman a esta manera de torcer lana *mílluy*. Es verbo que solo, sin más dicciones, significa torcer lana con palillo para cordel de calzado o para sogar de cargar, que también las hacían de lana, y porque este oficio era de hombres no usaban de este verbo las mujeres en su lenguaje, porque era hacerse hombres. Al hilar de las mujeres dicen *buhca*: es verbo; quiere decir hilar con huso para tejer; también significa el huso. Y porque este oficio era propio de las mujeres, no usaban del verbo *buhca* los hombres, porque era hacerse mujeres. Y esta manera de hablar usan mucho en aquel lenguaje, como adelante notaremos en otros verbos y nombres que los curiosos holgarán ver. De manera que los españoles que escriben en España historias del Perú, no alcanzando estas propiedades del lenguaje, y los que las escriben en el Perú, no dándoseles nada por ellas, no es mucho que las interpreten conforme a su lengua española y que levanten falsos testimonios a los Incas sin quererlo hacer. Volviendo a nuestro cuento, decimos que los noveles habían de saber hacer las armas y el calzado que en la guerra, en tiempo de necesidad, hubiesen menester. Todo lo cual les pedían para que en la necesidad forzosa de cualquiera acaecimiento no se hallasen desamparados, sino que tuviesen habilidad y maña para poderse valer por sí.

XXVI. ENTRABA EL PRÍNCIPE EN LA APROBACIÓN; TRATÁBANLE CON MÁS RIGOR QUE A LOS DEMÁS

Hacíales un parlamento cada día uno de los capitanes y maestros de aquellas ceremonias. Traíales a la memoria la descendencia del Sol, las hazañas hechas así en paz como en guerra por sus Reyes pasados y por otros famosos varones de la misma sangre real; el ánimo y esfuerzo que debían tener en las guerras para aumentar su Imperio; la paciencia y sufrimiento en los trabajos, para mostrar su ánimo y generosidad; la clemencia, piedad y mansedumbre con los pobres y súbditos; la rectitud en la justicia, el no consentir que se hiciese agravio a nadie; la liberalidad y magnificencia, para con todos, como hijos que eran del Sol. En suma, les persuadía a todos lo que en su moral filosofía alcanzaron que convenía a gente que se preciaba de ser divina y haber descendido del cielo. Hacíanles dormir en el suelo, comer poco y mal, andar descalzos y todo lo demás perteneciente a la guerra para ser buenos soldados en ella.

En esta aprobación entraba también el primogénito Inca, legítimo heredero del Imperio, cuando era de edad para poder hacer los ejercicios, y es de saber que en todos ellos lo examinaban con el mismo rigor que a los demás, sin que la alteza de tan gran principado le eximiese de trabajo alguno, si no era del pendón que ganaba el más ligero en la carrera para ser capitán; que se lo daban al príncipe, porque decían que era suyo, juntamente con la herencia del reino. En todos los demás ejercicios, así de ayuno como de las disciplinas militares y saber hacer las armas necesarias y el calzado para sí y dormir en el suelo y comer mal y andar descalzo, en ninguna cosa de éstas era privilegiado; antes, si podía ser, lo llevaban por más rigor que a los demás, y decían a esto que, habiendo de ser Rey, era justo que, en cualquiera cosa que hubiese de hacer, hiciese ventaja a todos los demás, como la hacía en el estado y alteza de señorío; porque si viniesen a igual fortuna, no era decente a la persona real ser para menos que otro, sino que en la prosperidad y adversidad se aventajase de todos, así en los dotes del ánimo como en las cosas agibles, principalmente en las de la guerra.

Por las cuales excelencias, decían ellos, merecía reinar mejor que por ser primogénito de su padre. Decían también que era muy necesario que los Reyes y príncipes experimentasen los trabajos de la guerra para que supiesen estimar, honrar y gratificar a los que en ella los sirviesen. Todo el tiempo que duraba el noviciado, que era de una luna nueva a otra, andaba el príncipe vestido del más pobre y vil hábito que se podía imaginar, hecho de andrajos vilísimos, y con él aparecía en público todas las veces que era menester. Afirmaba a esto que le ponían aquel hábito para que adelante, cuando se viese poderoso Rey, no menospreciase los pobres, sino que se acordase haber sido uno de ellos y traído su divisa, y por ende fuese amigo de ellos y les hiciese caridad, para merecer el nombre Huachacúyac que a sus Reyes daban, que quiere decir amador y bienhechor de pobres. Hecho el examen, los calificaban y daban por dignos de las insignias de Inca y los nombraban verdaderos Incas, hijos del Sol. Luego venían las madres y hermanas de los donceles y les calzaban usutas de esparto crudo, en testimonio de que habían hollado y pasado por la aspereza de los ejercicios militares.

XXVII. EL INCA DABA LA PRINCIPAL INSIGNIA Y UN PARIENTE LAS DEMÁS

Hecha esta ceremonia, daban aviso al Rey, el cual venía acompañado de los más ancianos de su real sangre, y, puesto delante de los noveles, les hacía una breve plática, diciéndoles que no se contentasen con las insignias de caballeros de la sangre real para las traer solamente y ser honrados, sino que con ellas, usando de las virtudes que sus antepasados habían tenido, particularmente de la justicia para con todos y de la misericordia para con los pobres y flacos, se mostrasen verdaderos hijos del Sol, a quien, como a su padre, debían asemejar en el resplandor de sus obras, en el beneficio común de los vasallos, pues para les hacer bien los había enviado del cielo a la Tierra. Pasada la plática, llegaban los noveles uno a uno ante el Rey, y, puestos de rodillas, recibían de su mano la primera y principal insignia, que era el horadar las orejas, insignia real y de suprema alteza. Horadábaselas el mismo Inca, por el lugar donde se traen comúnmente los zarcillos, y era con alfileres gruesos de oro, y dejábaselos puestos para que mediante ellos las curasen como las agrandan, en increíble grandeza.

El novel besaba la mano al Inca, en testimonio de (como ellos decían) mano que tal merced hacía merecía ser besada. Luego pasaba adelante y se ponía en pie delante de otro Inca, hermano o tío del Rey, segundo en autoridad a la persona real. El cual le descalzaba las usutas de esparto crudo, en testimonio de que ya era pasado el rigor de examen, y le calzaba otras de lana, muy galanas como las que el Rey y los demás Incas traían. La cual ceremonia era como el calzar las espuelas en España cuando les dan el hábito a los caballeros de las órdenes militares. Y después de habérselas calzado, le besaba en el hombro derecho, diciendo: "El hijo del Sol, que tal prueba ha dado de sí, merece ser adorado", que el verbo besar significa también adorar, reverenciar y hacer cortesía. Hecha esta ceremonia, entraba el novel en un cercado de paramentos, donde otros Incas ancianos le ponían los pañetes, insignia de va-

rón, que hasta entonces les era prohibido el traerlos. Los pañetes eran hechos a manera de un paño de cabeza, de tres puntas; las dos de ellas iban a la larga, cosidas a un cordón, grueso como el dedo, que ceñían al cuerpo y lo ataban atrás, en derecho de los riñones, y quedaba el paño delante de las vergüenzas. La otra punta del paño ataban atrás al mismo cordón, pasándola por entre los muslos, de manera que, aunque se quitasen los vestidos, quedaban bastante y honestamente cubiertos.

La insignia principal era el horadar las orejas, porque era insignia real, y la segunda era poner los pañetes, que era insignia de varón. El calzado mas era ceremonia que por vía de regalo se les hacía como a gente trabajada, que no cosa esencial de honra ni calidad. Este nombre *huaracu*, que en sí significa y contiene todo lo que de esta solemne fiesta hemos dicho, se deduce de este nombre *huara*, que es pañete, porque al varón que merecía ponérselo le pertenecían todas las demás insignias, honras y dignidades que entonces y después, en paz y en guerra, se le podían dar. Sin las insignias dichas, ponían en las cabezas, a los noveles, ramilletes de dos maneras de flores, unas que llaman *cántut*, que son hermosísimas de forma y color, que unas son amarillas, otras moradas y otras coloradas, y cada color de por sí en extremo fino. La otra manera de flor llaman *chihuaihua;* es amarilla; asemeja en el talle a las clavellinas de España. Estas dos maneras de flores no las podían traer la gente común, ni los curacas, por grandes señores que fuesen, sino solamente los de la sangre real. También les ponían en la cabeza una hoja de yerba que llaman *uíñay huaina,* que quiere decir siempre mozo; es verde, asemeja a la hoja del lirio: conserva mucho tiempo su verdor, y, aunque se seque, nunca lo pierde, y por esto le llaman así.

Al príncipe heredero daban las mismas flores y hojas de yerba y todas las demás insignias que a los demás Incas noveles porque, como hemos dicho, en ninguna cosa se diferenciaba de ellos, salvo en una borla que le ponían sobre la frente, que le tomaba de una sien a otra, la cual tenía como cuatro dedos de caída. No era redonda, como entienden los españoles por este nombre borla, sino prolongada a manera de rapacejo. Era de lana, porque estos indios no tuvieron seda, y de color amarillo. Esta divisa era solamente del príncipe heredero, y no la podía traer otro alguno aunque fuese hermano suyo, ni el mismo príncipe hasta haber pasado por el examen y aprobación.

Por última divisa real daban al príncipe un hacha de armas, que llaman *champi*, con un asta de más de una braza en largo. El hierro tenía una cuchilla de la una parte y una punta de diamante de la otra, que para ser partesana no le faltaba más de la punta que la partesana tiene por delante. Al ponérsela en la mano, le decían: *Aucacunápac*. Es dativo del número plural; quiere decir: para los tiranos, para los traidores, crueles, alevosos, fementidos, etcétera, que todo esto y mucho más significa el nombre *auca*. Querían decirle en sola esta palabra, conforme al frasis de aquel lenguaje, que le daban aquella arma en señal y divisa de que había de tener mucho cuidado de castigar a los tales; porque las demás divisas, de las flores lindas y olorosas, le decían que significaban su clemencia, piedad y mansedumbre y los demás ornamentos reales que debía tener para su padre el Sol criaba aquellas flores por los campos, para el contento y regalo de los hombres, así

críase el príncipe aquellas virtudes en su ánimo y corazón, para hacer bien a todos, para que dignamente le llamasen amador y bienhechor de pobres. Y su nombre y fama viviesen para siempre en el mundo.

Habiéndole dicho estas razones, delante de su padre, los ministros de la caballería, venían los tíos y hermanos del príncipe y todos los de su sangre real, y puestos de rodillas, a la usanza de ellos, le adoraban por primogénito de su Inca. La cual ceremonia era como jurarle por príncipe heredero y sucesor del Imperio, y entonces le ponían la borla amarilla. Con esto acababan los Incas su fiesta solemne del armar caballeros a sus noveles.

XXVIII. DIVISAS DE LOS REYES Y DE LOS DEMÁS INCAS, Y LOS MAESTROS DE LOS NOVELES

El Rey traía esta misma borla; empero, era colorada. Sin la borla colorada, traía el Inca en la cabeza otra divisa más particular suya, y eran dos plumas de los cuchillos de las alas de un ave que llaman *corequenque*. Es nombre propio; en la lengua general no tiene significación de cosa alguna; en la particular de los Incas, que se ha perdido, la debía de tener. Las plumas son blancas y negras, a pedazos; son del tamaño de las de un halcón baharí prima; y habían de ser hermanas, una de la un ala y otra de la otra. Yo se las vi puestas al Inca Sairi Túpac. Las aves que tienen estas plumas se hallan en el despoblado de Uillcanuta, treinta y dos leguas de la ciudad del Cuzco, en una laguna pequeña que allí hay, al pie de aquella inaccesible sierra nevada; los que las han visto afirman que no se ven más de dos, macho y hembra; que sean siempre unas, ni de dónde vengan ni dónde críen, no se sabe, ni se han visto otras en todo el Perú más de aquéllas, según dicen los indios, con haber en aquella tierra otras muchas sierras nevadas y despoblados y lagunas grandes y chicas como la de Uillcanuta. Parece que semeja esto a lo del ave fénix, aunque no sé quién la haya visto como han visto estas otras.

Por no haberse hallado más de estas dos ni haber noticia, según dicen, que haya otras en el mundo, traían los Reyes Incas sus plumas y las estimaban en tanto, que no las podía traer otro en ninguna manera, ni aun el príncipe heredero; porque decían que estas aves, por su singularidad, semejaban a los primeros Incas, sus padres, que no fueron más de dos, hombre y mujer venidos del cielo, como ellos decían, y por conservar la memoria de sus primeros padres traían por principal divisa las plumas de estas aves, teniéndolas por cosa sagrada. Tengo para mí que hay otras muchas aves de aquéllas, que no es posible tanta singularidad; baste la del fénix, sino que ellas deben de andar apareadas a solas; como se ha dicho, y los indios, por la semejanza de sus primeros Reyes, dirán lo que dicen. Basta que las plumas del corequenque fueron tan estimadas como se ha visto. Dícenme que ahora, en estos tiempos, las traen muchos indios diciendo que son descendientes de la sangre real de los Incas; y los más burlan, que ya aquella sangre se ha consumido casi del todo. Mas el ejemplo extranjero con el cual han confundido las divisas que en las cabezas traían, por las cuales eran conocidos, les ha dado atrevimiento a esto y a mucho más, que todos se hacen ya Incas y Pallas.

Traían las plumas sobre la borla colorada, las puntas hacia arriba, algo apartadas la una de la otra y juntas del nacimiento. Para haber estas plumas cazaban las aves con la mayor suavidad que podían, y, quitadas las dos plumas, las volvían a soltar, y para cada nuevo Inca que heredaba el reino las volvían a prender y quitar las plumas, porque nunca el heredero tomaba las mismas insignias reales del padre sino otras semejantes; porque al Rey difunto lo embalsamaban y ponían donde hubiese de estar, con las mismas insignias imperiales que en vida traía. Esta es la majestad del ave corequenque y la veneración y estima en que los Reyes Incas a sus plumas tenían. Esta noticia, aunque es de poca o ninguna importancia a los de España, me pareció ponerla por haber sido cosas de los Reyes pasados.

Volviendo a nuestros noveles, decimos que, recibidas las insignias, los sacaban con ellas a la plaza principal de la ciudad, donde, en general por muchos días, con cantos y bailes, solemnizaban su victoria, lo mismo se hacía en particular en las casas de sus padres, donde se juntaban los parientes más cercanos a festejar el triunfo de sus noveles. Cuyos maestros, para los ejercicios y saber hacer las armas y el calzado, habían sido sus mismos padres. Los cuales, pasada la tierna edad del niño, los industriaban y ejercitaban en todas las cosas necesarias para ser aprobados, quitándoles el regalo y trocándoselo en trabajo y ejercicio militar, para que, cuando llegasen a ser hombres, fuesen los que debían ser, en paz y en guerra.

XXIX. RÍNDESE CHUQUIMANCU, SEÑOR DE CUATRO VALLES

Volviendo a la vida y conquistas del Inca Pachacútec, es de saber que su hermano, el general Cápac Yupanqui, habiendo hecho la conquista y sujetado al gran curaca Chincha, envió a pedir, como atrás dijimos, nuevo ejército al Rey su hermano, para conquistar los valles que adelante había. El cual se lo envió con grandes ministros y mucha munición de armas y bastimento, conforme a la calidad y grandeza de la empresa que se había de hacer. Llegado el nuevo ejército, con el cual volvió el príncipe Inca Yupanqui, que gustaba mucho de ejercitarse en la guerra, salió el general de Chincha y fue al hermoso valle de Runahuánac, que quiere decir escarmienta gentes; llamáronle así por un río que pasa por el valle, el cual, por ser muy raudo y caudaloso y haberse ahogado en él mucha gente, cobró este bravo nombre. Hanse ahogado allí muchos, que, por no rodear una legua que hay hasta una puente que está encima del vado, se atreven al río, confiados que, como lo pasan de verano, así lo pasarán de invierno, y perecen miserablemente. El nombre del río es compuesto de este nombre *runa*, que quiere decir gente, y de este verbo *huana*, que significa escarmentar, y con la *c* final hace participio de presente, y quiere decir el que hace escarmentar, y ambas dicciones juntas dicen el que hace escarmentar las gentes.

Los historiadores españoles llaman a este valle y a su río Lunaguana, corrompiendo el nombre en tres letras, como se ve; uno de ellos dice que se dedujo este nombre de *guano*, que es estiércol, porque dice que en aquel valle se aprovechan mucho de él para sus sembrados. El nombre *guano* se ha de escribir *huano*, porque, como al principio dijimos, no tiene letra *g* aquella lengua general del Perú: quiere decir estiércol y *huana* es verbo y quiere decir escarmentar. De este paso y de otros muchos que apuntaremos, se puede sacar lo mal que entienden los españoles aquel lenguaje; y aun los mestizos, mis compatriotas, se van ya tras ellos en

la pronunciación y en el escribir, que casi todas las dicciones que me escriben de esta mi lengua y suya vienen españolizadas como las escriben y hablan los españoles, y yo les he reñido sobre ello, y no me aprovecha, por el común uso de corromperse las lenguas con el imperio y comunicación de diversas naciones.

En aquellos tiempos fue muy poblado aquel valle Runahuánac y otro que está al norte de él, llamado Huarcu, el cual tuvo más de treinta mil vecinos, y lo mismo fue Chincha, y otros que están al norte y al sur de ellos; ahora, en estos tiempos, el que más tiene no tiene dos mil vecinos, y alguno hay tan desierto que no tiene ninguno, y está poblado de españoles.

Diciendo de la conquista de los yuncas es de saber que el valle de Runahuánac y otros tres que están al norte de él, llamados Huarcu, Malla, Chillca, eran todos cuatro de un señor llamado Chuquimancu, el cual se trataba como Rey y presumía que todos los de su comarca le temiesen y reconociesen ventaja, aunque no fuesen sus vasallos. El cual, sabiendo que los Incas iban a su reino, que así llamaremos por la presunción de su curaca, juntó la más gente que pudo y salió a defenderles el paso del río; hubo algunos reencuentros, en que murieron muchos de ambas partes, mas al fin los Incas, por ir apercibidos de muchas balsas chicas y grandes, ganaron el paso del río, en el cual los Yuncas no hicieron toda la defensa que pudieran, porque el Rey Chuquimancu pretendía hacer la guerra en el valle Huarcu, por parecerle que era sitio más fuerte y porque no sabía del arte militar lo que le convenía; por ende, no hizo la resistencia que pudo hacer en Runahuánac, en lo cual se engañó, como adelante veremos. Los Incas alojaron su ejército, y en menos de un mes ganaron todo aquel hermoso valle por el mal consejo de Chuquimancu.

El Inca dejó gente de guarnición en Runahuánac que recibiese el bastimento que le trajesen y le asegurase las espaldas. Y pasó adelante, al Huarcu, donde fue la guerra muy cruel, porque Chuquimancu, habiendo recogido todo su poder en aquel valle, tenía veinte mil hombres de guerra y pretendía no perder su reputación y así ejercitaba todas sus fuerzas, con mañas y astucias, cuantas podía usar contra sus enemigos. Por otra parte, los Incas hacían por resistir y vencer, sin matarlos. En esta porfía anduvieron más de ocho meses y se dieron batallas sangrientas, y duraron los Yuncas tanto en su obstinación, que el Inca remudó el ejército tres veces, y aun otros dicen que cuatro; y para dar a entender a los Yuncas que no se había de ir de aquel puesto hasta vencerlos, y que sus soldados estaban tan a su placer como si estuvieran en la corte, llamaron Cuzco al sitio donde tenían el real, y a los cuarteles del ejército pusieron los nombres de los barrios más principales de la ciudad. Por este nombre que los Incas dieron al sitio de su real, dice Pedro Cieza de León, capítulo setenta y tres, que, viendo los Incas la pertinacia de los enemigos, fundaron otra ciudad como el Cuzco, y que duró la guerra más de cuatro años. Dícelo de relación de los mismos Yuncas, como él afirma, los cuales se la dieron aumentada, por engrandecer las hazañas que en su defensa hicieron, que no fueron pocas. Pero los cuatro años fueron los cuatro ejércitos que los Incas remudaron, y la ciudad fue nombre que dieron al sitio donde estaban, y de lo uno ni de lo otro no hubo más de lo que se ha dicho.

Los Yuncas, al cabo de este largo tiempo, empezaron a sentir hambre muy cruel, que es la que doma y ablanda los más valientes, duros y obstinados. Sin la hambre, había días que los naturales de Runahuánac importunaban a su Rey Chuquimancu se rindiese a los Incas, pues no podía resistirles, y que fuese antes que los Incas, por su pertinacia, enajenasen sus casas y heredades, y se las diesen a los vecinos naturales de Chincha, sus enemigos antiguos. Y con este miedo, cuando vieron que su Rey no acudió a su petición, dieron en huirse y volverse a sus casas, llevando nuevas al Inca del estado en que estaban las fuerzas y poder de sus enemigos y cómo padecían mucha hambre.

Todo lo cual visto y sabido por Chuquimancu, temiendo no le desamparasen todos los suyos y se fuesen al Inca, se inclinó a hacer lo que le pedían (habiendo mostrado ánimo de buen capitán); y consultándolo con los más principales, acordaron entre todos de irse al Inca, sin enviarle embajada, sino ser ellos mismos los embajadores. Con esta determinación salieron todos como habían estado en su consulta y fueron al real de los Incas, y, puestos de rodillas ante ellos, pidieron misericordia y perdón de sus delitos y dijeron que holgaban ser vasallos del Inca, pues el Sol, su padre, mandaba que fuese señor de todo el mundo.

Los Incas, tío y sobrino, los recibieron con mansedumbre y les dijeron que los perdonaban, y con ropa y otras preseas que (según lo acostumbrado) les dieron, los enviaron muy contentos a sus casas.

Los naturales de aquellas cuatro provincias también se jactan, como los de Chincha, que los Incas, con todo su poder, no pudieron sujetarlos en más de cuatro años de guerra, y que fundaron una ciudad y que los vencieron con dádivas y promesas y no con las armas, y lo dicen por los tres o cuatro ejércitos que remudaron, por domarlos con la hambre y hastío de la guerra, y no con el hierro. Otras muchas cosas cuentan acerca de sus hazañas y valentías, mas porque no importan a la historia las dejaremos.

Los Incas tuvieron en mucho haber sujetado al Rey Chuquimancu, y estimaron tanto aquella victoria que, por trofeo de ella y porque quedase perpetua memoria de las hazañas que en aquella guerra hicieron los suyos, y también los Yuncas, que se mostraron valerosos, mandaron hacer en el valle llamado Huarcu una fortaleza, pequeña de sitio, empero grande y maravillosa en la obra. La cual, así por su edificio como por el lugar donde estaba, que la mar batía en ella, merecía que la dejaran vivir lo que pudiera, que, según estaba obrada, viviera por sí muchos siglos sin que la separaran. Cuando yo pasé por allí, el año de sesenta, todavía mostraba lo que fue, para más lastimar a los que la miraban.

XXX. LOS VALLES DE PACHACÁMAC Y RÍMAC Y SUS ÍDOLOS

Sujetado el Rey Chuquimancu y dada orden en el gobierno, leyes y costumbres que él y los suyos habían de guardar, pasaron los Incas a conquistar los valles de Pachacámac, Rímac, Cháncay y Huaman, que los españoles llaman la Barranca, que todos estos seis valles poseía un señor poderoso llamado Cuismancu que también, como. el pasado, presumía llamarse Rey, aunque entre los indios no hay este nombre Rey, sino otro semejante, que es Hatun Apu, que quiere decir el gran señor. Por que no sea menester repetirlo muchas veces, diremos lo que en particular hay que decir del valle de Pachacámac y de otro valle llamado Rímac, al cual los españoles, corrompiendo el nombre, llaman Lima.

Es de saber que, como en otra parte hemos dicho y adelante diremos, y como lo escriben todos los historiadores, los Incas Reyes del Perú, con la lumbre natural que Dios les dio, alcanzaron que había un Hacedor de todas las cosas, al cual llamaron Pachacámac, que quiere decir el hacedor y sustentador del universo. Esta doctrina salió primero de los Incas y se derramó por todos sus reinos, antes y después de conquistados.

Decían que era invisible y que no se dejaba ver y por esto no le hicieron templos ni sacrificios como al Sol, mas de adorarle interiormente con grandísima veneración, según las demostraciones exteriores que con la cabeza, ojos, brazos y cuerpo hacían cuando le nombraban. Esta doctrina, habiéndose derramado por fama, la admitieron todas aquellas naciones, unas después de conquistadas y otras antes; los que más en particular la admitieron antes que los Incas los sujetaran fueron los antecesores de este Rey Cuismancu, los cuales hicieron templo al Pachacámac y dieron el mismo nombre al valle donde lo fundaron, que en aquellos tiempos fue uno de los más principales que hubo en toda aquella costa. En el templo pusieron los Yuncas sus ídolos, que eran figuras de peces, entre las cuales tenían también la figura de la zorra.

Este templo del Pachacámac fue solemnísimo en edificios y servicio, y uno solo en todo el Perú, donde los Yuncas hacían muchos sacrificios de animales y de otras cosas, y algunos eran con sangre humana de hombres, mujeres y niños que mataban en sus mayores fiestas, como lo hacían otras muchas provincias antes que los Incas las conquistaran; y de Pachacámac no diremos aquí más, porque en el discurso de la historia, en su propio lugar, se añadirá lo que resta por decir.

El valle de Rímac está cuatro
leguas al norte de Pachacámac. El
nombre Rímac es participio de presente: quiere decir el que habla.
Llamaron así al valle por un ídolo
que en él hubo en figura de hombre, que hablaba y respondía a lo
que le preguntaban, como el oráculo de Apolo Délfico y otros muchos que hubo en la gentilidad
antigua; y porque hablaba, le llamaban el que habla, y también al
valle donde estaba.

Este ídolo tuvieron los Yuncas
en mucha veneración, y también
los Incas después que ganaron aquel
hermoso valle, donde fundaron los
españoles la ciudad que llaman de
Los Reyes, por haberse fundado el
día de la aparición del Señor, cuando se mostró a la gentilidad. De
manera que Rímac o Lima o la
Ciudad de Los Reyes, todo es una
misma cosa; tiene por armas tres
coronas y una estrella.

Tenían el ídolo en un templo
suntuoso, aunque no tanto como
el de Pachacámac, donde iban y
enviaban sus embajadores los señores del Perú a consultar las cosas
que se les ofrecían de importancia.
Los historiadores españoles confunden el templo de Rímac con el de
Pachacámac y dicen que Pachacámac era el que hablaba, y no hacen mención de Rímac; y este
error, con otros muchos que en
sus historias hay semejantes, nacen
de no saber la propiedad de la
lengua y de no dárseles mucho por
la averiguación de las cosas, y también lo pudo causar la cercanía de
los valles, que no hay más de cuatro leguas pequeñas del uno al otro,
y ser ambos de un mismo señor. Y
esto baste para noticia de lo que
hubo en aquellos valles, y que el
ídolo estuvo en Rímac y no en
Pachacámac, con lo cual volveremos a tratar de la conquista de
ellos.

Antes que el general Cápac Yupanqui llegase con su ejército al

valle Pachacámac, envió, como lo
había de costumbre, sus mensajeros
al Rey Cuismancu, diciendo que
obedeciese al Inca Pachacútec y lo
tuviese por supremo señor, y guardase sus leyes y costumbres y ado-
rase al Sol por principal dios y
echase de sus templos y casas los
ídolos que tenían; donde no, que
se aprestase para la guerra, porque
el Inca le había de sujetar por bien
o por mal, de grado o por fuerza.

XXXI. REQUIEREN A CUISMANCU; SU RESPUESTA Y CAPITULACIONES

El gran señor Cuismancu estaba
apercibido de guerra, porque, como
la hubiese visto en su vecindad,
temiendo que los Incas habían de
ir sobre sus tierras, se había apercibido para las defender. Y así,
rodeado de sus capitanes, y soldados, oyó los mensajeros del Inca
y respondió diciendo que no tenían
sus vasallos necesidad de otro señor,
que para ellos y sus tierras bastaba
él solo, y que las leyes y costumbres que guardaban eran las que
sus antepasados les habían dejado;
que se hallaban bien con ellas; que
no tenían necesidad de otras leyes,
y que no querían repudiar sus dioses, que eran muy principales, porque entre otros adoraban al Pachacámac, que, según habían oído
decir, era el hacedor y sustentador
del universo; que si era verdad, de
fuerza había de ser mayor dios que
el Sol, y que le tenían hecho templo
donde le ofrecían todo lo mejor
que tenían, hasta sacrificarle hombres, mujeres y niños por más le
honrar, y que era tanta la veneración que le tenían, que no osaban
mirarle, y así los sacerdotes y
el Rey entraban en su templo
a le adorar, las espaldas al ídolo, y
también al salir, para quitar la ocasión de alzar los ojos a él, y
que también adoraban al Rímac, que

era un dios que les hablaba y daba las respuestas que le pedían y les decía cosas por venir. Y asimismo adoraban la zorra, por su cautela y astucia, y que al Sol no le habían oído hablar ni sabían que hablase como su dios Rímac; y que también adoraban la Mamacocha, que era la mar, porque los mantenía con su pescado; que les bastaban los dioses que tenían; que no querían otros, y al Sol menos, porque no había menester más calor del que su tierra les daba; que suplicaban al Inca o le requerían los dejase libres, pues no tenían necesidad de su imperio.

Los Incas holgaron mucho saber que los Yuncas tuviesen en tanta veneración al Pachacámac, que ellos adorasen interiormente por sumo dios. Por lo cual propusieron de no les hacer guerra, sino reducirlos por bien, con buenas razones, halagos y promesas, dejando las armas por último remedio, para cuando los regalos no aprovechasen.

Con esta determinación fueron los Incas al valle de Pachacámac. El Rey Cuismancu salió con una muy buena banda de gente, a defender su tierra. El general Cápac Yupanqui le envió a decir que tuviese por bien que no peleasen hasta que hubiesen hablado más largo acerca de sus dioses; porque le hacía saber que los Incas, demás de adorar al Sol, adoraban también al Pachacámac, y que no le hacían templos ni ofrecían sacrificios por no le haber visto ni le conocer ni saber qué cosa fuese. Pero que interiormente, en su corazón, le acataban y tenían en suma veneración, tanto que no osaban tomar su nombre en la boca sino con grandísima adoración y humildad, y que, pues los unos y los otros adoraban a un mismo Dios, no era razón que riñesen ni tuviesen guerra, sino que fuesen amigos y hermanos. Y que los Reyes Incas, demás de adorar al Pacha-

cámac y tenerle por hacedor y sustentador del universo, tendrían de allí adelante por oráculo y cosa sagrada al Rímac, que los Yuncas, adoraban, y que pues los Incas se ofrecían a venerar su ídolo Rímac, que los Yuncas en correspondencia, por vía de hermandad, adorasen y tuviesen por dios al Sol, pues por sus beneficios, hermosura y resplandor, merecía ser adorado, y no la zorra ni otros animales de la tierra ni de la mar. Y que también, por vía de paz y amistad, les pedía que obedeciesen al Inca, su hermano y señor, porque era hijo del Sol, tenido por dios en la tierra. El cual, por su justicia, piedad, clemencia y mansedumbre, y por sus leyes y gobierno tan suave, era amado y querido de tantas naciones, y que muchas de ellas, por las buenas nuevas que de sus virtudes y majestad habían oído, se habían venido a sujetársele de su grado y voluntad, y que no era razón que ellos, viniendo el Inca a buscarles a sus tierras para hacerles bien, lo repudiasen. Que les encargaba mirasen todas estas cosas desapasionadamente y acudiesen a lo que la razón les dictaba, y no permitiesen hacer por fuerza, perdiendo la gracia del Inca, lo que al presente podían hacer con mucho aplauso de Su Majestad, a cuyo poder y fuerza de armas no había resistencia en la tierra.

El Rey Cuismancu y los suyos oyeron los partidos del Inca, y habiendo asentado treguas, dieron y tomaron, acerca de ellos muchos días; al fin de ellos, por la buena maña e industria de los Incas, concluyeron las paces, con las condiciones · siguientes:

Que adorasen los Yuncas al Sol, como los Incas. Que le hiciesen templo aparte, como al Pachacámac, donde le sacrificasen y ofreciesen sus dones, con que no fuesen de sangre humana, porque era contra ley natural matar un hombre a otro para ofrecerlo en sacrificio, lo cual se quitase totalmente. Que echasen los ídolos que había en el templo de Pachacámac, porque, siendo el hacedor y sustentador del universo, no era decente que ídolos de menos majestad estuviesen en su templo y altar, y que al Pachacámac le adorasen en el corazón y no le pusiesen estatua alguna porque, no habiendo dejado verse, no sabían qué figura tenía, y así no podían ponerle retrato como al Sol. Que para mayor ornato y grandeza del valle Pachacámac, se fundase en él casa de las vírgenes escogidas; que eran dos cosas muy estimadas de las provincias que las alcanzaban a tener, esto es, la casa del Sol y la de las vírgenes, porque en ellas semejaban al Cuzco, y era lo más preciado que aquella ciudad tenía. Que el Rey Cuismancu se quedase en su señorío, como todos los demás curacas, teniendo al Inca por supremo señor; guardase y obedeciese sus leyes y costumbres. Y que los Incas tuviesen mucha estima y veneración al oráculo Rímac y mandasen a todos sus reinos hiciesen lo mismo.

Con las condiciones referidas, se asentaron las paces entre el general Cápac Yupanqui y el Rey Cuismancu, al cual se le dio noticia de las leyes y costumbres que el Inca mandaba guardar. Las cuales aceptó con mucha prontitud, porque le parecieron justas y honestas, y lo mismo las ordenanzas de los tributos que habían de pertenecer al Sol y al Inca. Las cuales cosas asentadas y puestas en orden, y dejados los ministros necesarios y la gente de guarnición para seguridad de todo lo ganado, le pareció al Inca Cápac Yupanqui volverse al Cuzco, juntamente con el príncipe su sobrino, a dar cuenta al Inca su hermano de todo lo sucedido con los Yuncas en sus dos conquistas, y llevar consigo al Rey Cuismancu para que el Inca le co-

nociese e hiciese merced de su mano, porque era amigo confederado y no rendido. Y Cuismancu holgó mucho de ir a besar las manos al Inca y ver la corte y aquella famosa ciudad del Cuzco.

El Inca Pachacútec, que a los principios de aquella jornada había quedado en la provincia Rucana, habiendo sabido lo bien que a su hermano le iba en la conquista de aquellas provincias de los llanos, se había vuelto a su imperial ciudad; salía de ella a recibir al hermano y al hijo con el mismo aparato de fiestas y triunfo que la vez pasada, y mayor, si mayor se pudo hacer, y habiéndolos recibido, regaló con muy buenas palabras a Cuismancu, y mandó que en el triunfo entrase entre los Incas de la sangre real, porque juntamente con ellos adoraba al Pachacámac, del cual favor quedó Cuismancu tan ufano como envidiado de todos los demás curacas.

Pasado el triunfo, hizo el Inca muchas mercedes a Cuismancu, y lo envió a su tierra lleno de favores y honra, y lo mismo a todos los que con él habían ido. Los cuales volvieron a sus tierras muy contentos, pregonando que el Inca era verdadero hijo del Sol, digno de ser adorado y servido de todo el mundo. Es de saber que luego que el Demonio vio que los Incas señoreaban el valle de Pachacámac, y que su templo estaba desembarazado de los muchos ídolos que tenía, quiso hacerse particular señor de él, pretendiendo que lo tuviesen por dios no conocido, que los indios tanto honraban, para hacerse adorar de muchas maneras y vender sus mentiras más caro en unas partes que en otras. Para lo cual dio en hablar desde los rincones del templo a los sacerdotes de mayor dignidad y crédito, y les dijo que ahora que estaba solo, quería hacer merced de responder a sus demandas y preguntas; no a todas en común, sino a las de más importancia, porque a su grandeza y señorío no era decente hablar con hombres bajos y viles, sino con Reyes y grandes señores, y que al ídolo Rímac, que era su criado, mandaría que hablase a la gente común y respondiese a todo lo que le preguntasen; y así, desde entonces, quedó asentado que en el templo de Pachacámac se consultasen los negocios reales y señoriles y en el de Rímac los comunes y plebeyos; y así le confirmó aquel ídolo el nombre hablador, porque habiendo de responder a todos, le era forzoso hablar mucho. El Padre Blas Valera refiere también este paso, aunque brevemente.

Al Inca Pachacútec le pareció desistir por algunos años de las conquistas de nuevas provincias y dejar descansar las suyas, porque, con el trocar de los ejércitos, habían recibido alguna molestia. Solamente se ejercitaba en el gobierno común de sus reinos y en ilustrarlos con edificios y con leyes y ordenanzas, ritos y ceremonias que de nuevo compuso para su idolatría, reformando lo antiguo, para que cuadrase bien la significación de su nombre Pachacútec y su fama quedase eternizada de haber sido gran Rey para gobernar sus reinos y gran sacerdote para su vana religión y gran capitán para sus conquistas, pues ganó más provincias que ninguno de sus antepasados. Particularmente enriqueció el templo del Sol: mandó chapear las paredes con planchas de oro, no solamente las del templo, mas también las de otros aposentos y las de un claustro que en él había, que hoy vive más rico de verdadera riqueza y bienes espirituales que entonces lo estaba de oro y piedras preciosas. Porque en el mismo lugar del templo donde tenían la figura del Sol está hoy el Santísimo Sacramento, y el claustro sirve de andar por él las pro-

cesiones y fiestas que por año se le hacen. Su Eterna Majestad sea loada por todas sus misericordias. Es el convento de Santo Domingo.

XXXII. VAN A CONQUISTAR AL REY CHIMU, Y LA GUERRA CRUEL QUE SE HACEN

En los ejercicios que hemos dicho, gastó el Inca Pachacútec seis años, los cuales pasados, viendo sus reinos prósperos y descansados, mandó apercibir un ejército de treinta mil hombres de guerra para conquistar los valles que hubiese en la costa, hasta el paraje de Casamarca, donde quedaban los términos de su Imperio por el camino de la sierra.

Aprestada la gente, nombró seis Incas, de los más experimentados, que fuesen coroneles o maeses de campo del ejército y consejeros del príncipe Inca Yupanqui, su hijo. Al cual mandó que fuese general de aquella conquista, porque, como discípulo de tan buen maestro y soldado de tan gran capitán como su tío Cápac Yupanqui, había salido tan práctico en la milicia que se le podía fiar cualquiera empresa, por grande que fuese; y a su hermano, a quien por sus hazañas llamaba mi brazo derecho, mandó que se quedase con él a descansar de los trabajos pasados. En remuneración de los cuales, y en testimonio de sus reales virtudes, le nombró por su lugarteniente, segunda persona suya en la paz y en la guerra, y le dio absoluto poder y mando en todo su Imperio.

Apercibido el ejército, caminó con el primer tercio el príncipe Inca Yupanqui por el camino de la sierra, hasta ponerse en la provincia Yauyu, que está en el paraje de la Ciudad de Los Reyes, y allí esperó a que se juntase todo su ejército y, habiéndolo juntado, ca-

minó hasta Rímac, donde estaba el
oráculo hablador. A este príncipe
heredero Inca Yupanqui dan los
indios la honra y fama de haber
sido el primero de los Reyes Incas
que vio la Mar del Sur y que fue
el que más provincias ganó en
aquella costa, como se verá en el
discurso de su vida. El curaca de
Pachacámac, llamado Cuismancu,
y el de Runahuánac, que había por
nombre Chuquimancu, salieron a
recibir al Príncipe con gente de
guerra, para le servir en aquella
conquista. El Príncipe les agradeció su buen ánimo, y les hizo mercedes y grandes favores. Del valle
de Rímac fue a visitar el templo de
Pachacámac; entró en él, sin mur-
mullos de oraciones ni sacrificios
más de con las ostentaciones que
hemos dicho hacían los Incas al
Pachacámac en su adoración men-
tal. Luego visitó el templo del Sol,
donde hubo muchos sacrificios y
grandes ofrendas de oro y plata;
visitó asimismo al ídolo Rímac,
por favorecer a los Yuncas; y por
cumplir con las capitulaciones pasadas, mandó ofrecerle sacrificio y
que los sacerdotes le consultasen
el suceso de aquella jornada; y habiendo tenido respuesta que sería
próspera, caminó hasta el valle que
llaman los indios Huaman y los
españoles la Barranca, y de allí
envió los recados acostumbrados,
de paz o de guerra, a un gran señor
llamado Chimu, que era señor de
los valles que hay pasada la Barranca hasta la ciudad que llaman
Trujillo, que los más principales
son cinco y han por nombre Parmunca, Huallmi, Santa, Huanapu y
Chimu, que es donde está ahora
Trujillo, todos cinco hermosísimos
valles, muy fértiles y poblados de
mucha gente, y el curaca principal
se llamaba el poderoso Chimu, del
nombre de la provincia donde tenía
su corte. Éste se trataba como Rey,
y era temido de todos los que por
las tres partes confinaban con sus

tierras, es a saber, al levante, al
norte y al sur, porque al poniente
de ellas está la mar.

El grande y poderoso Chimu, habiendo oído el requerimiento del
Inca, respondió diciendo que estaba
aprestado, con las armas en las manos, para morir en defensa de su
patria, leyes y costumbres, y que
no quería nuevos dioses; que el
Inca se enterase de esta respuesta,
que no daría otra jamás. Oída la
determinación de Chimu, caminó
el príncipe Inca Yupanqui hasta el
valle de Parmunca, donde el enemigo le esperaba. El cual salió
con un buen escuadrón de gente
a escaramuzar y tentar las fuerzas
de los Incas; peleó con ellos mucho espacio de tiempo, por les defender la entrada del valle, mas
no pudo hacer tanto que los enemigos no le ganasen la entrada y
el sitio donde se alojaron, aunque
con muchas muertes y heridas de
ambas partes. El príncipe, viendo
la resistencia de los Yuncas, porque
no tomasen ánimo por ver poca
gente en su ejército, envió mensajes
al Inca, su padre, dándole cuenta
de lo hasta allí sucedido y suplicándole mandase enviarle veinte
mil hombres de guerra, no para
los trocar con los del ejército,
como se había hecho en las conquistas pasadas, sino para abreviar
la guerra con todos ellos, porque
no pensaba dar tanto espacio a los
enemigos como se había hecho con
los pasados, y menos con aquéllos,
porque se mostraban más soberbios.

Despachados los mensajeros,
apretó la guerra por todas partes
el Inca, en la cual se mostraban
muy enemigos del poderoso Chimu
los dos curacas, el de Pachacámac
y el de Runahuánac, porque en
tiempos atrás, antes de los Incas,
tuvo guerra cruel con ellos sobre
los términos y los pastos y sobre hacerse esclavos unos a otros, y
los traía avasallados. Y al presente,
con el poder del Inca, querían ven-

garse de los agravios y ventajas recibidas, lo cual sentía el gran Chimu más que otra cosa alguna, y hacía por defenderse todo lo que podía.

La guerra anduvo muy sangrienta entre los Yuncas que por la enemistad antigua hacían en servicio de los Incas más que otra nación de las otras; de manera que en pocos días ganaron todo el valle de Parmunca y echaron los naturales de él al de Huallmi, donde también hubo reencuentros y peleas, mas tampoco pudieron defenderlo y se retiraron al valle que llaman Santa, hermosísimo en aquel tiempo entre todos los de la costa, aunque en éste casi desierto, por haberse consumido sus naturales como en todos los demás valles.

Los de Santa se mostraron más belicosos que los de Huallmi y Parmunca; salieron a defender su tierra; pelearon con mucho ánimo y esfuerzo todas las veces que se ofreció pelea; resistieron muchos días la pujanza de los contrarios, sin reconocerles ventajas; hicieron tan buenos hechos, que ganaron honra y fama con sus propios enemigos; esforzaron y aumentaron las esperanzas de su curaca, el gran Chimu. El cual, confiado en la valentía que los suyos mostraban y en ciertas imaginaciones que publicaba, diciendo que el Príncipe, como hombre regalado y delicado, se cansaría presto de los trabajos de la guerra y que los deseos de amores de su corte le volvieran aína a los regalos de ella, y que lo mismo haría de la gente de guerra el deseo de ver sus casas, mujeres e hijos; cuando ellos no quisiesen irse, el calor de su tierra los echaría de ella, o los consumiría, si porfiasen a estarse quedos. Con estas vanas imaginaciones porfiaba obstinadamente el soberbio Chimu en seguir la guerra, sin aceptar ni oír los partidos que el Inca le enviaba a sus tiempos. Antes, para

descubrir por entero su pertinacia, hizo llamamiento de la gente que tenían los otros valles de su estado, y como iban llegando los suyos, así iba esforzando la guerra, más y más cruel de día en día. Hubo muchos muertos y heridos de ambas partes; cada cual de ellos hacía por salir con la victoria; fue la guerra más reñida que los Incas tuvieron hasta entonces. Mas con todo eso, los capitanes y la gente principal de Chimu, mirándolo desapasionadamente, holgaron que su curaca abrazara los ofrecimientos de paz y amistad que hacía el Inca, cuya pujanza entendía que a la la corta o a la larga no se podía resistir. Empero, por acudir a la voluntad de su señor, sufrían con esfuerzo y paciencia los trabajos de la guerra, hasta ver llevar por esclavos sus parientes, hijos, mujeres, y no osaban decirle lo que sentían de ella.

XXXIII. PERTINACIA Y AFLICCIONES DEL GRAN CHIMU, y CÓMO SE RINDE

Entre tanto que la guerra se hacía tan cruel y porfiada, llegaron los veinte mil soldados que el Príncipe pidió de socorro; con los cuales reforzó su ejército y reprimió la soberbia y altivez de Chimu, trocada ya en tristeza y melancolía por ver trocadas en contra sus imaginadas esperanzas; porque vio, por una parte, doblado el poder de los Incas, cuando pensaba que iba faltando; por otra, sintió la flaqueza de ánimo que los suyos mostraron de ver el nuevo ejército del enemigo, que como mantenían la guerra días había más por condescender con la pertinacia de su señor que por esperanza que hubiesen tenido de resistir al Inca, viendo ahora sus fuerzas tan aumentadas desmayaron de golpe, y los **más** principales de sus parientes se fueron a Chimu y le dijeron que no durase la obstinación hasta la total destrucción de los suyos, sino que mirase que era ya razón aceptar los ofrecimientos del Inca, siquiera porque sus émulos y enemigos antiguos no enriqueciesen tanto con los despojos que cada día les ganaban, llevándose sus mujeres e hijos para hacerlos esclavos; lo cual se debía remediar con toda brevedad, antes que el daño fuese mayor y antes que el Príncipe, por su dureza y rebeldía, cerrase las puertas de su clemencia y mansedumbre y los llevase a fuego y a sangre.

Con esta plática de los suyos (que más le apareció amenaza y represión que buen consejo ni aviso) quedó del todo perdido el bravo Chimu, sin saber dónde acudir a buscar remedio ni a quién pedir socorro; porque sus vecinos antes estaban ofendidos de su altivez y soberbia que no obligados a ayudarle, su gente acobardada y el enemigo pujante. Viéndose, pues, tan alcanzado de todas partes, propuso en sí de admitir los primeros partidos que el Príncipe le enviase a ofrecer, mas no pedirlos él, que no mostrar tanta flaqueza de ánimo y falta de fuerzas. Así, encubriendo a los suyos esta intención, les dijo que no le faltaban esperanzas y poder para resistir al Inca y salir con honra y fama de aquella guerra mediante el valor de los suyos. Que se animasen para defender su patria, por cuya salud y libertad estaban obligados a morir peleando, y no mostrasen pusilanimidad, que las guerras tenían de suyo ganar unos días y perder otros; que si al presente les llevaban algunas de sus mujeres por esclavas, se acordasen cuántas más habían traído ellos de las de sus enemigos, y que él esperaba ponerlas presto en libertad; que tuviesen ánimo y no mostrasen flaqueza, pues nunca sus enemigos en lo pasado se la habían

sentido, ni era razón que al presente la sintiesen; que se fuesen en paz y estuviesen satisfechos, que cuidaba más de la salud de los suyos que de la suya propia.

Con estos flacos consuelos y esperanzas tristes, que consistían más en las palabras que en el hecho, despidió el gran Chimu a los suyos, quedando harto afligido por verles caídos de ánimo; mas con todo el mejor semblante que pudo mostrar entretuvo la guerra hasta que llevaron los recados acostumbrados del Inca, ofreciéndole perdón, paz y amistad, según que otras muchas veces se había hecho con él. Oído el recado, por mostrarse todavía entero en su dureza, aunque ya la tenía trocada en blandura, respondió que él no tenía propósito de aceptar partido alguno; mas que por mirar por la salud de los suyos, se aconsejaría con ellos y haría lo que bien les estuviese. Luego mandó llamar sus capitanes y parientes y les refirió el ofrecimiento del Inca y les dijo mirasen en aquel caso lo que a todos ellos conviniese, que, aunque fuese contra su voluntad, obedecería al Inca por la salud de ellos.

Los capitanes holgaron mucho de sentir a su curaca en alguna manera apartado de la dureza y pertinacia pasada, por lo cual, con más ánimo y libertad, le osaron decir resueltamente que era muy justo obedecer y tener por señor a un Príncipe tan piadoso y clemente como el Inca, que, aun teniéndolos casi rendidos, los convidaba con su amistad.

Con este resuelto parecer, dado más con atrevimiento y osadía de hombres libres que con humildad de vasallos, se dio el poderoso Chimu por convencido en su rebeldía, y mostrando estar ya fuera de ella, envió sus embajadores al príncipe Inca Yupanqui, diciendo suplicaba a Su Alteza no faltase para los suyos y para él la misericordia y clemencia que los Incas, hijos del Sol, habían usado en todas las cuatro partes del mundo que habían sujetado, pues a todos los culpados y pertinaces como él los había perdonado; que se conocía en su delito y pedía perdón, confiado en la experiencia larga que de la clemencia de todos los Incas, sus antepasados, se tenía; que Su Alteza no se lo negaría, pues se preciaba tanto del renombre amador y bienhechor de pobres, y que suplicaba por el mismo perdón para todos los suyos, que tenían menos culpa que no él, porque habían resistido a Su Alteza más por obstinación de su curaca que por voluntad propia.

Con la embajada holgó mucho el Príncipe, por haber acabado aquella conquista sin derramar la sangre que se temía; recibió con mucha afabilidad los embajadores; mandólos regalar y decir que volviesen por su curaca y lo llevasen consigo para que oyese el perdón del Inca de su misma boca y recibiese las mercedes de su propia mano, para mayor satisfacción suya.

El bravo Chimu, domado ya de su altivez y soberbia, apareció ante el Príncipe con otra tanta humildad y sumisión, y, derribándose por tierra, le adoró y repitió la misma súplica que con su embajador había enviado. El Príncipe, por sacarle de la aflicción que mostraba, lo recibió amorosamente; mandó a dos capitanes que lo levantasen del suelo, y, habiéndolo oído, le dijo que le perdonaba todo lo pasado y mucho más que hubiera hecho; que no había ido a su tierra a quitarle su estado y señorío, sino a mejorarle en su idolatría, leyes y costumbres, y, que en confirmación de lo que decía, si Chimu temía haber perdido su estado, le hacía merced y gracia de él, para que lo poseyese con toda la seguridad, con que echados por tierra sus ídolos, figuras de peces y animales,

adorasen al Sol y sirviesen al Inca, su padre.

Chimu, alentado y esforzado con la afabilidad y buen semblante que el Príncipe le mostró y con las palabras tan favorables que le dijo, le adoró de nuevo y respondió diciendo que el mayor dolor que que tenía era no haber obedecido la palabra de tal señor luego que la oyó. Que esta maldad, aunque ya Su Alteza se la tenía perdonada, la lloraría en su corazón toda su vida, y en lo demás cumpliría con mucho amor y voluntad lo que el Inca le mandase, así en la religión como en las costumbres.

Con esto se asentaron las paces y el vasallaje de Chimu, a quien el Inca hizo mercedes de ropa de vestir para él y para sus nobles; visitó los valles de su estado, mandólos ampliar e ilustrar con edificios reales y grandes acequias que de nuevo se sacaron, para regar y ensanchar las tierras de labor, en mucha más cantidad que las tenía antes, y se hicieron pósitos, así para las rentas del Sol y del Inca como para socorrer a los naturales en años de esterilidad, todo lo cual era costumbre antigua mandarlo hacer los Incas. Particularmente en el valle de Parmunca, mandó el Príncipe se hiciese una fortaleza en memoria y trofeo de la victoria que tuvo contra el Rey Chimu, que la estimó en mucho, por haber sido la guerra muy reñida de ambas partes; y porque la guerra empezó en aquel valle, mandó se hiciese la fortaleza en él. Hiciéronla fuerte y admirable en el edificio y muy galana en pinturas y otras curiosidades reales. Mas los extranjeros no respetaron lo uno ni lo otro, para no derribarla por el suelo; todavía quedaron algunos pedazos que sobrepujaron a la ignorancia de los que la derribaron, para muestra de cuán grande fue.

Dada orden y traza en lo que se ha dicho, y dejando los ministros necesarios para el gobierno de la justicia y de la hacienda y la gente de guarnición ordinaria, dejó el Príncipe a Chimu muy favorecido y contento en su estado, y él se volvió al Cuzco, donde fue recibido con la solemnidad de triunfo y fiestas que de otras jornadas hemos dicho, las cuales duraron un mes.

XXXIV. ILUSTRA EL INCA SU IMPERIO, Y SUS EJERCICIOS HASTA SU MUERTE

El Inca Pachacútec, viéndose ya viejo, le pareció descansar y no hacer más conquistas, pues había aumentado a su Imperio más de ciento y treinta leguas de largo, norte sur, y de ancho todo lo que hay de la gran cordillera de la Sierra Nevada hasta la mar, que por aquel paraje hay por parte sesenta leguas este oeste, y por otras setenta, y más y menos. Entendió en lo que siempre había entendido, en confirmar las leyes de sus pasados y hacer otras de nuevo para el beneficio común.

Fundó muchos pueblos de advenedizos, en las tierras que, por su industria, de estériles e incultas, se hicieron fértiles y abundantes mediante las muchas acequias que mandó sacar.

Edificó muchos templos al Sol, a imitación del que había en el Cuzco, y muchas casas de las vírgenes que llamaban escogidas. Ordenó que se renovasen y labrasen muchos pósitos de nuevo, por los caminos reales, donde se pusiesen los bastimentos, armas y munición para los ejércitos que por ellos pasasen, y mandó se hiciesen casas reales donde los Incas se alojasen cuando caminasen.

Mandó que también se hiciesen pósitos en todos los pueblos grandes o chicos, donde no los hubiese, para guardar mantenimiento con qué socorrer los moradores en años de necesidad, los cuales pósitos mandó que se abasteciesen de sus rentas reales y de las del Sol.

En suma, se puede decir que renovó su Imperio en todo, así en su vana religión, con nuevos ritos y ceremonias, quitando muchos ídolos a sus vasallos, como en las costumbres y vida moral, con nuevas leyes y pragmáticas, prohibiendo muchos abusos y costumbres bárbaras que los indios tenían antes de su reinado.

También reformó la milicia en lo que le pareció que convenía, por mostrarse tan gran capitán como Rey y sacerdote, y la amplió en favores y honras y mercedes, para los que en ella se aventajasen. Y particularmente ilustró y amplió la gran ciudad del Cuzco con edificios y moradores. Mandó labrar una casa para sí, cerca de las escuelas que su bisabuelo, Inca Roca, fundó. Por estas cosas y por su afable condición y suave gobierno, fue amado y adorado como otro Júpiter. Reinó, según dicen, más de cincuenta años; otros dicen que más de sesenta. Vivía en suma paz y tranquilidad, tan obedecido como amado y tan servido como su bondad lo merecía, y al fin de este largo tiempo falleció. Fue llorado universalmente de todos sus vasallos y puesto en el número de sus dioses, como los demás Reyes Incas sus antepasados. Fue embalsamado conforme a las costumbres de ellos y los llantos, sacrificios y ceremonias del entierro, según la misma costumbre, duraron un año.

Dejó por su universal heredero a Inca Yupanqui, su hijo y de la Coya Anahuarque, su legítima mujer y hermana; dejó otros, más de trescientos hijos e hijas, y aun quieren decir, según su larga vida y multitud de mujeres, que más de cuatrocientos legítimos en sangre y no legítimos; que, con ser tantos, dicen los indios que eran pocos para hijos de tal padre.

A estos dos Reyes, padre e hijo, confunden los historiadores españoles, dando los nombres de ambos a uno solo. El padre se llamó Pachacútec: fue su nombre propio: el nombre Inca fue común a todos ellos, porque fue apellido desde el primer Inca, llamado Manco Cápac, cuyo nieto se llamó Lloque Yupanqui, en cuya vida dijimos lo que significaba la dicción Yupanqui, la cual dicción también se hizo apellido después de aquel Rey, y juntando ambos apellidos, que son Inca Yupanqui, se lo dicen a todos los Reyes Incas, como no tengan por nombre propio el Yupanqui, y estánles bien estos renombres, porque es como decir César Augusto a todos los Emperadores. Pues como los indios, contando las hazañas de sus Reyes y nombrando sus nombres, dicen Pachacútec Inca Yupanqui, entienden los españoles que es nombre de un Rey solo, y no admiten al hijo sucesor de Pachacútec, que se llamó Inca Yupanqui, el cual tomó ambos apellidos por nombre propio y dio el mismo nombre Inca Yupanqui a su hijo heredero. A quien los indios, por excelencia y por diferencia de su padre, llamaron Túpac (quiere decir el que resplandece) Inca Yupanqui, padre de Huaina Cápac Inca Yupanqui, y abuelo de Huáscar Inca Yupanqui, y así se puede decir a todos los demás Incas, por apellido. Esto he dicho para que no se confundan los que leyeren las historias.

XXXV. AUMENTÓ LAS ESCUELAS, HIZO LEYES PARA EL BUEN GOBIERNO

Hablando de este Inca, el Padre Blas Valera dice en suma lo que sigue:

Muerto Viracocha Inca, y adorado por los indios entre sus dioses, sucedió a su hijo el Gran Titu, por sobrenombre Manco Cápac; llamóse así hasta que su padre le dio el nombre Pachacútec, que es reformador del mundo. El cual nombre confirmó él después con sus esclarecidos hechos y dichos, de tal manera que todo punto se olvidaron los nombres primeros para llamarle por ellos. Éste gobernó su Imperio con tanta industria, prudencia y fortaleza, así en paz como en guerra, que no solamente lo aumentó en las cuatro partes del reino que llamaran Tahuantinsuyu, mas también hizo muchos estatutos y leyes, las cuales todas confirmaron muy de grado nuestros católicos Reyes, sacando las que pertenecían a la honra de los ídolos y a los matrimonios no lícitos. Este Inca, ante todas cosas, ennobleció y amplió con grandes honras y favores las escuelas que el Rey Inca Roca fundó en el Cuzco; aumentó el número de los preceptores y maestros: mandó que todos los señores de vasallos, los capitanes y sus hijos, y universalmente todos los indios de cualquiera oficio que fuesen, los soldados y los inferiores a ellos usasen la lengua del Cuzco, y que no se diese gobierno, dignidad ni señorío sino al que la supiese muy bien. Y porque ley tan provechosa no se hubiese hecho de balde, señaló maestros muy sabios de las cosas de los indios, para los hijos de los príncipes y de la gente noble, no solamente para los del Cuzco, mas también para todas las provincias de su reino, en las cuales puso maestros que a todos los hombres de provecho para la república enseñasen aquel lenguaje del Cuzco, de lo cual sucedió que todo el reino del Perú hablaba una lengua, aunque hoy, por la negligencia (no sé de quién), muchas provincias que la sabían la han perdido del todo, no sin gran daño de la predicación evangélica. Todos los indios que, obedeciendo esta ley, retienen hasta ahora la lengua del Cuzco, son más urbanos y de ingenios más capaces; los demás no lo son tanto. Este Pachacútec prohibió que nin-

guno, sino los príncipes y sus hijos,
pudiesen traer oro ni plata ni piedras preciosas ni plumas de aves
de diversas colores, ni vestir lana de
vicuña, que se teje con admirable
artificio. Concedió que los primeros días de la Luna, y otros de sus
fiestas y solemnidades, se adorna-
sen moderadamente; la cual ley
guardan hasta ahora los indios tributarios, que contentan con el vestido común y ordinario, y así excusan
mucha corruptela que los vestidos galanos y soberbios suelen causar. Pero los indios criados de los
españoles y los que habitan en las
ciudades de los españoles son muy
desperdiciados en esto, y causan mucho daño y mengua en sus haciendas y conciencias. Mandó este Inca
que usasen mucha escasez en el comer, aunque en el beber tuvieron
más libertad, así los príncipes como
los plebeyos. Constituyó que hubiese jueces particulares contra los ociosos, holgazanes; quiso que todos anduviesen ocupados en sus oficios o
en servir a sus padres o a sus amos
o en el beneficio de la república,
tanto que a los muchachos y muchachas de cinco, seis, siete años,
les hacían ocuparse en alguna cosa,
conforme a su edad. A los ciegos,
cojos y mudos, que podían trabajar
con las manos, los ocupaban en diversas cosas; a los viejos y viejas
les mandaban que ojeasen los pájaros de los sembrados, a los cuales todos daban cumplidamente de
comer y de vestir, de los pósitos
públicos. Y porque el continuo trabajo no les fatigase tanto que los
oprimiese, estableció ley que en cada
mes (que era por lunas) hubiese
tres días de fiesta, en las cuales se
holgasen con diversos juegos de poco interés. Ordenó que en cada mes
hubiese tres ferias, de nueve en
nueve días, para que los aldeanos
y trabajadores del campo, habiendo
cada cual gastado ocho días en sus
oficios, viniesen a la ciudad, al mercado, y entonces viesen y oyesen las
cosas que el Inca o su Consejo hubiesen ordenado, aunque después
este mismo Rey quiso que los mer-
cados fuesen cotidianos, como hoy
los vemos, los cuales ellos llaman
catutilo; y las ferias ordenó que fue-

sen en día de fiesta, porque fuesen
más famosas. Hizo ley que cualquiera provincia o ciudad tuviese
término señalado, que encerrase en
sí los montes, pastos, bosques, ríos
y lagos y las tierras de labor; las
cuales cosas fuesen de aquella tal
ciudad o provincia, en término y
jurisdicción perpetua, y que ningún gobernador ni curaca fuese osado a las disminuir dividir o aplicar
alguna parte para sí ni para otro,
sino que aquellos campos se repar-
tiesen por medida igual, señalada
por la misma ley, en beneficio común y particular de los vecinos y
habitadores de la tal provincia o
ciudad, señalando su parte para las
rentas reales y para el Sol, y que
los indios arasen, sembrasen y cogiesen los frutos, así los suyos como
los de los erarios, de la manera
que les dividían las tierras; y ellos
eran obligados a labrarlas en particular y en común. De aquí se
averigua ser falso lo que muchos
falsamente afirman, que los indios
no tuvieron derecho de propiedad
en sus heredades y tierras, no entendiendo que aquella división se
hacía no por cuenta ni razón de las
posesiones, sino por el trabajo común y particular que habían de
poner en labrarlas; porque fue an-
tiquísima costumbre de los indios
que no solamente las obras públicas, mas también las particulares,
las hacían y acababan trabajando
todos en ellas, y por esto medían
las tierras, para que cada uno trabajase en la parte que le cupiese.
Juntábase toda la multitud, y labraban primeramente sus tierras
particulares en común, ayudándose
unos a otros, y luego labraban las
del Rey; lo mismo hacían al sembrar y coger los frutos y encerrarlos en los pósitos reales y comunes.
Casi de esta misma manera labraban sus casas; que el indio que tenía necesidad de labrar la suya, iba
al Consejo para que señalase el día
que se hubiese de hacer; los del
pueblo acudían con igual consentimiento a socorrer la necesidad de
su vecino y brevemente le hacían
la casa. La cual costumbre aprobaron los Incas y la confirmaron con
ley que sobre ella hicieron. Y el

día de hoy muchos pueblos de indios que guardan aquel estatuto ayudan grandemente a la cristiana caridad; pero los indios avaros, que no son más de para sí, dañan a sí propios y no aprovechan a los otros; antes los tienen ofendidos.

XXXVI. OTRAS MUCHAS LEYES DEL INCA PACHACÚTEC, Y SUS DICHOS SENTENCIOSOS

En suma, este Rey, con parecer de sus Consejos, aprobó muchas leyes, derechos y estatutos, fueros y costumbres de muchas provincias y regiones, porque eran en provecho de los naturales; otras muchas quitó, que eran contrarias a la paz común y al señorío y majestad real; otras muchas instituyó de nuevo, contra los blasfemos, patricidas, fratricidas, homicidas, contra los traidores al Inca, contra los adúlteros, así hombres como mujeres, contra los que sacaban las hijas de casa de sus padres, contra los que violaban las doncellas, contra los que se atrevían a tocar las escogidas, contra los ladrones, de cualquiera cosa que fuese el hurto, contra el nefando y contra los incendiarios, contra los incestuosos en línea recta; hizo otros muchos decretos para las buenas costumbres y para las ceremonias de sus templos y sacrificios; confirmó otros muchos que halló hechos por los Incas sus antecesores, que son éstos: que los hijos obedeciesen y sirviesen a sus padres hasta los veinte y cinco años; ninguno se casase sin licencia de sus padres y de los padres de la moza; casándose sin licencia, no valiese el contrato y los hijos fuesen no legítimos; pero si después de habidos los hijos y vividos juntos los casados, alcanzasen el consentimiento y aprobación de sus padres y suegros, entonces fuese lícito el casamiento y los hijos se hiciesen legítimos. Aprobó las herencias de los estados y señoríos, conforme a la antigua costumbre de cada provincia o reino; que los jueces no pudiesen recibir cohechos de los pleiteantes. Otras muchas leyes hizo este Inca,

de menos cuenta, que las dejo por excusar prolijidad. Adelante diremos las que hizo para el gobierno de los jueces, para contraer los matrimonios, para hacer los testamentos y para la milicia y para la cuenta de los años. En estos nuestros días, el visorrey Don Francisco de Toledo trocó, mudó y revocó muchas leyes y estatutos de los que este Inca estableció; los indios, admirados de su poder absoluto, le llamaron segundo Pachacútec, por decir que era reformador del primer reformador. Era tan grande la reverencia y acatamiento que tenían a aquel Inca, que hasta hoy no pueden olvidarle.

Hasta aquí es del Padre Blas Valera, que lo hallé en sus papeles rotos; lo que promete decir adelante de las leyes para los jueces, para los matrimonios y testamentos, para la milicia y la cuenta del año, se perdió, que es gran lástima. En otra hoja hallé parte de los dichos sentenciosos de este Inca Pachacútec; son los que siguen:

Cuando los súbditos y sus capitanes y curacas obedecen de buen ánimo al Rey, entonces goza el reino de toda paz y quietud.

La envidia es una carcoma que roe y consume las entrañas de los envidiosos.

El que tiene envidia y es envidiado, tiene doblado tormento.

Mejor es que otros, por ser tú bueno, te hayan envidia, que no que la hayas tú a otros por ser tú malo.

Quien tiene envidia de otro, a sí propio se daña.

El que tiene envidia de los buenos saca de ellos mal para sí, como hace la araña en sacar de las flores ponzoña.

La embriaguez, la ira y locura corren igualmente; sino que las dos primeras son voluntarias y mudables y la tercera es perpetua.

El que mata a otro sin autoridad o causa justa, a él propio se condena a muerte.

El que mata a su semejante, necesario es que muera; por lo cual los Reyes antiguos, progenitores nuestros, instituyeron que cualquiera homiciano fuese castigado con muerte violenta, y nos los confirmamos de nuevo.

En ninguna manera se deben permitir ladrones; los cuales, pudiendo ganar hacienda con honesto trabajo y poseerla con buen derecho, quieren más haberla hurtando o robando; por lo cual es muy justo que sea ahorcado el que fuere ladrón.

Los adúlteros que afean la fama y la calidad ajena y quitan la paz y la quietud a otros deben ser declarados por ladrones, y por ende condenados a muerte, sin remisión alguna.

El varón noble y animoso es conocido por la paciencia que muestra en las adversidades.

La impaciencia es señal de ánimo vil y bajo, mal enseñado y peor acostumbrado.

Cuando los súbditos obedecen lo que pueden, sin contradicción alguna, deben los Reyes y gobernadores usar con ellos de liberalidad y clemencia; más, de otra manera, de rigor y justicia, pero siempre con prudencia.

Los jueces que reciben a escondidillas las dádivas de los negociantes y pleiteantes deben ser tenidos por ladrones y castigados con muerte, como tales.

Los gobernadores deben advertir y mirar dos cosas con mucha atención. La primera, que ellos y sus súbditos guarden y cumplan perfectamente las leyes de sus Reyes. La segunda, que se aconsejen con mucha vigilancia y cuidado para las comodidades comunes y particulares de su provincia. El indio que no sabe gobernar su casa y familia, menos sabrá gobernar la república; éste tal no debe ser preferido a otros.

El médico o herbolario que ignora las virtudes de las yerbas, o que sabiendo las de algunas no procura saber las de todas, sabe poco o nada. Conviénele trabajar hasta conocerlas todas, así las provechosas como las dañosas, para merecer el nombre que pretende.

El que procura contar las estrellas, no sabiendo aún contar los tantos y nudos de las cuentas, digno es de risa.

Estas son las sentencias del Inca Pachacútec; decir los tantos y nudos de las cuentas fue porque, como no tuvieron letras para escribir ni cifras para contar, hacían sus cuentas con nudos y tantos.

LIBRO SEPTIMO

En el cual se da noticia de las colonias que hacían los Incas, de la crianza de los hijos de los señores, de la tercera y cuarta fiestas principales que tenían, de la descripción de la ciudad del Cuzco, de las conquistas que Inca Yupanqui, décimo Rey, hizo en el Perú y en el reino de Chili, de la rebelión de los Araucos contra los españoles, de la muerte de Valdivia, de la fortaleza del Cuzco y de sus grandezas.

I. LOS INCAS HACÍAN COLONIAS; TUVIERON DOS LENGUAJES

Los reyes Incas trasplantaban indios de unas provincias a otras para que habitasen en ellas; hacíanlo por causas que les movían, unas en provecho de sus vasallos, otras en beneficio propio, para asegurar sus reinos de levantamientos y rebeliones. Los Incas, yendo conquistando, hallaban algunas provincias fértiles y abundantes de suyo, pero mal pobladas y mal cultivadas por falta de moradores; a estas tales provincias, porque no estuviesen perdidas, llevaban indios de otras de la misma calidad y temple, fría o caliente, porque no se les hiciese de mal la diferencia del temperamento. Otras veces los trasplantaban cuando multiplicaban mucho de manera que no cabían en sus provincias; buscábanles otras semejantes en que viviesen; sacaban la mitad de la gente de la tal provincia, más o menos, la que convenía. También sacaban indios de provincia flacas y estériles para poblar tierras fértiles y abundantes. Esto hacían para beneficio así de los que iban como de los que quedaban, porque, como parientes, se ayuda-

sen con sus cosechas los unos a los otros, como fue en todo el Collao, que es una provincia de más de ciento y veinte leguas de largo y que contiene en sí otras muchas provincias de diferentes naciones, donde, por ser la tierra muy fría, no se da el maíz, ni el *uchu,* que los españoles llaman pimiento, y se dan en grande abundancia otras semillas y legumbres que no se dan en las tierras calientes como la[s] que llaman *papa* y *quinua,* y se cría infinito ganado.

De todas aquellas provincias frías sacaron por su cuenta y razón muchos indios y los llevaron al oriente de ellas, que es a los Antis, y al poniente, que es a la costa de la mar, en las cuales regiones había grandes valles fertilísimos de llevar maíz y pimiento y frutas, las cuales tierras y valles antes de los Incas no se habitaban; estaban desamparados, como desiertos, porque los indios no habían sabido ni tenido maña para sacar acequias para regar los campos. Todo lo cual bien considerado por los Reyes Incas, poblaron muchos valles de aquellos incultos con los indios que, a una mano y a otra, más cerca les caían; diéronles riego, allanando las tierras para que gozasen del agua, y les mandaron por ley que se socorriesen como parientes, trocando los bastimentos que sobraban a los unos y faltaban a los otros. También hicieron esto los Incas por su provecho, por tener renta de maíz para sus ejércitos, porque, como ya se ha dicho, eran suyas las dos tercias partes de las tierras que sembraban; esto es, la una tercia parte del Sol y la otra del Inca. De esta manera tuvieron los Reyes abundancia de maíz en aquella tierra, tan fría y estéril, y los Collas llevaban en su ganado, para trocar con los parientes trasplantados, grandísima cantidad de *quinua* y *chuñu*, que son papas pasadas, y mucho tasajo, que llaman *charqui*, y volvían cargados de maíz y pimientos y frutas, que no las había en sus tierras; y éste fue un aviso y prevención que los indios estimaron en mucho.

Pedro Cieza de León, hablando en este mismo propósito, capítulo noventa y nueve, dice:

Siendo el año abundante, todos los moradores de este Collao viven contentos y sin necesidad; mas si es estéril y falto de agua, pasan grandísima necesidad. Aunque a la verdad, como los Reyes Incas que mandaron este Imperio fueron tan sabios y de tan buena gobernación y tan bien proveídos, establecieron cosas y ordenaron leyes a su usanza, que, verdaderamente, si no fuera mediante ello, las más de las gentes de su señorío pasaran con gran trabajo y vivieran con gran necesidad, como antes que por ellos fueran señoreados. Y esto helo dicho porque en estos Collas y en todos los más valles del Perú, que por ser fríos no eran tan fértiles y abundantes como los pueblos cálidos y bien proveídos, mandaron que, pues la gran serranía de los Andes comarcaba con la mayor parte de los pueblos que de cada uno saliese cierta cantidad de indios con sus mujeres, y estos tales, puestos en las partes que sus caciques les mandaban y señalaban, labraban

los campos en donde sembraban lo que faltaba en sus naturalezas, proveyendo con el fruto que cogían a sus seores o capitanes, y eran llamados *mitimaes*. Hoy día sirven y están debajo de la encomienda principal, y crían y curan la preciada coca. Por manera que, aunque en todo el Collao no se coge ni siembra maíz, no les falta a los señores naturales de él y a los que quieren procurar con el orden ya dicho; porque nunca dejan de traer cargas de maíz, coca y frutas de todo género y cantidad de miel.

Hasta aquí es de Pedro Cieza, sacado a la letra.

Trasplantábanlos por otro respecto, y era cuando habían conquistado alguna provincia belicosa, de quien se temía que, por estar lejos del Cuzco y por ser de gente feroz y brava, no había de ser leal ni había de querer servir en buena paz. Entonces sacaban parte de la gente de aquella tal provincia, y muchas veces la sacaban toda, y la pasaban a otra provincia de las domésticas, donde, viéndose por todas partes rodeados de vasallos leales y pacíficos, procurasen ellos también ser leales, bajando la cerviz al yugo que ya no podían desechar. Y en estas maneras de mudar indios siempre llevaban Incas de los que lo eran por privilegio del primer Rey Manco Cápac, y enviábanlos para que gobernasen y doctrinasen a los demás. Con el nombre de estos Incas honraban a todos los demás que con ellos iban, porque fuesen más respetados de los comarcanos. A todos estos indios, trocados de esta manera, llamaban *mítmac*, así a los que llevaban como a los que traían: quiere decir: trasplantados o advenedizos, que todo es uno.

Entre otras cosas que los Reyes Incas inventaron para buen gobierno de su Imperio, fue mandar que todos sus vasallos aprendiesen la lengua de su corte, que es la que hoy llaman lengua general, para cuya enseñanza pusieron en cada provincia maestros Incas de los de privilegio; y es de saber que los Incas tuvieron otra lengua particular, que hablaban entre ellos, que no la entendían los demás indios ni les era lícito aprenderla, como lenguaje divino. Ésta, me escriben del Perú que se ha perdido totalmente, porque, como pereció la república particular de los Incas, pereció también el lenguaje de ellos. Mandaron aquellos Reyes aprender la lengua general por dos respectos principales. El uno fue por no tener delante de sí tanta muchedumbre de intérpretes como fuera menester para entender y responder a tanta variedad de lenguas y naciones como había en su Imperio. Querían los Incas que sus vasallos les hablasen boca a boca (a lo menos personalmente, y no por terceros) y oyesen de la suya el despacho de sus negocios, porque alcanzaron cuanta más satisfacción y consuelo da una misma palabra dicha por el Príncipe, que no por el ministro. El otro respecto y más principal fue porque las naciones extrañas (las cuales, como atrás dijimos, por no entenderse unas a otras se tenían por enemigas y se hacían cruel guerra), hablándose y comunicándose el interior de sus corazones, se amasen unos a otros como si fuesen de una familia y parentela y perdiesen la esquiveza que les causaba el no entenderse.

Con este artificio domesticaron y unieron los Incas tanta variedad de naciones diversas y contrarias en idolatría y costumbres como las que hallaron y sujetaron a su Imperio, y los trajeron mediante la lengua a tanta unión y amistad que se amaban como hermanos, por lo cual muchas provincias que no alcanzaron el Imperio de los Incas, aficionados y convencidos de este beneficio, han aprendido después acá la lengua general del Cuzco y la hablan y se entienden con ella muchas

naciones de diferentes lenguas, y por sola ella se han hecho amigos y confederados donde solían ser enemigos capitales. Y al contrario, con el nuevo gobierno la han olvidado muchas naciones que la sabían, como lo testifica el Padre Blas Valera, hablando de los Incas, por estas palabras:

Mandaron que todos hablasen una lengua, aunque el día de hoy, por la negligencia (no sé de quién), la han perdido del todo muchas provincias, no sin gran daño de la predicación evangélica, porque todos los indios que, obedeciendo esta ley, retienen hasta ahora la lengua del Cuzco, son más urbanos y de ingenios más capaces, lo cual no tienen los demás.

Hasta aquí es del Padre Blas Valera; quizá adelante pondremos un capítulo suyo donde dice que no se debe permitir que se pierda la lengua general del Perú, porque, olvidada aquélla, es necesario que los predicadores aprendan muchas lenguas para predicar el Evangelio, lo cual es imposible.

II. LOS HEREDEROS DE LOS SEÑORES SE CRIABAN EN LA CORTE, Y LAS CAUSAS POR QUÉ

Mandaron también aquellos Reyes que los herederos de los señores de vasallos se criasen en la corte y residiesen en ella mientras no heredasen sus estados, para que fuesen bien doctrinados y se hiciesen a la condición y costumbres de los Incas, tratando con ellos amigablemente, para que después, por la comunicación y familiaridad. pasada, los amasen y sirviesen con afición: llamábanles mítmac, porque eran advenedizos. También lo hacían por ennoblecer y honrar su corte con la presencia y compañía de tantos herederos de reinos, estados y señoríos como en aquel Imperio había. Este mandato facilitó que la lengua general se aprendiese con más gusto y menos trabajo y pesadumbre; porque, como los criados y vasallos de los herederos iban por su rueda a la corte a servir a sus señores, siempre que volvían a sus tierras llevaban algo aprendido de la lengua cortesana, y la hablaban con gran vanagloria entre los suyos, por ser lengua de gente que ellos tenían por divina, y causaban grande envidia para que los demás la deseasen y procurasen saber, y los que así sabían algo, por pasar adelante en el lenguaje, trataban más a menudo y más familiarmente con los gobernadores y ministros de la justicia y de la hacienda real, que asistían en sus tierras. De esta manera, con suavidad y facilidad, sin la particular industria de los maestros, aprendieron y hablaron la lengua general del Cuzco en pocas menos de mil y trescientas leguas de largo que ganaron aquellos Reyes.

Sin la intención de ilustrar su corte con la asistencia de tantos príncipes, tuvieron otra aquellos Reyes Incas para mandarlo, y fue por asegurar sus reinos y provincias de levantamientos y rebeliones, que, como tenían su Imperio tan extendido que había muchas provincias que estaban a cuatrocientas y a quinientas y a seiscientas leguas de su corte, y eran las mayores y más belicosas, como eran las del reino de Quitu y Chili, y otras sus vecinas, de las cuales se recelaban que por la distancia del lugar y ferocidad de la gente se levantarían en algún tiempo y procurarían desechar el yugo del Imperio, y aunque cada una de por sí no era parte, podrían convocarse y hacer liga entre muchas provincias y en diversas partes y acometer el Reino por todos cabos, que fuera un gran peligro para que se perdiera el señorío de los Incas. Para asegurarse de todos estos inconvenientes y otros que suceden en imperios tan

grandes, tomaron por remedio mandar que todos los herederos asistiesen en su corte, donde, en presencia y ausencia del Inca, se tenía cuidado de tratarlos con regalo y favores, acariciando a cada uno conforme a sus méritos, calidad y estado. De los cuales favores particulares y generales daban los príncipes cuenta a sus padres a menudo, enviándoles los vestidos y preseas que el Inca les daba de su propio traer y vestir, que era tan estimado entre ellos que no se puede encarecer. Con lo cual pretendían los Reyes Incas obligar a sus vasallos a que en agradecimiento de sus beneficios les fuesen leales, y cuando fuesen tan ingratos que no los reconociesen, a lo menos temiesen y reprimiesen sus malos deseos, viendo que estaban sus hijos y herederos en la corte como en rehenes y prendas de la fidelidad de ellos.

Con esta industria y sagacidad y otras semejantes, y con la rectitud de su justicia, tuvieron los Incas su Imperio en tanta paz y quietud, que en todo el tiempo que imperaron casi apenas hubo rebelión ni levantamiento que aplacar o castigar. El Padre José de Acosta, hablando del gobierno de los Reyes Incas, libro seis, capítulo doce, dice:

> Sin duda era grande la reverencia y afición que esta gente tenía a sus Incas, sin que se halle jamás haberles hecho ninguno de ellos traición; porque en su gobierno procedían, no sólo con gran poder, sino también con mucha rectitud y justicia, no consintiendo que nadie fuese agraviado. Ponía el Inca sus gobernadores por diversas provincias, y había unos supremos e inmediatos a él, otros más moderados y otros particulares, con extraña subordinación, en tanto grado que ni emborracharse ni tomar una mazorca de maíz de su vecino se atrevían.

Hasta aquí es del Padre Maestro Acosta.

III. DE LA LENGUA CORTESANA

El capítulo del Padre Blas Valera que trata de la lengua general del Perú, que atrás propusimos decir, era el capítulo nono del libro segundo de su *Historia,* que así lo muestran sus papeles rotos, el cual, con su título al principio, como Su Paternidad lo escribía, dice así:

Capítulo nono. De la lengua general y de su facilidad y utilidad.

Resta que digamos algo de la lengua general de los naturales del Perú, que aunque es verdad que cada provincia tiene su lengua particular diferente de las otras, una es y general la que llaman Cuzco, la cual en tiempo de los Reyes Incas se usaba desde Quitu hasta el reino de Chili y hasta el reino Tucma, y ahora la usan los caciques y los indios que los españoles tienen para su servicio y para ministros de los negocios. Los Reyes Incas, desde su antigüedad, luego que sujetaban cualquiera reino o provincia, entre otras cosas que para la utilidad de los vasallos se les ordenaba, era mandarles que aprendiesen la lengua cortesana del Cuzco y que la enseñasen a sus hijos. Y porque no saliese vano lo que mandaban, les daban indios naturales del Cuzco que les enseñasen la lengua y las costumbres de la corte. A los cuales, en las tales provincias y pueblos, daban casas, tierras y heredades para que, naturalizándose en ellas, fuesen maestros perpetuos ellos y sus hijos. Y los gobernadores Incas anteponían en los oficios de la república, así en la paz como en la guerra, a los que mejor hablaban la lengua general. Con este concierto regían y gobernaban los Incas en paz y quietud todo su imperio, y los vasallos de diversas naciones se habían como hermanos, porque todos hablaban una lengua. Los hijos de aquellos maestros naturales del Cuzco viven todavía derramados en diversos lugares, donde sus padres solían enseñar; mas porque les falta la autoridad que a sus mayores antiguamente se les daba, no pueden enseñar a los indios ni compelerles a que aprendan. De donde ha nacido que muchas provincias, que cuando los españoles entraron en Cassamarca sabían esta lengua común los demás indios, ahora la tienen olvidada del todo, porque, acabándose el mundo y el Imperio de los Incas, no hubo quién se acordase de cosa tan acomodada y necesaria para la predicación del Santo Evangelio, por el mucho olvido que causaron las guerras que entre los españoles se levantaron, y después de ellas por otras causas, que el malvado Satanás ha sembrado para que aquel estatuto tan provechoso no se pusiese en ejecución. Por lo cual, todo el término de la ciudad de Trujillo y otras muchas provincias de la jurisdicción de Quitu ignoran del todo la lengua general que hablaban; y todos los Collas y los Puquinas, contentos con sus lenguajes particulares y propios, desprecian la del Cuzco. Demás de esto, en muchos lugares donde todavía vive la lengua cortesana, está ya tan corrupta que casi parece otra lengua diferente. También es de notar que aquella confusión y multitud de lenguas que los Incas, con tanto cuidado, procuraron quitar, ha vuelto a nacer de nuevo, de tal manera que el día de hoy se hallan entre los indios más diferencias de lenguaje que había en tiempo de Huayna Cápac, último Emperador de ellos. De donde ha nacido que la concordia de los ánimos que los Incas pretendían que hubiera en aquellos gentiles por la conformidad de un lenguaje, ahora, en estos tiempos, casi no la hay, con ser ya fieles, porque la semejanza y conformidad de las palabras casi siempre suelen reconciliar y traer a verdadera unión y amistad a los hombres. Lo cual advirtieron poco o nada los ministros que por mandato de un visorrey entendieron en reducir muchos pueblos pequeños de los indios en otros mayores, juntando en un lugar muchas diversas naciones por el impedimento que antes había para la predicación de los indios, por la distancia de los lugares, el cual ahora se ha hecho mucho mayor por la variedad de las naciones y lenguajes que se juntaron, por lo cual (humanamente hablando) es imposible que los indios del Perú, mientras durare esta confusión de lenguas, puedan ser bien instruidos en la fe y en las buenas costumbres, si no es que los sacerdotes sepan todas las lenguas de aquel Imperio, que es imposible; y con saber sola la del Cuzco, como quiera que la sepan, pueden aprovechar mucho. No faltan algunos que les parece sería muy acertado que obligasen a todos los indios a que aprendiesen la lengua española, porque los sacerdotes no trabajasen tan en vano en aprender la indiana. La cual opinión ninguno que la oye deja de entender que nació antes de flaqueza de ánimo que torpeza de entendimiento, porque si es único remedio que los indios aprendan la lengua castellana, tan dificultosa, ¿por qué no lo será que aprendan la suya cortesana, tan fácil, y para ellos casi natural? Y al contrario, si los españoles, que son de ingenio muy agudo y muy sabios en ciencias, no pueden, como ellos dicen, aprender la lengua general del Cuzco, ¿cómo se podrá hacer que los indios, no cultivados ni enseñados en letras, aprendan la lengua castellana? Lo cierto es que aunque se hallasen muchos maestros que quisiesen enseñar de gracia la lengua castellana a los indios, ellos, no habiendo sido enseñados, particularmente la gente común, aprenderían tan mal que cualquiera sacerdote, si quisiese, aprendería y hablaría despiertamente diez diversos lenguajes de los del Perú antes que ellos hablasen ni aprendiesen el lenguaje castellano. Luego no hay para qué impongamos a los indios dos cargas tan pesadas como mandarles olvidar su lengua y aprender la ajena, por librarnos de una molestia tan pequeña como aprender la lengua cortesana de ellos. Bastará que se les enseñe la Fe Católica por el general lenguaje del Cuzco, el cual no se diferencia mucho de los más lenguajes de aquel Imperio. Esta mala confusión que se ha levantado de las lenguas, podrían los visorreyes y los demás gobernadores atajar fácilmente con que a los demás cui-

dados añadiesen éste, y que a los hijos de aquellos preceptores que los Incas ponían por maestros, les mandasen que volviesen a enseñar la lengua general a los demás indios, como antes solían, que es fácil de aprender, tanto que un sacerdote que yo conocí, docto en el derecho canónico, y piadoso, que deseaba la salud de los indios del repartimiento que le cupo doctrinar, para enseñarles mejor procuró aprender con gran cuidado la lengua general, y rogó e importunó muchas veces a sus indios que la aprendiesen, los cuales, por agradarle, trabajaron tanto, que en poco más de un año la aprendieron y hablaron como si fuera la suya materna, y así se les quedó por tal, y el sacerdote halló por experiencia cuanto más dispuestos y dóciles estaban para la doctrina cristiana con aquel lenguaje que con el suyo. Pues si este buen sacerdote, con una mediana diligencia, pudo alcanzar de los indios lo que deseaba, ¿por qué no podrán lo mismo los obispos y visorreyes? Cierto, con mandarles que sepan la lengua general pueden los indios del Perú, desde Quitu hasta los Chichas, ser gobernados y enseñados con mucha suavidad. Y es cosa muy digna de ser notada que los indios, que el Inca gobierna con muy pocos jueces, ahora no basten trescientos corregidores a regirles, con mucha dificultad y casi perdido el trabajo. La causa principal de esto es la confusión de las lenguas, por la cual no se comunican unos con otros. La facilidad de aprenderse en breve tiempo y con poco trabajo la lengua general del Perú la testifican muchos que la han procurado saber, y yo conocí muchos sacerdotes que con mediana diligencia se hicieron diestros en ella. En Chuquiapu hubo un sacerdote teólogo que, de relación de otros, no aficionado a esta lengua general de los indios, la aborreció de manera que aun de oírla nombrar se enfadaba, entendiendo que de ninguna manera la aprendería por la mucha dificultad que le habían dicho que tenía. Acaeció que antes que en aquel pueblo se fundara el Colegio de la Compañía,

acertó a venir un sacerdote de ella,
y paró allí algunos días a doctrinar
los indios y les predicaba en público en la lengua general. Aquel
sacerdote, por la novedad del hecho, fue a oír un sermón, y como
viese que declaraba en indio muchos lugares de la Santa Escritura,
y que los indios, oyéndolos, se ad-
miraban y se aficionaban a la doctrina, cobró alguna devoción a la
lengua. Y después del sermón habló
el sacerdote, diciendo: "¿Es posible
que en una lengua tan bárbara se
puedan declarar y hablar las palabras divinas, tan dulces y misteriosas?" Fuele respondido que sí, y que
si él quería trabajar con algún cuidado en la lengua general, podría
hacer lo mismo dentro en cuatro
o cinco meses. El sacerdote, con el
deseo que tenía de aprovechar las
ánimas de los indios, y prometió
de aprenderla con todo cuidado y
diligencia, y habiendo recibido del
religioso algunas reglas y avisos para estudiarla, trabajó de manera
que, pasados seis meses, pudo oír
las confesiones de los indios y pre-
dicarles con suma alegría suya y
gran provecho de los indios.

IV. DE LA UTILIDAD DE LA LENGUA CORTESANA

Pues hemos dicho y probado cuán
fácil es de aprender la lengua cortesana, aun a los españoles que van
de acá, necesario es decir y conce-
der cuánto más fácil será aprenderla los mismos indios del Perú,
aunque sean de diversos lenguajes;
porque aquélla parece que es de su
nación y propia suya. Lo cual se
prueba fácilmente, porque vemos
que los indios vulgares, que vienen
a la Ciudad de los Reyes o al Cuzco o la Ciudad de la Plata o las
minas de Potocchi, que tienen necesidad de ganar la comida y el vestido por sus manos y trabajo, con
sola la continuación, costumbre y
familiaridad de tratar con los demás
indios, sin que les den reglas ni
manera de hablar, en pocos meses
hablan muy despiertamente la lengua del Cuzco, y cuando se vuelven

a sus tierras, con el nuevo y más
noble lenguaje que aprendieron, parecen más nobles, más adornados y
más capaces en sus entendimientos; y lo que más estiman es que
los demás indios de su pueblo los
honran y tienen en más, por esta
lengua real que aprendieron. Lo
cual advirtieron y notaron los Padres de la Compañía de Jesús en el
pueblo llamado Sulli, cuyo habitadores son todos Aimaraes, y lo mismo dicen y afirman otros muchos
sacerdotes y los jueces y corregidores de aquellas provincias, que la
lengua cortesana tiene este don particular, digno de ser celebrado, que
a los indios del Perú les es de tanto
provecho como a nosotros la lengua
latina; porque demás del provecho
que les causa en sus comercios, tratos y contratos y en otros aprove-
chamientos temporales y bienes espirituales, les hace más agudos de
entendimiento y más dóciles y más
ingeniosos para lo que quisieren
aprender, y de bárbaros los trueca
en hombres políticos y más urbanos. Y así los indios Puquinas, Collas, Urus, Yuncas y otras naciones,
que son rudos y torpes, y por su
rudeza aun sus propias lenguas las
hablan mal, cuando alcanzan a saber la lengua del Cuzco parece que
echan de sí la rudeza y torpeza
que tenían y que aspiran a cosas políticas y cortesanas y sus ingenios
pretenden subir a cosas más altas;
finalmente, se hacen más capaces y
suficientes para recibir la doctrina
de la Fe Católica, y cierto, los
predicadores que saben bien esta
lengua cortesana se huelgan de levantarse a tratar cosas altas y decla-
rarlas a sus oyentes sin temor alguno; porque así como los indios
que hablan esta lengua tienen los
ingenios más aptos y capaces, así
aquel lenguaje tiene más campo y
mucha variedad de flores y elegan-
cias para hablar por ellas, y de esto
nace que los Incas del Cuzco, que
la hablan más elegante y más cortesanamente, reciben la doctrina
evangélica, en el entendimiento y en
el corazón, con más eficacia y más
utilidad. Y aunque en muchas partes y entre los rudísimos indios
Uriquillas y los fierísimos Chiri-

huanas, la divina gracia, muchas veces sin estas ayudas, ha obrado grandezas y maravillas, como adelante diremos; pero también se ve que por la mayor parte corresponde y se acomoda a estos nuestros humanos medios. Y cierto que entre otros muchos de que la Divina Majestad quiso usar para llamar y disponer esta gente bárbara y ferina a la predicación de su Evangelio, fue el cuidado y diligencia que los Reyes Incas tuvieron de doctrinar estos sus vasallos con la lumbre de la ley natural y con que todos hablasen un lenguaje, lo cual fue uno de los principales medios para lo que se ha dicho. Lo cual todos aquellos Reyes Incas (no sin divina providencia) procuraron, con gran diligencia y cuidado, que se introdujese y guardase en todo aquel su Imperio. Pero es lástima que lo que aquellos gentiles bárbaros trabajaron para desterrar la confusión de las lenguas, y con su buena maña e industria salieron con ello, nosotros nos hayamos mostrado negligentes y descuidados en cosa tan acomodada para enseñar a los indios la doctrina de Cristo, Nuestro Señor. Pero los gobernadores que acaban y ponen en efecto, cualquiera cosa dificultosa, hasta la muy dificultosa de la reducción de los pueblos, podrían también mandar y poner en ejecución ésta tan fácil, para que se quite aquella maldad de idolatrías y bárbaras tinieblas entre los indios ya fieles cristianos.

Hasta aquí es del Padre Blas Valera, que, por parecerme cosa tan necesaria para la enseñanza de la doctrina cristiana, lo puse aquí; lo que más dice de aquella lengua general es decir (como hombre docto en muchas leguas) en qué cosas se asemeja la del Perú a la latina y en qué a la griega y en qué a la hebrea: que, por ser cosas no necesarias para la dicha enseñanza, no las puse aquí. Y porque no salimos del propósito de lenguas, diré lo que el Padre Blas Valera en otra parte dice, hablando contra los que tienen que los indios del Nuevo

Orbe descienden de los judíos descendientes de Abraham, y que para comprobación de esto traen algunos vocablos de la lengua general del Perú que semejan a las dicciones hebreas, no en la significación sino en el sonido de la voz. Reprobando esto el Padre Blas Valera dice, entre otras cosas curiosas, que a la lengua general del Perú le faltan las letras que en las Advertencias dijimos, que son *b*, *d*, *f*, *g*, *j* jota, *x*, y que siendo los judíos tan amigos de su padre Abraham, que nunca se les cae su nombre de la boca, no habían de tener lengua con falta de la letra *b*, tan principal para la pronunciación de este nombre *Abraham*. A esta razón añadiremos otra, y es que tampoco tiene aquella lengua sílaba de dos consonantes, que llaman *muta cum liquida*, como *bra*, *cra*, *cro*, *pla*, *pri*, *clla*, *cllo*, ni otros semejantes. De manera que para nombrar el nombre *Abraham*, le falta a aquella lengua general no solamente la letra *b*, pero también la sílaba *bra*, de donde se infiere que no tienen razón los que quieren afirmar por conjeturas lo que no se sabe por razón evidente; y aunque es verdad que aquella mi lengua general del Perú tiene algunos vocablos con letras *muta cum liquida*, como *papri*, *huacra*, *rocro*, *pocra*, *chacra*, *llaclla*, *chocllo*, es de saber que para el deletrear de las sílabas y pronunciar las dicciones, se ha de apartar la *muta* de la *liquida*, como *pap-ri*, *huac-ra*, *roc-ro*, *poc-ra*, *chac-ra*, *llac-lla*, *choc-llo* y todos los demás que hubiere semejantes, en lo cual no advierten los españoles, sino que los pronuncian con la corrupción de letras y sílabas que se les antoja, que donde los indios dicen *pampa*, que es plaza, dicen los españoles *bamba*, y por *Inca* dicen *Inga*, y por *rocro* dicen *locro*, y otros semejantes, que casi no dejan vocablo sin corrupción como largamente lo hemos dicho y diremos adelante. Y con esto será bien volvamos a nuestra historia.

V. TERCERA FIESTA SOLEMNE QUE HACÍA AL SOL

Cuatro fiestas solemnes celebraban por año los Incas en su corte. La principal y solemnísima era la fiesta del Sol llamada Raimi, de la cual hemos hecho larga relación; la segunda y no menos principal era la que hacían cuando armaban caballeros a los noveles de la sangre real; también hemos hecho mención de ésta. Resta decir de las otras dos que quedan, con las cuales daremos fin a las fiestas, porque contar las ordinarias, que se hacían cada Luna, y las particulares, que se celebraban en hacimiento de gracias de grandes victorias que ganaban o cuando alguna provincia o reino venía de su voluntad a sujetarse al imperio del Inca, sería cosa muy prolija y aun penosa; baste saber que todas se hacían dentro en el templo del Sol, a semejanza de su fiesta principal, aunque con muchas menos ceremonias y menos solemnidad, sin salir a las plazas.

La tercera fiesta solemne se llamaba Cusquieraimi; hacíase cuando ya la sementera estaba hecha y nacido el maíz. Ofrecían al Sol muchos corderos, ovejas machorras y carneros, suplicándole mandase al hielo no les quemase el maíz, porque en aquel valle del Cuzco y en el de Sacsahuana y otros comarcanos, y en cualesquiera otros que sean del temple de aquéllos, es muy riguroso el hielo, por ser tierra fría, y daña más al maíz que a otra mies o legumbre, y es de saber que en aquellos valles hiela todo el año, así de verano como de invierno, como anochezca raso, y más hiela por San Juan que por Navidad,

porque entonces anda el Sol más apartado de ellos. Viendo los indios a prima noche el cielo raso, sin nubes, temiendo el hielo, pegaban fuego a los muladares para que hiciesen humo, y cada uno en particular procuraba hacer humo en su corral; porque decían que con el humo se excusaba el hielo, porque servía de cobija, como las nubes, para que no helase. Yo vi esto que digo en el Cuzco; si lo hacen hoy, no lo sé, ni supe si era verdad o no que el humo escusase el hielo, que, como muchacho, no curaba saber tan por extenso las cosas que veía hacer a los indios.

Pues como el maíz fuese el principal sustento de los indios y el hielo le fuese tan dañoso, temíanle mucho, y así, cuando era tiempo de poderles ofender, suplicaban al Sol, con sacrificios, fiestas y bailes y con gran bebida, mandase al hielo no les hiciese daño. La carne de los animales que en estos sacrificios mataban, toda se gastaba en la gente que acudía a la fiesta, porque era sacrificio hecho por todos, salvo el cordero principal que ofrecían al Sol y la sangre y asaduras de todas las demás reses que mataban, todo lo cual consumían en el fuego y lo ofrecían a su Dios el Sol, a semejanza de la fiesta Raimi.

VI. CUARTA FIESTA; SUS AYUNOS Y EL LIMPIARSE DE SUS MALES

La cuarta y última fiesta solemne que los Reyes Incas celebraban en su corte llamaban Citua; era de mucho regocijo para todos, porque la hacían cuando desterraban de la ciudad y su comarca las enfermedades y cualesquiera otras penas y trabajos que los hombres pueden padecer: era como la expiación de la antigua gentilidad, que se purificaban y limpiaban de sus males. Preparábanse para esta fiesta con ayuno y abstinencia de sus mujeres; el ayuno hacían el primer día de la Luna del mes de septiembre, después del equinoccio; tuvieron los Incas dos ayunos rigurosos, uno más que otro: el más riguroso era de sólo maíz y agua, y el maíz había de ser crudo y en poca cantidad; este ayuno, por ser tan riguroso, no pasaba de tres días; en el otro, más suave, podían comer el maíz tostado y en alguna más cantidad, y yerbas crudas, como se comen las lechugas y rábanos, etcétera, y ají, que los indios llaman *uchu,* y sal, y bebían de su brebaje, mas no comían vianda de carne ni pescado, ni yerbas guisadas, y en el [un] ayuno y en el otro no podían comer más de una vez al día. Llaman al ayuno *caci,* y al más riguroso *hatuncaci,* que quiere decir: el ayuno grande.

Preparados todos en general, hombres y mujeres, hasta los niños, con un día del ayuno riguroso, amasaban la noche siguiente el pan llamado *zancu;* cogíanlo hecho pelotas en ollas, en seco, porque no supieron qué cosa era hacer hornos; dejábanlo a medio cocer, hecho masa. Hacían dos maneras de pan; en el uno echaban sangre humana de muchachos y niños de cinco años arriba y diez abajo, sacada por sangría y no con muerte. Sacábanla de la junta de las cejas, encima de las narices, y esta sangría también la usaban en sus enfermedades; yo las vi hacer. Cocían cada manera de pan aparte, porque era para diversos efectos; juntábanse a hacer estas ceremonias por sus parentelas; iban a casa del hermano mayor los demás hermanos; y los que no los tenían, a casa del pariente más cercano mayor de edad.

La misma noche del amasijo, poco antes del amanecer, todos los que habían ayunado se lavaban los cuerpos y tomaban un poco de la masa mezclada con sangre y la pasaban por la cabeza y rostro, pecho y espalda, brazos y piernas, como que se limpiaban con ella para echar de sus cuerpos todas sus enfermedades. Hecho esto, el pariente mayor, señor de la casa, untaba con la masa los umbrales de la puerta de la calle y la dejaba pegada a ellos, en señal que en aquella casa se había hecho el lavatorio y limpiado los cuerpos. Las mismas ceremonias hacía el Sumo Sacerdote en la casa y templo del Sol, y enviaba a otros sacerdotes que hiciesen lo mismo en la casa de las mujeres del Sol y en Huanacauri, que era un templo una legua de la ciudad, que tenían en gran veneración por ser el primer lugar donde paró el Inca Manco Cápac cuando vino al Cuzco, como en su lugar dijimos. Enviaban también sacerdotes a los demás lugares que tenían por sagrados, que era donde el demonio les hablaba haciéndose dios. En la casa real hacía las ceremonias un tío del Rey, el más antiguo de ellos; había de ser de los legítimos.

Luego, en saliendo el Sol, habiéndole adorado y suplicado mandase desterrar todos los males interiores y exteriores que tenían, se desayunaban con el otro pan, amasado sin sangre. Hecha la adoración y el desayuno, que se hacía a hora señalada, porque todos a una adorasen al Sol, salía de la fortaleza un Inca de la sangre real, como mensajero del Sol, ricamente vestido, ceñida su manta al cuerpo, con una lanza en la mano, guarnecida con un listón hecho de plumas de diversos colores, de una tercia en ancho, que bajaba desde la punta de la lanza hasta el regatón, pegada a trechos con anillos de oro (la cual insignia también servía de bandera en las guerras); salía de la fortaleza y no del templo del Sol, porque decían que era mensajero de guerra y no de paz; que la fortaleza era casa del Sol para tratar en ella cosas de guerra y armas, y el templo era su morada para tratar en ella de paz y amistad. Bajaba corriendo por la cuesta abajo del cerro llamado Sacsahuaman, blandiendo la lanza hasta llegar en medio de la plaza principal, donde estaban otros cuatro Incas de la sangre real, con sendas lanzas en las manos como la que traía el primero, y sus mantas ceñidas como se las ciñen todos los indios siempre que han de correr o hacer alguna cosa de importancia, porque no les estorbe. El mensajero que venía tocaba con su lanza las de los cuatro indios y les decía que el Sol mandaba que, como mensajeros suyos, desterrasen de la ciudad y de su comarca las enfermedades y otros males que en ella hubiese.

Los cuatro Incas partían corriendo hacia los cuatro caminos reales que salen de la ciudad y van a las cuatro partes del mundo, que llamaron Tahuantinsuyu; los vecinos y moradores, hombres y mujeres, viejos y niños, mientras los cuatro iban corriendo, salían a las puertas de sus casas y, con grandes voces y alaridos de fiesta y regocijo, sacudían la ropa que en las manos sacaban de su vestir y la que tenían vestida, como cuando sacuden el polvo; luego pasaban las manos por la cabeza y rostro, brazos y piernas y por todo el cuerpo, como cuando se lavan, todo lo cual era echar los males de sus casas para que los mensajeros del Sol los desterrasen de la ciudad. Esto hacían no solamente en las calles por donde pasaban los cuatro Incas, mas también en toda la ciudad generalmente; los mensajeros corrían con las lanzas un cuarto de legua fuera de la ciudad, donde hallaban apercibidos otros cuatro Incas, no de la sangre real, sino de los de privilegio, los cuales, tomando las lanzas, corrían otro cuarto de legua, y así otros y otros, hasta alejarse

de la ciudad cinco o seis leguas, donde hincaban las lanzas, como poniendo término a los males desterrados, para que no volviesen de allí a dentro.

VII. FIESTA NOCTURNA PARA DESTERRAR LOS MALES DE LA CIUDAD

La noche siguiente salían con grandes hachos de paja, tejida como los capachos del aceite, en forma redonda como bolsas: llámanles *pancuncu;* duran mucho en quemarse. Atábanles sendos cordeles de una braza en largo; con los hachos corrían todas las calles, hondeándolas hasta salir fuera de la ciudad, como que desterraban con los hachos los males nocturnos, habiendo desterrado con las lanzas los diurnos; y en los arroyos que por ella pasan echaban los hachos quemados y el agua en que el día antes se habían lavado, para que las aguas corrientes llevasen a la mar los males que con lo uno y lo otro habían echado de sus casas y de la ciudad. Si otro día después cualquier indio, de cualquier edad que fuese, topaba en los arroyos algún hacho de éstos, huía de él más que del fuego, porque no se le pegasen los males que con ellos habían ahuyentado.

Hecha la guerra y desterrados los males a hierro y a fuego, hacían por todo aquel cuarto de la luna grandes fiestas y regocijos, dando gracias al Sol porque les había desterrado sus males; sacrificábanle muchos corderos y carneros, cuya sangre y asaduras quemaban en sacrificio, y la carne asaban en la plaza y la repartían por todos los que se hallaban en la fiesta. Había aquellos días, y también las noches, muchos bailes y cantares y cualquiera otra manera de contento y regocijo, así en las casas como en las plazas, porque el beneficio y la salud que habían recibido era común.

Yo me acuerdo haber visto en mis niñeces parte de esta fiesta. Vi salir el primer Inca con la lanza, no de la fortaleza, que ya estaba desierta, sino de una de las casas de los Incas que está en la falda del mismo cerro de la fortaleza; llaman al sitio de la casa Collcampata; vi correr los cuatro indios con sus lanzas; vi sacudir la ropa a toda la demás gente común y hacer los demás ademanes; viles comer el pan llamado *zancu;* vi los hachos llamados *pancuncu;* no vi la fiesta que con ellos hicieron de noche, porque fue a deshora y yo estaba ya dormido. Acuérdome que otro día vi un *pancuncu* en el arroyo que corre por medio de la plaza; estaba junto a las casas de mi condiscípulo en gramática Juan de Cellorico; acuérdome que huían de él los muchachos indios que pasaban por la calle; yo no huí, porque no sabía la causa, que si me la dijeran también huyera, que era niño de seis a siete años.

Aquel hacho echaron dentro en la ciudad donde digo, porque ya no se hacía la fiesta con la solemnidad, observancia y veneración que en tiempo de sus Reyes; no se hacían por desterrar los males, que ya se iban desengañando, sino en recordación de los tiempos pasados, porque todavía vivían muchos viejos, antiguos en su gentilidad, que no se habían bautizado. En tiempo de los Incas no paraban con los hachos hasta salir fuera de la ciudad y allá los dejaban. El agua en que se habían lavado los cuerpos derramaban en los arroyos que pasaban por ella, aunque saliesen lejos de sus casas a buscarlos; que no les era lícito derramarla fuera de los arroyos, porque los males que con ella se habían lavado no se quedasen entre ellos, sino que el agua corrien-

te los llevase a la mar, como se ha dicho arriba.

Otra fiesta hacían los indios en particular, cada uno en su casa, y era después de haber encerrado sus mieses en sus orones, que llaman *pirua;* quemaban cerca de los orones un poco de sebo, en sacrificio al Sol; la gente noble y más rica quemaban conejos caseros, que llaman *coy,* dándole gracias por haberles proveído de pan para comer aquel año; rogábanle mandase a las orones guardasen bien y conservasen el pan que había dado para sustento de los hombres, y no hacían más peticiones que éstas.

Otras fiestas hacían los sacerdotes entre año, dentro en la casa del Sol, mas no salían con ellas a plaza ni se tenían en cuenta para las cotejar con las cuatro principales que hemos referido, las cuales eran como pascuas del año, y las fiestas comunes eran sacrificios ordinarios que hacían al Sol cada luna.

VIII. LA DESCRIPCIÓN DE LA IMPERIAL CIUDAD DEL CUZCO

El Inca Manco Cápac fue el fundador de la ciudad del Cuzco, la cual los españoles honraron con renombre largo y honroso, sin quitarle su propio nombre: dijeron la Gran Ciudad del Cuzco, cabeza de los reinos y provincias del Perú. También le llamaron la Nueva Toledo, mas luego se les cayó de la memoria este segundo nombre, por la impropiedad de él, porque el Cuzco no tiene río que la ciña como a Toledo, ni le asemeja en el sitio, que su población empieza de las laderas y faldas de un cerro alto y se tiende a todas partes por un llano grande y espacioso; tiene calles anchas y largas y plazas muy grandes, por lo cual los españoles todos en general, y los escribanos reales y los notarios en sus escrituras públicas, usan del primer título; por- que el Cuzco, en su Imperio, fue otra Roma en el suyo, y así se pue- de cotejar la una con la otra por- que se asemejan en las cosas más generosas que tuvieron. La prime- ra y principal, en haber sido fun- dadas por sus primeros Reyes. La segunda, en las muchas y diversas naciones que conquistaron y suje- taron a su Imperio. La tercera, en las leyes tantas y tan buenas y bo- nísimas que ordenaron para el go- bierno de su república. La cuarta, en los varones tantos y tan exce- lentes que engendraron y con su buena doctrina urbana y militar cria- ron. En los cuales Roma hizo ven- taja al Cuzco, no por haberlos criado mejores, sino por haber sido más venturosa en haber alcanzado letras y eternizado con ellas a sus hijos, que los tuvo no menos ilus- tres por las ciencias que excelentes por las armas; los cuales se honra- ron al trocado unos a otros; éstos, haciendo hazañas en la guerra y en la paz, y aquéllos escribiendo las unas y las otras, para honra de su patria y perpetua memoria de to- dos ellos, y no sé cuáles de ellos hicieron más, si los de las armas o los de las plumas, que, por ser estas facultades tan heroicas, co- rren lanzas, parejas, como se ve en el muchas veces grande Julio Cé- sar, que las ejerció ambas con tan- tas ventajas que no se determina en cuál de ellas fue más grande.

También se duda cuál de es- tas dos partes de varones famosos debe más a la otra, si los guerrea- dores a los escritores, porque escri- bieron sus hazañas y las eterniza- ron para siempre, o si los de las letras a los de las armas, porque les dieron tan grandes hechos como los que cada día hacían, para que tuvieran qué escribir toda su vida. Ambas partes tienen mucho qué alegar, cada una en su favor; de- jarlas hemos, por decir la desdicha de nuestra patria, que, aunque tuvo

hijos esclarecidos en armas y de gran juicio y entendimiento, y muy hábiles y capaces para las ciencias, porque no tuvieron letras no deja- ron memoria de sus grandes ha- zañas y agudas sentencias, y así perecieron ellas y ellos juntamente con su república. Sólo quedaron al- gunos de sus hechos y dichos, en- comendados a una tradición flaca y miserable enseñanza de palabra, de padres a hijos, la cual también se ha perdido con la entrada de la nueva gente y trueque de señorío y gobierno ajeno, como suele acae- cer siempre que se pierden y true- can los imperios.

Yo, incitado del deseo de la con- servación de las antiguallas de mi patria, esas pocas que han queda- do, porque no se pierdan del todo, me dispuse al trabajo tan excesivo como hasta aquí me ha sido y de- lante me ha de ser, el escribir su antigua república hasta acabarla, y porque la ciudad del Cuzco, madre y señora de ella, no quede olvidada en su particular, determiné dibu- jar en este capítulo la descripción de ella, sacada de la misma tra- dición que como a hijo natural me cupo y de lo que yo con propios ojos vi; diré los nombres antiguos que sus barrios tenían, que hasta el año de mil y quinientos y sesen- ta, que yo salí de ella, se conserva- ban en su antigüedad. Después acá se han trocado algunos nombres de aquéllos, por las iglesias parroquia- les que en algunos barrios se han labrado.

El Rey Manco Cápac, conside- rando bien las comodidades que aquel hermoso valle del Cuzco tie- ne, el sitio llano, cercado por todas partes de sierras altas, con cuatro arroyos de agua, aunque pequeños, que riegan todo el valle, y que en medio de él había una hermosí- sima fuente de agua salobre para hacer sal, y que la tierra era fértil y el aire sano, acordó fundar su ciudad imperial en aquel sitio, conformándose, como decían los indios, con la voluntad de su padre el Sol, que, según la seña que le dio de la barrilla de oro, quería que asentase allí su corte, porque había de ser cabeza de su Imperio. El temple de aquella ciudad antes es frío que caliente, mas no tanto que obligue a que busquen fuego para calentarse; basta entrar en un aposento donde no corra aire para perder el frío que traen de la calle, mas si hay brasero encendido sabe muy bien, y si no lo hay, se pasan sin él; lo mismo es en la ropa del vestir, que, si se hacen a andar como de verano, les basta; y si como de invierno, se hallan bien. En la ropa de la cama es lo mismo; que si no quieren más de una frazada, tienen harto, y si quieren tres, no congojan, y esto es todo el año, sin diferencia del invierno al verano, y lo mismo es en cualquier otra región fría, templada o caliente de aquella tierra, que siempre es de una misma manera. En el Cuzco, por participar como decimos más de frío y seco que de calor y húmedo, no se corrompe la carne; que si cuelgan un cuarto de ella en un aposento que tenga ventanas abiertas, se conserva ocho días y quince y treinta y ciento, hasta que se seca como un tasajo. Esto vi en la carne del ganado de aquella tierra; no sé qué será en la del ganado que han llevado de España, si por ser la del carnero de acá más caliente que la de allá habrá lo mismo o no sufrirá tanto; que esto no lo vi, porque en mis tiempos, como adelante diremos, aún no se mataban carneros de Castilla por la poca cría que había de ellos. Por ser el temple frío no hay moscas en aquella ciudad, sino muy pocas, y ésas se hallan al sol, que en los aposentos no entra ninguna. Mosquitos de los que pican no hay ninguno; ni otras sabandijas enfadosas: de todas es limpia aquella ciudad.

Las primeras casas y moradas de ellas se hicieron en las laderas y faldas del cerro llamado Sacsahuaman, que está entre el oriente y el septentrión de la ciudad. En la cumbre de aquel cerro edificaron después los sucesores de este Inca aquella soberbia fortaleza, poco estimada, antes aborrecida de los mismos que la ganaron, pues la derribaron en brevísimo tiempo. La ciudad estaba dividida en las dos partes que al principio se dijo: Hanan Cuzco, que es Cuzco el alto, y Hurin Cuzco, que es Cuzco el bajo. Dividíales el camino de Antisuyu, que es el que va al oriente: la parte septentrional se llamaba Hanan Cuzco y la meridional Hurin Cuzco. El primer barrio, que era el más principal, se llamaba Collcampata: *cóllcam* debe ser de dicción de la lengua particular de los Incas, no sé qué signifique; *pata* quiere decir andén; también significa grada de escalera, y porque los andenes se hacen en forma de escalera, les dieron este nombre; también quiere decir poyo, cualquiera que sea.

En aquel andén fundó el Inca Manco Cápac su casa real, que después fue de Paullu, hijo de Huaina Cápac. Yo alcancé de ella un galpón muy grande y espacioso, que servía de plaza, en días lluviosos, para solemnizar en él sus fiestas principales; sólo aquel galpón quedaba en pie cuando salí del Cuzco, que otros semejantes, de que diremos, los dejé todos caídos. Luego se sigue, yendo en cerco hacia el oriente, otro barrio llamado Cantutpata; quiere decir: andén de clavellinas. Llaman *cántut* a unas flores muy lindas, que semejan en parte las clavellinas de España. Antes de los españoles no había clavellinas en aquella tierra. Seméjase el cántur, en rama y hoja y espinas, a las cambroneras del Andalucía; son matas muy grandes, porque en aquel barrio las había grandísimas (que aún yo las alcancé), le llamaron así. Siguiendo el mismo viaje en cerco al levante, se sigue otro barrio llamado Pumacurcu; quiere decir: viga de leones. *Puma* es león; *curcu,* viga, porque en unas grandes vigas que había en el barrio ataban los leones que presentaban al Inca, hasta domesticarlos y ponerlos donde habían de estar. Luego se sigue otro barrio grandísimo, llamado Tococachi: no sé qué signifique la compostura de este nombre, porque *toco* quiere decir ventana; *cachi* es la sal que se come. En buena compostura de aquel lenguaje dirá sal de ventana, que no sé qué quiesiesen decir por él, si no es que sea nombre propio y tenga otra significación que yo no sepa. En este barrio estuvo edificado primero el convento del divino San Francisco. Torciendo un poco al mediodía, yendo en cerco, se sigue el barrio que llaman Munaicenca; quiere decir: ama la nariz, porque *muna* es amar o querer, y *cenca* es nariz. A qué fin pusiesen tal nombre, no lo sé; debió ser con alguna ocasión o superstición, que nunca los ponían acaso. Yendo todavía con el cerco al mediodía, se sigue otro gran barrio, que llaman Rimacpampa: quiere decir: la plaza que habla, porque en ella se pregonaban algunas ordenanzas, de las que para el gobierno de la república tenían hechas. Pregonábanlas a sus tiempos para que los vecinos las supiesen y acudiesen a cumplir lo que por ellas se les mandaba, y porque la plaza estaba en aquel barrio, le pusieron el nombre de ella; por esta plaza sale el camino real que va a Collasuyu. Pasado el barrio de Rimacpampa está otro, al mediodía de la ciudad, que se dice Pumapchupan; quiere decir: cola de león, porque aquel barrio fenece en punta, por dos arroyos que al fin de él se juntan, haciendo punta de escuadra. También le dieron

este nombre por decir que era aquel barrio lo último de la ciudad: quisieron honrarle con llamarle cola y cabo del león. Sin esto, tenían leones en él, y otros animales fieros. Lejos de este barrio, al poniente de él, había un pueblo de más de trescientos vecinos llamados Cayaucachi. Estaba aquel pueblo más de mil pasos de las últimas casas de la ciudad; esto era el año de mil y quinientos y sesenta; ahora, que es el año de mil y seiscientos y dos, que escribo esto, está ya (según me han dicho) dentro, en el Cuzco, cuya población se ha extendido tanto que lo ha abrazado en sí por todas partes.

Al poniente de la ciudad, otros mil pasos de ella, había otro barrio llamado Chaquillchaca, que también es nombre impertinente para compuesto, si ya no es propio. Por allí sale el camino real que va a Cuntisuyu; cerca de aquel camino están dos caños de muy linda agua, que va encañada por debajo de tierra; no saben decir los indios de dónde la llevaron, porque es obra muy antigua, y también porque van faltando las tradiciones de cosas tan particulares. Llaman *collquemachác-huay* a aquellos caños; quiere decir: culebras de plata, porque el agua se asemeja en lo blanco a la plata y los caños a las culebras, en las vueltas que van dando por la tierra. También me han dicho que llega ya la población de la ciudad hasta Chaquillchaca. Yendo con el mismo cerco, volviendo del poniente hacia el norte, había otro barrio, llamado Pichu. También estaba fuera de la ciudad. Adelante de éste, siguiendo el mismo cerco, había otro barrio, llamado Quillipata. El cual también estaba fuera de lo poblado. Más adelante, al norte de la ciudad, yendo con el mismo cerco, está el gran barrio llamado Carmenca, nombre propio y no de la lengua general. Por él sale el camino real que va a Chinchasuyu. Volviendo con el cerco, hacia el oriente, está luego el barrio llamado Huacapuncu; quiere decir: la puerta del santuario, porque *huaca*, como en su lugar declaramos, entre otras muchas significaciones que tiene, quiere decir templo o santuario; *puncu* es puerta. Llamáronle así porque por aquel barrio entra el arroyo que pasa por medio de la plaza principal del Cuzco, y con el arroyo baja una calle muy ancha y larga, y ambos atraviesan toda la ciudad, y legua y media de ella van a juntarse con el camino real de Collasuyu. Llamaron aquella entrada puerta del santuario o del templo, porque demás de los barrios dedicados para templo del Sol y para la casa de las vírgenes escogidas, que eran sus principales santuarios, tuvieron toda aquella ciudad por cosa sagrada y fue uno de sus mayores ídolos; y por este respecto llamaron a esta entrada del arroyo y de la calle: puerta del santuario, y a la salida del mismo arroyo y calle dijeron: cola de león, por decir que su ciudad era santa en sus leyes y vana religión y un león en sus armas y milicia. Este barrio Huacapuncu llega a juntarse con el de Collcampacta, de donde empezaron a hacer el cerco de los barrios de la ciudad; y así queda hecho el cerco entero.

IX. LA CIUDAD CONTENÍA LA DESCRIPCIÓN DE TODO EL IMPERIO

Los Incas dividieron aquellos barrios conforme a las cuatro partes de su Imperio, que llamaron Tahuantinsuyu, y esto tuvo principio desde el primer Inca Manco Cápac, que dio orden que los salvajes que reducía a su servicio fuesen poblando conforme a los lugares de donde venían: los del oriente al oriente y los del poniente al po-

niente, y así a los demás. Conforme a esto estaban las casas de aquellos primeros vasallos en la redondez de la parte de adentro de aquel gran cerco, y los que se iban conquistando iban poblando conforme a los sitios de sus provincias. Los curacas hacían sus casas para cuando viniesen a la corte, y cabe las de uno hacía otro las suyas, y luego otro y otro, guardando cada uno de ellos el sitio de su provincia; que si estaba a mano derecha de su vecina, labraba sus casas a su mano derecha, y si a la izquierda a la izquierda, y si a las espaldas a las espaldas, por tal orden y concierto, que, bien mirados aquellos barrios y las casas de tantas y tan diversas naciones como en ellas vivían, se veía y comprendía todo el Imperio junto, como en el espejo o en una pintura de cosmografía. Pedro Cieza, escribiendo el sitio del Cuzco, dice al mismo propósito lo que se sigue, capítulo noventa y tres:

> Y como esta ciudad estuviese llena de naciones extranjeras y tan peregrinas, pues había indios de Chile, Pasto, Cañares, Chachapoyas, Guancas, Collas y de los demás linajes que hay en las provincias ya dichas, cada linaje de ellos estaba por sí, en el lugar y parte que les era señalado por los gobernadores de la misma ciudad. Estos guardaban las costumbres de sus padres, andaban al uso de sus tierras, y, aunque hubiese juntos cien mil hombres, fácilmente se conocían con las señales que en las cabezas se ponían...

Hasta aquí es de Pedro Cieza. Las señales que traían en las cabezas eran maneras de tocados que cada nación y cada provincia traía, diferente de la otra para ser conocida. No fue invención de los Incas, sino uso de aquellas gentes; los Reyes mandaron que se conservase, porque no se confundiesen las naciones y linajes de Pasto a

Chile; según el mismo autor, capítulo treinta y ocho, hay más de mil y trescientas leguas. De manera que en aquel gran cerco de barrios y casas vivían solamente los vasallos de todo el Imperio, y no los Incas ni los de su sangre real; eran arrabales de la ciudad, la cual iremos ahora pintando por sus calles, de septentrión al mediodía, y los barrios y casas que hay entre calle y calle como ellas van; diremos las casas de los Reyes y a quién cupieron en el repartimiento que los españoles hicieron de ellas cuando las ganaron.

Del cerro llamado Sacsahuaman desciende un arroyo de poca agua, y corre norte sur hasta el postrer barrio, llamado Pumapchupan. Va dividiendo la ciudad de los arrabales. Más adentro de la ciudad hay una calle que ahora llaman la de San Agustín, que sigue el mismo viaje norte sur, descendiendo desde las casas del primer Inca Manco Cápac hasta en derecho de la plaza Rimacpampa. Otras tres o cuatro calles atraviesan de oriente a poniente aquel largo sitio que hay entre aquella calle y el arroyo. En aquel espacio largo y ancho vivían los Incas de la sangre real, divididos por sus *aillus,* que es linajes, que aunque todos ellos eran de una sangre y de un linaje, descendientes del Rey Manco Cápac, con todo eso hacían sus divisiones de descendencia de tal o tal Rey, por todos los Reyes que fueron, diciendo: éstos descienden del Inca fulano y aquéllos del Inca zutano; y así por todos los demás. Y esto es lo que los historiadores españoles dicen en confuso, que tal Inca hizo tal linaje y tal Inca otro linaje llamado tal, dando a entender que eran diferentes linajes, siendo todo uno, como lo dan a entender los indios con llamar en común a todos aquellos linajes divididos: Cápac Aillu, que es linaje augusto, de sangre real. También llamaron Inca,

sin división alguna, a los varones de aquel linaje, que quiere decir varón de la sangre real, y a las mujeres llamaron Palla, que es mujer de la misma sangre real.

En mis tiempos vivían en aquel sitio, descendiendo de lo alto de la calle, Rodrigo de Pineda, Juan de Saavedra, Diego Ortiz de Guzmán, Pedro de los Ríos y su hermano Diego de los Ríos, Jerónimo Costillas, Gaspar Jara —cuyas eran las casas que ahora son conventos del Divino Augustino—, Miguel Sánchez, Juan de Santa Cruz, Alonso de Soto, Gabriel Carrera, Diego de Trujillo, conquistador de los primeros y uno de los trece compañeros que perseveraron con Don Francisco Pizarro, como en su lugar diremos; Antón Ruiz de Guevara, Juan de Salas, hermano del Arzobispo de Sevilla e Inquisidor general Valdés de Salas, sin otros de que no me acuerdo; todos eran señores de vasallos, que tenían repartimiento de indios, de los segundos conquistadores del Perú. Sin éstos, vivían en aquel sitio otros muchos españoles que no tenían indios. En una de aquellas casas se fundó el convento del Divino Augustino, después que yo salí de aquella ciudad. Llamamos conquistador de los primeros a cualquiera de los ciento y sesenta españoles que se hallaron con Don Francisco Pizarro en la prisión de Atahualpa; y los que fueron con Don Pedro de Alvarado, que todos entraron casi juntos; a todos éstos dieron nombre de conquistadores del Perú, y no a más, y los segundos honraban mucho a los primeros, aunque algunos fuesen de menos cantidad y de menos calidad que no ellos, porque fueron primeros.

Volviendo a lo alto de la calle de San Agustín, para entrar más adentro de la ciudad, decimos que en lo alto de ella está el convento de Santa Clara; aquellas casas fueron primero de Alonso Díaz, yerno del gobernador Pedro Arias de Ávila; a mano derecha del convento hay muchas casas de españoles: entre ellas estaban las de Francisco de Barrientos, que después fueron de Juan Álvarez Maldonado. A mano derecha de ellas están las que fueron de Hernando Bachicao y después de Juan Alonso Palomino; de frente de ellas, al mediodía, están las casas episcopales, las cuales fueron antes de Juan Balsa y luego fueron de Francisco de Villacastín. Luego está la iglesia Catedral, que sale a la plaza principal. Aquella pieza, en tiempo de los Incas, era un hermoso galpón, que en días lluviosos les servía de plaza para sus fiestas. Fueron casas del Inca Viracocha, octavo Rey; yo no alcancé de ellas más del galpón; los españoles, cuando entraron en aquella ciudad, se alojaron todos en él, por estar juntos para lo que se les ofreciese. Yo la conocí cubierta de paja y la vi cubrir de tejas. Al norte de la Iglesia Mayor, calle en medio, hay muchas casas con sus portales, que salen a la plaza principal; servían de tiendas para oficiales. Al mediodía de la Iglesia Mayor, calle en medio, están las tiendas principales de los mercaderes más caudalosos.

A las espaldas de la iglesia están las casas que fueron de Juan de Berrio, y otras de cuyos dueños no me acuerdo.

A las espaldas de las tiendas principales están las casas que fueron de Diego Maldonado, llamado el Rico, porque lo fue más que otro alguno de los del Perú: fue de los primeros conquistadores. En tiempo de los Incas se llamaba aquel sitio Hatuncancha; quiere decir: barrio grande. Fueron casas de uno de los Reyes, llamado Inca Yupanqui; al mediodía de las de Diego Maldonado, calle en medio, están las que fueron de Francisco Hernández Girón. Adelante de aquéllas, al mediodía, están las casas

que fueron de Antonio Altamirano, conquistador de los primeros, y Francisco de Frías y Sebastián de Cazalla, con otras muchas que hay a sus lados y espaldas; llámase aquel barrio Puca Marca; quiere decir: barrio colorado. Fueron casas del Rey Túpac Inca Yupanqui. Adelante de aquel barrio, al mediodía, está otro grandísimo barrio, que no me acuerdo de su nombre; en él están las casas que fueron de Alonso de Loaysa, Martín de Meneses, Juan de Figueroa, Don Pedro Puertocarrero, García de Melo, Francisco Delgado, sin otras muchas de señores de vasallos cuyos nombres se me han ido de la memoria. Más adelante de aquel barrio, yendo todavía al sur, está la plaza llamada Intipampa; quiere decir: plaza del Sol, porque estaba delante de la casa y templo del Sol, donde llegaban los que no eran Incas con las ofrendas que le llevaban, porque no podían entrar dentro en la casa. Allí las recibían los sacerdotes y las presentaban a la imagen del Sol, que adoraban por Dios. El barrio donde estaba el templo del Sol se llamaba Coricancha, que es: barrio de oro, plata y piedras preciosas, que, como en otra parte dijimos, había en aquel templo y en aquel barrio. Al cual se sigue el que llaman Pumapchupan, que son ya arrabales de la ciudad.

X. EL SITIO DE LAS ESCUELAS Y EL DE TRES CASAS REALES Y EL DE LAS ESCOGIDAS

Para decir los barrios que quedan, me conviene volver al barrio Huacapuncu, que es puerta del santuario, que estaba al norte de la plaza principal de la ciudad, al cual se le seguía, yendo al mediodía, otro barrio grandísimo, cuyo nombre se me ha olvidado; podrémosle llamar el barrio de las escuelas, porque en él estaban las que fundó el Rey Inca Roca, como en su vida dijimos. En indio dicen *Yacha Huaci,* que es casa de enseñanza. Vivían en él los sabios y maestros de aquella república, llamados *amauta,* que es filósofo, y *haráuec,* que es poeta, los cuales eran muy estimados de los Incas y de todo su Imperio. Tenían consigo muchos de sus discípulos, principalmente los que eran de la sangre real. Yendo del barrio de las escuelas al mediodía, están dos barrios, donde había dos casas reales que salían a la plaza principal. Tomaban todo el lienzo de la plaza; la una de ellas, que estaba al levante de la otra, se decía Coracora; quiere decir: herbazales, porque aquel sitio era un gran herbazal y aquel sitio era un grande herbazal y la plaza que está delante era un mandaron ponerla como está. Lo mismo dice Pedro Cieza, capítulo noventa y dos. En aquel herbazal fundó el Rey Inca Roca su casa real, por favorecer las escuelas, yendo muchas veces a ellas a oír los maestros. De la casa Coracora no alcancé nada, porque ya en mis tiempos estaba toda por el suelo; cupo en suerte, cuando se repartió la ciudad, a Gonzalo Pizarro, hermano del marqués Don Francisco Pizarro, que fue uno de los que la ganaron. A este caballero conocí en el Cuzco después de la batalla de Huarina y antes de la de Sacsahuana; tratábame como a propio hijo: era yo de ocho a nueve años. La casa real, que estaba al poniente de Coracora, se llamaba Casana, que quiere decir: cosa para helar. Pusiéronle este nombre por admiración, dando a entender que tenía tan grandes y tan hermosos edificios que habían de helar y pasmar al que los mirase con atención. Eran casas del gran Inca Pachacútec, bisnieto de Inca Roca, que, por favorecer las escuelas que su bisabuelo fundó, mandó labrar su casa cerca de ellas. Aquellas dos casas reales tenían a sus espaldas las escuelas. Estaban las unas y las otras todas juntas, sin división. Las escuelas tenían sus puertas principales a la calle y al arroyo; los Reyes pasaban por los postigos a oír las lecciones de sus filósofos, y el Inca Pachacútec las leía muchas veces, declarando sus leyes y estatutos, que fue gran legislador.

En mi tiempo abrieron los españoles una calle, que dividió las escuelas de las casas reales; de la que llamaban Casana alcancé mucha parte de las paredes, que eran de cantería ricamente labrada, que mostraban haber sido aposentos reales, y un hermosísimo galpón, que en tiempo de los Incas, en días lluviosos, servía de plaza para sus fiestas y bailes. Era tan grande que muy holgadamente pudieran sesenta de a caballo jugar cañas dentro en él. Al convento de San Francisco vi en aquel galpón, que porque estaba lejos de lo poblado de los españoles se pasó a él desde el barrio Tococachi, donde antes estaba. En el galpón tenían apartado para iglesia un gran pedazo, capaz de mucha gente; luego estaban las celdas, dormitorio y refectorio y las demás oficinas del convento, y, si estuviera descubierto, dentro pudieran hacer claustro. Dio el galpón y todo aquel sitio a los frailes Juan de Pancorvo, conquistador de los primeros, a quien cupo aquella casa real en el repartimiento que se hizo de las casas; otros muchos españoles tuvieron parte en ellas, mas Juan de Pancorvo las compró todas a los principios, cuando se daban de balde. Pocos años después se pasó el convento donde ahora está, como en otro lugar diremos, tratando de la limosna que los de la ciudad hicieron a los religiosos para comprar el sitio y la obra de la iglesia. También vi derribar el galpón y hacer en el barrio Casana las tiendas con sus portales, como hoy están, para morada de mercaderes y oficiales.

Delante de aquellas casas, que fueron casas reales, está la plaza principal de la ciudad, llamada Haucaypata, que es andén o plaza de fiestas y regocijos. Tendrá, norte sur, doscientos pasos de largo, poco más o menos, que son cuatrocientos pies; y este oeste, ciento y cincuenta pasos de ancho hasta el arroyo. Al cabo de la plaza, al mediodía de ella, había otras dos casas reales; la que estaba cerca del arroyo, calle en medio, se llamaba Amarucancha, que es: barrio de las culebras grandes; estaba de frente de Casana; fueron casas de Huaina Cápac; ahora son de la Santa Compañía de Jesús. Yo alcancé de ellas un galpón grande, aunque no tan grande como el de Casana. Alcancé también un hermosísimo cubo redondo, que estaba en la plaza, delante de la casa. En otra parte diremos de aquel cubo, que, por haber sido el primer aposento que los españoles tuvieron en aquella ciudad (demás de su grande hermosura), fuera bien que le sustentaran los ganadores de ella; no alcancé otra cosa de aquella casa real: toda la demás estaba por el suelo. En el primer repartimiento cupo lo principal de esta casa real, que era lo que salía a la plaza, [a] Hernando Pizarro, hermano del marqués Don Francisco Pizarro, que también fue de los primeros ganadores de aquella ciudad. A este caballero vi en la corte de Madrid, año de mil y quinientos y sesenta y dos. Otra parte cupo a Mancio Serra de Leguizamo, de los primeros conquistadores. Otra parte a Antonio Altamirano, al cual conocí dos casas: debió de comprar la una de ellas. Otra parte se señaló para cárcel de españoles. Otra parte cupo a Alonso Mazuela, de los primeros conquistadores; después fue de Martín de Olmos. Otras partes cupieron a otros, de los cuales no tengo memoria. Al oriente de Amarucancha, la calle del Sol en medio,

está el barrio llamado Acllahuaci, que es casa de las escogidas, donde estaba el convento de las doncellas dedicadas al Sol, de las cuales dimos larga cuenta en su lugar, y de lo que yo alcancé de sus edificios resta decir que en el repartimiento cupo parte de aquella casa a Francisco Mejía, y fue lo que sale al lienzo de la plaza, que también se ha poblado de tiendas de mercaderes. Otra parte cupo a Pedro del Barco y otra parte al licenciado de la Gama, y otras a otros, de que no me acuerdo.

Toda la población que hemos dicho de barrios y casas reales estaba al oriente del arroyo que pasa por la plaza principal, donde es de advertir que los Incas tenían aquellos tres galpones a los lados y frente de la plaza, para hacer en ellos sus fiestas principales aunque lloviese, los días en que cayesen las tales fiestas, que eran por las lunas nuevas de tales o tales meses y por los solsticios. En el levantamiento general que los indios hicieron contra los españoles, cuando quemaron toda aquella ciudad, reservaron del fuego los tres galpones de los cuatro que hemos dicho, que son el de Collcampata, Casana y Amarucancha, y sobre el cuarto, que era alojamiento de los españoles, que ahora es iglesia Catedral, echaron innumerables flechas con fuego, y la paja se encendió en más de veinte partes y se volvió [a] apagar como en su lugar diremos, que no permitió Dios que aquel galpón se quemase aquella noche ni otras muchas noches y días que procuraron quemarlo, que por estas maravillas y otras semejantes que el Señor hizo para que su Fe Católica entrara en aquel Imperio, lo ganaron los españoles. También reservaron el templo del Sol y la casa de las vírgenes escogidas; todo lo demás quemaron, por quemar a los españoles.

XI. LOS BARRIOS Y CASAS QUE HAY AL PONIENTE DEL ARROYO

Todo lo que hemos dicho de las casas reales y población de aquella ciudad estaba al oriente del arroyo que pasa por medio de ella. Al poniente del arroyo está la plaza que llaman Cusipata, que es andén de alegría y regocijo. En tiempo de los Incas aquellas dos plazas estaban hechas una; todo el arroyo estaba cubierto con vigas gruesas y encima de ellas losas grandes para hacer suelo, porque acudían tantos señores de vasallos a las fiestas principales que hacían al Sol, que no cabían en la plaza que llamamos principal; por esto la ensancharon con otra, poco menos grande que ella. El arroyo cubrieron con vigas, porque no supieron hacer bóveda. Los españoles gastaron la madera y dejaron cuatro puentes a trechos, que yo alcancé, y eran también de madera. Después hicieron tres de bóveda, que yo dejé. Aquellas dos plazas en mis tiempos no estaban divididas, ni tenían casas a una parte y a otra del arroyo, como ahora las tienen. El año de mil quinientos y cincuenta y cinco, siendo corregidor Garcilaso de la Vega, mi señor, se labraron y adjudicaron para propios de la ciudad; que la triste, aunque había sido señora y emperatriz de aquel grande Imperio, no tenía entonces un maravedí de renta; no sé lo que tiene ahora. Al poniente del arroyo no habían hecho edificios los Reyes Incas; sólo había el cerco de los arrabales, que hemos dicho. Tenían guardado aquel sitio para que los Reyes sucesores hicieran sus casas, como habían hecho los pasados, que, aunque es verdad que las casas de los antecesores también eran de los sucesores, ellos mandaban labrar, por grandeza y majestad, otras para sí, porque retuviesen el nombre del que las mandó labrar, como todas las demás cosas que hacían, que no perdían el nombre de los Incas sus dueños; lo cual no deja de ser particular grandeza de aquellos Reyes. Los españoles labraron sus casas en aquel sitio; las cuales iremos diciendo, siguiendo el viaje norte sur, como ellas están y cuyas eran cuando yo las dejé.

Bajando con el arroyo desde la puerta Huacapuncu, las primeras casas eran de Pedro de Orué; luego seguían las de Juan de Pancorvo, y en ella vivía Alonso de Marchena, que aunque tenía indios no quería Juan de Pancorvo que viviese en otra casa, por la mucha y antigua amistad que siempre tuvieron. Siguiendo el mismo viaje, calle en medio, están las casas que fueron de Hernán Bravo de Laguna y Lope Martín, de los primeros conquistadores; otras había pegadas a ésta, que, por ser españoles que no tenían indios, no los nombramos, y lo mismo se entienda de los barrios que hemos dicho y dijéremos, porque hacer otra cosa fuera prolijidad insufrible. A las casas de Hernán Bravo sucedían las que fueron de Alonso de Hinojosa, que antes fueron del licenciado Carvajal, hermano del factor Illén Suárez de Carvajal, de quien hacen mención las historias del Perú. Siguiendo el mismo viaje norte sur, sucede la plaza Cusipata, que hoy llaman de Nuestra Señora de las Mercedes; en ella están los indios e indias que con sus miserias hacían en mis tiempos oficios de mercaderes, trocando unas cosas por otras; porque en aquel tiempo no había uso de moneda labrada, ni se labró en los veinte años después; era como feria o mercado, que los indios llaman *catu*. Pasada la plaza, al mediodía de ella, está el convento de Nuestra Señora de las Mercedes, que abraza todo un barrio de cuatro calles; a sus espaldas, calle en medio, había otras casas de vecinos que tenían indios, que por no acordarme de los nombres de sus dueños, no las nombro; no pasaba entonces la población de aquel puesto.

Volviendo al barrio Carmenca, para bajar con otra calle de casas, decimos que las más cercanas a Carmenca son las que fueron de Diego de Silva, que fue mi padrino de confirmación, hijo del famoso Feliciano de Silva. Al mediodía de' éstas, calle en medio, estaban las de Pedro López de Cazalla, secretario que fue del Presidente Gasca, y las de Juan de Betanzos y otras muchas que hay a un lado y a otro y a las espaldas de aquéllas, cuyos dueños no tenían indios. Pasando adelante al mediodía, calle en medio, están las casas que fueron de Alonso de Mesa, conquistador de los primeros, las cuales salen a la plaza de Nuestra Señora; a sus lados y espaldas hay otras muchas colaterales, de que no se hace mención. Las casas que están al mediodía de las de Alonso de Mesa, calle en medio, fueron de Garcilaso de la Vega, mi señor; tenía encima de la puerta principal un corredorcillo largo y angosto, donde acudían los señores principales de la ciudad a ver las fiestas de sortija, toros y juegos de cañas que en aquella plaza se hacían; y antes de mi padre, fueron de un hombre noble conquistador de los primeros, llamado Francisco de Oñate, que murió en la batalla de Chupas. De aquel corredorcillo y de otras partes de la ciudad se ve una punta de sierra nevada en forma de pirámide; tan alta, que, con estar veinte y cinco leguas de ella y haber otras sierras en medio, se descubre mucha altura de aquella punta; no se ven peñas ni riscos, sino nieve pura y perpetua, sin menguar jamás. Llámanle Uillcanuta: quiere decir cosa sagrada o maravillosa más que las comunes, porque este nombre Uillca nunca lo dieron sino a cosas dignas de

admiración; y cierto, aquella pirámide lo es, sobre todo encarecimiento que de ella se pueda hacer. Remítome a los que la han visto o la vieren.

Al poniente de las casas de mi padre estaban las de Vasco de Guevara, conquistador de los segundos, que después fueron de la Coya Doña Beatriz, hija de Huaina Cápac. Al mediodía estaban las de Antonio de Quiñones, que también salían a la plaza de Nuestra Señora, calle en medio. Al mediodía de las de Antonio de Quiñones estaban las de Tomás Vázquez, conquistador de los primeros. Antes de él fueron de Alonso de Toro, teniente general que fue de Gonzalo Pizarro. Matóle su suegro Diego González, de puro miedo que de él hubo en ciertos enojos caseros. Al poniente de las de Tomás Vázquez estaban las que fueron de Don Pedro Luis de Cabrera, y después fueron de Rodrigo de Esquivel. Al mediodía de las de Tomás Vázquez estaban las de Don Antonio Pereira, hijo de Lope Martín, portugués. Luego se seguían las casas de Pedro Alonso Carrasco, conquistador de los primeros. Al mediodía de las casas de Pedro Alonso de Carrasco había otras de poco momento, y eran las últimas de aquel barrio, el cual se iba poblando por los años de mil y quinientos y cincuenta y siete y cincuenta y ocho.

Volviendo a las faldas del cerro Carmenca, decimos que al poniente de las casas de Diego de Silva están las que fueron de Francisco de Villafuerte, conquistador de los primeros y uno de los trece compañeros de Don Francisco Pizarro. Al mediodía de ellas, calle en medio, había un andén muy largo y ancho; no tenía casas. Al mediodía de aquel andén había otro hermosísimo, donde ahora está el convento del divino San Francisco; adelante del convento está una muy grande plaza; al mediodía de ella,

calle en medio, están las casas de
Juan Julio de Hojeda, de los primeros conquistadores, padre de
Don Gómez de Tordoya, que hoy
vive. Al poniente de las casas de
Don Gómez estaban las que fueron
de Martín de Arbieto, y por aquel
paraje, el año de mil y quinientos
y sesenta, no había más población.
Al poniente de las casas de Martín
de Arbieto está un llano muy
grande, que en mis tiempos servía
de ejercitar los caballos en él; al
cabo del llano labraron aquel rico
y famoso hospital de indios que
está en él; fundóse año de mil y
quinientos y cincuenta y cinco o
cincuenta y seis; como luego diremos. La población que entonces
había era la que hemos dicho. La
que ahora hay más, se ha poblado
de aquel año acá. Los caballeros
que he nombrado en este discurso,
todos eran muy nobles en sangre
y famosos en armas, pues ganaron
aquel riquísimo Imperio; los más
de ellos conocí, que de los nombrados no me faltaron diez por
conocer.

XII. DOS LIMOSNAS QUE LA CIUDAD HIZO PARA OBRAS PÍAS

Para tratar de la fundación de
aquel hospital y de la limosna primera que para ella se juntó, me
conviene decir primero de otra
limosna que los vecinos de aquella
ciudad hicieron a los religiosos del
divino San Francisco, para pagar
el sitio y el cuerpo de la iglesia que hallaron labrado; porque
lo uno sucedió a lo otro y todo
pasó siendo corregidor del Cuzco
Garcilaso de la Vega, mi señor.
Es así que estando el convento en
Casana, como hemos dicho, los frailes, no sé con qué causa, pusieron
demanda a Juan Rodríguez de Villalobos, cuyo era el sitio y lo que
en él estaba labrado, y llevaron

carta y sobrecarta de la Chancillería de los Reyes para que les diesen la posesión del sitio, pagando
a Villalobos lo que se apreciase que
valían aquellos dos andenes y lo
labrado de la iglesia. Todo ello
apreció en veinte y dos mil y doscientos ducados. Era entonces guardián un religioso de los recoletos,
llamado Fray Juan Gallegos, hombre de santa vida y de mucho
ejemplo, el cual hizo la paga dentro en casa de mi padre, que fue
el que le dio la posesión; y llevó
aquella cantidad en barras de plata.
Admirándose los presentes de que
unos religiosos tan pobres hiciesen
una paga tan cumplida y rica y
en tan breve tiempo, porque vino
mandado que se hiciese dentro de
tiempo limitado, dijo el guardián:

Señores, no os admiréis, que son
obras del cielo y de la mucha caridad de esta ciudad, que Dios guarde, y para que sepáis cuán grande
es, os certifico que el lunes de esta
semana en que estamos no tenía
trescientos ducados para esta paga,
y hoy jueves por la mañana, me
hallé con la cantidad que véis presente, porque acudieron estas dos
noches, en secreto, así vecinos que
tienen indios como caballeros soldados que no los tienen, con sus
limosnas, en tanta cantidad, que
despedí muchas de ellas cuando vi
que tenía recaudo; y más os digo que estas dos noches pasadas no
nos dejaron dormir, llamando a la
portería con su caridad y limosnas.

Todo esto dijo aquel buen religioso de la liberalidad.

Para decir ahora de la fundación
de aquel hospital, es de saber que
a este guardián sucedió otro llamado Fray Antonio de San Miguel,
de la muy noble familia que de este
apellido hay en Salamanca, gran
teólogo, y en su vida y doctrina hijo
verdadero de San Francisco, que
por ser tal fue después Obispo de
Chili, donde vivió con la santidad
que siempre, como lo pregonan

aquellos reinos de Chili y del Perú. Este santo varón, el segundo año de su trienio, predicando los miércoles, viernes y domingos de la cuaresma en la iglesia Catedral del Cuzco, un domingo de aquéllos propuso sería bien que la ciudad hiciese un hospital de indios y que el Cabildo de ella fuese patrón de él, como lo era el de la iglesia del hospital de los españoles que había, y que se fundase aquella casa para que hubiese a quién restituir las obligaciones que los españoles, conquistadores y no conquistadores, tenían, porque dijo que en poco o en mucho ninguno escapaba de esta deuda. Prosiguió con esta persuasión los sermones de aquella semana, y el domingo siguiente concluyó apercibiendo la ciudad para la limosna, y les dijo: "Señores, el corregidor y yo saldremos esta tarde a la una a pedir por amor de Dios para esta obra; mostraos tan largos y dadivosos para ella como os mostrasteis fuertes y animosos para ganar este Imperio". Aquella tarde salieron los dos y la pidieron, y por escrito asentaron lo que cada uno mandó; anduvieron de casa en casa de los vecinos que tenían indios, que aquel día no pidieron a otros; y a la noche volvió mi padre a la suya, y me mandó sumar las partidas que en el papel traía, para ver la cantidad de la limosna; hallé por la suma veinte y ocho mil y quinientos pesos, que son treinta y cuatro mil y doscientos ducados; la manda menos fue de quinientos pesos, que son seiscientos ducados, y algunas llegaron a mil pesos. Esta fue la cantidad de aquella tarde, que se juntó en espacio de cinco horas; otros días pidieron en común a vecinos y no vecinos, y todos mandaron muy largamente, tanto, que en pocos meses pasaron de cien mil ducados, y luego que por el reino se supo la fundación del hospital de los naturales, acudieron dentro del mismo año muchas li-

mosnas, así hechas en salud como mandas de testamentos, con que se empezó la obra, a la cual acudieron los indios de la jurisdicción de aquella ciudad con gran prontitud, sabiendo que era para ellos.

Debajo de la primera piedra que asentaron en el edificio puso Garcilaso de la Vega, mi señor, como Corregidor, un doblón de oro de los que llaman de dos caras, que son de los Reyes Católicos Don Fernando y Doña Isabel; puso aquel doblón por cosa rara y admirable que en aquella tierra se hallase entonces moneda de oro ni de otro metal, porque no se labraba moneda, y la costumbre de los mercaderes españoles era llevar mercaderías por la ganancia que en ellas había, y no moneda de oro ni de plata. Algún curioso debió de llevar aquel doblón, por ser moneda de España, como han llevado las demás cosas que allá no había, y se lo daría a mi padre en aquella ocasión por cosa nueva (que yo no supe cómo lo hubo), y así lo fue para todos los que aquel día lo vieron, que de mano en mano anduvo por todos los del Cabildo de la ciudad y de otros muchos caballeros que se hallaron presentes a la solemnidad de las primeras piedras; dijeron todos que era la primera moneda labrada que en aquella tierra se había visto, y que por su novedad se empleaba muy bien en aquella obra. Diego Maldonado, llamado el Rico por su mucha riqueza, natural de Salamanca, como regidor más antiguo puso una plancha de plata, y en ella esculpidas sus armas. Esta pobreza se puso por fundamento de aquel rico edificio.

Después acá han concedido los Sumos Pontífices muchas indulgencias y perdones a los que falleciereren aquella casa. Lo cual sabido por una india de la sangre real que yo conocí, viéndose a la muerte, pidió que para su remedio la llevasen al hospital. Sus parientes le dijeron que no los afrentase con irse al hospital, pues tenía hacienda para curarse en su casa. Respondió que no pretendía curar el cuerpo, que ya no lo había menester, sino el alma, con las gracias e indulgencias que los príncipes de la Iglesia habían concedido a los que morían en aquel hospital, y así se hizo llevar, y no quiso entrar en la enfermería; hizo poner su camilla a un rincón de la iglesia del hospital. Pidió que le abriesen la sepultura cerca de su cama; pidió el hábito de San Francisco para enterrarse con él; tendiólo sobre su cama; mandó traer la cera que se había de gastar a su entierro, púsola cerca de sí, recibió el Santísimo Sacramento y la extremaunción, y así estuvo cuatro días llamando a Dios y a la Virgen María y a toda la Corte celestial, hasta que falleció. La ciudad, viendo que una india había muerto tan cristianamente, quiso favorecer el hecho con honrar su entierro, porque los demás indios se animasen a hacer otro tanto, y así fueron a sus exequias ambos cabildos, eclesiástico y seglar, sin la demás gente noble, y la enterraron con solemne caridad, de que su parentela y los demás indios se dieron por muy favorecidos, regalados y estimados. Y con esto será bien nos pasemos a contar la vida y hechos del Rey décimo, donde se verán cosas de grande admiración.

XIII. NUEVA CONQUISTA QUE EL REY INCA YUPANQUI PRETENDE HACER

El buen Inca Yupanqui, habiendo tomado la borla colorada y cumplido así con la solemnidad de la posesión del Imperio, como con las exequias de sus padres, por mostrarse benigno y afable quiso que lo primero que hiciese fuese visitar todos sus reinos y provincias, que, como ya se ha dicho, era lo más favorable y agradable que los Incas hacían con sus vasallos, que como una de sus vanas creencias era creer que aquellos sus Reyes eran dioses hijos del Sol y no hombres humanos, tenían en tanto el verlo en sus tierras y casas que ningún encarecimiento basta a ponerlo en su punto. Por esta causa salió el Inca a visitar sus reinos, en los cuales fue recibido y adorado conforme a su gentileza. Gastó el Inca Yupanqui en esta visita más de tres años, y habiéndose vuelto a su ciudad y descansado de tan largo camino, consultó con los de su Consejo sobre hacer una brava y dificultosa jornada, que era hacia los Antis, al oriente del Cuzco, porque, como por aquella parte atajaba los términos de su Imperio la gran cordillera de la Sierra Nevada, deseaba atravesarla y pasar de la otra parte por alguno de los ríos que de la parte del poniente pasan por ella al levante, que por lo alto de la sierra es imposible atravesarla por la mucha nieve que tiene y por la que perpetuamente le cae.

Tenía este deseo Inca Yupanqui, por conquistar las naciones que hubiese de aquella parte, para reducirlas a su Imperio y sacarlas de las bárbaras e inhumanas costumbres que tuviesen y darles el conocimiento de su padre el Sol, para que lo tuviesen y adorasen por su Dios, como habían hecho las demás naciones que los Incas habían conquistado. Tuvo el Inca este deseo por cierta relación que sus pasados y él habían tenido, de que en aquellas anchas y largas regiones había muchas tierras, de ellas pobladas y de ellas inhabitables, por las grandes montañas, lagos, ciénagas y pantanos que tenían, por las cuales dificultades no se podían habitar.

Tuvo nueva que, entre aquellas provincias pobladas, una de las mejores era la que llaman Musu y los españoles llaman los Mojos, a la cual se podría entrar por un río grande que en los Antis, al oriente de la ciudad, se hace de muchos ríos que en aquel paraje se juntan en uno, que los principales son cinco, cada uno con nombre propio, sin otra infinidad de arroyos, los cuales todos hacen un grandísimo río llamado Amarumayu. Dónde vaya a salir este río a la Mar del Norte, no la sabré decir, mas de que por su grandeza y por el viaje que lleva corriendo hacia levante sospecho que sea uno de los grandes que, juntándose con otros muchos, se llaman el Río de la Plata, llamado así porque preguntando los españoles (que lo descubrieron) a los naturales de aquella costa si había plata en aquella provincia, le dijeron que en aquella tierra no la había; empero, que en los nacimientos de aquel gran río había mucha. De estas palabras se le dedujo el nombre que hoy tiene, y se llama Río de [la] Plata sin tener ninguna, famoso y tan famoso en el mundo que de los que hasta hoy se conocen tiene el segundo lugar, permitiendo que el Río de Orellana tenga el primero.

El Río de la Plata se llama en lengua de los indios Parahuay; si esta dicción es del general lenguaje del Perú quiere decir llovedme, y podríase interpretar, en frasis de la misma lengua, que el río, como que jactándose de sus admirables crecientes, diga: "llovedme y verás maravillas"; porque como otras veces hemos dicho, es frasis de aquel lenguaje decir en una palabra significativa la razón que se puede contener en ella. Si la dicción Parahuay es de otro lenguaje, y no del Perú, no sé qué signifique.

Juntándose aquellos cinco ríos grandes, pierde cada uno su nombre propio, y todos juntos, hecho uno, se llaman Amarumayu. *Mayu* quiere decir río y *amaru* llaman a las culebras grandísimas que hay en las montañas de aquella tierra,

que son como atrás las hemos pintado, y por la grandeza del río le dieron este nombre por excelencia, dando a entender que es tan grande entre los ríos como el amaru entre las culebras.

XIV. LOS SUCESOS DE LA JORNADA DE MUSU, HASTA EL FIN DE ELLA

Por este río, aunque tan grande y hasta ahora mal conocido, le pareció al Rey Inca Yupanqui hacer su entrada a la provincia Musu, que por tierra era imposible poder entrar a ella, por las bravísimas montañas y muchos lagos, ciénagas y pantanos que hay en aquellas partes. Con esta determinación mandó cortar grandísima cantidad de una madera que hay en aquella región, que no sé cómo se llame en indio; los españoles la llaman higuera, no porque lleve higos, que no los lleva, sino por ser tan liviana y más que la higuera.

Tardaron en cortar la madera y aderezarla, y hacer de ella muy grandes balsas, casi dos años. Hiciéronse tantas, que cupieron en ellas diez mil hombres de guerra y el bastimento que llevaron. Lo cual todo proveído y aprestada la gente y comida y nombrado el general y maeses de campo y los demás ministros del ejército, que todos eran Incas de la sangre real, se embarcaron en las balsas, que eran capaces de treinta, cuarenta, cincuenta indios cada una, y más y menos. La comida llevaban en medio de las balsas, en unos tablados o tarimas de media vara en alto, por que no se les mojase. Con este aparato se echaron los Incas el río abajo, donde tuvieron grandes encuentros y batallas con los naturales, llamados Chunchu, que vivían en las riberas, a una mano y a otra del río. Los cuales salieron en gran número por agua y por tierra, así a defenderles que no saltasen en tierra como a pelear con ellos por el río abajo; sacaron por armas ofensivas arcos y flechas, que son las que más en común usan todas las naciones de los Antis. Salieron almagrados los rostros, brazos y piernas, y todo el cuerpo de diversas colores, que, por ser la región de aquella tierra muy caliente, andaban desnudos, no más de con pañetes; sacaron sobre sus cabezas grandes plumajes, compuestos de muchas plumas de papagayos y guacamayas.

Es así que al fin de muchos trances en armas y de muchas pláticas que los unos y los otros tuvieron, se redujeron a la obediencia y servicio del Inca todas las naciones de la ribera y otra de aquel gran río, y enviaron en reconocimiento de vasallaje muchos presentes al Rey Inca Yupanqui de papagayos, micos y guacamayas, miel y cera y otras cosas que se crían en aquella tierra. Estos presentes duraron hasta la muerte de Túpac Amaru, que fue el último de los Incas, como lo veremos en el discurso de la vida y sucesión de ellos, al cual cortó la cabeza el visorrey Don Francisco de Toledo. De estos indios Chunchus, que salieron con la embajada, y otros que después vinieron, se pobló un pueblo cerca de Tono, veinte y seis leguas del Cuzco, los cuales pidieron al Inca los permitiese poblar allí para servirle de más cerca, y así ha permanecido hasta hoy. Reducidas al servicio del Inca las naciones de las riberas de aquel río, que comúnmente se llama Chunchu, por la provincia Chunchu, pasaron adelante y sujetaron otras muchas naciones, hasta llegar a la provincia que llaman Musu, tierra poblada de mucha gente belicosa, y ella fértil de suyo; quieren decir que está doscientas leguas de la ciudad del Cuzco.

Dicen los Incas que cuando llegaron allí los suyos, por las muchas guerras que atrás habían tenido, llegaron ya pocos. Más con todo eso se atrevieron a persuadir a los Musus se redujesen al servicio de su Inca, que era hijo del Sol, al cual había enviado su padre desde el cielo para que enseñase a los hombres a vivir como hombres y no como bestias; y que adorasen al Sol por Dios y dejasen de adorar animales, piedras y palos y otras cosas viles. Y que viendo que los Musus les oían de buena gana, les dieron los Incas más larga noticia de sus leyes, fueros y costumbres, y les contaron las grandes hazañas que sus Reyes, en las conquistas pasadas, habían hecho y cuántas provincias tenían sujetas, y que muchas de ellas habían ido a someterse de su grado, suplicando a los Incas los recibiese[n] por sus vasallos y que ellos les adoraban por dioses. Particularmente dicen que les contaron el sueño del Inca Viracocha y sus hazañas. Con estas cosas se admiraron tanto los Musus, que holgaron de recibir la amistad de los Incas y de abrazar su idolatría, sus leyes y costumbres, porque les parecían buenas, y que prometían gobernarse por ellas y adorar al Sol por su principal Dios. Mas que no querían reconocer vasallaje al Inca, pues que no los había vencido y sujetado con las armas. Empero, que holgaban de ser sus amigos y confederados, y que por vía de amistad harían todo lo que conviniese al servicio del Inca, mas no por vasallaje, que ellos querían ser libres como lo habían sido sus pasados. Debajo de esta amistad dejaron los Musus a los Incas poblar en la tierra, que eran pocos más de mil cuando llegaron a ella; porque con las guerras y largos caminos se habían gastado los demás, y los Musus les dieron sus hijas por mujeres y holgaron con su parentesco, y hoy los tienen en mucha veneración y se gobiernan por ellos en paz y en guerra, y luego que entre ellos se asentó la amistad y parentela, eligieron embajadores de los más nobles para que fuesen al Cuzco a adorar por hijo del Sol al Inca y confirmar la amistad y parentesco que con los suyos habían celebrado; y por la aspereza y maleza del camino, de montañas bravísimas, ciénagas y pantanos, hicieron un grandísimo cerco para salir al Cuzco, donde el Inca los recibió con mucha afabilidad y les hizo grandes favores y mercedes. Mandó que les diesen larga noticia de la corte, de sus leyes y costumbres y de su idolatría, con las cuales cosas volvieron los Musus muy contentos a su tierra, y esta amistad y confederación duró hasta que los españoles entraron en la tierra y la ganaron.

Particularmente dicen los Incas que en tiempo de Huaina Cápac quisieron los descendientes de los Incas que poblaron en los Musus volverse al Cuzco, porque les parecía que, no habiendo de hacer más servicio al Inca que estarse quedos, estaban mejor en su patria que fuera de ella, y que, teniendo ya concertada su partida para venirse todos al Cuzco con sus mujeres y hijos, tuvieron nueva cómo el Inca Huaina Cápac era muerto, y que los españoles habían ganado la tierra y que el Imperio y señorío de los Incas se había perdido, con lo cual acordaron de quedarse de hecho, y que los Musus los tienen como dijimos, en mucha veneración, y que se gobiernan por ellos en paz y en guerra. Y dicen que por aquel paraje lleva ya el río seis leguas de ancho y que tardan en pasarlo en sus canoas dos días.

XV. RASTROS QUE DE AQUELLA JORNADA SE HAN HALLADO

Todo lo que en suma hemos dicho de esta conquista y descubrimiento que el Rey Inca Yupanqui mandó hacer por aquel río abajo, lo cuentan los Incas muy largamente, jactándose de las proezas de sus antepasados, y dicen muy grandes batallas que en el río y fuera de él tuvieron, y muchas provincias que sujetaron con grandes hazañas que hicieron. Mas yo, por parecerme algunas de ellas increíbles para la poca gente que fue, y también porque como hasta ahora no poseen los españoles aquella parte de tierra que los Incas conquistaron en los Antis, no pudiendo mostrarla con el dedo, como se ha hecho de toda la demás que hasta aquí se ha referido, me pareció no mezclar cosas fabulosas, o que lo parecen, con historia verdadera, porque de aquella parte de tierra no se tiene hoy tan entera y distinta noticia como de la que los nuestros poseen. Aunque es verdad que de aquellos hechos han hallado los españoles en estos tiempos grandes rastros, como luego veremos.

El año de mil y quinientos y sesenta y cuatro un español, llamado Diego Alemán, natural de la villa de San Juan del Condado de Niebla, vecino de la ciudad de La Paz por otro nombre llamado el Pueblo Nuevo, donde tenía un repartimiento pequeño de indios, por persuasión de un curaca suyo juntó otros doce españoles consigo, y llevando por guía al mismo curaca, el cual les había dicho que en la provincia Musu había mucho oro, fueron en demanda de ella a pie, porque no era camino para caballos y también por ir más encubiertos, que el intento que llevaban no era sino descubrir la provincia y notar los caminos, para pedir la conquista y volver después con más pujanza, para ganar y poblar la tierra. Entraron por Cochapampa, que está más cerca de los Mojos.

Caminaron veinte y ocho días por montes y breñales, y al fin de ellos llegaron a dar vista al primer pueblo de la provincia, y aunque su cacique les dijo que aguardasen a que saliese algún indio que pudiesen prender en silencio, para tomar lengua, no lo quisieron hacer; antes, luego que cerró la noche, con demasiada locura, entendiendo que bastaba la voz española para que todo el pueblo se le rindiese, entraron dentro haciendo ruido de más gente de la que iba, porque los indios temiesen, pensando que eran muchos españoles. Mas sucedióles en contra, porque los indios salieron dando arma a la grita que les dieron, y reconociendo que eran pocos, se apellidaron y dieron sobre ellos, y mataron los diez y prendieron a Diego Alemán, y los otros dos se escaparon por la oscuridad de la noche, y fueron a dar donde su guía les había dicho que les esperaría, el cual, con mejor consejo, viendo la temeridad de los españoles, no había querido ir con ellos. Uno de los que se escaparon se decía Francisco Moreno, mestizo, hijo de español y de india, nacido en Cochapampa, el cual sacó una manta de algodón que colgada en el aire servía de hamaca o cuna a un niño; traía seis campanillas de oro; la manta era tejida de diversas colores, que hacían diversas labores. Luego que amaneció vieron los dos españoles y el curaca, de un cerro alto donde se habían escondido, un escuadrón de indios fuera del pueblo, con lanzas y picas y petos, que relumbraban con el sol hermosamente, y el guía les dijo que todo aquello que veían relumbrar era todo oro, y que aquellos indios no tenían plata, sino era la que podían haber contratando con los del Perú. Y para dar a entender la grandeza de aquella tierra, tomó el guía su manta, que era tejida de listas, y dijo: "En comparación de esta tierra es tan grande el Perú como una lista de éstas en respecto de toda la manta". Mas el indio, como mal

cosmógrafo, se engañó, aunque es verdad que aquella provincia es muy grande.

De Diego Alemán se supo después, por los indios que salen aunque de tarde en tarde a contratar con los del Perú, que los que le habían preso, habiendo sabido que tenía repartimiento de indios en el Perú y que era capitán y caudillo de los pocos y desatinados compañeros que llevó, le habían hecho su capitán general para la guerra que con los indios de la otra ribera del río Amarumayu tienen, y que le hacían mucha honra y lo estimaban mucho, por la autoridad y provecho que se les seguía de tener un capitán general español. El compañero que salió con Francisco Moreno el mestizo, luego que llegaron a tierra de paz, falleció de los trabajos del camino pasado, que uno de los mayores fue haber atravesado grandísimos pantanales, que era imposible poderlos andar a caballo. El mestizo Francisco Moreno contaba largamente lo que en este descubrimiento había visto, por cuya relación se movieron algunos deseos de la empresa y la pidieron, y el primero fue Gómez de Tordoya, un caballero mozo al cual se la dio el Conde de Nieva, visorrey que fue del Perú; y porque se juntaba mucha gente para ir con él, temiendo no hubiese algún motín, le suspendieron la jornada y le notificaron que no hiciese gente, que despidiese la que tenía hecha.

XVI. DE OTROS SUCESOS INFELICES QUE EN AQUELLA PROVINCIA HAN PASADO

Dos años después dio la misma provisión el licenciado Castro, gobernador que fue del Perú, a otro caballero vecino del Cuzco, llamado Gaspar de Sotelo, el cual se aprestó para la jornada con mucha y muy lucida gente que se ofreció a ir con él; y el mayor y mejor apercibimiento que había hecho era haberse concertado con el Inca Túpac Amaru, que estaba retirado en Uillcapampa, que hiciesen ambos la conquista, y el Inca se había ofrecido a ir con él y darle todas las balsas que fuesen menester, y habían de entrar por el río de Uillcapampa, que es al nordeste del Cuzco. Mas como en semejantes cosas no falten émulos, negociaron con el gobernador, que, derogando y anulando la provisión a Gaspar de Sotelo, se la diese a otro vecino del Cuzco, llamado Juan Álvarez Maldonado, y así se hizo. El cual juntó consigo doscientos y cincuenta y tantos soldados y más de cien caballos y yeguas, y entró en grandes balsas que hizo, en el río Amarumayu, que es al levante del Cuzco. Gómez de Tordoya, habiendo visto que la conquista que le quitaron se la habían dado a Gaspar de Sotelo y últimamente a Juan Álvarez Maldonado, para la cual él había gastado su hacienda y la de sus amigos, desdeñado del agravio, publicó que también él tenía provisión para hacer aquella jornada, porque fue verdad que, aunque le habían notificado que le derogaban la provisión, no le habían quitado la cédula; con la cual convocó gente, y por ser contra la voluntad del Gobernador le acudieron pocos, que apenas llegaron a sesenta, con los cuales, aunque con muchas contradicciones, entró por la provincia que llaman Camata, que es al sudeste del Cuzco, y habiendo pasado grandes montañas y cenegales, llegó el río Amarumayu, donde tuvo nueva que Juan Álvarez no había pasado; y como a enemigo capital, le esperó con sus trincheras hechas en las riberas del río, de donde pensaba ofenderle y ser superior, que, aunque llevaba pocos compañeros, fiaba en el valor de ellos, que era gente escogida y

le eran amigos, y llevaba cada uno de ellos dos arcabuces muy bien aderezados.

Juan Álvarez Maldonado, bajando por el río abajo, llegó donde Gómez de Tordoya le esperaba, y como fuesen émulos de una misma empresa, sin hablarse ni tratar de amistad o treguas (que pudieran hacer compañía y ganar para ambos, pues había para todos), pelearon los unos con los otros, porque esta ambición de mandar no quiere igual, ni aun segundo. El primero que acometió fue Juan Álvarez Maldonado, confiado en la ventaja que a su contrario hacía de gente. Gómez de Tordoya le esperó, asegurado de su fuerte y de las armas dobles que los suyos tenían; pelearon todo el día. Hubo muchos muertos de ambas partes; pelearon también el segundo y tercero día, tan cruelmente y tan sin consideración que se mataron casi todos y los que quedaron, quedaron tales que no eran de provecho. Los indios Chunchus, cuya era la provincia donde estaban, viéndolos tales y sabiendo que iban a los conquistar, apellidándose unos a otros, dieron en ellos y los mataron todos, y entre ellos a Gómez de Tordoya. Yo conocí a estos tres caballeros, y los dejé en el Cuzco cuando salí de ella. Los indios prendieron tres españoles: el uno de ellos fue Juan Álvarez Maldonado, y un fraile mercedario llamado Fray Diego Martín, portugués, y un herrero que se decía maestro Simón López, grande oficial de arcabuces, Al Maldonado, sabiendo que había sido caudillo de un bando, le hicieron cortesía, y por verle ya inútil, que era hombre de días, le dieron libertad para que se volviese al Cuzco a sus indios, y le guiaron hasta ponerlo en la provincia de Callauaya, donde se saca el oro finísimo de veinte y cuatro quilates. Al fraile y al herrero detuvieron más de dos años. Y al Maestro Simón, sabiendo que era herrero, le trujeron mucho cobre y le mandaron hacer hachas y azuelas, y no le ocuparon en otra cosa todo aquel tiempo. A fray Diego Martín tuvieron en veneración, sabiendo que era sacerdote y ministro del Dios de los cristianos, y aun cuando les dieron licencia para que se fuesen al Perú, rogaban al fraile que se quedase con ellos para que les enseñase la doctrina cristiana, y él no lo quiso hacer. Muchas semejantes ocasiones se han perdido con los indios para haberles predicado el Santo Evangelio sin armas.

Pasados los dos años y más tiempo, dieron los Chunchus licencia a estos dos españoles para que se volviesen al Perú, y ellos mismos los guiaron y sacaron hasta el valle de Callauaya. Los cuales contaban el suceso de su desventurada jornada. Y contaban también lo que los Incas habían hecho por aquel río abajo y cómo se quedaron entre los Musus y cómo los Musus desde entonces reconocían al Inca por señor y acudían a le servir y le llevaban cada año muchos presentes de lo que en su tierra tenían. Los cuales presentes duraron hasta la muerte del Inca Túpac Amaru, que fue pocos años después de aquella desdichada entrada que Gómez de Tordoya y Juan Álvarez Maldonado hicieron. La cual hemos antepuesto sacándola de su lugar y de su tiempo, por atestiguar la conquista que el Rey Inca Yupanqui mandó hacer por el gran río Amarumayu, y de cómo se quedaron entre los Musus los Incas que entraron a hacer la conquista. De todo lo cual traían larga relación Fray Diego Martín y maestro Simón, y la daban a los que se la querían oír. Y particularmente decía el fraile de sí que le había pesado muy mucho de no haberse quedado entre los indios Chunchus, como se lo habían rogado, y que por no tener recaudo para decir

misa no se había quedado con ellos, que, si lo tuviera, sin duda se quedara; y que estaba muchas veces por volverse solo, porque no podía desechar la pena que consigo traía, acusado de su conciencia de no haber concedido una demanda que con tanta ansia le habían hecho aquellos indios, y ella de suyo tan justa. También decía este fraile que los Incas que habían quedado entre los Musus serían de gran provecho para la conquista que los españoles quisiesen hacer en aquella tierra. Y con esto será bien volvamos a las hazañas del buen Inca Yupanqui y digamos de la conquista de Chili, que fue una de las suyas y de las mayores.

XVII. LA NACIÓN CHIRIHUANA
Y SU VIDA Y COSTUMBRES

Como el principal cuidado de los Incas fuese conquistar nuevos reinos y provincias, así por la gloria de ensanchar su Imperio como por acudir a la ambición y codicia de reinar, que tan natural es en los hombres poderosos, determinó el Inca Yupanqui, pasados cuatro años después de haber enviado el ejército por el río abajo, como se ha dicho, hacer otra conquista, y fue la de una grande provincia llamada Chirihuana, que está en los Antis, al levante de los Charcas. A la cual, por ser hasta entonces tierra incógnita, envió espías que con todo cuidado y diligencia acechasen la tierra y los naturales de ella, para que se proveyese con más aviso lo que para la jornada conviniese. Los espías fueron como se les mandó, y volvieron diciendo que la tierra era malísima, de montañas bravas, ciénagas, lagos y pantanos, y muy poca de ella de provecho para sembrar y cultivar, y que los naturales eran brutísimos, peores que bestias fieras; que no tenían religión ni adoraban cosa alguna; que vivían sin ley ni buena costumbre, sino como animales por las montañas, sin pueblos ni casas, y que comían carne humana, y, para la haber, salían a saltear las provincias comarcanas y comían todos los que prendían, sin respetar sexo ni edad, y bebían la sangre cuando los degollaban, porque no se les perdiese nada de la presa. Y que no solamente comían la carne de los comarcanos que prendían, sino también la de los suyos propios cuando se morían; y que después de habérselos comido, les volvían a juntar los huesos por sus coyunturas, y los lloraban y los enterraban en resquicios de peñas o huecos de árboles, y que andaban en cueros y que para juntarse en el coito no se tenía cuenta con las hermanas, hijas ni madres. Y que ésta era la común manera de vivir de la nación Chirihuana.

El buen Inca Yupanqui (damos este título a este Príncipe porque los suyos le llaman así muy de ordinario, y Pedro Cieza de León también se lo da siempre que habla de él), habiéndola oído, volviendo el rostro a los de su sangre real, que eran sus tíos, hermanos y sobrinos y otros más alejados, que asistían en su presencia, dijo: "Ahora es mayor y más forzosa la obligación que tenemos de conquistar los Chirihuanas, para sacarlos de las torpezas y bestialidades en que viven y reducirlos a vida de hombres, pues para eso nos envía nuestro padre el Sol". Dichas estas palabras mandó que se apercibiesen diez mil hombres de guerra, los cuales envió con maeses de campo y capitanes de su linaje, hombres experimentados en paz y en guerra, bien industriados en lo que debían hacer. Estos Incas fueron, y habiendo reconocido parte de la maleza y esterilidad de la tierra y provincia Chirihuana, dieron aviso al Inca, suplicándole mandase proveerles de bastimento por que no les faltase, porque no lo había en aquella tierra, lo cual se les proveyó bastantísimamente, y los capitanes y su gente hicieron todo lo posible, y al fin de dos años salieron de su conquista sin haberla hecho, por la mucha maleza de la provincia, de muchos pantanos y ciénagas, lagos y montañas bravas. Y así dieron al Inca la relación de todo lo que les había sucedido. El cual los mandó descansar para otras jornadas y conquistas que pensaba hacer, de más provecho que la pasada.

El visorrey Don Francisco de Toledo, gobernando aquellos reinos el año de mil y quinientos y setenta y dos, quiso hacer la conquista de los Chirihuanas, como lo toca muy de paso el Padre Maestro Acosta, libro séptimo, capítulo veinte y ocho, para la cual apercibió muchos españoles y todo lo demás necesario para la jornada. Llevó muchos caballos, vacas y yeguas para criar, y entró en la provincia, y a pocas jornadas vio por experiencia las dificultades de ella, las cuales no había querido creer a los que se las habían propuesto, aconsejándole no intentase lo que los Incas, por no haber podido salir con la empresa, habían desamparado. Salió el visorrey huyendo, y desamparó todo lo que llevaba, para que los indios se contentasen con presa que les dejaba y lo dejasen a él. Salió por tan malos caminos, que, por no poder llevar las acémilas una literilla en que caminaba, la sacaron en hombros indios y españoles; y los Chirihuanas que los seguían, dándoles grita, entre otros vituperios les decían: "Soltad esa vieja que lleváis en esa *petaca* (que es canasta cerrada), que aquí nos la comeremos viva".

Son los Chirihuanas como se ha dicho, muy ansiosos por comer carne, porque no la tienen de ninguna suerte, doméstica ni salvajina, por la mucha maleza de la tierra. Y si hubiesen conservado las vacas que el visorrey les dejó, se puede esperar que hayan criado muchas, haciéndose montaraces, como en las islas de Santo Domingo y de Cuba, porque la tierra es dispuesta para ellas. De la poca conversación y doctrina que de la jornada pasada de los Incas pudieron haber los Chirihuanas, perdieron parte de su inhumanidad, porque se sabe que desde entonces no comen a sus difuntos como solían, mas de los comarcanos no perdonan alguno, y son tan golosos y apasionados por comer carne humana, que, cuando salen a saltear, sin temor de la muerte, como insensibles, se entran por las armas de los enemigos a trueque de prender uno de ellos, y, si hallan pastores guardando ganado, más quieren uno de los pastores que todo el hato de las ovejas o vacas. Por esta fiereza e inhumanidad son tan temidos de todos sus comarcanos que ciento ni mil de ellos no esperan diez Chirihuanas, y a los niños y muchachos los amedrentan y acallan con sólo el nombre. También aprendieron los Chirihuanas de los Incas a hacer casas para su morada, no particulares sino en común; porque hacen un galpón grandísimo, y dentro tantos apartadijos cuantos son los vecinos, y tan pequeños que no caben más de las personas, y les basta, porque no tienen ajuar ni ropa de vestir, que andan en cueros. Y de esta manera se podrá llamar pueblo cada galpón de aquéllos. Esto es lo que hay que decir acerca de la bruta condición y vida de los Chirihuanas, que será gran maravilla poderlos sacar de ella.

XVIII. PREVENCIONES PARA LA CONQUISTA DE CHILI

El buen Rey Inca Yupanqui, aunque vio el poco o ningún fruto que sacó de la conquista de los Chirihuanas, no por eso perdió el ánimo de hacer otras mayores. Porque como el principal intento y blasón de los Incas fuese reducir nuevas gentes a su Imperio y a sus costumbres y leyes, y como entonces se hallasen ya tan poderosos, no podían estar ociosos sin hacer nuevas conquistas, que les era forzoso así para ocupar los vasallos en aumento de su corona como para gastar sus rentas, que eran los bastimentos, armas, vestido y calzado que cada provincia y reino, conforme a sus frutos y cosecha, contribuían cada año. Porque del oro y plata ya hemos dicho que no lo daban los vasallos en tributo al Rey, sino que lo presentaban (sin que se lo pidiesen) para servicio y ornato de las casas reales y las del Sol. Pues como el Rey Inca Yupanqui se viese amado y obedecido, y tan poderoso de gente y hacienda, acordó emprender una grande empresa, que fue la conquista del reino de Chili. Para la cual, habiéndolo consultado con los de su Consejo, mandó prevenir las cosas necesarias. Y dejando en su corte los ministros acostumbrados para el gobierno y administración de la justicia, fue hasta Atacama, que hacia Chili es la última provincia que había poblada y sujeta a su Imperio, para dar calor de más cerca a la conquista, porque de allí adelante hay un gran despoblado que atravesar hasta llegar a Chili.

Desde Atacama envió el Inca corredores y espías que fuesen por aquel despoblado y descubriesen paso para Chili y notasen las dificultades del camino, para llevarlas prevenidas. Los descubridores fueron Incas, porque las cosas de tanta importancia no las fiaban aquellos Reyes sino de los de su linaje, a los cuales dieron indios de los de Atacama y de los de Tucma (por los cuales, como atrás dijimos, había alguna noticia del reino de Chili), para que los guiasen, y de dos a dos leguas fuesen y viniesen con los avisos de lo que descubriesen, porque era así menester para que les proveyesen de lo necesario. Con esta prevención fueron los descubridores, y en su camino pasaron grandes trabajos y dificultades por aquellos desiertos, dejando señales por donde pasaban para no perder el camino cuando volviesen. Y también porque los que los siguiesen supiesen por dónde iban. Así fueron yendo y viniendo como hormigas, trayendo relación de lo descubierto y llevando bastimento, que era lo que más habían menester. Con esta diligencia y trabajo horadaron ochenta leguas de despoblado, que hay desde Atacama a Copayapu, que es una provincia pequeña, aunque bien poblada, rodeada de largos y anchos desiertos, porque para pasar adelante hasta Cuquimpu hay otras ochenta leguas de despoblado. Habiendo llegado los descubridores a Copayapu y alcanzado la noticia que pudieron haber de la provincia por vista de ojos, volvieron con toda diligencia a dar cuenta al Inca de lo que habían visto. Conforme a la relación, mandó el Inca apercibir diez mil hombres de guerra, los cuales envió por la orden acostumbrada con un general llamado Sinchiruca y dos maeses de campo de su linaje, que no saben los indios decir cómo se llamaban. Mandó que les llevasen mucho bastimento en los carneros de carga, los cuales también sirviesen de bastimento en lugar de carnaje, porque es muy buena carne de comer.

Luego que Inca Yupanqui hubo despachado los diez mil hombres de guerra, mandó apercibir otros tantos, y por la misma orden los envió en pos de los primeros, para que a los amigos fuesen de socorro y a los enemigos de terror y asombro. Los primeros, habiendo llegado cerca de Copayapu, enviaron

mensajeros, según la antigua costumbre de los Incas, diciendo se rindiesen y sujetasen al hijo del Sol, que iba a darles nueva religión, nuevas leyes y costumbres en que viviesen como hombres y no como brutos. Donde no, que se apercibiesen a las armas, porque por fuerza o de grado habían de obedecer al Inca, señor de las cuatro partes del mundo. Los de Copayapu se alteraron con el mensaje y tomaron las armas y se pusieron a resistir la entrada de su tierra, donde hubo algunos reencuentros de escaramuzas y peleas ligeras, porque los unos y los otros andaban tentando las fuerzas y el ánimo ajeno. Y los Incas, en cumplimiento de lo que su Rey les había mandado, no querían romper la guerra a fuego y a sangre, sino contemporizar con los enemigos a que se rindiese por bien. Los cuales estaban perplejos en defenderse: por una parte los atemorizaba la deidad del hijo del Sol, pareciéndoles que habían de caer en alguna gran maldición suya si no recibían por señor a su hijo; por otra parte los animaba el deseo de mantener su libertad antigua y el amor de sus dioses, que no quisieran novedades, sino vivir como sus pasados.

XIX. GANAN LOS INCAS HASTA EL VALLE QUE LLAMAN CHILI, Y LOS MENSAJES Y RESPUESTAS QUE TIENEN CON OTRAS NUEVAS NACIONES

En estas confusiones los halló el segundo ejército, que iba en socorro del primero, con cuya vista se rindieron los de Copayapu, pareciéndoles que no podrían resistir a tanta gente, y así capitularon con los Incas lo mejor que supieron las cosas que habían de recibir y dejar en su idolatría. De todo lo cual dieron aviso al Inca. El cual holgó mucho de tener camino abierto y tan buen principio hecho en la conquista de Chili, que, por ser un reino tan grande y tan apartado de su Imperio, temía el Inca el poderlo sujetar. Y así estimó en mucho que la provincia Copayapu quedase por suya por vía de paz y concierto, y no de guerra y sangre. Y siguiendo su buena fortuna, habiéndose informado de la disposición de aquel reino, mandó apercibir luego otros diez mil hombres de guerra y, proveídos de todo lo necesario, los envió en socorro de los ejércitos pasados, mandándoles que pasasen adelante en la conquista y con toda diligencia pidiesen lo que hubiesen menester. Los Incas, con el nuevo socorro y mandato de su Rey, pasaron adelante otras ochenta leguas, y después de haber vencido muchos trabajos en aquel largo camino, llegaron a otro valle o provincia que llaman Cuquimpu, la cual sujetaron. Y no sabemos decir si tuvieron batallas o reencuentros, porque los indios del Perú, por haber sido la conquista en reino extraño y tan lejos de los suyos, no saben en particular los trances que pasaron, mas de que sujetaron los Incas aquel valle de Cuquimpu. De allí pasaron adelante, conquistando todas las naciones que hay hasta el valle de Chili, del cual toma nombre todo el reino llamado Chili. En todo el tiempo que duró aquella conquista, que según dicen fueron más de seis años, el Inca siempre tuvo particular cuidado de socorrer los suyos con gente, armas y bastimento, vestido y calzado, que no les faltase cosa alguna; porque bien entendía cuánto importaba a su honra y majestad que los suyos no volviesen un pie atrás. Por lo cual vino a tener en Chili más de cincuenta mil hombres de guerra, tan bien bastecidos de todo lo necesario como si estuvieran en la ciudad del Cuzco.

Los Incas, habiendo reducido a su Imperio el valle de Chili, dieron aviso al Inca de lo que habían hecho, y cada día se lo daban de lo que iban haciendo por horas, y habiendo puesto orden y asiento en lo que hasta allí habían conquistado, pasaron adelante hacia el sur, que siempre llevaron aquel viaje, y llegaron conquistando los valles y naciones que hay hasta el río de Maulli, que son casi cincuenta leguas del valle Chili. No se sabe qué batallas o reencuentros tuviesen; antes se tiene que se hubiesen reducido por vía de paz y de amistad, por ser éste el primer intento de los Incas en sus conquistas, atraer los indios por bien y no por mal. No se contentaron los Incas con haber alargado su Imperio más de doscientas y sesenta leguas de camino que hay desde Atacama hasta el río Maulli, entre poblado y despoblado; porque de Atacama a Copayapu ponen ochenta leguas y de Copayapu a Cuquimpu dan otras ochenta; de Cuquimpu a Chili cincuenta y cinco y de Chili al río Maulli casi cincuenta, sino que con la misma ambición y codicia de ganar nuevos estados quisieron pasar adelante, para lo cual, con la buena orden y maña acostumbrada, dieron asiento en el gobierno de lo hasta allí ganado y dejaron la guarnición necesaria, previniendo siempre cualquiera desgracia que en la guerra les pudiese acaecer. Con esta determinación pasaron los Incas el río Maulli con veinte mil hombres de guerra, y, guardando su antigua costumbre, enviaron a requerir a los de la provincia Purumauca, que los españoles llaman Promaucaes, recibiesen al Inca por señor o se apercibiesen a las armas. Los Purumaucas, que ya tenían noticia de los Incas y estaban apercibidos y aliados con otros sus comarcanos, como son los Antalli, Pincu, Cauqui, y entre todos determinados a morir antes de perder su libertad antigua, respondieron que los vencedores serían señores de los vencidos y que muy presto verían los Incas de qué manera los obedecían los Purumaucas.

Tres o cuatro días después de la respuesta, asomaron los Purumaucas con otros vecinos suyos aliados, en número de diez y ocho o veinte mil hombres de guerra, y aquel día no entendieron sino en hacer su alojamiento a vista de los Incas, los cuales volvieron a enviar nuevos requerimientos de paz y amistad, con grandes protestaciones que hicieron, llamando al Sol y a la Luna, de que no iban a quitarles sus tierras y haciendas, sino a darles manera de vivir de hombres, y a que reconociesen al Sol por su Dios y a su hijo el Inca por su Rey y señor. Los Purumaucas respondieron diciendo que venían resueltos de no gastar el tiempo en palabras y razonamientos vanos, sino en pelear hasta vencer o morir. Por tanto, que los Incas se apercibiesen a la batalla para el día venidero, y que no les enviasen más recaudos, que no los querían oír.

XX. BATALLA CRUEL ENTRE LOS INCAS Y OTRAS DIVERSAS NACIONES, Y EL PRIMER ESPAÑOL QUE DESCUBRIÓ A CHILI

El día siguiente salieron ambos ejércitos de sus alojamientos, y arremetiendo unos con otros, pelearon con grande ánimo y valor y mayor obstinación, porque duró la batalla todo el día sin reconocerse ventaja, en que hubo muchos muertos y heridos; a la noche se retiraron a sus puestos. El segundo y tercero día pelearon con la misma crueldad y pertinacia, los unos por la libertad y los otros por la honra. Al fin de la tercera batalla vieron que de una parte y otra faltaban más que los medios que eran muertos, y los vivos estaban heridos casi todos. El cuarto día, aunque los unos y los otros se pusieron en sus escuadrones, no salieron de sus alojamientos, donde se estuvieron fortalecidos, esperando defenderse del contrario si les acometiese. Así estuvieron todo aquel día y otros dos siguientes. Al fin de ellos se retiraron a sus distritos, temiendo cada una de las partes no hubiese enviado el enemigo por socorro a los suyos, avisándoles de lo que pasaba, para que se lo diesen con brevedad. A los Purumaucas y a sus aliados les pareció que habían hecho demasiado en haber resistido las armas de los Incas, que tan poderosas e invencibles se habían mostrado hasta entonces; y con esta presunción se volvieron a sus tierras, cantando victoria y publicando haberla alcanzado enteramente.

A los Incas les pareció que era más conforme a la orden de sus Reyes, los pasados y del presente, dar lugar al bestial furor de los enemigos que destruirlos para sujetarlos, pidiendo socorro, que pudieran los suyos dárselo en breve tiempo. Y así, habiéndolo consultado entre los capitanes, aunque hubo pareceres contrarios que dijeron se siguiese la guerra hasta sujetar los enemigos, al fin se resolvieron en volverse a lo que tenían ganado y señalar el río Maulli por término de su Imperio y no pasar adelante en su conquista hasta tener nueva orden de su Rey Inca Yupanqui, al cual dieron aviso de todo lo sucedido. El Inca les envió a mandar que no conquistasen más nuevas tierras, sino que atendiesen con mucho cuidado en cultivar y beneficiar las que habían ganado, procurando siempre el regalo y provecho de los vasallos, para que, viendo los comarcanos cuán mejorados estaban en todo con el señorío de los Incas, se redujesen también ellos a su Imperio, como lo habían hecho otras naciones, y que cuando no lo hiciesen, perdían ellos más que los Incas. Con este mandato, cesaron los Incas de Chili de sus conquistas, fortalecieron sus fronteras, pusieron sus términos y mojones, que a la parte del sur fue el último término de su Imperio el río Maulli. Atendieron a la administración de su justicia y a la hacienda real y del Sol con particular beneficio de los valles, los cuales, con mucho amor, abrazaron el dominio de los Incas, sus fueros, leyes y costumbres, y en ellas vivieron hasta que los españoles fueron a aquella tierra.

El primer español que descubrió a Chili, fue Don Diego de Almagro, pero no hizo más que darle vista y volverse al Perú, con innumerables trabajos que a ida y vuelta pasó. La cual jornada fue causa de la general rebelión de los indios del Perú y de la discordia que entre los dos gobernadores después hubo y de las guerras civiles que tuvieron y de la muerte del mismo Don Diego de Almagro, preso en la batalla que llamaron de las Salinas, y la del Marqués Don Francisco Pizarro y la de Don Diego de Almagro, el mestizo, que dio la batalla que llamaron de Chupas. Todo lo cual diremos más largamente si Dios Nuestro Señor nos dejare llegar allá. El segundo que entró en el reino de Chili fue el gobernador Pedro de Valdivia; llevó pujanza de gente y caballos; pasó adelante de lo que los Incas habían ganado y lo conquistó y pobló felicísimamente, si la misma felicidad no le causara la muerte por mano de sus mismos vasallos, los de la provincia llamada Araucu, que él propio escogió para sí en el repartimiento que de aquel reino se hizo entre los conquistadores que lo ganaron. Este caballero fundó y pobló muchas ciudades de españoles, y entre ellas la que de su nombre llamaron Valdivia; hizo grandísimas hazañas en la conquista de aquel reino; gobernólo con mucha prudencia y consejo, y en

gran prosperidad suya y de los suyos y con esperanzas de mayores felicidades, si el ardid y buena milicia de un indio no lo atajara todo, cortándole el hilo de la vida. Y porque la muerte de este Gobernador y Capitán general fue un caso de los más notables y famosos que los indios han hecho en todo el Imperio de los Incas ni en todas las Indias después que los españoles entraron en ellas, y más de llorar para ellós, me pareció ponerlo aquí, no más de para que se sepa llana y certificadamente la primera y segunda nueva que del suceso de aquella desdichada batalla vino al Perú luego que sucedió, y para la contar será menester decir el origen y principio de la causa.

XXI. REBELIÓN DE CHILI CONTRA EL GOBERNADOR VALDIVIA

Es así que la conquista y repartimiento de aquel reino de Chili cupo a este caballero, digno de imperios, un repartimiento rico, de mucho oro y de muchos vasallos, que le daban por año más de cien mil pesos de oro de tributo y como la hambre de este metal sea tan insaciable, crecía tanto más cuanto más daban los indios. Los cuales, como no estuviesen hechos a tanto trabajo como pasaban en sacar el oro ni pudiesen sufrir la molestia que les hacían por él, y como de suyo no hubiesen sido sujetos a otros señores, no pudiendo llevar el yugo presente, determinaron los de Araucu, que eran los de Valdivia, y otros aliados con ellos, rebelarse; y así lo pusieron por obra, haciendo grandes insolencias en todo lo que pudieren ofender a los españoles. El gobernador Pedro de Valdivia, que las supo, salió al castigo con ciento y cincuenta de a caballo, no haciendo caso de los indios, como nunca lo han hecho los españoles en semejantes revueltas y levantamiento; por esta soberbia han perecido muchos, como pereció Pedro de Valdivia y los que con él fueron, a manos de los que habían menospreciado.

De esta muerte, la primera nueva que vino al Perú fue a la Ciudad de la Plata, y la trujo un indio de Chili, escrita en dos dedos de papel, sin firma ni fecha de lugar ni tiempo, en que decía: "A Pedro de Valdivia y a ciento y cincuenta lanzas que con él iban se los tragó la tierra". El traslado de estas palabras, con testimonio de que las había traído un indio de Chili, corrió luego por todo el Perú con grande escándalo de los españoles no pudiendo atinar qué fuese aquel tragárselos la tierra, porque no podían creer que hubiese en indios pujanza para matar ciento y cincuenta españoles de a caballo, como nunca la había habido hasta entonces, y decían (por ser aquel reino, también como [el] Perú, de tierra áspera, llena de sierras, valles y honduras, y ser la región sujeta a terremotos) que podría ser que caminando aquellos españoles por alguna quebrada honda, se hubiese caído algún pedazo de sierra y los hubiese cogido debajo, y en esto se afirmaban todos, porque de la fuerza de los indios ni de su ánimo (según la experiencia de tantos años atrás) no podían imaginar que los hubiesen muerto en batalla. Estando en esta confusión los del Perú, les llegó al fin de más de sesenta días otra relación muy larga de la muerte de Valdivia y de los suyos, y de la manera como había sido la última batalla que con los indios habían tenido. La cual referiré como la contaba entonces la relación que de Chili enviaron, que habiendo dicho el levantamiento de los indios y las desvergüenzas y maldades que habían hecho, procedía diciendo así:

Cuando Valdivia llegó donde andaban los Araucos rebelados, halló doce o trece mil de ellos, con los cuales hubo muchas batallas muy reñidas, en que siempre vencían los españoles; y los indios andaban ya tan amedrentados del tropel y furia de los caballos, que no osaban salir a campaña rasa, porque diez caballos rompían a mil indios. Solamente se entretenían en las sierras y montes, donde los caballos no podían ser señores de ellos, y de allí hacían el mal y daño que podían, sin querer oír partido alguno de los que les ofrecían, sino obstinados a morir por no ser vasallos ni sujetos de españoles. Así anduvieron muchos días los unos y los otros. Estas malas nuevas iban cada día la tierra adentro de los Araucos, y habiéndolas oído un capitán viejo que había sido famoso en su milicia y estaba ya retirado en su casa, salió a ver qué maravilla era aquélla que ciento y cincuenta hombres trujesen tan avasallados a doce o trece mil hombres de guerra, y que no pudiesen valerse con ellos, lo cual no podía creer si aquellos españoles no eran demonios u hombres inmortales, como a los principios lo creyeron los indios. Para desengañarse de estas cosas quiso hallarse en la guerra y ver por sus ojos lo que en ella pasaba. Llegado a un alto, de donde descubría los dos ejércitos, viendo el alojamiento de los suyos tan largo y extendido y el de los españoles tan pequeño y recogido, estuvo mucho rato considerando qué fuese la causa de que tan pocos venciesen a tantos, y habiendo mirado bien el sitio del campo, se había ido a los suyos y llamado a consejo, y después de largos razonamientos de todo lo que hasta allí sucedido, entre otras muchas preguntas les había hecho éstas:

Si aquellos españoles eran hombres mortales como ellos o si eran inmortales como el Sol y la Luna; si sentían hambre, sed y cansancio;

si tenían necesidad de dormir y
descansar. En suma, preguntó si
eran de carne y hueso o de hierro
y acero; y de los caballos hizo las
mismas preguntas. Y siéndole respondido todas que eran hombres
como ellos y de la misma compostura y naturaleza, les había dicho:
"Pues idos todos a descansar, y
mañana veremos en la batalla quién
son más hombres, ellos o nosotros".
Con esto se apartaron de su consejo, y al romper del alba del día
siguiente mandó tocar arma, la cual
dieron los indios con mucha mayor
vocería y ruido de trompetas y
tambores y otros muchos instrumentos semejantes que otras veces,
y que en un punto armó el capitán
viejo trece escuadrones, cada uno
de a mil hombres, y los puso a la
hila, uno en pos de otro.

XXII. BATALLA CON NUEVA ORDEN Y ARDID DE GUERRA DE UN INDIO, CAPITÁN VIEJO

Los españoles salieron, a la grita
de los indios, hermosamente armados con grandes penachos en sus
cabezas y en las de sus caballos y
con muchos pretales de cascabeles,
y cuando vieron los escuadrones divididos, tuvieron en menos los enemigos, por parecerles que más fácilmente romperían muchos pequeños
escuadrones que uno muy grande.
El capitán indio, viendo los españoles en el campo, dijo a los del
primer escuadrón: "Id vosotros.
hermanos, a pelear con aquellos
españoles, y no digo que los venzáis
sino que hagáis lo que pudiéredes
en favor de vuestra patria. Y
cuando no podáis más, huid, que
yo os socorreré a tiempo, y los
que hubiéredes peleado en el primer escuadrón, volviendo rotos, no
os mezcléis con los del segundo,
ni los del segundo con los del tercero, sino que os retiréis detrás de

todos los escuadrones, que yo daré
orden de lo que hayáis de hacer".
Con este aviso envió el capitán viejo
a pelear los suyos con los españoles, los cuales arremetieron con el
primer escuadrón, y aunque los indios hicieron lo que pudieron en
su defensa, los rompieron; también
rompieron el segundo escuadrón,
y el tercero, cuarto y quinto, con
facilidad; mas no con tanta que no
les costase muchas heridas y muertes de algunos de ellos y de sus
caballos.

El indio capitán, así como se
iban desbaratando los primeros escuadrones, enviaba poco a poco
que fuesen a pelear por su orden
los que sucedían. Y detrás de toda
su gente tenía un capitán, el cual,
de los indios huidos que habían
peleado, volvía a hacer nuevos escuadrones de a mil indios y les
mandaba dar de comer y de beber
y que descansasen para volver a
pelear cuando les llegase la vez.
Los españoles, habiendo roto cinco
escuadrones, alzaron los ojos a ver
los que les quedaban y vieron otros
once o doce delante de sí. Y aunque había más de tres horas que
peleaban, se esforzaron de nuevo,
y apellidándose unos a otros, arremetieron al sexto escuadrón, que
iba en socorro del quinto, y lo
rompieron, y también al setento,
octavo, noveno y décimo. Mas ellos
ni sus caballos no andaban ya con
la pujanza que a los principios,
porque había grandes siete horas
que peleaban sin haber cesado un
momento; que los indios no los dejaban descansar en común ni en
particular, que apenas habían deshecho un escuadrón cuando entraba
otro a pelear, y los desbaratados
se salían de la batalla a descansar
y ponerse en nuevos escuadrones.
Aquella hora miraron los españoles
por los enemigos y vieron que todavía tenían diez escuadrones en
pie, mas con sus ánimos invencibles
se esforzaron a pelear; empero, las

fuerzas estaban ya flacas y los caballos desalentados, y con todo eso peleaban como mejor podían, por no mostrar flaqueza a los indios. Los cuales, de hora en hora, cobraban las fuerzas que los españoles iban perdiendo, porque sentían que ya no peleaban como al principio ni al medio de la batalla. Así anduvieron los unos y los otros hasta las dos de la tarde.

Entonces el gobernador Pedro de Valdivia, viendo que todavía tenían ocho o nueve escuadrones que romper, y que, aunque rompiesen aquéllos, irían los indios haciendo otros de nuevo, considerando la nueva manera de pelear y que según lo pasado del día tampoco les había de dejar descansar la noche, como el día, le pareció ser[í]a bien recogerse antes que los caballos les faltasen del todo, y su intención era irse retirando hasta un paso estrecho que legua y media atrás habían dejado, donde, si llegasen, pensaban ser libres. Porque dos españoles a pie podían defender el paso a todo el ejército contrario.

Con este acuerdo, aunque tarde, apellidó los suyos, como los iba topando en la batalla, y les decía: "A recoger, caballeros, y retirar poco a poco hasta el paso estrecho, y pase la palabra de unos a otros". Así lo hicieron, y juntándose todos se fueron retirando, haciendo siempre rostro a los enemigos, más para defenderse que no para ofenderles.

XXIII. VENCEN LOS INDIOS POR EL AVISO Y TRAICIÓN DE UNO DE ELLOS

A esta hora un indio, que desde muchacho se había criado con el gobernador Pedro de Valdivia, llamado Felipe y en nombre de Indio Lautaru, hijo de uno de sus caciques (en quien pudo más la infidelidad y el amor de la patria que la fe que a Dios y a su amo debía), oyendo apellidarse los españoles para retirarse, cuyo lenguaje entendía por haberse criado entre ellos, temiendo no se contentasen sus parientes con verlos huir y los dejasen ir libres, salió a ellos dando voces, diciendo: "No desmayéis, hermanos, que ya huyen estos ladrones y ponen su esperanza en llegar hasta el paso estrecho. Por tanto, mirad lo que conviene a la libertad de nuestra patria y a la muerte y destrucción de estos traidores". Diciendo estas palabras, por animar los suyos con el ejemplo, tomó una lanza del suelo y se puso delante de ellos a pelear contra los españoles.

El indio capitán viejo, cuyo fue aquel nuevo ardid de guerra, viendo el camino que los españoles tomaban y el aviso de Lautaru, entendió lo que pensaban hacer los enemigos, y luego mandó a dos escuadrones de los que no habían peleado que, con buena orden y mucha diligencia, tomando atajos, fuesen a ocupar el paso estrecho que los españoles iban a tomar y que se estuviesen quedos hasta que llegasen todos. Dada esta orden caminó, con los escuadrones que le habían quedado, en seguimiento de los españoles, y de cuando en cuando enviaba compañías y gente de refresco que reforzasen la batalla y no dejasen descansar los enemigos, y también para que los indios que iban cansados de pelear se saliesen de la pelea a tomar aliento para volver de nuevo a la batalla. De esta manera los siguieron y fueron apretando y matando algunos, hasta el paso estrecho, sin dejar de pelear un momento. Y cuando llegaron al paso era ya cerca del Sol puesto. Los españoles, viendo ocupado el paso que esperaban les fuera defensa y guarida, desconfiaron del todo de escapar de la muerte; antes, certificados en ella para morir como

cristianos, llamaban el nombre de
Cristo Nuestro Señor y de la Virgen su madre y de los Santos a
quien más devoción tenían.

Los indios, viéndolos ya tan cansados que ni ellos ni sus caballos
no podían tenerse, arremetieron todos a una, así los que les habían
seguido como los que guardaban el
paso, y asiendo cada caballo quince
o veinte gandules cuál por la cola,
piernas, brazos, crines, y otros, que
acudían con las porras, herían los
caballos y caballeros por doquiera
que les alcanzaban, y los derribaban
por tierra y los mataban con la
mayor crueldad y rabia que podían
mostrar. Al gobernador Pedro de
Valdivia y a un clérigo que iba
con él, tomaron vivos y los ataron
a sendos palos hasta que se acabase la pelea, para ver despacio lo
que harían de ellos. Hasta aquí es
la segunda nueva, que, como he
dicho, vino de Chili al Perú, del
desbarate y pérdida de Valdivia,
luego que sucedió, y enviáronla por
relación de los indios amigos que
en la batalla se hallaron; que fueron tres los que escaparon de ella,
metidos en unas matas, con la oscuridad de la noche. Y cuando los
indios se hubieron recogido a celebrar su victoria, salieron de las
matas, y como hombres que sabían
el camino y eran leales a sus amos,
más que Lautaru, fueron a dar a
los españoles la nueva de la rota
y destrucción del famoso Pedro de
Valdivia y de todos los que con
él fueron.

XXIV. MATAN A VALDIVIA; HA CIN-
CUENTA AÑOS QUE SUSTENTAN
LA GUERRA

La manera como mataron los
Araucus al gobernador Pedro de
Valdivia la contaron, después de esta
segunda nueva, de diversas formas, porque los tres indios que es-

caparon de la batalla no pudieron
dar razón de ella, porque no la
vieron. Unos dijeron que lo había
muerto Lautaru, su propio criado,
hallándose atado a un palo, diciendo a los suyos: "¿Para qué guar-
dáis este traidor?" y que el Gobernador había rogado y alcanzado de
los indios que no lo matasen hasta
que su criado Lautaru viniese, entendiendo que, por haberle criado,
procuraría salvarle la vida. Otros
dijeron, y esto fue lo más cierto,
que un capitán viejo lo había muerto con una porra; pudo ser que
fuese el mismo capitán que dio el
ardid para vencerlo. Matólo arre-
batadamente, porque los suyos no
aceptasen los partidos que el triste
Gobernador ofrecía, atado como
estaba en el palo y lo soltasen y
dejasen ir libre. Porque los demás
capitanes indios, fiados en las promesas de Pedro de Valdivia, estaban inclinados a le dar libertad,
porque les prometía salirse de Chili
y sacar todos los españoles que en
el reino había y no volver más a él.
Y como aquel capitán reconociese
el ánimo de los suyos y viese que
daban crédito al Gobernador, se
levantó de entre los demás capitanes que oían los partidos, y, con
una porra que tenía en las manos,
mató apriesa al pobre caballero, y
atajó la plática de los suyos diciendo: "Habed vergüenza de ser tan
torpes e imprudentes que fiéis en
las palabras de un esclavo rendido
y atado. Decidme qué no prome-
terá un hombre que está como éste
se ve, y qué cumplirá después
que se vea libre". '

Otros dijeron de esta muerte, y
uno de ellos fue un español natural
de Trujillo que se decía Francisco de Rieros, que estaba entonces en
Chili y era capitán y tuvo indios
en aquel reino, el cual vino al Perú
poco después de aquella rota y
dijo que la noche siguiente a la
victoria la habían gastado los indios en grandes fiestas de danzas

y bailes, solemnizando su hazaña, y
que a cada baile cortaban un pedazo de Pedro de Valdivia y otro
del clérigo que tenían atado cabe
él, y que los asaban delante de ellos
mismos y se los comían; y que el
buen Gobernador, mientras hacían
en ellos esta crueldad, se confesaba
de sus pecados con el clérigo, y
que así acabaron ambos en aquel
tormento. Pudo ser que después
de haberle muerto con la porra
aquel capitán se lo comiesen los
indios, no porque acostumbraban
a comer carne humana, que nunca
la comieron aquellos indios, sino
por mostrar la rabia que contra él
tenían, por los grandes trabajos y
muchas batallas y muertes que les
había causado.

Desde entonces tomaron por costumbre de formar muchos escuadrones divididos, para pelear con
los españoles en batalla, como lo
dice Don Alonso de Ercilla en el
primer canto de su *Araucana*, y ha
cuarenta y nueve años que sustentan la guerra que causó aquella
rebelión, la cual se levantó a los
últimos días del año de mil y quinientos y cincuenta y tres, y en
aquel mismo año fue en el Perú
la rebelión de Don Sebastián de
Castilla, en la Villa de la Plata y
Potosí, y la de Francisco Hernández Girón en el Cuzco.

Yo he referido llanamente lo
que de la batalla y muerte del gobernador Pedro de Valdivia escribieron y dijeron entonces en el
Perú los mismos de Chili. Tomen
lo que más les agradare, y hela
antepuesto de su tiempo y lugar,
y por haber sido un caso de los
más notables que en todas las Indias han acaecido; y también lo
hice porque no sé si se ofrecerá
ocasión de volver a hablar más en
Chili, y también porque temo no
poder llegar al fin de carrera tan
larga como sería contar la conquista que los españoles hicieron
de aquel reino.

XXV. NUEVOS SUCESOS DESGRACIADOS DEL REINO DE CHILI

Hasta aquí tenía escrito cuando
me dieron nuevas relaciones de sucesos desgraciados y lastimeros que
pasaron en Chili el año de mil y
quinientos y noventa y nueve, y en
el Perú el año de mil y seiscientos.
Entre otras calamidades contaban
las de Arequepa de grandes temblores de tierra y llover arena como
ceniza, cerca de veinte días, de un
volcán que reventó, y que fue tanta
la ceniza, que en partes cayó más
de una vara de medir en alto, y
en partes más de dos, y donde menos más de una cuarta. De que
se causó que las viñas y sembrados
de trigos y maizales quedaron enterrados, y los árboles mayores,
frutíferos y no frutíferos, desgaja-
dos y sin fruto alguno, y que todo
el ganado mayor y menor pereció
por falta de pasto. Porque la arena
que llovió cubrió los campos por
unas partes más de treinta leguas
y por otras más de cuarenta, en
contorno de Arequepa. Hallaban
las vacas muertas de quinientas en
quinientas, y los hatos de ovejas,
cabras y puercos, enterrados. Las
casas, con el peso del arena, se
cayeron, y las que quedaron fue
por la diligencia que sus dueños
hicieron en derribar el arena que
encima tenían. Hubo tan grandes
relámpagos y truenos que se oían
treinta leguas en contorno de Arequepa. El sol, muchos días de
aquéllos, por la arena y neblina
que sobre la tierra caía, se oscure-
cía de tal manera que en medio
del día encendían lumbre para hacer lo que les convenía. Estas cosas
y otras semejantes escribieron que
habían sucedido en aquella ciudad
y su comarca, las cuales hemos
dicho en suma, abreviando la relación que enviaron del Perú, que
basta, porque los historiadores
que escribieron los sucesos de estos

tiempos están obligados a decirlos
más largamente como pasaron.

Las desdichas de Chili diremos
como vinieron escritas de allá, porque son a propósito de lo que se
ha dicho de aquellos indios Araucos y sus hazañas, nacidas de aquel
levantamiento del año de mil y
quinientos y cincuenta y tres, que
dura hasta hoy, que entra ya el
año de mil y seiscientos y tres; y
no sabemos cuándo tendrá fin; antes parece que de año en año va
tomando fuerzas y ánimo para pasar
adelante, pues el fin de cuarenta
y nueve años de su rebelión, y
después de haber sustentado guerra
perpetua a fuego y a sangre, todo
este largo tiempo hicieron lo que
veremos, que es sacado a la letra
de una carta que escribió un vecino de la ciudad de Santiago de
Chili, la cual vino juntamente con
la relación de las calamidades de
Arequepa. Estas relaciones me dio
un caballero, señor y amigo mío,
que estuvo en el Perú y fue capitán
contra los amotinados que hubo en
el reino de Quitu sobre la imposición de las alcabalas y sirvió mucho en ellas a la corona de España;
dícese Martín Zuazo. El título de
las desventuras de Chili dice: "Avisos de Chili". Y luego entra diciendo:

Cuando se acababan de escribir los
avisos arriba dichos de Arequepa,
llegaron de Chili otros, de grandísimo dolor y sentimiento, que son
los que se siguen, puestos de la
misma manera que de allá vinieron.

Relación de la pérdida y destrucción de la ciudad de Valdivia, en
Chili, que sucedió miércoles veinte
y cuatro de noviembre de mil quinientos y noventa y nueve. Al amanecer de aquel día vino sobre aquella ciudad hasta cantidad de cinco
mil indios de los comarcanos y de
los distritos de la Imperial, Pica
y Purem, los tres mil de a caballo y los demás de a pie; dijeron
traían más de setenta arcabuceros
y más de doscientas cotas. Los cua-

les llegaron al amanecer sin ser
sentidos, por haberlos traído espías
dobles de la dicha ciudad. Trajeron ordenadas cuadrillas, porque
supieron que dormían los españoles en sus casas y que no tenían
en el cuerpo de guardia más de
cuatro hombres y dos que velaban
de ronda; que los tenía la fortuna
ciegos con dos *malocas* (que es lo
mismo que correrías) que hicieron
veinte días antes, y desbarataron
un fuerte que tenían los indios hecho en la vega y ciénaga de Papar-
len, con muerte de muchos de ellos;
tantos, que se entendía que en
ocho leguas a la redonda no podía
venir indio porque habían recibido
muy gran daño. Mas cohechando
las espías dobles, salieron con el
más bravo hecho que jamás bárbaros hicieron, que pusieron con
gran secreto cerco a cada casa,
con la gente que bastaba para la
que ya sabían los indios que había
dentro; y tomando las bocas de las
calles, entraron en ellas, tomando
arma a la ciudad desdichada, poniendo fuego a las casas y tomando
las puertas para que no se escapase
nadie ni se pudiesen juntar unos
con otros; y dentro de dos horas
asolaron el pueblo a fuego y a sangre, ganaron los indios el fuerte y
artillería, por no haber gente dentro. La gente rendida y muerta
fue en número de cuatrocientos españoles, hombres y mujeres y criaturas. Saquearon trescientos mil
pesos de despojos y no quedó cosa
sin ser derribada y quemada. Los
navíos de Vallano, Villarroel y otro
de Diego de Rojas, se hicieron a
lo largo por el río. Allí con canoas, se escapó alguna gente, que
si no fuera por esto no escapara
quien trujera la nueva; hubo este
rigor en los bárbaros por los muertos que en las dos correrías arriba
se dijo hicieron en ellos y por haber
dado y vendido los más de sus
mujeres e hijos que habían preso
honraban con nombres preeminen-
te de su natural. Hicieron esto, habiendo tenido servidumbre de más
de cincuenta años, siendo todos bautizados y habiendo tenido todo este
tiempo sacerdotes que les administraban doctrina. Fue lo primero

que quemaron los templos, haciendo gran destrozo en las imágenes y santos, haciéndolos pedazos con sacrílegas manos. Diez días después de este suceso llegó al puerto de aquella ciudad el buen coronel Francisco del Campo con socorro de trescientos hombres que Su Excelencia enviaba del Perú para el socorro de aquellas ciudades. Rescató allí un hijo y una hija suya, niños de poca edad, los cuales había dejado en poder de una cuñada suya, y en este rebato los habían cautivado con los demás; luego, como vio la lastimosa pérdida de la ciudad, con grande ánimo y valor desembarcó su gente, para ir a socorro [de] las ciudades de Osorno y Villarrica y la triste Imperial, de la cual no se sabía más de que había un año que estaba cercada de los enemigos; y entendían que eran todos muertos de hambre, porque no comían sino los caballos muertos, y después perros y gatos y cucros de animales. Lo cual se supo por lo que avisaron los de aquella ciudad, que por el río abajo vino un mensajero a suplicar y a pedir socorros, con lastimosos quejidos, de aquella miserable gente. Luego que el dicho coronel se desembarcó, determinó lo primero socorrer la ciudad de Osorno, porque supo que los enemigos, habiendo asolado la ciudad de Valdivia, victoriosos con este hecho, iban a dar cabo a la dicha ciudad de Osorno, la cual socorrió el coronel y hizo otros buenos efectos. A la hora que escribo ésta, ha venido nueva que los de la Imperial perecieron de hambre todos, después de un año de cerco. Sólo se escaparon veinte hombres, cuya suerte fue muy más trabajosa que la de los muertos, porque, necesitados de la hambre, se pasaron al bando de los indios. En Angol mataron cuatro soldados; no se sabe quiénes son. Nuestro Señor se apiade de nosotros, amén. De Santiago de Chili y de marzo de mil y seiscientos años.

Todo esto, como se ha dicho, venía en las relaciones referidas del Perú y del reino de Chili, que ha sido gran plaga para toda aquella tierra, sin lo cual el Padre Diego de Alcobaza, ya otras veces por mí nombrado, en una carta que me escribió, año de mil y seiscientos y uno, entre otras cosas me escribe de aquel Imperio, dice del reino de Chili estas palabras:

Chili está muy malo, y los indios tan diestros y resabiados en la guerra, que no hay indio que con una lanza y a caballo no salga a cualquiera soldado español, por valiente que sea, y cada año se hace gente en el Perú para ir allá, y van muchos y no vuelven ninguno; han saqueado dos pueblos de españoles y muerto todos los que hallaron en ellos llevándose las pobres hijas y mujeres, habiendo primero muerto los padres e hijos y todo género de servicio, y últimamente mataron en una emboscada al gobernador Loyola, casado con una hija de Don Diego Sayritúpac, el Inca que salió de Uillcapampa antes que vuestra merced se fuera a esas partes. Dios haya misericordia de los muertos y ponga remedio en los vivos.

Hasta aquí es del Padre Alcobaza, sin otras nuevas de mucha lástima que me escribe, que por ser odiosas no las digo, entre las cuales refiere las plagas de Arequepa, que una de ellas fue que valió el trigo en ella aquel año a diez y a once ducados, y el maíz a trece.

Con todo lo que se ha dicho de Arequepa, viven todavía sus trabajos con las inclemencias de todos los cuatro elementos que la persiguen, como consta por las relaciones que los Padres de la Santa Compañía de Jesús enviaron a su Generalísimo de los sucesos notables del Perú, el año de mil y seiscientos y dos. En las cuales dicen aún no se han acabado las desventuras de aquella ciudad. Pero en las mismas relaciones dicen cuánto mayores son las del reino de Chili, que sucedieron a las que atrás hemos dicho, las cuales me dio el Padre Maestro Francisco de Castro, natural de Granada, que este año de seiscientos y cuatro es prefecto de las escuelas de este santo colegio de Córdoba y lee Retórica en ella; la relación del particular de Chili, sacado a la letra, con su título, dice así:

De la rebelión de los Araucos

De trece ciudades que había en este reino de Chili, destruyeron los indios las seis que son: Valdivia, la Imperial, Angol, Santa Cruz, Chillán y la Concepción. Derribaron, consumieron y talaron en ellas la habitación de sus casas, la honra de sus templos, la devoción y fe que resplandecía en ellos, la hermosura de sus campos, y el mayor que se padeció fue que con estas victorias crecieron los ánimos de los indios y tomaron avilantez para mayores robos e incendios, asolamientos, sacos y destrucciones de ciudades y monasterios. Hicieron estudio en sus malas mañas, artificiosos engaños; cercaron la ciudad de Osorno y, gastando las fuerzas a los españoles, los fueron retirando a un fuerte, adonde los han tenido casi con un continuo cerco, sustentándose los asediados con unas semillas de yerbas y con solas hojas de nabos, y éstos no lo alcanzaban todos, sino a muy buenas lanzadas; en uno de los cercos que ha tenido esta ciudad quebraron las imágenes de Nuestro Señor y Nuestra Señora y de los santos, con infinita paciencia de Dios por su invencible clemencia, pues no faltó poder para castigo, sino sobró bondad para tolerarlo y sufrirlo. En el último cerco que hicieron los indios a este fuerte, sin ser sentidos de los españoles, mataron las centinelas, y a su salvo le entraron y apoderándose de él con inhumanidad de bárbaros. Pasaban a cuchillo todas las criaturas, maniatando todas las mujeres y monjas, queriéndolas llevar por sus cautivas. Pero estando codiciosos con sus despojos, ocupados en ellos y desordenados, dándose priesa a recogerlos y guardarlos, tuvieron lugar de reforzarse los ánimos de los españoles, y, resolviendo sobre los enemigos, fue Dios servido de dar a los nuestros buena mano, que, quitándoles la presa de las mujeres y religiosas, aunque con pérdida de algunas pocas que llevaron consigo, los retiraron y ahuyentaron. La última victoria que los indios han tenido ha sido tomar a la Villarrica, asolándola, con mucha sangre de españoles derramada. Los enemigos le pegaron fuego por cuatro partes; mataron todos los religiosos de Santo Domingo, San Francisco y Nuestra Señora de las Mercedes y a los clérigos que allí estaban; llevaron cautivas todas las mujeres, que eran muchas y muy principales, con que se dio remate a una ciudad tan rica y un fin tal, con tan infelice suerte, a un lugar por su conocida nobleza tan ilustre.

Hasta aquí es la relación de Chili, que vino al principio de este año de seiscientos y cuatro. A todo lo cual no sé qué decir, más de que son secretos juicios de Dios, que sabe por qué lo permite. Y con esto volveremos al buen Inca Yupanqui, y diremos lo poco que de su vida resta por decir.

XXVI. VIDA QUIETA Y EJERCICIOS DEL REY INCA YUPANQUI HASTA SU MUERTE

El Rey Inca Yupanqui, habiendo dado orden y asiento en las provincias que sus capitanes conquistaron en el reino de Chili, así en su idolatría como en el gobierno de los vasallos y en la hacienda real y del Sol, determinó dejar del todo las conquistas de nuevas tierras, por parecerle que eran muchas las que por su persona y por sus capitanes había ganado, que pasaba ya su Imperio de mil leguas de largo, por lo cual quiso atender lo que de la vida le quedaba en ilustrar y ennoblecer sus reinos y señoríos, y así mandó, para memoria de sus hazañas, labrar muchas fortalezas y nuevos y grandes edificios de templos para el Sol y casas para las escogidas, y para los reyes hizo pósitos reales y comunes; mandó sacar grandes acequias y hacer muchos andenes. Añadió riquezas a las que había en el templo del Sol en el Cuzco, que, aunque la casa no las había menester, le pareció adornarla todo lo que pudiese por mostrarse hijo del que tenía por padre. En suma, no dejó cosa, de las buenas que sus pasados habían hecho para ennoblecer su Imperio, que él no hiciese. Particularmente se ocupó en la obra de la fortaleza del Cuzco, que su padre le dejó trazada y recogida grandísima cantidad de piedras o peñas para aquel bravo edificio, que luego veremos. Visitó sus reinos por ver por sus ojos las necesidades de los vasallos, para que se remediasen. Las cuales socorría con tanto cuidado que mereció el renombre de pío. En estos ejercicios vivió este Príncipe algunos años en suma paz y quietud, servido y amado de los suyos. Al cabo de ellos enfermó, y, sintiéndose cercano a la muerte, llamó al príncipe heredero y a los demás sus hijos, y en lugar de testamento les encomendó la guarda de su idolatría, sus leyes y costumbres, la justicia y rectitud con los vasallos y el beneficio de ellos; díjoles quedasen en paz, que su padre el Sol le llamaba para que fuese a descansar con él. Así falleció lleno de hazañas y trofeos, habiendo alargado su Imperio más de quinientas leguas de largo y la parte del sur, desde Atacama hasta el río Maulli. Y por la parte del norte más de ciento y cuarenta leguas por la costa, desde Chincha hasta Chimu.

Fue llorado con gran sentimiento; celebraron sus exequias un año, según la costumbre de los Incas; pusiéronle en el décimo número de sus dioses, hijos del Sol, porque fue el décimo Rey. Ofreciéronle muchos sacrificios. Dejó por sucesor y universal heredero a Túpac Inca

Yupanqui, su hijo primogénito y de la Coya Chimpu Ocllo, su mujer y hermana. El nombre propio de esta Reina fue Chimpu; el nombre Ocllo era apellido sagrado entre ellos, y no propio. Dejó otros muchos hijos e hijas legítimas en sangre y no legítimas, que pasaron de doscientos y cincuenta, que son muchos considerada la multitud de mujeres escogidas que en cada provincia tenían aquellos Reyes. Y porque este Inca dio principio a la obra de la fortaleza del Cuzco, será bien la pongamos luego en pos de su autor, para que sea trofeo de sus trofeos, no solamente de los suyos, más también de todos sus antepasados y sucesores; porque la obra era tan grande que podía servir de dar fama a todos sus Reyes.

XXVII. LA FORTALEZA DEL CUZCO; EL GRANDOR DE SUS PIEDRAS

Maravillosos edificios hicieron los Incas Reyes del Perú en fortalezas, en templos, en casas reales, en jardines, en pósitos y en caminos y otras fábricas de grande excelencia, como se muestran hoy por las ruinas que de ellas han quedado, aunque mal se puede ver por los cimientos lo que fue todo el edificio.

La obra mayor y más soberbia que mandaron hacer para mostrar su poder y majestad fue la fortaleza del Cuzco, cuyas grandezas son increíbles a quien no las ha visto, y al que las ha visto y mirado con atención le hacen imaginar y aun creer que son hechas por vía de encantamiento y que las hicieron demonios y no hombres; porque la multitud de las piedras, tantas y tan grandes, como las que hay puestas en las tres cercas (que más son peñas que piedras), causa admiración imaginar cómo las pudieron cortar de las canteras de donde se sacaron; porque los indios no tuvieron bueyes, ni supieron hacer carros, ni hay carros que las puedan sufrir ni bueyes que basten a tirarlas; llevábanlas arrastrando a fuerza de brazos con gruesas maromas; ni los caminos por do las llevaban eran llanos, sino sierras muy ásperas, con grandes cuestas, por do las subían y bajaban a pura fuerza de hombres. Muchas de ellas llevaron de diez, doce, quince leguas, particularmente la piedra o, por decir mejor, la peña que los indios llaman Saycusca, que quiere decir cansada (porque no llegó al edificio); se sabe que la trujeron de quince leguas de la ciudad y que pasó el río de Yúcay, que es poco menos que [el] Guadalquivir por Córdoba. Las que llevaron de más cerca fueron de Muina, que está cinco leguas del Cuzco. Pues pasar adelante con la imaginación y pensar cómo pudieron ajustar tanto unas piedras tan grandes que apenas pueden meter la punta de un cuchillo por ellas, es nunca acabar. Muchas de ellas están tan ajustadas que apenas se aparece la juntura; para ajustarlas tanto era menester levantar y asentar la una piedra sobre la otra muchas veces, porque no tuvieron escuadra ni supieron valerse siquiera de una regla para asentarla en cima de una piedra y ver por ella si estaba ajustada con la otra.

Tampoco supieron hacer grúas ni garruchas ni otro ingenio alguno que les ayudara a subir y bajar las piedras, siendo ellas tan grandes que espantan, como lo dice el muy reverendo Padre José de Acosta hablando de esta misma fortaleza; que yo, por [no] tener la precisa medida del granador de muchas de ellas, me quiero valer de la autoridad de este gran varón, que, aunque la he pedido a los condiscípulos y me la han enviado, no ha sido la relación tan clara y distinta como yo la pedía de los tamaños de las piedras mayores, que quisiera la medida por varas y ochavas, y no por

brazos como me la enviaron; quisiérala con testimonios de escribanos, porque lo más maravilloso de aquel edificio es la increíble grandeza de las piedras, por el incomportable trabajo que era menester para las alzar y bajar hasta ajustarlas y ponerlas como están; porque no se alcanza cómo se pudo hacer con no más ayuda de costa de la de los brazos. Dice, pues, el Padre Acosta, Libro seis, capítulo catorce:

Los edificios y fábricas que los Incas hicieron en fortalezas, en templos, en caminos, en casas de campo y otras, fueron muchos y de excesivo trabajo, como lo manifiestan el día de hoy las ruinas y pedazos que han quedado, como se ven en el Cuzco y en Tiaguanaco y en Tambo y en otras partes, donde hay piedras de inmensa grandeza, que no se puede pensar cómo se cortaron y trajeron y asentaron donde están; para todos estos edificios y fortalezas que el Inca mandaba hacer en el Cuzco y en diversas partes de su reino, acudía grandísimo número de todas las provincias; porque la labor es extraña y para espantar, y no usaban de mezcla ni tenían hierro ni acero para cortar y labrar las piedras, ni máquinas ni instrumentos para traerlas; y con todo eso están tan pulidamente labradas que en muchas partes apenas se ve la juntura de unas con otras. Y son tan grandes muchas piedras de éstas como está dicho, que sería cosa increíble si no se viese. En Tiaguanaco medí yo una piedra de treinta y ocho pies de largo y de dieciocho de ancho, y el grueso sería de seis pies; y en la muralla de la fortaleza del Cuzco, que es de mampostería, hay muchas piedras de mucho mayor grandeza, y lo que más admira es que, no siendo cortadas éstas que digo de la muralla por regla, sino entre sí muy desiguales en el tamaño y en la facción, encajan unas con otras con increíble juntura, sin mezcla. Todo esto se hacía a poder de mucha gente y con gran sufrimiento en el labrar, porque para enca-

jar una piedra con otra era forzoso
probarla muchas veces, no estando
las más de ellas iguales ni llanas...

Todas son palabras del Padre
Maestro Acosta, sacadas a la letra,
por las cuales se verá la dificultad
y el trabajo con que hicieron aquella fortaleza, porque no tuvieron instrumentos ni máquinas de qué ayudarse.

Los Incas, según lo manifiesta
aquella su fábrica, parece que quisieron mostrar por ella la grandeza
de su poder, como se ve en la inmensidad y majestad de la obra;
la cual se hizo más para admirar
que no para 'otro fin. También quisieron hacer muestra del ingenio de
sus maestros y artífices, no sólo en
la labor de la cantería pulida (que
los españoles no acaban de encarecer), mas también en la obra de la
cantería tosca, en la cual no mostraron menos primor que en la otra.
Pretendieron asimismo mostrarse
hombres de guerra en la traza del
edificio, dando a cada lugar lo necesario para defensa contra los enemigos.

La fortaleza edificaron en un cerro alto que está al setentrión de la
ciudad, llamada Sacsahuaman, de
cuyas faldas empieza la población
del Cuzco y se tiende a todas partes por grande espacio. Aquel cerro
(a la parte de la ciudad) está derecho, casi perpendicular, de manera que está segura la fortaleza de
que por aquella banda la acome-
tan los enemigos en escuadrón formado ni de otra manera, ni hay sitio por allí donde puedan plantar
artillería, aunque los indios no tuvieron noticia de ella hasta que fueron los españoles; por la seguridad
que por aquella banda tenía, les pareció que bastaba cualquier defensa, y así echaron solamente un
muro grueso de cantería de piedra,
ricamente labrada por todas cinco
partes, si no era por el trasdós como
dicen los albañiles; tenía aquel muro
más de doscientas brazas de largo:

cada hilada de piedra era de diferente altor, y todas las piedras de
cada hilada muy iguales y asentadas
por hilo, con muy buena trabazón;
y tan ajustadas unas con otras por
todas cuatro partes, que no admitían mezcla. Verdad es que no se la
echaban de cal y arena, porque no
supieron hacer cal; empero, echaban por mezcla una lechada de un
barro colorado que hay, muy pegajoso, para que hinchase y llenase
las picaduras que al labrar la piedra se hacían. En esta cerca mostraron fortaleza y policía, porque
el muro es grueso y la labor muy
pulida a ambas partes.

XXVIII. TRES MUROS DE LA CERCA,
LO MÁS ADMIRABLE DE LA OBRA

En contra de este muro, por la
otra parte, tiene el cerro un llano
grande; por aquella banda suben a
lo alto del cerro con muy poca
cuesta, por donde los enemigos podían arremeter en escuadrón formado. Allí hicieron tres muros, uno
delante de otro, como va subiendo
el cerro; tendrá cada muro más de
doscientas brazas de largo. Van hechos en forma de media luna, porque van a cerrar y juntarse con el
otro muro pulido, que está a la
parte de la ciudad. En el primei
muro de aquellos tres quisieron
mostrar la pujanza de su poder,
que, aunque todos tres son una misma obra, aquél tiene la grandeza
de ella, donde pusieron las piedras
mayores, que hacen increíble el edificio a quien no lo ha visto y espantable a quien lo mira con atención, si considera bien la grandeza
y la multitud de las piedras y el
poco aliño que tenían para las cortar, labrar y asentar en la obra.

Tengo para mí que no son sacadas de canteras, porque no tienen
muestra de haber sido cortadas, sino
que llevaban las pequeñas sueltas y
desasidas (que los canteros llaman
tormos) por aquellas sierras halla-

ban, acomodadas para la obra; y como las hallaban, así las asentaban, porque unas son cóncavas de un cabo y convexas de otro y sesgas de otro, unas con puntas a las esquinas y otras sin ellas; las cuales faltas o demasías no las procuraban quitar ni emparejar ni añadir, sino que el vacío y cóncavo de una peña grandísima lo henchían con el lleno y convexo de otra peña tan grande y mayor, si mayor la podían hallar; y por el semejante el sesgo o derecho de una peña igualaban con el derecho o sesgo de otra; y la esquina que faltaba a una peña la suplían sacándola de otra, no en pieza chica que solamente henchiese aquella falta, sino arrimando otra peña con una punta sacada de ella, que cumpliese la falta de la otra; de manera que la intención de aquellos indios parece que fue no poner en aquel muro piedras chicas, aunque fuese para suplir las faltas de las grandes, sino que todas fuesen de admirable grandeza, y que unas y otras se abrazasen, favoreciéndose todas, supliendo cada cual la falta de la otra, para mayor majestad del edificio, y esto es lo que el Padre Acosta quiso encarecer diciendo: "lo que más admira es que no siendo cortadas éstas de la muralla por regla, sino entre sí muy desiguales en el tamaño y en la facción, encajan unas con otras con increíble juntura, sin mezcla". Con ir asentadas tan sin orden, regla ni compás, están las peñas por todas partes tan ajustadas unas con otras como la cantería pulida; la haz de aquellas peñas labraron toscamente; casi les dejaron como se estaban en su nacimiento; solamente para las junturas labraron de caña cuatro dedos, y aquello muy bien labrado; de manera que de lo tosco de la haz y de lo pulido de las junturas y del desorden del asiento de aquellas peñas y peñascos, vinieron a hacer una galana y vistosa labor.

Un sacerdote natural de Montilla, que fue al Perú después que yo estoy en España y volvió en breve tiempo, hablando de esta fortaleza, particularmente de la monstruosidad de sus piedras, me dijo que antes de verlas nunca jamás imaginó creer que fuesen tan grandes como le habían dicho, y que después que las vio le parecieron mayores que la fama; y que entonces le nació otra duda más dificultosa, que fue imaginar que no pudieron asentarlas en la obra sino por arte del demonio. Cierto tuvo razón de dificultar el cómo se asentaron en el edificio, aunque fuera con el ayuda de todas las máquinas que los ingenieros y maestros mayores de por acá tienen; cuanto más tan sin ellas, porque en esto excede aquella obra a las siete que escriben por maravillas del mundo; porque hacer una muralla tan larga y ancha como la de Babilonia y un coloso de Rodas y las pirámides de Egipto y las demás obras, bien se ve cómo se pudieron hacer, que fue acudiendo gente innumerable y añadiendo de día en día y de año en año material a material y más material; eso me da que sea de ladrillo y betún, como la muralla de Babilonia, o de bronce y cobre, como el coloso de Rodas, o de piedra y mezcla, que la pujanza de la gente, mediante el largo tiempo, lo venció todo. Mas imaginar cómo pudieron aquellos indios tan sin máquinas, ingenios ni instrumentos, cortar, labrar, levantar y bajar peñas tan grandes (que más son pedazos de sierra que de piedras de edificio), y ponerlas tan ajustadas como están, no se alcanza; y por esto lo atribuyen a encantam[i]ento, por la familiaridad tan grande que con los demonios tenían.

En cada cerca, casi en medio de ella, había una puerta, y cada puerta tenía una piedra levadiza del ancho y alto de la puerta con que la cerraban. A la primera llamaron

Tiupuncu, que quiere decir: puerta del arenal, porque aquel llano es algo arenoso, de arena de hormigón: llaman *tiu* al arenal y a la arena, y *puncu* quiere decir puerta. A la segunda llamaron Acahuana Puncu, porque el maestro mayor que la hizo se llamaba Acahuana, pronunciada la sílaba *ca* en lo interior de la garganta. La tercera se llamó Viracocha Puncu, consagrada a su dios Viracocha aquel fantasma de quien hablamos largo, que se apareció al príncipe Viracocha Inca y le dio aviso del levantamiento de los Chancas, por lo cual lo tuvieron por defensor y nuevo fundador de la ciudad del Cuzco, y como tal le dieron aquella puerta, pidiéndole fuese guarda de ella y defensor de la fortaleza, como ya en tiempos pasados lo había sido de toda la ciudad y de todo su Imperio. Entre un muro y otro de aquellos tres, por todo el largo de ellos, hay un espacio de veinticinco o treinta pies; está terraplenado hasta lo alto de cada muro; no sabré decir si el terraplén es del mismo cerro que va subiendo o si es hecho a mano: debe ser de lo uno y de lo otro. Tenía cada cerca su antepecho de más de una vara en alto, de donde podían pelear con más defensa que al descubierto.

XXIX. TRES TORREONES, LOS MAESTROS MAYORES Y LA PIEDRA CANSADA

Pasadas aquellas tres cercas, hay una plaza larga y angosta, donde había tres torreones fuertes, en triángulo prolongado, conforme al sitio. Al principal de ellos, que estaba en medio, llamaron Móyoc Marca; quiere decir: fortaleza redonda, porque estaba hecho en redondo. En ella había una fuente de mucho y muy buena agua, traída de lejos, por debajo de tierra. Los indios no saben decir de dónde ni por dónde. Entre el Inca y los del

Supremo Consejo, andaba secreta la tradición de semejantes cosas. En aquel torreón se aposentaban los Reyes cuando subían a la fortaleza a recrearse, donde todas las paredes estaban adornadas de oro y plata, con animales y aves y plantas contrahechas al natural y encajadas en ellas, que servían de tapicería. Había asimismo mucha vajilla y todo el demás servicio que hemos dicho que tenían las casas reales.

Al segundo torreón llamaron Páucar Marca, y al tercero Sácllac Marca; ambos eran cuadrados, tenían muchos aposentos para los soldados que había de guarda, los cuales remudaban por su orden; habían de ser de los Incas del privilegio, que los de otras naciones no podían entrar en aquella fortaleza; porque era casa del Sol, de armas y guerra, como lo era el templo de oración y sacrificios. Tenía su capitán general, como alcaide; había de ser de la sangre real y de los legítimos; el cual tenía sus tenientes y ministros, para cada ministerio el suyo: para la milicia de los soldados, para la provisión de los bastimentos, para la limpieza y policía de las armas, para el vestido y calzado que había de depósito para la gente de guarnición que en fortaleza había.

Debajo de los torreones había labrado, debajo de tierra, otro tanto como encima; pasaban las bóvedas de un torreón a otro, por las cuales se comunicaban los torreones, también como por cima. En aquellos soterraños mostraron grande artificio; estaban labrados con tantas calles y callejas, que cruzaban de una parte a otra con vueltas y revueltas, y tantas puertas, unas en contra de otras y todas de un tamaño que, a poco trecho que entraban en el laberinto, perdían el tino y no acertaban a salir; y aun los muy prácticos no osaban entrar sin guía; la cual había de ser un ovillo de hilo grueso que al entrar dejaban atado a la puerta, para salir guiándose por él. Bien muchacho, con otros de mi edad, subí muchas veces a la fortaleza, y con estar ya arruinado todo el edificio pulido —digo lo que estaba sobre la tierra y aun mucho de lo que estaba debajo—, no osábamos entrar en algunos pedazos de aquellas bóvedas que habían quedado, sino hasta donde alcanzaba la luz del sol, por no perdernos dentro, según el miedo que los indios nos ponían.

No supieron hacer bóveda de arco; yendo labrando las paredes, dejaban para los soterraños unos canecillos de piedra, sobre los cuales echaban, en lugar de vigas, piedras largas, labradas a todas seis haces, muy ajustadas, que alcanzaban de una pared a otra. Todo aquel gran edificio de la fortaleza fue de cantería pulida y cantería tosca, ricamente labrada, con mucho primor, donde mostraron los Incas lo que supieron y pudieron, con deseo que la obra se aventajase en artificio y grandeza a todas las demás que hasta allí habían hecho, para que fuese trofeo de sus trofeos, y así fue el último de ellos, porque pocos años después que se acabó entraron los españoles en aquel Imperio y atajaron otros tan grandes que se iban haciendo.

Entendieron cuatro maestros mayores en la fábrica de aquella fortaleza. El primero y principal, a quien atribuyen la traza de la obra, fue Huallpa Rimachi Inca, y para decir que era el principal le añadieron el nombre *Apu*, que es capitán o superior en cualquier ministerio, y así le llaman Apu Huallpa Rimachi; al que le sucedió le llaman Inca Maricanchi. El tercero fue Acahuana Inca; y a éste atribuyen mucha parte de los grandes edificios de Tiahuanacu de los cuales hemos dicho atrás. El cuarto y último de los maestros se llamó Calla Cúnchuy; en tiempo de éste trajeron la piedra cansada, a la cual puso el maestro mayor su nombre porque en ella se conservase su memoria, cuya grandeza también, como de las demás sus iguales, es increíble. Holgara poner aquí la medida cierta del grueso y alto de ella; no he merecido haberla precisa; remítome a los que la han visto. Está en el llano antes de la fortaleza; dicen los indios que del mucho trabajo que pasó por el camino, hasta llegar allí, se cansó y lloró sangre, y que no pudo llegar al edificio. La piedra no está labrada sino tosca, como la arrancaron de donde estaba escuadrada. Mucha parte de ella está debajo de tierra; dícenme que ahora está más metida debajo de tierra que yo la dejé, porque imaginaron que debajo de ella había gran tesoro y cavaron como pudieron para sacarlo; mas antes que llegasen al tesoro imaginado, se les hundió aquella gran peña y escondió la mayor parte de su grandor, y así lo más de ella está debajo de tierra. A una de sus esquinas altas tiene un agujero o dos, que, si no me acuerdo mal, pasan la esquina de una parte a otra. Dicen los indios que aquellos agujeros son los ojos de la piedra, por do lloró la sangre; del polvo que en los agujeros se recoge y del agua que llueve y corre por la piedra abajo, se hace una mancha o señal algo bermeja, porque la tierra es bermeja en aquel sitio: dicen los indios que aquella señal quedó de la sangre que derramó cuando lloró. Tanto como esto afirmaban esta fábula, y yo se la oí muchas veces.

La verdad historial, como la contaban los Incas amautas, que eran toda cosa de su gentilidad, es que los sabios, filósofos y doctores es traían la piedra más de veinte mil indios, arrastrándola con grandes maromas; iban con gran tiento; el camino por do la llevaban es áspero, con muchas cuestas agras que subir y bajar; la mitad de la gente tiraba de las maromas por delante, la otra mitad iba sosteniendo la peña con otras maromas que llevaba asidas atrás, porque no rodase por las cuestas abajo y fuese a parar donde no pudiesen sacarla.

En una de aquellas cuestas (por descuido que hubo entre los que iban sosteniendo, que no tiraron todos a la par), venció el peso de la peña a la fuerza de los que la sostenían, y se soltó por la cuesta abajo y mató tres o cuatro mil indios de los que la iban guiando; mas con toda esta desgracia la subieron y pusieron en el llano donde ahora está. La sangre que derramó dicen que es la que lloró, por que la lloraron ellos y porque no llegó a ser puesta en el edificio. Decían que se cansó y que no pudo llegar allá porque ellos se cansaron de llevarla; de manera que lo que por ellos pasó atribuyen a la peña; de esta suerte tenían otras muchas fábulas que enseñaban por tradición a sus hijos y descendientes, para que quedase memoria de los acaecimientos más notables que entre ellos pasaban.

Los españoles, como envidiosos de sus admirables victorias, debiendo sustentar aquella fortaleza aunque fuera reparándola a su costa, para que por ella vieran en siglos venideros cuán grandes habían sido las fuerzas y el ánimo de lo que la ganaron y fuera eterna memoria de sus hazañas, no solamente no la sustentaron, mas ellos propios la derribaron para edificar las casas particulares que hoy tienen en la ciudad del Cuzco, que, por ahorrar la costa y la tardanza y pesadumbre con que los indios labraban las piedras para los edificios, derribaron todo lo que de cantería pulida estaba edificado dentro de las cercas, que hoy no hay casa en la ciudad que no haya sido labrada con aquella piedra, a lo menos las que han labrado los españoles.

Las piedras mayores, que servían de vigas en los soterraños, sacaron para umbrales y portadas, y las piedras menores para los cimientos y paredes; y para las gradas de las escaleras buscaban las hiladas de piedra del altor que les convenía, y, habiéndola hallado, derribaban todas las hiladas que había encima de la que habían menester, aunque fuesen diez o doce hiladas o muchas más. De esta manera echaron por tierra aquella gran majestad, indigna de tal estrago, que eternamente hará lástima a los que la miraren con atención de lo que fue; derribáronla con tanta prisa que aun yo no alcancé de ella sino las pocas reliquias que he dicho. Las tres murallas de peñas dejé en pie, porque no las pueden derribar por la grandeza de ellas; y aun con todo eso, según me han dicho, han derribado parte de ellas, buscando la cadena o maroma de oro que Huaina Cápac hizo; porque tuvieron conjeturas o rastros que la habían enterrado por allí.

Dio principio a la fábrica de aquella no bien encarecida y mal dibujada fortaleza el Buen Rey Inca Yupanqui, décimo de los Incas, aunque otros quieren decir que fue su padre Pachacútec Inca; dícenlo porque dejó la traza y el modelo hecho y recogida grandísima cantidad de piedra y peñas, que no hubo otro material en aquella obra.

Tardó en acabarse más de cincuenta años, hasta los tiempos de Huaina Cápac, y aun dicen los indios que no estaba acabada, porque la piedra cansada la habían traído para otra gran fábrica que pensaban hacer, la cual con otras muchas que por todo aquel Imperio se hacían, atajaron las guerras civiles que poco después entre los dos hermanos Huáscar Inca y Atahuallpa se levantaron, en cuyo tiempo entraron los españoles, que las atajaron y derribaron del todo, como hoy están.

L I B R O O C T A V O

*Donde se verán las muchas conquistas que Túpac Inca Yupanqui,
undécimo Rey, hizo, y tres casamientos que su hijo Huaina Cápac
celebró; el testamento y muerte del dicho Túpac Inca; los animales
mansos y bravos, mieses y legumbres, frutas y aves y cuatro ríos
famosos, piedras preciosas, oro y plata, y, en suma, todo lo que
había en aquel Imperio antes que los españoles fueran a él.*

I. LA CONQUISTA DE LA PROVINCIA HUACRACHUCU, Y SU NOMBRE

El gran Túpac Inca Yupanqui
(cuyo apellido Túpac quiere decir:
el que relumbra o resplandece, porque las grandezas de este Príncipe
merecieron tal renombre), luego
que murió su padre se puso la borla colorada y, habiendo cumplido
con sus exequias y con las demás
ceremonias y sacrificios que a los
Reyes muertos les hacían, en que
gastó el primer año de su reinado,
salió a visitar sus reinos y provincias, que era lo primero que los Incas hacían heredando para conocer
y ser conocidos y amados de sus
vasallos, y para que así los concejos y pueblos en común, como los
vecinos en particular, le pidiesen de
más cerca lo que bien les estuviese;
y también para que los gobernadores y jueces y los demás ministros
de la justicia no se descuidasen o
tiranizasen con la ausencia del Inca.
En la visita gastó largos cuatro años,
y, habiéndola acabado y dejado los
vasallos muy satisfechos y contentos de sus grandezas y buena condición, mandó por el año venidero
levantar cuarenta mil hombres de
guerra para pasar adelante en la
conquista que sus pasados le dejaron instruido, porque el principal
blasón de que aquellos Incas se preciaban, y el velo con que cubrían
su ambición por aumentar su Imperio, era decir que les movía celo
de sacar los indios de las inhumanidades y bestialidades en que vivían y reducirlos a vida moral y
política y al conocimiento y adoración de su padre el Sol, que ellos
predicaban por Dios.

Levantada la gente, habiendo
puesto orden quién quedase en la
ciudad por su lugarteniente, fue el
Inca hasta Casamarca, para de allí
hacer su entrada a la provincia
llamada Chachapuy, que según el
Padre Blas Valera quiere decir: lugar de varones fuertes. Está al oriente de Casamarca; era poblada de
mucha gente muy valiente, los hombres muy bien dispuestos y las mujeres hermosas en extremo. Estos
Chachapuyas adoraban culebras y
tenían al ave cúntur por su principal Dios; deseaba Túpac Inca Yupanqui reducir aquella provincia a
su Imperio por ser muy famosa, la
cual entonces tenía más de cuarenta mil vecinos; es asperísima de
sitio.

Traen estos indios Chachapuyas
por tocado y divisa en la cabeza
una honda, por la cual son conoci-

dos y se diferencian de las otras naciones; y la honda es de diferente hechura que lo que usan otros indios, y es la principal arma que en la guerra usaban, como los antiguos mallorquines.

Antes de la provincia Chachapuya hay otra que llaman Huacrachucu; es grande y asperísima de sitio, y de gente en extremo feroz y belicosa. Traen por divisa en la cabeza, o traían (que ya todo está confundido), un cordón negro de lana con moscas blancas a trechos, y por plumaje una punta de cuerno de venado o de corzo o de gamo, por do le llamaron Huacrachucu, que es tocado o sombrero de cuerno: llaman *chucu* al tocado de la cabeza, y *huacra* al cuerno. Los Huacrachucus adoraban culebras, antes que fuesen señoreados de los Incas, y las tenían pintadas por ídolos en sus templos y casas.

Al Inca le era necesario conquistar primero aquella provincia Huacrachucu para pasar a las Chachapuya; y así mandó enderezar su ejército a ella. Los naturales se pusieron en defensa, atrevidos en la mucha aspereza de su tierra y aun confiados de la victoria, porque les parecía inexpugnable. Con esta confianza salieron a defender los pasos, donde hubo grandes reencuentros y muchas muertes de ambas partes. Lo cual visto por el Inca y por su Consejo, les pareció que si la guerra se llevaba a fuego y sangre, sería con mucho daño de los suyos y total destrucción de los enemigos. Por lo cual, habiendo ganado algunos pasos fuertes, les envió a requerir con la paz y amistad, como lo habían de costumbre los Incas; díjoles que mirasen que más andaba el Inca por hacerles bien (como lo habían hecho sus pasados con todos los demás indios que habían reducido a su Imperio) que no por señorearlos ni por el provecho que de ellos podía esperar. Advirtiesen que no les quitaban nada de sus tierras y posesiones, antes se las aumentaban con nuevas acequias y otros beneficios; y que a los curacas los dejaban con el mismo señorío que antes se tenían, que no querían más de que adorasen al Sol y quitasen las inhumanidades que tuviesen. Sobre lo cual platicaron los Huacrachucus, y, aunque hubo muchos de parecer que recibiesen al Inca por señor, no se concertaron, porque la gente moza, como menos experimentada y más en número, lo contradijeron, y salieron con su porfía y siguieron la guerra con mucho furor, pareciéndoles que estaban obligados a vencer o morir todos, pues habían contradicho a los viejos.

El Inca, porque los enemigos viesen que el haberles convidado con la paz no había sido flaqueza de ánimo ni faltas de fuerzas, sino piedad y mansedumbre tan acostumbrada por sus pasados, mandó reforzar la guerra de veras y que los acometiesen por muchas partes, repartiendo el ejército por sus tercios para que los divirtiesen y enflaqueciesen las fuerzas y el ánimo. Con el segundo acometimiento que los Incas hicieron, ganaron otras plazas y pasos fuertes, apretaron a los enemigos de manera que les convino pedir misericordia. El Inca los recibió con mucha clemencia, por la común costumbre de aquellos Reyes, que siempre se preciaron de ella, y por convidar con ella a los comarcanos; y así mandó a sus ministros que tratasen a los Huacrachucus como si fueran hermanos; mandó que a los curacas se les diese mucha ropa de vestir de la fina, que llaman *compi*, y a la gente común de la que llaman *ausca;* mandó proveerles de mucho bastimento, porque con la guerra se les había desperdiciado lo que tenían para su año, con lo cual quedaron muy contentos los nuevamente conquistados y perdieron el temor del castigo que por su rebeldía y pertinacia habían temido.

El Inca no quiso pasar adelante en su conquista, por parecerle que se había hecho harto en aquel verano en haber conquistado una provincia como aquélla, tan áspera de sitio y tan belicosa de gente; y también porque aquella tierra es muy lluviosa; mandó alojar su ejército en la comarca de aquella frontera. Mandó asimismo que para el verano siguiente se aprestasen otros veinte mil hombres más; porque no pensaba dilatar tanto sus conquistas como la pasada.

A los nuevamente reducidos mandó instruir en su vana religión y en sus leyes y costumbres morales, para que las supiesen guardar y cumplir. Mandó que se les diese traza y orden para sacar acequias de agua y hacer andenes, allanando cerros y laderas que podían sembrarse y eran de tierra fértil, y por falta de aquella industria la tenían perdida, sin aprovecharse de ella. Todo lo cual reconocieron aquellos indios que era en mucho beneficio de ellos.

II. LA CONQUISTA DE LOS PRIMEROS PUEBLOS DE LA PROVINCIA CHACHAPUYA

Venido el verano y la gente de socorro, mandó el gran Túpac Inca Yupanqui sacar su ejército en campaña y caminar hacia la provincia Chachapuya. Envió un mensajero delante, según la costumbre antigua de los Incas, a protestarles la paz o la guerra. Los Chachapuyas respondieron resueltamente que ellos estaban apercibidos para las armas y para morir en la libertad; que el Inca hiciese lo que quisiese, que ellos no querían ser sus vasallos.

Oída la respuesta, se empezó la guerra cruel de ambas partes, con muchas muertes y heridas. Los Incas iban determinados a no volver atrás. Los Chachas (que también admite este nombre aquella nación) estaban resueltos de morir antes que dar la ventaja a sus enemigos; por esta obstinación de ambas partes hubo mucha mortandad en aquella conquista y también los Chachas, viendo que el imperio de los Incas se acercaba a su provincia (la cual pudiéramos llamar reino porque tiene más de cincuenta leguas de largo y veinte de ancho, sin lo que entra hasta Muyupampa, que son otras treinta leguas de largo), se habían apercibido de algunos años atrás para defenderse, y habían hecho muchas fortalezas en sitios muy fuertes, como hoy se muestran, que todavía viven las reliquias; y. habían cerrado muchos pasos estrechos que hay, demás de la aspereza que aquella tierra tiene en sí que es tan dificultosa de andar que por algunos caminos se desguindan los indios ocho y diez estados de alto; porque no hay otros pasos para pasar adelante.

Por estas dificultades ganaron los Incas, a mucha costa de su gente, algunos pasos fortificados y algunas fortalezas que estimaron en mucho; y las primeras fueron en una cuesta que tiene dos leguas y media de subida, que llaman la cuesta de Pías porque pasada la cuesta está un pueblo que llaman así. Es uno de los principales de aquella provincia; está dieciocho leguas la tierra adentro, por la parte que entraron los Incas; todo aquel espacio ganaron con mucha dificultad. El pueblo hallaron desamparado, que, aunque el sitio era fuerte, tenían fortificados otros lugares más fuertes.

En Pías hallaron los Incas algunos viejos y viejas inútiles, que no pudieron subir a las sierras con los mozos; tenían consigo muchos niños que sus padres no habían podido llevar a las fortalezas; a todos éstos mandó el gran Túpac Inca

Yupanqui que los tratasen con mucha piedad y regalo.

Del pueblo Pías pasó adelante con su ejército, y en un abra o puerto de sierra nevada que ha por nombre Chírmac Casa, que quiere decir puerto dañoso, por ser de mucho daño a la gente que por él pasa, se helaron trescientos soldados escogidos del Inca que iban delante del ejército descubriendo la tierra, que repentinamente les cogió un gran golpe de nieve que cayó y los ahogó y heló a todos, sin escapar alguno. Por esta desgracia no pudo el Inca pasar el puerto por algunos días, y los Chachapuyas, entendiendo que lo hacía de temor, publicaron por toda su provincia que se había retirado y huido de ellos.

Pasada la furia de la nieve, prosiguió el Inca en su conquista, y con grandes dificultades fue ganando palmo a palmo lo que hay hasta Cúntur Marca, que es otro pueblo principal, sin otros muchos menores que a una mano y a otra del camino real dejó ganados con gran trabajo, por la aspereza de los sitios y porque sus moradores los habían fortificado más de lo que de suyo lo eran. En el pueblo Cúntur Marca hicieron gran resistencia los naturales, que eran muchos; pelearon valerosamente y entretuvieron la guerra muchos días; mas como ya en aquellos tiempos la pujanza de los Incas era tanta que no había resistencia contra ella, ni los Chachas tenían otro socorro sino el de su valor y esfuerzo, los ahogaron con la inundación de gente que sobre ellos cargaron; de tal manera que les fue forzoso rendirse a la voluntad del Inca. El cual los recibió con la clemencia acostumbrada y les hizo mercedes y regalos para aquietarles los ánimos y también para convidar a los no rendidos hiciesen lo mismo.

Habiendo dejado en Cúntur Marca ministros que asentasen lo ganado hasta allí, pasó el Inca adelante y fue ganando los pueblos y fortalezas que halló por delante, aunque ya con menos trabajo y menos sangre; porque a ejemplo de Cúntur Marca se rindieron los más; y los que peleaban no era con la obstinación que los pasados. De esta manera llegó a otro pueblo de los principales, llamado Casamarquilla, que está ocho leguas de Cúntur Marca, de camino muy áspero, de sierras y montañas bravas. En Casamarquilla hubo mucha pelea por la mucha y muy belicosa gente que el pueblo tenía; mas pasados algunos rencuentros en que los Chachas conocieron la pujanza de los Incas, considerando que la mayor parte de su provincia estaba ya sujeta al Inca, tuvieron por bien sujetarse ellos también.

III. LA CONQUISTA DE OTROS PUEBLOS Y OTRAS NACIONES BÁRBARAS

De Casamarquilla pasó a otro pueblo principal, llamado Papamarca, que quiere decir: pueblo de papas, porque son muy grandes las que allí se dan. El Inca ganó aquel pueblo como los pasados. De allí pasó ocho leguas, conquistando todos los pueblos que halló, hasta un pueblo de los principales que llaman Raimipampa, que quiere decir: campo de la fiesta y pascua principal del Sol, llamada Raimi, de la cual hemos dado larga cuenta en su capítulo de por sí; y porque Túpac Inca Yupanqui, habiendo ganado aquel pueblo, que está en un hermosísimo valle, celebró en el campo aquella fiesta del Sol, le llamaron así, quitándole el nombre antiguo que tenía, porque es de saber, como se ha dicho, que era costumbre de los Incas celebrarla como quiera que pudiesen, dondequiera que les tomase el tiempo de la fiesta, puesto que el Sumo Sacerdote y los demás Incas que en el Cuzco se hallaban la celebraban allí con toda solemnidad.

Ganado el pueblo Raimipampa, pasó a otro llamado Suta, que está tres leguas adelante, y también lo ganó con facilidad, porque ya no hacían resistencia los naturales, viendo la mayor parte de la provincia en poder del Inca. De Suta fue el ejército a otro pueblo grande que se dice Llauantu, que es el postrer pueblo principal de la provincia Chachapuya, el cual se dio como los demás de su nación, viendo que no se podían defender, y así quedó el Inca por señor de toda aquella gran provincia cuyos pueblo son los principales los que se han nombrado, sin los cuales tenía entonces una gran multitud de pueblos pequeños. Fue muy trabajosa de ganar esta gran provincia, y costó mucha gente al Inca, así por la aspereza y dificultad de la tierra como por ser la gente animosa y valiente.

Desde Llauantu envió el gran Túpac Inca Yupanqui parte de su ejército a la conquista y reducción de una provincia llamada Muyupampa, por donde entró el valeroso Ancohualla cuando desamparó sus estados por no reconocer superioridad a los Incas, como se dijo en la vida del Inca Viracocha, la cual provincia está dentro en los Antis, y por confederación amigable o por sujeción de vasallaje, que no concuerdan en esto aquellos indios, reconocía superioridad a los Chachas, y está casi treinta leguas de Llauantu, al levante.

Los naturales de Muyupampa, habiendo sabido que toda la provincia Chachapuya quedaba sujeta al Inca, se rindieron con facilidad y protestaron de abrazar su idolatría y sus leyes y costumbres. Lo mismo hicieron los de la provincia llamada Cascayunca, y otras que hay en aquel distrito, de menor cuenta y nombre, todas las cuales se rindieron al Inca con poca o ninguna resistencia. El cual prove-

yó lo necesario para la vana creencia y adoración del Sol y para el beneficio de los vasallos; mandó sacar acequias y romper nuevas tierras, para que la provincia fuese más abundante, y a los curacas dio mucha ropa, que ellos estimaron en mucho, y por entonces mandó parar la guerra hasta el verano venidero, y que alojasen el ejército y trajesen de las provincias comarcanas mucho bastimento para la gente de guerra y para los vasallos necesidad de comida. Venido el verano, fue Túpac Inca Yupanqui con ejército de cuarenta mil hombres a la provincia Huancapampa, grande y poblada de mucha gente, empero de diversas naciones y lenguas; vivían divididas, cada nación de por sí, ajenos de paz y amistad unos con otros, sin señor ni república ni pueblos poblados; hacíanse guerra unos a otros bestialmente, porque ni reñían sobre el señorío, porque no lo había, ni sabían qué era ser señor. Tampoco lo hacían por quitarse las haciendas, porque no las tenían, que los más de ellos andaban desnudos, que no supieron hacer de vestir. Tenían por premio de los vencedores las mujeres e hijas de los vencidos, que les quitaban todas las que podían haber, y los varones se comían unos a otros muy bestialmente.

En su religión fueron tan bestiales o más que en su vida moral; adoraban muchos dioses; cada nación, cada capitanía o cuadrilla y cada casa tenía el suyo. Unos adoraban animales, otros aves, otros yerbas y plantas, otros cerros; fuentes y ríos, cada uno lo que se le antojaba; sobre lo cual también había grandes batallas y pendencias en común y particular, sobre cuál de sus dioses era el mejor. Por esta behetría en que vivían, sin conformidad alguna, fueron facilísimos de conquistar, porque la defensa que hicieron fue huir como bestias a los montes y sierras ásperas, a las cuevas y resquicios de peñas, donde pudiesen esconderse; de donde a los más de ellos sacó la hambre y redujo a la obediencia y servicio del Inca; otros, que fueron más fieros y brutos, se dejaron morir de hambre en los desiertos.

El Rey Túpac Inca Yupanqui los hizo recoger con gran diligencia, y mandó darles maestros que les enseñasen a poblar pueblos, labrar las tierras y cubrir sus carnes, haciéndoles de vestir de lana y algodón; sacaron muchas y grandes acequias para regar los campos; cultivaron la provincia de manera que fue una de las mejores que hubo en el Perú. El tiempo adelante, para más la ilustrar, hicieron en ella templo para el Sol y casa de escogidas y otros muchos edificios; mandáronles echar por tierra sus dioses, y que adorasen al Sol por solo y universal Dios, y que no comiesen carne humana, so pena de la vida y de su total destrucción; diéronles sacerdotes y hombres enseñados en sus leyes y costumbres, para que los industriasen en todo; y ellos se mostraron tan dóciles, que en breve tiempo fueron muy políticos, y fueron aquellas dos provincias, Casayunca y Huancapampa, de las mejores que hubo en el Imperio de los Incas.

IV. LA CONQUISTA DE TRES GRANDES PROVINCIAS BELICOSAS Y MUY PERTINACES

Hecha la conquista de la gran provincia Huancapampa, no saben decir cuántos años después pasaron los Incas adelante a conquistar otras tres provincias, que también contienen en sí muchas diversas naciones; empero al contrario de las pasadas, que vivían como gente política, tenían sus pueblos y fortalezas y manera de gobierno, juntábanse a sus tiempos para tratar del prove-

cho de todos. No reconocían señor, pero de común consentimiento elegían gobernadores para la paz y capitanes para la guerra, a los cuales respetaban y obedecían con mucha veneración mientras ejercitaban los oficios. Llámanse estas tres provincias, que eran las principales, Casa, Ayahuaca y Callua. El Inca, luego que llegó a los términos de ellas, envió a requerir los naturales se recibiesen por señor o se apercibiesen para la guerra. Respondieron que estaban apercibidos para morir en defensa de su libertad, que ellos nunca habían tenido señor ni lo deseaban. Con esto se encendió la guerra, cruelísima de ambas partes, que no aprovechaban cosa alguna los ofrecimientos que el Inca les hacía con la paz y clemencia; a lo cual respondían los indios que no querían recibirla de quien pretendía hacerlos súbditos, quitándoles su antigua libertad; que le requerían los dejase en ella y se fuese en paz, que era la mayor merced que les podía hacer. Las provincias, unas a otras, se acudían con gran prontitud en todas sus necesidades; pelearon varonilmente, mataron mucha gente de los Incas, que pasaron de ocho mil hombres, lo cual visto por ellos los apretaron malamente a fuego y a sangre con todas las persecuciones de la guerra; mas los contrarios las sufrían con grande ánimo por sustentar su libertad, y cuando les ganaban algunas plazas fuertes, los que escapaban se recogían a otras, y de allí a otras y otras, desamparando sus propias tierras y casas, sin atender a mujer ni hijos, que más querían morir peleando que verse súbditos de otro.

Los Incas les fueron ganando la tierra poco a poco, hasta arrinconarlos en lo último de ella, donde se fortalecieron para morir en su pertinacia. Allí estuvieron tan apretados que llegaron a lo último de la vida, pero siempre firmes en no sujetarse al Inca; lo cual visto por algunos capitanes que entre ellos hubo, más bien considerados, viendo que habían de perecer todos sin haber para qué, y que otras naciones tan libres como ellos se habían rendido al Inca y que antes se habían aumentado en bienes que menoscabado de los que tenían, tratándolo entre sí unos con otros acordaron todos los capitanes rendirse al Inca y entregar la gente, lo cual se hizo, aunque no sin alboroto de los soldados, que algunos se amotinaron; mas viendo el ejemplo de los capitanes y los requerimientos que les hacían por la obediencia debida, se rindieron todos.

Túpac Inca Yupanqui los recibió con mucha afabilidad y lástima de que se hubiesen dejado llegar a la extrema necesidad; mandó que los regalasen como a propios hijos, y porque faltaban muchos de ellos, que habían perecido en la guerra, y quedaban las tierras muy despobladas, mandó que de otras provincias trajesen gente que las poblasen y cultivasen; y habiendo dejado todo lo necesario para el gobierno y para su idolatría, se volvió al Cuzco, cansado y enfadado de aquella guerra, más por la obstinación y disminución de aquellos indios que no por las molestias de ella; y así lo decía muchas veces, que si las provincias que había adelante por conquistar no tomaran mal ejemplo con la pertinacia de aquellas naciones, dejara de sujetarlas por entonces y aguardara tiempo que estuvieran más dispuestas para recibir el imperio de los Incas.

Algunos años se ocupó el gran Túpac Inca Yupanqui en visitar sus reinos y en ilustrarlos con edificios particulares en cada pueblo o provincia, como casas reales, fortalezas y pósitos y acequias y templos para el Sol y [casas] para las escogidas, y en otras obras generales para todo el Reino, como fueron los caminos reales que mandó hacer, de los cuales hablaremos más largo en otra parte; particularmente tuvo gran cuidado de la obra de la fortaleza del Cuzco, que su padre, Inca Yupanqui, dejó empezada.

Pasados algunos años en estos ejercicios de paz, volvió el Inca a la conquista de las provincias que había al norte, que llaman Chinchasuyu, por reducirla[s] a su Imperio; fue a la que llaman Huánucu, la cual contiene en sí muchas naciones desunidas y que se hacían guerra cruel unos a otros; vivían derramados por los campos, sin pueblos ni república; tenían algunas fortalezas en los altos, donde se acogían los vencidos; las cuales naciones el Inca conquistó con facilidad, por su acostumbrada clemencia, aunque al principio de la conquista, en algunos reencuentros, se mostraron los de Huánucu belicosos y desvergonzados; por lo cual los capitanes del Inca hicieron en ellos gran castigo, que los pasaban a cuchillo con mucho rigor, mas el Inca los aplacó diciéndoles que no olvidasen la ley del primer Inca Manco Cápac, que mandaba sujetasen los indios a su Imperio con halagos y regalos, y no con armas y sangre.

Los indios, escarmentados por una parte con el castigo y por otra movidos por los beneficios y promesas del Inca, se redujeron con facilidad y poblaron pueblos y recibieron la idolatría y el gobierno de los Incas, los cuales, en breve tiempo, ennoblecieron mucho esta hermosa provincia de Huánucu por su fertilidad y buen temple; hiciéronla metrópoli y cabeza de otras muchas provincias que hay en su comarca. Edificaron en ella templo para el Sol, que no se hacía sino en las famosas provincias y por mucho favor; fundaron también casa de escogidas. Acudían al servicio de estas dos casas veinte mil indios por año, por su rueda, y aun quieren decir que treinta mil, según la muchedumbre de los que había en su distrito. Pedro Cieza, capítulo ochenta, dice de Huánucu lo que se sigue, sacado a la letra, sin otras cosas que hay que notar en aquel capítulo:

> En lo que llaman Guánuco había una casa real de admirable edificio, porque las piedras eran grandes y estaban muy pulidamente asentadas. Este palacio o aposento era cabeza de las provincias comarcanas a los Andes, y junto a él había templo del Sol, con número de vírgenes y ministros; y fue tan gran cosa en tiempo de los Incas, que había a la continua, para solamente servicio de él, más de treinta mil indios. Los mayordomos de los Incas tenían cuidado de cobrar los tributos ordinarios y las comarcas acudían con sus servicios a este palacio.

Hasta aquí es de Cieza de León.

Hecha la conquista de Huánucu, que la hemos contado brevemente (y así contaremos todo lo que se sigue si no se ofreciese cosa notable, que deseo llegar ya al fin de las conquistas que aquellos Reyes hicieron, por tratar de las guerras que Huéscar y Atahuallpa, nietos de este Inca Túpac Yupanqui, tuvieron), decimos que para el año venidero mandó el Inca apercibir un poderoso ejército, porque propuso conquistar la gran provincia llamada Cañari, cabeza de otras muchas, poblada de mucha gente crecida, belicosa y valiente. Criaban por divisa los cabellos largos; recogíanlos todos en lo alto de la corona, donde los revolvían y los dejaban hechos un ñudo; en la cabeza traían por tocado, los más nobles y curiosos, un aro de cedazo, de tres dedos en alto por medio del aro; echaban unas trenzas de diversos colores; los plebeyos, y más aína los no curiosos y flojos, hacían en lugar del aro del cedazo otro semejante de una calabaza; y por esto a toda la nación Cañari llamaban los demás indios, para la afrenta, *matiuma*, que

quiere decir: cabeza de calabaza. Por estas divisas y otras semejantes que en tiempo de los Incas traían en las cabezas, era conocido cada indio de qué provincia y nación era. En mi tiempo también andaban todos con sus divisas; ahora me dicen que está ya todo confundido. Andaban los Cañaris, antes de los Incas, mal vestidos o casi desnudos, ellos y sus mujeres, aunque todos procuraban traer cubiertas siquiera las vergüenzas; había muchos señores de vasallos, algunos de ellos aliados entre sí. Éstos eran los más pequeños, que se unían para defenderse de los mayores, que, como más poderosos, querían tiranizar y sujetar a los más flacos.

V. LA CONQUISTA DE LA PROVINCIA CAÑARI, SUS RIQUEZAS Y TEMPLO

Túpac Inca Yupanqui fue a la provincia Cañari, y de camino conquistó la que hay antes, que llaman Palta, de donde llevaron al Cuzco o a sus valles calientes la fruta sabrosa y regalada que llaman *palta;* la cual provincia ganó el Inca con mucha facilidad, con regalos y caricias más que no con las armas, aunque es gente belicosa, pero puede mucho la mansedumbre de los Príncipes. Esta nación traía por divisa la cabeza tableada, que, en naciendo la criatura, le ponían una tablilla en la frente y otra en el colodrillo y las ataban ambas, y cada día las iban apretando y juntando más y más, y siempre tenían la criatura echada de espaldas y no les quitaban las tablillas hasta los tres años; sacaban las cabezas feísimas; y así, por oprobio, a cualquier indio que tenía la frente más ancha que lo ordinario o el cogote llano le decía[n] *Palta uma,* que es: cabeza de Palta. Pasó el Inca adelante, dejando ministros para el gobierno espiritual y temporal de

aquella provincia, y llegando a los
términos de los Cañaris, les envió
los requerimientos acostumbrados,
que se rindiesen o tomasen las armas. Los Cañaris estuvieron con alguna variedad en sus pareceres, mas
al fin se conformaron en obedecer al Inca y recibirle por señor,
porque vieron que por sus bandos
y discordias no podían resistirle, y
así salieron con mucha fiesta a darle
la obediencia. El ejemplo de aquellos primeros imitaron todos los demás curacas, y se rindieron con facilidad. El Inca los recibió con mucho aplauso y les hizo mercedes;
mandóle dar de vestir, que lo habían bien menester; ordenó que los
doctrinasen en adorar al Sol y en
la vida política que los Incas tenían. Antes de los Incas adoraban
los Cañaris por principal Dios a la
Luna y secundariamente a los árboles grandes y a las piedras que se
diferenciaban de las comunes, particularmente si eran jaspeadas; con
la doctrina de los Incas adoraron
al Sol, al cual hicieron templo y
casa de escogidas y muchos palacios para los Reyes.

Hicieron pósitos para la hacienda real y para los vasallos aumentaron las tierras de labor, sacaron
acequias para regar; en suma, hicieron en aquella provincia todo lo que
acostumbran hacer en todas las
que ganaban los Incas, y en aquélla
se hicieron más aventajadamente,
porque la disposición de la tierra ad-
mitía muy bien cualquiera beneficio que se le hacía, de que los Cañaris holgaron mucho y fueron muy
buenos vasallos, como lo mostraron
en las guerras de Huáscar y Atahuallpa, aunque después, cuando
los españoles entraron, uno de los
Cañaris, que se les pasó, bastó con
su ejemplo a que los suyos amasen
a los españoles y aborreciesen a los
Incas, com diremos lo uno y lo
otro en sus lugares. Usanza es del
mundo decir: "¡viva, que vence!"
Hecha la conquista de los Cañaris,

tuvo el gran Túpac Inca Yupanqui
bien en qué entender y ordenar y
dar asiento a las muchas y diversas
naciones que se contienen debajo
del apellido Cañari; y, por favore-
cerlas más, quiso asistir personalmente a la doctrina y enseñanza de
su idolatría y leyes. En lo cual gastó mucho tiempo, por dejarlo bien
asentado, pacífico y quieto; de manera que las demás provincias no
sujetas se aficionasen al Imperio
del Inca y holgasen recibirle por
señor. Entre aquellas naciones hay
una que llaman Quillacu; es gente
vilísima, tan mísera y apocada que
temen les ha de faltar la tierra y el
agua y aun el aire; de donde nació
un refrán entre los indios, y los españoles lo admitieron en su lenguaje: decir *es un Quillacu*, para
motejar a uno de avaro o de cualquiera otra bajeza. A los cuales
particularmente mandó el Inca imponer el tributo que los tan desastrados pagaban de sus piojos, por
obligarles a que se limpiasen y no
se dejasen comer de ellos.

Túpac Inca Yupanqui, y después
su hijo Huaina Cápac, ennoblecieron mucho estas provincias de los
Cañaris y la que llaman Tumipampa, con edificios y casas reales, en-
tapizados los aposentos con yerbas,
plantas y animales contrahechos al
natural de oro y plata; las portadas
estaban chapeadas de oro con engastes de piedras finas, esmeraldas
y turquesas; hicieron un famoso
templo al Sol, asimismo chapeado de
oro y plata, porque aquellos indios
se esforzaban en hacer grandes ostentaciones en el servicio de sus Reyes, y por lisonjearlos empleaban
en los templos y palacios reales
cuanto tesoro podían hallar.

Pedro Cieza, capítulo cuarenta y
cuatro, dice largamente de la riqueza que había en aquellos templos y aposentos reales de las provincias de los Cañaris hasta Tumipampa, que los españoles llaman
Tomebamba, sin necesidad de tro-

car las letras, que truecan unas por otras; sin la cual riqueza dice que había grandísima suma de tesoro en cántaros y ollas y otras vasijas de servicio, y mucha ropa de vestir riquísima, llena de argentería y chaquira. Toca en su historia muchos pasos de las conquistas que hemos dicho. *Chaquira* llaman los españoles a unas cuentas de oro muy menudas, más que el aljófar muy menudo, que las hacen los indios con tanto primor y sutileza, que los mejores plateros que en Sevilla conocí me preguntaban cómo las hacían porque, con ser tan menudas, son soldadas las junturas; yo traje una poca a España y la miraban por gran maravilla. Habiendo hablado Pedro Cieza muy largo del tesoro de las provincias de los Cañaris, dice estas palabras: "En fin, no puedo decir tanto que no quede corto en querer engrandecer la riqueza que los Incas tenían en estos palacios reales". Y hablando en particular de los aposentos y templos de Tumipampa, dice: "Algunos indios quisieron decir que la mayor parte de las piedras con que estaban hechos estos aposentos y templo del Sol las habían traído de la gran ciudad del Cuzco por mandado del Rey Huaina Cápac y del gran Tupa Inca, su padre, con crecidas maromas, que no es pequeña admiración (si así fue), por la grandeza y muy gran número de piedras y la gran longura del camino"

Todas son, a la letra, palabras de aquel historiador, y aunque por ellas muestra poner duda en relación de los indios, por la grandeza del hecho, yo, como indio que conocí la condición de los indios, osaré afirmar que pasó así; porque los Reyes Incas mandarían llevar las piedras del Cuzco por hacer mayor favor y merced a aquella provincia, porque, como muchas veces hemos dicho, las piedras y cualquiera otra cosa de aquella imperial ciudad tenían los indios por cosa sagrada.

Pues como fuese gran favor permitir y dar licencia para hacer templo del Sol en cualquiera principal provincia, porque era hacer a los naturales de ella ciudadanos del Cuzco, y siendo tan estimada esta merced como los indios la estimaban, era mucho mayor favor y merced, sin encarecimiento alguno, mandar el Inca que llevasen las piedras del Cuzco, porque aquel templo y palacios no solamente semejasen a los del Cuzco, sino que fuesen los mismos, pues eran hechos de las mismas piedras y materiales. Y los indios, por gozar de esta grandeza, que la tenían por cosa divina, se les haría descansoso cualquier trabajo que pasasen en llevar las piedras por camino tan largo y tan fragoso como el que hay desde el Cuzco o Tumipampa, que deben ser pocas menos de cuatrocientas leguas de largo, y la aspereza de ellas no la creerán sino los que las hubieren caminado, por lo cual dejaré yo de decirlo aquí. Y el dar cuenta los indios a Pedro Cieza, diciendo que la mayor parte de las piedras con que estaban hechos aquellos palacios y aquel su templo del Sol las habían traído del Cuzco, más fue por jactarse de la gran merced y favor que sus Reyes les habían hecho en mandárselas traer que por encarecer el trabajo de haberlas traído de tan lejos. Y vese esto claro, porque en ninguna otra parte de su historia hace el autor mención de semejante relación en cosa de edificios; y esto baste para ver la grandeza y riqueza de los palacios reales y templos del Sol que hubo en Tumipampa y en todo el Perú.

VI. LA CONQUISTA DE OTRAS MUCHAS Y GRANDES PROVINCIAS, HASTA LOS TÉRMINOS DE QUITU

Dada la orden para todo lo que se ha dicho acerca de las provin-

cias de los Cañaris, se volvió el
Inca al Cuzco, donde gastó algunos
años en los ejercicios del gobierno
de sus reinos, haciendo oficio de
gran príncipe. Mas como los Incas,
por la natural costumbre de los poderosos, estuviesen tan ambiciosos
por aumentar su Imperio, hacíase-
les de mal perder mucho tiempo
de sus conquistas, por lo cual mandó levantar un famoso ejército, y
con él caminó hasta ponerse en los
confines de Tumipampa, y de allí
empezó su conquista y ganó muchas provincias que hay hasta los
confines del reino de Quitu, en espacio de pocas menos de cincuenta
leguas, que las más nombradas son:
Chanchan Moca, Quesna, Pumallac-
ta —que quiere decir tierra de leones, porque se crían en ella más
que en sus comarcanas y los adoraban por dioses, Ticzampi, Tiuca-
sa, Cayampi, Urcollasu y Tincura-
cu, sin otras muchas que hay en
aquella comarca, de menos cuenta;
las cuales fueron fáciles de ganar,
que las más son mal pobladas y de
tierra estéril, de gente muy rústica,
sin señores ni gobierno ni otra policía alguna, sin ley ni religión; cada uno adoraba por dios lo que se
le antojaba; otros muchos no sabían qué era adorar, y así vivían
como bestias sueltas y derramadas
por los campos; con los cuales se
trabajó más en doctrinarlos y reducirlos a urbanidad y policía que
en sujetarlos. Enseñáronles a hacer de vestir y calzar, y a cultivar
la tierra, sacando acequias y haciendo andenes para fertilizarla. En
todas aquellas provincias hicieron
los Incas, por los caminos reales,
pósitos para la gente de guerra y
aposentos para los Reyes; mas no
hicieron templos para el Sol ni casas para sus vírgenes escogidas, por
la incapacidad y vileza de sus moradores; impusiéronles el tributo de
los piojos en particular.

Andando el Inca Túpac Yupanqui ocupado en la conquista y en-

señanza de las provincias arriba
nombradas, otras naciones que están al poniente de aquéllas, en los
confines de la provincia que los españoles llaman Puerto Viejo, le
enviaron sus embajadores con presentes, suplicándole quisiese recibirlos por sus vasallos y súbditos, y
les enviase capitanes y maestros
que les enseñasen [a] hacer pueblos
y a cultivar los campos, para que
viviesen como hombres, que ellos le
prometían ser leales vasallos. Los
principales autores de esta embajada fueron los de la nación llamada
Huancavillca. El Inca los recibió
con mucha afabilidad y les hizo
mercedes, y mandó les diesen recaudo de todo lo que venían a pedir. Llevaron maestros para su idolatría y para las buenas costumbres,
e ingenieros para sacar acequias,
cultivar los campos y poblar sus
pueblos; a los cuales todos mataron después con mucha ingratitud
de los beneficios recibidos y menosprecio de las promesas que hicieron al Inca, como lo refiere también Pedro Cieza de León en su
Demarcación, que, por ser a propósito de lo que en muchas partes de nuestra historia hemos repe-
tido de la mansedumbre y afabilidad de los Reyes Incas y de las
cosas que enseñaron a los indios que
a su imperio reducían, me pareció
poner aquí sus mismas palabras sacadas a la letra, las que en este
paso escribe, para que se vea que
lo que decimos de los Incas lo dicen también los historiadores españoles. En el capítulo cuarenta y
siete, hablando de aquellas provincias, dice lo que se sigue:

Volviendo, pues a[l] propósito digo
que (según yo tengo entendido de
indios viejos, capitanes que fueron
de Guaina Capa) que en tiempo
del gran Topa Inga Yupangue vinieron ciertos capitanes suyos con
alguna copia de gente, sacada de
las guarniciones ordinarias que estaban en muchas provincias del

reino; y con mañas y maneras que tuvieron los atrajeron a la amistad y servicio de Topa Inga Yupanque; y muchos de los principales fueron con presentes a la provincia de los Paltas, a le hacer reverencia, y él los recibió benignamente y con mucho amor, dando a algunos de los que le vinieron a ver piezas ricas de lana, hechas en el Cuzco. Y como le conviniese volver a las provincias de arriba, adonde por su gran valor era tan estimado que le llamaban padre y le honraban con nombres preminentes, y fue tanta su benevolencia y amor para con todos, que adquirió entre ellos fama perpetua; y por dar asiento en cosas tocantes al buen gobierno del reino, partió, sin poder por su persona visitar las provincias de estos indios. En las cuales dejó algunos gobernadores y naturales del Cuzco, para que les hiciesen entender la manera con que habían de vivir para no ser tan rústicos y para otros efectos provechosos. Pero ellos no solamente no quisieron admitir el buen deseo de éstos, que por mandado de Toga Inga quedaron en estas provincias para que los encaminasen en buen uso de vivir y en la policía y costumbres suyas, y les hiciesen entender lo tocante al agricultura y les diesen manera de vivir con más acertada orden de la que ellos usaban; mas antes, en pago del beneficio que recibieran (si no fueran tan mal conocidos), los mataron todos, que no quedó ninguno en los términos de esta comarca sin que les hiciesen mal ni les fuesen tiranos, para que lo mereciesen.

Esta grande crueldad afirman que entendió Topa Inga, y por otras causas muy importantes la disimuló, no pudiendo entender en castigar a los que tan malamente habían muerto estos sus capitanes y vasallos.

Hasta aquí es de Pedro Cieza, con que acaba el capítulo referido. El Inca, hecha la conquista de aquellas provincias, se volvió al Cuzco a descansar de los trabajos y pesadumbres de la guerra.

VII. HACE EL INCA LA CONQUISTA DE QUITU; HÁLLASE EN ELLA EL PRÍNCIPE HUAINACÁPAC

Habiendo gastado Túpac Yupanqui algunos años en la conquista de la paz, determinó hacer la conquista del reino de Quitu, por ser famoso y grande, que tiene setenta leguas de largo y treinta de ancho, tierra fértil y abundante, dispuesta para cualquier beneficio de los que se hacían para la agricultura y provecho de los naturales. Para la cual mandó apercibir cuarenta mil hombres de guerra, y con ellos se puso en Tumi Pampa, que está a los términos de aquel reino, de donde envió los requerimientos acostumbrados al rey Quitu, que había el mismo nombre de su tierra. El cual de su condición era bárbaro, de mucha rusticidad, y conforme a ella era áspero y belicoso, temido de todos sus comarcanos por su mucho poder, por el gran señorío que tenía. El cual, confiado en sus fuerzas, respondió con mucha soberbia diciendo que él era señor, y no quería reconocer otro ni quería leyes ajenas, que él daba a sus vasallos las que se le antojaban, ni quería dejar sus dioses, que eran de sus pasados y se hallaba bien con ellos, que eran venados y árboles grandes que les daban leña y carne para el sustento de la vida. El Inca, oída la respuesta, fue contemporizando la guerra, sin romperla de hecho, por atraerlos con caricias y afabilidad, conforme a la costumbre de sus antepasados, mas los de Quitu se mostraban tanto más soberbios cuanto más afable sentían al Inca, de lo cual se causó durar la guerra muchos meses y años, con escaramuzas, reencuentros y batallas ligeras, en las cuales hubo muertos y heridos de ambas partes.

Viendo Túpac Inca Yupanqui que la conquista iba muy a la larga, envió por su hijo primogénito, llamado Huaina Cápac, que era el príncipe heredero, para que se ejercitase en la milicia. Mandó que llevase consigo doce mil hombres de guerra. Su madre, la Reina, se llamó Mama Ocllo; era hermana de su padre, según la costumbre de aquellos Reyes. Llamaron a este príncipe Huaina Cápac, que según la común interpretación de los historiadores españoles y según el sonido de la letra, quieren que diga Mozo Rico, y parece que es así, según el lenguaje común. Mas aquellos indios, en la imposición de los nombres y renombres que daban a sus Reyes, tenían (como ya hemos dicho) otro intento, otro frasis y elegancia, diferente del común lenguaje, que era mirar con atención las muestras y señales que los príncipes, cuando mozos, daban de las virtudes reales que prometían para adelante; miraban también los beneficios y grandezas que hacían cuando hombres, para darles el nombre y renombre conforme a ellas; y porque este príncipe mostró desde muy mozo las realezas y magnanimidad de su ánimo, le llamaron Huaina Cápac, que en los nombres reales quiere decir: desde mozo rico de hazañas magnánimas; que por las que hizo el primer Inca Manco Cápac con sus primeros vasallos le dieron este nombre Cápac, que quiere decir rico, no de bienes de fortuna, sino de excelencia y grandeza de ánimo; y de allí quedó aplicarse este nombre solamente a las casas reales, que dicen Cápac Aillu, que es la generación y parentela real; Cápac Raimi llamaban a la fiesta principal del Sol, y, bajando más abajo, decían Cápac Runa, que es vasallo del rico, que se entendía por el Inca y no por otro señor de vasallos, por muchos que tuviese ni por muy rico que fuese; y así otras muchas cosas semejantes que querían engrandecer con este apellido Cápac.

Entre otras grandezas que este príncipe tuvo, con las cuales obligó a sus vasallos a que le diesen tan temprano el nombre Cápac, fue una que guardó siempre, así cuando era príncipe como después cuando fue monarca, la cual los indios estimaron sobre todas las que tuvo, y fue que jamás negó petición que mujer alguna le hiciese, de cualquiera edad, calidad y condición que fuese; y a cada una respondía conforme a la edad que tenía. A la que era mayor de días que el Inca, le decía: "Madre, hágase lo que mandas"; y a la que era igual en edad, poco más o menos, decía: "Hermana, hacerse lo que quieres"; y a la que era menor decía: "Hija, cumplirse ha lo que pides". Y a todas igualmente les ponía la mano derecha sobre el hombro izquierdo, en señal de favor y testimonio de la merced que les hacía. Y esta magnanimidad la tuvo tan constante, que aun en negocios de grandísima importancia, contra su propia majestad, la sustentó, como adelante veremos.

Este príncipe, que era ya de cerca de veinte años, reforzó la guerra y fue ganando el reino poco a poco, ofreciendo siempre la paz y amistad que los Incas ofrecían en sus conquistas; mas los contrarios, que eran gente rústica, mal vestida y nada política, nunca la quisieron admitir.

Túpac Inca Yupanqui, viendo la buena maña que el príncipe daba a la guerra, se volvió al Cuzco, para atender al gobierno de su Imperio, dejando a Huaina Cápac absoluto poder para lo de la milicia. El cual, mediante sus buenos capitantes, ganó todo el reino en espacio de tres años, aunque los de Quitu dicen que fueron cinco; deben contar dos años o poco menos que Túpac Inca Yupanqui gastó en la conquista antes que llamase al hijo; y así dicen los indios que ambos ganaron aquel reino. Duró tanto la conquista de Quitu porque los Reyes Incas, padre e hijo, no quisieron hacer la guerra a fuego y sangre, sino que iban ganando la tierra como los naturales la iban dejando y retirándose poco a poco. Y aun dicen que durara más si al cabo de los cinco años no muriera el Rey de Quitu. El cual murió de aflicción de ver perdida la mayor parte de su principado y que no podía defender lo que quedaba ni osaba fiar de la clemencia del Príncipe ni aceptar los partidos que le ofrecía, por parecerle que su rebeldía pasada no merecía perdón ninguno. Metido en estas aflicciones y fatigado de ellas, murió aquel pobre Rey; sus capitanes se entregaron luego a merced del Inca Huaina Cápac, el cual los recibió con mucha afabilidad y les hizo merced de mucha ropa de su vestir, que era lo más estimado de los indios, y otras dádivas muy favorables; y la gente común mandó que tratasen dádivas muy favorables; y a la gente común mandó que tratasen con mucho regalo y amistad. En suma, hizo con los de aquel reino todas las generosidades que pudo, para mostrar su clemencia y mansedumbre; y a la misma tierra mostró también el amor que le tenía por ser la primera que ganaba; que luego, como se aquietó la guerra, sin las acequias de agua y los demás beneficios ordinarios que se hacían para fertilizar el campo, mandó hacer templo para el Sol y casa de escogidas, con todo el ornamento y riqueza que las demás casas y templos tenían. En todo lo cual se aventajaron mucho aquellos indios, porque la tierra tenía mucho oro sacado para el servicio de su Rey y mucho más que después sacaron para servir al príncipe Huaina Cápac, porque se sintieron la afición que les había cobrado; la cual creció adelante en tanto grado, que le hizo hacer extremos nunca usados por los Reyes Incas, que fueron causa que su Imperio se perdiese

y su sangre real se apagase y consumiese.

Huaina Cápac pasó adelante de Quitu y llegó a otra provincia llamada Quillacenca; quiere decir: nariz de hierro, porque se horadaban la ternilla que hay entre las ventanas de las narices, y traían colgando sobre los labios un joyelito de cobre o de oro o de plata, como un zarcillo; hallólos el Inca muy viles y sucios, mal vestidos y llenos de piojos que no eran para quitárselos, sin idolatría alguna, que no sabían qué cosa era adorar, si ya no dijésemos que adoraban la carne, porque son tan golosos por ella que hurtan cualquier ganado que hallan; y el caballo o yegua o cualquiera otra res que hoy hallen muerta, por muy podrida que esté, se la comen con grandísimo gusto; fueron fáciles de reducir, como gente vil, poco menos que bestias. De allí pasó el Inca a otra provincia, llamada Pastu, de gente no menos vil que la pasada, y tan contraria en el comer de la carne que de ninguna manera la comían; y apretándoles que la comiesen, decían que no eran perros. Atrajéronlos al servicio del Inca con facilidad, diéronles maestros que les enseñasen a vivir, y entre los demás beneficios que les hicieron para la vida natural, fue imponerles el tributo de los piojos, porque no se dejasen morir comidos de ellos.

De Pastu fue a otra provincia llamada Otauallu, de gente más política y más belicosa que la pasada; hicieron alguna resistencia al Inca, mas luego se rindieron, porque vieron que no podían defenderse de un príncipe tan poderoso. Dejando allí la orden que convenía, pasó a otra gran provincia que ha por nombre Caranque, de gente barbarísima en vida y costumbres: adoraban tigres y leones y culebras grandes, ofrecían en sus sacrificios corazones y sangre humana, la que podían haber de sus comarcanos, que con todos ellos tenían guerra solamente por el gusto y codicia de tener enemigos que prender y matar, para comérselos. A los principios resistieron al Inca con gran ferocidad, mas en pocos días se desengañaron y se rindieron. Huaina Cápac les dio maestros para su idolatría y vida moral; mandóles quitar los ídolos y el sacrificar sangre y comer carne humana, que fue lo que ellos más sintieron, porque eran golosísimos de ella. Esta fue la última conquista de las provincias que por aquella banda confinaban con el reino de Quitu.

VIII. TRES CASAMIENTOS DE HUAINA CÁPAC; LA MUERTE DE SU PADRE Y SUS DICHOS

Túpac Inca Yupanqui, del todo apartado de la guerra, entendía en gobernar su Imperio; visitábalo a sus tiempos, por regalar los vasallos, que sentían grandísimo favor de ver al Inca en sus tierras; ocupóse muy de veras en la obra de la fortaleza del Cuzco, que su padre dejó trazada y empezada. Había muchos años que duraba esta obra, en la cual trabajaban más de veinte mil indios con tanta orden y concierto que cada nación, cada provincia, acudía al trabajo y al oficio que le estaba señalado, que parecía una casa muy puesta en orden. Visitaba por sus gobernadores el reino de Chili cada dos, tres años; enviaba mucha ropa fina y preseas de su persona para los curacas y sus deudos, y otra mucha ropa de la común para los vasallos. De allá le enviaban los caciques mucho oro y mucha plumería y otros frutos de la tierra; y esto duró hasta que Don Diego de Almagro entró en aquel reino, como adelante veremos.

El príncipe Huaina Cápac, hecha la conquista del reino de Quitu y de las provincias Quillacenca, Pastu, Otanalla y Caranque, y dada orden de lo que convenía a toda aquella frontera, se volvió al Cuzco a dar cuenta a su padre de lo que en su servicio había hecho; fue recibido con grandísimo triunfo; de esta venida casó segunda vez con la segunda hermana, llamada Raua Ocllo, porque de la primera mujer y hermana mayor, que había por nombre Pillcu Huaco, no tuvo hijos, y porque el heredero del reino fuese heredero legítimo por el padre y por la madre, como aquellos Reyes lo tenían de ley y costumbre, casó con la segunda hermana; también casó legítimamente, según sus leyes y fueros, con Mama Runtu, su prima hermana, hija de su tío Auqui Amaru Túpac Inca, hermano segundo de su padre. Auqui es nombre apelativo: quiere decir infante; daban este apellido a los hijos segundos del Rey, y por participación a todos los de la sangre real, y no a la gente común, por grandes señores que fuesen. *Amaru* es nombre de las muy grandes culebras que hay en los Antis. Los Incas tomaban semejantes nombres de animales o flores o yerbas, dando a entender que, como aquellas cosas se extremaban entre las de su especie, así lo habían de hacer ellos entre los hombres.

El Rey Túpac Inca Yupanqui y todos los de su Consejo ordenaron que aquellas dos mujeres fuesen legítimas mujeres, tenidas por Reinas como la primera, y no por concubinas; cuyos hijos sucediesen por su orden en la herencia del Reino; hicieron esta prevención por la esterilidad de la primera, que los escandalizó mucho; y el tercer casamiento fue con la prima hermana, porque no tuvo Huaina Cápac hermana tercera legítima de padre y madre; y por falta de ella le dieron por mujer la prima hermana, que después de sus hermanas era la más propincua al árbol real. De

Raua Ocllo, su hermana, hubo Huaina Cápac a Huáscar Inca. Huáscar es nombre apelativo; adelante, en su lugar, diremos cómo y por qué le pusieron este nombre, siendo el suyo propio Inti Cusi Huallpa. De la tercera mujer, que fue su prima hermana, hubo a Manco Inca, que también sucedió en el reino, aunque no más de en el nombre, porque estaba ya enajenado, como adelante veremos.

Pasados algunos años de la quietud y sosiego en que Túpac Inca Yupanqui vivía, adoleció de manera que sintió morirse; llamó al príncipe Huaina Cápac y a los demás hijos que tenía, que fueron muchos, que entre varones y hembras pasaron de doscientos. Hízoles el parlamento que los Reyes acostumbraban por vía de testamento; encomendóles la paz y justicia y el beneficio de los vasallos; encargóles que en todo se mostrasen verdaderos hijos del Sol. Al príncipe heredero le encomendó en particular la reducción y conquista de los bárbaros, que los atrajese a la adoración y servicio del Sol y a la vida política, y que en todo presumiese parecer a sus antepasados. A lo último le encargó el castigo de la alevosía y traición que los de Puerto Viejo y su comarca, principalmente los Huancauillcas, hicieron en matar los capitanes y los demás ministros que a pedimento de ellos mismos les habían enviado para que los doctrinasen y sacasen de la vida ferina que tenían, que aún no sabían labrar los campos ni cubrir sus carnes; que no era lícito aquella ingratitud pasase sin castigo, porque los demás vasallos no imitasen en el mal ejemplo. Díjoles se quedasen en paz, que él se iba a la otra vida porque su padre el Sol le llamaba para que descansase con él. Así murió el gran Túpac Inca Yupanqui, dejando perpetua memoria entre los suyos de su piedad, clemencia y mansedumbre y de los muchos beneficios que a todo su Imperio hizo; por los cuales, sin los demás renombres que a los demás Reyes habían puesto, le llamaron Túpac Yaya, que quiere decir: el padre que resplandece. Dejó de su legítima mujer Mama Ocllo, sin el príncipe heredero, otros cinco hijos varones: el segundo llamaron Auqui Amaru Túpac Inca, como a su padre, por tener delante siempre su nombre; el tercero se llamó Quéhuar Túpac; el cuatro fue Huallpa Túpac Inca Yupanqui: éste fue mi abuelo materno; el quinto, Titu Inca Rimachi; el sexto, Auqui Maita. Embalsamaron su cuerpo, como yo lo alcancé a ver después, el año de mil y quinientos y cincuenta y nueve, que parecía que estaba vivo.

El Padre Blas Valera dice de este Inca lo que se sigue, sacado a la letra, de su latín en romance:

Túpac Inca Yupanqui dijo: "Muchos dicen que el Sol vive y que es el hacedor de todas las cosas; conviene que el que hace alguna cosa asista a la cosa que hace, pero muchas cosas se hacen estando el Sol ausente; luego, no es el hacedor de todas las cosas, y que no vive se colige de que dando siempre vueltas no se cansa: si fuera cosa viva se cansara como nosotros, o si fuera libre llegara a visitar otras partes del cielo, a donde nunca jamás llega. Es como una res atada, que siempre hace un mismo cerco; o es como la saeta que va donde la envían y no donde ella querría". Dice también que repetía muchas veces un dicho de los de Inca Roca, sexto Rey, por parecerle muy importante para la república. Decía: "No es lícito que enseñen a los hijos de los plebeyos las ciencias que pertenecen a los generosos y no más; porque como gente baja no se eleven y ensorberbezcan y menoscaben y apoquen la república; bástales que aprendan los oficios de sus padres, que el mandar y gobernar no es de plebeyos, que es hacer agravio al oficio y a la república encomendársela a la gente común". También dijo: "La avaricia y la ambición hacen que el hombre no sepa moderarse a sí propio ni a otros, porque la avaricia divierte el ánimo del bien público y común y de su familia; y la ambición acorta el entendimiento para que no pueda tomar los buenos consejos de los sabios y virtuosos sino que siga su antojo"

Hasta aquí es del Padre Blas Valera, de los dichos sentenciosos del gran Túpac Inca Yupanqui.

Y porque andamos ya cerca de los tiempos que los españoles fueron a ganar aquel Imperio, será bien decir en el capítulo siguiente las cosas que había en aquella tierra para el sustento humano, y adelante, después de la vida y hechos del gran Huaina Cápac, diremos las cosas que no había, que después acá han llevado los españoles, para que no se confundan las unas con las otras.

IX. DEL MAÍZ Y LO QUE LLAMAN ARROZ, Y DE OTRAS SEMILLAS

Los frutos que el Perú tenía, de que se mantenía antes de los españoles, eran de diversas maneras, unos que se crían sobre la tierra y otros debajo de ella. De los frutos que se crían encima de la tierra tiene el primer lugar el grano que los mexicanos y los barloventanos llaman *maíz,* y los del Perú *zara,* porque es el pan que ellos tenían. Es de dos maneras: el uno es duro, que llaman *muruchu,* y el otro tierno y de mucho regalo, que llaman *capia;* cómenlo en lugar de pan, tostado o cocido, en agua simple; la semilla del maíz duro es el que se ha traído a España; la del tierno no ha llegado acá. En unas provincias se cría, tierno y más delicado que en otras, particularmente en la que llaman Rucana. Para sus sacrificios solemnes, como ya se ha dicho, hacían pan de maíz, que llaman *zancu,* y para su comer, no de ordinario sino de cuando en cuando, por vía de regalo, hacían el mismo pan que llaman *huminta;* diferenciábase en los nombres, no porque el pan fuese diferente, sino porque el uno era para sacrificios y el otro para su comer simple; la harina la molían las mujeres en unas losas anchas donde echaban el grano, y encima de él traían otra losa, hecha a manera de media luna, no redonda sino algo prolongada, de tres dedos de canto. En los cornejales de la piedra hecha media luna ponían las manos, y así la traían de canto de una parte a otra, sobre el maíz; con esta dificultad molían su grano y cualquier otra cosa que hubiesen de moler; por la cual dejaban de comer pan de ordinario.

No molían en morteros, aunque los alcanzaron, porque en ellos se muele a fuerza de brazos por los golpes que dan, y la piedra como media luna, con el peso que tiene, muele lo que toma debajo, y la india la trae con facilidad por la forma que tiene, subiéndola y bajándola de una parte a otra y de cuando en cuando recoge en medio de la losa con la una mano lo que está moliendo para remolerlo, y con la otra tiene la piedra, la cual con alguna semejanza podríamos llamar batán, por los golpes que le hacen dar a una mano y a otra. Todavía se están con esta manera de moler para lo que han menester. También hacían gachas que llaman *api,* y las comían con grandísimo regocijo, diciéndoles mil donaires; porque era muy raras veces. La harina, porque se diga todo, la apartaban del afrecho, echándola sobre una manta de algodón limpia en la cual la traían con la mano, asentándola por toda ella: la flor de la harina, como cosa tan delicada, se pega a la manta; el afrecho, como más grueso, se aparta de ella, y con facilidad lo quitan; y vuelven a recoger en medio de la manta la harina que estaba pegada a ella; y quitada aquélla, echaban otra tanta, y así iban cerniendo toda la que habían menester; y el cerner la harina más era para el pan que hacían para los españoles que no para el que los indios comían; porque no eran tan regalados que les ofendiese el afrecho, ni el afrecho es tan áspero, principalmente el del maíz tierno, que sea menester quitarlo. Cernían de la manera que hemos dicho, por falta de cedazos, que no llegaron allá de España mientras no hubo trigo. Todo lo cual vi por mis ojos, y me sustenté hasta los nueve o diez años con la *zara*, que es el maíz, cuyo pan tiene tres nombres; *zancu* era el de los sacrificios; *huminta* el de sus fiestas y regalo; *tanta*, pronunciada la primera sílaba en el paladar, es el pan común; la zara tostada llaman *cam-cha;* quiere decir maíz tostado; incluye en sí el nombre adjetivo y el sustantivo; hase de pronunciar con *m*, porque con la *n* significa barrio de vecindad o un gran cercado. A la zara y de sus partes sacan los españoles *mote;* quiere decir maíz cocido, incluyendo en sí ambos nombres. De la harina del maíz hacen las españolas los bizcochillos y fruta de sartén y cualquiera otro regalo, así para sanos como para enfermos, para cuyo medicamento, en cualquiera género de cura que sea, los médicos experimentados han desterrado la harina del trigo y usan de la del maíz.

De la misma harina y agua simple hacen el brebaje que beben, y del brebaje, acedándolo como los indios lo saben hacer, se hace muy lindo vinagre; de las cañas, antes que madure el grano, se hace muy linda miel, porque las cañas son dulces: las cañas secas y sus hojas son de mucho mantenimiento y muy agradables para las bestias; de las hojas de la mazorca y del mastelillo se sirven los que hacen estatuas,

para que salgan muy livianas. Algunos indios, más apasionados de la embriaguez que la demás comunidad, echan la zara en remojo, y la tienen así hasta que echa sus raíces; entonces la muelen toda como está y la cuecen en la misma agua con otras cosas, y colada, la guardan hasta que se azona; hácese un brebaje fortísimo, que embriaga repentinamente; llámanle *uiñapu*, y en otro lenguaje *sora*. Los Incas lo prohibieron por ser tan violento para la embriaguez; después acá, me dicen se ha vuelto a usar por algunos viciosos. De manera que de la zara y de sus partes sacan los provechos que hemos dicho, sin otros muchos que han hallado para la salud por vía de medicina, así en bebida como en emplastos, según que en otra parte dijimos.

El segundo lugar de las mieses que se crían sobre la haz de la tierra dan a la que llaman *quinua,* y en español *mijo*, o arroz pequeño; porque en el grano y en el color se le asemeja algo. La planta en que se cría se asemeja mucho al bledo, así en el tallo como en la hoja y en la flor, que es donde se cría la *quinua;* las hojas tiernas comen los indios y los españoles en sus guisados, porque son sabrosas y muy sanas; también comen el grano en sus potajes, hechos de muchas maneras. De la *quinua* hacen los indios brebaje para beber, como del maíz, pero es en tierras donde hay falta del maíz. Los indios herbolarios usan de la harina y de la *quinua* para algunas enfermedades.

El año de mil y quinientos y noventa me enviaron del Perú esta semilla, pero llegó muerta, que, aunque se sembró en diversos tiempos, no nació.

Sin estas semillas, tienen los indios del Perú tres o cuatro maneras de frijoles, de talle de las habas, aunque menores; son de comer; en sus guisados usan de ellos; llámanles *purutu;* tienen chochos como los de España, algo mayores y más blandos; llámanlos *tarui.*

Sin los frijoles de comer tienen otro frijoles que no son de comer; son redondos, como hechos con turquesa; son de muchos colores y del tamaño de los garbanzos; en común les llamaba *chuy,* y, diferenciándolos por los colores, les dan muchos nombres, de ellos ridiculosos, de ellos bien apropiados, que por excusar prolijidad los dejamos de decir; usaban de ellos en muchas maneras de juegos que había, así de muchachos como de hombres mayores; yo me acuerdo haber jugado los unos y los otros.

X. DE LAS LEGUMBRES QUE SE CRÍAN DEBAJO DE LA TIERRA

Otras muchas legumbres se crían debajo de la tierra, que los indios siembran y les sirven de mantenimiento, principalmente en las provincias estériles de zara. Tiene el primer lugar la que llaman *papa,* que les sirve de pan; cómela cocida y asada, y también la echan en los guisados; pasada al hielo y al sol para que se conserve, como en otra parte dijimos, se llama *chuñu.* Hay otra que llaman *oca;* es de mucho regalo; es larga y gruesa, como el dedo mayor de la mano; cómenla cruda porque es dulce, y cocida y en sus guisados, y la pasan al sol para conservarla y sin echarle miel ni azúcar parece conserva, porque tiene mucho de dulce; entonces se llama *caui.* Otra hay semejante a ésta en el talle, mas no en el gusto; antes contraria, porque toca en amargo y no se puede comer sino cocida, llamada *añus;* dicen los indios que comida es contraria a la potencia generativa; para que no les hiciese daño, los que se preciaban de galanes tomaban en la una mano una varilla o un palillo mientras la comían, y comida

así decían que perdía su virtud y no dañaba. Yo les oí la razón y algunas veces vi el hecho, aunque daban a entender que lo hacían más por vía de donaire que no por dar crédito a la burlería de sus mayores.

Las que los españoles llaman *batatas,* y los indios del Perú *apichu,* las hay de cuatro o cinco colores, que unas son coloradas, otras blancas y otras amarillas y otras moradas, pero en el gusto difieren poco unas de otras; las menos buenas son las que han traído a España. También hay las calabazas o melones que acá llaman calabazas romanas y en el Perú *zapallu;* críanse como los melones; cómenlas cocidas o guisadas; crudas no se pueden comer. Calabazas de que hacen vasos, las hay muchas y muy buenas; llámanlas *mati;* de las de comer, como las de España, no las habían antes de los españoles. Hay otra fruta que nace debajo de la tierra, que los indios llaman *ínchic* y los españoles *maní* (todos los nombres que los españoles ponen a las frutas y legumbres del Perú son del lenguaje de las islas de Barlovento, que los han introducido ya en su lengua española, y por eso damos cuenta de ellos); el *ínchic* semeja mucho, en la médula y en el gusto, a las almendras; si se come crudo ofende a la cabeza, y si tostado, es sabroso y provechoso; con miel hacen de él muy buen turrón; también sacan del *ínchic* muy lindo aceite para muchas enfermedades. Demás de estas frutas nace otra de suyo debajo de tierra, que los indios llaman *cuchuchu;* hasta ahora no sé que los españoles le hayan dado nombre, y es porque no hay de esta fruta en las islas de Barlovento, que son tierras muy calientes, sino en el Collao, que es tierra muy fría; es sabrosa y dulce; cómese cruda y es provechosa para los estómagos de no buena digestión; son como raíces, mucho más largos que el anís.

No echa hojas, sino que la haz de la tierra donde ella nace verdeguea por cima, y en esto conocen los indios que hay cuchuchu debajo; y cuando se pierde aquel verdor, ven que está sazonado, y entonces lo sacan. Esta fruta y el *ínchic* más son regalo de la gente curiosa y regalada que no mantenimiento de la gente común y pobre, aunque ellos las cogen y las presentan a los ricos y poderosos.

XI. DE LAS FRUTAS DE ÁRBOLES MAYORES

Hay otra fruta muy buena, que los españoles llaman *pepino*, porque se les parece algo en el talle, pero no en el gusto ni en lo saludable que son para los enfermos de calenturas, ni en la buena digestión que tienen; antes son contrarios a los de España; el nombre que los indios les dan se me ha ido de la memoria; aunque fatigándola yo en este paso muchas veces y muchos días, y reprendiéndola por la mala guarda que ha hecho y hace de muchos vocablos de nuestro lenguaje, me ofreció, por disculparse, este nombre: *cácham*, por pepino; no sé si me engaña, confiada de que por la distancia del lugar y ausencia de los míos no podré averiguar tan aína el engaño; mis parientes, los indios y mestizos del Cuzco y todo el Perú, serán jueces de esta mi ignorancia y de otras muchas que hallarán en esta mi obra; perdónenmelas, pues soy suyo, y que sólo por servirles tomé un trabajo tan incomportable como esto lo es para mis pocas fuerzas (sin ninguna esperanza de galardón suyo ni ajeno); los pepinos son de tres tamaños, y los más pequeños, que tienen forma de corazón, son los mejores; nacen en matas pequeñas. Otra fruta, que llaman *chili*, llegó al Cuzco año de mil y quinientos y cincuenta y siete; es de muy buen gusto y de mucho regalo; nace en unas plantas bajas, casi tendidas por el suelo; tienen un granujado por cima, como el madroño, y es del mismo tamaño, no redondo sino algún tanto prolongado en forma de corazón.

Otras muchas frutas hay que nacen en árboles altos (que las dichas más parecen legumbres); unas se dan en tierras muy calientes, como las marítimas y los Antis; otras se crían en tierras más templadas, como son los valles calientes del Perú; mas porque las unas y las otras se alcanzan todas y se gozan en todas partes, no será necesario hacer división entre ellas, sino que se digan como salieren; y haciendo principio de la que los españoles llaman *guayabas* y los indios *sauintu*, decimos que son redondas, del tamaño de manzanas medianas, y como ellas con hollejo y sin corteza; dentro, en la médula, tiene muchas pepitas o granillos redondos, menores que los de la uva. Unas son amarillas por fuera y coloradas por de dentro; éstas son de dos suertes; unas tan agrias que no se pueden comer, otras son dulces, de muy buen gusto. Otras hay verdes por de fuera y blancas por de dentro; son mejores que las coloradas, con muchas ventajas; y al contrario, en muchas regiones marítimas tienen las coloradas por mejores que las blancas. Los españoles hacen conserva de ella y de otras frutas después que yo salí del Perú, que antes no se usaba. En Sevilla vi la del sauintu, que la trujo del Nombre de Dios un pasajero amigo mío, y por ser fruta de mi tierra me convidó a ella.

Otra fruta llaman los indios *pácay* y los españoles *guabas;* críase en unas vainas verdes de una cuarta, más y menos, de largo y dos dedos de ancho; abierta la vaina se hallan una vedijitas blancas, ni más ni menos que algodón, tan parecidas a él, que ha habido españoles bisoños que, no conociendo la fruta, han reñido con los indios que se la daban, entendiendo que por burlar de ellos les daban a comer algodón. Son muy dulces; pasados al sol, se guardan largo tiempo; dentro en las vedijitas o capullos tienen una pepita negra, como habas pequeñas; no son de comer.

La fruta que los españoles llaman *peras,* por parecerse a las de España en el color verde y en el talle, llaman los indios *palta;* porque son de una provincia de este nombre se comunicó a las demás. Son dos y tres veces mayores que las peras grandes de España; tiene una vaina tierna y delgada; debajo de ella tiene la médula, que será de un dedo en grueso; dentro de ella se cría un cuesco, o hueso, como quieren los muy mirlados; es de la misma forma de la pera, y tan grueso como una pera, de las comunes de acá no se ha experimentado que sea de provecho para cosa alguna, la fruta es muy sabrosa, muy saludable para los enfermos; comida con azúcar es comer una conserva muy regalada.

Hay otra fruta grosera, que los indios llaman *rucma* y los españoles *lucma,* porque no quede sin la corrupción que a todos los nombres les dan. Es fruta basta, no nada delicada ni regalada, aunque toca antes en dulce que en agrio ni amargo, ni se habe que sea dañosa para la salud, mas de que es manjar bronco y grosero; son del talle y tamaño de las naranjas comunes; tienen dentro en la médula un cuesco muy semejante a la castaña en el color de la cáscara y en el grueso de ella y en el color blanco de la médula, aunque es amarga y no de comer. Tuvieron una suerte de ciruelas, que los indios llaman *ussun;* son coloradas y dulces; comidas hoy, hacen echar otro día la orina tan colorada que parece que tiene mezcla de sangre.

XII. DEL ÁRBOL MULLI Y DEL PIMIENTO

Entre estas frutas podemos poner la del árbol *mulli;* nace de suyo por los campos; da su fruto en racimos largos y angostos; el fruto son unos granillos redondos, del tamaño del cilantro seco; las hojas son menudas y siempre verdes. El grano, estando sazonado, tiene en la superficie un poco de dulce muy sabroso y muy suave; pasado de allí, lo demás es muy amargo. Hacen brebaje de aquel grano para beber; tráenlo blandamente entre las manos en agua caliente, hasta que ha dado todo el dulzor que tenía, y no han de llegar a lo amargo porque se pierde todo. Cuelan aquella agua y la guardan tres o cuatro días, hasta que llega a sazón; es muy linda de beber, muy sabrosa y muy sana para males de orina, ijada, riñones y vejiga; y mezclada con el brebaje del maíz lo mejora y lo hace más sabroso. La misma agua, cocida hasta que espese, se convierte en miel muy linda; la misma agua, puesta al sol, con no sé qué le añaden, se aceda y se hace muy lindo vinagre. De la leche y resina del *mulli* dijimos en otra parte cuán provechosa era para heridas. El cocimiento de sus hojas en agua es saludable para lavarse las piernas y el cuerpo y para echar de sí la sarna y curar las llagas viejas; palillos hechos de las ramas tiernas son muy buenos para limpiar los dientes. Conocí el valle del Cuzco adornado de innumerables árboles de estos tan provechosos, y en pocos años le vi casi sin ninguno; la causa fue que se hace de ellos muy lindo carbón para los braseros, y aunque al encender chispea mucho, después de encendido guarda el fuego hasta convertirse en ceniza.

Con estas frutas, y aun por la principal de ellas, conforme al gusto de los indios, pudiéramos poner el condimento que echan en todo lo que comen —sea guisado, sea cocido o asado, no lo han de comer sin él—, que llaman *uchu* y los españoles *pimiento de las Indias,* aunque allá le llaman *ají,* que es nombre del lenguaje de las islas de Barlovento: los de mi tierra son tan amigos del uchu que no comerán sin él aunque no sea sino unas yerbas crudas. Por el gusto que con él reciben en lo que comen, prohibían el comerlo en su ayuno riguroso, porque lo fuese más riguroso, como en otra parte dijimos. Es el pimiento de tres o cuatro maneras. El común es grueso, algo prolongado y sin punta: llámanle *rócot uchu;* quiere decir: pimiento grueso, a diferencia del que se sigue: cómenlo sazonado o verde, antes que acabe de tomar su color perfecto, que es colorado. Otros hay amarillos y otros morados, aunque en España no he visto más de los colorados. Hay otros pimientos largos, de un jeme, poco más, poco menos, delgados como el dedo meñique o merguerite; éstos tenían por más hidalgos que los pasados, y así se gastaba en la casa real y en toda la parentela; la diferencia de su nombre se me ha ido de la memoria; también le llaman *uchu* como al pasado, pero el adjetivo es el que me falta. Otro pimiento hay menudo y redondo, ni más ni menos que una guinda, con su pezón o palillo; llámanle *chinchi uchu;* quema mucho más que los otros, sin comparación; críase en poca cantidad, y por ende es más estimado. Las sabandijas ponzoñosas huyen del pimiento y de su planta. A un español venido de México oí decir que era muy bueno para la vista, y así comía por postre a todas sus comidas dos pimientos asados. Generalmente todos los españoles que de Indias vienen a España lo comen de ordinario, y lo quieren más que las especies de la India Oriental. Los indios lo estiman tanto que lo tienen en más que todas las frutas que hemos dicho.

XIII. DEL ÁRBOL MAGUEY Y DE SUS PROVECHOS

Entre estas frutas podremos poner el árbol que los españoles llaman *maguey* y los indios *chuchau,* por los muchos provechos que de él se sacan, de los cuales hemos hecho mención en otra parte. Pero el Padre Blas Valera dice otras muchas más virtudes del *chuchau,* y no es razón que se callen, aunque las diremos más brevemente que Su Paternidad. Dice que es feo a la vista y que el madero es liviano; que tiene una corteza y que son largos de a veinte pies y gruesos como el brazo y como la pierna, el meollo esponjoso y muy liviano, del cual usan los pintores y escultores de imágenes. Las hojas con gruesas y largas de media braza; nacen todas al pie, como las del cardo hortense, y por ende lo llaman los españoles *cardón,* y las hojas con más propiedad podríamos llamar pencas, tienen espinas también como las hojas del cardo. El zumo de ellas es muy amargo; sirve de quitar las manchas de la ropa y de curar las llagas canceradas o inflamadas y de extirpar los gusanos de las llagas. El mismo zumo, cocido con sus propias raíces en agua llovediza, es muy bueno para quitar el cansancio al que se lavare con ella y para hacer diversos lavatorios medicinales. De las hojas que se sazonan y secan al pie del tronco, sacan cáñamo fortísimo, de que hacen las suelas del calzado y las sogas, jáquimas y cabestros y otras cosas groseras; de las que cortan antes que se sequen (majadas las ponen a las corrientes de los arroyos para que se laven y pierdan la viscosidad que tienen) sacan otro cáñamo menos grosero que el pasado, de que hacían hondas que traían en la cabeza y hacían ropa de vestir donde había falta de lana o de algodón; parecía al anjeo que traen de Flandes o a la estopa más basta que tejen en España; otro cáñamo sacan más sutil que los que hemos dicho, de que hacen muy lindo hilo para redes, con que cazan los pájaros; pónenlas en algunas quebradas angostas, entre cerro y cerro, asidas de un árbol a otro, y ojean por la parte baja los pájaros que hallan; los cuales, huyendo de la gente, caen en las redes, que son muy sutiles y teñidas de verde, para que con el verdor del campo y de los árboles no se parezcan a las redes y caigan los pájaros en ellas con más facilidad; hacen las redes largas, de seis, ocho, doce, quince y veinte brazas y más de largo; las hojas del maguey son acanaladas y en ellas se recoge agua llovediza; es provechosa para diversas enfermedades; los indios la cogen y de ella hacen brebaje fortísimo, mezclándola con el maíz o con la quinua o con la semilla del árbol mulli; también hacen de ella miel y vinagre; las raíces del *chuchau* muelen, y hacen de ella panecillos de jabón, con que las indias se lavan las cabezas, quitan el dolor de ellas y las manchas de la cara, crían los cabellos y los ponen muy negros. Hasta aquí es del Padre Blas Valera; sólo añadí yo el largo de las redes, por ser cosa notable y porque él no lo dice. Ahora diremos cómo crían los cabellos y cómo los ennegrecen, que es cosa bárbara y espantable.

Las indias del Perú todas traen el cabello largo y suelto, sin tocado alguno; cuando mucho, traen una cinta ancha como el dedo pulgar con que ciñen la cabeza; si no son las Collas, que, por el mucho frío que en la tierra de ellas hace, la traen cubierta. Son las indias naturalmente amicísimas del cabello muy negro y muy largo, porque lo traen al descubierto; cuando se les pone de color castaño o se les ahorquilla o se les cae al peinar, los cuecen al fuego en una caldera de agua con yerbas dentro; la una de las yerbas debía ser la raíz del *chuchau* que el Padre Blas Valera dice, que, según yo lo vi hacer algunas veces, más de una echaban; empero, como muchacho y niño, ni pedía cuenta de cuántas eran las yerbas ni cuáles eran. Para meter los cabellos dentro de la caldera, que con los mejunjes hervía al fuego, se echaba la india de espaldas; al pescuezo le ponían algún reparo porque el fuego no le ofendiese. Tenían cuenta con que el agua hervía no llegase a la cabeza, porque no cociese las carnes; para los cabellos que quedaban fuera del agua también los mojaban con ella, para que gozasen de la virtud de las yerbas del conocimiento. De esta manera estaban en aquel tormento voluntario, estoy por decir casi dos horas, aunque como muchacho no lo noté entonces con cuidado para poderlo decir ahora ajustadamente; mas no dejé de admirarme del hecho, por parecerme riguroso contra las mismas que lo hacían. Pero en España he perdido la admiración, viendo lo que muchas damas hacen para enrubiar sus cabellos, que los perfuman con azufre y los mojan con agua fuerte de dorar y los ponen al Sol en medio del día, por los caniculares, y hacen condumios que ellas se saben, que no sé cuál es peor y más dañoso para salud, si esto o aquello. Las indias, habiendo hecho otro lavatorio para quitar las horruras del cocimiento, sacaban sus cabellos más negros y más lustrosos que las plumas del cuervo recién mudado. Tanto como esto y mucho más puede el deseo de la hermosura.

XIV. DEL PLÁTANO, PIÑA
Y OTRAS FRUTAS

Volviendo a las frutas, diremos de algunas más notables que se crían en los Antis del Perú, que son tierras más calientes y más húmedas que no las provincias del Perú; no las diremos todas, por excusar prolijidad. El primer lugar se debe dar al árbol y a su fruto que los españoles llaman *plátano;* seméjase a la palma en el talle y en tener las hojas en lo alto, las cuales son muy anchas y muy verdes; estos árboles se crían de suyo; requieren tierra muy lluviosa, como son los Antis; dan su fruto en racimos tan grandes que ha habido algunos, como dice el Padre Acosta, Libro cuarto, capítulo veinte y uno, que le han contado trescientos plátanos; críase dentro de una cáscara, que ni es hollejo ni corteza, fácil de quitar, son de una cuarta, poco más o menos, en largo y como tres dedos en grueso.

El Padre Blas Valera, que también escribía de ellos, dice que les cortan los racimos cuando empiezan a madurar, porque con el peso no derriben el árbol, que es fofo y tierno, inútil para madera y aun para el fuego; maduran los racimos en tinajas; cúbrenlos con cierta yerba que les ayuda a madurar; la médula es tierna, suave y dulce; pasada al Sol parece y conserva; cómenla cruda y asada, cocida y guisada en potajes, y de todas maneras sabe bien, con poca miel o azúcar (que ha menester poca), hacen del plátano diversas conservas; los racimos que maduran en el árbol son más dulces y más sabrosos; los árboles son de dos varas en alto; unos más y otros menos. Hay otros plátanos menores, que a diferencia de los mayores les llaman *dominicos;* porque aquella cáscara, cuando nace el racimo, está blanca, y cuando la fruta está sazonada participa de blanco y negro a remiendos; son la mitad menores que los otros, en todo les hacen mucha ventaja, y por ende no hay tanta cantidad de éstos como de aquéllos.

Otra fruta, que los españoles llaman *piña,* por la semejanza que en la vista y en la hechura tiene con las piñas de España, que llevan piñones, pero en lo demás no tienen que ver las unas con las otras; porque aquéllas, quitada la cáscara con un cuchillo, descubren una médula blanca, toda de comer, muy sabrosa; toca un poco, y muy poco, en agro, que la hace más apetitosa; en el tamaño son dos tantos mayores que las piñas de acá. También se da en los Antis otra fruta que los españoles llaman *manjar blanco,* porque, partida por medio, parecen los escudillos de manjar blanco en el color y en el sabor; tiene dentro unas pepitas negras, como pequeñas almendras; no son de comer; esta fruta es del tamaño de un melón pequeño; tiene una corteza dura, como calabaza seca, y casi de aquel grueso; dentro de ella se cría la médula, tan estimada; es dulce y toca en tantito de agrio, que la hace más golosa o golosina.

Muchas otras frutas se crían de suyo en los Antis, como son las que los españoles llaman almendras y nueces, por alguna semejanza que tengan a las de acá, en cualquiera que sea; que esta rotura tuvieron los primeros españoles que pasaron a las Indias, que con poca semejanza y ninguna propiedad llamaron a las frutas de allá con los nombres de las de acá, que cotejadas las unas con las otras, son muy diferentes, que es muy ancho más en lo que difieren que no en lo que se asemejan, y aun algunas son contrarias, no sólo en el gusto mas también en los efectos; y así son estas nueces y almendras, las cuales dejaremos con otras frutas y legumbres que en los Antis se crían, que son de poco momento, por dar cuenta de otras de más nombre y fama.

XV. DE LA PRECIADA HOJA LLAMADA CUCA Y DEL TABACO

No será razón de dejar en olvido la yerba que los indios llaman *cuca* y los españoles *coca*, que ha sido y es la principal riqueza del Perú para los que la han manejado en tratos y contratos; antes será justo se haga larga mención de ella, según lo mucho que los indios la estiman, por las muchas y grandes virtudes que de ella conocían antes y mucha más que después acá los españoles han experimentado en cosas medicinales. El Padre Blas Valera, como más curioso y que residió muchos años en el Perú y salió de él más de treinta años después que yo, escribe de las unas y de las otras como quien vio la prueba de ellas; diré llanamente lo que Su Paternidad dice, y adelante añadiré lo poco que dejó de decir, por no escribir largo, desmenuzando mucho cada cosa. Dice, pues:

La cuca es un cierto arbolillo de altor y grosor de la vid; tiene pocos ramos, y en ellos muchas hojas delicadas, del anchor del dedo pulgar y el largo como la mitad del mismo dedo, y de buen olor, pero poco suave; las cuales hojas llaman *cuca* indios y españoles. Es tan agradable la cuca a los indios, que por ella posponen el oro y la plata y las piedras preciosas; plántanla con gran cuidado y diligencia y cógenla con mayor; porque cogen las hojas de por sí, con la mano, y las secan al Sol, y así seca la comen los indios, pero no la tragan; solamente gustan del olor y pasan el jugo. De cuánta utilidad y fuerza sea la cuca para los trabajadores, se colige de que los indios que la comen se muestran más fuertes y más dispuestos para el trabajo; y muchas veces, contentos con ella, trabajan todo el día sin comer. La cuca preserva el cuerpo de muchas enfermedades, y nuestros médicos usan de ella hecha polvos, para atajar y aplacar la hinchazón de las llagas; para fortalecer los huesos quebrados; para

sacar el frío del cuerpo o para impedirle que no entre; para sanar las llagas podridas, llenas de gusanos. Pues si a las enfermedades de afuera hace tantos beneficios, con virtud tan singular, en las entrañas de los que la comen, ¿no tendrá más virtud y fuerza? Tiene también otro gran provecho, y es que la mayor parte de la renta del Obispo y de los canónigos y de los demás ministros de la Iglesia Catedral del Cuzco es de los diezmos de las hojas de la cuca; y muchos españoles han enriquecido y enriquecen con el trato y contrato de esta yerba; empero algunos, ignorando todas estas cosas, han dicho y escrito mucho contra este arbolillo, movidos solamente de que en tiempos antiguos los gentiles, y ahora algunos hechiceros y adivinos, ofrecen y ofrecieron la cuca a los ídolos; por lo cual, dicen, se debía quitar y prohibir del todo. Ciertamente fuera muy buen consejo si los indios hubieran acostumbrado a ofrecer al demonio solamente esta yerba. Pero si los antiguos gentiles y los modernos idólatras sacrificaron y sacrifican las mieses, las legumbres y frutos que encima y debajo de la tierra crían, y ofrecen su brebaje y el agua fría y la lana y los vestidos y el ganado y otras muchas cosas, en suma, todo cuanto tienen, y como todas no se les deben quitar, tampoco aquélla. Deben doctrinarles que, aborreciendo las supersticiones, sirvan de veras a un solo Dios y usen cristianamente de todas aquellas cosas.

Hasta aquí es del Padre Blas Valera.

Añadiendo lo que falta, para mayor abundancia, decimos que aquellos arbolillos son del altor de un hombre; para plantarlos echan la semilla en almácigo, como las verduras; hácenles hoyos, como para las vides; echan la planta acodada, como la vid; tienen gran cuenta con que ninguna raíz, por pequeña que sea, quede doblada, porque basta para que la planta se seque. Cogen la hoja, tomando cada rama de por sí entre los dedos de la mano, la cual corren con tiento hasta llegar al pimpollo: no han de llegar a él porque se seca toda la rama; la hoja de la haz y del envés, en verdor y hechura, es ni más ni menos que la del madroño, salvo que tres o cuatro hojas de aquéllas, por ser muy delicadas, hacen tanto grueso como una de las del madroño. Huelgo mucho de hallar en España cosas tan apropiadas a que comparar las de mi tierra, y que no las haya en ella, para que allá y acá se entiendan y conozcan las unas por las otras. Cogida la hoja, la sacan al sol; no ha de quedar del todo seca porque pierde mucho del verdor, que es muy estimado, y se convierte en polvo, por ser tan delicada, ni ha de quedar con mucha humedad, porque en los cestos donde la echan para llevarla de unas partes a otras, se enmohece y se pudre; han de dejarla en un cierto punto, que participe de uno y de otro; los cestos hacen de cañas hendidas, que las hay muchas y muy buenas, gruesas y delgadas, en aquellas provincias de los Antis; y con las hojas de las cañas gruesas, que son anchas de más de una tercia y largas de más de media vara, cubren por de fuera los cestos, porque no se moje la cuca, que la ofende mucho el agua, y con un cierto género de cáñamo, que también lo hay en aquel distrito, enredan los cestos. Considerar la cantidad que de cada cosa de éstas se gasta para el beneficio de la cuca es más para dar gracias a Dios, que así lo provee todo, dondequiera que es menester, que para lo escribir, por ser increíble. Si todas estas cosas o cualquiera de ellas se hubiera de llevar de otra parte, fuera más el trabajo y la costa que el provecho. Cógese aquella yerba de cuatro meses, tres veces al año, y si escardan bien y a menudo la mucha yerba que con ella se cría de continuo, porque la tierra en aquella región es muy hú-

meda y muy caliente, se anticipa más de quince días cada cosecha; de manera que viene a ser casi cuatro cosechas al año; por lo cual, un diezmero codicioso, de los de mi tiempo, cosechó a los capataces de las heredades más ricas y principales que había en el término del Cuzco porque tuviesen cuidado de mandar que las escardasen a menudo; con esta diligencia quitó al diezmero del año siguiente las dos tercias partes del diezmo de la primera cosecha; por lo cual nació entre ellos un pleito muy reñido, que yo, como muchacho, no supe en qué paró. Entre otras virtudes de la cuca se dice que es buena para los dientes.

De la fuerza que pone al que la trae en la boca, se me acuerda un cuento que oí en mi tierra a un caballero en sangre y virtud que se decía Rodrigo Pantoja, y fue que caminando del Cuzco a Rímac topó a un pobre español (que también los hay allá pobres como acá) que iba a pie y llevaba a cuestas una hijuela suya de dos años; era conocido del Pantoja, y así se hablaron ambos. Díjole el caballero: "¿Cómo vais así cargado?" Respondió el peón: "No tengo posibilidad para alquilar un indio que me lleve esta muchacha, y por eso la llevo yo". Al hablar del soldado, le miró Pantoja la boca y se la vio llena de cuca; y como entonces abominaban los españoles todo cuanto los indios comían y bebían, como si fueran idolatrías, particularmente el comer la cuca, por parecerles cosa vil y baja, le dijo: "Puesto que sea así la que decís de vuestra necesidad, ¿por qué coméis cuca, como hacen los indios, cosa tan asquerosa y aborrecida de los españoles?" Respondió el soldado: "En verdad, señor, que no la abominaba yo menos que todos ellos, mas la necesidad me forzó a imitar a los indios y traerla en la boca; porque os hago saber que si no la llevara, no pudiera llevar la carga; que mediante ella siento tanta fuerza y vigor que puedo vencer este trabajo que llevo". Pantoja se admiró de oírle, y contó el cuento en muchas partes, y de allí adelante daban algún crédito a los indios, que la comían por necesidad y no por golosinas y así es de creer, porque la yerba no es de buen gusto. Adelante diremos cómo la llevan a Potosí y tratan y contratan con ella.

Del arbolillo que los españoles llaman *tabaco* y los indios *sairi*, dijimos en otra parte. El doctor Monardes escribe maravillas de él. La zarzaparrilla no tiene necesidad que nadie la loe, pues bastan para su loor las hazañas que en el mundo nuevo y viejo ha hecho y hace contra las bubas y otras graves enfermedades. Otras muchas yerbas hay en el Perú de tanta virtud para cosas medicinales, que, como dice el Padre Blas Valera, si las conocieran todas no hubiese necesidad de llevarlas a España ni de otras partes; mas los médicos españoles se dan tan poco por ellas, que aun de las que antes conocían los indios se ha perdido la noticia de la mayor parte de ellas. De las yerbas, por su multitud y menudencia, será dificultoso dar cuenta; baste decir que los indios las comen todas, las dulces y las amargas, de ellas crudas, como acá las lechugas y los rábanos, de ellas en sus guisados y potajes, porque son el caudal de la gente común, que no tenían abundancia de carne y pescado como los poderosos; las yerbas amargas, como son las hojas de las matas que llaman *sunchu* y de otras semejantes, las cuecen en dos, tres aguas y las secan al sol y guardan para el invierno, cuando no las hay; y es tanta la diligencia que ponen en buscar y guardar las yerbas para comer, que no perdonan ninguna, que hasta las ovas y los gusaraparillos que se crían en los ríos y arroyos sacan y aliñan para su comida.

XVI. DEL GANADO MANSO Y LAS RECUAS QUE DE ÉL HABÍA

Los animales domésticos que Dios dio a los indios del Perú, dice el Padre Blas Valera que fueron conforme a la condición blanda de los mismos indios, porque son mansos, que cualquiera niño los lleva dondequiere, principalmente a los que sirven de llevar cargas. Son de dos maneras, unos mayores que otros. En común les nombran los indios con este nombre: *llama*, que es ganado; al pastor dicen *llama míchec*; quiere decir: el que apacienta el ganado. Para diferenciarlo llaman al ganado mayor *huanacullama*, por la semejanza que en todo tiene con el animal bravo que llaman *huanacu* que no difieren en nada sino en los colores; que el manso es de todos colores, como los caballos de España, según se ha dicho en otras partes, y el *huanacu* bravo no tiene más de un color, que es castaño deslavado, bragado de castaño más claro. Este ganado es del altor de los ciervos de España; a ningún animal semeja tanto como al camello, quitado la corcova y la tercia parte de la corpulencia; tiene el pescuezo largo y parejo, cuyo pellejo desollaban los indios cerrado, y lo sobaban con sebo hasta ablandarlo y ponerlo como curtido, y de ello hacían las suelas del calzado que traían; y porque no era curtido, se descalzaban al pasar de los arroyos y en tiempos de muchas aguas, porque se les hace como tripa en mojándose. Los españoles hacían de ello riendas muy lindas para sus caballos, que parecen mucho a las que traen de Berbería; hacían asimismo correones y gururas para las sillas de camino, y látigos y aciones para las cinchas y sillas jinetas. Demás de esto sirve aquel ganado a indios y a españoles de llevarles sus mercaderías dondequiera que las quieren llevar, pero donde más comúnmente andan y mejor se hallan por ser la tierra llana, es desde el Cuzco a Potochi, que son cerca de doscientas leguas, y de otras muchas partes van y vienen a aquellas minas con todo el bastimento, ropa de indios, mercaderías de España, vino y aceite, conservas y todo lo demás que en ellas se gastan; principalmente llevan del Cuzco la yerba llamada cuca.

En mis tiempos había en aquella ciudad, para este acarreo, recuas de seiscientas, a ochocientas, de a mil y más cabezas de aquel ganado. Las recuas de a quinientas cabezas abajo no se estimaban. El peso que lleva es de tres a cuatro arrobas; las jornadas que caminan son de a tres leguas, porque no es ganado de mucho trabajo; no le han de sacar de su paso porque se cansa, y luego se echa en el suelo y no hay levantarlo, por cosas que le hagan, ni le quiten la carga; pueden luego desollarlo, que no hay otro remedio. Cuando porfían a levantarlos y llegan a ellos para alzarles, entonces se defienden con el estiércol que tienen en el buche, que lo traen a la boca y lo escupen al que más cerca hallan, y procuran echárselo en el rostro antes que en otra parte. No tienen otras armas con qué defenderse, ni cuernos como los ciervos; con todo esto les llaman los españoles *carneros y ovejas*, habiendo tanta diferencia del un ganado a otro como lo que hemos dicho. Para que no lleguen a cansarse, llevan en las recuas cuarenta o cincuenta carneros vacíos, y en sintiendo enflaquecer alguno con la carga, se la quitan luego y la pasan a otro, antes que se eche; porque, en echándose, no hay otro remedio sino matarlo. La carne de este ganado mayor es la mejor de cuantas hoy se comen en el mundo; es tierna, sana y sabrosa; la de sus corderos de cuatro, cinco meses mandan los médicos dar a los enfermos, antes que gallinas ni pollos.

En tiempo del visorrey Blasco Núñez Vela, año de mil y quinientos y cuarenta y cuatro y cuarenta y cinco, entre otras plagas que entonces hubo en el Perú, remaneció en este ganado la que los indios llaman *carache*, que es sarna; fuè crudelísima enfermedad, hasta entonces nunca vista; dábales en la bragada y en el vientre; de allí cundía por todo el cuerpo, haciendo costras de dos, tres dedos en alto; particularmente en la barriga, donde siempre cargaba más el mal, hacíansele grietas de dos y tres dedos en hondo, como era el grueso de las costras hasta llegar a las carnes; corría de ellas sangre y materia, de tal manera que en muy pocos días se secaba y consumía la res. Fue mal muy contagioso; despachó, con grandísimo asombro y horror de indios y españoles, las dos tercias partes del ganado mayor y menor, *paco* y *huanacu*. De ellas se les pegó al ganado bravo, llamado *huanacu* y *vicuña*, pero no se mostró tan cruel con ellos por la región más fría en que andan, y porque no andan tan juntos como el ganado manso. No perdonó las zorras; antes las trató crudelísimamente, que yo vi el año de mil y quinientos y cuarenta y ocho, estando Gonzalo Pizarro en el Cuzco, victorioso de la batalla de Huarina, muchas zorras que, heridas de aquella peste, entraban en la ciudad, y las hallaban en las calles y en las plazas, vivas y muertas, los cuerpos con dos, tres y más horados, que les pasaban de un cabo a otro, que la sarna les había hecho, y me acuerdo que los indios, como tan agoreros, pronosticaban por las zorras la destrucción y muerte de Gonzalo Pizarro, que sucedió poco después.

A los principios de esta plaga, entre otros remedios, desesperados que le hacían, era matar o enterrar viva la res que la tenía, como también lo dice el Padre Acosta, Libro cuarto, capítulo cuarenta y uno,

mas, como luego cundió tanto no
sabiendo los indios ni los españoles qué hacer para atajarla, dieron
en curarla con fuego artificial, hacían cocimientos de solimán y piedra
azufre y de otras cosas violen-
tas, que imaginaban serían a propósito, y tanto más aína moría la
res; echábanles manteca de puerco
hirviendo: también las mataban muy
aína. Hacían otras muchas cosas de
que no me acuerdo, mas todas les
salían a mal, hasta que poco a poco, probando una cosa y otra, hallaron por experiencia que el mejor
remedio era untar las partes donde
había sarna con manteca de puerco
tibia y tener cuidado de mirar si
se rascan en la bragada, que es donde primero les da el mal, para cu-
rarlo antes que cunda más; con esto
se remedió mucho aquella plaga, y
con que la mala influencia se debió
de ir aplacando; porque después acá
no se ha mostrado tan cruel como
a los principios. Por este beneficio
que hallan en la manteca tienen
precios los puercos, que, según lo
mucho que multiplican, valdrían de
balde; es de notar que, con ser la
plaga tan general, no dio en los
venados, corzos ni gamos; deben de
ser de otra complexión. Acuérdome
también que en el Cuzco tomaron
por abogado y defensor contra esta
plaga a San Antonino, que les cupo
en suerte, y cada año le hacían gran
fiesta; lo mismo será ahora.

Con ser las recuas tan grandes
como se ha dicho y los caminos
tan largos, no hacen costa alguna
a sus dueños, ni en la comida ni
en la posada ni en herraje ni aparejos de albarda, jalma ni albardon-
cillo, pretal, cincha, ni grupera, ni
otra cosa alguna de tantas como
los arrieros han menester para sus
bestias. En llegando a la dormida,
los descargan y los echan al campo, donde pacen la yerba que hallan; y de esta manera los mantienen todo el camino, sin darles
grano ni paja; bien comen la zara

si se la dan; mas el ganado es tan
noble, que, aun trabajando, se pasa
sin grano; herraje no lo gastan, porque, además de ser patihendido,
tienen el pulpejo en pies y manos,
y no casco. Albarda ni otro aparejo alguno no lo han menester, porque tienen lana gruesa bastante para sufrir la carga que les echan, y
los trajineros tienen cuidado de aco-
modar y juntar los tercios de un
lado y de otro, de manera que la
sobrecarga no toque en el espinazo, que es donde le podría matar.
Los tercios no van asidos con el
cordel que los arrieros llaman lazo;
porque, no llevando el carnero jalma ni albarda, podría entrársele
el cordel en las carnes, con el peso
de la carga. Los tercios van cosidos uno con otro por las arpilleras,
y aunque la costura asiente sobre
el espinazo; no les hace mal, como
no llegue la sobrecarga. Entre los
indios llevan a cargo veinte y cinco
carneros para cargar y descargar,
por ayudarse el uno al otro, que
uno solo no podría valerse, yendo
los tercios juntos, como se ha dicho.

Los mercaderes llevan sus toldos
y los arman en los campos, dondequiera que quieren parar a dormir,
y echan dentro de ellos la mercadería; no entran en los pueblos a
dormir, porque sería cosa muy prolija llevar a traer el ganado del
campo. Tardan en el viaje del Cuzco a Potocchi cuatro meses, dos en
ir y dos en volver, sino lo que se
detienen para el despacho de la
mercadería. Valía en el Cuzco un
carnero escogido diez y ocho ducados, y los desechados a doce y a
trece. La principal mercancía que
de aquella ciudad llevaban era la
yerba cuca y ropa de vestir de los
indios. Todo lo que hemos dicho
pasaba en mi tiempo, que yo lo vi
por mis ojos; no sé ahora cómo
pasa; traté con muchos de los que
iban y venían; hubo algunos caminos que vendieron a más de treinta
pesos ensayados el cesto de la cuca.

Con llevar mercancías de tanto valor y volver cargados de plata con treinta, cuarenta, cincuenta y cien mil pesos, no recelaban los españoles. ni los indios que las llevaban, dormir en el campo, sin otra compañía ni más seguridad que la de su cuadrilla; porque no tenían ladrones ni salteadores. La misma seguridad había en los tratos y contratos de mercaderías fiadas, o las cosechas que los vecinos tenían de sus rentas o empréstitos de dineros, que, por grandes que fuesen las partidas de la venta o del préstamo, no había más escritura ni más conocimiento ni cédula por escrito que sus palabras, y éstas se guardaban inviolablemente. Acaeció muchas veces jugar un español la deuda que otro que estaba ausente y lejos, le debía, y decir al que le ganaba: "Diréis a fulano que la deuda que me debe, que os la pague a vos, que me la ganásteis". Y bastaba esto para que el ganador fuese creído y cobrase la deuda, por grande que fuese; tanto como esto se estimaba entonces la palabra de cada uno para creer y ser creído, fuese mercader, fuese vecino señor de indios, fuese soldado, que en todos había este crédito y fidelidad y la seguridad de los caminos, que podía llamarse el siglo dorado; lo mismo entiendo que habrá ahora.

En tiempo de paz, que no había guerra, muchos soldados, muy caballeros y nobles, por no estar ociosos, entendían en este contrato de ir y venir a Potocchi con la yerba cuca y ropa de indios, y la vendían en junto y no por menudo; de esta manera era permitido a los hombres, por nobles que fuesen, el tratar y contratar con su hacienda; no había de ser en ropa de España, que se vende por varas y en tienda de asiento. Muchos de ellos holgaban de ir con su hacienda, y, por no caminar al paso de los carneros, llevaban un par de halcones y pe-

rros perdigueros y galgos y su arcabuz, y mientras caminaban la recua a su paso corto, se apartaban ellos a una mano o a otra del camino e iban cazando; cuando llegaban a la dormida, llevaban muertas una docena de perdices o un guanaco o vicuña o venado; que la tierra es ancha y larga y tiene de todo. De esta manera se iban holgando y entreteniendo a ida y a vuelta, y así era más tomar ocasión de cazar y holgarse que de mercadear; y los vecinos poderosos y ricos se los tenían a mucho a los soldados nobles que tal hacían. El Padre José de Acosta. Libro cuarto, capítulo cuarenta y uno, dice mucho en loor de este ganado mayor y de sus provechos.

Del ganado menor, que llaman *pacollama*, no hay tanto que decir, porque no son para carga ni para otro servicio alguno, sino para carne, que es poco menos buena que la del ganado mayor, y para lana, que es bonísima y muy larga, de que hacen su ropa de vestir de las tres estofas que hemos dicho, con colores finísimos, que los indios las saben dar muy bien, que nunca desdicen. De la leche del un ganado ni del otro no se aprovechaban los indios, ni para hacer queso ni para comerla fresca; verdad es que la leche que tienen es poca, no más de la que han menester para criar sus hijos. En mis tiempos llevaban quesos de Mallorca al Perú, y no otros; y eran muy estimados. A la leche llaman *ñuñu*, y a la teta llaman *ñuñu* y al mamar dicen *ñuñu*, así al mamar de la criatura como al dar a mamar de la madre. De los perros que los indios tenían, decimos que no tuvieron las diferencias de perros castizos que hay en Europa; solamente tuvieron de los que acá llaman gosques; había los grandes y chicos: en común les llaman *allco*, que quiere decir perro.

XVII. DEL GANADO BRAVO Y DE OTRAS SABANDIJAS

No tuvieron los indios del Perú, antes de los españoles, más diferencias de doméstico ganado que las dos que hemos dicho, *paco* y *guanaco;* de ganado bravo tuvieron más, pero usaban de él como del manso, según dijimos en las cacerías que hacían a sus tiempos. A una especie de las bravas llaman *guanaco,* por cuya semejanza llamaron al ganado mayor manso con el mismo nombre; porque es de su tamaño y de la misma forma y lana. La carne es buena, aunque no tan buena como la del manso; en fin en todo se asemejan; los machos están siempre atalayando en los collados altos, mientras las hembras pacen en lo bajo, y cuando ven gente dan relinchos a semejanza de los caballos, para advertirlas; y cuando la gente va hacia ellos, huyen antecogiendo las hembras por delante: la lana de estos guanacos es corta y áspera; pero también la aprovechaban los indios para su vestir; con galgos los corrían en mis tiempos y mataban muchos.

A semejanza del ganado menor, que llaman *paco,* hay otro ganado bravo que llaman *vicuña;* es animal delicado, de pocas carnes; tiene mucha lana y muy fina; de cuyas virtudes medicinales escribe el Padre Acosta muchas y muy buenas; lo mismo hace de otros muchos animales y aves que se hallan en las Indias; mas como Su Paternidad escribe de todo el Nuevo Orbe, es menester mirar con advertencia lo que en particular dice de las cosas del Perú, a quien me remito en muchas de las que vamos diciendo. La vicuña es más alta de cuerpo que una cabra, por grande que sea: el color de su lana tira a castaño muy claro, que por otro nombre llaman leonado; son ligerísimas, no hay galgo que las alcance; mátanlas con arcabuces y con atajarlas, como hacían en tiempo de los Incas, apacéntanse en los desiertos más altos, cerca de la nieve: la carne es de comer, aunque no tan buena como la del guanaco; los indios la estimaban porque eran pobres de carne.

Venados o ciervos hubo en el Perú, aunque mucho menores que los de España; los indios les llaman *taruca;* en tiempo de los Reyes Incas había tanta cantidad de ellos, que se les entraban por los pueblos. También hay corzos y gamos. De todos estos animales bravos sacan la piedra bezar en estos tiempos; en los míos no se imaginaban tal. Hay gatos cervales que llaman *ozcollo;* son de dos o tres diferencias. Hay zorras mucho menores de las de España; llámanles *átoc.* Otros animalejos hay pequeños, menores que gatos caseros; los indios les llaman *añas* y los españoles *zorrina;* son tan hediendos que si como hieden olieran fueran más estimados que el ámbar y el almizcle, andan de noche por los pueblos, y no basta que estén las puertas y ventanas cerradas para que deje de sentirse su hedor, aunque estén lejos cien pasos y más; hay muy pocos, que si hubiera muchos, atosigaran al mundo. Hay conejos caseros y campestres, diferentes los unos de los otros en color y sabor. Llámanles *coy;* también se diferencian de los de España. De los caseros han traído a España, pero danse poco por ellos; los indios, como gente pobre de carne, los tienen en mucho y los comen por gran fiesta. Otra diferencia de conejos hay, que llaman *vizcacha;* tienen cola larga, como gato; críanse en los desiertos donde hay nieve, y no les vale, que allá van a matarlos. En tiempo de los Reyes Incas y muchos años después (que aún yo lo alcancé), aprovechaban el pelo de la vizcacha y lo hilaban de por sí, para variar de colores la ropa fina que tejían. El color que tiene es pardo claro, color ceniza, y él es de suyo blando y suave; era cosa muy estimada entre los indios; no se echaba sino en la ropa de los nobles.

XVIII. LEONES, OSOS, TIGRES, MICOS Y MONAS

Leones se hallan, aunque pocos; no son tan grandes ni tan fieros como los de África; llámanles *puma*. También se hallan osos y muy pocos; porque como toda la tierra del Perú es limpia de montañas bravas, no se crían estos animales fieros en ella; y también porque los Incas, como dijimos, en sus cacerías reales mandaban que los matasen. Al oso llaman *ucumari*. Tigres no los hay sino en los Antis, donde son las montañas bravas, donde también se crían las culebras grandes que llaman *amaru*, que son de a veinticinco y de a treinta pies de largo y más gruesas que el mustud de otras culebras menores que llaman *macháchuay*, y víboras ponzoñosas y otras muchas sabandijas malas; de todas las cuales está libre el Perú. Un español que yo conocí mató en los Antis, término del Cuzco, una leona grande que se encaramó en un árbol muy alto; de allí la derribó de cuatro jarazos que le tiró; halláronle en el vientre dos cachorrillos, hijos de tigre, porque tenían las manchas del padre. Cómo se llame el tigre en la lengua general del Perú, se me ha olvidado, con ser nombre del animal más fiero que hay en mi tierra. Reprendiendo yo mi memoria por estos descuidos, me responde que por qué le riño de lo que yo mismo tengo la culpa; que advierta yo que ha cuarenta y dos años que no hablo ni leo en aquella lengua. Válgame este descargo para el que quisiere culparme de haber olvidado mi lenguaje. Creo que el tigre se llama

uturuncu, aunque el Padre Maestro Acosta da este nombre al oso, diciendo *otoroncos,* conforme a la corrutela española; no sé cuál de los dos se engaña; creo que Su Paternidad. Hay otros animales en los Antis que semejan a las vacas; son del tamaño de una vaca muy pequeña; no tienen cuernos. El pellejo es muy extremado para cueras fuertes; por la fortaleza que tiene, que algunos, encareciéndola, dicen que resiste más que una cota. Hay jabalíes que en parte semejan a los puercos caseros; de todos estos animales y de otros se hallan pocos en aquellos Antis que confinan con el Perú; que yo no me alejo a tratar de otros Antis que hay más lejos. Monas y micos hay muchos, grandes y chicos; unos tienen cola, otros hay sin ella.

De la naturaleza de ellas pudiéramos decir mucho; empero, porque el Padre Maestro Acosta lo escribe largamente. Libro cuatro, capítulo treinta y nueve, que es lo mismo que yo oí a indios y españoles y parte de ello vi, me pareció ponerlo aquí como Su Paternidad lo dice, que es lo que se sigue:

Micos hay innumerables por todas esas montañas de islas y tierra firme y Andes. Son de la casta de monas, pero diferentes en tener cola y muy larga y haber entre ellas algunos linajes de tres tanto y cuatro tanto más cuerpo que monas ordinarias; unos son negros del todo, otros bayos, otros pardos, otros manchados y varios. La ligereza y maña de éstos admira porque parece que tienen discurso y razón; y el andar por árboles parece que quieren casi imitar las aves. En Capira, pasando de Nombre de Dios a Panamá, vi saltar un micho de éstos de un árbol a otro que estaba a la otra banda del río, que me admiró. Asense con la cola a un ramo, y arrójanse donde quieren, y cuando el espacio es muy grande, que no pueden con un salto alcanzarle, usan una maña graciosa, de asirse uno a la cola del otro, y hacer de esta suerte una como cadena de muchos; después ondeándose todos o columpiándose, el primero, ayudado por la fuerza de los otros, salta y alcanza y se ase al ramo, y sustenta a los demás hasta que llegan asidos, como dije, a la cola de otro. Las burlas y embustes y travesuras que éstos hacen es negocio de mucho espacio; las habilidades que alcanzan cuando los imponen, no parecen de animales brutos, sino de entendimiento humano. Uno vi en Cartagena en casa del Gobernador, que las cosas que de él me referían apenas parecían creíbles, como enviarle a la taberna por vino, y poniendo en la una mano el dinero y en la otra el pichel, no haber orden de sacarle el dinero hasta que le daban el pichel con vino. Si los muchachos en el camino le daban grita o le tiraban, poner el pichel a un lado y apañar piedras y tirarlas a los muchachos hasta que dejaba el camino seguro, y así volvía a llevar su pichel. Y lo que es más, con ser muy buen bebedor de vino (como yo se lo vi beber echándoselo su amo de alto), sin dárselo o darle licencia no había tocar al jarro. Dijéronme también que si veía mujeres afeitadas iba y les tiraba del tocado y las descomponía y trataba mal. Podrá ser algo de esto encarecimiento, que yo no lo vi, mas en efecto no pienso que hay animal que así perciba y se acomode a la conversación humana como esta casta de micos. Cuentan tantas cosas que yo, por no parecer que doy crédito a fábulas, o por que otros no las tengan por tales, tengo por mejor dejar esta materia con sólo bendecir al autor de toda criatura, pues para sola recreación de los hombres y entretenimiento donoso, parece haber hecho un género de animal que todo es de reír o para mover a risa. Algunos han escrito que a Salomón se le llevaban estos micos de Indias Occidentales; yo tengo para mí que iban de la India Oriental.

Hasta aquí es del Padre Maestro Acosta, donde pudiera añadir que las monas y micos traen los hijuelos a cuestas, hasta que son para soltarse y vivir por sí; andan abrazados, con los brazos a los pescuezos de las madres, y con las piernas las abrazan por el cuerpo. El encadenarse unos con otros, que el Padre Maestro dice, lo hacen para pasar ríos o arroyos grandes que no pueden pasar de un salto. Asense, como se ha dicho, de un árbol que esté en frente de otro, y colúmpianse hasta que el último, que anda abajo, alcanza a asir alguna rama del otro árbol, y por ella se sube hasta ponerse a nivel en derecho del que está asido en la otra parte; y entonces da voces y manda que suelte; luego es obedecido, y así dan todos del otro cabo y pasan el río, aprovechándose de sus fuerzas y maña en sus necesidades, a fuer de soldados prácticos; y porque se entienden con sus gritos (como tengo para mí que lo hacen todos los animales y aves con los de su especie), dicen los indios que saben hablar y que encubren el habla a los españoles, porque no les hagan sacar oro y plata; también dicen que por remedar a las indias traen sus hijos a cuestas; otras muchas burlerías dicen de ellos, pero de micos y monas baste

XIX. DE LAS AVES MANSAS Y BRAVAS DE TIERRA Y DE AGUA

Los indios del Perú no tuvieron aves caseras, sino sola una casta de patos, que, por semejar mucho a los de acá, les llaman así los españoles; son medianos, no tan grandes ni tan altos como los gansos de España, ni tan bajos ni tan chicos como los patos de por acá. Los indios les llaman ñuñuma, deduciendo el nombre de ñuñu, que es mamar porque comen mamullando, como si mamasen; no hubo otra aves domésticas en aquella mi tierra. Aves del aire, y del agua dulce y marina diremos las que se nos ofrecieren, aunque por la multitud y variedad de ellas no será posible decir la mitad ni la cuarta parte de ellas. Águilas hay de todas suertes, reales y no reales, aunque no son tan grandes como las de España. Hay halcones de muchas raleas; algunos se asemejan a los de acá y otros no; en común les llaman los indios *huaman;* de los pequeños he visto por acá algunos, que los han traído y los estiman en mucho; los que en mi tierra llaman *ñeblíes* son bravísimos de vuelo y de garras; son casi prietos de color. En el Cuzco, el año de mil y quinientos y cincuenta y siete, un caballero de Sevilla que se preciaba de su cetrería hizo todas las que supo y pudo en un ñeblí. Venía a la mano y al señuelo de muy lejos; mas nunca pudo con él hacer que se cebase en prisión alguna, y así desesperó de su trabajo.

Hay otras aves que también se pueden poner con las de rapiña; son grandísimas; llámanles *cúntur* y los españoles *cóndor;* muchas han muerto los españoles y las han medido, por hablar con certificación del tamaño de ellas, y les han hallado quince y diez y seis pies de una punta a otra de las alas, que, reducidas a varas de medir, son cinco varas y tercia; no tienen garras como las águilas, que no se las dio naturaleza por templarles la ferocidad; tienen los pies como las gallinas, pero bástales el pico, que es tan fuerte que rompe el pellejo de una vaca; dos de ellos acometen a una vaca y a un toro y se lo comen; ha acaecido de uno solo acometer muchacho de diez, doce años, y comérselo; son blancos y negros, a remiendos, como las urracas; hay pocas, que si hubiera muchas destruyeran los ganados; en la frente tienen una cresta pareja, a manera de navaja, no con puntas, como la del gallo; cuando bajan cayendo de lo alto hacen gran zumbido que asombra.

El Padre Maestro Acosta, hablando de las aves del Nuevo Orbe, particularmente del cúntur, Libro cuatro, capítulo treinta y siete, donde remito al que quisiere leer cosas maravillosas, dice estas palabras: "Los que llaman *cóndorec* son de inmensa grandeza y de tanta fuerza que no sólo abren un carnero y se lo comen, sino a un ternero".

En contra del cúntur dice Su Paternidad de otras avecillas que hay en el Perú, que los españoles llaman *tominejos* y los indios *quenti,* que son de color azul dorado, como lo más fino del cuello del pavo real; susténtanse como las abejas, chupando con un piquillo largo que tienen el jugo o miel que hallan en las flores; son tan pequeñitas que muy bien dice Su Paternidad de ellas lo que sigue: "En el Perú hay las que llaman *tominejos,* tan pequeñitas, que muchas veces dudé, viéndolas volar, si eran abejas o mariposillas, mas son realmente pájaros", etc. Quien oyere estos dos extremos de aves que hay en aquella tierra, no se admirará de las que dijéramos que hay en medio. Hay otras aves grandes, negras, que los indios llaman *suyuntu* y los españoles *gallinaza;* son muy tragonas de carne y tan golosas, que si hallan alguna bestia muerta en el campo comen tanta de ella que, aunque son muy ligeras, no pueden levantarse al vuelo, por el peso de lo que han comido. Entonces, cuando sienten que va gente a ellas, van huyendo a vuela pie, vomitando la comida, por descargarse para tomar vuelo; es cosa donosa ver el ansia y la prisa conque echan lo que con la misma comieron. Si les dan prisa las alcanzan y matan; mas ellas no son de comer ni de otro provecho alguno, sino de limpiar las calles de las inmundicias que en ellas echan; por lo cual dejan de matarlas, aunque puedan; no son de rapiña. El Padre Acosta dice que tiene para sí que son de género de cuervos.

A semejanza de éstas hay otras aves marinas, que los españoles llaman *alcatraces;* son poco menores que las avutardas; mantiénense de pescado; es cosa de mucho gusto ver cómo pescan. A ciertas horas del día, por la mañana, y por la tarde —debe ser a las horas que el pescado se levanta a sobreaguarse o cuando las aves tienen más hambre—, ellas se ponen muchas juntas, como dos torres en alto, y de allí, como halcones de altanería, las alas cerradas, se dejan caer a coger el pescado, y se zambullen y entran debajo del agua, que parece que se han ahogado; debe ser por huirles mucho el pescado; y cuando más se certifica la sospecha, las ven salir con el pez atravesado en la boca, y volando en el aire lo engullen. Es gusto ver caer unas y oír los golpazos que dan en el agua; y al mismo tiempo ver salir otras con la presa hecha, y ver otras que, a medio caer, se vuelven a levantar y subir en alto, por desconfiar del lance. En suma, es ver doscientos halcones juntos en altanería que bajan y suban a veces, como los martillos del herrero.

Sin estas aves andan muchas bandas de pájaros marinos, en tanta multitud que es increíble lo que de ellas se dijere a quien no las ha visto; son de todos tamaños, grandes, medianos y chicos; navegando por la Mar del Sur los miré muchas veces con atención; había bandas tan grandes que de los primeros pájaros a los postreros me parece que había más de dos leguas de largo; iban volando tantos y tan cerrados que no dejaban penetrar la vista de la otra parte. En su vuelo van cayendo unos en el agua a descansar y otros levantan de ellas, que han ya descansado; cierto es cosa maravillosa ver la multitud de ellas y que levantan el entendimiento a dar gracias a la Eterna Majestad, que creó tanta infinidad de aves y que las sustente con otra infinidad de peces; y esto baste de los pájaros marinos.

Volviendo a las aves de tierra, sin salir de las aguas, decimos que hay otra infinidad de ellas en los ríos y lagos del Perú; garzas y garzotas, patos y fojas, y las que por acá llaman *flamencos,* sin otras muchas diferencias de que no sé dar cuenta, por no haberlas mirado con atención. Hay aves grandes, mayores que cigüeñas, que se mantienen de pescado; son muy blancas, sin mezcla de otro color, muy altas de piernas; andan apareadas de dos en dos; son muy hermosas a la vista; parecen pocas.

XX. DE LAS PERDICES, PALOMAS Y OTRAS AVES MENORES

Dos maneras de perdices se hallan en aquella mi tierra: las unas son como pollas ponedoras; críanse en los desiertos que los indios llaman *puna;* las otras son menores que las de España; son de buena carne, más sabrosa que la de las grandes. Las unas y las otras son de color pardo, los picos y pies blancos; las chicas propiamente parecen a las codornices en el color de la pluma, salvo las pecas blancas, que no las tienen; llámanles *yutu:* pusiéronles el nombre del sonido del canto que tienen, que dicen *yut-yut.* Y no solamente a las perdices, pero a otras muchas aves les ponen el nombre del canto de ellas, como diremos de algunas en este discurso; lo mismo hacen en muchas otras cosas, que declararemos donde se ofrecieren. De las perdices de España no sé que hayan llevado a mi tierra. Hay palomas torcazas como las de acá en tamaño, pluma y carne; llámanles *urpi;* quiere decir paloma; a las palomas caseras que han llevado de España dicen los indios *Castilla urpi,* que es paloma de Castilla, por decir que fueron llevadas de acá. Hay tórtolas, ni más ni menos que las de España, si ya en el tamaño no son algo mayores; llámanles *cocóhuay*, tomadas las dos primeras sílabas del canto de ellas y pronunciadas en lo interior de la garganta, porque se asemeje más el nombre con el canto.

Hay otras tortolillas pequeñas, del tamaño de las calandrias o cogujadas y del color de ellas; crían por los tejados, como acá los gorriones, y también crían en el campo; hállanse pocas. Hay unos pajarillos pardos, que los españoles llaman gorriones por la semejanza del color y del tamaño, aunque diferentes en el canto, que aquéllos cantan muy suavemente; los indios les llaman *paria pichiu;* crían por los bardales de las casas, dondequiera que hay matas, en las paredes, y también crían en el campo. Otros pajarillos bermejuelos llaman *ruiseñor* los españoles, por la semejanza del color; pero en el canto difieren como lo prieto de lo blanco; porque aquellos cantan malísimamente, tanto que los indios, en su antigüedad, lo tenían por mal agüero. Hay unos pajarillos prietos que los españoles llaman *golondrinas,* y más son aviones que golondrinas; vienen a sus tiempos, aposéntanse en los agujeros de los tejados, diez, doce juntos. Estas avecillas son las que andan por los pueblos, más cerca de la gente que otras; golondrinas ni vencejos no los vi por allá a lo menos en lo que es la serranía del Perú. Las aves de los llanos son las mismas, sin las marinas que son diferentes. Sisones, gangas ni ortegas ni zorzales, no las hay en aquella tierra, ni grullas ni avutardas; otras habrá en lugar de ellas de que yo no me acuerde. En el reino de Chili, que también fue del Imperio de los Incas del Cuzco, hay avestruces que los indios llaman *surí;* no son de pluma tan fina ni tan galana como las de África; tienen el color entre pardo y blanco; no vuelan por alto, mas a vuela pie son muy ligeras; corren más que un caballo; algunas tomaron los españoles, poniéndose en paradas en sus caballos, que el aliento de un caballo ni de dos solos no basta a cansar aquellas aves. En el Perú hay *sirgueros,* que los españoles llaman así porque son de dos colores, amarillo y negro; andan en bandas. Los indios les llaman *chaína,* tomando el nombre de su mismo canto.

Otras muchas maneras de pájaros hay, chicos y grandes, de que no acertaré a dar cuenta por la multitud de ellos y poquedad de la memoria; acuérdome que hay cernícalos, como los de acá, pero más animosos, que algunos se ceban en pajarillos. En el llano de Yúcay vi volar dos cernícalos a un pajarillo; traíanlo de lejos; encerróseles en un árbol grande y espeso que hay en aquel llano; yo lo dejé en pie, que los indios en su gentilidad tenían por sagrado, porque sus Reyes se ponían debajo de él a ver las fiestas que en aquel hermoso llano se hacían; el uno de los cernícalos, usando de su natural industria, entró por el árbol a echar fuera al pajarillo; el otro se subió en el aire, encima del árbol, para ver por dónde salía, y, en saliendo el pájaro, forzado del que lo perseguía, cayó a él como un neblí; el pajarillo volvió a socorrerse en el árbol; el cernícalo que cayó a él entró a echarle fuera, y el que le había sacado del árbol se subió en el aire, como hizo el primero, para ver por dónde salía; de esta manera los cernícalos, trocándose ya el uno, ya el otro, entraron y salieron del árbol cuatro veces, y otras tantas se les encerró el pajarillo con grande ánimo, defendiendo su vida, hasta que la quinta vez se les fue al río, y, en unos paredones de edificios antiguos que por aquella banda había, se les escapó con gran contento y gusto de cuatro o cinco españoles que habían estado mirando la volatería, admirados de lo que la naturaleza enseña a todas sus criaturas, hasta las aves tan pequeñas, para sustentar sus vidas, unas acometiendo y otras huyendo con tanta industria y maña, como se ve a cada paso.

Abejas silvestres hay de diversas maneras; de las domésticas, criadas en colmenas, ni los indios las tuvieron antes ni los españoles se han dado nada hasta ahora por criarlas; las silvestres crían en resquicios y concavidades de peñas y en huecos de árboles; las que son de tierras frías, por las malas yerbas de que sustentan, hacen poca miel, y ésta desabrida y amarga, y la cera negra de ningún provecho; las de tierras templadas o calientes, por las buenas yerbas de que gozan, hacen muy linda miel, blanca, limpia, olorosa y muy dulce; llevada a tierras frías se cuaja y parece azúcar; tiénenla en mucha estima, no sólo para comer, mas también para el uso de diversas medicinas, que la hallan muy provechosa.

XXI. DIFERENCIAS DE PAPAGAYOS, Y SU MUCHO HABLAR

En los Antis se crían los papagayos. Son de muchas maneras: grandes, medianos, menores, chicos y chiquillos; los chiquillos son menores que calandrias y los mayores son como grandes ñeblís; unos son de solo un color, otros de dos colores, verde y amarillo o verde y colorado; otros son de muchas y diversas colores, particularmente los grandes, que los españoles llaman *guacamayas*, que son de todas colores y todas finísimas; las plumas de la cola, que son muy largas y muy galanas, las estiman en mucho los indios, para engalanarse en sus fiestas. De las cuales plumas, por ser tan hermosas, tomó el famoso Juan Boccaccio el argumento para la graciosa novela de frate Cipolla. Los españoles llaman a los papagayos con diferentes nombres, por diferenciar los tamaños. A los muy chiquillos llaman *periquillos;* a otros algo mayores llaman *catalnicas;* a otros más mayores y que hablan más o mejor que los demás llaman *loro.* A los muy grandes llaman *guacamayas;* son torpísimas para hablar, mas nunca hablan; solamente son buenas para mirarlas; por la hermosura de sus colores y plumas. Estas diferencias de papagayos han traído a España para tener en jaulas y gozar de su parlería; y aunque hay otras más, no las han traído; debe de ser porque son más torpes.

En Potocsi, por los años de mil y quinientos y cincuenta y cuatro y cincuenta y cinco, hubo un papagayo de los que llaman *loro,* tan hablador, que a los indios e indias que pasaban por las calles les llamaba por sus provincias, a cada uno de la nación que era, sin errar alguna, diciendo Colla, Yunca, Huairu, Quechua, etc., como que tuviera noticia de las diferencias de tocados que los indios en tiempo de los Incas, traían en las cabezas para ser conocidos. Un día de aquéllos pasó una india hermosa por la calle donde el papagayo estaba; iba con tres o cuatro criadas, haciendo mucho de la señora Palla, que son las de la sangre real. En viéndola el papagayo, dio grandes gritos de risa, diciendo "¡Huairu, Huairu, Huairu!", que es una nación de gente más vil y tenida en menos que otras. La india pasó avergonzada por los que estaban delante, que siempre había una gran cuadrilla de indios escuchando el pájaro; y cuando llegó cerca, escupió hacia el papagayo y le llamó *zúpay*, que es diablo. Los indios dijeron lo mismo, porque conoció a la india, con ir disfrazada en hábito de Palla. En Sevilla, en Caldefrancos, pocos años ha había otro papagayo que, en viendo pasar un cierto médico indigno del nombre, le decía tantas palabras afrentosas que le forzó a dar queja de él. La justicia mandó a su dueño que no lo tuviese en la calle, so pena que se lo entregarían al ofendido.

Los indios en común les llaman *uritu;* quiere decir papagayo, y por el grandísimo ruido enfadoso que hacen con sus gritos cuando van volando, porque andan en grandes bandas, tomaron por refrán llamar *uritu* a un parlador fastidioso, que, como el divino Ariosto dice en el canto veinte y cinco, sepa poco y hable mucho; a los cuales, con mucha propiedad, les dicen los indios: "¡Calla, papagayo!" Salen los papagayos de los Antis al tiempo que por todo lo raso del Perú está en sazón la zara, de la cual son amicísimos; hacen grande estrago en ella; vuelan muy recio y muy alto; las guacamayas, porque son torpes y pesadas, no salen de los Antis. Andan en bandas, como se ha dicho, mas no se mezclan los de una especie con los de otra, sino que cada diferencia anda por sí.

XXII. DE CUATRO RÍOS FAMOSOS Y DEL PESCADO QUE EN LOS DE PERÚ SE CRÍA

Olvidando se me había hacer relación del pescado que los indios del Perú tienen de agua dulce en los ríos que poseen, que, como es notorio, son muchos y muy grandes, de los cuales nombraremos cuatro, los mayores y no más, por no causar hastío al que lo oyere. El que llaman río Grande, y por otro nombre el de la Magdalena, que entra en la mar entre Cartagena y Santa Marta, tiene de boca, según la carta de marear, ocho leguas; nace en las sierras y cordilleras del Perú. Por la furia con que corre, entra diez o doce leguas la mar adentro, rompiendo sus aguas, que no basta la inmensidad de ellas a resistir la ferocidad del río.

El de Orellana, que le llamamos así a diferencia del río Marañón, tiene, según la misma carta, cincuenta y cuatro leguas de boca, antes más que menos; y aunque algunos autores le dan treinta leguas de boca, y otros menos y otros cuarenta y otros setenta, me pareció poner la opinión de los mareantes, que no es opinión sino experiencia, porque a aquella república que anda sobre aguas de la mar le conviene no fiarse de opiniones, sino traer en las manos la verdad sacada en limpio; los que le dan las setenta leguas de boca la miden al sesgo, de la una punta de tierra a la otra, que están desiguales; porque la punta de la mano izquierda del río entra en la mar mucho más que la punta de la mano derecha; y así, midiendo de punta a punta, porque están al sesgo, hay las setenta leguas que algunos dicen con verdad; mas por derecho de cuadrado no hay más de cincuenta y cuatro leguas, como lo saben los pilotos. Las primeras fuentes de aquel famoso río nacen en el distrito llamando Cuntisuyu, entre el mediodía del Cuzco, que los marineros llaman sudoeste; pasa once leguas al poniente de aquella ciudad. Desde muy cerca de su nacimiento no se deja vadear, porque lleva mucha agua y es muy raudo y va recogido entre altísimas sierras, que tienen, desde lo bajo hasta lo alto de sus nieves, trece, catorce y quince leguas y más de altura, casi a plomo. Es el mayor río que hay en el Perú; los indios le llaman Apurímac; quiere decir: el principal, o el capitán que habla, que el nombre *apu* tiene ambas significaciones, que comprende los principales de la paz y los de la guerra. También le dan otro nombre, por ensalzarle más, que es Cápac Mayu: *mayu* quiere decir río; *Cápac* es renombre que daban a sus Reyes; diéronselo a este río por decir que era el príncipe de todos los ríos del mundo. Retiene estos nombres hasta salir de los términos del Perú; si los sustenta hasta entrar en la mar, o si las naciones que viven en las montañas por do pasa le dan otro nombre, no lo sé. El año de mil y quinientos y cincuenta y cinco, por las muchas aguas del invierno, cayó sobre aquel río un pedazo de sierra tan grande, y con tanta cantidad de riscos, piedras y tierra, que le atravesó de una parte a otra y le atajó de manera que en tres días naturales no corrió gota de agua; hasta que la represa de ella sobrepujó la montaña que le cayó encima. Los que habitaban de allí abajo, viendo que un río tan caudaloso se había secado tan súbitamente, entendieron que se acababa el mundo. La represa subió catorce leguas el río arriba, hasta el puente que está en el camino real que va del Cuzco a la Ciudad de Los Reyes.

Este río Apurímac corre del mediodía al norte más de quinientas leguas que hay por tierra, desde su nacimiento hasta la equinoccial; de allí revuelve al oriente y corre casi debajo de la equinoccial otras seiscientas y cincuenta leguas, medidas por derecho, hasta que entra en la mar, que con sus vueltas y revueltas más son de mil y quinientas leguas las que corre al oriente, según lo dijo Francisco de Orellana, que fue el que las navegó por aquel río abajo cuando fue con Gonzalo Pizarro al descubrimiento que llamaron de la Canela, como en su lugar diremos; las sescientas y cincuenta leguas de poniente a oriente, sin las vueltas y revueltas del río, se las da la carta de marear, que, aunque no suelen los mareantes entremeterse en pintar las cosas de la tierra adentro, sino las de la mar y sus riberas, quisieron salir de sus términos con este río, por ser el mayor que hay en el mundo y por decir que no sin causa entra en la mar con la grandeza de setenta leguas de boca, y hace que con más de cien leguas en contorno sea mar dulce aquel golfo donde va a parar; de manera que conforme a la relación de Orellana (como lo atestigua Gómara, capítulo ochenta y seis), con las quinientas leguas que nosotros decimos, corre dos mil leguas con las vueltas que va haciendo a una mano y a otra; entra en la mar debajo de la equinoccial a plomo. Llámase río de Orellana por este caballero que lo navegó, año de mil y quinientos y cuarenta y tres, aunque los que se llamaron Pinzones, naturales de Sevilla, lo descubrieron año de mil y quinientos.

El nombre que le pusieron, río de las Amazonas, fue porque Orellana y los suyos vieron que las mujeres por aquellas riberas peleaban con ellos tan varonilmente como los hombres —que lo vimos en algunos pasos de nuestra historia de la *Florida*—, mas no porque haya amazonas en aquel río, que por la valentía de las mujeres dijeron que las había. Hay muchas islas en aquel río, grandes y chicas; la marea de la mar sube por él más de cien leguas, y esto baste de aquel famoso emperador de los ríos.

El que llaman Marañón entra en la mar poco más de setenta leguas al mediodía del río de Orellana; está en tres grados al sur; tiene más de veinte leguas de boca; nace de los grandes lagos que hay a las espaldas del Perú, que es el oriente, y los lagos se hacen de las muchas aguas que salen de la gran cordillera de sierra nevada que hay en el Perú. Pues como estos dos ríos tan caudalosos entren en la mar tan cerca el uno del otro, se juntan las aguas de ellos, que no las divide la mar, y hacen que sea mayor la Mar Dulce y el río Orellana quede más famoso, porque se las atribuyen a él todas; por esta junta de aguas sospecho yo que llaman Marañón al de Orellana, aplicándole el nombre también como las aguas; y de ambos ríos hacen uno solo.

Resta decir del río que los españoles llaman el Río de la Plata y los indios Parahuay. En otra parte dijimos cómo se impuso el nombre castellano y lo que significa el nombre indiano; sus primeras aguas nacen, como las del Marañón, en la increíble cordillera de sierra nevada que corre todo el Perú a la larga; tiene grandísimas crecientes, con que aniega los campos y los pueblos y fuerza a sus moradores que por tres meses del año vivan en balsas y canoas atadas a los pimpollos de los árboles, hasta que las crecientes se hayan acabado; porque no hay dónde parar. Entra en la mar en treinta [y] cinco grados con más de treinta leguas de boca; aunque la tierra se la estrecha a la entrada de la mar, porque ochenta leguas arriba tiene el río cincuenta leguas de ancho. De manera que juntando el espacio y anchura de estos cuatro ríos, se puede decir que entran en la mar con ciento y treinta leguas de ancho, que no deja de ser una de las muchas grandezas que el Perú tiene. Sin estos cuatro ríos tan grandes, hay otra multitud de ellos, que por todas partes entran en la mar a cada paso, como se podrán ver en las cartas de marear, a que me remito, que, si juntasen, harían otros ríos mayores que los dichos.

Con haber tantas aguas en aquella tierra, que eran argumento de que hubiera mucho pescado, se cría muy poco, a lo menos en lo que es el Perú, de quien pretendo dar cuenta en todo lo que voy hablando, y no de otras partes. Créese que se cría tan poco por la furia con que aquellos ríos corren y por los pocos charcos que hacen. Pues ahora es de saber que eso poco que se cría es muy diferente del pescado que se cría en los ríos de España; parece todo de una especie; no tiene escama, sino hollejo; la cabeza es ancha y llana como la del sapo, y por tanto tiene la boca muy ancha. Es muy sabroso de comer; cómenlo con su hollejo, que es tan delicado que no hay que quitarle. Llámanle *challua*, que quiere decir pescado. En los ríos que por la costa del Perú entran en la mar, entra muy poco pescado de ella, porque los más de ellos son medianos y muy raudos, aunque de invierno no se dejan vadear y corren con mayor furia.

En la gran laguna Titicaca se cría mucho pescado, que, aunque parece que es de la misma forma del pescado de los ríos, le llaman los indios *suchi*, por diferenciarle del otro. Es muy gordo, que para freírle no es menester otro graso que el suyo; también se cría en aquel lago otro pescadillo que los castellanos llaman *bogas;* el nombre de los indios se me ha olvidado; es muy chico y ruin, de mal gusto y peor talle y, si no me acuerdo mal, tiene escamas; mejor se llamara *harrihuelas*, según es menudo. Del un pescado y del otro se cría en abundancia en aquel lago, porque hay dónde extenderse y mucho que comer en las horruras que llevan cinco ríos caudalosos que entran en él, sin otros de menos cuenta y muchos arroyos. Y esto baste de los ríos y pescados que en aquella tierra se crían.

XXIII. DE LAS ESMERALDAS, TURQUESAS Y PERLAS

Las piedras preciosas que en tiempos de los Reyes Incas había en el Perú eran turquesas y esmeraldas y mucho cristal muy lindo, aunque no supieron labrarlo. Las esmeraldas se crían en las montañas de la provincia llamada Manta, jurisdicción de Puerto Viejo. No ha sido posible a los españoles, por mucho que lo han procurado, haber dado con el mineral donde se crían; y así casi ya no se hallan esmeraldas de aquella provincia, y eran las mejores de todo aquel Imperio. Del Nuevo Reino han traído tantas a España, que se han hecho ya despreciables, y no sin causa, porque además de la multitud (que en todas las cosas suele causar menosprecio), no tienen que ver, con muchos quilates, con las de Puerto Viejo. La esmeralda se perfecciona en su mineral, tomando poco a poco el color verde que después tiene, como toma la fruta su sazón en el árbol. Al principio es blanca pardusca, entre pardo y verde; empieza a tomar sazón o perfección por una de sus cuatro partes —debe de ser por la parte que mira al oriente, como hace la fruta, que con ella la tengo comparada—, y de allí va aquel buen color que tiene por el un lado y por el otro de la piedra, hasta rodearla toda. De la manera que la sacan de su mina, perfecta o imperfecta, así se queda. Yo vi en el Cuzco dos esmeraldas, entre otras muchas que vi en aquella tierra; eran del tamaño de nueces medianas, redondas en toda perfección, horadadas por medio. La una de ellas era en extremo perfecta de todas partes. La otra tenía de todo: por la una cuarta parte estaba hermosísima, porque tenía toda la perfección posible; las otras dos cuartas partes de los lados no estaban tan perfectas, pero iban tomando su perfección y hermosura; estaban poco menos hermosas que la primera parte; la última, que estaba en opósito de la primera, estaba fea, porque había recibido muy poco del color verde, y las otras partes le afeaban

más con su hermosura; parecía un pedazo de vidrio verde pegado a la esmeralda; por lo cual su dueño acordó quitar aquella parte, porque afeaba las otras, y así lo hizo, aunque después lo culparon algunos curiosos, diciendo que para prueba y testimonio de que la esmeralda va madurando por sus partes en su mineral se había de guardar aquella joya, que era de mucha estima. A mí me dieron entonces la parte desechada, como a muchacho, y hoy la tengo en mi poder, que por no ser de precio ha durado tanto.

La piedra turquesa es azul; unas son de más lindo azul que otras; no las tuvieron los indios en tanta estima como a las esmeraldas. Las perlas no usaron los del Perú, aunque las conocieron, porque los Incas (que siempre atendieron y pretendieron más a la salud de los vasallos que aumentar las que llamamos riquezas, porque nunca las tuvieron por tales), viendo el trabajo y peligro con que las perlas se sacan de la mar, lo prohibieron, y así no las tenían en uso. Después acá se han hallado tantas que se han hecho tan comunes, como lo dice el Padre Acosta, capítulo quince del libro cuarto, que es lo que se sigue, sacado a la letra: "Ya que tratamos de la principal riqueza que se trae de Indias, no es justo olvidar las perlas, que los antiguos llamaban margaritas; cuya estima en los primeros fue tanta, que eran tenidas por cosa que sólo a personas reales pertenecían. Hoy día es tanta la copia de ellas, que hasta las negras traen sartas de perlas", etcétera. Al postrer tercio del capítulo, habiendo dicho antes cosas muy notables de historias antiguas acerca de perlas famosas que ha habido en el mundo, dice Su Paternidad:

Sácanse las perlas en diversas partes de Indias; donde con más abundancia es en el Mar del Sur, cerca de Panamá, donde están las islas que por esta causa llaman de las Perlas. Pero en más cantidad y mejores se sacan en la Mar del Norte, cerca del río que llaman de la Hacha; allí supe cómo se hacía esta granjería, que es con harta costa y trabajo de los pobres buzos, los cuales bajan seis, nueve y aun doce brazas de hondo a buscar los ostiones, que de ordinario están asidos a las peñas y escollos de la mar. De allí los arrancan y se cargan de ellos, y se suben y los echan en las canas, donde los abren y sacan aquel tesoro que tienen dentro. El frío del agua, allá dentro de la mar, es grande, y mucho mayor el trabajo de tener el aliento, estando un cuarto de hora a las veces, y aun media, en hacer su pesca. Para que puedan tener el aliento, hácenles a los pobres buzos que coman poco y manjar muy seco, y que sean continentes. De manera que también la codicia tiene sus abstinentes, aunque sea a su pesar; lábranse (es yerro del molde por decir sácanse) de diversas maneras las perlas, y horádanlas para sartas. Hay ya gran demasía dondequiera. El año de ochenta y siete vi, en la memoria de lo que venía de Indias para el Rey, diez y ocho marcos de perlas, y otros tres cajones de ellas; y para particulares mil y doscientas y setenta y cuatro marcos de perlas, y sin esto otras siete talegas por pesar, que en otro tiempo se tuviera por fabuloso.

Hasta aquí es del Padre Acosta, con que acaba aquel capítulo.

A lo que Su Paternidad dice que se tuviera por fabuloso, añadiré dos cuentos que se me ofrecen acerca de las perlas. El uno es que cerca del año de mil y quinientos y setenta y cuatro, un año más o menos, trajeron tantas perlas para Su Majestad, que se vendieron en la Contratación de Sevilla puestas en un montón como fuera si alguna semilla. Andando las perlas en pregón, cerca de rematarse, dijo uno de los ministros reales: "Al que las pusiere en tanto precio, se le darán seis mil ducados de prometido". Luego, en oyendo el prometido, las puso un mercader próspero, que sabía bien la mercancía, porque trataba en perlas. Pero por grande que fue el prometido, le sacaron de la puja, mas él se contentó por entonces con seis mil ducados de ganancia por sola una palabra que habló; y el que las compró quedó mucho más contento, porque esperaba mucha mayor ganancia, según la gran cantidad de las perlas, que por el prometido se puede imaginar cuán grande sería. El otro cuento es que yo conocí en España un mozo de gente humilde y que vivía con necesidad, que, aunque era buen platero de oro, no tenía caudal y trabajaba a jornal; este mozo estuvo en Madrid año de mil y quinientos y sesenta y dos y sesenta y tres; posaba en mi posada, y porque perdía al ajedrez (que era apasionado de él) lo que ganaba a su oficio, y se lo reñía muchas veces, amenazando que se había de ver en grandes miserias por su juego, me dijo un día: "No pueden ser mayores que las que he pasado, que a pie, y con solos catorce maravedís, entré en esta corte". Este mozo tan pobre, por ver si podía salir de miseria, dio en ir y venir a Indias y tratar en perlas, porque sabía algo de ellas; fuele tan bien en los viajes y en la granjería, que alcanzó a tener más de treinta mil ducados; para el día de su velación (que también conocí a su mujer) le hizo una zaya grande de terciopelo negro, con una bordadura de perlas finas de una sesma en ancho, que corría por la delantera y por todo el ruedo, que fue una cosa soberbia y muy nueva. Apecióse la bordadura en más de cuatro mil ducados.

Hase dicho esto porque se vea la cantidad increíble de perlas que de Indias han traído, sin las que dijimos en nuestra historia de la *Florida*, libro tercero, capítulo quince y diez y seis, que se hallaron en muchas partes de aquel gran reino, particularmente en el rico templo de la provincia llamada Cofachiqui. Los diez y ocho marcos de perlas que el Padre Acosta dice que trajeron para Su Majestad (sin otros tres cajones de ellas) eran las escogidas por muy finas, que a sus tiempos se tiene cuenta en Indias de apartar las mejores de todas las perlas, que dan a Su Majestad de quinto, porque vienen a parar a su cámara real, y de allí salen para el culto divino, donde las emplea; como las vi en un manto y saya para la imagen de Nuestra Señora de Guadalupe, y en un terno entero, con capa, casulla, dalmáticas, frontal y frontaleras, estolas, manípulos y faldones de albas y bocamangas, todo bordado de perlas finísimas y grandes, y el manto y saya toda cubierta, hecha a manera de ajedrez; las casas que habían de ser blancas estaban cubiertas de perlas, de tal manera puestas en cuadrado que se iban relevando y saliendo afuera, que parecían montoncillos de perlas; las casas que habían de ser negras tenían rubíes y esmeraldas engastados en oro esmaltado, una casa de uno y de otra de otro, todo tan bien hecho, que bien mostraban los artífices para quién hacían la obra y el Rey Católico en quién empleaba aquel tesoro; que cierto es tan grande, que si no es el Emperador de las Indias, otro no podría hacer cosa tan magnífica, grandiosa y heroica.

Para ver la gran riqueza de este monarca, es bien leer aquel cuarto libro y todos los demás del Padre Acosta, donde se verán tantas cosas y tan grandes como las que se han descubierto en el Nuevo Mundo. Entre las cuales, sin salir del propósito, contaré una que vi en Sevilla, año de mil y quinientos y setenta y nueve, que fue una perla que trajo de Panamá un caballero que se decía Don Diego de Témez,

dedicada para el Rey Don Felipe Segundo. Era la perla del tamaño y talle y manera de una buena cermeña; tenía su cuello levantado hacia el pezón, como lo tiene la cermeña o la pera; también tenía el huequecito de debajo en el asiento. El redondo, por lo más grueso, sería como un huevo de paloma de los grandes. Venía de Indias apreciada en doce mil pesos, que son catorce mil y cuatrocientos ducados. Jácomo de Trezo, milanés, insigne artífice y lapidario de la Majestad Católica, dijo que valía catorce mil y treinta mil y cincuenta mil y cien mil ducados, y que no tenía precio, porque era una sola en el mundo, y así la llamaron la Peregrina. En Sevilla la iban a ver por cosa milagrosa. Un caballero italiano andaba entonces por aquella ciudad, comprando perlas escogidas, las mayores que se hallaban, para un gran señor de Italia. Traía una gran sarta de ellas; cotejadas con la Peregrina, y puestas cabe ella, parecían piedrecitas del río. Decían los que sabían de perlas y de piedras preciosas, que hacía veinte y cuatro quilates de ventaja a todas cuantas se hallasen; no sé qué cuenta sea ésta, para poderla declarar. Sacóla un negrillo en la pesquería, que según decía su amo no valía cien reales, y que la concha era tan pequeña, que, por ser tan ruin, estuvieron por arrojarla en la mar; porque no prometía nada de sí. Al esclavo, por su buen lance, dieron libertad. La merced que a su amo hicieron por la joya fue la vara de alguacil mayor de Panamá.

La perla no se labra, porque no consiente que la toquen sino para horadarla; sírvense de ellas como las sacan de las conchas; unas salen muy redondas y otras no tanto; otras salen prolongadas y otras abolladas, que de una mitad son redondas y de la otra mitad llanas. Otras salen de forma de cermeñas, y éstas son las más estimadas, porque

son muy raras. Cuando un mercader tiene una de estas acermeñadas
o de las redondas, que sea grande
y buena, y halla otra igual en poder ajeno, procura comprarla de
cualquiera manera que sea, porque
hermanadas, siendo iguales en todo,
cada una de ellas dobla el valor a
la otra; que si cualquiera de ellas,
cuando era sola, valía cien ducados,
hermanada vale cada una de ellas
doscientos y ambas cuatrocientos,
porque pueden servir de zarcillos,
que es para lo que más se estima.
No se consiente labrar, porque su
naturaleza es ser hecha de cascos
o hojas, como la cebolla, que no
es maciza. La perla se envejece por
tiempo, como cualquiera otra cosa
corruptible, y pierde aquel color claro y hermoso que tiene en su mocedad, y cobra otro pardusco, ahu-
mado. Entonces le quitan la hoja
encima, y descubren la segunda con
el mismo color que antes se tenía;
pero es con gran daño de la joya,
porque por lo menos le quitan la
tercia parte de su grandor; las que
llaman netas, por muy finas, salen
de esta regla general.

XXIV. DEL ORO Y PLATA

De la riqueza de oro y plata que
en el Perú se saca, es buen testigo España, pues de más de veinticinco años, sin los de atrás, le traen
cada año doce, trece millones de
plata y oro, sin otras cosas que no
entran en esta cuenta; cada millón
monta diez veces cien mil ducados.
El oro se coge en todo el Perú;
en unas provincias es en más abundancia que en otras, pero generalmente lo hay en todo el Reino. Há-
llase en la superficie de la tierra y
en los arroyos y ríos, donde lo llevan las avenidas de las lluvias; de
allí lo sacan, lavando la tierra o la
arena, como lavan acá los plateros
la escobilla de sus tiendas, que son

las barreduras de ellas. Llaman los
españoles lo que así sacan *oro en
polvo,* porque sale como limalla;
algunos granos se hallan gruesos,
de dos, tres pesos y más; yo vi
granos de a más de veinte pesos;
llámanles *pepitas;* algunas son llanas, como pepitas de melón o calabaza; otras redondas, otras largas
como huevos. Todo el oro del Perú es de diez y ocho a veinte quilates de ley, poco más, poco menos.
Sólo el que se saca en las minas
de Callauaya o Callahuaya es finísimo, de a veinticuatro quilates,
y aun pretende pasar de ellos, según me lo han dicho algunos plateros de España.

El año de mil y quinientos y cincuenta y seis, se halló en un res-
quicio de una mina, de las de Callahuaya, una piedra de las que se
crían con el metal, del tamaño de
la cabeza de un hombre; el color,
propiamente, era color de bofes, y
aun la hechura lo parecía, porque
toda ella estaba agujereada de unos
agujeros chicos y grandes, que la
pasaban de un cabo a otro. Por
todos ellos asomaban puntas de oro,
como si le hubieran echado oro derretido por encima: unas puntas
salían fuera de la piedra, otras em-
parejaban con ella, otras quedaban
más adentro. Decían los que entendían de minas que si no la sacaran
de donde estaba, que por tiempo
viniera a convertirse toda la piedra en oro. En el Cuzco la miraban los españoles por cosa maravillosa; los indios la llamaban *huaca,*
que, como en otra parte dijimos,
entre otras muchas significaciones
que este nombre tiene una es decir
admirable cosa, digna de admiración por ser linda, como también
significa cosa abominable por ser
fea; yo la miraba con los unos y
con los otros. El dueño de la piedra, que era hombre rico, determinó venirse a España y traerla
como estaba para presentarla al Rey
Don Felipe Segundo, que la joya

por su extrañeza era mucho de estimar. De los que vinieron en el armada en que él vino, supe en España que la nao se había perdido, con otra mucha riqueza que traía.

La plata se saca con más trabajo que el oro, y se beneficia y purifica con más costo. En muchas partes del Perú se han hallado y hallan minas de plata, pero ningunas como las de Potocsi, las cuales se descubrieron y registraron año de mil y quinientos y cuarenta y cinco, catorce años después que los españoles entraron en aquella tierra. El cerro donde están se dice Potocsi, porque aquel sitio se llamaba así; no sé qué signifique en el lenguaje particular de aquella provincia, que en la general del Perú no significa nada. Está en un llano, es de forma de un pilón de azúcar; tiene de circuito, por lo más bajo, una legua, y de alto más de un cuarto de legua; lo alto del cerro es redondo; es hermoso a la vista, porque es solo; hermoseólo la naturaleza para que fuese tan famoso en el mundo como hoy lo es. Algunas mañanas amanece lo alto cubierto de nieve, porque aquel sitio es frío. Era entonces aquel sitio del repartimiento de Gonzalo Pizarro, que después fue de Pedro de Hinojosa; cómo lo hubo, diremos adelante, si es lícito ahondar y declarar tanto los hechos secretos que pasan en las guerras, sin caer en odio, que muchas cosas dejan de decir los historiadores por este miedo. El Padre Acosta, libro cuatro, escribe largo del oro y plata y azogue que en aquel Imperio se ha hallado, sin lo que cada día va descubriendo el tiempo; por esto dejaré yo de escribirlo; diré brevemente algunas cosas notables de aquellos tiempos, y cómo beneficiaban y fundían los indios el metal antes que los españoles hallaran el azogue; en lo demás remito a aquella historia al que lo quisiere ver más

largo, donde hallará cosas muy curiosas, particularmente del azogue.

Es de saber que las minas del cerro de Potocsi las descubrieron ciertos indios criados de españoles, que en su lenguaje llaman *yanacuna*, que en toda su significación quiere decir: hombre que tiene obligación de hacer oficio de criado; los cuales, debajo de secreto, en amistad y buena compañía, gozaron algunos días de la primera veta que hallaron; mas como era tanta la riqueza y ella sea mala de encubrir, no pudieron o no quisieron encubrirla de sus amos, y así las descubrieron a ellos y registraron la veta primera, por la cual se descubrieron las demás. Entre los españoles que se hallaron en aquel buen lance fue uno que se llamó Gonzalo Bernal, mayordomo que después fue de Pedro de Hinojosa; el cual, poco después del registro, hablando un día delante de Diego Centeno (famoso caballero) y de otra mucha gente noble, dijo: "Las minas prometen tanta riqueza, que, a pocos años que se labren, valdrá más el hierro que la plata". Este pronóstico vi yo cumplido los años de mil y quinientos y cincuenta y cuatro y cincuenta y cinco, que en la guerra de Francisco Hernández Girón valió una herradura de caballo cinco pesos, que son seis ducados, y una de mula cuatro pesos; dos clavos de herrar, un tomín, que son cincuenta y seis maravedís; vi comprar un par de borceguís en treinta y seis ducados; una mano de papel en cuatro ducados; la vara de grana fina de Valencia a sesenta ducados; y a este respecto los paños finos de Segovia y las sedas y lienzos y las demás mercaderías de España.

Causó esta carestía aquella guerra, porque en dos años que duró no pasaron armadas al Perú, que llevan las cosas de España. También la causó la mucha plata que daban las minas, que tres y cuatro años antes de los que hemos nombrado, llegó a valer un cesto de la yerba que llaman cuca treinta y seis ducados, y una hanega de trigo veinte y cuatro y veinte y cinco ducados; lo mismo valió el maíz, y al respecto el vestir y calzar, y el vino, que las primeras botijas, hasta que hubo abundancia, se vendían a doscientos y a más ducados. Y con ser la tierra tan rica y abundante de oro y plata y piedras preciosas, como todo el mundo sabe, los naturales de ella son la gente más pobre y mísera que hay en el universo.

XXV. DEL AZOGUE Y CÓMO FUNDÍAN EL METAL ANTES DE ÉL

Como en otra parte apuntamos, los Reyes Incas alcanzaron el azogue y se admiraron de su viveza y movimiento, mas no supieron qué hacer de él ni con él; porque para el servicio de ellos no le hallaron de provecho para cosa alguna; antes sintieron que era dañoso para la vida de los que lo sacan y tratan, porque vieron que les causaba el temblar y perder los sentidos. Por lo cual, como Reyes que tanto cuidaban de la salud de sus vasallos, conforme al apellido Amador de Pobres, vedaron por ley que no lo sacasen ni se acordasen de él; y así lo aborrecieron los indios de tal manera, que aun el nombre borraron de la memoria y de su lenguaje, que no lo tienen para nombrar el azogue, si no lo han inventado después que los españoles lo descubrieron, año de mil y quinientos y sesenta y siete, que, como aquellas gentes no tuvieron letras, olvidaban muy aína cualquier vocablo que no traían en uso; lo que usaron los Incas, y permitieron que usasen los vasallos, fue del color carmesí, finísimo sobre todo encarecimiento, que en los mi-

nerales del azogue se cría en polvo, que los indios llaman ichma; que el nombre llimpi, que el Padre Acosta dice, es de otro color purpúreo, menos fino, que sacan de otros mineros, que en aquella tierra los hay de todas las colores. Y porque los indios, aficionados de la hermosura del color ichma (que cierto es para aficionar apasionadamente), se desmandaban en sacarlo, temiendo los Incas no les dañase el andar por aquellas cavernas, vedaron a la gente común el uso de él, sino que fuese solamente para las mujeres de la sangre real, que los varones no se lo ponían, como yo lo vi; y las mujeres que usaban de él eran mozas y hermosas, y no las mayores de edad, que más era gala de gente moza que ornamento de gente madura, y aun las mozas no lo ponían por las mejillas, como acá el arrebol, sino desde las puntas de los ojos hasta las sienes, con un palillo, a semejanza del alcohol; la raya que hacían era el ancho de una paja de trigo, y estábales bien; no usaron de otro afeite las Pallas, sino del ichma en polvo, como se ha dicho; y aun no era cada día, sino de cuando en cuando, por vía de fiesta. Sus caras traían limpias, y lo mismo era de todo el mujeriego de la gente común. Verdad es que las que presumían de su hermosura y buena tez de rostro, porque no se les estragase, se ponían una lechecilla blanca, que hacían no sé de qué, en lugar de mudas, y las dejaban estar nueve días; al cabo de ellos se alzaba la leche y se despegaba del rostro y se dejaba quitar del un cabo al otro, como un hollejo, y dejaba la tez de la cara mejorada. Con la escasez que hemos dicho gastaban el color ichma, tan estimado entre los indios, por excusar a los vasallos el sacarlo. El pintarse o teñirse los rostros con diversos colores en la guerra o en las fiestas, que un autor dice, nunca lo hicieron los Incas ni todos los indios en común, sino algunas naciones particulares que se tenían por más feroces y eran más brutos.

Resta decir cómo fundían el metal de la plata antes que se hallara el azogue. Es así que cerca del cerro Potocchí; hay otro cerro pequeño, de la misma forma que el grande, a quien los indios llaman Huayna Potocchi, que quiere decir Potocchi el Mozo, a diferencia del otro grande, al cual, después que hallaron el pequeño, llamaron Hatun Potocsi o Potocchi, que todo es uno, y dijeron que eran padre e hijo. El metal de la plata se saca del cerro grande, como atrás se ha dicho; en el cual hallaron a los principios mucha dificultad en fundirlo, porque no corría, sino que se quemaba y consumía en humo; y no sabían los indios la causa, aunque habían trazado otros metales. Mas como la necesidad o la codicia sea tan gran maestra, principalmente en lances de oro y plata, puso tanta diligencia, buscando y probando remedios, que dio en uno, y fue que en el cerro pequeño halló metal bajo, que casi todo o del todo era de plomo, el cual, mezclado con el metal de plata, le hacía correr, por lo cual le llamaron *zurúchec*, que quiere decir: el que hace deslizar. Mezclaban estos dos metales por su cuenta y razón, que a tantas libras del metal de plata echaban tantas onzas del metal de plomo, más y menos, según que el uso y la experiencia les enseñaba de día en día; porque no todo metal de plata es de una misma suerte, que unos metales son de más plata que otros, aunque sean de una misma veta; porque unos días lo sacan de más plata que otros, y otros de menos, y conforme a la calidad y riqueza de cada metal le echaban el *zurúchec*. Templado así el metal, lo fundían en unos hornillos portátiles, a manera de anafes de barro; no fundían con fue-

lles ni a soplos, con los cañutos de cobre, como en otra parte dijimos que fundían la plata y el oro para labrarlo; que aunque lo probaron muchas veces, nunca corrió el metal ni pudieron los indios alcanzar la causa; por lo cual dieron en fundirlo al viento natural. Mas también era necesario templar el viento, como los metales, porque si el viento era muy recio gastaba el carbón y enfriaba el metal, y si era blando, no tenía fuerza para fundirlo. Por esto se iban de noche a los cerros y collados y se ponían en las laderas altas o bajas, conforme al viento que corría, poco o mucho, para templarlo con el sitio más o menos abrigado. Era cosa hermosa ver en aquellos tiempos ocho, diez, doce, quince mil hornillos arder por aquellos cerros y alturas. En ellas hacían sus primeras fundiciones; después, en sus casas, hacían las segundas y terceras, con los cañutos de cobre, para apurar la plata y gastar el plomo; porque no hallando los indios los ingenios que por acá tienen los españoles de agua fuerte y otras cosas, para apartar el oro de la plata y del cobre, y la plata del cobre y del plomo, la afinaban a poder de fundirla muchas veces. De la manera que se ha dicho habían los indios la fundición de la plata en Potocsi, antes que se hallara el azogue, y todavía hay algo de esto entre ellos, aunque no en la muchedumbre y grandeza pasada.

Los señores de las minas, viendo que por esta vía de fundir con viento natural se derramaban sus riquezas por muchas manos, y participaban de ellas otros muchos, quisieron remediarlo, por gozar de su metal a solas, sacándolo a jornal y haciendo ellos sus fundiciones y no los indios, porque hasta entonces lo sacaban los indios, con condición de acudir al señor de la mina con un tanto de plata por cada quintal de metal que sacase. Con esta avaricia hicieron fuelles muy grandes, que soplasen los hornillos desde lejos, como viento natural. Mas no aprovechando este artificio, hicieron máquinas y ruedas con velas, a semejanza de las que hacen para los molinos de viento, que las trujesen caballos. Empero, tampoco aprovechó cosa alguna; por lo cual, desconfiados de sus invenciones, se dejaron ir con lo que los indios habían inventado; y así pasaron veinte y dos años, hasta el año de mil y quinientos y sesenta y siete, que se halló el azogue por ingenio y sutileza de un lusitano, llamado Enrique Garcés, que lo descubrió en la provincia Huanca, que no sé por qué le añadieron el sobrenombre Uillca, que significa grandeza y eminencia, si no es por decir la abundancia del azogue que allí se saca, que, sin lo que se desperdicia, son cada año ocho mil quintales para Su Majestad, que son treinta y dos mil arrobas. Mas con haberse hallado en tanta abundancia, no se usó del azogue para sacar la plata con él; porque en aquellos cuatro años no hubo quién supiese hacer el ensayo de aquel menester, hasta el año de mil y quinientos y setenta y uno, que fue al Perú un español que se decía Pedro Fernández de Velasco, que había estado en México y visto sacar la plata con azogue, como larga y curiosamente lo dice todo el Padre Maestro Acosta, a quien vuelvo a remitir al que quisiere ver y oír cosas galanas y dignas de ser sabidas.

Contiene las grandezas y magnanimidades de Huaina Cápac; las conquistas que hizo; los castigos en diversos rebelados; el perdón de los Chachapuyas; el hacer Rey de Quitu a su hijo Atahualpa; la nueva que tuvo de los españoles; la declaración del pronóstico que de ellos tenían; las cosas que los castellanos han llevado al Perú, que no había antes de ellos; y las guerras de los hermanos Reyes, Huáscar y Atahualpa; las desdichas del uno y las crueldades del otro.

I. HUAINA CÁPAC MANDA HACER UNA MAROMA DE ORO; POR QUÉ Y PARA QUÉ

El poderoso Huaina Cápac, quedando absoluto señor de su Imperio, se ocupó el primer año en cumplir las exequias de su padre; luego salió a visitar sus reinos, con grandísimo aplauso de los vasallos, que por doquiera que pasaba salían los curacas e indios a cubrir los caminos de flores y juncia, con arcos triunfales que de las mismas cosas hacían. Recibíanle con grandes aclamaciones de los renombres reales, y el que más veces repetían era el nombre del mismo Inca, diciendo: "¡Huaina Cápac, Huaina Cápac!", como que era el nombre que más lo engrandecía, por haberlo merecido desde su niñez, con el cual le dieron también al adoración (como a Dios) en vida. El Padre José de Acosta, hablando de este Príncipe, entre otras grandezas que en su loa escribe, dice estas palabras, libro sexto, capítulo veintidós: "Este Huayna Cápac fue adorado de los suyos por dios en vida, cosa que afirman los viejos que con ningu-

no de sus antecesores se hizo," etcétera.

Andando en esta visita, a los principios de ella, tuvo el Inca Huaina Cápac nueva que era nacido el príncipe heredero, que después llamaron Huáscar Inca. Por haber sido este príncipe tan deseado, quiso su padre hallarse a las fiestas de su nacimiento, y así se volvió al Cuzco con toda la prisa que le fue posible, donde fue recibido con las ostentaciones de regocijo y placer que el caso requería. Pasada la solemnidad de la fiesta, que duró más de veinte días, quedando Huaina Cápac muy alegre con el nuevo hijo, dio en imaginar cosas grandes y nunca vistas, que se inventasen para el día que le destetasen y trasquilasen el primer cabello y pusiesen el nombre propio, que, como en otra parte dijimos, era fiesta de las más solemnes que aquellos Reyes celebraban, y al respecto de allí abajo, hasta los más pobres, porque tuvieron en mucho los primogénitos. Entre otras grandezas que para aquella fiesta se inventaron, fue una la cadena de oro tan famosa en todo el mundo, y hasta ahora aún no vista por los extraños, aunque bien deseada. Para mandarla hacer tuvo el Inca la ocasión que diremos.

Es de saber que todas las provincias del Perú, cada una de por sí, tenía manera de bailar diferente de las otras, en la cual se conocía cada nación, también como en los diferentes tocados que traían en las cabezas. Y estos bailes eran perpetuos, que nunca los trocaban por otros. Los Incas tenían un bailar grave y honesto, sin brincos ni saltos ni otras mudanzas, como los demás hacían. Eran varones los que bailaban, sin consentir que bailasen mujeres entre ellos; asíanse de las manos, dando cada uno las suyas por delante, no a los primeros que tenía a sus lados, sino a los segundos, y así las iban dando de mano en mano, hasta los últimos, de manera que iban encadenados. Bailaban doscientos y trescientos hombres juntos, y más, según la solemnidad de la fiesta. Empezaban el baile apartados del Príncipe ante quien se hacía. Salían todos juntos; daban tres pasos en compás, el primero hacia atrás y los otros dos hacia adelante, que era como los pasos que en las danzas españolas llaman *dobles* y *represas;* con estos pasos, yendo y viniendo, iban ganando tierra siempre para adelante, hasta llegar en medio cerco adonde el Inca estaba. Iban cantando a veces, ya unos, ya otros, por no cansarse si cantasen todos juntos; decían cantares a compás del baile, compuestos en loor del Inca presente y de sus antepasados y de otros de la misma sangre que por sus hazañas, hechas en paz o en guerra, eran famosos. Los Incas circunstantes ayudaban al canto, porque la fiesta fuese de todos. El mismo Rey bailaba algunas veces en las fiestas solemnes, por solemnizarlas más.

Del tomarse las manos para ir encadenados, tomó el Inca Huaina Cápac ocasión para mandar hacer la cadena de oro; porque le pareció que era más decente, más solemne y de mayor majestad, que fuesen bailando asidos a ella y no a las manos. Este hecho en particular, sin la fama común, lo oí al Inca viejo, tío de mi madre, de quien al principio de esta historia hicimos mención que contaba las antiguallas de sus pasados. Preguntándole yo qué largo tenía la cadena, me dijo que tomaba los dos lienzos de la Plaza Mayor del Cuzco, que es el ancho y el largo de ella, donde se hacían las fiestas principales, y que (aunque para el bailar no era menester que fuera tan larga) mandó hacerla así el Inca para mayor grandeza suya y mayor ornato y solemnidad de la fiesta del hijo, cuyo nacimiento quiso solemnizar en extremo. Para los que han visto aquella plaza, que los indios llaman *Huacaipata,* no hay necesidad de decir el grandor de ella; para los que no la han visto, me parece que tendrá de largo, norte sur, doscientos pasos de los comunes, que son de a dos pies, y de ancho, este oeste, tendrá ciento y cincuenta pasos, hasta el mismo arroyo, con lo que toman las casas que por el largo del arroyo hicieron los españoles, año de mil y quinientos y cincuenta y seis, siendo Garcilaso de la Vega, mi señor, Corregidor de aquella gran ciudad. De manera que a esta cuenta tenía la cadena trescientos y cincuenta pasos de largo, que son setecientos pies; preguntando yo al mismo indio por el grueso de ella, alzó la mano derecha, y, señalando la muñeca, dijo que cada eslabón era tan grueso como ella. El Contador general Agustín de Zárate, libro primero, capítulo catorce, ya por mí otra vez alegado cuando hablamos de las increíbles riquezas de las casas reales de los Incas, dice cosas muy grandes de aquellos tesoros. Parecióme repetir aquí lo que dice

en particular de aquella cadena,
que es lo que sigue, sacado a la
letra:

Al tiempo que le nació un hijo,
mandó hacer Guainacaba una maroma de oro, tan gruesa (según
hay muchos indios vivos que lo dicen), que asidos a ella doscientos
indios orejones no la levantaban
muy fácilmente, y en memoria de
esta tan señalada joya llamaron al
hijo Guasca, que en su lengua quiere decir soga, con el sobrenombre
de Inga, que era de todos los Reyes, como los Emperadores romanos
se llamaban Augustos...

Hasta aquí es de aquel caballero,
historiador del Perú.

Esta pieza, tan rica y soberbia,
escondieron los indios con el demás
tesoro que desaparecieron, luego
que los españoles entraron en la tierra, y fue de tal suerte que no hay
rastro de ella. Pues como aquella
joya tan grande, rica y soberbia, se
estrenase al trasquilar y poner el
nombre al niño Príncipe heredero
del Imperio, demás del nombre propio que le pusieron, que fue Inti
Cusi Huallpa, le añadieron por renombre el nombre Huáscar, por dar
más ser y calidad a la joya. Huasca quiere decir soga, y porque los
indios del Perú no supieron decir
cadena, la llamaban soga, añadiendo el nombre del metal de que era
la soga, como acá decimos cadena
de oro o de plata o de hierro; y
porque en el príncipe no sonase
mal el nombre Huasca, por su significación, para quitársela le disfra-
zaron con la r, añadida en la última
sílaba, porque con ella no significa
nada, y quisieron que retuviese la
denominación de Huasca, pero no
la significación de soga; de esta
suerte fue impuesto el nombre
Huáscar a aquel príncipe, y de tal
manera se le aprópió, que sus mismos vasallos le nombraban por el
nombre impuesto y no por el propio, que era Inti Cusi Huallpa;
quiere decir: Huallpa Sol de ale-

gría; que ya como en aquellos tiempos se veían los Incas tan poderosos, y como la potencia, por la
mayor.parte, incite a los hombres a
vanidad y soberbia, no se preciaron de poner a su príncipe algún
nombre de los que hasta entonces
tenían por nombres de grandeza y
majestad, sino que se levantaron
hasta el cielo y tomaron el nombre
del que honraban y adoraban por
Dios y se lo dieron a un hombre
llamándole Inti, que en su lengua
quiere decir Sol; Cusi quiere decir
alegría, placer, contento y regocijo, y esto baste de los nombres y
renombres del príncipe Huáscar
Inca.

Y volviendo a su padre Huaina
Cápac, es de saber que, habiendo
dejado el orden y traza de la cadena y de las demás grandezas que
para la solemnidad del trasquilar y
poner nombre a su hijo se habían
de hacer, volvió a la visita de su
Reino, que dejó empezada, y anduvo en ella más de dos años, hasta que fue tiempo de destetar al
niño; entonces volvió al Cuzco,
donde se hicieron las fiestas y regocijos que se puedan imaginar,
poniéndole el nombre propio y el
renombre Huáscar.

II. REDÚCENSE DE SU GRADO DIEZ
VALLES DE LA COSTA, Y TÚMPIZ
SE RINDE

Un año después de aquella solemnidad, mandó Huaina Cápac levantar cuarenta mil hombres de
guerra, y con ellos fue al de Quitu,
y de aquel viaje tomó por concu-
biná a la hija primogénita del Rey
que perdió aquel reino, la cual estaba días había en la casa de las
escogidas; hubo en ella [a] Atahualpa y a otros hermanos suyos que
en la historia veremos. De Quitu
bajó el Inca a los llanos, que es la
costa de la mar, con deseo de hacer su conquista; llegó al valle lla-

mado Chimu, que es ahora Trujillo, hasta donde su abuelo, el buen
Inca Yupanqui, dejó ganado y conquistado a su Imperio, como queda
dicho. De allí envió los requerimientos acostumbrados de paz o de guerra a los moradores del valle de
Chacma y Pacasmayu, que está más
adelante; los cuales, como había
años que eran vecinos de los vasallos del Inca y sabían la suavidad
del gobierno de aquellos Reyes, había muchos días que deseaban el
señorío de ellos, y así respondieron
que holgaban mucho ser vasallos
del Inca y obedecer sus leyes y
guardar su religión. Con el ejemplo de aquellos valles, hicieron lo
mismo otros ocho que hay entre
Pacasmayu y Túmpiz, que son Za-
ña, Collque, Cintu, Tucmi, Sayan-
ca, Mutupi, Puchiu, Sullana; en la
conquista de los cuales gastaron dos
años, más en cultivarles las tierras
y sacar acequias para el riego que
no en sujetarlos, porque los más se
dieron de muy buena gana. En este
tiempo mandó el Inca renovar su
ejército tres o cuatro veces, que
como unos viniesen se fuesen otros,
por el riesgo que de su salud los
mediterráneos tienen andando en la
costa, por ser esta tierra caliente
y aquella fría.

Acabada la conquista de aquellos valles, se volvió el Inca a Quitu, donde gastó dos años ennoble-
ciendo aquel reino con suntuosos
edificios, con grandes acequias para los riegos y con muchos beneficios que hizo a los naturales. Pasado aquel espacio de tiempo, mandó
apercibir un ejército de cincuenta
mil hombres de guerra, y con ellos
bajó a la costa de la mar, hasta
ponerse en el valle de Sullana, que
es el más cercano a Túmpiz, de
donde envió los requerimientos acostumbrados de paz o de guerra. Los
de Túmpiz era gente más regalada
y viciosa que toda la demás que
por la costa de la mar allí habían
conquistado los Incas; traían esta

nación por divisa, en la cabeza, un
tocado como guirnalda, que llaman
pillu. Los caciques tenían truhanes,
chocarreros, cantores y bailadores,
que les daban solaz y contento.
Usaban el nefando, adoraban tigres y leones, sacrificábanles corazones de hombres y sangre humana; eran muy servidos de los suyos
y temidos de los ajenos; mas con
todo eso no osaron resistir al Inca,
temiendo su gran poder. Respondieron que de buena gana le obedecían y recibían por señor. Lo mismo respondieron otros valles de la
costa y otras naciones de la tierra
adentro, que se llaman Chumana,
Chíntuy, Collonche, Yácuall, y otras
muchas que hay por aquella comarca.

III. EL CASTIGO DE LOS QUE MATARON A LOS MINISTROS DE TÚPAC INCA YUPANQUI

El Inca entró en Túmpiz, y entre
otras obras reales mandó hacer una
hermosa fortaleza, donde puso guarnición de gente de guerra; hicieron
templo para el Sol y casa de sus
vírgenes escogidas; lo cual concluí-
do, entró en la tierra adentro a las
provincias que mataron los capitanes y los maestros de su ley y los
ingeniosos y maestros que su padre, Túpac Inca Yupanqui, les había enviado para la doctrina y enseñanza de aquellas gentes, como
atrás queda dicho; las cuales provincias estaban atemorizadas con la
memoria de su delito. Huaina Cápac
les envió mensajeros mandándoles
viniesen luego a dar razón de su
malhecho y a recibir el castigo merecido. No osaron resistir aquellas
naciones porque su ingratitud y traición les acusaba y el gran poder
del Inca les amedrentaba; y así vinieron, rendidos, a pedir misericordia de su delito.

El Inca mandó que se juntasen
todos los curacas y los embajado-

res y consejeros, capitanes y hombres nobles, que se hallaron en consultar y llevar la embajada que a su padre hicieron cuando le pidieron los ministros que le mataron, porque quería hablar con todos ellos juntos. Y habiéndose juntado, un maese de campo, por orden del Inca, les hizo una plática vituperando su traición, alevosía y crueldad; que habiendo de adorar al Inca y a sus ministros por los beneficios que les hacían en sacarlos de ser brutos y hacerlos hombres, los hubiesen muerto tan cruelmente y con tanto desacato del Inca, hijo del Sol; por lo cual eran dignos de castigo digno de su maldad; y que habiendo de ser castigados como ellos lo merecían, no había de quedar de todas sus naciones sexo ni edad. Empero, el Inca Huaina Cápac, usando de su natural clemencia y preciándose del nombre Huacchacúyac, que es amador de pobres, perdonaba toda la gente común, y que a los presentes, que habían sido autores y ejecutores de la traición, los cuales merecían la muerte por todos los suyos, también se la perdonaba, con que para memoria y castigo de su delito degollasen solamente la décima parte de ellos. Para lo cual, de diez en diez, echasen suertes entre ellos, y que muriesen los más desdichados porque no tuviesen ocasión de decir que con enojo y rencor habían elegido los más odiosos. Asimismo mandó el Inca que a los curacas y a la gente principal de la nación Huancauillca, que habían sido los principales autores de la embajada y de la traición, sacasen a cada uno de ellos y a sus descendientes, para siempre, dos dientes de los altos y otros de los bajos, en memoria y testimonio de que habían mentido en las promesas que al gran Túpac Inca Yupanqui, su padre, habían hecho, de fidelidad y vasallaje.

La justicia y castigo se ejecutó,

y con mucha humildad lo recibieron todas aquellas naciones, y se dieron por dichosos, porque habían temido los pasaran todos a cuchillo por la traición que habían hecho; porque ningún delito se castigaba con tanta severidad como la rebelión después de haberse sujetado al Imperio de los Incas; porque aquellos Reyes se daban por muy ofendidos de que en lugar de agradecer los muchos beneficios que les hacían, fuesen tan ingratos que, habiéndolos experimentado, se rebelasen y matasen los ministros del Inca.

Toda la nación Huancauillca (de por sí) recibió con más humildad y sumisión el castigo que todos los demás, porque como autores de la rebelión pasada temían su total destrucción; mas cuando vieron el castigo tan piadoso y ejecutado en tan pocos, y que el sacar los dientes era en particular a los curacas y capitanes, lo tomó toda la nación por favor, y no por castigo, y así todos los de aquella provincia, hombres y mujeres, de común consentimiento, tomaron por blasón e insignia la pena que a sus capitanes dieron, sólo porque lo había mandado el Inca, y se sacaron los dientes, y de allí adelante los sacaban a sus hijos e hijas, luego que los habían mudado. De manera que, como gente bárbara y rústica, fueron más agradecidos a la falta del castigo que a la sobra de los beneficios.

Una india de esta nación conocí en el Cuzco en casa de mi padre, que contaba largamente esta historia. Los Huancauillcas, hombres y mujeres, se horadaban la ternilla de las narices para traer un joyelito de oro o de plata colgado de ella. Acuérdome haber conocido en mi niñez un caballo castaño, que fue de un vecino de mi pueblo que tuvo indios, llamado fulano de Coca; el caballo era muy bueno, y porque le faltaba aliento, le horadaron las narices por cima de las ventanas. Los indios se espantaron de ver la novedad, y por excelencia llamaban al caballo Huancauillca, por decir que tenía horadadas las narices.

IV. VISITA EL INCA SU IMPERIO, CONSULTA LOS ORÁCULOS, GANA LA ISLA PUNA

El Inca Huaina Cápac, habiendo castigado y reducido a su servicio aquellas provincias y dejado en ellas la gente de guarnición necesaria, subió a visitar el reino de Quitu, y de allí revolvió al mediodía y fue visitando su Imperio hasta la ciudad de Cuzco, y pasó hasta las Charcas, que son más de setecientas leguas de largo. Envió a visitar el reino de Chile, de donde a él y a su padre trajeron mucho oro, en la cual visita gastó casi cuatro años; reposó otros dos en el Cuzco. Pasado este tiempo, mandó levantar cincuenta mil hombres de guerra de las provincias del distrito Chinchasuyu, que son al norte del Cuzco; mandó que se juntasen en los términos de Túmpiz, y él bajó a los llanos, visitando los templos del Sol que había en las provincias principales de aquel paraje. Visitó el rico templo de Pachacámac, que ellos adoraban por Dios no conocido; mandó a sus sacerdotes consultasen el demonio, que allí hablaba, la conquista que pensaba hacer; fuele respondido que hiciese aquélla y más las que quisiese, que de todas saldría victorioso, porque lo había elegido para señor de las cuatro partes del mundo. Con esto pasó al valle de Rímac, do estaba el famoso ídolo hablador. Mandó consultarle su jornada, por cumplir lo que su bisabuelo capituló con los yuncas, que los Incas tendrían en veneración aquel ídolo; y habiendo percibido su respuesta, que fue de muchas bachillerías y grandes li-

sonjas, pasó adelante, visitando los valles que hay hasta Túmpiz; llegado allí envió los apercibimientos acostumbrados de paz o de guerra a los naturales de la isla llamada Puna, que está no lejos de tierra firme, fértil y abundante de toda cosa; tiene la isla de contorno doce leguas, cuyo señor había por nombre Tumpalla, el cual estaba soberbio porque nunca él ni sus pasados habían reconocido superior, antes lo presumían ser de todos sus comarcanos, los de tierra firme; y así tenían guerra unos con otros, la cual discordia fue causa que no pudiesen resistir al Inca, que, estando todos conformes, pudieran defenderse largo tiempo.

Tumpalla (que demás de su soberbio era vicioso, regalado, tenía muchas mujeres y bardajes, sacrificaba corazones y sangre humana a sus dioses, que eran tigres y leones, sin el dios común que los indios de la costa tenían, que era la mar y los peces que en más abundancia mataban para su comer) recibió con mucho pesar y sentimiento el recaudo del Inca, y para responder a él llamó los más principales de su isla, y con gran dolor les dijo:

La tiranía ajena tenemos a las puertas de nuestra casa, que ya nos amenaza quitárnoslas y pasarnos a cuchillo si no le recibimos de grado; y si le admitimos por señor, nos ha de quitar nuestra antigua libertad, mando y señorío, que tan atrás nuestros antepasados nos dejaron; y no fiando de nuestra fidelidad, nos ha de mandar labrar la torres y fortalezas en que tenga su presidio y gente de guarnición mantenida a nuestra costa, para que nunca aspiremos a la libertad. Hannos de quitar las mejores posesiones que tenemos, y las mujeres e hijas más hermosas que tuviéremos, y lo que es más de sentir, que nos han de quitar nuestras antiguas costumbres y darnos leyes nuevas, mandarnos **adorar dioses ajenos y echar por** tierra los nuestros propios y familiares; y, en suma, ha de hacernos vivir en perpetua servidumbre y vasallaje, lo cual no sé si es peor que morir de una vez; y pues esto va por todos, os encargo miréis lo que nos conviene, y me aconsejéis lo que os pareciese más acertado.

Los indios platicaron grande espacio unos con otros entre sí; lloraron las pocas fuerzas que tenían para resistir las de un tirano tan poderoso, y que los comarcanos de la tierra firme antes estaban ofendidos que obligados a socorrerles, por las guerrillas que unos a otros se hacían. Viéndose desamparados de toda esperanza de poder sustentar su libertad, y que habían de perecer todos si pretendían defenderla por armas acordaron elegir lo que les pareció menos malo, y sujetarse al Inca con obediencia y amor fingido y disimulado, aguardando tiempo y ocasión para librarse de su Imperio cuando pudiesen. Con este acuerdo el curaca Tumpalla no solamente respondió a los mensajeros del Inca con toda paz y sumisión, mas envió embajadores propios, con grandes presentes, que en su nombre y de todo su estado le diesen la obediencia y vasallaje que el Inca pedía, y le suplicasen tuviese por bien de favorecer sus nuevos vasallos y toda aquella isla con su real presencia, que para ellos sería toda la felicidad que podían desear.

El Inca se dio por bien servido del curaca Tumpalla; mandó tomar la posesión de su tierra y que aderezasen lo necesario para pasar el ejército a la isla. Todo lo cual proveído con la puntualidad que ser pudo, conforme a la brevedad del tiempo, mas no con el aparato y ostentación que Tumpalla y los suyos quisieren, pasó el Inca a la isla, donde fue recibido con mucha solemnidad de fiestas y bailes, cantares compuestos de nuevo, en loor de las grandezas de Huaina Cápac. Aposentáronlo en unos palacios nue-

vamente labrados, a lo menos lo que fue menester para la persona del Inca, porque no era decente a la persona real dormir en aposento en que otro hubiese dormido. Huaina Cápac estuvo algunos días en la isla, dando orden en el gobierno de ella conforme a sus leyes y ordenanzas. Mandó a los naturales de ella y a sus comarcanos, los que vivían en tierra firme, que era una gran behetría de varias naciones y diversas lenguas (que también se habían rendido y sujetado al Inca), que dejasen sus dioses, no sacrificasen sangre ni carne humana ni la comiesen, no usasen el nefando, adorasen al Sol por universal Dios, viviesen como hombres, en ley de razón y justicia. Todo lo cual les mandaba como Inca, hijo del Sol, legislador de aquel Imperio, que no lo quebrantasen en todo ni en parte, so pena de la vida. Tumpalla y sus vecinos dijeron que así lo cumplirían como el Inca lo mandaba.

Pasada la solemnidad y fiesta del dar la ley y preceptos del Inca, considerando los curacas más de espacio el rigor de las leyes y cuán en contra eran de las suyas y de todos sus regalos y pasatiempos, haciéndoseles grave y riguroso el imperio ajeno, deseando volverse a sus torpezas, se conjuraron los de la isla con todos sus comarcanos, los de tierra firme, para matar al Inca y a todos los suyos, debajo de traición, a la primera ocasión que se les ofreciese. Lo cual consultaron con sus dioses desechados, volviéndolos de secreto a poner en lugares decentes para volver a la amistad de ellos y pedir su favor; hiciéronles muchos sacrificios y grandes promesas, pidiéndoles orden y consejo para emprender aquel hecho y la respuesta del suceso, si sería próspero o adverso. Fueles dicho por el demonio que lo acometiesen, que saldrían con su empresa porque tendrían el favor y amparo de sus dioses naturales; con lo cual quedaron aquellos bárbaros tan ensoberbecidos que estuvieron por acometer el hecho, sin más dilatarlo si los hechiceros y adivinos no lo estorbaran con decirles que se aguardase alguna ocasión para hacerlo con menos peligro y más seguridad, que esto era consejo y aviso de sus dioses.

V. MATAN LOS DE PUNA A LOS CAPITANES DE HUAINA CÁPAC

Entre tanto que los curacas maquinaban su traición, el Inca Huaina Cápac y su Consejo entendía[n] en el gobierno y vida política de aquellas naciones, que por la mayor parte se gastaba más tiempo en esto que en sujetarlos. Para lo cual fue menester enviar ciertos capitanes de la sangre real a las naciones que vivían en tierra firme, para que, como a todas las demás de su Imperio, las doctrinasen en su vana religión, leyes y costumbres; mandóles llevasen gente de guarnición para presidios y para lo que se ofreciese en negocios de guerra. Mandó a los naturales llevasen aquellos capitanes por la mar en sus balsas, hasta la boca de un río, donde convenía se desembarcasen para lo que iban a hacer. Dada esta orden. El Inca se volvió a Túmpiz, a otras cosas importantes al mismo gobierno, que no era otro el estudio de aquellos Príncipes, sino cómo hacer bien a sus vasallos, que muy propiamente les llama el Padre Maestro Blas Valera padre de familias y tutor solícito de pupilos; quizá les puso estos nombres interpretando uno de los que nosotros hemos dicho que aquellos indios daban a sus Incas, que era llamarles amador y bienhechor de pobres.

Los capitanes, luego que el Rey salió de la isla, ordenaron de ir donde les era mandado: mandaron

traer balsas para pasar aquel brazo de mar; los curacas, que estaban confederados, viendo la ocasión que se les ofrecía para ejecutar su traición, no quisieron traer todas las balsas que pudieran, para llevar los capitanes Incas en dos viajes, para hacer de ellos más a su salvo lo que habían acordado, que era matarlos en la mar. Embarcóse la mitad de la gente con parte de los capitanes; los unos y los otros eran escogidos en toda la milicia que entonces había; llevaban muchas galas y arreos, como gente que andaba más cerca de la persona real, y todos eran Incas, o por sangre o por el privilegio del primer Inca. Llegando a cierta parte de la mar, donde los naturales habían determinado ejecutar su traición, desataron y cortaron las sogas con que iban atados los palos de las balsas, y en un punto echaron en la mar los capitanes y toda su gente, que iba descuidada y confiada de los mareantes; los cuales, con los remos y con las mismas armas de los Incas, convirtiéndolas contra sus dueños, los mataron todos, sin tomar ninguno a vida, y aunque los Incas querían valerse de su nadar para salvar las vidas, porque los indios comúnmente saben nadar, no les aprovechaba, porque los de la costa, como tan ejercitados en la mar, hacen a los mediterráneos, encima del agua y debajo de ella, la misma ventaja que los animales marinos a los terrestres. Así quedaron con la victoria los de la isla, y gozaron de los despojos, que fueron muchos y muy buenos, y con gran fiesta y regocijo, saludándose de unas balsas a otras, se daban el parabién de su hazaña, entendiendo, como gente rústica y bárbara, que no solamente estaban libres del poder del Inca, pero que eran poderosos para quitarle el Imperio.

Con esta vana presunción volvieron, con toda la disimulación posible, por los capitanes y soldados que habían quedado en la isla, y los llevaron donde habían de ir; y en el mismo puesto y de la misma forma que a los primeros, mataron a los segundos. Lo mismo hicieron en la isla y en las demás provincias confederadas a los que en ellas habían quedado por gobernadores y ministros de la justicia y de la hacienda del Sol y del Inca: matáronlos con gran crueldad y mucho menos precio de la persona real; pusieron las cabezas a las puertas de sus templos; sacrificaron los corazones y la sangre a sus ídolos, cumpliendo en esto la promesa que al principio de su rebelión les habían hecho si los demonios les diesen su favor y ayuda para la traición.

VI. EL CASTIGO QUE SE HIZO EN LOS REBELADOS

Sabido por el Inca Huaina Cápac todo el mal suceso, mostró mucho sentimiento de la muerte de tantos varones de su sangre real, tan experimentados en paz y en guerra, y que hubiesen quedado sin sepultura, para manjar de peces; cubrióse de luto por mostrar su dolor. El luto de aquellos Reyes era el color pardo que acá llaman vellorí. Pasado el llanto, mostró su ira hizo llamamiento de gente, y teniendo la necesaria, fue con gran presteza a las provincias rebeladas que estaban en tierra firme; fuelas sujetando con mucha facilidad, porque ni tuvieron ánimo militar ni consejo ciudadano para defenderse, ni fuerzas para resistir las del Inca.

Sujetadas aquellas naciones, pasó a la isla; los naturales de ella hicieron alguna resistencia por la mar, mas fue tan poca que luego se dieron por vencidos. El Inca mandó prender todos los principales autores y consejeros de la rebelión, y a los capitanes y soldados de más nombre que se habían hallado en la ejecución y muerte de los gobernadores y ministros de la justicia y de la guerra, a los cuales hizo una plática un maese de campo de los del Inca, en que les afeó su maldad y traición y la crueldad que usaron con los que andaban estudiando en el beneficio de ellos y procurando sacarlos de su vida ferina y pasarlos a la humana; por lo cual, no pudiendo el Inca usar de su natural clemencia y piedad, porque su justicia no lo permitía ni la maldad del hecho era capaz de remisión alguna, mandaba el Inca fuesen castigados con pena de muerte, digna de su traición y alevosía. Hecha la notificación de la sentencia, la ejecutaron con diversas muertes (como ellos las dieron a los ministros del Inca), que a unos echaron en la mar con grandes pesgas, a otros pasaron por las picas, en castigo de haber puesto las cabezas de los Incas a las puertas de sus templos en lanzas y picas; a otros degollaron e hicieron cuartos; a otros mataron con sus propias armas, como ellos habían hecho a los capitanes y soldados; a otros ahorcaron. Pedro Cieza de León, habiendo contado esta rebelión y su castigo más largamente que otro hecho alguno de los Incas, sumando lo que atrás a la larga ha dicho, dice estas palabras, que son del capítulo cincuenta y tres:

Y así fueron muertos, con diferentes especies de muertes, muchos millares de indios, y empalados y ahogados no pocos de los principales que fueron en el consejo. Después Cápac mandó que en sus cantares, en tiempos tristes y calamitosos, se refiriese la maldad que allí se cometió. Lo cual, con otras cosas, recitan ellos en sus lenguas como a manera de endechas; y luego intentó de mandar hacer por el río de Guayaquile, que es muy grande, una calzada que, cierto, según parece por algunos pedazos que de ella se ven, era cosa soberbia; mas no se acabó ni se hizo por entero lo que él quería, y llámase, esto que digo, el Paso de Guaina Capa; y hecho este castigo y mandado que todos obedeciesen a su gobernador, que estaba en la fortaleza de Túmbez, y ordenadas otras cosas, el Inca salió de aquella comarca.

Hasta aquí, es de Pedro Cieza.

VII. MOTÍN DE LOS CHACHAPUYAS Y LA MAGNANIMIDAD DE HUAINA CÁPAC

Andando el Rey Huaina Cápac dando orden en volverse al Cuzco y visitar sus reinos, vinieron muchos caciques de aquellas provincias de la costa que había reducido a su Imperio, con grandes presentes de todo lo mejor que en sus tierras tenían, y entre otras cosas le trujeron un león y un tigre fierísimos, los cuales el Inca estimó en mucho y mandó que se los guardasen y mantuviesen con mucho cuidado. Adelante contaremos una maravilla que Dios Nuestro Señor obró con aquellos animales en favor de los cristianos, por la cual los indios los adoraron, diciendo que eran hijos del Sol. El Inca Huaina Cápac salió de Túmpiz, dejando lo necesario para el gobierno de la paz y de la guerra; fue visitando a la ida la mitad de su Reino a la larga, hasta los Chichas, que es lo último del Perú, con intención de volver visitando la otra mitad, que está más al oriente; desde los Chichas envió visitadores al reino de Tucma, que los españoles llaman Tucumán; también los envió al reino de Chile; mandó que los unos y los otros llevasen mucha ropa de vestir de la del Inca, con otras muchas preseas de su persona, para los gobernadores, capitanes y ministros regios de aquellos reinos, y para los curacas naturales de ellos, para que en nombre del Inca les hiciesen merced de aquellas dádivas, que tan estimadas eran entre aquellos indios. En el Cuzco, a ida y vuelta, visitó la fortaleza, que ya el edificio de ella andaba en acabanzas; puso las manos en algunas cosas de la obra, por dar ánimo y favor a los maestros mayores y a los demás trabajadores que en ella andaban.

Hecha la visita, en que se ocupó más de cuatro años, mandó levantar gente para hacer la conquista adelante de Túmpiz, la costa de la mar hacia el norte; hallándose el Inca en la provincia de los Cañaris, que pensaba ir a Quitu para de allí bajar a la conquista de la costa, le trajeron nuevas que la provincia de los Chachapuyas, viéndole ocupado en guerras y conquistas de tanta importancia, se había rebelado, confiada en la aspereza de su sitio y en la mucha y muy belicosa gente que tenía; y que debajo de amistad habían muerto los gobernadores y capitanes del Inca, y que de los soldados habían muerto muchos y preso otros muchos, con intención de servirse de ellos como de esclavos. De lo cual recibió Huaina Cápac grandísimo pesar y enojo, y mandó que la gente de guerra que por muchas partes caminaba a la costa revolviese hacia la provincia Chachapuya, donde pensaba hacer un riguroso castigo; y él se fue al paraje donde se habían de juntar los soldados. Entre tanto que la gente se recogía, envió el Inca mensajeros a los Chachapuyas que les requiriesen con el perdón si se reducían a su servicio. Los cuales, en lugar de dar buena respuesta, maltrataron a los mensajeros con palabras desacatadas y los amenazaron de muerte; con lo cual se indignó el Inca del todo; dio más prisa a recoger la gente, caminó con ella hasta un río grande, donde tenían apercibidas muchas balsas de una madera muy ligera que en la lengua general del Perú llaman *chuchau*.

El Inca, pareciéndole que a su persona y ejército era indecente pasar el río en cuadrillas de seis en seis y de siete en siete en las balsas, mandó que de ellas hiciesen una puente, juntándolas todas como un zarzo echado sobre el agua. Los indios de guerra y los de servicio pusieron tanta diligencia que en un día natural hicieron la puente. El Inca pasó con su ejército en escuadrón formado, y a mucha prisa caminó hacia Casamarquilla, que es uno de los pueblos principales de aquella provincia; iba con propósito de los destruir y asolar, porque este Príncipe se preció siempre de ser tan severo y riguroso con los rebeldes y pertinaces como piadoso y manso con los humildes y sujetos.

Los amotinados, habiendo sabido el enojo del Inca y la pujanza de su ejército, conocieron tarde su delito y temieron el castigo, que estaba ya muy cerca. Y no sabiendo qué remedio tomar, porque les parecía que, demás del delito principal, la pertinacia y el término que en el responder a los requerimientos del Inca habían usado, tendrían cerradas las puertas de su misericordia y clemencia, acordaron desamparar sus pueblos y casas y huir a los montes, y así lo hicieron todos los que pudieron. Los viejos que quedaron con la demás gente inútil, como más experimentados, trayendo a la memoria la generosidad de Huaina Cápac, que no negaba petición que mujer alguna le hiciese, acudieron a una matrona Chachapuya, natural de aquel pueblo Casamarquilla, que había sido mujer del gran Túpac Inca Yupanqui, una de sus muchas concubinas, y con el encarecimiento y lágrimas que el peligro presente requería, le dijeron que no hallaban otro remedio ni esperanza para que ellos y sus mujeres e hijos y todos sus pueblos y provincia no fuesen asolados, sino

que ella fuese a suplicar al Inca su hijo los perdonase.

La matrona, viendo que también ella y toda su parentela, sin excepción alguna, corrían el mismo riesgo, salió a toda diligencia, acompañada de otras muchas mujeres de todas edades, sin consentir que hombre alguno fuese con ellas, y fue al encuentro del Inca; al cual halló casi dos leguas de Casamarquilla. Y postrada a sus pies, con grande ánimo y valor le dijo:

Solo Señor ¿dónde vas? ¿No ves que vas con ira y enojo a destruir una provincia que tu padre ganó y redujo a tu Imperio? ¿No adviertes que vas contra tu misma clemencia y piedad? ¿No consideras que mañana te ha de pesar de haber ejecutado hoy tu ira y saña y quisieras no haberlo hecho? ¿Por qué no te acuerdas del renombre Huacchacúyac, que es amador de pobres, del cual te precias tanto? ¿Por qué no has lástima de estos pobres de juicio, pues sabes que es la mayor pobreza y miseria de todas las humanas? Y aunque ellos no lo merezcan, acuérdate de tu padre, que los conquistó para que fuesen tuyos. Acuérdate de ti mismo que eres hijo del Sol; no permitas que un accidente de la ira manche tus grandes loores pasados, presentes y por venir, por ejecutar un castigo inútil, derramando sangre de gente que ya se te ha rendido. Mira que cuanto mayor hubiere sido el delito y la culpa de estos miserables, tanto más resplandecerá tu piedad y clemencia. Acuérdate de la que todos tus antecesores han tenido, y cuánto se preciaron de ella; mira que eres la suma de todos ellos. Suplícote, por quien eres, perdones estos pobres, y si no te dignas de concederme esta petición, a lo menos concédeme que, pues soy natural de esta provincia que te ha enojado, sea yo la primera en quien descargue la espada de tu justicia, porque no vea la total destrucción de los míos.

Dichas estas palabras, calló la matrona. Las demás indias que con ella habían venido levantaron un alarido y llanto lastimero, repitiendo muchas veces los renombres del Inca, diciéndole: "Solo Señor, hijo del Sol, amador de pobres, Huaina Cápac, ten misericordia de nosotras y de nuestros padres, maridos, hermanos e hijos"

El Inca estuvo mucho rato suspenso, considerando las razones de la mamacuna, y como a ellas se añadiese el clamor y lágrimas que con la misma petición las otras indias derramaban, doliéndose de ellas y apagando con su natural piedad y clemencia los fuegos de su justa ira, fue a la madrastra y levantándola del suelo le dijo:

Bien parece que eres Mamánchic —que es madre común (quiso decir madre mía y de los tuyos)— pues de tan lejos miras y previenes lo que a mi honra y a la memoria de la majestad de mi padre conviene; yo te lo agradezco muy mucho, que no hay duda sino que, como has dicho, mañana me pesará de haber ejecutado hoy mi saña. También hiciste oficio de madre con los tuyos, pues con tanta eficacia has redimido sus vidas y pueblos, y pues a todos nos has sido tan buena madre, hágase lo que mandas y mira si tienes más que mandarme. Vuélvete en hora buena a los tuyos y perdónales en mi nombre y hazles cualquiera otra merced y gracia que a ti te parezca, y diles que sepan agradecértela, y para mayor certificación de que quedan perdonados llevarás contigo cuatro Incas, hermanos míos e hijos tuyos, que vayan sin gente de guerra, no más de con los ministros necesarios, para ponerlos en toda paz y buen gobierno.

Dicho esto, se volvió el Inca con todo su ejército; mandó encaminarlo hacia la costa, que había sido su primer intento.

Los Chachapuyas quedaron tan convencidos de su delito y de la clemencia del Inca, que de allí adelante fueron muy leales vasallos, y en memoria y veneración de aquella magnanimidad que con ellos se usó, cercaron el sitio donde pasó el coloquio de la madrastra con su alnado Huaina Cápac, para que, como lugar sagrado (por haberse obrado en él una hazaña tan grande), quedase guardado, para que ni hombre ni animales, ni aun las aves si fuese posible, no pusiesen los pies en él. Echáronle tres cercas al derredor: la primera fue de cantería muy pulida, con su cornisa por lo alto; la segunda de una cantería tosca, para que fuese guarda de la primera cerca; la tercera cerca fue de adobes, para que guardase las otras dos. Todavía se ven hoy algunas reliquias de ellas; pudieran durar muchos siglos, según su labor, mas no lo consintió la codicia, que, buscando tesoros en semejantes puestos, las echó todas por tierra.

VIII. DIOSES Y COSTUMBRES DE LA NACIÓN MANTA, Y SU REDUCCIÓN Y LA DE OTRAS MUY BÁRBARAS

Huaina Cápac enderezó su viaje a la costa de la mar para la conquista que allí deseaba hacer; llegó a los confines de la provincia que ha por nombre Manta, en cuyo distrito está el puerto que los españoles llaman Puerto Viejo; por qué lo llamaron así, dijimos al principio de esta historia. Los naturales de aquella comarca, en muchas leguas de la costa hacia el norte, tenían unas mismas costumbres y una misma idolatría; adoraban la mar y los peces que más en abundancia mataban para comer; adoraban tigres y leones, y las culebras grandes y otras sabandijas, como se les antojaba. Entre las cuales adoraban, en el valle de Manta, que era como metrópoli de toda aquella comarca, una grande esmeralda, que dicen era poco menor que un huevo de avestruz. En sus fiestas mayores la mostraban, poniéndola en público; los indios venían de muy lejos a la adorar y sacrificar y traer presentes de otras esmeraldas menores; porque los sacerdotes y el cacique de Manta les hacían entender que era sacrificio y ofrenda muy agradable para la diosa esmeralda mayor que le presentasen las otras menores, porque eran sus hijas; con esta avarienta doctrina juntaron en aquel pueblo mucha cantidad de esmeraldas, donde las hallaron Don Pedro de Alvarado y sus compañeros, que uno de ellos fue Garcilaso de la Vega, mi señor, cuando fueron a la conquista del Perú, y quebraron en una bigornia la mayor parte de ellas, diciendo (como no buenos lapidarios) que si era piedras finas no se habían de quebrar por grandes golpes que les diesen, y si se quebraban eran vidrios y no piedras finas; la que adoraban por diosa desaparecieron los indios luego que los españoles entraron en aquel reino; y de tal manera la escondieron, que por muchas diligencias y amenazas que ' después acá por ella se han hecho, jamás ha aparecido, como ha sido de otro infinito tesoro que en aquella la tierra se ha perdido.

Los naturales de Manta y su comarca, en particular los de la costa (pero no los de la tierra adentro, que llaman serranos), usaban la sodomía más al descubierto y más desvergonzadamente que todas las demás naciones que hasta ahora hemos notado de este vicio. Casábanse debajo de condición que los parientes y amigos del novio gozaban primero de la novia que no el marido. Desollaban los que cautivaban en sus guerras y henchían de ceniza los pellejos, de manera que parecían lo que eran; y en señal de victoria los colgaban a las puertas de sus templos y en las plazas donde hacían sus fiestas y bailes.

El Inca les envió los requerimientos acostumbrados, que se apercibiesen para la guerra o se rindiesen a su Imperio. Los de Manta, de mucho atrás, tenían visto que no podían resistir al poder del Inca, y aunque habían procurado aliarse a defensa común con las muchas naciones de su comarca, no habían podido reducirlas a unión y conformidad, porque las más eran behetrías sin ley ni gobierno; por lo cual los unos y los otros se rindieron con mucha facilidad a Huaina Cápac. El Inca los recibió con afabilidad, haciéndoles mercedes y regalos; y dejando gobernadores y ministros que les enseñasen su idolatría, leyes y costumbres, pasó adelante en su conquista a otra gran provincia llamada Caranque; en su comarca hay muchas naciones; todas eran behetrías, sin ley ni gobierno. Sujetáronse fácilmente, porque no aspiraron a defenderse ni pudieran aunque quisieran, porque ya no había resistencia para la pujanza del Inca, según era grande; con éstos hicieron lo mismo que con los pasados, que, dejándoles maestros y gobernadores, prosiguieron en su conquista, y llegaron a otras provincias de gente más bárbara y bestial que toda la demás que por la costa hasta allí habían conquistado; hombres y mujeres se labraban las caras con puntas de pedernal; deformaban las cabezas a los niños en naciendo: poníanles una tablilla en la frente y otra en el colodrillo, y se las apretaban de día en día hasta que eran de cuatro o cinco años, para que la cabeza quedase ancha de un lado al otro y angosta de la frente al colodrillo, y no contentos de darles la anchura que habían podido, trasquilaban el cabello que hay en la mollera, corona, y colodrillo, y dejaban los de los lados; y aquellos cabellos tampoco habían de andar peinados ni asentados, sino crespos y levantados, por aumentar la monstruosidad de sus rostros. Manteníanse de su pesquería (que son grandísimos pescadores), de yerbas y raíces y fruta silvestre; andaban desnudos; adoraban por dioses las cosas que hemos dicho de sus comarcas. Estas naciones se llamaban Apichiqui, Pichunsi, Saua, Pecllansimiqui, Pampahuaci y otras que hay por aquella comarca.

Habiéndolas reducido el Inca a su Imperio, pasó adelante a otra llamada Saramisu, y de allí a otra que llaman Pasau, que está debajo de la línea equinoccial, perpendicularmente; los de aquella provincia son barbarísimos sobre cuantas naciones sujetaron los Incas; no tuvieron dioses ni supieron qué cosa era adorar; no tenían pueblo ni casa; vivían en huecos de árboles de las montañas, que las hay por allí bravísimas; no tenían mujeres conocidas ni conocían hijos; eran sodomitas muy al descubierto; no sabían labrar la tierra ni hacer otra cosa alguna en beneficio suyo; andaban desnudos; demás de traer labrados los labios por fuera y de dentro, traían las caras embijadas a cuarteles de diversos colores, un cuarto de amarillo, otro de azul, otro de colorado y otro de negro, variando cada uno las colores como más gusto le daban; jamás peinaron sus cabezas; traían los cabellos largos y crespos, llenos de paja y polvo y de cuanto sobre ellos caía, en suma, eran peores que bestias. Yo los vi por mis ojos cuando vine a España, el año de mil y quinientos y sesenta, que paró allí nuestro navío tres días a tomar agua y leña; entonces salieron muchos de ellos en sus balsas de enea a contratar con los del navío, y la contratación era venderles los peces grandes que delante de ellos mataban con sus fisgas, que para gente tan rústica lo hacían con destreza y sutileza tanta, que los españoles, por el gusto de verlos matar, se los compraban antes que los matasen; y lo que pedían por el pescado era bizcocho y carne, y no querían plata; traían cubiertas sus vergüenzas con pañetes hechos de cortezas o hojas de árboles; y esto más por respeto de los españoles que no por honestidad propia; verdaderamente eran salvajes, de los más selváticos que se pueden imaginar.

Huaina Cápac Inca, después que vio y reconoció la mala disposición de la tierra, tan triste y montuosa, y la bestialidad de la gente, tan sucia y bruta, y que sería perdido el trabajo que en ellos se emplease para reducirlos a policía y urbanidad, dicen los suyos que dijo: "Volvámonos, que éstos no merecen tenernos por señor". Y que dicho esto mandó volver su ejército, dejando los naturales de Pasau tan torpes y brutos como antes se estaban.

IX. DE LOS GIGANTES QUE HUBO EN AQUELLA REGIÓN Y LA MUERTE DE ELLOS

Antes que salgamos de esta región, será bien demos cuenta de una historia notable y de grande admiración, que los naturales de ella tienen por tradición de sus antepasados, de muchos siglos atrás, de unos gigantes que dicen fueron por la mar a aquella tierra y desembarcaron en la punta que llaman de Santa Elena: llamáronla así porque los primeros españoles la vieron en su día. Y porque de los historiadores españoles que hablan de los gigantes Pedro Cieza de León es el que más largamente lo escribe, como hombre que tomó la relación en la misma provincia donde los gigantes estuvieron, me pareció decir aquí lo mismo que él dice, sacado a la letra; que aunque el Padre Maestro José de Acosta y el Contador general Agustín de Zárate dicen lo mismo, lo dicen muy breve y sumariamente. Pedro Cieza, alargándose más, dice lo que se sigue, capítulo cincuenta y dos:

Porque en el Perú hay fama de los gigantes que vinieron a desembarcar a la costa, en la punta de Santa Elena, que es en los términos de esta ciudad de Puerto Viejo, me pareció dar noticia de lo que oí de ellos, según que yo lo entendí, sin mirar las opiniones del vulgo y sus dichos varios, que siempre engrandece las cosas más de lo que fueron. Cuentan los naturales, por relación que oyeron de sus padres, la cual ellos tuvieron y tenían de muy atrás, que vinieron por la mar en unas balsas de juncos, a manera de grandes barcas, unos hombres tan grandes, que tenían tanto uno de ellos de la rodilla abajo como un hombre de los comunes en todo el cuerpo, aunque fuese de buena estatura, y que sus miembros conformaban con la grandeza de sus cuerpos tan disformes, que era cosa monstruosa ver las cabezas, según eran grandes, y los cabellos, que les allegaban a las espaldas. Los ojos señalaban que eran tan grandes como pequeños platos; afirman que no tenían barbas y que venían vestidos algunos de ellos con pieles de animales, y otros con la ropa que les dio natura, y que no trajeron mujeres consigo; los cuales, como llegasen a esta punta, después de haber en ella hecho su asiento a manera de pueblo (que aun en estos tiempos hay memoria de los sitios de estas cosas que tuvieron), como no hallasen agua, para remediar la falta que de ella sentían hicieron unos pozos hondísimos, obra por cierto digna de memoria, hecha por tan fortísimos hombres como se presume que serían aquéllos, pues era tanta su grandeza. Y cavaron estos pozos en peña viva, hasta que hallaron el agua, y después los labraron desde ella hasta arriba de piedra, de tal manera que durara muchos tiempos y edades; en los cuales hay muy buena y sabrosa agua, y siempre tan fría que es gran contento beberla.

Habiendo, pues, hecho sus asientos estos crecidos hombres o gigantes, y teniendo estos pozos o cisternas de donde bebían, todo el mantenimiento que hallaban en la comarca de la tierra que ellos podían

hollar lo destruían y comían, tanto que dicen que uno de ellos comía más vianda que cincuenta hombres de los naturales de aquella tierra; y como no bastase la comida que hallaban para sustentarse, mataban mucho pescado en la mar, con sus redes y aparejos, que según razón tenían. Vinieron en grande aborrecimiento de los naturales, porque por usar con sus mujeres los mataban, y a ellas hacían lo mismo por otras causas. Y los indios no se hallaban bastantes para matar a esta nueva gente que había venido a ocuparles su tierra y señorío; aunque se hicieron grandes juntas para platicar sobre ello, pero no lo osaron acometer. Pasados algunos años, estando todavía estos gigantes en esta parte, como les faltasen mujeres y las naturales no les cuadrasen por su grandeza, o por que sería vicio usado entre ellos por consejo e inducimiento del maldito demonio, usaban unos con otros el pecado nefando de la sodomía, tan grandísimo y horrendo, el cual usaban y cometían pública y descubiertamente, sin temor de Dios y poca vergüenza de sí mismos; y afirman todos los naturales que Dios Nuestro Señor, no siendo servido de disimular pecado tan malo, les envió el castigo conforme a la fealdad del pecado; y así dicen que, estando todos juntos envueltos en su maldita sodomía, vino fuego del cielo, temeroso y muy espantable, haciendo gran ruido, del medio del cual salió un ángel resplandeciente con una espada tajante y muy refulgente, con la cual de un solo golpe los mató a todos, y el fuego los consumió, que no quedó sino algunos huesos y calaveras, que por memoria del castigo quiso Dios que quedasen sin ser consumidas del fuego. Esto dicen de los gigantes, lo cual creemos que pasó porque, en esta parte que dicen, se han hallado y se hallan huesos grandísimos, y yo he oído a españoles que han visto pedazo de muela que juzgaban que, a estar entera, pesara más de media libra carnicera; y también que habían visto otro pedazo de hueso de una canilla, que es cosa admirable contar cuán grande era, lo cual hace testigo haber pasado; porque sin esto se ve adónde tuvieron los sitios de los pueblos y los pozos o cisternas que hicieron. Querer afirmar o decir de qué parte o por qué camino vinieron éstos, no lo puedo afirmar porque no lo sé.

Este año de mil y quinientos y cincuenta oí yo contar, estando en la Ciudad de los Reyes, que siendo el ilustrísimo Don Antonio de Mendoza visorrey y gobernador de la Nueva España, se hallaron ciertos huesos en ella de hombres tan grandes como los de estos gigantes, y aun mayores; y sin esto también he oído, antes de ahora, que en un antiquísimo sepulcro se hallaron en la ciudad de México, o en otra parte de aquel reino, ciertos huesos de gigantes. Por donde se puede tener, pues tantos lo vieron y lo afirman, que hubo estos gigantes, y aun podrían ser todos unos.

En esta punta de Santa Elena (que como tengo dicho está en la costa del Perú, en los términos de la ciudad de Puerto Viejo) se ve una cosa muy de notar; y es que hay ciertos ojos y mineros de alquitrán tan perfecto, que podrían calafatear con ello a todos los navíos que quisiesen, porque mana. Y este alquitrán debe ser algún minero que pasa por aquel lugar, el cual sale muy caliente...

Hasta aquí es de Pedro Cieza, que lo sacamos de su historia, porque se verá la tradición que aquellos indios tenían de los gigantes y la fuente manantial de alquitrán que hay en aquel mismo puesto, que también es cosa notable.

X. LO QUE HUAINA CÁPAC DIJO ACERCA DEL SOL

El Rey Huaina Cápac, como se ha dicho, mandó volver su ejército de la provincia llamada Pasau, la cual señaló por término y límite de su Imperio por aquella banda, que es al norte; y habiéndolo despedi-

do, se volvió hacia el Cuzco, visitando sus reinos y provincias, haciendo mercedes y administrando justicia a cuantos se la pedían. De este viaje, en uno de los años que duró la visita, llegó al Cuzco a tiempo que pudo celebrar la fiesta principal del Sol, que llamaban Raimi. Cuentan los indios que un día, de los nueve que la fiesta duraba, con nueva libertad de la que solían tener de mirar al Sol (que les era prohibido, por parecerles desacato), puso los ojos en él o cerca, donde el Sol lo permite; y estuvo así algún espacio de tiempo mirándole. El Sumo Sacerdote, que era uno de sus tíos y estaba a su lado, le dijo: "¿Qué haces, Inca? ¿No sabes que no es lícito hacer esto?"

El Rey por entonces bajó los ojos, mas dende a poco volvió a alzarlos con la misma libertad y los puso en el Sol. El Sumo Sacerdote replicó diciendo: "Mira, Solo Señor, lo que haces, que demás de sernos prohibido el mirar con libertad a Nuestro Padre el Sol, por ser desacato, das mal ejemplo a toda tu corte y a todo su Imperio, que está aquí cifrado para celebrar la veneración y adoración que a tu padre deben hacer, como a solo supremo señor". Huaina Cápac, volviéndose al sacerdote, le dijo: "Quiero hacerte dos preguntas para responder a lo que me has dicho. Yo soy vuestro Rey y señor universal, ¿habría alguno de vosotros tan atrevido que por su gusto me mandase levantar de mi asiento y hacer un largo camino?" Respondió el sacerdote: "¿Quién habría tan desatinado como eso?" Replicó el Inca: "¿Y habría algún curaca de mis vasallos, por más rico y poderoso que fuese, que no me obedeciese si yo le mandase ir por la posta de aquí a Chili?" Dijo el sacerdote: "No, Inca, no habría alguno que no lo obedeciese hasta la muerte todo lo que le mandases".

El Rey dijo entonces: "Pues yo

te digo que este Nuevo Padre el
Sol debe de tener otro mayor señor y más poderoso que no él. El
cual le manda hacer este camino
que cada día hace sin parar, porque
si él fuera el Supremo Señor, una
vez que otra dejara de caminar, y
descansara por su gusto, aunque no
tuviera necesidad aiguna". Por este
dicho y otros semejantes que los
españoles oyeron contar a los indios de este Príncipe, decían que
si alcanzara a oír la doctrina cristiana, recibiera con mucha facilidad la fe católica, por su buen entendimiento y delicado ingenio. Un
capitán español, que entre otros
muchos debió de oír este cuento de
Haina Cápac, que fue público en todo el Perú, lo ahijó para sí y lo contó por suyo al Padre Maestro Acosta, y pudo ser que también lo fuese.
Su Paternidad lo escribe en el libro
quinto de la historia del *Nuevo
Orbe*, capítulo quinto, y luego, en
pos de este cuento, escribe el dicho
de Huaina Cápac, sin nombrarle,
que también llegó a su noticia, y
dice estas palabras:

Refiérese de uno de los Reyes Ingas, hombre de muy delicado ingenio, que, viendo cómo todos sus
antepasados adoraban al Sol, dijo
que no le parecía a él que el Sol
era Dios ni lo podía ser. Porque
Dios es gran señor, y con gran sosiego y señorío hace sus cosas, y
que el Sol nunca para de andar,
y que cosa tan inquieta no le parecía ser Dios. Dijo muy bien, y si
con razones suaves y que se dejen
percibir les declaran a los indios
sus engaños y cegueras, admirable-
mente se convencen y rinden a la
verdad.

Hasta aquí es del Padre Acosta,
con que acaba aquel capítulo. Los
indios, como tan agoreros y tímidos
en su idolatría, tomaron por mal
pronóstico la novedad que su Rey
había hecho en mirar al Sol con
aquella libertad. Huaina Cápac la
tomó por lo que oyó decir del Sol

a su padre Túpac Inca Yupanqui,
que es casi lo mismo, según se refirió en su vida.

XI. REBELIÓN DE LOS CARANQUES Y SU CASTIGO

Andando el Inca Huaina Cápac
visitando sus reinos, que fue la última visita que hizo, le trajeron nuevas que la provincia de Caranque,
que dijimos había conquistado a los
últimos fines del reino de Quitu,
de gente bárbara y cruel, que comía carne humana y ofrecía en
sacrificio la sangre, cabezas y corazones de los que mataban, no pudiendo llevar el yugo del Inca, particularmente la ley que les prohibía
el comer carne humana, se alzaron
con otras provincias de su comarca, que eran de las mismas costumbres y temían el Imperio del Inca,
que lo tenían ya a sus puertas, que
les había de prohibir lo mismo que a
sus vecinos, que era lo que ellos
más estimaban para su regalo y
vida bestial; por estas causas se conjuraron con facilidad, y en mucho
secreto apercibieron gran número
de gente para matar los gobernadores y ministros del Inca y la gente de guarnición que consigo tenían;
y entre tanto que llegaba el tiempo
señalado para ejecutar su traición,
les servían con la mayor sumisión
y ostentación de amor que fingir
podían, para cogerlos más descuidados y degollarlos más a su salvo.
Llegado el día, los mataron con
grandísima crueldad, y ofrecieron
las cabezas, corazones y la sangre
a sus dioses, en servicio y agradecimiento de que les hubiesen liber-
tado del dominio de los Incas y
restituídoles sus antiguas costumbres; comieron la carne de ellos con
mucho gusto y gran voracidad, tra-
gándosela sin mascar, en venganza
de que se la hubiesen prohibido
tanto tiempo había y castigado a
los que habían delinquido en co-

merla; hicieron todas las desvergüenzas y desacatos que pudieron; lo cual, sabido por Haina Cápac, le causó mucha pena y enojo; mandó apercibir gente y capitanes que fuesen a castigar el delito y la maldad de aquellas fieras, y él fue en pos de ellos, para estar a la mira de lo que sucediese. Los capitanes fueron a los Caranques, y antes que empezasen a hacer la guerra enviaron mensajeros en nombre del Inca, ofreciéndoles el perdón de su delito si pedían misericordia y se rendían a la voluntad del Rey.

Los rebelados, como bárbaros, no solamente no quisieron rendirse, mas antes respondieron muy desvergonzadamente y maltrataron los mensajeros, de manera que no faltó sino matarlos. Sabiendo Huaina Cápac el nuevo desacato de aquellos brutos, fue a su ejército por hacer la guerra por su persona. Mandó que las hiciesen a fuego y sangre, en la cual murieron muchos millares de hombres de ambas partes, porque los enemigos, como gente rebelada, peleaban obstinadamente y los del Inca, por castigar el desacato hecho a su Rey, se habían como buenos soldados; y como a la potencia del Inca no hubiese resistencia, enflaquecieron los enemigos en breve tiempo; dieron en pelear, no en batallas descubiertas, sino en rebatos y asechanzas, defendiendo los malos pasos, sierras y lugares fuertes; mas la pujanza del Inca lo venció todo y rindió los enemigos; prendieron muchos millares de ellos; y de los más culpados, que fueron autores de la rebelión, hubieron dos mil personas; partes de ellos fueron los Caranques, que se rebelaron, y partes de los aliados que aún no eran conquistados por el Inca. En todos ellos se hizo un castigo riguroso y memorable; mandó que los degollasen dentro de una gran laguna que está entre los términos de los unos y de los otros; para que el nombre que entonces le pu-

sieron guardase la memoria del delito y del castigo, llamáronla Yahuarcocha: quiere decir: lago o mar de sangre, porque la laguna quedó hecha sangre, con tanta como en ella se derramó. Pedro Cieza, tocando brevemente este paso, capítulo treinta y siete, dice que fueron veinte mil los degollados; debiólo de decir, por todos los que de una parte y de otra murieron en aquella guerra, que fue muy reñida y porfiada.

Hecho el castigo, el Inca Huaina Cápac se fue a Quitu, bien lastimado y quejoso de que en su reinado acaeciesen delitos tan atroces e inhumanos, que forzosamente requiriesen castigos severos y crueles contra su natural condición y la de todos sus antecesores, que se preciaron de piedad y clemencia; dolíase que los motines acaeciesen en sus tiempos para hacerlos infelices, y no en los pasados, porque no se acordaban que hubiese habido otro alguno, sino el de los Chancas en tiempo del Inca Viracocha. Mas, bien mirado, parece que era agüeros y pronósticos que amenazaban habría muy aína otra rebelión mayor, que sería causa de la enajenación y pérdida de su Imperio y de la total destrucción de su real sangre, como veremos presto.

XII. HUAINA CÁPAC HACE REY DE QUITU A SU HIJO ATAHUALLPA

El Inca Huaina Cápac, como atrás dejamos apuntado, hubo en la hija del Rey de Quitu (sucesora que había de ser de aquel reino) a su hijo Atahuallpa. El cual salió de buen entendimiento y de agudo ingenio, astuto, sagaz, mañoso y cauteloso, y para la guerra belicoso y animoso, gentilhombre de cuerpo y hermoso de rostro, como lo eran comúnmente todos los Incas y Pallas; por estos dotes del cuerpo y del áni-

mo lo amó su padre tiernamente,
y siempre lo traía consigo; quisiera
dejarle en herencia todo su imperio,
mas no pudiendo quitar el derecho
al primogénito y heredero legítimo,
que era Huáscar Inca, procuró, contra el fuero y estatuto de todos sus
antepasados, quitarle siquiera el reino de Quitu; con algunas colores
y apariencias de justicia y destitu-
ción. Para lo cual envió a llamar
al príncipe Huáscar Inca, que estaba en el Cuzco; venido que fue,
hizo una gran junta de los hijos y
de muchos capitanes y curacas que
consigo tenía, y en presencia de todos habló al hijo legítimo y le dijo:

> Notorio es, príncipe, que conforme
> a la antigua costumbre que nuestro
> primer padre, el Inca Manco Cápac,
> nos dejó que guardásemos, este rei-
> no de Quitu es de vuestra corona,
> que así se ha hecho siempre hasta
> ahora, que todos los reinos y pro-
> vincias que se han conquistado se
> han vinculado y anexado a vuestro
> imperio y sometido a la jurisdic-
> ción y dominio de nuestra imperial
> ciudad del Cuzco. Mas porque yo
> quiero mucho a vuestro hermano
> Atahuallpa y me pesa de verle po-
> bre, holgaría tuviésedes por bien
> que, de todo lo que yo he ganado
> para vuestra corona, se le quedase
> en herencia y sucesión el reino de
> Quitu (que fue de sus abuelos ma-
> ternos y lo fuera hoy de su madre),
> para que pueda vivir en estado real,
> como lo merecen sus virtudes, que,
> siendo tan buen hermano como lo
> es y teniendo con qué, podrá ser-
> viros mejor en todo lo que le man-
> dáredes, que no siendo pobre; y
> para recompensa y satisfacción de
> esto poco que ahora os pido, os que-
> dan otras muchas provincias y rei-
> nos muy largos y anchos, en con-
> torno de los vuestros, que podréis
> ganar, en cuya conquista os servirá
> vuestro hermano de soldado y ca-
> pitán, y yo iré contento de este
> mundo cuando vaya a descansar con
> Nuestro Padre el Sol.

El Príncipe Huáscar Inca respondió con mucha facilidad holgaba

en extremo de obedecer al Inca, su
padre, en aquello y en cualquiera
otra cosa que fuese servido man-
darle, y que si para su mayor gusto
era necesario hacer dejación de otras
provincias, para que tuviese más
que dar a su hijo Atahuallpa, también lo haría, a trueque de darle
contento. Con esta respuesta quedó
Huaina Cápac muy satisfecho; ordenó que Huáscar se volviese al
Cuzco; trató de meter en la posesión del reino a su hijo Atahuallpa;
añadióle otras provincias, sin las de
Quitu; dióle capitanes experimentados y parte de su ejército, que le
sirviesen y acompañasen; en suma,
hizo en su favor todas las ventajas
que pudo, aunque fuesen en perjuicio del príncipe heredero; húbose
en todo como padre apasionado y
rendido del amor de un hijo; quiso
asistir en el reino de Quitu y en su
comarca los años que le quedaban
de vida; tomó este acuerdo, tanto
por favorecer y dar calor al reinado
de su hijo Atahuallpa como por so-
segar y apaciguar aquellas provincias marítimas y mediterráneas nuevamente ganadas, que, como gente
belicosa, aunque bárbara y bestial,
no se aquietaban debajo del imperio y gobierno de los Incas; por lo
cual tuvo necesidad de trasplantar
muchas naciones de aquéllas en
otras provincias, y en lugar de ellas
traer otras de las quietas y pacíficas, que era el remedio que aquellos Reyes tenían para asegurarse de
rebeliones, como largamente dijimos cuando hablamos de los trasplantados, que llaman *mítmac*.

XIII. DOS CAMINOS FAMOSOS
QUE HUBO EN EL PERÚ

Será justo que en la vida de Huaina Cápac hagamos mención de dos
caminos reales que hubo en el Perú a la larga, norte sur, porque se
los atribuyen a él: el uno que va

por los llanos, que es la costa de la mar, y el otro por la sierra, que es la tierra adentro, de los cuales hablan los historiadores con todo buen encarecimiento, pero la obra fue tan grande que excede a toda pintura que de ella se puede hacer; y porque yo no puedo pintarlos tan bien como ellos los pintaron, diré lo que cada uno de ellos dice, sacado a la letra. Agustín de Zárate, libro primero, capítulo trece, hablando del origen de los Incas, dice lo que se sigue:

Por la sucesión de estos Ingas vino el señorío a uno de ellos, que se llamó Guainacaba (quiere decir Mancebo Rico), que fue el que más tierras ganó y acrecentó a su señorío y el que más justicia y razón tuvo en la tierra, y la redujo a policía y cultura, tanto que parecía cosa imposible una gente bárbara y sin letras regirse con tanto concierto y orden y tenerle tanta obediencia y amor sus vasallos, que en servicio suyo hicieron dos caminos en el Perú, tan señalados que no es justo que se queden en olvido; porque ninguna de aquellas que los autores antiguos contaron por las siete obras más señaladas del mundo, se hizo con tanta dificultad y trabajo y costa como éstas. Cuando este Guainacaba fue desde la ciudad del Cuzco con su ejército a conquistar la provincia de Quito, que hay cerca de quinientas leguas de distancia, como iba por la sierra tuvo grande dificultad en el pasaje, por causa de los malos caminos y grandes quebradas y despeñaderos que había en la sierra por do iba. Y así, pareciéndoles a los indios que era justo hacerle camino nuevo por donde volviese victorioso de la conquista, porque había sujetado la provincia, hicieron un camino por toda la cordillera, muy ancho y llano, rompiendo e igualando las peñas donde era menester, e igualando y subiendo las quebradas de mampostería; tanto, que algunas veces subían la labor desde quince y veinte estados de hondo, y así dura este camino por espacio de las quinientas leguas.

Y dicen que era tan llano cuando se acabó que podía ir una carreta por él, aunque después acá, con las guerras de los indios y de los cristianos, en muchas partes se han quebrado las mamposterías de estos pasos, por detener a los que vienen por ellos, que no puedan pasar. Y verá la dificultad de esta obra quien considerare el trabajo y costa que se ha empleado en España en allanar dos leguas de sierra que hay entre el Espinar de Segovia y Guadarrama, y cómo nunca se ha acabado perfectamente, con ser paso ordinario por donde tan continuamente los Reyes de Castilla pasan con sus casas y corte todas las veces que van o vienen de Andalucía o del reino de Toledo a esta parte de los puertos. Y no contentos con haber hecho tan insigne obra, cuando otra vez el mismo Guainacaba quiso volver a visitar la provincia de Quitu, a que era muy aficionado por haberla él conquistado, tornó por los llanos, y los indios le hicieron en ellos otros caminos, de tanta dificultad como el de la sierra, porque en todos los valles donde alcanza la frescura de los ríos y arboledas, que como arriba está dicho comúnmente ocupaba una legua, hicieron un camino que casi tiene cuarenta pies de ancho, con muy gruesas tapias del un cabo y del otro, y cuatro o cinco tapias en alto; y en saliendo de los valles continuaban del mismo camino por los arenales, hincando palos y estacas por cordel, para que no se pudiese perder el camino ni torcer a un cabo ni a otro, el cual dura las mismas quinientas leguas que el de la sierra; y aunque los palos de los arenales están rompidos en muchas partes, porque los españoles, en tiempo de guerra y de paz, hacían con ellos lumbre, pero las paredes de los valles se están el día de hoy en las más partes enteras, por donde se puede juzgar la grandeza del edificio; y así fue por el uno y vino por el otro Guainacaba, teniéndole siempre, por donde había de pasar, cubierto y sembrado con ramos y flores de muy suave olor.

Hasta aquí es de Agustín Zárate.

Pedro Cieza de León, hablando en el mismo propósito, dice del camino que va por la sierra lo que se sigue, capítulo treinta y siete:

De Ipiales se camina hasta llegar a una provincia pequeña, que ha por nombre Guaca, y antes de llegar a ella se ve el camino de los Ingas, tan famoso en estas partes como el que Aníbal hizo por los Alpes, cuando bajó a la Italia, y puede ser tenido éste en más estimación, así por los grandes aposentos y depósitos que había en todo él, como por ser hecho con mucha dificultad, por tan ásperas y fragosas sierras, que pone admiración verlo.

No dice más Pedro Cieza del camino de sierra. Pero adelante, en el capítulo sesenta, dice del camino de los llanos lo que se sigue:

Por llevar con toda orden mi escritura, quise, antes de volver a concluir con lo tocante a las provincias de las sierras, declarar lo que se me ofrece de los llanos, pues, como se ha dicho en otras partes, es cosa tan importante. Y en este lugar daré noticia del gran camino que los Ingas mandaron hacer por mitad de ellos, el cual, aunque por muchos lugares está ya desbaratado y deshecho, da muestra de la grande cosa que fue y del poder de los que lo mandaron hacer. Guainacapa y Topainga Yupangue, su padre, fueron, a lo que los indios dicen, los que abajaron por toda la costa, visitando los valles y provincias de los yungas, aunque también cuentan algunos de ellos que el Inga Yupangue, abuelo de Guainacapa y padre de Topa Inca fue el primero que vio la costa y anduvo por los llanos de ella. Y en estos valles y en la costa, los caciques y principales, por su mandato, hicieron un camino tan ancho como quince pies. Por una parte y por otra de él iba una pared mayor que un estado bien fuerte, y todo el espacio de este camino iba limpio y echado por debajo de arboledas, y de estos árboles, por muchas partes, caían sobre el camino ramos de ellos llenos

de fruta. Y por todas las florestas andaban en las arboledas muchos géneros de pájaros y papagayos y otras aves.

Poco más abajo, habiendo dicho de los pósitos y la provisión que en ellos había para la gente de guerra, que lo alegamos en otra parte, dice:

Por este camino duraban las paredes que iban por una y otra parte dél, hasta que los indios, con la muchedumbre de arena, no podían armar cimiento. Desde donde, para que no se errase y se conociese la grandeza del que aquello mandaba, hincaban largos y cumplidos palos, a manera de vigas, de trecho en trecho. Y así como se tenía cuidado de limpiar por los valles el camino y renovar las paredes si se arruinaban y gastaban, lo tenían en mirar si algún horcón o palo largo, de los que estaban en los arenales, se caía con el viento, de tornarlo o poner. De manera que este camino, cierto fue gran cosa, aunque no tan trabajoso como el de la sierra. Algunas fortalezas y templos del Sol había en estos valles, como iré declarando en su lugar...

Hasta aquí es de Pedro Cieza de León, sacado a la letra.

Juan Botero Benes también hace mención de estos caminos y los pone en sus *Relaciones* por cosa maravillosa, y aunque en breves palabras, los pinta muy bien, diciendo:

De esta la ciudad del Cuzco hay dos caminos o calzadas reales de dos mil millas de largo, que la una va guiada por los llanos y la otra por las cumbres de los montes, de manera que para hacerlas como están fue necesario alzar los valles, tajar las piedras y peñascos vivos y humillar la alteza de los montes. Tenían de ancho veinte y cinco pies. Obra que sin comparación hace ventaja a las fábricas de Egipto y a los romanos edificios...

Todo esto dicen estos tres autores de aquellos dos famosos caminos, que merecieron ser celebrados con los encarecimientos que a cada uno de los historiadores les pareció mayores; aunque todos ellos no igualan a la grandeza de la obra, porque basta la continuación de quinientas leguas, donde hay cuestas de dos, tres y cuatro leguas y más de subida, para que ningún encarecimiento le iguale.

Demás de lo que de ella dicen, es de saber que hicieron en el camino de la sierra, en las cumbres más altas, de donde más tierra se descubría, unas placetas altas, a un lado o a otro del camino, con sus gradas de cantería para subir a ellas, donde los que llevaban las andas descansasen y el Inca gozase de tender la vista a todas partes, por aquellas sierras altas y bajas, nevadas y por nevar, por cierto es una hermosísima vista, porque de algunas partes, según la altura de las sierras por do va el camino, se descubren cincuenta, sesenta, ochenta y cien leguas de tierra, donde se ven puntas de sierra tan largas que parece que llegan al cielo, y, por el contrario, valles y quebradas tan hondas, que parece que van a parar al centro de la Tierra. De toda aquella gran fábrica no ha quedado sino lo que el tiempo y las guerras no han podido consumir. Solamente en el camino de los llanos, en los desiertos de los arenales, que los hay muy grandes, donde también hay cerros altos y bajos de arena, tienen hincados a trechos maderos altos, que del uno se vea el otro y sirvan de guías para que no se pierdan los caminantes, porque el rastro del camino se pierde con el movimiento que la arena hace con el viento, porque lo cubre y lo ciega; y no es seguro guiarse por los cerros de arena, porque también ellos se pasan y mudan de una parte a otra, si el viento es recio; de manera que son muy necesarias las vigas hincadas por el camino, para norte de los viandantes; y por esto se han sustentado, porque no podrían pasar sin ellas.

XIV. TUVO NUEVAS HUAINA CÁPAC DE LOS ESPAÑOLES QUE ANDABAN EN LA COSTA

Huaina Cápac, ocupado en las cosas dichas, estando en los reales palacios de Tumipampa, que fueron de los más soberbios que hubo en el Perú, le llegaron nuevas que gentes extrañas y nunca jamás vistas en aquella tierra andaban en un navío por la costa de su Imperio, procurando saber qué tierra era aquélla; la cual novedad despertó a Huaina Cápac a nuevos cuidados, para inquirir y saber qué gente era aquélla y de dónde podía venir. Es de saber que aquel navío era de Vasco Núñez de Balboa, primer descubridor de la Mar del Sur, y aquellos españoles fueron los que (como al principio dijimos) impusieron el nombre Perú a aquel Imperio, que fue el año mil y quinientos y quince, y el descubrimiento de la Mar del Sur fue dos años antes. Un historiador dice que aquel navío y aquellos españoles eran Don Francisco Pizarro y sus trece compañeros, que dice fueron los primeros descubridores del Perú. En lo cual se engañó, que por decir primeros ganadores dijo primeros descubridores; y también se engañó en el tiempo, porque de lo uno a lo otro pasaron diez y seis años, si no fueron más; porque el primer descubrimiento del Perú y la imposición de este nombre fue el año de mil y quinientos y quince, y Don Francisco Pizarro y sus cuatro hermanos y Don Diego de Almagro entraron en el Perú, para le ganar, año de mil y quinientos y treinta y uno, y Huaina Cápac murió ocho años antes, que fue el año de mil y quinientos y veinte y tres, habiendo reinado cuarenta y dos años, según lo testifica el Padre Blas Valera en sus rotos destrozados papeles, donde escribía grandes antiguallas de aquellos Reyes, que fue muy grande inquiridor de ellas.

Aquellos ocho años que Huaina Cápac vivió después de la nueva de los primeros descubridores los gastó en gobernar su Imperio en toda paz y quietud; no quiso hacer nuevas conquistas, por estar a la mira de lo que por la mar viniese; porque la nueva de aquel navío le dio mucho cuidado, imaginando en un antiguo oráculo que aquellos Incas tenían que, pasados tantos Reyes, habían de ir gentes extrañas y nunca vistas y quitarles el reino y destruir su república y su idolatría; cumplíase el plazo en este Inca, como adelante veremos. Asimismo es de saber que tres años antes que aquel navío fuese a la costa del Perú, acaeció en el Cuzco un portento y mal agüero que escandalizó mucho a Huaina Cápac y atemorizó en extremo a todo su Imperio; y fue que, celebrándose la fiesta solemne que cada año hacían a su Dios el Sol, vieron venir por el aire un águila real, que ellos llaman *anca*, que la iban persiguiendo cinco o seis cernícalos y otros tantos halconcillos, de los que, por ser tan lindos, han traído muchos a España, y en ella les llaman *aletos* y en el Perú *huaman*. Los cuales, trocándose ya los unos, ya los otros, caían sobre el águila, que no la dejaban volar, sino que la mataban a golpes. Ella, no pudiendo defenderse, se dejó caer en medio de la plaza mayor de aquella ciudad, entre los Incas, para que le socorriesen. Ellos la tomaron y vieron que estaba enferma, cubierta de caspa, como sarna, y casi pelada de las plumas menores. Diéronle de comer y procuraron regalarla, mas nada le aprovechó, que dentro de pocos días se murió, sin poderse levantar del suelo. El Inca y los suyos lo tomaron por mal agüero, en cuya interpretación dijeron muchas cosas los adivinos, que para semejantes casos tenían elegidos; y todas eran amenazas de la pérdida de su Imperio, de la destrucción de su república y de su idolatría; sin esto, hubo grandes terremotos y temblores de tierra, que, aunque el Perú es apasionado de esta plaga, notaron que los temblores eran mayores que los ordinarios y que caían muchos cerros altos. De los indios de la costa supieron que la mar, con sus crecientes y menguantes, salía muchas veces de sus términos comunes; vieron que en el aire se aparecían muchas cometas muy espantosas y temerosas.

Entre estos miedos y asombros, vieron que una noche muy clara y serena tenía la Luna tres cercos muy grandes: el primero era de color de sangre; el segundo, que estaba más afuera, era de un color negro que tiraba a verde; el tercero parecía que era de humo. Un adivino o mágico, que los indios llaman *llaica*, habiendo visto y contemplado los cercos que la Luna tenía, entró donde Huaina Cápac estaba, y con un semblante muy triste y lloroso, que casi no podía hablar, le dijo:

Solo Señor, sabrás que tu madre la Luna, como madre piadosa, te avisa que el Pachacámac, creador y sustentador del mundo, amenaza a tu sangre real y a tu imperio con grandes plagas que ha de enviar sobre los tuyos; porque aquel primer cerco que tu madre tiene, de color de sangre, significa que después que tú hayas ido a descansar con tu padre el Sol, habrá cruel guerra entre tus descendientes y mucho derramamiento de su real sangre, de manera que en pocos años se acabará toda, de lo cual quisiera reventar llorando; el segundo cerco negro nos amenaza que de las guerras y mortandad de los tuyos se causará la destrucción de nuestra religión y república y la enajenación de tu Imperio, y todo se convertirá en humo, como lo significa el cerco tercero, que parece de humo.

El Inca recibió mucha alteración, mas, por no mostrar flaqueza, dijo al mágico: "Anda, que tú debes de haber soñado esta noche esas burlerías, y dices que son revelaciones de mi madre". Respondió el mágico: "Para que me creas, Inca, podrás salir a ver las señales de tu madre por tus propios ojos, y mandarás que vengan los demás adivinos y sabrás lo que dicen de estos agüeros".

El Inca salió de su aposento, y, habiendo visto las señales, mandó llamar todos los mágicos que en su corte había, y uno de ellos, que era de la nación Yauyu, a quien los demás reconocían ventaja, que también había mirado y considerado los cercos, le dijo lo mismo que el primero. Huaina Cápac, porque los suyos no perdiesen el ánimo con tan tristes pronósticos, aunque conformaban con el que él tenía en su pecho, hizo muestra de no creerlos, y dijo a sus adivinos: "Si no me lo dice el mismo Pachacámac, yo no pienso dar crédito a vuestros dichos, porque no es de imaginar que el Sol, mi padre, aborrezca tanto su propia sangre que permita la total destrucción de sus hijos" Con esto despidió los adivinos; empero, considerando lo que le habían dicho, que era tan al propio del oráculo antiguo que de sus antecesores tenía, y juntando lo uno y lo otro con las novedades y prodigios que cada día aparecían en los cuatro elementos, y que sobre todo lo dicho se aumentaba la ida del navío con la gente nunca vista ni oída, vivía Huaina Cápac con recelo, temor y congoja; estaba apercibido siempre de un buen ejército escogido, de la gente más veterana y práctica que en las guarniciones de aquellas provincias había. Mandó hacer muchos sacrificios al Sol;

y que los agoreros y hechiceros, cada cual en sus provincias, consultasen a sus familiares demonios, particularmente al gran Pachacámac y al diablo Rímac, que daba respuestas a lo que le preguntaban, que supiesen de él lo que de bien o mal pronosticaban aquellas cosas tan nuevas que en la mar y en los demás elementos se habían visto. De Rímac y de las otras partes le trajeron respuestas oscuras y confusas, que ni dejaban de prometer algún bien ni dejaban de amenazar mucho mal; y los más de los hechiceros daban malos agüeros, con que todo el Imperio estaba temeroso de alguna grande adversidad; mas como en los primeros tres o cuatro años no hubiese alguna de las que temían, volvieron a su antigua quietud, y en ella vivieron algunos años, hasta la muerte de Huaina Cápac.

La relación de los pronósticos que hemos dicho, demás de la fama común que hay de ellos por todo aquel Imperio, la dieron en particular dos capitanes de la guarda de Huaina Cápac, que cada uno de ellos llegó a tener más de ochenta años; ambos se bautizaron; el más antiguo se llamó Don Juan Pechuta; tomó por sobrenombre el nombre que tenía antes del bautismo, como lo han hecho todos los indios generalmente; el otro se llamaba Chauca Rimachi; el nombre cristiano ha borrado de la memoria el olvido. Estos capitanes, cuando contaban estos pronósticos y los sucesos de aquellos tiempos, se derretían en lágrimas llorando, que era menester divertirles de la plática, para que dejasen de llorar; el testamento y la muerte de Huaina Cápac, y todo lo demás que después de ella sucedió, diremos de relación de aquel Inca viejo que había nombre Cusi Huallpa, y mucha parte de ello, particularmente las crueldades que Atahuallpa en los de la sangre real hizo, dire de relación de mi madre y de un hermano suyo, que se llamó Don Fernando Huallpa Túpac Inca Yupanqui, que entonces eran niños de menos de diez años y se hallaron en la furia de ellas dos años y medio que duraron, hasta que los españoles entraron en la tierra; y en su lugar diremos cómo se escaparon ellos y los pocos que de aquella sangre escaparon de la muerte que Atahuallpa les daba, que fue por beneficio de los mismos enemigos.

XV. TESTAMENTO Y MUERTE DE HUAINA CÁPAC, Y EL PRONÓSTICO DE LA IDA DE LOS ESPAÑOLES

Estando Huaina Cápac en el reino de Quitu, un día de los últimos de su vida, se entró en un lago a bañar, por su recreación y deleite; de donde salió con frío que los indios llaman *chucchu*, que es temblar, y como sobreviniese la calentura, la cual llaman *rupa* (r blanda), que es quemarse, y otro día y los siguientes se sintiese peor y peor, sintió que su mal era de muerte, porque de años atrás tenía pronósticos de ella, sacados de las hechicerías y agüeros y de las interpretaciones que largamente tuvieron aquellos gentiles; los cuales pronósticos, particularmente los que hablaban de la persona real, decían los Incas que eran revelaciones de su padre el Sol, por dar autoridad y crédito a su idolatría.

Sin los pronósticos que de sus hechicerías habían sacado y los demonios les habían dicho, aparecieron en el aire cometas temerosas, y entre ellas una muy grande, de color verde, muy espantosa, y el rayo que dijimos que cayó en casa de este mismo Inca, y otras señales prodigiosas que escandalizaron mucho a los amautas, que eran los sabios de aquella república, y a los hechiceros y sacerdotes de su genti-

lidad; los cuales, como tan familiares del demonio, pronosticaron, no solamente la muerte de su Inca Huaina Cápac, mas también la destrucción de su real sangre, la pérdida de su Reino, y otras grandes calamidades y desventuras que dijeron habían de padecer todos ellos en general y cada uno en particular; las cuales no osaron publicar por no escandalizar la tierra en tanto extremo que la gente se dejase morir de temor, según era tímida y facilísima a creer novedades y malos prodigios.

Huaina Cápac, sintiéndose mal, hizo llamamiento de los hijos y parientes que tenía cerca de sí y de los gobernadores y capitanes de la milicia de las provincias comarcanas que pudieron llegar a tiempo, y les dijo:

Yo me voy a descansar al cielo con Nuestro Padre el Sol, que días ha me reveló que de lago o de río me llamaría, y pues yo salí del agua con la indisposición que tengo, es cierta señal que Nuestro Padre me llama. Muerto yo, abriréis mi cuerpo, como se acostumbra hacer con los cuerpos reales; mi corazón y entrañas, con todo lo interior, mando se entierren en Quitu, en señal del amor que le tengo, y el cuerpo llevaréis al Cuzco, para ponerlo con mis padres y abuelos. Encomiéndoos a mi hijo Atahuallpa, que yo tanto quiero, el cual queda por Inca en mi lugar en este reino de Quitu y en todo lo demás que por su persona y armas ganare y aumentare a su Imperio, y a vosotros, los capitanes de mi ejército, os mando en particular le sirváis con la fidelidad y amor que a vuestro Rey debéis, que por tal os lo dejo, para que en todo y por todo le obedezcáis y hagáis lo que él os mandare, que será lo que yo le revelaré por orden de Nuestro Padre el Sol. También os encomiendo la justicia y clemencia para con los vasallos porque no se pierda el renombre que nos han puesto, de amador de pobres, y en todo os encargo hagáis como Incas, hijos del Sol.

Hecha esta plática a sus hijos y parientes, mandó llamar los demás capitanes y curacas que no eran de la sangre real, y les encomendó la fidelidad y buen servicio que debían hacer a su Rey, y a lo último les dijo:

Muchos años ha que por revelación de Nuestro Padre el Sol tenemos que, *pasados doce Reyes de sus hijos*, vendrá gente nueva y no conocida en estas partes, y ganará y sujetará a su imperio todos nuestros reinos y otros muchos; yo me sospecho que serán de los que sabemos que han andado por la costa de nuestro mar; será gente valerosa, que en todo os hará ventaja. También sabemos que se cumple en mí el número de los doce Incas. Científicos que pocos años después que yo me haya ido de vosotros, vendrá aquella gente nueva y cumplirá lo que Nuestro Padre el Sol nos ha dicho y ganará nuestro Imperio y serán señores de él. Yo os mando que les obedezcáis y sirváis como a hombres que en todo os harán ventaja; que su ley será mejor que la nuestra y sus armas poderosas e invencibles más que las vuestras. Quedaos en paz, que yo me voy a descansar con mi Padre el Sol, que me llama.

Pedro Cieza de León, capítulo cuarenta y cuatro, toca este pronóstico que Huaina Cápac dijo de los españoles, que después de sus días había de mandar el Reino gente extraña y semejante a la que venía en el navío. Dice aquel autor que dijo esto el Inca a los suyos en Tumipampa, que es cerca de Quitu, donde dice que tuvo nueva de los primeros españoles descubridores del Perú.

Francisco López de Gómara, capítulo ciento y quince, contando la plática que Huáscar Inca tuvo con Hernando de Soto (gobernador que después fue de la Florida) y con Pedro del Barco, cuando fueron los dos solos desde Casamarca hasta el Cuzco, como se dirá en su lugar, entre otras palabras que ɩ Huáscar, que iba preso, ɩ que son sacadas a la letra:

Y finalmente le dijo cómo él era derecho señor de todos aquellos reinos, y Atabáliba tirano; que por tanto quería informar y ver al capitán de cristianos, que deshacía los agravios y le restituiría su libertad y reinos; ca su padre Guaina Cápac le mandara, al tiempo de su muerte, fuese amigo de las gentes blancas y barbudas que viniesen, porque habían de ser señores de la tierra...

De manera que este pronóstico de aquel Rey fue público en todo el Perú, y así lo escriben estos historiadores.

Todo lo que arriba se ha dicho dejó Huaina Cápac mandado en lugar de testamento, y así lo tuvieron los indios en suma veneración y lo cumplieron al pie de la letra. Acuérdome que un día, hablando aquel Inca viejo en presencia de mi madre, dando cuenta de estas cosas y de la entrada de los españoles y de cómo ganaron la tierra, le dije: "Inca, ¿cómo siendo esta tierra de suyo tan áspera y fragosa, y siendo vosotros tantos y tan belicosos y poderosos para ganar y conquistar tantas provincias y reinos ajenos, dejásteis perder tan presto vuestro Imperio y os rendísteis a tan pocos españoles?" Para responderme volvió a repetir el pronóstico acerca de los españoles, que días antes lo había contado, y dijo cómo su Inca les había mandado que los obedeciesen y sirviesen, porque en todo se les aventajarían. Habiendo dicho esto, se volvió a mí con algún enojo de que les hubiese motejado de cobardes y pusilánimos, y respondió a mi pregunta diciendo: "Estas palabras que nuestro Inca nos dijo, que fueron las últimas que nos habló, fueron más poderosas para nos sujetar y quitar nuestro Imperio que no las armas que tu padre y sus compañeros trajeron a esta tierra" Dijo esto aquel Inca por dar a entender cuánto estimaban lo que sus Reyes les mandaban, cuánto más lo que Huaina Cápac les mandó a lo último de su vida, que fue más querido de todos ellos.

Huaina Cápac murió de aquella enfermedad; los suyos, en cumplimiento de lo que les dejó mandado, abrieron su cuerpo y lo embalsamaron y llevaron al Cuzco, y el corazón dejaron enterrado en Quitu. Por los caminos, dondequiera que llegaban, celebraban sus exequias con grandísimo sentimiento de llanto, clamor y alaridos, por el amor que le tenían; llegando a la imperial ciudad, hicieron las exequias por entero, que, según la costumbre de aquellos Reyes, duraron un año; dejó más de doscientos hijos e hijas, y más de trescientos, según afirmaban algunos Incas por encarecer la crueldad de Atahuallpa, que los mató casi todo. Y porque se propuso decir aquí las cosas que no había en el Perú, que después acá se han llevado, las diremos en el capítulo siguiente.

XVI. DE LAS YEGUAS Y CABALLOS, Y CÓMO LOS CRIABAN A LOS PRINCIPIOS Y LO MUCHO QUE VALÍAN

Porque a los presentes y venideros será agradable saber las cosas que no había en el Perú antes que los españoles lo ganaran, me pareció hacer capítulo de ellas aparte, para que se vea y considere con cuántas cosas menos y, al parecer, cuán necesarias a la vida humana, se pasaban aquellas gentes y vivían muy contentos sin ellas. Primeramente es de saber que no tuvieron caballos ni yeguas para sus guerras o fiestas, ni vacas ni bueyes para romper la tierra y hacer sus sementeras, ni camellos ni asnos ni mulos para sus acarretos, ni ovejas de las de España burdas, ni merinas para lana y carne, ni cabras ni puercos para cecina y corambre; ni aun perros de los castizos para sus cacerías, como galgos, podencos, perdigueros, perros de agua ni de muestra, ni sabuesos de traílla o monteros, ni lebreles ni aun mastines para guardar sus ganados, ni gozquillos de los muy bonicos que llaman perrillos de falda; y de los perros que en España llaman gozques había muchos, grandes y chicos.

Tampoco tuvieron trigo ni cebada ni vino ni aceite ni frutas ni legumbres de las de España. De cada cosa iremos haciendo distinción de cómo y cuánto pasaron a aquellas partes. Cuanto a lo primero, las yeguas y caballos llevaron consigo los españoles, y mediante ellos han hecho las conquistas del Nuevo Mundo; que para huir y alcanzar y subir y bajar y andar a pie por la aspereza de aquella tierra, más ágiles son los indios, como nacidos y criados en ella; la raza de los caballos y yeguas que hay en todos los reinos y provincias de las Indias que los españoles han descubierto y ganado, desde el año de mil cuatrocientos y noventa y dos hasta ahora, es de la raza de las yeguas y caballos de España, particularmente del Andalucía. Los primeros llevaron a la isla de Cuba y de Santo Domingo, y luego a las demás islas de Barlovento, como las iban descubriendo y ganando; criáronse en ellas en grande abundancia, y de allí los llevaron a la conquista de México y a la del Perú, etcétera. A los principios, parte por descuido de los dueños y parte por la mucha aspereza de las montañas de aquellas islas, que son increíbles, se quedaban algunas yeguas metidar por los montes, que no podían recogerlas y se perdían; de esta manera, de poco en poco se perdieron muchas; y aun sus dueños, vien do que se criaban bien en los montes y que no había animales fieros que les hiciesen daño, dejaban ir con las otras las que tenían recogidas; de esta manera se hicieron bravas y montaraces las yeguas y caballos en aquellas islas, que huían de la gente como venados; empero, por la fertilidad de la tierra, caliente y húmeda, que nunca falta en ella yerba verde, multiplicaron en gran número.

Pues como los españoles que en aquellas islas vivían viesen que para las conquistas que adelante se hacían eran menester caballos, y que los de allí eran muy buenos, dieron en criarlos por granjerías, porque se los pagaban muy bien. Había hombres que tenían en sus caballerizas a treinta, cuarenta, cincuenta caballos, como dijimos en nuestra historia de la Florida, hablando de ellas. Para prender los potros hacían corrales de madera en los montes en algunos callejones, por donde entraban y salían a pacer en los navazos limpios de monte, que los hay en aquellas islas de dos, tres leguas, más y menos de largo y ancho, que llaman *sabanas,* donde el ganado sale a sus horas del monte a recrearse; las atalayas que tienen puestas por los árboles hacen señal; entonces salen quince o veinte de a caballo y corren el ganado y lo aprietan hacia donde tienen los corrales. En ellos se encierran yeguas y potros, como aciertan a caer; luego echan lazos a los potros de tres años y los atan a los árboles, y sueltan las yeguas; los potros quedan atados tres o cuatro días, dando saltos y brincos, hasta que, de cansados y de hambre, no pueden tenerse, y algunos se ahogan; viéndolos ya quebrantados, les echan las sillas y frenos y suben en ellos sendos mozos, y otros los llevan guiando por el cabestro; de esta manera los traen tarde y mañana quince o veinte días, hasta que los amansan; los potros,

como animales que fueron criados para que sirviesen de tan cerca al hombre, acuden con mucha nobleza y lealtad a lo que quieren hacer de ellos; tanto, que a pocos días de domados, juegan cañas en ellos; salen muy buenos caballos.

Después acá, como han faltado las conquistas, faltó el criarlos como antes hacían, pasóse la granjería a los cueros de vacas, como adelante diremos. Muchas veces, imaginando lo mucho que valen los buenos caballos en España, y cuán buenos son los de aquellas islas, de talle, obra y colores, me admiro de que no los traigan de allí, siquiera en reconocimiento del beneficio que España les hizo en enviárselos: pues para traerlos de la isla de Cuba tienen lo más del camino andado, y los navíos, por la mayor parte, vienen vacíos; los caballos del Perú se hacen más temprano que los de España, que la primera vez que jugué cañas en el Cuzco fue en un caballo tan nuevo que aún no había cumplido tres años.

A los principios, cuando se hacía la conquista del Perú, no se vendían los caballos; y si alguno se vendía por muerte de su dueño o porque se venía a España, era por precio excesivo, de cuatro o cinco o seis mil pesos. El año de mil y quinientos y cincuenta y cuatro, yendo el mariscal Don Alonso de Alvarado en busca de Francisco Hernández Girón, antes de la batalla que llamaron de Chuquinca, un negro llevaba de diestro un hermoso caballo, muy bien aderezado a la brida, para que su amo subiera en él; un caballero rico, aficionado al caballo, dijo al dueño, que estaba con él: "Por el caballo y por el esclavo, así como vienen, os doy diez mil pesos", que son doce mil ducados. No los quiso el dueño. diciendo que quería el caballo para entrar en él en la batalla que esperaban dar al enemigo, y así se lo mataron en ella, y él salió muy mal herido. Lo que más se debe notar es que el que lo compraba era rico; tenía en los Charcas un buen repartimiento de indios; mas el dueño del caballo no tenía indios; era un famoso soldado, y como tal por mostrarse el día de la batalla, no quiso vender su caballo, aunque se lo pagaban tan excesivamente; yo los conocí a ambos; eran hombres nobles, hijosdalgo. Después acá se han moderado los precios en el Perú, porque han multiplicado mucho, que un buen caballo vale trescientos y cuatrocientos pesos y los rocines valen veinte y treinta pesos.

Comúnmente los indios tienen grandísimo miedo a los caballos; en viéndolos correr, se desatinan de tal manera que, por ancha que sea la calle, no saben arrimarse a una de las paredes y dejarle pasar, sino que les parece que dondequiera que estén (como sea en el suelo) los han de trompillar, y así, viendo venir el caballo corriendo, cruzan la calle dos y tres veces de una pared a otra, huyendo de él, y tan presto como llegan a la una pared, tan presto les parece que estaban más seguros en la otra y vuelven corriendo a ella. Andan tan ciegos y desatinados del temor, que muchas veces acaeció (como yo los vi) irse a encontrar con el caballo, por huir de él. En ninguna manera les parecía que estaban seguros, si no era teniendo algún español delante, y aun no se daban por asegurados del todo; cierto no se puede encarecer lo que en esto había en mis tiempos; ya ahora, por la mucha comunicación, es menos el miedo, pero no tanto que indio alguno se haya atrevido a ser herrador, y aunque en los demás oficios que de los españoles han aprendido hay muy grandes oficiales, no han querido enseñarse a herrar, por no tratar los caballos de tan cerca; y aunque es verdad que en aquellos tiempos había muchos indios criados de españoles que almohazaban y cu-

raban los caballos, mas no osaban subir en ellos; digo verdad, que yo no vi indio alguno a caballo; y aun el llevarlos de rienda no se atrevían, si no era algún caballo tan manso que fuese como una mula; y esto era por ir el caballo retozando, por no llevar anteojos, que tampoco se usaban entonces, que aún no habían llegado allí, ni el cabezón para domarlos y sujetarlos; todo se hacía a más costa y trabajo del domador y de sus dueños; mas también se puede decir que por allá son los caballos tan nobles que fácilmente, tratándolos con buena maña, sin hacerles violencia, acuden a los que les quieren. Demás de lo dicho, a los principios, de las conquistas en todo el Nuevo Mundo, tuvieron los indios que el caballo y el caballero era todo de una pieza, como los centauros de los poetas; dícenme que ya ahora hay algunos indios que se atreven a herrar caballos, mas que son muy pocos y con esto pasemos adelante a dar cuenta de otras cosas que no había en aquella mi tierra.

XVII. DE LAS VACAS Y BUEYES, Y SUS PRECIOS ALTOS Y BAJOS

Las vacas se cree que las llevaron luego después de la conquista, y que fueron muchos los que las llevaron, y así se derramaron presto por todo el reino. Lo mismo debía de ser de los puercos y cabras; porque muy niño me acuerdo yo haberlas visto en el Cuzco.

Las vacas tampoco se vendían a los principios, cuando había pocas, porque el español que las llevaba (por criar y ver el fruto de ellas) no las quería vender, y así no pongo el precio de aquel tiempo hasta más adelante, cuando hubieron ya multiplicados. El primero que tuvo vacas en el Cuzco fue Antonio de Altamirano, natural de Extremadura, padre de Pedro y Francisco Altamirano, mestizos condiscípulos míos; los cuales fallecieron temprano, con mucha lástima de toda aquella ciudad, por la buena expectación que de ellos se tenía de habilidad y virtud.

Los primeros bueyes que vi arar fue en el valle del Cuzco, año de mil y quinientos y cincuenta, uno más o menos, y eran de un caballero llamado Juan Rodríguez de Villalobos, natural de Cáceres; no eran más de tres yuntas; llamaban a uno de los bueyes Chaparro y a otro Naranjo y a otro Castillo; llevóme a verlos un ejército de indios que de todas partes iban a lo mismo, atónitos y asombrados de una cosa tan monstruosa y nueva para ellos y para mí. Decían que los españoles, de haraganes, por no trabajar, forzaban a aquellos grandes animales a que hiciesen lo que ellos habían de hacer. Acuérdome bien de todo esto, porque la fiesta de los bueyes me costó docenas de azotes: los unos me dio mi padre, porque no fui a la escuela; los otros me dio el maestro, porque falté de ella. La tierra que araban era un andén hermosísimo, que está encima de otro donde ahora está fundado el convento del Señor San Francisco; la cual casa, digo lo que es el cuerpo de la iglesia, labró a su costa el dicho Juan Rodríguez de Villalobos, a devoción del Señor San Lázaro, cuyo devotísimo fue; los frailes franciscos compraron la iglesia y los dos andenes de tierra años después; que entonces, cuando los bueyes, no había casa ninguna en ellos, ni de españoles ni de indios. Ya en otra parte hablamos largo de la compra de aquel sitio; los gañanes que araban eran indios; los bueyes domaron fuera de la ciudad, en un cortijo, y cuando los tuvieron diestros, los trajeron al Cuzco, y creo que los más solemnes triunfos de la grandeza de Roma no fueron más mirados que los bueyes aquel día. Cuando las vacas empezaron a venderse, valían a doscientos pesos; fueron bajando poco a poco, como iban multiplicando, y después bajaron de golpe a lo que hoy valen. Al principio del año de mil y quinientos y cincuenta y cuatro, un caballero que yo conocí, llamado Rodrigo de Esquivel, vecino de Cuzco, natural de Sevilla, compró en la Ciudad de Los Reyes diez vacas por mil pesos, que son mil y doscientos ducados. El año de mil y quinientos y cincuenta y nueve, las vi comprar en el Cuzco a diez y siete pesos, que son veinte ducados y medio, antes menos que más, y lo mismo acaeció en las cabras, ovejas y puercos, como luego diremos para que se vea la fertilidad de aquella tierra. Del año de mil quinientos y noventa acá, me escriben del Perú que valen las vacas en el Cuzco a seis y a siete ducados, compradas una o dos; pero compradas en junto valen a menos.

Las vacas se hicieron montaraces en las islas de Barlovento, también como las yeguas, y casi por el mismo término; aunque tienen algunas recogidas en sus hatos, sólo por gozar de la leche, queso y manteca de ellas; que por lo demás, en los montes las tienen en más abundancia. Han multiplicado tanto que fuera increíble si los cueros que de ellas cada año traen a España no lo testificaran, que según el Padre Maestro Acosta dice, libro cuarto, capítulo treinta y tres:

En la flota del año de mil y quinientos y ochenta y siete, trajeron de Santo Domingo treinta y cinco mil y cuatrocientos y cuarenta y cuatro cueros, y de la Nueva España trajeron aquel mismo año sesenta y cuatro mil y trescientos y cincuenta cueros vacunos, que por todos son noventa y nueve mil y setecientos y noventa y cuatro. En Santo Domingo y en Cuba y en las demás islas multiplicaron mu-

cho más, si no recibieran tanto
daño de los perros lebreles, alanos
y mastines que a los principios llevaron, que también se han hecho
montaraces y multiplicado tanto,
que no osan caminar los hombres
si no van diez, doce juntos; tiene
premio el que los mata, como si
fueran lobos.

Para matar las vacas aguardan
a que salgan a las sabanas a pacer; córrenlas a caballo con lanzas,
que en lugar de hierros llevan unas
medias lunas que llaman desjare-
táderas; tienen el filo adentro; con
las cuales, alcanzando la res, le
dan el corvejón y la desjaretan.
Tiene el jinete que las corre necesidad de ir con advertencia, que
si la res que lleva por delante va
a su mano derecha, le hiera en el
corvejón derecho, y si va a su
mano izquierda, le hiera en el corvejón izquierdo; porque la res vuelve la cabeza a la parte que le
hieren; y si el de a caballo no
va con la advertencia dicha, su mismo caballo se enclava en los cuernos de la vaca o del toro, porque
no hay tiempo para huir de ellos.
Hay hombres tan diestros en este
oficio, que en una carrera de dos
tiros de arcabuz derriban veinte,
treinta, cuarenta, reses. De tanta
carne de vacas como en aquellas
islas se desperdicia, pudieran traer
carnaje para las armadas de España; mas temo que no se pueden
hacer los tasajos por la mucha
humedad y calor de aquella región,
que es causa de corrupción. Dícenme que en estos tiempos andan ya
en el Perú algunas vacas desman-
dadas por los despoblados, y que
los toros son tan bravos que salen
a la gente en los caminos. A poco
más habrá montaraces como en las
islas; las cuales, en el particular
de las vacas, parece que reconocen
el beneficio que España les hizo en
enviárselas, y que en trueque y
cambio le sirven con la corambre
que cada año le envían en tanta
abundancia.

XVIII. DE LOS CAMELLOS, ASNOS Y CABRAS, Y SUS PRECIOS Y MUCHA CRÍA

Tampoco hubo camellos en el
Perú, y ahora los hay, aunque pocos. El primero que los llevó (y
creo que después acá no se han
llevado) fue Juan de Reinaga, hombre noble, natural de Bilbao, que
yo conocí, capitán de infantería contra Francisco Hernández Girón y
sus secuaces; y sirvió bien a Su Majestad en aquella jornada. Por seis
hembras y un macho que llevó, le
dio Don Pedro Portocarrero, natural de Trujillo, siete mil pesos,
que son ocho mil y cuatrocientos
ducados; los camellos han multiplicado poco o nada.

El primer borrico que vi fue en
la jurisdicción del Cuzco, año de
mil y quinientos y cincuenta y siete; compróse en la ciudad de Hua-
maca: costó cuatrocientos y ochenta ducados de a trescientos y setenta
y cinco maravedís; mandólo comprar Garcilaso de la Vega, mi señor,
para criar muletos de sus yeguas.
En España no valía seis ducados,
porque era chiquillo y ruinejo; otro
compró después Gaspar de Sotelo,
hombre noble, natural de Zamora,
que yo conocí, en ochocientos y
cuarenta ducados. Mulas y mulos
se han criado después acá muchos
para las recuas y gástanse mucho,
por la aspereza de los cambios.

Las cabras, a los principios, cuando las llevaron, no supe a cómo
valieron; años después las vi vender
a ciento y a ciento y diez ducados;
pocas se vendían, y era por mucha
amistad y ruegos, una o dos a cual
y cual; y entre diez o doce juntaban
una manadita, para traerlas juntas.
Esto que he dicho fue en el Cuzco,
año de mil y quinientos y cuarenta
y cuatro y cuarenta y cinco. Después acá han multiplicado tanto,
que no hacen caso de ellas, sino
para la corambre. El parir ordinario de las cabras era a tres y

cuatro cabritos, como yo las vi. Un caballero me certificó que en Huánacu, donde él residía, vio parir muchas a cinco cabritos.

XIX. DE LAS PUERCAS,
Y SU MUCHA FERTILIDAD

El precio de las puercas, a los principios, cuando las llevaron, fue mucho mayor que el de las cabras, aunque no supe certificadamente qué tan grande fue. El cronista Pedro Cieza de León, natural de Sevilla, en la *Demarcación* que hace de las provincias del Perú capítulo veinte y seis, dice que el mariscal Don Jorge Robledo compró de los bienes de Cristóbal de Ayala, que los indios mataron, una puerca y un cochino en mil eiscientos pesos, que son mil y novecientos y veinte ducados; y dice más, que aquella misma puerca se comió pocos días después en la ciudad de Cali, en un banquete en que él se halló; y que en los vientres de las madres compraban los lechones, que habían parido a diez (ciento y veinte ducados) y a más. Quien quisiere ver precios excesivos de cosas que se vendían entre los españoles, lea aquel capítulo y verá en cuán poco tenían entonces el oro y la plata por las cosas de España. Estos excesos y otros semejantes han hecho los españoles con el amor de su patria en el Nuevo Mundo, en sus principios, que, como fuesen cosas llevadas de España, no paraban en el precio para las comprar y criar, que les parecía que no podían vivir sin ellas.

El año de mil y quinientos y sesenta valía un buen cebón en el Cuzco diez pesos; por este tiempo valen a seis y a siete, y valieran menos si no fuera por la manteca, que la estiman para curar la sarna del ganado natural de aquella tierra, y también porque los españoles, a falta de aceite (por no poderlo sacar). guisan de comer con ella los viernes y la cuaresma; las puercas han sido muy fecundas en el Perú. El año de mil y quinientos y cincuenta y ocho vi dos en la plaza menor del Cuzco, con treinta y dos lechones, que habían parido a diez y seis cada una; los hijuelos serían de poco más de treinta días cuando los vi. Estaban tan gordos y lucios que causaban admiración cómo pudiesen las madres criar tantos juntos y tenerlos tan bien mantenidos. A los puercos llaman los indios *cuch*, y han introducido esta palabra en su lenguaje para decir puerco, porque oyeron decir a los españoles *"¡coche, coche!"*, cuando les hablaban.

XX. DE LAS OVEJAS Y GATOS
CASEROS

Las ovejas de Castilla que las llamamos así a diferencia de las del Perú. pues los españoles con tanta impropiedad las quisieron llamar ovejas, no asemejándoles en cosa alguna como dijimos en su lugar, no sé en qué tiempo pasaron las primeras, ni qué precio tuvieron, ni quién fue el primero que las llevó. Las primeras que vi fue en el término del Cuzco, el año de mil y quinientos y cincuenta y seis; vendíanse en junto a cuarenta pesos cada cabeza, y las escogidas a cincuenta; que son sesenta ducados. También las alcanzaban por ruegos, como las cabras. El año de mil y quinientos y sesenta, cuando yo salí del Cuzco, aún no se pesaban carneros de Castilla en la carnicería. Por cartas del año de mil y quinientos y noventa a esta parte, tengo relación que en aquella gran ciudad vale un carnero en el rastro ocho reales, y diez cuando mucho. Las ovejas, dentro de ocho años,

bajaron a cuatro ducados y a menos. Ahora, por este tiempo, hay
tantas, que valen muy poco.

El parir ordinario de ellas ha sido
a dos corderos, y muchas a tres.
La lana también es tanta que casi
no tiene precio, que vale a tres y
cuatro reales la arroba; ovejas burdas no sé que hasta ahora hayan
llegado allá. Lobos no los había,
ni al presente los hay, que, como
no son de venta ni provecho, no
han pasado allá.

Tampoco había gatos de los caseros antes de los españoles; ahora
los hay, y los indios los llaman *micitu* porque oyeron decir a los españoles *"¡miz, miz!"* cuando los
llamaban. Y tienen ya los indios
introducido en su lenguaje este
nombre *micitu*, para decir gato.
Digo esto porque no entienda el
español que por darle los indios
nombre diferente de *gato*, los tenían antes, como querido imaginar
de las gallinas, que porque los indios les llaman *atahuallpa*, piensan
que las había antes de la conquista,
como lo dice un historiador, haciendo argumento que los indios
tuvieron puestos nombres en su
lenguaje a todas las cosas que tenían antes de los españoles, y que
a la gallina llaman *hualpa;* luego,
habíalas antes que los españoles
pasaran al Perú. El argumento parece que convence a quien no sabe
la deducción del nombre *hualpa*,
que no les llaman *hualpa*, sino *atahuallpa*. Es un cuento gracioso;
decirlo hemos cuando tratemos de
las aves domésticas que no había
en el Perú antes de los españoles.

XXI. CONEJOS Y PERROS CASTIZOS

Tampoco había conejos de los
campesinos que hay en España, ni
de los que llaman caseros; después
que yo salí del Perú los han llevado. El primero que los llevó a

la jurisdicción del Cuzco fue un
clérigo llamado Andrés López, natural de Extremadura; no pude saber
de qué ciudad o villa. Este sacerdote llevaba en una jaula dos conejos, macho y hembra; al pasar
de un arroyo que está a diez y seis
leguas del Cuzco, que pasa por una
heredad llamada Chinchapuc-yu,
que fue de Garcilaso de la Vega,
mi señor, el indio que llevaba la
jaula se descargó para descansar y
comer un bocado; cuando volvió
a tomarla para caminar, halló menos uno de los conejos, que se había salido por una verguilla rota
de la jaula y entrádose en un monte
bravo que hay de alisos o álamos
por todo aquel arroyo arriba; y
acertó a ser la hembra, la cual iba
preñada y parió en el monte; y con
el cuidado que los indios tuvieron,
después que vieron los primeros
conejos, de que no los matasen, han
multiplicado tanto que cubren la
tierra; de allí los han llevado a otras
muchas partes; críanse muy grandes, con el vicio de la tierra, como
ha hecho todo lo demás que han
llevado de España.

Acertó aquella coneja a caer en
buena región, de tierra templada,
ni fría ni caliente; subiendo el arroyo arriba, van participando de tierra
más y más fría, hasta llegar donde
hay nieve perpetua; y bajando el
mismo arroyo, van sintiendo más
y más calor, hasta llegar al río llamado Apurímac, que es la región
más caliente del Perú. Este cuento
de los conejos me contó un indiano de mi tierra, sabiendo que yo
escribía estas cosas; cuya verdad
remito al arroyo, que dirá si es así
o no, si los tiene o le faltan. En
el reino de Quitu hay conejos casi
como los de España, salvo que son
mucho menores de cuerpo y más
oscuros de color, que todo el cerro
del lomo es prieto, y en todo lo
demás son semejantes a los de España. Liebres no las hubo, ni sé
que hasta ahora las hayan llevado.

Perros castizos, de los que atrás quedan nombrados, no los había en el Perú; los españoles los han llevado. Los mastines fueron los postreros que llevaron, que en aquella tierra, por no haber lobos ni otras salvajinas dañosas, no eran menester; mas viéndolos allá, los estimaron mucho los señores de ganado, no por la necesidad, pues no la había, sino porque los rebaños de los ganados remedasen en todo a los de España; y era esta ansia y sus semejantes tan ansiosa en aquellos principios, que con no haber para qué, no más de por el bien parecer, trajo un español, desde el Cuzco hasta Los Reyes, que son ciento y veinte leguas de camino asperísimo, un cachorrillo mastín, que apenas tenía mes y medio; llevábalo metido en una alforja que iba colgada en el arzón delantero; y a cada jornada tenía nuevo trabajo, buscando leche que comiese el perrillo; todo esto vi, porque vinimos juntos aquel español y yo. Decía que lo llevaba para presentarlo por joya muy estimada a su suegro más acá de la Ciudad de Los Reyes. Estos trabajos y otros mayores costaron a los principios las cosas de España a los españoles, para aborrecerlas después, como han aborrecido muchas de ellas.

XXII. DE LAS RATAS Y LA MULTITUD DE ELLAS

Resta decir de las ratas, que también pasaron con los españoles, que antes de ellos no las había. Francisco López de Gómara, en su *Historia General de las Indias*, entre otras cosas (que escribió con falta o sobra de relación verdadera que le dieron) dice que no había ratones en el Perú hasta en tiempo de Blasco Núñez Vela. Si dijera ratas (y quizá lo quiso decir), de las muy grandes que hay en España, había dicho bien, que no las hubo en el Perú. Ahora las hay por la costa en gran cantidad, y tan grandes que no hay gato que ose mirarlas, cuanto más acometerlas. No han subido a los pueblos de la sierra ni se teme que suban, por las nieves y mucho frío que hay en medio, si ya no hallan cómo ir abrigados.

Ratones de los chicos hubo muchos; llámanles *ucucha*. En Nombre de Dios y Panamá y otras ciudades de la costa de Perú se valen del tósigo contra la infinidad de las ratas que en ella se crían. Apregonan a ciertos tiempos del año que cada uno en su casa eche rejalgar a las ratas. Para lo cual guardan muy bien todo lo que es comer y beber, principalmente el agua, porque las ratas no la atosiguen; y en una noche todos los vecinos a una echan rejalgar en las frutas y otras cosas que ellas apetecen a comer. Otro día hallan muertas tantas que son innumerables.

Cuando llegué a Panamá, viniendo a España, debía de haber poco que se había hecho el castigo, que, saliendo a pasearme una tarde por la ribera del mar, hallé a la lengua del agua tantas muertas, que en más de cien pasos de largo y tres o cuatro de ancho no había donde poner los pies; que con el fuego del tósigo van a buscar el agua, y la del mar les ayuda a morir más presto.

De la multitud de ellas se me ofrece un cuento extraño, por el cual se verá las que andan en los navíos, mayormente si son navíos viejos; atrévome a contarlo en la bondad y crédito de un hombre noble, llamado Hernán Bravo de Laguna, de quien se hace mención en las historias del Perú, que tuvo indios en el Cuzco, a quien yo se lo oí, que lo había visto; y fue que un navío que iba de Panamá a Los Reyes tomó un puerto de los de aquella costa, y fue el de Trujillo. La gente que en él venía saltó en tierra a tomar refresco y a holgarse aquel día y otro que el navío había de parar allí; en el cual no quedó hombre alguno, si no fue un enfermo, que, por no estar para caminar dos leguas que hay del puerto a la ciudad, se quiso quedar en el navío, el cual quedaba seguro, así de la tempestad de la mar, que es mansa en aquella costa, como de los corsarios, que aún no había pasado Francis Drake, que enseñó a navegar por aquel mar y a que se recatasen de los corsarios. Pues como las ratas sintiesen el navío desembarazo de gente, salieron a campear, y hallando al enfermo sobre cubierta, le acometieron para comérselo; porque es así verdad que muchas veces ha acaecido en aquella navegación dejar los enfermos vivos a prima noche y morirse sin que lo sientan, por no tener quien les duela, y hallarles por la mañana comidas las caras y parte del cuerpo, de brazos y piernas, que por todas partes los acometen. Así quisieron hacer con aquel enfermo, el cual, temiendo el ejército que contra él venía, se levantó como pudo, y tomando un asador de fogón, se volvió a su cama, no para dormir, que no le convenía, sino para velar y defenderse de los enemigos que le acometían; y así veló el resto de aquel día y la noche siguiente, y otro día hasta bien tarde, que vinieron los compañeros. Los cuales, al derredor de la cama y sobre la cubierta y por los rincones que pudieron buscar, hallaron trescientas y ochenta y tantas ratas que con el asador había muerto, sin otras muchas que se le fueron lastimadas.

El enfermo, o por el miedo que había pasado o con el regocijo de la victoria alcanzada, sanó de su mal, quedándole bien que contar de la gran batalla que con las ratas había tenido.

Por la costa del Perú, en diversas partes y en diversos años,

hasta el año de mil y quinientos y setenta y dos, por tres veces hubo grandes plagas, causadas por las ratas y ratones, que, criándose innumerables de ellos, corrían mucha tierra y destruían los campos, así las sementeras como las heredades, con todos los árboles frutales, que desde el suelo hasta los pimpollos les roían las cortezas; de manera que los árboles se secaron, que fue menester plantarlos de nuevo, y las gentes temieron desamparar sus pueblos; y sucediera el hecho según la plaga se encendía, sino que Dios, por su misericordia, la apagaba cuando más encendida andaba la peste. Daños increíbles hicieron, que dejamos de contar en particular por huir de la prolijidad.

XXIII. DE LAS GALLINAS Y PALOMAS

Será razón hagamos mención de las aves, aunque han sido pocas, que no se han llevado sino gallinas y palomas caseras, de las que llaman *duendas*. Palomas de palomar, que llaman *zuritas* o *zuranas*, no sé yo que hasta [a] hora las hayan llevado. De las gallinas escribe un autor que las había en el Perú antes de su conquista, y hácenle fuerza para certificarlo ciertos indicios que dice que hay para ello, como son que los indios, en su mismo lenguaje, llaman a la gallina *hualpa* y al huevo *ronto*, y que hay entre los indios el mismo refrán que los españoles tienen, de llamar a un hombre *gallina* para notarle de cobarde. A los cuales indicios, satisfaremos con la propiedad del hecho.

Dejando el nombre *hualpa* para el fin del cuento, y tomando el nombre *ronto,* que se ha de escribir *runtu,* pronunciando *ere* sencilla, porque en aquel lenguaje, como ya dijimos, ni en principio de parte ni en medio de ella no hay *rr* duplicada, decimos que es nombre común; significa huevo; no en particular de gallina, sino en general de cualquier ave brava o doméstica, y los indios en su lenguaje, cuando quieren decir de qué ave es el huevo, nombran juntamente el ave y el huevo, también como el español que dice huevo de gallina, de perdiz o paloma, etc.; y esto baste para deshacer el indicio del nombre *runtu*.

El refrán de llamar a un hombre *gallina*, por motejarle de cobarde, es que los indios lo han tomado de los españoles, por la ordinaria familiaridad y conversación que con ellos tienen; y también por remedarles en el lenguaje, como acaece de ordinario a los mismos españoles que pasando a Italia, Francia, Flandes y Alemania, vueltos a su tierra quieren luego entremeter en su lenguaje castellano las palabras o refranes que de los extranjeros traen aprendidos; y así lo han hecho los indios, porque los Incas, para decir cobarde tienen un refrán más apropiado que el de los españoles; dicen *huarmi*, que quiere decir mujer, y lo dicen por vía de refrán; que para decir cobarde, en propia significación de su lenguaje, dicen *campa*, y para decir pusilánime y flaco de corazón dicen *llanclla*. De manera que el refrán gallina para decir cobarde es hurtado del lenguaje español, que en el de los indios no lo hay, y yo como indio doy fe de esto.

El nombre *hualpa*, que dicen que los indios dan a las gallinas, está corrupto en las letras y sincopado o cercenado en las sílabas, que han de decir *atahuallpa*, y no es nombre de gallina, sino del postrer Inca que hubo en el Perú, que, como diremos en su vida, fue con los de su sangre crudelísimo sobre todas las fieras y basiliscos del mundo. El cual, siendo bastardo, con astucia y cautelas prendió y mató al hermano mayor, legítimo heredero, llamado Huáscar Inca, y tiranizó el Reino; y con tormentos y crueldades nunca jamás vistas ni oídas, destruyó toda la sangre real, así hombres como niños y mujeres, en las cuales, por ser más tiernas y flacas, ejecutó el tirano los tormentos más crueles que pudo imaginar; y no hartándose con su propia carne y sangre, pasó su rabia, inhumanidad y fiereza a destruir los criados más allegados de la casa real, que, como en su lugar dijimos, no eran personas particulares, sino pueblos enteros, que cada uno servía de su particular oficio como porteros, barrenderos, leñadores, aguadores, jardineros, cocineros de la mesa de estado, y otros oficios semejantes. A todos aquellos pueblos, que estaban al derredor del Cuzco, en espacio de cuatro, cinco, seis y siete leguas, los destruyó, y asoló por tierra los edificios, no contentándose con haberles muerto los moradores; y pasaron adelante sus crueldades si no las atajaran los españoles, que acertaron a entrar en la tierra en el mayor hervor de ellas.

Pues como los españoles, luego que entraron, prendieron al tirano Atahuallpa y lo mataron en breve tiempo con muerte tan afrentosa, como fue darle garrote en pública plaza, dijeron los indios que su Dios, el Sol, para vengarse del traidor y castigar al tirano, matador de sus hijos y destruidor de su sangre real, había enviado los españoles para que hiciesen justicia de él. Por la cual muerte los indios obedecieron a los españoles como a hombres enviados de su Dios el Sol, y se les rindieron de todo punto, y no les resistieron en la conquista como pudieran. Antes los adoraban por hijos y descendientes de aquel su Dios Viracocha, hijo del Sol, que se apareció en sueños a uno de sus Reyes, por quien llamaron al mismo Rey: Inca Viracocha, y así dieron su nombre a los españoles.

A esta falsa creencia que tuvieron de los españoles, se añadió otra burlería mayor, y fue que como los españoles llevaron gallos y gallinas que de las cosas de España fue la primera que entró en el Perú, y como oyeron cantar los gallos dijeron los indios que aquellas aves, para perpetua infamia del tirano y abominación de su nombre, lo pronunciaban en su canto diciendo "¡*Atahuallpa!*", y lo pronunciaban ellos, contrahaciendo el canto del gallo.

Y como los indios contasen a sus hijos estas ficciones, como hicieron [con] todas las que tuvieron, para conservarlas en su tradición, los indios muchachos de aquella edad, en oyendo cantar un gallo, respondían cantando al mismo tono y decían "¡Atahuallpa!". Confieso verdad que muchos condiscípulos míos, y yo con ellos, hijos de españoles y de indias, lo contamos en nuestra niñez por las calles, juntamente con los indiezuelos.

Y para que se entienda mejor cuál era nuestro canto, se pueden imaginar cuatro figuras o puntos de canto de órgano en dos compases, por los cuales se cantaba la letra *atahuallpa;* que quien las oyere verá que se remeda con ellos el canto ordinario del gallo; y son dos semínimas y una mínima y un semibreve, todas cuatro figuras en un signo. Y no sólo nombraban en el canto al tirano, mas también a sus capitanes más principales, como tuviesen cuatro sílabas en el nombre, como Challcuchima, Quillascacha y Rumiñaui, que quiere decir ojo de piedra, porque tuvo un berrueco de nube en un ojo. Esta fue la imposición del nombre *Atahuallpa* que los indios pusieron a los gallos y gallinas de España. El Padre Blas Valera, habiendo dicho en sus destrozados y no merecidos papeles la muerte tan repentina de Atahuallpa, y habiendo contado largamente sus excelencias, que para con sus vasallos las tuvo muy grandes, como cualquiera de los demás Incas, aun-

que para con sus parientes tuvo crueldades nunca oídas, y habiendo encarecido el amor que los suyos le tenían, dice en su elegante latín estas palabras:

De aquí nació que cuando su muerte fue divulgada entre sus indios, porque el nombre de tan gran varón no viniese en olvido, tomaron por remedio y consuelo decir, cuando cantaban los gallos que los españoles llevaron consigo, que aquellas aves lloraban la muerte de Atahuallpa, y que por su memoria nombraban su nombre en su canto; por lo cual llamaron al gallo y a su canto *atahuallpa;* y de tal manera ha sido recibido este nombre en todas naciones y lenguas de los indios, que no solamente ellos, mas también los españoles y los predicadores, usan siempre de él...

Hasta aquí es del Padre Blas Valera, el cual recibió esta relación en el reino de Quitu de los mismos vasallos de Atahuallpa, que, como aficionados de su Rey natural, dijeron que por su honra y fama le nombraban los gallos en su canto; y yo la recibí en el Cuzco, donde hizo grandes crueldades y tiranías, y los que las padecieron, como lastimados y ofendidos, decían que para eterna infamia y abominación de su nombre lo pronunciaban los gallos cantando: cada uno dice de la feria como le va en ella. Con lo cual creo se anulan los tres indicios propuestos, y se prueba largamente cómo antes de la conquista de los españoles no había gallinas en el Perú. Y como se ha satisfecho esta parte, quisiera poder satisfacer otras muchas que en las historias de aquella tierra hay que quitar y que añadir, por flaca relación que dieron a los historiadores.

Con las gallinas y palomas que los españoles llevaron de España al Perú podemos decir que también llevaron los pavos de tierra de México, que antes de ellos tampoco los había en mi tierra. Y por ser cosa notable, es de saber que las gallinas no sacaban pollos en la ciudad del Cuzco ni en todo su valle, aunque les hacían todos los regalos posibles; porque el temple de aquella ciudad es frío. Decían los que hablaban de esto, que la causa era ser las gallinas extranjeras en aquella tierra, y no haberse connaturalizado con la región de aquel valle; porque en otras más calientes, como Yúcay y Muina, que están a cuatro leguas de la ciudad, sacaban muchos pollos. Duró la esterilidad del Cuzco más de treinta años, que el año de mil y quinientos y sesenta, cuando yo salí de aquella ciudad, aún no los sacaban. Algunos años después, entre otras nuevas, me escribió un caballero, que se decía Garci Sánchez de Figueroa, que las gallinas sacaban ya pollos en el Cuzco, en grande abundancia.

El año de mil y quinientos y cincuenta y seis, un caballero natural de Salamanca, que se decía Don Martín de Guzmán, que había estado en el Perú, volvió allá; llevó muy lindos jaeces y otras cosas curiosas, entre las cuales llevó en una jaula un pajarillo de los que acá llaman canarios, porque se crían en las islas de Canarias; fue muy estimado, porque cantaba mucho y muy bien; causó admiración que un avecilla tan pequeña pasase dos mares tan grandes y tantas leguas por tierra como hay de España al Cuzco. Damos cuenta de cosas tan menudas porque a semejanza de ellas se esfuercen a llevar otras aves de más estima y provecho, como serían las perdices de España y otras caseras que no han pasado allá, que se darían como todas las demás cosas.

XXIV. DEL TRIGO

Ya que se ha dado relación de las aves, será justo la demos de las mieses, plantas y legumbres de que carecía el Perú. Es de saber que el primero que llevó trigo a mi patria (yo llamo así todo el Imperio que fue de los Incas) fue una señora noble, llamada María de Escobar, casada con un caballero que se decía Diego de Chávez, ambos naturales de Trujillo. A ella conocí en mi pueblo, que muchos años después que fue al Perú se fue a vivir a aquella ciudad; a él no conocí porque falleció en Los Reyes.

Esta señora, digna de un grande estado, llevó el trigo al Perú, a la ciudad de Rímac; por otro tanto adoraron los gentiles a Ceres por diosa y de esta matrona no hicieron cuenta los de mi tierra; qué año fuese no lo sé, mas de que la semilla fue tan poca que la anduvieron conservando y multiplicando tres años, sin hacer pan de trigo, porque no llegó a medio almud lo que llevó, y otros lo hacen de menor cantidad; es verdad que repartían la semilla aquellos primeros tres años a veinte y a treinta granos por vecino, y aun habían de ser los más amigos, para que gozasen todos de la nueva mies.

Pero este beneficio que esta valerosa mujer hizo al Perú, y por los servicios de su marido, que fue de los primeros conquistadores, le dieron en la Ciudad de Los Reyes un buen repartimiento de indios, que pereció con la muerte de ellos.

El año de mil y quinientos y cuarenta y siete aún no había pan de trigo en el Cuzco (aunque ya había trigo), porque me acuerdo que el Obispo de aquella ciudad, Don Fray Juan Solano, dominico, natural de Antequera, viniendo huyendo de la batalla de Huarina, se hospedó en casa de mi padre, con otros catorce o quince de su camarada, y mi madre los regaló con pan de maíz; y los españoles venían tan muertos de hambre que, mientras les aderezaron de cenar, tomaban puñados de maíz crudo que echaban a sus cabalgaduras y se lo comían como si fueran almendras confitadas.

La cebada no se sabe quién la llevó; créese que algún grano de ella fue entre el trigo, porque por mucho que aparten estas dos semillas nunca se apartan del todo.

XXV. DE LA VID, Y DEL PRIMERO QUE METIÓ UVAS EN EL CUZCO

De la planta de Noé dan la honra a Francisco de Caravantes, antiguo conquistador de los primeros del Perú, natural de Toledo, hombre noble. Este caballero, viendo la tierra con algún asiento y quietud, envió a España por planta, y el que vino por ella, por llevarla más fresca, la llevó de las islas Canarias, de uva prieta, y así salió casi toda la uva tinta, y el vino en todo aloque, no del todo tinto; y aunque han llevado ya otras muchas plantas, hasta la moscatel, mas con todo eso aún no hay vino blanco.

Por otro tanto como este caballero hizo en el Perú, adoraron los gentiles por dios al famoso Baco, y a él se lo han agradecido poco o nada; los indios, aunque ya por este tiempo vale barato el vino, lo apetecen poco, porque se contenían con su antiguo brebaje, hecho de zara y agua. Juntamente con lo dicho oí en el Perú, a un caballero fidedigno, que un español curioso había hecho almácigo de pasas llevadas de España, y que, prevaleciendo algunos granillos de las pasas, nacieron sarmientos; empero tan delicados, que fue menester conservarlos en el almácigo tres o cuatro años, hasta que tuvieron vigor para ser plantados, y que las pasas acertaron a ser de uvas prietas, y que por eso salía todo el vino del Perú tinto o aloque, porque no es del todo prieto, como el tinto de España. Pudo

ser que hubiese sido lo uno y lo otro; porque las ansias que los españoles tuvieron por ver cosas de su tierra en las Indias han sido tan boscosas y eficaces, que ningún trabajo ni peligro se les ha hecho grande para dejar de intentar el efecto de su deseo.

El primero que metió uvas de su cosecha en la ciudad del Cuzco fue el capitán Bartolomé de Terrazas, de los primeros conquistadores del Perú y uno de los que pasaron a Chili con el Adelantado Don Diego de Almagro. Este caballero conocí yo: fue nobilísimo de condición, magnífico, liberal, con las demás virtudes naturales de caballero. Plantó una viña en su repartimiento de indios, llamado Achanquillo, en la provincia de Contisuyu, de donde año de mil y quinientos y cincuenta y cinco, por mostrar el fruto de sus manos y la liberalidad de su ánimo, envió treinta indios cargados de muy hermosas uvas a Garcilaso de la Vega, mi señor, su íntimo amigo, con orden que diese su parte a cada uno de los caballeros de aquella ciudad, para que todos gozasen del fruto de su trabajo. Fue gran regalo, por ser fruta nueva de España, y la magnificencia no menor, porque si se hubieran de vender las uvas, se hicieran de ellas más de cuatro o cinco mil ducados. Yo gocé buena parte de las uvas, porque mi padre me eligió por embajador del capitán Bartolomé de Terrazas, y con dos pajecillos indios llevé a cada casa principal dos fuentes de ellas.

XXVI. DEL VINO Y DEL PRIMERO QUE HIZO VINO EN EL CUZCO, Y DE SUS PRECIOS

El año de mil y quinientos y sesenta, viniéndome a España, pasé por una heredad de Pedro López de Cazalla, natural de Llerena, vecino del Cuzco, secretario que fue del Presidente Gasca, la cual se dice Marcahuaci, nueve leguas de la ciudad, y fue a veintiuno de enero. donde hallé un capataz portugués, llamado Alfonso Páez, que sabía mucho de agricultura y era muy buen hombre. El cual me paseó por toda la heredad, que estaba cargada de muy hermosas uvas, sin darme un gajo de ellas, que fuera gran regalo para un huésped caminante y tan amigo como yo lo era suyo y de ellas; mas no lo hizo; y viendo que yo habría notado su cortedad, me dijo que le perdonase, que su señor le había mandado que no tocase ni un grano de las uvas, porque quería hacer vino de ellas, aunque fuese pisándolas en una artesa, como se hizo (según me lo dijo después en España un condiscípulo mío, porque no había lugar ni los demás adherentes, y vio la artesa en que se pisaron), porque quería Pedro López de Cazalla ganar la joya que los Reyes Católicos y el Emperador Carlos Quinto había mandado se diese de su real hacienda al primero que en cualquiera pueblo de españoles sacase fruto nuevo de España, como trigo, cebada, vino y aceite en cierta cantidad. Y esto mandaron aquellos Príncipes de gloriosa memoria porque los españoles se diesen a cultivar aquella tierra y llevasen a ella las cosas de España que en ella no había.

La joya eran dos barras de plata de a trescientos ducados cada una, y la cantidad del trigo o cebada había de ser medio cahíz, y la del vino o aceite habían de ser cuatro arrobas. No quería Pedro López de Cazalla hacer vino por la codicia de los dineros de la joya, que mucho más pudiera sacar de las uvas, sino por la honra y fama de haber sido el primero que en el Cuzco hubiese hecho vino de sus viñas. Esto es lo que pasa acerca del primer vino que se hizo en mi pueblo. Otras

ciudades del Perú, como fue Huamanca y Arequepa, lo tuvieron mucho antes, y todo era aloquillo. Hablando en Córdoba con un canónigo de Quitu de estas cosas que vamos escribiendo, me dijo que conoció en aquel reino de Quitu un español curioso en cosas de agricultura, particularmente en viñas, que fue el primero que de Rímac llevó la planta a Quitu, que tenía una buena viña, riberas del río que llaman de Mira, que está debajo de la línea equinoccial y es tierra caliente; díjome que le mostró toda la viña, y porque viese la curiosidad que en ella tenía, le enseñó doce apartados que en un pedazo de ella había, que podaba cada mes el suyo, y así tenía uvas frescas todo el año; y que la demás viña la podaba una vez al año, como todos los demás españoles, sus comarcanos. Las viñas se riegan en todo el Perú, y en aquel río es la tierra caliente, siempre de un temple, como las hay en otras muchas partes de aquel Imperio; y así no es mucho que los temporales hagan por todos los meses del año sus efectos en las plantas y mieses, según que les fueren dando y quitando el riego; que casi lo mismo vi yo en algunos valles en el maíz, que en un haza lo sembraban y en otra estaba ya nacido a media pierna y en otra para espigar y en otra ya espigado. Y esto, no hecho por curiosidad, sino por necesidad, como tenían los indios el lugar y la posibilidad para beneficiar sus tierras.

Hasta el año de mil y quinientos y sesenta, que yo salí del Cuzco, y años después, no se usaba dar vino a la mesa de los vecinos (que son los que tienen indios) a los huéspedes ordinarios (si no era alguno que lo había menester para su salud), porque el beberlo entonces más parecía vicio que necesidad; que habiendo ganado los españoles aquel Imperio tan sin favor del vino ni de otros regalos semejantes, parece que querían sustentar aquellos buenos principios en no beberlo. También se comedían los huéspedes a no tomarlo, aunque se lo daban, por la carestía de él, porque cuando más barato, valía a treinta ducados la arroba; yo lo vi así después de la guerra de Francisco Hernández Girón. En los tiempos de Gonzalo Pizarro y antes, llegó a valer muchas veces trescientos y cuatrocientos y quinientos ducados una arroba de vino; los años de mil y quinientos y cincuenta y cuatro y cinco hubo mucha falta de él en todo el reino. En la Ciudad de Los Reyes llegó a tanto extremo, que no se hallaba para decir misa. El Arzobispo Don Jerónimo de Loaysa, natural de Trujillo, hizo cala y cata, y en una casa hallaron media botija de vino y se guardó para las misas. Con esta necesidad estuvieron algunos días y meses, hasta que entró en el puerto un navío de dos mercaderes que yo conocí, que por buenos respectos a la descendencia de ellos no los nombro, que llevaba dos mil botijas de vino, y hallando falta de él, vendió las primeras a trescientos y sesenta ducados y las postreras no menos de a doscientos. Este cuento supe del piloto que llevó el navío, porque en el mismo me trajo de Los Reyes a Panamá; por los cuales excesos no se permitía dar vino de ordinario.

Un día de aquellos tiempos convidó a comer un caballero que tenía indios a otro que no los tenía; comiendo media docena de españoles en buena conversación, el enviado pidió un jarro de agua para beber; el señor de la casa mandó le diesen vino, y como el otro le dijese que no lo bebía, le dijo: "Pues si no bebéis vino, veníos acá a comer y a cenar cada día". Dijo esto porque de toda la demás costa, sacado el vino, no se hacía cuenta; y aun del vino no se miraba tanto por la costa como por la total falta que muchas veces había

de él, por llevarse de tan lejos como España y pasar dos mares tan grandes, por lo cual en aquellos principios se estimó en tanto como se ha dicho.

XXVII. DEL OLIVO Y QUIÉN LO LLEVÓ AL PERÚ

El mismo año mil y quinientos y sesenta, Don Antonio de Ribera, vecino que fue de Los Reyes, habiendo años antes venido a España por Procurador General del Perú, volviéndose a él llevó plantas de olivos de los de Sevilla, y por mucho cuidado y diligencia que puso en la que llevó en dos tinajones en que iban más de cien posturas, no llegaron a la Ciudad de Los Reyes más de tres estacas vivas; las cuales puso en una muy hermosa heredad cercada que en aquel valle tenía, de cuyos frutos de uvas e higos, granadas, melones, naranjas y limas y otras frutas y legumbres de España, vendidas en la plaza de aquella ciudad por fruta nueva, hizo gran suma de dinero, que se cree por cosa cierta que pasó de doscientos mil pesos. En esta heredad plantó los olivos Don Antonio de Ribera y porque nadie pudiese haber ni tan sola una hoja de ellos para plantar en otra parte, puso un grande ejército que tenía de más de cien negros y treinta perros, que de día y de noche velasen en guarda de sus nuevas y preciadas posturas. Acaeció que otros, que velaban más que los perros, o por consentimiento de alguno de los negros, que estaría cohechado (según se sospechó), le hurtaron una noche una planta de las tres, la cual en pocos días amaneció en Chili, seiscientas leguas de la Ciudad de Los Reyes, donde estuvo tres años criando hijos con tan próspero suceso de aquel reino, que no ponían renuevo, por delgado que fuese, que no prendiese y que en muy breve tiempo no se hiciese muy hermoso olivo.

Al cabo de los tres años, por las muchas cartas de excomunión que contra los ladrones de su planta Don Antonio de Ribera habían hecho leer, le volvieron la misma que le habían llevado y la pusieron en el mismo lugar de donde la habían sacado, con tan buena maña y secreto, que ni el hurto ni la restitución supo su dueño jamás quién la hubiese hecho. En Chili se han dado mejor los olivos que en el Perú; debe ser por no haber extrañado tanto la constelación de la tierra, que está en treinta grados hasta los cuarenta, casi como la de España. En el Perú se dan mejor en la sierra que en los llanos. A los principios se daban por mucho regalo y magnificencia tres aceitunas a cualquier convidado, y no más. De Chili se ha traído ya por este tiempo aceite al Perú. Esto es lo que ha pasado acerca de los olivos que se han llevado a mi tierra, y con esto pasaremos a tratar de las demás plantas y legumbres que no había en el Perú.

XXVIII. DE LAS FRUTAS DE ESPAÑA Y CAÑAS DE AZÚCAR

Es así que no había higos ni granadas, ni cidras, naranjas, ni limas dulces ni agrias, ni manzanas, pero ni camuesas, membrillos, duraznos, melocotón, albérchigo, albaricoque, ni suerte alguna de ciruelas de las muchas que hay en España; sola una manera de ciruelas había diferentes de las de acá, aunque los españoles la llaman *ciruelas* y los indios *ussun;* y esto digo porque no la metan entre las ciruelas de España. No hubo melones ni pepinos de los de España, ni calabazas de las que se comen guisadas. Todas estas frutas nombradas, y otras muchas que habrá, que no me vienen a la memoria, las hay por este tiempo en tanta abundancia, que ya son despreciables como los ganados, y en tanta grandeza, mayor que la de España, que pone admiración a los españoles que han visto la una y la otra.

En la Ciudad de Los Reyes, luego que se dieron las granadas, llevaron una en las andas del Santísimo Sacramento, en la procesión de su fiesta, tan grande que causó admiración a cuantos la vieron; yo no oso decir qué tamaño me la pintaron, por no escandalizar los ignorantes, que no creen que haya mayores cosas en el mundo que las de su aldea; y por otra parte es lástima que por no temer a los simples se dejen de escribir las maravillas que en aquella tierra ha habido de las obras de naturaleza; y volviendo a ellas, decimos que han sido de extraña grandeza, principalmente las primeras; que la granada era mayor que una botija de las que hacen en Sevilla para llevar aceite a Indias, y muchos racimos de uvas se han visto de ocho y diez libras, y membrillos como la cabeza de un hombre, y cidras como medios cántaros; y baste esto acerca del grandor de las frutas de España, que adelante diremos de las legumbres, que no causarán menos admiración.

Quiénes fueron los curiosos que llevaron estas plantas y en qué tiempo y año, holgara mucho saber, para poner aquí sus nombres y tierras, porque a cada uno de ellos se les dieran los loores y bendiciones que tales beneficios merecen. El año de mil y quinientos y ochenta llevó al Perú planta de guindas tenía una muy hermosa heredad; y cerezas un español llamado Gaspar de Alcocer, caudaloso mercader de la Ciudad de Los Reyes, donde después acá me han dicho que no se perdieron, por demasiadas diligencias que con ellas hicieron para que pravalecieran. Almendras han llevado; nogales no sé hasta ahora que los hayan llevado. Tampoco había cañas de azúcar en el Perú; ahora, en estos tiempos, por la buena diligencia de los españoles y por la mucha fertilidad de la tierra, hay tanta abundancia de todas estas cosas que ya dan hastío, y, donde a los principios fueron tan estimadas, son ahora menospreciadas y tenidas en poco o en nada.

El primer ingenio de azúcar que en el Perú se hizo fue en tierras de Huánucu; fue de un caballero que yo conocí. Un criado suyo, hombre prudente y astuto, viendo que llevaban al Perú mucho azúcar del reino de México y que el de su amo, por la multitud de lo que llevaban, no subía de precio, le aconsejó que cargase un navío de azúcar y lo enviase a la Nueva España, para que, viendo allá que lo enviaba del Perú, entendiesen que había sobra de él, y no lo llevasen más. Así se hizo, y el concierto salió cierto y provechoso; de cuya causa se han hecho después acá los ingenios que hay, que son muchos.

Ha habido españoles tan curiosos en agricultura (según me han dicho), que han hecho injertos de árboles frutales de España con los frutales del Perú, y que sacan frutas maravillosas con grandísima admiración de los indios, de ver que a un árbol hagan llevar al año dos, tres, cuatro frutas diferentes; admíranse de estas curiosidades y de cualquiera otra menor, porque ellos no trataron de cosas semejantes. Podrían también los agricultores (si no lo han hecho ya) injertar olivos en los árboles que los indios llaman *quishuar,* cuya madera y hoja es muy semejante al olivo, que yo me acuerdo que en mis niñeces me decían los españoles (viendo un quishuar): "El aceite y aceitunas que traen de España se cogen de unos árboles como éstos". Verdad es que

aquel árbol no es fructuoso; llega a echar la flor como la del olivo, y luego se le cae; con sus renuevos jugábamos cañas en el Cuzco, por falta de ellas, porque no se crían en aquella región, por ser tierra fría.

XXIX. DE LA HORTALIZA Y YERBAS, DE LA GRANDEZA DE ELLAS

De las legumbres que en España se comen no había ninguna en el Perú, conviene a saber: lechugas, escarolas, rábanos, coles, nabos, ajos, cebollas, berenjenas, espinacas, acelgas, yerbabuena, culantro, perejil, ni cardos hortenses ni campestres, ni espárragos (verdolagas había y poleo); tampoco había biznagas ni otra yerba alguna de las que hay en España de provecho. De las semillas, tampoco había garbanzos ni habas, lentejas, anís, mostaza, oruga, alcaravea, ajonjolí, arroz, alhucema, cominos, orégano, ajenuz y avenate, ni adormideras, trébol, ni manzanilla hortense ni campestre. Tampoco había rosas ni clavellinas de todas las suertes que hay en España, ni jazmines ni azucenas ni mosquetes.

De todas estas flores y yerbas que hemos nombrado, y otras que no he podido traer a la memoria, hay ahora tanta abundancia que muchas de ellas son ya muy dañosas, como nabos, mostaza, yerbabuena y manzanilla, que han cundido tanto en algunos valles que han vencido las fuerzas y la diligencia humana toda cuanta se ha hecho para arrancarlas, y han prevalecido de tal manera que han borrado el nombre antiguo de los valles y forzándolos que se llamen de su nombre, como el Valle de la Yerbabuena, en la costa de la mar que solía llamarse Rucma, y otros semejantes. En la Ciudad de Los Reyes crecieron tanto las primeras escarolas y espinacas que sembraron, que apenas alcanzaba un hombre con la mano los pimpollos de ellas; y se cerraron tanto que no podían hender un caballo por ellas; la mostruosidad en grandeza y abundancia que algunas legumbres y mieses a los principios sacaron fue increíble. El trigo en muchas partes acudió a los principios a trescientas hanegas, y a más por hanega de sembradura.

En el valle del Huarcu, en un pueblo que nuevamente mandó poblar allí el Visorrey Don Andrés Hurtado de Mendoza, Marqués de Cañete, pasando yo por el año de mil quinientos y sesenta, viniéndome a España, me llevó a su casa un vecino de aquel pueblo, que se decía Garci Vázquez, que había sido criado de mi padre, y dándome de cenar me dijo: "Comed de ese pan, que acudió a más de trescientas hanegas, porque llevéis qué contar a España". Yo me hice admirado de la abundancia, porque la ordinaria, que yo antes había visto, no era tanta ni con mucho, y me dijo el Garci Vázquez: "No os haga duro de creerlo, porque os digo verdad, como cristiano, que sembré dos hanegas y media de trigo y tengo encerradas seiscientas y ochenta, y se me perdieron otras tantas, por no tener con quién las coger".

Contando yo este mismo cuento a Gonzalo Silvestre, de quien hicimos larga mención en nuestra historia de la Florida, y la haremos en ésta si llegamos a sus tiempos, me dijo que no era mucho, porque en la provincia de Chuquisaca, cerca del río Pillcumayu, en unas tierras que allí tuvo, los primeros años que las sembró le habían acudido a cuatrocientas y a quinientas hanegas por una. El año de mil y quinientos y cincuenta y seis, yendo por Gobernador a Chili Don García de Mendoza, hijo del Visorrey ya nombrado, habiendo tomado el puerto de Arica, le dijeron que cerca de allí, en un valle llamado Cuzapa, había un rábano de tan extraña grandeza, que a la sombra de sus hojas estaban atados cinco caballos; que lo querían traer para que lo viese. Respondió el Don García que no lo arrancasen, que lo quería ver por propios ojos para tener qué contar; y así fue, con otros muchos que le acompañaron, y vieron ser verdad lo que les habían dicho. El rábano era tan grueso que apenas lo ceñía un hombre con los brazos, y tan tierno, que después se llevó a la posada de Don García y comieron muchos de él. En el valle que llaman de la Yerbabuena han medido muchos tallos de ella de a dos varas y media en largo. Quien las ha medido tengo hoy en mi posada, de cuya relación escribo esto.

En la Santa Iglesia Catedral de Córdoba, el año de mil y quinientos y noventa y cinco, por el mes de mayo, hablando con un caballero que se dice Don Martín de Contreras, sobrino del famoso Gobernador de Nicaragua Francisco de Contreras, diciéndole yo cómo iba en este paso de nuestra historia, y que temía poner el grandor de las cosas nuevas de mieses y legumbres que se daban en mi tierra, porque eran increíbles para los que no habían salido de las suyas, me dijo:

No dejéis por eso de escribir lo que pasa; crean lo que quisieren, basta decirle verdad. Yo soy testigo de vista de la grandeza del rábano, del valle de Cuzapa, porque soy uno de los que hicieron aquella jornada con Don García de Mendoza, y doy fe, como caballero hijodalgo, que vi los cinco caballos atados a sus ramas, y después comí del rábano con los demás. Y podéis añadir que en esa misma jornada vi en el valle de Ica un melón que pesó cuatro arrobas y tres libras, y se tomó por fe y testimonio ante escribano, porque se diese crédito a cosa tan monstruosa. Y en el valle de Yúcay comí de una lechuga que pesó siete libras y media.

Otras muchas cosas semejantes, de mieses, frutas y legumbres, me dijo este caballero, que las dejo de escribir por no hastiar con ellas a los que las leyeren.

El Padre Maestro Acosta, en el libro cuarto, capítulo diez y nueve, donde trata de las verduras, legumbres y frutas del Perú, dice lo que sigue, sacado a la letra:

> Yo no he hallado que los indios tuviesen huertos diversos de hortaliza, sino que cultivaban la tierra a pedazos, para legumbres que ellos usan, como los que llaman *frisoles* y *pallares,* que le[s] sirven como acá garbanzos y habas y lentejas; y no he alcanzado que estos ni otros géneros de legumbres de Europa los hubiese antes de entrar los españoles, los cuales han llevado hortalizas y legumbres de España, y se dan allá extremadamente; y aun en partes hay que excede mucho la fertilidad a la de acá, como si dijésemos de los melones que se dan en el valle de Ica, en el Perú; de suerte que se hace cepa la raíz y dura años, y da cada uno melones y la podan como si fuese árbol, cosa que no sé que en parte ninguna de España acaezca...

Hasta aquí es del Padre Acosta, cuya autoridad esfuerza mi ánimo para que sin temor diga la gran fertilidad que aquella tierra mostró a los principios con las frutas de España, que salieron espantables e increíbles; y no es la menor de sus maravillas ésta que el Padre Maestro escribe, a la cual se puede añadir que los melones tuvieron otra excelencia entonces, que ninguno salía malo, como lo dejasen madurar; en lo cual también mostraba la tierra su fertilidad, y lo mismo será ahora si se nota.

Y porque los primeros melones que en la comarca de Los Reyes se dieron causaron un cuento gracioso, será bien lo pongamos aquí, donde se verá la simplicidad que los indios en su antigüedad tenían; y es que un vecino de aquella ciudad, conquistador de los primeros, llamado Antonio Solar, hombre noble, tenía una heredad en Pachacámac, cuatro leguas de Los Reyes, con un capataz español que miraba por su hacienda, el cual envió a su amo diez melones, que llevaron dos indios a cuestas, según la costumbre de ellos, con una carta. A la partida les dijo el capataz: "No comáis ningún melón de éstos, porque si lo coméis lo ha de décir esta carta". Ellos fueron su camino, y a media jornada se descargaron para descansar. El uno de ellos, movido de la golosina, dijo al otro: "¿No sabríamos a qué sabe esta fruta de la tierra de nuestro amo?" El otro dijo: "No, porque si comemos alguno, lo dirá esta carta, que así nos lo dijo el capataz". Replicó el primero: "Buen remedio; echemos la carta detrás de aquel paredón, y como no nos vea comer, no podrá decir nada". El compañero se satisfizo del consejo, y, poniéndolo por obra, comieron un melón. Los indios, en aquellos principios, como no sabían qué eran letras, entendían que las cartas que los españoles se escribían unos a otros eran como mensajeros que decían de palabra lo que el español les mandaba, y que eran como espías que también decían lo que veían por el camino; y por esto dijo: "Echémosla tras el paredón, para que no nos vea comer". Queriendo los indios proseguir su camino, el que llevaba los cinco melones en su carga dijo al otro: "No vamos acertados; conviene que emparejemos las cargas, porque si vos lleváis cuatro y yo cinco, sospecharán que nos hemos comido el que falta". Dijo el compañero: "Muy bien decís". Y así por encubrir un delito, hicieron otro mayor, que se comieron otro melón. Los ocho que llevaban presentaron a su amo; el cual, habiendo leído la carta, les dijo: "¿Qué son de dos melones que faltan aquí?" Ellos a una respondieron: "Señor, no nos dieron más de ocho". Dijo Antonio Solar: "¿Por qué mentís vosotros, que esta carta dice que os dieron diez y que os comisteis los dos?" Los indios se hallaron perdidos de ver que tan al descubierto les hubiese dicho su amo lo que ellos habían hecho en secreto; y así, confusos y convencidos, no supieron contradecir a la verdad. Salieron diciendo que con mucha razón llamaban dioses a los españoles con el nombre Viracocha, pues alcanzaban tan grandes secretos. Otro cuento semejante refiere Gómara que pasó en la isla de Cuba a los principios, cuando ella se ganó. Y no es maravilla que una misma ignorancia pasase en diversas partes y en diferentes naciones, porque la simplicidad de los indios del Nuevo Mundo, en lo que ellos no alcanzaron, toda fue una. Por cualquiera ventaja que los españoles hacían a los indios, como correr caballos, domar novillos y romper la tierra con ellos, hacer molinos y arcos de puente en ríos grandes, tirar con un arcabuz y matar con él a ciento y doscientos pasos, y otras cosas semejantes, todas las atribuían a divinidad; y por ende les llamaron dioses, como lo causó la carta.

XXX. DEL LINO, ESPÁRRAGOS, BIZNAGAS Y ANÍS

Tampoco había lino en el Perú. Doña Catalina de Retes, natural de la villa de San Lúcar de Barrameda, suegra que fue de Francisco de Villafuerte, conquistador de los primeros y vecinos del Cuzco, mujer noble y muy religiosa, que fue de las primeras pobladoras del Convento de Santa Clara del Cuzco, el año de mil y quinientos y sesenta esperaba en aquella ciudad linaza, que la había enviado a pedir a España para sembrar, y un telar para

tejer lienzos caseros; y como yo salí aquel año del Perú, no supe si se lo llevaron o no. Después acá he sabido que se coge mucho lino, mas no sé cuán grandes hilanderas hayan sido las españolas ni las mestizas, mis parientas, porque nunca las vi hilar, sino labrar y coser, que entonces no tenían lino, aunque tenían muy lindo algodón y lana riquísima, que las indias hilaban a las mil maravillas; la lana y el algodón carmenan con los dedos, que los indios no alcanzaron cardas ni las indias torno para hilar a él. De que no sean grandes hilanderas de lino, tienen descargo, pues no pueden labrarlo.

Volviendo a la mucha estima que en el Perú se ha hecho de las cosas de España, por viles que sean, no siempre sino a los principios, luego que allá se llevaron, me acuerdo que el año de mil y quinientos y cincuenta y cinco, o el de cincuenta y seis, García de Melo, natural de Trujillo, tesorero que entonces era en el Cuzco de la hacienda de Su Majestad, envió a Garcilaso de la Vega, mi señor, tres espárragos de los de España, que allá no los hubo —no supe dónde hubiesen nacido—, y le envió a decir que comiese de aquella fruta de España, nueva en el Cuzco, que, por ser la primera, se la enviaba; los espárragos eran hermosísimos; los dos eran gruesos como los dedos de la mano y largos de más de una tercia; el tercero era más grueso y más corto, y todos tres tan tiernos que se quebraban de suyo. Mi padre, para mayor solemnidad de la yerba de España, mandó que se cociesen dentro en su aposento, al brasero que en él había, delante de siete u ocho caballeros que a su mesa cenaban. Cocidos los espárragos, trajeron aceite y vinagre, y Garcilaso, mi señor, repartió por su mano los dos más largos, dando a cada uno de los de la mesa un bocado, y tomó para sí el tercero, diciendo que le que, por ser cosa de ~~España~~, quería ser aventajado por aquella vez. De esta manera se comieron los espárragos con más regocijo y fiesta que si fuera el ave fénix, y aunque yo serví a la mesa e hice traer todos los adherentes, no me cupo cosa alguna.

En aquellos mismos días envió el capitán Bartolomé de Terrazas a mi padre (por gran presente) tres biznagas llevadas de España; las cuales se sacaban a la mesa cuando había algún nuevo convidado, y por gran magnificencia se le daba una pajuela de ellas.

También salió por este tiempo el anís en el Cuzco, el cual se echaba en el pan por cosa de mucha estima, como si fuera el néctar o la ambrosía de los poetas. De esta manera se estimaron todas las cosas de España a los principios, cuando se empezaron a dar en el Perú, y escríbense, aunque son de poca importancia, porque en los tiempos venideros, que es cuando más sirven las historias, quizá holgarán saber estos principios. Los espárragos no sé que hayan prevalecido ni que las biznagas hayan nacido en aquella tierra. Empero, las demás plantas, mieses y legumbres y ganados, han multiplicado en la abundancia que se ha dicho. También han plantado morales y llevado semilla de gusanos de seda, que tampoco la había en el Perú; mas no se puede labrar la seda por un inconveniente muy grande que tiene.

XXXI. NOMBRES NUEVOS PARA NOMBRAR DIVERSAS GENERACIONES

Lo mejor de lo que ha pasado a Indias se nos olvidaba, que son los españoles y los negros que después acá han llevado por esclavos para servirse de ellos, que tampoco los había antes en aquella mi tierra. De estas dos naciones se han hecho allá otras, mezcladas de todas maneras, y para las diferenciar les llaman por diversos nombres, para entenderse por ellos. Y aunque en nuestra historia de *La Florida* dijimos algo de esto, me pareció repetirlo aquí, por ser éste su propio lugar. Es así que al español o española que va de acá llaman *español* o *castellano*, que ambos nombres se tienen allá por uno mismo, y así he usado yo de ellos en esta historia y en *La Florida*. A los hijos de español y de española nacidos allá dicen *criollo* o *criolla*, por decir que son nacidos en Indias. Es nombre que lo inventaron los negros, y así lo muestra la obra. Quiere decir entre ellos negro nacido en Indias; inventáronlo para difenciar los que van de acá, nacidos en Guinea, de los que nacen allá, porque se tienen por más honrados y de más calidad por haber nacido en la patria, que no sus hijos porque nacieron en la ajena, y los padres se ofenden si les llaman criollos. Los españoles, por la semejanza, han introducido este nombre en su lenguaje para nombrar los nacidos allá. De manera que al español y al guineo nacidos allá les llaman *criollos* y *criollas*. Al negro que va de acá, llanamente le llaman *negro* o *guineo*. Al hijo de negro y de india, o de indio y de negra, dicen *mulato* y *mulata*. A los hijos de éstos llaman *cholo*; es vocablo de la isla de Barlovento; quiere decir perro, no de los castizos, sino de los muy bellacos gozcones; y los españoles usan de él por infamia y vituperio.

A los hijos de español y de india o de indio y española, nos llaman *mestizos*, por decir que somos mezclados de ambas naciones; fue impuesto por los primeros españoles que tuvieron hijos en Indias, y por ser nombre impuesto por nuestros padres y por su significación me lo llamo yo a boca llena, y me honro con él. Aunque en Indias, si a uno de ellos le dicen "sois un mestizo" o "es un mestizo", lo toman por menosprecio. De donde nació que hayan abrazado con grandísimo gusto el nombre *montañés*, que, entre otras afrentas y menosprecios que de ellos hizo un poderoso, les impuso en lugar del nombre *mestizo*. Y no consideran que aunque en España el nombre *montañés* sea apellido honroso, por los privilegios que se dieron a los naturales de las montañas de Asturias y Vizcaya, llamándoselo a otro cualquiera, que no sea natural de aquellas provincias, es nombre vituperoso, porque en propia significación quiere decir: cosa de montaña, como lo dice en su *Vocabulario* el gran maestro Antonio Lebrija, acreedor de toda la buena latinidad que hoy tiene España; y en la lengua general del Perú, para decir montañés dicen *sacharuna*, que en propia significación quiere decir salvaje, y por llamarles aquel buen hombre disimuladamente salvajes, les llamó montañés; y mis parientes, no entendiendo la malicia del imponedor, se precian de su afrenta, habiéndola de huir y abominar, y llamarse como nuestros padres nos llamaban y no recibir nuevos nombres afrentosos, etcétera.

A los hijos de español y de mestiza, o de mestizo y española llaman *cuatralbos*, por decir que tienen cuatro parte de indio y tres de español. A los hijos de mestizo y de india o de indio y de mestiza llaman *tresalbos*, por decir que tienen cuarta parte de indio y tres de español. Todos estos nombres y otros, que por excusar hastío dejamos de decir, se han inventado en mi tierra para nombrar las generaciones que ha habido después que los españoles fueron a ella; y podemos decir que ellos los llevaron con las demás cosas que no había antes. Y con esto volveremos a los Reyes Incas, hijos del gran Huaina Cápac, que nos están llamando, para darnos cosas muy grandes qué decir.

XXXII. HUÁSCAR INCA PIDE RECONOCIMIENTO DE VASALLAJE A SU HERMANO ATAHUALLPA

Muerto Huaina Cápac, reinaron sus dos hijos cuatro o cinco años en pacífica posesión y quietud entre sí el uno con el otro, sin hacer nuevas conquistas ni aun pretenderlas, porque el Rey Huáscar quedó atajado por la parte septentrional con el reino de Quitu, que era de su hermano, por donde había nuevas tierras que conquistar; que las otras tres partes estaban ya todas ganadas, dende las bravas montañas de los Antis hasta la mar, que es de oriente a poniente, y al mediodía tenían sujetado hasta el reino de Chili. El Inca Atahuallpa tampoco procuró nuevas conquistas, por atender al beneficio de sus vasallos y al suyo propio. Habiendo vivido aquellos pocos años en esta paz y quietud, como el reinar no sepa sufrir igual ni segundo dio Huáscar Inca en imaginar que había hecho mal en consentir lo que su padre le mandó acerca del reino de Quitu, que fuese de su hermano Atahuallpa; porque demás de quitar y enajenar de su Imperio un reino tan principal, vio que con él quedaba atajado para no poder pasar adelante en sus conquistas; las cuales quedaban abiertas y dispuestas para que su hermano las hiciese y aumentase su reino, de manera que podía venir a ser mayor que el suyo, y que él, habiendo de ser monarca, como lo significa el nombre Zapa Inca, que es Solo Señor, vendría por tiempo a tener otro igual y quizá superior, y que, según su hermano era ambicioso e inquieto de ánimo, podría, viéndose poderoso, aspirar a quitarle el Imperio.

Estas imaginaciones fueron creciendo de día en día más y más, y causaron en el pecho de Huáscar Inca tanta congoja, que, no pudiéndola sufrir, envió un pariente suyo por mensajero a su hermano Atahuallpa, diciendo que bien sabía que por antigua constitución del primer Inca Manco Cápac guardaba por todos sus descendientes, el reino de Quitu y todas las demás provincias que con él poseía eran de la corona e Imperio del Cuzco; v que haber concedido lo que su padre le mandó, más había sido forzosa obediencia del padre que rectitud de justicia, porque era en daño de la corona y perjuicio de los sucesores de ella; por lo cual, ni su padre lo debía mandar ni él estaba obligado a lo cumplir. Empero, que ya que su padre lo había mandado y él lo había consentido, holgaba pasar por ello con dos condiciones: la una, que no había de aumentar un palmo de tierra a su reino, porque todo lo que estaba por ganar era del Imperio, y la otra que, antes todas cosas, le había de reconocer vasallaje y ser su feudatario.

Este recaudo recibió Atahuallpa con toda la sumisión y humildad que pudo fingir, y dende a tres días, habiendo mirado lo que le convenía, respondió con mucha sagacidad, astucia y cautela, diciendo que siempre en su corazón había reconocido y reconocía vasallaje al Zapa Inca, su señor, y que no solamente no aumentaría cosa alguna en el reino de Quitu, mas si Su Majestad gustaba de ello, se desposeería de él y se lo renunciaría y viviría privadamente en su corte, como cualquiera de sus deudos, sirviéndole en paz y en guerra, como debía a su Príncipe y señor en todo lo que le mandase. La respuesta de Atahuallpa envió el mensajero del Inca por la posta, como le fue ordenado, porque no se detuviese tanto por el camino si lo llevase él propio, y él se quedó en la corte

de Atahuallpa, para replicar y responder lo que el Inca enviase a mandar. El cual recibió con mucho contento la respuesta, y replicó diciendo que holgaba grandemente que su hermano poseyese lo que su padre le había dejado, y que de nuevo se lo confirmaba, con que dentro de tal término fuese al Cuzco a darle la obediencia y hacer el pleito homenaje que debía de fidelidad y lealtad. Atahuallpa respondió que era mucha felicidad para él saber la voluntad del Inca para cumplirla; que él iría dentro del plazo señalado a dar su obediencia, y que para que la jura se hiciese con más solemnidad y más cumplidamente, suplicaba a Su Majestad le diese licencia para que todas las provincias de su estado fuesen juntamente con él a celebrar en la ciudad del Cuzco las exequias del Inca Huaina Cápac, su padre, conforme a la usanza del reino de Quitu y de las otras provincias; y que cumplida aquella solemnidad harían la jura, y sus vasallos juntamente.

Huáscar Inca concedió todo lo que su hermano le pidió, y dijo que a su voluntad ordenase todo lo que para las exequias de su padre quisiese, que él holgaba mucho se hiciese en su tierra, conforme a la costumbre ajena, y que fuese al Cuzco cuando bien le estuviese; con esto quedaron ambos hermanos muy contentos, el uno muy ajeno de imaginar la máquina y traición que contra él se armaba para quitarle la vida y el Imperio; y el otro muy diligente y cauteloso, metido en el mayor golfo de ella para no dejarle gozar de lo uno ni de lo otro.

XXXIII. ASTUCIAS DE ATAHUALLPA PARA DESCUIDAR AL HERMANO

El Rey Atahuallpa mandó echar bando público por todo su reino y por las demás provincias que poseía, que toda la gente útil se apercibiese para ir al Cuzco, dentro de tantos días, a celebrar las exequias del gran Huaina Cápac, su padre, conforme a las costumbres antiguas de cada nación, y hacer la jura y homenaje que al monarca Huáscar Inca se había de hacer, y que para lo uno y para lo otro llevasen todos los arreos, galas y ornamentos que tuviesen, porque deseaba que la fiesta fuese solemnísima. Por otra parte mandó en secreto a sus capitanes que cada uno en su distrito escogiese la gente más útil para la guerra, y les mandase que llevasen sus armas secretamente, porque más los quería para batallas que no para exequias. Mandó que caminasen en cuadrillas de a quinientos y a seiscientos indios, más y menos; que se disimulasen de manera que pareciese gente de servicio y no de guerra; que fuese cada cuadrilla dos, tres leguas una de otra. Mandó que los primeros capitanes, cuando llegasen diez o doce jornadas del Cuzco, las acortasen para que los que fuesen en pos de ellos los alcanzasen más aína y a los de las últimas cuadrillas mandó que, llegando a tal paraje, doblasen las jornadas, para juntarse en breve con los primeros. Con esta orden fue enviando al Rey Atahuallpa más de treinta mil hombres de guerra, que los más de ellos eran de la gente veterana y escogida que su padre le dejó, con capitanes experimentados y famosos que siempre traía consigo: fueron por caudillos y cabezas principales dos maeses de campo: el uno llamado Challcuchima y el otro Quízquiz, y el Inca echó fama que iría con los últimos.

Huáscar Inca, fiado en las palabras de su hermano, y mucho más en la experiencia tan larga que entre aquellos indios había del respeto y lealtad que al Inca tenían sus vasallos, cuanto más sus parientes y hermanos, como lo dice por estas palabras el Padre Maestro Acosta,

Libro sexto, capítulo doce: "Sin duda era grande la reverencia y afición que esta gente tenía a sus Incas, sin que se halle jamás haberles hecho ninguno de los suyos traición", etc. Por lo cual, no solamente no sospechó Huáscar Inca cosa alguna de la traición, mas antes, con gran liberalidad, mandó que les diesen bastimentos y les hiciesen toda buena acogida, como a propios hermanos que iban a las exequias de su padre y a hacer la jura que le debían. Así se hubieron los unos con los otros: los de Huáscar, con toda la simplicidad y bondad que naturalmente tenían; y los de Atahuallpa, con toda la malicia y cautela que en su escuela habían aprendido.

Atahuallpa Inca usó de aquella astucia y cautela de ir disfrazado y disimulado contra su hermano porque no era poderoso para hacerle guerra al descubierto; pretendió y esperó más en el engaño que no en sus fuerzas, porque hallando descuidado al Rey Huáscar, como le halló, ganaba el juego; y dándole lugar que se apercibiese, lo perdía.

XXXIV. AVISAN A HUÁSCAR, EL CUAL HACE LLAMAMIENTO DE GENTE

Con la orden que se ha dicho, caminaron los de Quitu casi cuatrocientas leguas, hasta llegar cerca de cien leguas del Cuzco. Algunos Incas viejos, gobernadores de las provincias por do pasaban, que habían sido capitanes y eran hombres experimentados en paz y en guerra, viendo pasar tanta gente, no sintieron bien de ello; porque les parecía que para las solemnidades de las exequias bastaban cinco o seis mil hombres, y cuando mucho diez mil; y para la jura no era menester la ente común, que bastaban los curacas, que eran los señores de vasallos, y los gobernadores y capitanes de guerra y el Rey Atahuallpa, que era el principal, de cuyo ánimo inquieto, astuto y belicoso, no se podía esperar paz ni buena hermandad; con esta sospecha y temores enviaron avisos secretos a su Rey Huáscar Inca, suplicándole se recatase de su hermano Atahuallpa, que no les parecía bien que llevase tanta gente por delante.

Con estos recaudos despertó Huáscar Inca del sueño de la confianza y descuido en que dormía; envió a toda diligencia mensajeros a los gobernadores de las provincias de Antisuyu, Collasuyu y Cuntisuyu; mandóles que con la brevedad necesaria acudiesen al Cuzco con toda la más gente de guerra que pudiesen levantar. Al distrito Chinchasuyu, que era el mayor y de gente más belicosa, no envió mensajeros, porque estaba atajado con el ejército contrario que por él iba caminando; los de Atahuallpa, sintiendo el descuido de Huáscar y de los suyos, iban de día en día cobrando más ánimo y creciendo en su malicia, con la cual llegaron los primeros a cuarenta leguas del Cuzco, y de allí fueron acortando las jornadas, y los segundos y últimos las fueron alargando; de manera que en espacio de pocos días se hallaron más de veinte mil hombres de guerra al paso del río Apurímac, y lo pasaron sin contradicción alguna, y de allí fueron, como enemigos declarados, con las armas y banderas e insignias militares descubiertas; caminaron poco a poco, en dos tercios de escuadrón, que eran la vanguardia y la batalla, hasta que se les juntó la retaguardia, que era de más de otros diez mil hombres; llegaron a lo alto de la cuesta de Uillacunca, que está seis leguas de la ciudad. Atahuallpa se quedó en los confines de su reino, que no osó acercarse tanto hasta ver el suceso de la primera batalla, en la cual tenía puesta toda su esperanza, por la confianza y descuido de sus enemigos y por el

ánimo y valor de sus capitanes y soldados veteranos.

El Rey Huáscar Inca, entre tanto que sus enemigos se acercaban, hizo llamamiento de gente, con toda la prisa posible; mas los suyos, por la mucha distancia del distrito Collasuyu, que tiene más de doscientas leguas de largo, no pudieron venir a tiempo que fuesen de provecho; y los de Antisuyu fueron pocos, porque de suyo es la tierra mal poblada, por las grandes montañas que tiene; de Cuntisuyu, por ser el distrito más recogido y de mucha gente, acudieron todos los curacas, con más de treinta mil hombres; pero mal usados en las armas, porque con la paz tan larga que habían tenido no las habían ejercitado. Eran bisoños, gente descuidada de guerra. El Inca Huáscar, con todos sus parientes y la gente que tenía recogida, que eran casi diez mil hombres, salió a recibir los suyos al poniente de la ciudad, por donde venían, para juntarlos consigo y esperar allí la demás gente que venía.

XXXV. BATALLA DE LOS INCAS, VICTORIA DE ATAHUALLPA, Y SUS CRUELDADES

Los de Atahuallpa, como gente práctica, viendo que en la dilación arriesgaban la victoria y con la brevedad la aseguraban, fueron en busca de Huáscar Inca para darle la batalla antes que se juntase más gente en su servicio. Halláronle en unos campos grandes que están dos o tres leguas al poniente de la ciudad, donde hubo una bravísima pelea, sin que de una parte a otra hubiese precedido apercibimiento ni otro recaudo alguno; pelearon crudelísimamente, los unos por haber en su poder al Inca Huáscar, que era una presa inestimable, y los otros por no perderla, que era su Rey, y muy amado; duró la batalla todo el día, con gran mortandad de ambas partes. Mas al fin, por la falta de los Collas y porque los de Huáscar eran bisoños y nada prácticos en la guerra, vencieron los del Inca Atahuallpa que, como gente ejercitada y experimentada en la milicia, valía uno por diez de los contrarios. En el alcance prendieron a Huáscar Inca, por la mucha diligencia que sobre él pusieron, porque entendían no haber hecho nada si les escapaba; iba huyendo con cerca de mil hombres que se le habían recogido, los cuales murieron todos en su presencia, parte que mataron los enemigos y parte que ellos mismos se mataron, viendo su Rey preso; sin la persona real, prendieron muchos curacas, señores de vasallos, muchos capitanes y gran número de gente noble, que, como ovejas sin pastor, andaban perdidos sin saber huir ni adónde acudir. Muchos de ellos, pudiendo escaparse de los enemigos, sabiendo que su Inca estaba preso, se vinieron a la prisión con él, por el amor y lealtad que le tenían.

Quedaron los de Atahuallpa muy contentos y satisfechos con tan gran victoria y tan rica presa como la persona imperial de Huáscar Inca y de todos los más principales de su ejército; pusiéronle a grandísimo recaudo; eligieron para su guarda cuatro capitanes y los soldados de mayor confianza que en su ejército había, que por horas le guardasen, sin perderle de vista de día ni de noche. Mandaron luego echar bando que publicase la prisión del Huáscar, para que se divulgase por todo su Imperio, porque si alguna gente hubiese hecho para venir en su socorro, se deshiciese sabiendo que ya estaba preso. Enviaron por la posta el aviso de la victoria y de la prisión de Huáscar a su Rey Atahuallpa.

Esta fue la suma y lo más esencial de la guerra que hubo entre aquellos dos hermanos, últimos Reyes del Perú. Otras batallas y reencuentros que los historiadores españoles cuentan de ella son lances que pasaron en los confines del un reino y del otro, entre los capitanes y gente de guarnición que en ellos había, y la prisión que dicen de Atahuallpa fue novela que él mismo mandó echar para descuidar a Huáscar y a los suyos; y el fingir luego, después de la prisión, y decir que su padre el Sol lo había convertido en culebra para que se saliese de ella por un agujero que había en el aposento, fue para con aquella fábula autorizar y abonar su tiranía, para que la gente común entendiese que su dios, el Sol, favorecía su partido, pues lo libraba del poder de sus enemigos que, como aquellas gentes eran tan simples, creían muy de veras cualquier patraña que los Incas publicaban del Sol, porque eran tenidos por hijos suyos.

Atahuallpa usó crudelísimamente de la victoria, porque, disimulando y fingiendo que quería restituir a Huáscar en su reino, mandó hacer llamamiento de todos los Incas que por el Imperio había, así gobernadores y otros ministros en la paz, como maeses de campo, capitanes y soldados en la guerra; que dentro en cierto tiempo se juntasen en el Cuzco, porque dijo que quería capitular con todos ellos ciertos fueros y estatutos que de allí adelante se guardasen entre los dos Reyes, para que viviesen en toda paz y hermandad. Con esta nueva acudieron todos los Incas de la sangre real; que no faltaron sino los impedidos por enfermedad o por vejez, y algunos que estaban tan lejos que no pudieron o no osaron venir a tiempo ni fiar del victorioso. Cuando los tuvieron recogidos, envió Atahuallpa a mandar que los matasen a todos con diversas muertes, por asegurarse de ellos, porque no tramasen algún levantamiento.

XXXVI. CAUSAS DE LAS CRUELDADES DE ATAHUALLPA Y SUS EFECTOS CRUDELÍSIMOS

Antes que pasemos adelante, será razón que digamos la causa que movió a Atahuallpa a hacer las crueldades que hizo en los de su linaje; para lo cual es de saber que por los estatutos y fueros de aquel reino, usados e inviolablemente guardados desde el primer Inca Manco Cápac hasta el gran Huaina Cápac, Atahuallpa, su hijo, no solamente no podía heredar el reino de Quitu, porque todo lo que se ganaba era de la corona imperial, mas antes era incapaz para poseer el reino del Cuzco, porque para lo heredar había de ser hijo de la legítima mujer, la cual, como se ha visto, había de ser hermana del Rey, porque le perteneciese la herencia del Reino tanto por la madre como por el padre; faltando lo cual, había de ser el Rey por lo menos legítimo en la sangre real, hijo de Palla que fuese limpia de sangre alienígena; los cuales hijos tenían por capaces de la herencia del reino, pero de los de sangre mezclada no hacían tanto caudal, a lo menos para suceder en el Imperio, ni aun para imaginarlo. Viendo, pues, Atahuallpa que le faltaban todos los requisitos necesarios para ser Inca, porque ni era hijo de la Coya, que es la Reina, ni de Palla, que es mujer de la sangre real, porque su madre era natural de Quitu, ni aquel reino se podía desmembrar del Imperio, le pareció quitar los inconvenientes que el tiempo adelante podían suceder en su reinado tan violento, porque temió que, sosegadas las guerras presentes, había de reclamar todo el Imperio y de común consentimiento pedir un Inca que tuviese las partes dichas, y elegirlo y levantarlo ellos de suyo; lo cual no podía estorbar Atahuallpa, porque lo tenían fundado los indios en su ido-latría y vana religión, por la predicación y enseñanza que les hizo el primer Inca Manco Cápac y por la observancia y ejemplo de todos sus descendientes. Por todo lo cual, no hallando mejor remedio, se acogió a la crueldad y destrucción de toda la sangre real, no solamente de la que podía tener derecho a la sucesión del Imperio, que eran los legítimos en sangre, mas también de toda la demás, que era incapaz a la herencia como la suya, porque no hiciese alguno de ellos lo que él hizo, pues con su mal ejemplo les abría la puerta a todos ellos. Remedio fue éste que por la mayor parte lo han usado todos los Reyes que con violencia entran a poseer los reinos ajenos, porque les parece que, no habiendo legítimo heredero del Reino, ni los vasallos tendrán a quién llamar ni ellos a quién restituir, y que queden seguros en conciencia y en justicia; de lo cual nos dan largo testimonio las historias antiguas y modernas, que por excusar prolijidad las dejaremos. Bástenos decir el mal uso de la casa otomana, que el sucesor del Imperio entierra con el padre todos los hermanos varones, por asegurarse de ellos.

Mayor y más sedienta de su propia sangre que la de los otomanos fue la crueldad de Atahuallpa, que, no hartándose con la de doscientos hermanos suyos, hijos del gran Huaina Cápac, pasó adelante a beber la de sus sobrinos, tíos y parientes, dentro y fuera del cuarto grado, que, como fuese de la sangre real, no escapó ninguno, legítimo ni bastardo. Todos los mandó matar con diversas muertes: a unos degollaron; a otros ahorcaron; a otros echaron en ríos y lagos, con grandes pesas al cuello, porque se ahogasen, sin que el nadar les valiese; otros fueron despeñados de altos riscos y peñascos. Todo lo cual se hizo con la mayor brevedad que los ministros pudieron, porque el tirano no se aseguraba hasta verlos todos muertos o saber que lo estaban, porque con toda su victoria no osó pasar de Sausa, que los españoles llaman Xauxa, noventa leguas del Cuzco. Al pobre Huáscar Inca reservó por entonces de la muerte, porque lo quería para defensa de cualquier levantamiento que contra Atahuallpa se hiciese, porque sabía que, con enviarles Huáscar a mandar que se aquietasen, le habían de obedecer sus vasallos. Pero para mayor dolor del desdichado Inca le llevaban a ver la matanza de sus parientes, por matarle en cada uno de ellos, que tuviera él por menos pena ser él muerto que verlos matar tan cruelmente.

No pudo la crueldad permitir que los demás prisioneros quedasen sin castigo, porque en ellos escarmentasen todos los demás curacas y gente noble del Imperio, aficionada a Huáscar; para lo cual los sacaron maniatados a un llano, en el valle de Sacsahuana, donde estaban (donde fue después la batalla del Presidente Gasca y Gonzalo Pizarro), c hicieron de ellos una calle larga; luego sacaron al pobre Huáscar Inca cubierto de luto, atadas las manos atrás y una soga al pescuezo, y lo pasearon por la calle que estaba hecha de los suyos; los cuales viendo a su Príncipe en tal caída, con grandes gritos y alaridos se postraban en el suelo a le adorar y reverenciar, ya que no podían librarle de tanta desventura. A todos los que hicieron esto mataron con unas hachas y porras pequeñas, de una mano, que llaman *champi;* otras hachas y porras tienen grandes, para pelear a dos manos. Así mataron delante de su Rey casi todos los curacas y capitanes y la gente noble que habían preso, que apenas escapó hombre de ellos.

XXXVII. PASA LA CRUELDAD A LAS MUJERES Y NIÑOS DE LA CASA REAL

Habiendo muerto Atahuallpa los varones que tenía, así los de sangre real como de los vasallos y súbditos de Huáscar (como la crueldad no sepa hartarse, antes tenga tanta más hambre y más sed cuanta más sangre y carne humana coma y beba), pasó adelante a tragar y sorber la que quedaba por derramar de las mujeres y niños de la sangre real; la cual, debiendo merecer alguna misericordia por la ternura de la edad y flaqueza del sexo, movió a mayor rabia la crueldad del tirano, que envió a mandar que juntasen todas las mujeres y niños que de la sangre real pudiesen haber, de cualquier edad y condición que fuesen, reservando las que estaban en el convento del Cuzco dedicadas para mujeres del Sol, y que las matasen poco a poco fuera de la ciudad, con diversos y crueles tormentos, de manera que tardasen mucho en morir. Así lo hicieron los ministros de la crueldad, que dondequiera se hallan tales; juntaron todas las que pudieron haber por todo el Reino, con grandes pesquisas y diligencias que hicieron, porque no se escapase alguna; de los niños recogieron grandísimo número, de los legítimos y no legítimos, porque el linaje de los Incas, por la licencia que tenían de tener cuantas mujeres quisiesen, era el linaje más amplio y extendido que había en todo aquel Imperio. Pusiéronlos en el campo llamado Yahuarpampa, que es: campo de sangre. El cual nombre se le puso por la sangrienta batalla que en él hubo de los Chancas y Cuzcos, como largamente en su lugar dijimos. Está al norte de la ciudad, casi una legua de ella.

Allí los tuvieron, y, porque no se les fuese alguno, los cercaron con tres cercas. La primera fue de la gente de guerra que alojaron en derredor de ellos, para que a los suyos le[s] fuese guarda y presidio y guarnición contra la ciudad, y a los contrarios temor y asombro. Las otras dos cercas fueron de centinelas, puestas una más lejos que otra, que velasen de día y de noche, porque no saliese ni entrase alguien sin que lo viesen. Ejecutaron su crueldad de muchas maneras; dábanles a comer no más de maíz crudo y yerbas crudas en poca cantidad: era el ayuno riguroso que aquella gentilidad guardaba en su religión. A las mujeres, hermanas, tías, sobrinas, primas hermanas y madrastras de Atahuallpa, colgaban de los árboles y de muchas horcas muy altas que hicieron; a unas colgaron de los cabellos, a otras por debajo de los brazos y a otras de otras maneras feas, que por la honestidad se callan; dábanles sus hijuelos, que los tuviesen en brazos; teníanlos hasta que se les caían y se aporreaban; a otras colgaban de un brazo, a otras de ambos brazos, a otras de la cintura, porque fuese más largo el tormento y tardasen más en morir, porque matarlas brevemente fuera hacerles merced, y así la pedían las tristes con grandes clamores y aullidos. A los muchachos y muchachas fueron matando poco a poco, tantas cada cuarto de luna, haciendo en ellos grandes crueldades, también como en sus padres y madres, aunque la edad de ellos pedía clemencia; muchos de ellos perecieron de hambre.

Diego Fernández, en la *Historia del Perú,* parte segunda, libro tercero, capítulo quinto, toca brevemente la tiranía de Atahuallpa y parte de sus crueldades, por estas palabras, que son sacadas a la letra:

Entre Guáscar Inga y su hermano Atabálipa hubo muchas diferencias sobre mandar el reino y quién había de ser señor. Estando Guáscar Inga en el Cuzco y su hermano Atabálipa en Caxamalca, envió Atabálipa dos capitanes suyos muy principales, que se nombraban el uno Chalcuhiman y el otro Quízquiz, los cuales eran valientes y llevaron mucho número de gente, e iban de propósito de prender a Guáscar Inga, porque así se había concertado y se les había mandado, para efecto que, siendo Guáscar preso, quedase Atabálipa por señor e hiciese de Guáscar lo que por bien tuviese. Fueron por el camino conquistando caciques e indios, poniéndolo todo debajo el mando y servidumbre de Atabálipa, y como Guáscar tuvo noticia de esto y de lo que venían haciendo, aderezóse luego y salió del Cuzco y vínose para Quipaypan (que es una legua del Cuzco), donde se dio la batalla; y aunque Guáscar tenía mucha gente, al fin fue vencido y preso. Murió mucha gente de ambas partes, y fue tanta que se dice por cosa cierta serían más de ciento y cincuenta mil indios; después que entraron con la victoria en el Cuzco, mataron mucha gente, hombres y mujeres y niños; porque todos aquellos que se declaraban por servidores de Guáscar los mataban, y buscaron todos los hijos que Guáscar tenía y los mataron; asimismo las mujeres que decían estar de él preñadas; y una mujer de Guáscar, que se llamaba Mama Uárcay, puso tan buena diligencia que se escapó con una hija de Guáscar, llamada Coya Cuxi Uárcay, que ahora es mujer de Xayre Topa Inga, que es de quien habemos hecho mención principalmente en esta historia...

Hasta aquí es de aquel autor; luego, sucesivamente, dice el mal tratamiento que hacían al pobre Huáscar Inca en la prisión, en su lugar pondremos sus mismas palabras, que son muy lastimeras; la Coya Cuxi Uárcay, que dice fue mujer de Xayre Topa, se llamaba Cusi Huarque; adelante hablaremos de ella. El campo do fue la batalla que llaman Quipaypan está corrupto el nombre; ha de decir Quepaypa; es genitivo; quiere decir: de mi trompeta, como que allí hubiese sido el mayor sonido de la de Atahuallpa, según el frasis de la lengua. Yo estuve en aquel campo dos o tres veces, con otros muchachos condiscípulos míos de gramática, que nos íbamos a caza de los halconcillos de aquella tierra que nuestros indios cazadores nos criaban.

De la manera que se ha dicho extinguieron y apagaron toda la sangre real de los Incas en espacio de dos años y medio que tardaron en derramarla, y aunque pudieron acabarla en más breve tiempo no quisieron, por tener en quién ejercitar su crueldad con mayor gusto. Decían los indios que por la sangre real que en aquel campo se derramó se le confirmó el nombre de Yahuarpampa, que es campo de sangre, porque fue mucha más en cantidad, y sin comparación alguna en calidad, la de los Incas que la de los Chancas, y que causó mayor lástima y compasión por la tierna edad de los niños y naturaleza flaca de sus madres.

XXXVIII. ALGUNOS DE LA SANGRE REAL ESCAPARON DE LA CRUELDAD DE ATAHUALLPA

Algunos se escaparon de aquella crueldad, unos que no vinieron a su poder y otros que la misma gente de Atahuallpa, de lástima de ver perecer la sangre que ellos tenían por divina, cansados ya de ver tan fiera carnicería, dieron lugar a que se saliesen del cercado en que los tenían, y ellos mismos los echaban fuera, quitándoles los vestidos reales y poniéndoles otros de la gente común, porque no los conociesen, que, como queda dicho, en la estofa del vestido conocían la calidad del que lo traía. Todos los que así faltaron fueron niños y niñas, muchachos y muchachas de diez y once años abajo; una de ellas fue mi madre y un hermano suyo llamado

Don Francisco Túpac Inca Yupanqui, que yo conocí, que después que estoy en España me ha escrito; y de la relación que muchas veces les oí es todo lo que de esta calamidad y plaga voy diciendo; sin ellos, conocí otros pocos que escaparon de aquella miseria. Conocí dos Auquis, que quiere decir infantes; eran hijos de Huaina Cápac; el uno llamado Paullu, que era ya hombre en aquella calamidad, de quien las historias de los españoles hacen mención; el otro se llamaba Titu; era de los legítimos en sangre; era muchacho entonces; del bautismo de ellos y de sus nombres cristianos dijimos en otra parte. De Paullu quedó sucesión mezclada con sangre española, que su hijo Don Carlos Inca, mi condiscípulo de escuela y gramática, casó con una mujer noble nacida allá, hija de padres españoles, de la cual hubo a Don Melchor Carlos Inca, que el año pasado de seiscientos y dos vino a España, así a ver la corte de ella como a recibir las mercedes que allá le propusieron se le harían acá por los servicios que su abuelo hizo en la conquista y pacificación del Perú y después contra los tiranos, como se verá en las historias de aquel Imperio; mas principalmente se le deben por ser bisnieto de Huaina Cápac por línea de varón, y que de los pocos que hay de aquella sangre real es el más notorio y el más principal. El cual está al presente en Valladolid esperando las mercedes que se le han de hacer, que por grandes que sean se les deben mayores.

De Titu no sé que haya sucesión. De las ñustas, que son infantas, hijas de Huaina Cápac, legítimas en sangre, conocí dos, la una se llamaba Doña Beatriz Coya; casó con Martín Mustincia, hombre noble, que fue contador o factor en el Perú de la hacienda del Emperador Carlos Quinto; tuvieron tres hijos varones, que se llamaron los Bus-

tincias, y otro, sin ellos, que se
llamó Juan Sierra de Leguizamo,
que fue mi condiscípulo en la escuela y en el estudio. La otra ñusta se decía Doña Leonor Coya;
casó primera vez con un español
que se decía Juan Balsa, que yo no
conocí, porque fue en mi niñez;
tuvieron un hijo del mismo nombre, que fue mi condiscípulo en la
escuela; segunda vez casó con Francisco de Villacastín, que fue conquistador del Perú, de los primeros,
y también lo fue de Panamá y de
otras tierras.

Un cuento historial digno de memoria se me ofrece de él, y es que
Francisco López de Gómara dice
en su *Historia*, capítulo sesenta y
seis, estas palabras, que son sacadas
a la letra:

Pobló Pedrarias el Nombre de Dios
y a Panamá. Abrió el camino que
va de un lugar a otro con gran
fatiga y maña, por ser de montes
muy espesos y peñas; había infinitos leones, tigres, osos y onzas a lo
que cuentan, y tanta multitud de
monas, de diversa hechura y tamaño que, enojadas, gritaban de tal
manera que ensordecían los trabajadores; subían piedras a los árboles
y tiraban al que llegaba.

Hasta aquí es de Gómara. Un
conquistador del Perú tenía mar-
ginado de su mano un libro que
yo vi de los de este autor, y en
este paso decía estas palabras:

Una hirió con una piedra a un
ballestero que se decía Villacastín,
y le derribó dos dientes; después
fue conquistador del Perú y señor
de un buen repartimiento que se
dice Avauri; murió preso en el
Cuzco, porque se halló de la parte
de Pizarro en Xaquixaguana, donde
le dio una cuchillada en la cara,
después de rendido, uno que estaba
mal con él; fue hombre de bien
y que hizo mucho bien a muchos,
aunque murió pobre y despojado
de indios y hacienda. El Villacastín
mató la mona que le hirió, porque
a un tiempo acertaron a soltar él
su ballesta y la mona la piedra.

Hasta aquí es del conquistador,
y yo añadiré que le vi los dientes
quebrados y eran los delanteros altos, y era pública voz y fama en
el Perú habérselos quebrado la mona; puse esto aquí con testigos, por
ser cosa notable, y siempre que los
hallare holgaré presentarlos en casos tales.

Otros Incas y Pallas, que no pa-
sarían de doscientos, conocí de la
misma sangre real, de menos nombre que los dichos; de los cuales
he dado cuenta porque fueron hijos
de Huaina Cápac. Mi madre fue
su sobrina, hija de un hermano
suyo, legítimo de padre y madre,
llamado Huallpa Túpac Inca Yupanqui.

Del Rey Atahuallpa conocí un
hijo y dos hijas; la una de ellas se
llamaba Doña Angelina, en la cual
hubo el Marqués Don Francisco
Pizarro un hijo que se llamó Don
Francisco, gran émulo mío y suyo,
porque de edad de ocho a nueve
años, que éramos ambos, nos hacía
competir en correr y saltar su tío
Gonzalo Pizarro. Hubo asimismo
el Marqués una hija que se llamó
Doña Francisca Pizarro; salió una
valerosa señora, casó con su tío
Hernando Pizarro; su padre, el
Marqués, la hubo en una hija de
Huainca Cápac, que se llamaba
Doña Inés Huayllas Ñusta; la cual
casó después con Martín de Am-
puero, vecino que fue de La Ciudad de Los Reyes. Estos dos hijos
del Marqués y otro de Gonzalo
Pizarro, que se llamaba Don Fernando, trajeron a España, donde
los varones fallecieron temprano,
con gran lástima de los que les
conocían, porque se mostraban hijos de tales padres. El nombre de
la otra hija de Atahuallpa no se
me acuerda bien si se decía Doña
Beatriz o Doña Isabel; casó con
un español extremeño que se decía
Blas Gómez; segunda vez casó con
un caballero mestizo que se decía Sancho de Rojas. El hijo se decía

Don Francisco Atahuallpa; era lindo mozo de cuerpo y rostro, como lo eran todos los Incas y Pallas; murió mozo; adelante diremos un cuento que sobre su muerte me pasó con el Inca viejo, tío de mi madre, a propósito de las crueldades de Atahuallpa que vamos contando. Otro hijo varón quedó de Huaina Cápac, que yo no conocí; llamóse Manco Inca; era legítimo heredero del Imperio; porque Huáscar murió sin hijo varón; adelante se hará larga mención de él.

XXXIX. PASA LA CRUELDAD A LOS CRIADOS DE LA CASA REAL

Volviendo a las crueldades de Atahuallpa, decimos que, no contento con las que había mandado hacer en la sangre real y en los señores de vasallos, capitanes y gente noble, mandó que pasasen a cuchillo los criados de la casa real, los que servían en los oficios y ministerios de las puertas adentro; los cuales, como en su lugar dijimos cuando hablamos de los criados de ella, no eran personas particulares, sino pueblos que tenían cargo de enviar los tales criados y ministros, que remudándose por sus tiempos servían en sus oficios; a los cuales tenía odio Atahuallpa, así porque eran criados de la casa real como porque tenían el apellido de Inca, por el privilegio y merce que les hizo el primer Inca Manco Cápac. Entró el cuchillo de Atahuallpa en aquellos pueblos con más y menos crueldad, conforme como ellos servían más y menos cerca de la persona real; que los que tenían oficios más allegados a ella, como porteros, guardajoyas, botilleros, cocineros y otros tales, fueron los peor librados, porque no se contentó con degollar todos los moradores de ambos sexos y de todas edades, sino con quemar y derribar los pueblos y las casas y edificios reales que en ellos había; los que servían de más lejos, como leñadores, aguadores, jardineros y otros semejantes, padecieron menos, mas con todo eso a unos pueblos diezmaron, que mataron la décima parte de sus moradores, chicos y grandes, y a otros quintaron y a otros terciaron; de manera que ningún pueblo, de los que había cinco y seis y siete leguas en derredor de la ciudad del Cuzco, dejó de padecer particular persecución de aquella crueldad y tiranía, sin la general que todo el Imperio padecía, porque en todo él había derramamiento de sangre, incendio de pueblos, robos, fuerzas y estupros y otros males, según la libertad militar los suele hacer cuando toma la licencia de sí misma.

Tampoco escaparon de esta calamidad los pueblos y provincias alejadas de la ciudad del Cuzco, porque luego que Atahuallpa supo la prisión de Huáscar mandó hacer guerra a fuego y a sangre a las provincias comarcanas a su reino, particularmente a los Cañaris, porque a los principios de su levantamiento no quisieron obedecerle; después, cuando se vio poderoso, hizo crudelísima venganza en ellos, según lo dice también Agustín de Zárate, capítulo quince, por estas palabras: "Y llegando a la provincia de los Cañares, mató sesenta mil hombres de ellos, porque le habían sido contrarios, y metió a fuego y a sangre y asoló la población de Tumibamba, situada en un llano, ribera de tres grandes ríos, la cual era muy grande, de allí fue conquistando la tierra, y de los que se le defendían no dejaban hombre vivo", etcétera. Lo mismo dice Francisco López de Gómara, casi por las mismas palabras. Pedro Cieza lo dice más largo y más encarecidamente, que habiendo dicho la falta de varones y sobra de mujeres que en su tiempo había en la provincia de los Cañaris, y que en las guerras de los españoles daban indias en lugar de indios, para que llevasen las cargas del ejército, diciendo por qué lo hacían, dice estas palabras, capítulo cuarenta y cuatro:

Algunos indios quieren decir que más hacen esto por la gran falta que tienen de hombres y abundancia de mujeres, por causa de la gran crueldad que hizo Atabálipa en los naturales de esta provincia al tiempo que entró en ella, después de haber, en el pueblo de Ambato, muerto y desbaratado al capitán general de Guáscar Inga, su hermano llamado Antoco, que afirman que no embargante que salieron los hombres y niños con ramos verdes y hojas de palma a pedir misericordia, con rostro airado, acompañado de gran severidad, mandó a sus gentes y capitanes de guerra que los matasen a todos, y así fueron muertos gran número de hombres y niños, según que yo trato en la tercera parte de la historia. Por lo cual los que agora son vivos dicen que hay quince veces más mujeres que hombres...

] Hasta aquí es de Pedro Cieza. a, con lo cual se ha dicho harto de las crueldades de Atahuallpa; dejaremos la mayor de ellas para su lugar.

De estas crueldades nació el cuento que ofrecí decir de Don Francisco, hijo de Atahuallpa, y fue que murió pocos meses antes que yo me viniese a España; el día siguiente a su muerte, bien de mañana, antes de su entierro, vinieron los pocos parientes Incas que había a visitar a mi madre, y entre ellos vino el Inca viejo de quien otras veces hemos hecho mención. El cual, en lugar de dar el pésame, porque el difunto era sobrino de mi madre, hijo de primo hermano, le dio el pláceme, diciéndole que el Pachacámac la guardase muchos años, para que viese la muerte y fin de todos sus enemigos, y con esto dijo otras muchas palabras semejantes con gran contento y regocijo. Yo, no advirtiendo por qué era la fiesta, le dije: "Inca, ¿cómo nos hemos de holgar de la muerte de Don Francisco, siendo tan pariente nuestro?" El se volvió a mí con grande enojo, y tomando el cabo de la manta que en lugar de capa traía, lo mordió (que entre los indios es señal de grandísima ira) y me dijo:

¿Tú has de ser pariente de un auca (que es tirano traidor), de quien destruyó nuestro Imperio?, ¿de quien mató nuestro Inca?, ¿de quien consumió y apagó nuestra sangre y descendencia?, ¿de quien hizo tantas crueldades, tan ajenas de los Incas, nuestros padres? Dénmelo así muerto, como está, que yo me lo comeré crudo, sin pimiento; que aquel traidor de Atahuallpa, su padre, no era hijo de Huaina Cápac, nuestro Inca, sino de algún indio Quitu con quien su madre haría traición a nuestro Rey; que si él fuera Inca, no sólo no hiciera las crueldades y abominaciones que hizo, mas no las imaginara, que la doctrina de nuestros pasados nunca fue que hiciésemos mal a nadie, ni aun a los enemigos, cuanto más a los parientes, sino mucho bien a todos. Por tanto no digas que es nuestro pariente el que fue tan en contra de todos nuestros pasados; mira que a ellos y a nosotros y a ti mismo te haces mucha afrenta en llamarnos parientes de un tirano cruel, que de Reyes hizo siervos a esos pocos que escapamos de su crueldad.

Todo esto y mucho más me dijo aquel Inca, con la rabia que tenía de la destrucción de todos los suyos; y con la recordación de los males que las abominaciones de Atahuallpa les causaron trocaron en grandísimo llanto el regocijo que pensaban tener de la muerte de Don Francisco, el cual, mientras vivió, sintiendo este odio que los Incas y todos los indios en común le tenían, no trataba con ellos ni salía de su casa; lo mismo hacían sus dos hermanas, porque a cada paso oían el nombre auca, tan significativo de tiranías, crueldades y maldades, digno apellido y blasón de los que lo pretenden.

Muchos días después de haber dado fin a este libro nono, recibí ciertos recaudos del Perú, de los cuales saqué el capítulo que se sigue, porque me pareció que convenía a la historia y así lo añadí aquí.

De los pocos Incas de la sangre real que sobraron de las crueldades y tiranías de Atahuallpa y de otras que después acá ha habido, hay sucesión, más de la que yo pensaba, porque al fin del año de seiscientos y tres escribieron todos ellos a Don Melchor Carlos Inca y a Don Alonso de Mesa, hijo de Alonso de Mesa, vecino que fue del Cuzco, y a mí también, pidiéndonos que en nombre de todos ellos suplicásemos a Su Majestad se sirviese de mandarlos eximir de los tributos que pagan y otras vejaciones que como los demás indios comunes padecen. Enviaron poder *in solidum* para todos tres, y probanza de su descendencia, quiénes y cuántos (nombrados por sus nombres) descendían de tal Rey, y cuántos de tal, hasta el último de los Reyes; y para mayor verificación y demostración enviaron pintado en vara y media de tafetán blanco de la China el árbol real, descendiendo desde Manco Cápac hasta Huaina Cápac y su hijo Paullu. Venían los Incas pintados en su traje antiguo. En las cabezas traían la borla colorada y en las orejas sus orejeras; y en las manos sendas partesanas en lugar de cetro real; venían pintados de los pechos arriba, y no más. Todo este recaudo vino dirigido a mí, y yo lo envié a Don Melchor Carlos Inca y a Don Alfonso de Mesa,

que residen en la corte en Valladolid, que yo, por estas ocupaciones, no pude solicitar esta causa, que holgara emplear la vida en ella, pues no se podía emplear mejor.

La carta que me escribieron los Incas es de letra de uno de ellos y muy linda; el frasis o lenguaje en que hablan mucho de ello es conforme a su lengua y otro mucho a lo castellano, que ya están todos españolados; la fecha, de diez y seis de abril de mil seiscientos y tres. No la pongo aquí por no causar lástima con las miserias que cuentan de su vida. Escriben con gran confianza (y así lo creemos todos) que, sabiéndolas Su Majestad Católica, las mandará remediar y les hará otras muchas mercedes, porque son descendientes de Reyes. Habiendo pintado las figuras de los Reyes Incas, ponen al lado de cada uno de ellos su descendencia, con este título: *"Cápac Ayllu"*, que es generación augusta o real, que es lo mismo. Este título es a todos en común, dando a entender que todos descienden del primer Inca Manco Cápac. Luego ponen otro título en particular a la descendencia de cada Rey, con nombres diferentes, para que se entienda por ellos los que son de tal o tal Rey. A la descendencia de *Manco Cápac* llaman Chima Panaca: son cuarenta Incas los que hay de aquella sucesión. A la de *Sinchi Roca* llaman Raurava Panaca: son sesenta y cuatro Incas. A la de *Lloque Yupanqui*, tercer Inca, llaman Hahuanina Aillu: son sesenta y tres Incas. A los de *Cápac Yupanqui* llaman Apu Maita; son cincuenta y seis. A los de *Maita Cápac*, quinto Rey, llaman Usca Maita: son treinta y cinco. A los de *Inca Roca* dicen Uicaquirau: son cincuenta. A los de *Yáhuar Huácac*, séptimo Rey, llaman Ailli Panaca: son cincuenta y uno. A los de *Viracocha Inca* dicen Zoczo Panaca: son sesenta y nueve. A la descendencia del *Inca Pachacútec* y a la de su hijo, *Inca Yupanqui*, juntándolas ambas, llaman Inca Panaca, y así es doblado el número de los descendientes, porque son noventa y nueve. A la descendencia de *Túpac Inca Yupanqui* llaman Cápac Aillu, que es: descendencia imperial, por confirmar lo que arriba dije con el mismo nombre, y no son más de diez y ocho. A la descendencia de *Huaina Cápac* llaman Tumi Pampa, por una fiesta solemnísima que Huaina Cápac hizo al Sol en aquel campo, que está en la provincia de los Cañaris, donde había palacios reales, y depósitos para la gente de guerra, y casa de escogidas y templo del Sol, todo tan principal y aventajado y tan lleno de riquezas y bastimento como donde más aventajado lo había, como lo refiere Pedro Cieza, con todo el encarecimiento que puede, capítulo cuarenta y cuatro, y por parecerle que todavía se había acortado, acaba diciendo: "En fin, no puedo decir tanto que no quede corto en querer engrandecer las riquezas que los Incas tenían en estos sus palacios reales", etcétera.

La memoria de aquella fiesta tan solemne quiso Huaina Cápac que se conserve en el nombre y apellido de su descendencia, que es Tumi Pampa, y no son más de veinte y dos; que como la de Huaina Cápac y la de su padre Túpac Inca Yupanqui eran las descendencias propincuas al árbol real, hizo Atahuallpa mayor diligencia para extirpar éstas que las demás, y así se escaparon muy pocos de su crueldad, como lo muestra la lista de todos ellos; la cual, sumada, hace número de quinientos y sesenta y siete personas; y es de advertir que todos son descendientes por línea masculina, que de la femenina, como atrás queda dicho, no hicieron caso los Incas, si no eran hijos de los españoles, conquistadores y ganadores de la tierra, porque a és-

tos también les llamaron Incas, creyendo que eran descendientes de su Dios, el Sol. La carta que me escribieron firmaron once Incas, conforme a las once descendencias, y cada uno firmó por todos los de la suya, con los nombres del bautismo, y por sobrenombres los de sus pasados. Los nombres de las demás descendencias, sacadas estas dos últimas, no sé qué signifiquen, porque son nombres de la lengua particular que los Incas tenían para hablar ellos entre sí, unos con otros, y no de la general que hablaban en la corte.

Resta decir de Don Melchor Carlos Inca, nieto de Paullu y bisnieto de Huaina Cápac, de quien dijimos que vino a España el año de seiscientos y dos a recibir mercedes. Es así que al principio de este año de seiscientos y cuatro salió la consulta en su negocio, de que se le hacía merced de siete mil y quinientos ducados de renta perpetuos, situados en la caja de Su Majestad en la Ciudad de Los Reyes, y que se le daría ayuda de costa para traer su mujer y casa a España, y un hábito de Santiago y esperanzas de plaza de asiento en la casa real, y que los indios que el Cuzco tenía, heredados de su padre y abuelo, se pusiesen en la Corona Real, y que él no pudiese pasar a Indias. Todo esto me escribieron de Valladolid que había salido de la consulta; no sé que hasta ahora (que es fin de marzo) se haya efectuado nada para poderlo escribir aquí. Y con esto entramos en el libro décimo * a tratar de las heroicas e increíbles hazañas de los españoles que ganaron aquel Imperio.

FIN DE LA PRIMERA PARTE
DE LOS
COMENTARIOS REALES

* Se refiere al libro primero de la segunda parte de los *Comentarios Reales,* publicada en 1617 con el título de *Historia General del Perú.*

INDICE

ÍNDICE

Se terminó de imprimir esta obra
el día 27 de febrero de 1998 en los talleres de
IMPRESORES ALDINA, S. A.
Obrero Mundial, 201 – 03100 México, D. F.

COLECCION "SEPAN CUANTOS..."

*Los números que aparecen a la izquierda corresponden
a la numeración de la Colección*

PRECIOS SUJETOS A VARIACION SIN PREVIO AVISO

ALVAREZ QUINTERO, Hnos. Véase: TEATRO ESPAÑOL CONTEMPORANEO

244. **ALVAREZ QUINTERO, Serafín y Joaquín:** *Malvaloca. Amores y amoríos. Puebla de las mujeres. Doña Clarines. El genio alegre.* Prólogo de Ofelia Garza de del Castillo. .... $ 15.00

131. **AMADIS DE GAULA.** Introducción de Arturo Souto A. 18.00

157. **AMICIS, Edmundo de:** *Corazón. Diario de un niño.* Prólogo de María Elvira Bermúdez. 14.00

505. **AMIEL, Enrique Federico:** *Fragmentos de un diario íntimo.* Prólogo de Bernard Bouvier. 22.00

ANACREONTE. Véase: PINDARO.

83. **ANDERSEN, Hans Christian:** *Cuentos.* Prólogo de María Edmée Alvarez. .. 18.00

ANDREYEV. Véase: CUENTOS RUSOS

636. **ANDREYEV, Leónidas:** *Los siete ahorcados. Saschka Yegulev.* Prólogo de Ettore Lo Gato. 27.00

428. **ANONIMO:** *Aventuras del Pícaro Till Eulenspiegel.* **WICKRAM, Jorge:** *El librito del carro.* Versión y prólogo de Marianne Oeste de Bopp. 15.00

432. **ANONIMO:** *Robin Hood.* Introducción de Arturo Souto A. 18.00

635. **ANTOLOGIA DE CUENTOS DE MISTERIO Y DE TERROR.** Selección e introducción de Ilán Stavans. 36.00

APULEYO. Véase: LONGO

301. **AQUINO, Tomás de:** *Tratado de la ley. Tratado de la justicia. Opúsculo sobre el gobierno de los príncipes.* Traducción y estudio introductivo por Carlos Ignacio González, S. J. 35.00

317. **AQUINO, Tomás de:** *Suma contra los gentiles.* Traducción y estudio introductivo por Carlos Ignacio González, S.J. 51.00

406. **ARCINIEGAS, Guzmán:** *Biografía del Caribe.* 27.00

76. **ARCIPRESTE DE HITA:** *Libro de buen amor.* Versión antigua, con prólogo y versión moderna de Amancio Bolaño e Isla. 20.00

ARENAL, Concepción. Véase: FABULAS

67. **ARISTOFANES:** *Las once comedias.* Versión directa del griego con introducción de Angel María Garibay K. 27.00

70. **ARISTOTELES:** *Etica Nicomaquea. Política.* Versión española e introducción de Antonio Gómez Robledo. 22.00

120. **ARISTOTELES:** *Metafísica.* Estudio introductivo, análisis de los libros y revisión del texto por Francisco Larroyo. 15.00

124. **ARISTOTELES:** *Tratados de lógica. (El organón).* Estudio introductivo, preámbulo a los tratados y notas al texto por Francisco Larroyo. 36.00

ARQUILOCO. Véase: PINDARO

82. **ARRANGOIZ, Francisco de Paula:** *México desde 1808 hasta 1867.* Prólogo de Martín Quirarte. 100.00

103. **ARREOLA, Juan José:** *Lectura en voz alta.* 20.00

638. **ARRILLAGA TORRENS, Rafael:** *Grandeza y decadencia de España en el siglo XVI.* 27.00

195. **ARROYO, Anita:** *Razón y pasión de Sor Juana.* Refutación a Pfandl. *El Barroco en la vida de Sor Juana,* por Jesusa Alfau de Solalinde. 22.00

ARTSIBASCHEV. Véase: CUENTOS RUSOS

431. **AUSTEN, Jane:** *Orgullo y prejuicio.* Prólogo de Sergio Pítol. 15.00

327. **AUTOS SACRAMENTALES.** (El auto sacramental antes de Calderón). **LOAS:** *Dice el sacramento. A un pueblo. Loa del auto de acusación contra el género humano.* **LOPEZ DE YANGUAS:** *Farsa sacramental de 1521. Los amores del alma con el príncipe de la luz. Farsa sacramental de la residencia del hombre. Auto de los hierros de Adán. Farsa del sacramento del entendimiento niño.* **SANCHEZ DE BADAJOZ:** *Farsa de la*

PRECIOS SUJETOS A VARIACION SIN PREVIO AVISO

iglesia. **TIMONEDA:** *Auto de la oveja perdida. Auto de la fuente de los siete sacramentos. Farsa del sacramento llamado premática del pan. Auto de la fe.* **LOPE DE VEGA:** *La adúltera perdonada. La ciega. El pastor lobo y cabaña celestial.* **VALDIVIELSO:** *El hospital de los locos. La amistad en el peligro. El peregrino. La Serena de Plasencia.* **TIRSO DE MOLINA:** *El colmenero divino. Los hermanos parecidos.* **MIRA DE AMESCUA:** *Pedro Telonario.* Selección, introducción y notas de Ricardo Arias. .... $ 24.00

625. **BABEL, Isaac:** *Caballería roja. Cuentos de Odesa.* Prólogo de Ilán Stavans. 29.00

293. **BACON, Francisco:** *Instauratio Magna. Novum Organum. Nueva Atlántida.* Estudio introductivo y análisis de las obras por Francisco Larroyo. 29.00

649. **BAINVILLE, Jacques:** *Napoleón.* El hombre del mundo por Ralph Waldo Emerson. 44.00

200. **BALBUENA, Bernardo de:** *La grandeza mexicana y compendio apologético en alabanza de la poesía.* Prólogo de Luis Adolfo Domínguez. 15.00

53. **BALMES, Jaime L.:** *El criterio.* Estudio preliminar de Guillermo Díaz-Plaja. 12.00

241. **BALMES, Jaime L.:** *Filosofía elemental.* Estudio preliminar por Raúl Cardiel. 25.00

112. **BALZAC, Honorato de:** *Eugenia Grandet. La piel de Zapa.* Prólogo de Carmen Galindo. 15.00

314. **BALZAC, Honorato de:** *Papá Goriot.* Prólogo de Rafael Solana. 15.00

442. **BALZAC, Honorato de:** *El lirio en el valle.* Prólogo de Jaime Torres Bodet. 15.00

BAQUILIDES. Véase: **PINDARO**

580. **BAROJA, Pío:** *Desde la última vuelta del camino. (Memorias). El escritor según él y según los críticos. Familia. Infancia y juventud.* Introducción de Néstor Luján. 29.00

581. **BAROJA, Pío:** *Desde la última vuelta del camino. (Memorias). Final del siglo XIX y principios del siglo XX. Galería de tipos de la época.* 29.00

582. **BAROJA, Pío:** *Desde la última vuelta del camino. (Memorias). La intuición y el estilo. Bagatelas de otoño.* 29.00

592. **BAROJA, Pío:** *Las inquietudes de Shanti Andia.* 22.00

335. **BARREDA, Gabino:** *La educación positivista.* Selección, estudio introductivo y preámbulos por Edmundo Escobar. 25.00

334. **BATALLAS DE LA REVOLUCION Y SUS CORRIDOS.** Prólogo y preparación de Daniel Moreno. 15.00

426. **BAUDELAIRE, Carlos:** *Las flores del mal. Diarios íntimos.* Introducción de Arturo Souto Alabarce. 22.00

17. **BECQUER, Gustavo Adolfo:** *Rimas, leyendas y narraciones.* Prólogo de Juana de Ontañón. 15.00

BENAVENTE. Véase: **TEATRO ESPAÑOL CONTEMPORANEO**

35. **BERCEO, Gonzalo de:** *Milagros de Nuestra Señora. Vida de Santo Domingo de Silos. Vida de San Millán de la Cogolla. Vida de Santa Oria. Martirio de San Lorenzo.* Prólogo y versión moderna de Amancio Bolaño e Isla. 29.00

491. **BERGSON, Henry:** *Introducción a la metafísica. La Risa. Filosofía de Bergson* por Manuel García Morente. 15.00

590. **BERGSON, Henry:** *Las dos fuentes de la moral y de la religión.* Introducción de John M. Oesterreicher. 18.00

BERMUDEZ, Ma. Elvira. Véase: **VERNE, Julio**

BESTEIRO, Julián. Véase: **HESSEN, Juan**

500. **BIBLIA DE JERUSALEN.** Nueva edición totalmente revisada y aumentada. 70.00
Tela. 81.00

380. **BOCCACCIO:** *El Decamerón.* Prólogo de Francisco Montes de Oca. 30.00

487. **BOECIO, Severino:** *La consolación de la filosofía.* Prólogo de Gustave Bardy. 15.00

PRECIOS SUJETOS A VARIACION SIN PREVIO AVISO

522. **BOISSIER, Gastón:** *Cicerón y sus Amigos. Estudio de la sociedad Romana del tiempo de César.* Prólogo de Augusto Rostagni. .... $ 18.00

495. **BOLIVAR, Simón:** *Escritos políticos. El espíritu de Bolívar* por Rufino Blanco y Fombona. 18.00

BOSCAN, Juan. Véase: VEGA, Garcilaso de la

278. **BOTURINI BENADUCI, Lorenzo:** *Idea de una nueva historia general de la América Septentrional.* Estudio preliminar por Miguel León-Portilla. 29.00

420. **BRONTE, Carlota:** *Jane Eyre.* Prólogo de Marga Sorensen. 20.00

119. **BRONTE, Emily:** *Cumbres Borrascosas.* Prólogo de Sergio Pitol. 15.00

584. **BRUYERE, LA:** *Los caracteres. Precedidos de los caracteres de Teofrasto.* 22.00

516. **BULWER-LYTTON.** *Los últimos días de Pompeya.* Prólogo de Santiago Galindo. 18.00

441. **BURCKHARDT, Jacob:** *La Cultura del Renacimiento en Italia.* Prólogo de Werner Kaegi. 24.00

606. **BURGOS, Fernando:** *Antología del cuento hispanoamericano.* 58.00

104. **CABALLERO, Fernan:** *La gaviota. La familia de Alvareda.* Prólogo de Salvador Reyes Nevares. 25.00

222. **CALDERON, Fernando:** *A ninguna de las tres. El torneo. Ana Bolena. Herman o la vuelta del cruzado.* Prólogo de María Edmée Alvarez. 15.00

74. **CALDERON DE LA BARCA, Madame:** *La vida en México.* Traducción y prólogo de Felipe Teixidor. 36.00

41. **CALDERON DE LA BARCA, Pedro:** *La vida es sueño. El alcalde de Zalamea.* Prólogo de Guillermo Díaz-Plaja. 18.00

331. **CALDERON DE LA BARCA, Pedro:** *Autos Sacramentales: La cena del Rey Baltasar. El gran Teatro del Mundo. La hidalga del valle. Lo que va del hombre a Dios. Los encantos de la culpa. El divino Orfeo. Sueños hay que verdad son. La vida es sueño. El día mayor de los días.* Selección, introducción y notas de Ricardo Arias. 29.00

252. **CAMOENS, Luis de:** *Los Lusiadas.* Traducción, prólogo y notas de Ildefonso Manuel Gil. 18.00

329. **CAMPOAMOR, Ramón de:** *Doloras. Poemas.* Introducción de Vicente Gaos. 50.00

435. **CANOVAS DEL CASTILLO, Antonio:** *La campana de Huesca.* Prólogo de Serafín Estébanez Calderón. 15.00

285. **CANTAR DE LOS NIBELUNGOS.** Traducción al español e introducción de Marianne Oeste de Bopp. 18.00

279. **CANTAR DE ROLDAN, EL.** Versión de Felipe Teixidor. 12.00

624. **CAPELLAN, Andrés El:** *Tratado del amor cortés.* Traducción, introducción y notas de Ricardo Arias y Arias. 29.00

640. **CARBALLO, Emmanuel:** *Protagonistas de la literatura mexicana.* José Vasconcelos. Genaro Martínez McGregor. Martín Luis Guzmán. Julio Torri. Alfonso Reyes. Artemio de Valle-Arizpe. Julio Jiménez Rueda. Octavio G. Barreda. Carlos Pellicer. José Gorostiza. Jaime Torres Bodet. Salvador Novo. Rafael F. Muñoz. Agustín Yáñez. Mauricio Magdaleno. Nellie Campobello. Ramón Rubín. Juan Rulfo. Juan José Arreola. Elena Garro. Rosario Castellanos. Carlos Fuentes. 65.00

307. **CARLYLE, Tomás:** *Los Héroes. El culto a los héroes y lo heroico de la historia.* Estudio preliminar de Raúl Cardiel Reyes. 12.00

215. **CARROLL, Lewis:** *Alicia en el país de las maravillas. Al otro lado del espejo.* Ilustrado con grabados de John Tenniel. Prólogo de Sergio Pitol. 20.00

57. **CASAS, Fr. Bartolomé de las:** *Los Indios de México y Nueva España. Antología.* Edición, prólogo, apéndices y notas de Edmundo O'Gormann. Con la colaboración de Jorge Alberto Manrique. 18.00

PRECIOS SUJETOS A VARIACION SIN PREVIO AVISO

PRECIOS SUJETOS A VARIACION SIN PREVIO AVISO

PRECIOS SUJETOS A VARIACION SIN PREVIO AVISO

PRECIOS SUJETOS A VARIACION SIN PREVIO AVISO

PRECIOS SUJETOS A VARIACION SIN PREVIO AVISO

PRECIOS SUJETOS A VARIACION SIN PREVIO AVISO

PRECIOS SUJETOS A VARIACION SIN PREVIO AVISO

PRECIOS SUJETOS A VARIACION SIN PREVIO AVISO

637. **KRUIF, Paul de:** *Los cazadores de microbios.* Introducción de Irene E. Motts. .... $ 35.00

598. **KUPRIN, Alejandro:** *El desafío.* Introducción de Ettore lo Gatto. 22.00
KUPRIN: Véase: **CUENTOS RUSOS**

427. **LAERCIO, Diógenes:** *Vidas de los filósofos más ilustres.* **FILOSTRATO:** *Vidas de los sofistas.* Traducciones y prólogos de José Ortiz·Sanz y José M. Riaño. 29.00
LAERCIO, Diógenes. Véase: **LUCRECIO CARO, Tito**
LAFONTAINE. Véase: **FABULAS.**

520. **LAFRAGUA, José María y OROZCO Y BERRA, Manuel:** *La ciudad de México.* Prólogo de Ernesto de la Torre Villar. Con la colaboración de Ramiro Navarro de Anda. 36.00

155. **LAGERLOFF, Selma:** *El maravilloso viaje de Nils Holgersson.* Introducción de Palma Guillén de Nicolau. 18.00

549. **LAGERLOFF, Selma:** *El carretero de la muerte. El esclavo de su finca y otras narraciones.* Prólogo de Agustín Loera y Chávez. 22.00

272. **LAMARTINE, Alfonso de:** *Graziella. Rafael.* Estudio preliminar de Daniel Moreno. 15.00

93. **LARRA, Mariano José de. "Fígaro":** *Artículos.* Prólogo de Juana de Ontañón. 29.00

459. **LARRA, Mariano José de. "Fígaro":** *El doncel de Don Enrique. El doliente. Macías.* Prólogo de Arturo Souto A. .,... .... 18.00

333. **LARROYO, Francisco:** *La filosofía Iberoamericana. Historia, formas, temas, polémica, realizaciones.* 29.00

34. **LAZARILLO DE TORMES, EL.** (Autor desconocido). *Vida del buscón Don Pablos* de **FRANCISCO DE QUEVEDO.** Estudio preliminar de ambas obras por Guillermo Díaz-Plaja. 25.00

38. **LAZO, Raimundo:** *Historia de la literatura hispanoamericana. El período colonial (1492-1780).* 40.00

65. **LAZO, Raimundo:** *Historia de la literatura hispanoamericana. El siglo XIX (1780-1914).* 18.00

179. **LAZO, Raimundo:** *La novela Andina. (Pasado y futuro. Alcides. Arguedas. César Vallejo. Ciro Alegría. Jorge Icaza. José María Arguedas. Previsible misión de Vargas Llosa y los futuros narradores).* 18.00

184. **LAZO, Raimundo:** *El romanticismo. (Lo romántico en la lírica hispanoamericana, del siglo XVI a 1970).* 29.00

226. **LAZO, Raimundo:** *Gertrudis Gómez de Avellaneda. La mujer y la poesía lírica.* 15.00
LECTURA EN VOZ ALTA. Véase: **ARREOLA, Juan José**

247. **LE SAGE:** *Gil Blas de Santillana.* Traducción y prólogo de Francisco José de Isla. Y un estudio de Sainte-Beuve. 36.00

321. **LEIBNIZ, Godofredo G.:** *Discurso de metafísica. Sistema de la naturaleza. Nuevo tratado sobre el entendimiento humano. Monadología. Principios sobre la naturaleza y la gracia.* Estudio introductivo y análisis de las obras por Francisco Larroyo. 36.00

145. **LEON, Fray Luis de:** *La perfecta casada. Cantar de los cantares. Poesías originales.* Introducción y notas de Joaquín Antonio Peñalosa. 22.00

632. **LESSING, G. E.:** *Laocoonte.* Introducción de Wilhelm Dilthey. 29.00

48. *Libro de los Salmos.* Versión directa del hebreo y comentarios de José González Brown. 29.00

304. **LIVIO, Tito:** *Historia Romana. Primera década.* Estudio preliminar de Francisco Montes de Oca. 27.00

276. **LONDON, Jack:** *El lobo de mar. El mexicano.* Introducción de Arturo Souto A. 18.00

PRECIOS SUJETOS A VARIACION SIN PREVIO AVISO

277.	**LONDON, Jack:** *El llamado de la selva. Colmillo blanco.*	$ 25.00
284.	**LONGO:** *Dafnis y Cloé.* **APULEYO:** *El asno de oro.* Estudio preliminar de Francisco Montes de Oca.	18.00
12.	**LOPE DE VEGA Y CARPIO, Félix:** *Fuente ovejuna. Peribáñez y el comendador de ocaña. El mejor alcalde, el Rey. El caballero de Olmedo.* Biografía y presentación de las obras por J. M. Lope Blanch.	18.00
657.	**LOPE DE VEGA.** *Poesía líricas.* Prólogo de Alfonso Junes	65.00
566.	**LOPEZ DE GOMARA, Francisco:** *Historia de la conquista de México.* Estudio preliminar de Juan Miralles Ostos.	29.00
	LOPE DE VEGA. Véase: **AUTOS SACRAMENTALES**	
	LOPEZ DE YANGUAS. Véase: **AUTOS SACRAMENTALES**	
298.	**LOPEZ-PORTILLO Y ROJAS, José:** *Fuertes y débiles.* Prólogo de Ramiro Villaseñor y Villaseñor.	15.00
	LOPEZ RUBIO. Véase: **TEATRO ESPAÑOL CONTEMPORANEO**	
574.	**LOPEZ SOLER, Ramón:** *Los bandos de Castilla. El caballero del cisne.* Prólogo de Ramón López Soler.	18.00
218.	**LOPEZ Y FUENTES, Gregorio:** *El indio. (Novela mexicana.)* Prólogo de Antonio Magaña Esquivel.	15.00
297.	**LOTI, Pierre:** *Las desencantadas.* Introducción de Rafael Solana.	15.00
	LUCA DE TENA. Véase: **TEATRO ESPAÑOL CONTEMPORANEO**	
485.	**LUCRECIO CARO, Tito:** *De la naturaleza.* **LAERCIO, Diógenes:** *Epicuro.* Prólogo de Concetto Marchessi.	22.00
353.	**LUMMIS, Carlos F.:** *Los exploradores españoles del siglo XVI.* Prólogo de Rafael Altamira.	15.00
595.	**LLUL, Ramón:** *Blanquerna. El doctor iluminado* por Ramón Xirau.	22.00
639.	**MACHADO DE ASSIS, Joaquín María:** *El alienista y otros cuentos.* Prólogo de Ilán Stavans.	27.00
324.	**MAETERLINCK, Maurice:** *El pájaro azul.* Introducción de Teresa del Conde.	12.00
178.	**MANZONI, Alejandro:** *Los novios. (Historia milanesa del siglo XVIII).* Con un estudio de Federico Baraibar.	22.00
152.	**MAQUIAVELO, Nicolás:** *El príncipe.* Precedido de Nicolás Maquiavelo en su quinto centenario por Antonio Gómez Robledo.	11.00
	MARCO AURELIO: Véase: **EPICTETO**	
192.	**MARMOL, José:** *Amalia.* Prólogo de Juan Carlos Ghiano.	29.00
652.	**MARQUES DE SANTILLANA — GOMEZ MANRIQUE — JORGE MANRIQUE.** *Poesía.* Introducción de Arturo Souto A.	
367.	**MARQUEZ STERLING, Carlos:** *José Martí. Síntesis de una vida extraordinaria.*	22.00
	MARQUINA. Véase: **TEATRO ESPAÑOL CONTEMPORÁNEO**	
141.	**MARTI, José:** *Sus mejores páginas.* Estudio, notas y selección de textos, por Raimundo Lazo.	18.00
236.	**MARTI, José:** *Ismaelillo. La edad de oro. Versos sencillos.* Prólogo de Raimundo Lazo.	18.00
338.	**MARTINEZ DE TOLEDO, Alfonso:** *Arcipreste de Talavera o Corbacho.* Introducción de Arturo Souto A. Con un estudio del vocabulario del Corbacho y colección de refranes y locuciones contenidos en el mismo por A. Steiger.	18.00
214.	**MARTINEZ SIERRA. Gregorio:** *Tú eres la paz. Canción de cuna.* Prólogo de María Edmée Alvarez.	15.00
193.	**MATEOS, Juan A.:** *El cerro de las campanas. (Memorias de un guerrillero).* Prólogo de Clementina Díaz y de Ovando.	29.00
197.	**MATEOS, Juan A.:** *El sol de mayo. (Memorias de la intervención).* Nota preliminar de Clementina Díaz y de Ovando.	24.00
514.	**MATEOS, Juan A.:** *Sacerdote y caudillo. (Memorias de la insurrección). ...*	29.00
573.	**MATEOS, Juan A.:** *Los insurgentes.* Prólogo y epílogo de Vicente Riva Palacio.	22.00

PRECIOS SUJETOS A VARIACION SIN PREVIO AVISO

344.	**MATOS MOCTEZUMA, Eduardo:** *El negrito poeta mexicano y el dominicano. ¿Realidad o fantasía?* Exordio de Antonio Pompa y Pompa.	$ 15.00
565.	**MAUGHAM W., Somerset:** *Cosmopolitas. La miscelánea de siempre.* Estudio sobre el cuento corto de W. Somerset Maugham.	18.00
410.	**MAUPASSANT, Guy de:** *Bola de sebo. Mademoiselle Fifí. Las hermanas Rondoli.*	22.00
423.	**MAUPASSANT, Guy de:** *La becada. Claror de luna. Miss Harriet.* Introducción de Dana Lee Thomas.	25.00
642.	**MAUPASSANT, Guy de:** *Bel-Ami.* Introducción de Miguel Moure. Traducción de Luis Ruiz Contreras.	36.00
506.	**MELVILLE, Herman:** *Moby Dick o la ballena blanca.* Prólogo de W. Somerset Maugham.	35.00
336.	**MENENDEZ, Miguel Angel:** *Nayar.* (Novela). Ilustró Cadena M.	29.00
370.	**MENENDEZ PELAYO, Marcelino:** *Historia de los heterodoxos españoles. Erasmistas y protestantes. Sectas místicas. Judaizantes y moriscos. Artes mágicas.* Prólogo de Arturo Farinelli.	65.00
389.	**MENENDEZ PELAYO, Marcelino:** *Historia de los heterodoxos españoles. Regalismo y enciclopedia. Los afrancesados y las Cortes de Cádiz. Reinados de Fernando VII e Isabel II. Krausismo y Apologistas católicos.* Prólogo de Arturo Ferinelli.	44.00
405.	**MENENDEZ PELAYO, Marcelino:** *Historia de los heterodoxos españoles. Epocas romana y visigoda. Priscilianismo y adopcionismo. Mozárabes. Acordobeses. Panteísmo semítico. Albigenses y valdenses. Arnaldo de Vilanova. Raimundo Lulio. Herejes en el siglo XV.* Advertencia y discurso preliminar de Marcelino Menéndez Pelayo.	44.00
475.	**MENENDEZ PELAYO, Marcelino:** *Historia de las ideas estéticas en España. Las ideas estéticas entre los antiguos griegos y latinos. Desarrollo de las ideas estéticas hasta fines del siglo XVII.*	51.00
482.	**MENENDEZ PELAYO, Marcelino:** *Historia de las ideas estéticas en España. Reseña histórica del desarrollo de las doctrinas estéticas durante el siglo XVIII.*	44.00
483.	**MENENDEZ PELAYO, Marcelino:** *Historia de las ideas estéticas en España. Desarrollo de las doctrinas estéticas durante el siglo XIX.*	58.00
	MESSER, Augusto: Véase: **HESSEN, Juan**	
	MIHURA: Véase: **TEATRO ESPAÑOL CONTEMPORANEO**	
18.	**MIL Y UN SONETOS MEXICANOS.** Selección y nota preliminar de Salvador Novo.	22.00
136.	**MIL Y UNA NOCHES, LAS.** Prólogo de Teresa E. de Rhode.	30.00
194.	**MILTON, John:** *El paraíso perdido.* Prólogo de Joaquín Antoniò Peñalosa. .	12.00
	MIRA DE AMEZCUA: Véase: **AUTOS SACRAMENTALES**	
109.	**MIRO, Gabriel:** *Figuras de la pasión del Señor. Nuestro Padre San Daniel.* Prólogo de Juana de Ontañón.	22.00
68.	**MISTRAL, Gabriela:** *Lecturas para mujeres. Gabriela Mistral (1922-1924).* Por Palma Guillén de Nicolau.	12.00
250.	**MISTRAL, Gabriela:** *Desolación. Ternura. Tala. Lagar.* Introducción de Palma Guillén de Nicolau.	30.00
144.	**MOLIERE:** *Comedias. Tartufo. El burgués gentilhombre. El misántropo. El enfermo imaginario.* Prólogo de Rafael Solana.	15.00
149.	**MOLIERE:** *Comedias. El avaro. Las preciosas ridículas. El médico a la fuerza. La escuela de las mujeres. Las mujeres sabias.* Prólogo de Rafael Solana.	18.00
32.	**MOLINA, Tirso de:** *El vergonzoso en palacio. El condenado por desconfiado. El burlador de Sevilla. La prudencia en la mujer.* Edición de Juana de Ontañón.	15.00

PRECIOS SUJETOS A VARIACION SIN PREVIO AVISO

MOLINA, Tirso de: Véase: **AUTOS SACRAMENTALES**

600. **MONTAIGNE:** *Ensayos completos.* Notas prologales de Emiliano M. Aguilera. Traducción del francés de Juan G. de Luaces. .... $ 65.00

208. **MONTALVO, Juan:** *Capítulos que se le olvidaron a Cervantes.* Estudio introductivo de Gonzalo Zaldumbide. 22.00

501. **MONTALVO, Juan:** *Siete tratados.* Prólogo de Luis Alberto Sánchez. 22.00

381. **MONTES DE OCA, Francisco:** *Poesía hispanoamericana.* 29.00

191. **MONTESQUIEU:** *Del espíritu de las leyes.* Estudio preliminar de Daniel Moreno. 50.00

282. **MORO, Tomás:** *Utopía.* Prólogo de Manuel Alcalá. 18.00

129. **MOTOLINIA, Fray Toribio:** *Historia de los indios de la Nueva España.* Estudio crítico, apéndices, notas e índice de Edmundo O'Gorman. 25.00

588. **MUNTHE, Axel:** *La historia de San Michele.* Introducción de Arturo Uslar-Pietri. 22.00

286. **NATORP, Pablo:** *Propedéutica filosófica. Kant y la escuela de Marburgo. Curso de pedagogía social.* Presentación introductiva. (El autor y su obra). Y preámbulos a los capítulos por Francisco Larroyo. 12.00

527. **NAVARRO VILLOSLADA, Francisco:** *Amaya o los Vascos en el siglo VIII.* 36.00

171. **NERVO, Amado:** *Plenitud, perlas negras. Místicas. Los jardines interiores. El estanque de los Lotos.* Prólogo de Ernesto Mejía Sánchez. 18.00

175. **NERVO, Amado:** *La amada inmóvil. Serenidad. Elevación. La última luna.* Prólogo de Ernesto Mejía Sánchez. 18.00

443. **NERVO, Amado:** *Poemas: Las voces. Lira heroica. El éxodo y las flores del camino. El arquero divino. Otros poemas. En voz baja. Poesías varias.* .. 22.00

NEVILLE. Véase: **TEATRO ESPAÑOL CONTEMPORANEO**

395. **NIETZSCHE, Federico:** *Así hablaba Zaratustra.* Prólogo de E. W. F. Tomlin. 20.00

430. **NIETZSCHE, Federico:** *Más allá del bien y del mal. Genealogía de la moral.* Prólogo de Johann Fischl. 18.00

576. **NUÑEZ CABEZA DE VACA, Alvar:** *Naufragios y comentarios. Apuntes sobre la vida del adelantado* por Enrique Vedia. 30.00

356. **NUÑEZ DE ARCE, Gaspar:** *Poesías completas.* Prólogo de Arturo Souto A. 18.00

45. **O'GORMAN, Edmundo:** *Historia de las divisiones territoriales en México.* 44.00

8. **OCHO SIGLOS DE POESIA EN LENGUA ESPAÑOLA.** Introducción y Compilación de Francisco Montes de Oca. 87.00

OLMO: Véase: **TEATRO ESPAÑOL CONTEMPORANEO**

ONTAÑON, Juana de: Véase: **SANTA TERESA DE JESUS**

462. **ORTEGA Y GASSET, José:** *En torno a Galileo. El hombre y la gente.* Prólogo de Ramón Xirau. 36.00

488. **ORTEGA Y GASSET, José:** *El tema de nuestro tiempo. La rebelión de las masas.* Prólogo de Fernando Salmerón. 22.00

497. **ORTEGA Y GASSET, José:** *La deshumanización del arte e ideas sobre la novela. Velázquez. Goya.* 27.00

499. **ORTEGA Y GASSET, José:** *¿Qué es filosofía? Unas lecciones de metafísica.* Prólogo de Antonio Rodríguez Huescar. 40.00

436. **OSTROVSKI, Nicolai:** *Así se templó el acero.* Prefacio de Ana Kareváeva. . 18.00

316. **OVIDIO:** *Las metamorfosis.* Estudio preliminar de Francisco Montes de Oca. 18.00

213. **PALACIO VALDES, Armando:** *La hermana San Sulpicio.* Introducción de Joaquín Antonio Peñalosa. 18.00

125. **PALMA, Ricardo:** *Tradiciones peruanas.* Estudio y selección por Raimundo Lazo. 18.00

PALOU, Fr. Francisco: Véase: **CLAVIJERO, Francisco Xavier**

421. **PAPINI, Giovanni:** *Gog. El libro negro.* Prólogo de Ettore Allodoli. 22.00

PRECIOS SUJETOS A VARIACION SIN PREVIO AVISO

424.	**PAPINI, Giovanni:** *Historia de Cristo.* Prólogo de Victoriano Capánaga.	$ 22.00
644.	**PAPINI, Giovanni:** *Los operarios de la viña y otros ensayos.*	29.00
266.	**PARDO BAZAN, Emilia:** *Los pazos de Ulloa.* Introducción de Arturo Souto A.	15.00
358.	**PARDO BAZAN, Emilia:** *San Francisco de Asís. (Siglo XIII).* Prólogo de Marcelino Menéndez Pelayo.	24.00
496.	**PARDO BAZAN, Emilia:** *La madre naturaleza.* Introducción de Arturo Souto A.	18.00
577.	**PASCAL, Blas:** *Pensamientos y otros escritos.* Aproximaciones a Pascal de R. Guardini, F. Mauriac, J. Mesner y H. Küng.	29.00
	PASO: Véase: **TEATRO ESPAÑOL CONTEMPORANEO**	
3	**PAYNO, Manuel:** *Los bandidos de Río Frío.* Prólogo de Antonio Castro Leal.	40.00
80.	**PAYNO, Manuel:** *El fistol del diablo. (Novela de costumbres mexicanas.)* Texto establecido y estudio preliminar de Antonio Castro Leal.	58.00
605.	**PAYNO, Manuel:** *El hombre de la situación. Retratos históricos. Moctezuma II. Cuauhtémoc. La Sevillana. Alfonso de Avila. Don Martín Cortés. Fray Marcos de Mena. El Tumulto de 1624. La Familia Dongo. Allende. Mina. Guerrero. Ocampo. Comonfort.* Prólogo de Luis González Obregón.	18.00
622.	**PAYNO, Manuel:** *Novelas cortas.* Apuntes biográficos por Alejandro Villaseñor y Villaseñor.	27.00
	PEMAN: Véase: **TEATRO ESPAÑOL CONTEMPORÁNEO**	
	PENSADOR MEXICANO: Véase: **FÁBULAS**	
64.	**PEREDA, José María de:** *Peñas arriba. Sotileza.* Introducción de Soledad Anaya Solórzano.	18.00
165.	**PEREYRA, Carlos:** *Hernán Cortés.* Prólogo de Martín Quirarte.	15.00
493.	**PEREYRA, Carlos:** *Las huellas de los conquistadores.*	18.00
498.	**PEREYRA, Carlos:** *La conquista de las rutas oceánicas. La obra de España en América.* Prólogo de Silvio Zavala.	22.00
188.	**PEREZ ESCRICH, Enrique:** *El mártir del Gólgota.* Prólogo de Joaquín Antonio Peñalosa.	29.00
69.	**PEREZ GALDOS, Benito:** *Miau. Marianela.* Prólogo de Teresa Silva Tena.	30.00
107.	**PEREZ GALDOS, Benito:** *Doña perfecta. Misericordia.*	20.00
117.	**PEREZ GALDOS, Benito:** *Episodios nacionales: Trafalgar. La corte de Carlos IV.* Prólogo de María Eugenia Gaona.	22.00*
130.	**PEREZ GALDOS, Benito:** *Episodios nacionales: 19 de marzo y el 2 de mayo. Bailén.*	15.00
158.	**PEREZ GALDOS, Benito:** *Episodios nacionales: Napoleón en Chamartín. Zaragoza.* Prólogo de Teresa Silva Tena.	15.00
166.	**PEREZ GALDOS, Benito:** *Episodios nacionales: Gerona. Cádiz.* Nota preliminar de Teresa Silva Tena.	15.00
185.	**PEREZ GALDOS, Benito:** *Fortunata y Jacinta. (Dos historias de casadas).* Introducción de Agustín Yáñez.	51.00
289.	**PEREZ GALDOS, Benito:** *Episodios nacionales: Juan Martín el Empecinado. La batalla de los Arapiles.*	15.00
378.	**PEREZ GALDOS, Benito:** *La desheredada.* Prólogo de José Salavarría.	30.00
383.	**PEREZ GALDOS, Benito:** *El amigo manso.* Prólogo de Joaquín Casalduero.	18.00
392.	**PEREZ GALDOS, Benito:** *La fontana de oro.* Introducción de Marcelino Menéndez Pelayo.	22.00
446.	**PEREZ GALDOS, Benito:** *Tristana. Nazarín.* Prólogo de Ramón Gómez de la Serna.	18.00
473.	**PEREZ GALDOS, Benito:** *Angel Guerra.* Prólogo de Emilia Pardo Bazán. .	22.00
489.	**PEREZ GALDOS, Benito:** *Torquemada en la hoguera. Torquemada en la cruz. Torquemada en el purgatorio. Torquemada y San Pedro.* Prólogo de Joaquín Casalduero.	27.00
231.	**PEREZ LUGIN, Alejandro:** *La casa de la Troya. Estudiantina.*	12.00

PRECIOS SUJETOS A VARIACION SIN PREVIO AVISO

235.	**PEREZ LUGIN, Alejandro:** *Currito de la Cruz.*	$ 18.00
263.	**PERRAULT, CUENTOS DE:** *Griselda. Piel de asno. Los deseos ridículos. La bella durmiente del bosque. Caperucita roja. Barba azul. El gato con botas. Las hadas. Cenicienta. Riquete el del copete. Pulgarcito.* Prólogo de María Edmée Alvarez.	15.00
308.	**PESTALOZZI, Juan Enrique:** *Cómo Gertrudis enseña a sus hijos. Cartas sobre la educación de los niños. Libros de educación elemental.* Prólogos, estudio introductivo y preámbulos de las obras por Edmundo Escobar.	25.00
369.	**PESTALOZZI, Juan Enrique:** *Canto del cisne.* Estudio preliminar de José Manuel Villalpando.	18.00
492.	**PETRARCA:** *Cancionero. Triunfos.* Prólogo de Ernst Hatch Wilkins.	22.00
221.	**PEZA, Juan de Dios:** *Hogar y patria. El arpa del amor.* Noticia preliminar de Porfirio Martínez Peñalosa.	18.00
224.	**PEZA, Juan de Dios:** *Recuerdos y esperanzas. Flores del alma y versos festivos.*	25.00
557.	**PEZA, Juan de Dios:** *Leyendas históricas tradicionales y fantásticas de las calles de la ciudad de México.* Prólogo de Isabel Quiñonez.	22.00
594.	**PEZA, Juan de Dios:** *Memorias. Reliquias y retratos.* Prólogo de Isabel Quiñonez.	27.00
248.	**PINDARO:** *Odas. Olímpicas. Píticas. Nemeas. Istmicas y fragmentos de otras obras de Píndaro. Otros líricos griegos: Arquíloco. Tirteo. Alceo. Safo. Simónides de Ceos. Anacreonte. Baquilides.* Estudio preliminar de Francisco Montes de Oca.	15.00
13.	**PLATON:** *Diálogos.* Estudio preliminar de Francisco Larroyo.	41.00
139.	**PLATON:** *Las leyes. Epinomis. El político.* Estudio introductivo y preámbulos a los diálogos de Francisco Larroyo.	36.00
258.	**PLAUTO:** *Comedias: Los mellizos. El militar fanfarrón. La olla. El gorgojo. Anfitrión. Los cautivos.* Estudio preliminar de Francisco Montes de Oca.	18.00
26.	**PLUTARCO:** *Vidas paralelas.* Introducción de Francisco Montes de Oca.	33.00
564.	**POBREZA Y RIQUEZA.** En obras selectas del cristianismo primitivo por Carlos Ignacio González S. J.	18.00
210.	**POE, Edgar Allan:** *Narraciones extraordinarias. Aventuras de Arturo Gordon. Pym. El cuervo.* Prólogo de Ma. Elvira Bermúdez.	18.00
85.	**POEMA DE MIO CID.** Versión antigua, con prólogo y versión moderna de Amancio Bolaño e Isla. Seguida del **ROMANCERO DEL CID.**	14.00
102.	**POESIA MEXICANA.** Selección de Francisco Montes de Oca.	36.00
371.	**POLO, Marco:** *Viajes.* Introducción de María Elvira Bermúdez.	25.00
510.	**PONSON DU TERRAIL, Pierre Alexis:** *Hazañas de Rocambole.* Tomo I.	29.00
511.	**PONSON DU TERRAIL, Pierre Alexis:** *Hazañas de Rocambole.* Tomo II.	29.00
518.	**PONSON DU TERRAIL, Pierre Alexis:** *La resurrección de Rocambole. Tomo I.* Continuación de "Hazañas de Rocambole".	29.00
519.	**PONSON DU TERRAIL, Pierre Alexis:** *La resurrección de Rocambole. Tomo II.* Continuación de "Hazañas de Rocambole".	29.00
36.	**POPOL VUH.** Antiguas historias de los indios quichés de Guatemala. Ilustradas con dibujos de los códices mayas. Advertencia, versión y vocabulario de Albertina Saravia E.	25.00
150.	**PRESCOTT, William H.:** *Historia de la conquista de México.* Anotada por Don Lucas Alamán. Con notas, críticas y esclarecimientos de Don José Fernando Ramírez. Prólogo y apéndices por Juana A. Ortega y Medina.	44.00
198.	**PRIETO, Guillermo:** *Musa callejera.* Prólogo de Francisco Monterde.	15.00
450.	**PRIETO, Guillermo:** *Romancero nacional.* Prólogo de Ignacio M. Altamirano.	22.00
481.	**PRIETO, Guillermo:** *Memorias de mis tiempos.* Prólogo de Horacio Labastida.	55.00

PRECIOS SUJETOS A VARIACION SIN PREVIO AVISO

54.	**PROVERBIOS DE SALOMON Y SABIDURIA DE JESUS DE BEN SIRAK.** Versión directa de los originales por Angel María Garibay K.	$ 18.00
	QUEVEDO, Francisco de: Véase: **LAZARILLO DE TORMES**	
646.	**QUEVEDO, Francisco de:** *Poesía.* Introducción de Jorge Luis Borges.	29.00
332.	**QUEVEDO Y VILLEGAS, Francisco de:** *Sueños. El sueño de las calaveras. El alguacil alguacilado. Las zahurdas de Plutón. Visita de los chistes. El mundo por dentro. La hora de todos y la fortuna con seso. Poesías.* Introducción de Arturo Souto A.	22.00
97.	**QUIROGA, Horacio:** *Cuentos.* Selección, estudio preliminar y notas críticas e informativas por Raimundo Lazo.	30.00
347.	**QUIROGA, Horacio:** *Más cuentos.* Introducción de Arturo Souto A.	20.00
360.	**RABELAIS:** *Gargantúa y Pantagruel. Vida de Rabeláis* por Anatole France. Ilustraciones de Gustavo Doré.	36.00
219.	**RABINAL-ACHI:** *El varón de Rabinal. Ballet-drama de los indios quichés de Guatemala.* Traducción y prólogo de Luis Cardoza y Aragón.	15.00
	RANGEL, Nicolás. Véase: **URBINA, Luis G.**	
366.	**REED, John:** *México insurgente. Diez días que estremecieron al mundo.* Prólogo de Juan de la Cabada.	20.00
597.	**RENAN, Ernesto:** *Marco Aurelio y el fin del mundo antiguo.* Precedido de la plegaria sobre la acrópolis.	27.00
101.	**RIVA PALACIO, Vicente:** *Cuentos del general.* Prólogo de Clementina Díaz y de Ovando.	15.00
474.	**RIVA PALACIO, Vicente:** *Las dos emparedadas. Memorias de los tiempos de la inquisición.*	18.00
476.	**RIVA PALACIO, Vicente:** *Calvario y Tabor.*	18.00
507.	**RIVA PALACIO, Vicente:** *La vuelta de los muertos.*	18.00
162.	**RIVA, Duque de:** *Don Alvaro o la fuerza del Sino. Romances históricos.* Prólogo de Antonio Magaña Esquivel.	15.00
172.	**RIVERA, José Eustasio:** *La vorágine.* Prólogo de Cristina Barros Stivalet. ..	18.00
87.	**RODO, José Enrique:** *Ariel. Liberalismo y Jacobinismo. Ensayos: Rubén Darío, Bolívar, Montalvo.* Estudio preliminar, índice biográfico-cronológico y resumen bibliográfico por Raimundo Lazo.	10.00
115.	**RODO, José Enrique:** *Motivos de Proteo y nuevos motivos de Proteo.* Prólogo de Raimundo Lazo.	27.00
88.	**ROJAS, Fernando de:** *La Celestina.* Prólogo de Manuel de Ezcurdia. Con una cronología y dos glosarios.	11.00
650.	**ROPS, Daniel:** *Jesús en su tiempo.* Jesús ante la crítica por Daniel Rops.	58.00
	ROMANCERO DEL CID. Véase: **POEMA DE MIO CID**	
	ROSAS MORENO: Véase: **FABULAS**	
328.	**ROSTAND, Edmundo:** *Cyrano de Bergerac.* Prólogo, estudio y notas de Angeles Mendieta Alatorre.	12.00
440.	**ROTTERDAM, Erasmo de:** *Elogio de la locura. Coloquios. Erasmo de Rotterdam,* por Johan Huizinga.	25.00
113.	**ROUSSEAU, Juan Jacobo:** *El contrato social o principios de Derecho Político. Discurso sobre las ciencias y las artes. Discurso sobre el origen de la desigualdad.* Estudio preliminar de Daniel Moreno.	12.00
159.	**ROUSSEAU, Juan Jacobo:** *Emilio o de la educación.* Estudio preliminar de Daniel Moreno.	18.00
470.	**ROUSSEAU, Juan Jacobo:** *Confesiones.* Prólogo de Jeanne Renée Becker.	18.00
265.	**RUEDA, Lope de:** *Teatro completo. Eufemia. Armelina. De los engañados. Medora. Colloquio de Camelia. Colloquio de Tymbria. Diálogo sobre la invención de las Calcas. El deleitoso. Registro de representantes. Colloquio llamado prendas de amor. Colloquio en verso. Comedia llamada discordia y questión de amor. Auto de Naval y Abigail. Auto de los desposorios de Moisén. Farsa del sordo.* Introducción de Arturo Souto A.	25.00

PRECIOS SUJETOS A VARIACION SIN PREVIO AVISO

PRECIOS SUJETOS A VARIACION SIN PREVIO AVISO

PRECIOS SUJETOS A VARIACION SIN PREVIO AVISO

PRECIOS SUJETOS A VARIACION SIN PREVIO AVISO

PRECIOS SUJETOS A VARIACION SIN PREVIO AVISO

PRECIOS SUJETOS A VARIACION SIN PREVIO AVISO

PRECIOS SUJETOS A VARIACION SIN PREVIO AVISO

PRECIOS SUJETOS A VARIACION SIN PREVIO AVISO

TENEMOS EJEMPLARES ENCUADERNADOS EN TELA

PRECIOS SUJETOS A VARIACION SIN PREVIO AVISO

EDITORIAL PORRUA

BIBLIOTECA JUVENIL PORRUA

LAS OBRAS MAESTRAS ADAPTADAS AL ALCANCE DE NIÑOS Y JÓVENES
CON ILUSTRACIONES EN COLOR

BIBLIOTECA JUVENIL PORRUA

1. CERVANTES SAAVEDRA, Miguel de: **Aventuras de Don Quijote.** Primera parte. Adaptadas para los niños por Pablo Vila. 2a. edición. 1994. 112 pp. Rústica .... $ 15.00
2. **—Aventuras de Don Quijote.** Segunda parte. Adaptadas para los niños por Pablo Vila. 2a. edición. 1994. 144 pp. Rústica 15.00
3. **Amadís de Gaula.** Relatada a los niños por María Luz Morales. 1a. edición. 1992. 103 pp. Rústica 15.00
4. **Historia de Guillermo Tell.** Adaptada a los niños por H. E. Marshall. 2a. edición. 1994. 82 pp. Rústica 15.00
5. MILTON, John: **El paraíso Perdido.** Adaptadas para los niños por Manuel Vallvé. 1a. edición. 1992. 77 pp. Rústica 15.00
6. **Hazañas del Cid Campeador.** Adaptación para los niños por María Luz Morales. 2a. edición. 1994. 113 pp. Rústica 15.00
7. CAMOENS, Luis de: **Los Lusiadas.** Poema épico. Adaptada para los niños por Manuel Vallvé. 1a. edición. 1992. 77 pp. Rústica........ 15.00
8. ALIGHIERI, Dante: **La Divina Comedia.** Adaptación a los niños por Mary MacGregor. 1a. edición. 1992. 101 pp. Rústica 15.00
9. **Aventuras del Barón de Munchhausen.** Relatadas a los niños. 1a. edición. 1992. 125 pp. Rústica 15.00
10. **La Iliada o El Sitio de Troya.** Relatada a los niños por María Luz Morales. 2a. edición. 1994. 98 pp. Rústica.............................. 15.00
11. SCOTT, Walter: **Ivanhoe.** Adaptación para los niños por Manuel Vallvé. 1a. edición. 1992. 119 pp. Rústica 15.00
12. **Cantar de Roldán, El.** Adaptación para los niños por H. E. Marshall. 1a. edición. 1992. 93 pp. Rústica 15.00
13. TASSO, Torcuato: **La Jerusalén Libertada.** Adaptada para los niños por José Baeza. 1a. edición. 1992. 105 pp. Rústica 15.00
14. **Historias de Ruiz de Alarcón.** Relatadas a los niños por María Luz Morales. 1a. edición. 1992. 105 pp. Rústica 15.00
15. RODAS, Apolonio de: **Los Argonautas.** Adaptado a los niños por Carmela Eulate. 1a. edición. 1993. 101 pp. Rústica 15.00
16. **Aventuras de Gil Blas de Santillana.** Adaptado para los niños por María Luz Morales. 1a. edición. 1992. 115 pp. Rústica............. 15.00
17. CERVANTES SAAVEDRA, Miguel de: **La Gitanilla. El Amante Liberal.** Adaptado a los niños por María Luz Morales. 1a. edición. 1992. 103 pp. Rústica. 15.00
18. **Cuentos de Hoffman.** Relatados a los niños por Manuel Vallvé. 1a. edición. 1992. 101 pp. Rústica. 15.00
19. HOMERO: **La Odisea.** Relatada a los niños por María Luz Morales. 2a. edición. 1994. 109 pp. Rústica. 15.00
20. **Cuentos de Edgar Allan Poe.** Relatados a los niños por Manuel Vallvé. 2a. edición. 1994. 78 pp. Rústica. 15.00
21. ARIOSTO, Ludovico: **Orlando Furioso.** Relatado a los niños. 1a. edición. 1993. 91 pp. Rústica. 15.00
22. **Historias de Wagner.** Adaptado a los niños por C. E. Smith. 1a. edición. 1993. 105 pp. Rústica. 15.00
23. **Tristán e Isolda.** Adaptado a los niños por Manuel Vallvé. 1a. edición. 1993. 87 pp. Rústica. 15.00
24. **Historias de Moliére.** Relatadas a los niños por José Baeza. 1a. edición. 1993. 73 pp. Rústica. 15.00

PRECIOS SUJETOS A VARIACION SIN PREVIO AVISO

25. **Historia de Lope de Vega.** Relatadas a los niños por Ma. Luz Morales. 1a. edición. 1993. 93 pp. Rústica. .... $ 15.00
26. **Mil y una Noches, Las.** Narradas a los niños por C. G. 1a. edición. 1993. 85 pp. Rústica. 15.00
27. **Historias de Tirso de Molina.** Relatadas a los niños. 1a. edición 1993. 95 pp. Rústica. 15.00
28. **Cuentos de Schmid.** Relatada a los niños por E. H. H. 1a. edición 1993. 124 pp. Rústica. 15.00
29. IRVING, Washington: **Cuentos de la Alhambra.** Relatada a los niños por Manuel Vallvé. 1a. edición. 1993. 78 pp. Rústica. 15.00
30. WAGNER, R.: **El Anillo del Nibelungo.** Relatada a la juventud por Manuel Vallvé. 1a. edición. 1993. 109 pp. Rústica. 15.00
31. **Historias de Juan Godofredo de Herder.** Adaptado a los niños por Leonardo Panizo. 1a. edición. 1993. 75 pp. Rústica. 15.00
32. **Historias de Plutarco.** Adaptado a los niños por Manuel Vallvé. 1a. edición. 1993. 93 pp. Rústica. 15.00
33. IRVING, Washington: **Más Cuentos de la Alhambra.** Adaptado a los niños por Manuel Vallvé. 1a. edición. 1993. 91 pp. Rústica. 15.00
34. **Descubrimiento del Perú.** Relatadas a los niños por Fray Celso García (Agustino). 1a. edición. 1993. 125 pp. Rústica. 15.00
35. **Más Historias de Hans Andersen.** Traducción y adaptación de Manuel Vallvé. 1a. edición. 1993. 83 pp. Rústica. 15.00
36. KINGSLEY, Charles: **Los héroes.** Relatado a los niños por Mary MacGregor. 1a. edición. 1993. 103 pp. Rústica. 15.00
37. **Leyendas de Peregrinos.** (Historia de Chaucer). Relatadas a los niños por Janet Harvey Kelma. 1a. edición. 1993. 89 pp. Rústica 15.00
38. **Historias de Goethe.** Relatado a los niños por María Luz Morales. 1a. edición. 1993. 107 pp. Rústica 15.00
39. VIRGILIO MARON, Publio: **La Eneida.** Relatada a los niños por Manuel Vallvé. 1a. edición. 1993. 81 pp. Rústica 15.00
40. **Los Caballeros de la Tabla Redonda.** Leyendas relatadas a los niños por Manuel Vallvé. 1a. edición. 1993. 95 pp. Rústica 15.00
41. **Historias de Shakespeare.** Explicadas a los niños por Jeanie Lang. 1a. edición. 1993. 127 pp. Rústica. 15.00
42. **Historias de Calderón de la Barca. El Alcalde de Zalamea. La Vida es Sueño.** Relatadas a los niños por Manuel Vallvé. 1a. edición. 1993. 87 pp. Rústica. 15.00
43. **Historias de Eurípides.** Narradas a los niños por María Luz Morales. 1a. edición. 1993. 103 pp. Rústica. 15.00
44. SWIFT, Jonathan: **Viajes de Gulliver a Liliput y Brobdingnang.** Relatados a los niños por John Lang. 1a. edición. 1993. 100 pp. Rústica. 15.00
45. **Historias de Rojas Zorrilla.** Adaptadas a la juventud por José Baeza. 1a. edición. 1994. 107 pp. Rústica. 15.00
46. **Más Historias de Shakespeare.** Relatadas a los niños por Jeanie Lang. 1a. edición. 1994. 101 pp. Rústica. 15.00
47. **Cuentos de Perrault.** Relatada a los niños por María Luz Morales. 1a. edición. 1994. 101 pp. Rústica. 15.00
48. **Historias de Lucano.** Relatadas a los niños por Francisco Esteve. 1a. edición. 1994. 100 pp. Rústica. 15.00
49. CERVANTES, Miguel de: **Entremeses.** Adaptación por José Baeza. 1a. edición. 1994. 97 pp. Rústica. 15.00
50. **La Cabaña del Tío Tom.** Relatada a los niños por H. E. Marshall. 1a. edición. 1994. 103 pp. Rústica. 15.00
51. **Ramayana de Valmiki, El.** Relatado a la juventud por Carmela Eulate. 1a. edición. 1994. 112 pp. Rústica. 15.00

PRECIOS SUJETOS A VARIACION SIN PREVIO AVISO

52.	**Conde Lucanor,, El.** Relatado a la juventud por Francisco Esteve. 1a. edición. 1994. 134 pp. Rústica.	$ 15.00
53.	FENELON, M. de. **Las Aventuras de Telémaco.** Adaptación por José Baeza. 1a. edición. 1994. 103 pp. Rústica.	15.00
54.	CROCE, Della: **Bertoldo, Bertoldino y Cacaseno.** Adaptación por José Baeza. 1a. edición. 1994. 91 pp. Rústica.	15.00
55.	**Historias de Hans Andersen.** Relatadas a los niños por Mary MacGregor. 1a. edición. 1994. 100 pp. Rústica.	15.00
56.	**Historias de Esquilo.** Relatadas a la juventud por María Luz Morales. 1a. edición. 1994. 111 pp. Rústica.	15.00
57.	**Más mil y una Noches.** Relatadas a la juventud por C. G. 1a. edición. 1994. 97 pp. Rústica.	15.00
58.	**Fausto.** Célebre poema de Goethe. Adaptado para la juventud por Francisco Esteve. 1a. edición. 1994. Rústica.	15.00
59.	**Tienda del anticuario, La.** Adaptación para la juventud por José Baeza. 1a. edición. 1994. 105 pp. Rústica.	15.00
60.	**Sakuntala de Kalidasa.** Adaptación de Carmela Eulate. 1a. edición. 1994. 104 pp. Rústica.	15.00
61.	**Trovas de otros Tiempos.** Leyendas españolas. Relatadas a los niños por María Luz Morales. 1a. edición. 1994. 83 pp. Rústica.	15.00
62.	**Leyendas de Oriente.** Relatadas a los niños por María Luz Morales. 1a. edición. 1994. 121 pp. Rústica.	15.00
63.	**Historias de Sófocles.** Adaptadas para los niños por María Luz Morales. 1a. edición. 1994. 97 pp. Rústica.	15.00
64.	HURTADO DE MENDOZA, Diego. **El Lazarillo de Tormes.** Adaptación para los niños por José Escofet. 1a. edición. 1994. 93 pp. Rústica.	15.00
65.	**Historias de Lord Byron.** Relatadas a la juventud por José Baeza. 1a. edición. 1994. 93 pp. Rústica.	15.00
66.	**Historias de Plauto. Los Cautivos. La Aulularia. Gorgojo.** Adaptadas a la juventud por José Baeza. 1a. edición. 1994. 113 pp. Rústica.	15.00
67.	**Cuentos de Grimm.** Adaptada a la juventud por María Luz Morales. 1a. edición. 1994. 107 pp. Rústica.	15.00
68.	**Más Cuentos de Grimm.** Adaptada a la juventud por Manuel Vallvé. 1a. edición. 1994. 95 pp. Rústica.	15.00
69.	DICKENS, Carlos: **El Canto de Navidad.** Adaptada a la juventud por Manuel Vallvé. 1a. edición. 1994. 81 pp. Rústica.	15.00
70.	SCHLEMIHL, Pedro: **El hombre que vendió su sombra.** Adaptada a la juventud por Manuel Vallvé. 1a. edición. 1994. 89 pp. Rústica.	15.00
71.	**Historias de Till Eulenspiegel.** Adaptada a la juventud por Manuel Vallvé. 1a. edición. 1994. 91 pp. Rústica.	15.00
72.	**Beowulf.** Leyendas Heroicas. Relatado para la juventud por Manuel Vallvé. 1a. edición. 1994. 91 pp. Rústica.	15.00
73.	**Fábulas de Samaniego.** Cuidadosamente elegidas y adaptadas para los niños. 1a. edición. 1994. 144 pp. Rústica.	15.00
74.	HURTADO DE MENDOZA, Diego: **Los siete infantes de Lara.** Leyendas del Romancero Castellano por Manuel Vallvé. 1a. edición. 1994. 97 pp. Rústica.	15.00
75.	**Fábulas de Esopo.** Relatadas a la juventud. 1a. edición. 1994. 120 pp. Rústica.	15.00
76.	**Leyendas de Sigfrido, La.** Adaptada para la juventud por María Luz Morales. 1a. edición. 1994. 116 pp. Rústica.	15.00
77.	DEFOE, Daniel: **Aventuras de Robinson Crusoe.** Relatadas a la juventud por Jeanie Lang. Versión española de Manuel Vallvé. 1a. edición. 1994. 92 pp. Rústica.	15.00

PRECIOS SUJETOS A VARIACION SIN PREVIO AVISO